KU-109-641

Druga wojna światowa

Antony Beevor

Druga wojna światowa

Przekład

Grzegorz Siwek

Wydawnictwo Znak

Kraków 2013

Tytuł oryginału
The Second World War

© Antony Beevor 2012

Projekt okładki i opracowanie typograficzne
Witold Siemaszkiewicz

Fotografia na okładce
© Bettmann / CORBIS

Fotografia autora na skrzydełku
Marytka Czarnocka

Opieka redakcyjna
Maciej Gablankowski

Weryfikacja merytoryczna
Rafał Kuzak

Adiustacja
Mirosław Ruszkiewicz

Korekta
Mirosław Krzyszkowski
Anastazja Oleśkiewicz

Indeksy
Artur Figarski

Skład
MELES-DESIGN

Copyright © for the translation by Społeczny Instytut Wydawniczy Znak Sp. z o.o., 2013

ISBN 978-83-240-2161-1

znak

Książki z dobrej strony: www.znak.com.pl
Społeczny Instytut Wydawniczy Znak, 30-105 Kraków, ul. Kościuszki 37
Dział sprzedaży: tel. (12) 61 99 569, e-mail: czytelnicy@znak.com.pl

Michaelowi Howardowi

Spis treści

Yang Kyoungjong, Koreańczyk przymusowo wcielony do japońskiej
Armii Kwantuńskiej, a następnie do Armii Czerwonej i potem Wehrmachtu.
Ostatecznie w czerwcu 1944 roku dostał się w Normandii
do niewoli amerykańskiej (na zdjęciu)

Wprowadzenie

W czerwcu 1944 roku pewien młody żołnierz poddał się amerykańskim spadochroniarzom po alianckiej inwazji na Normandię. Początkowo Amerykanie sądzili, że to Japończyk, ale w istocie był Koreańczykiem. Nazywał się Yang Kyoungjong.

W 1938 roku Japończycy przymusowo wcielili osiemnastoletniego Yanga do swojej Armii Kwantuńskiej w Mandżurii. Rok później Armia Czerwona wzięła go do niewoli po bitwie nad Chalchyn gol i zesłała do obozu pracy. Radzieckie władze militarne w kryzysowym okresie 1942 roku wcieliły go wraz z tysiącami innych więźniów do sowieckiego wojska. Potem, na początku 1943 roku, znalazł się jako jeniec u Niemców po bitwie pod Charkowem na Ukrainie. W roku 1944, już w niemieckim mundurze, został wysłany do Francji, aby służyć w Ostbataillon, teoretycznie mającym wzmacniać obronę Wału Atlantyckiego u podstawy półwyspu Cotentin, koło plaży „Utah". Po okresie spędzonym w obozie jenieckim w Wielkiej Brytanii wyjechał do Stanów Zjednoczonych, nie wspominając o swojej przeszłości. Osiadł tam i ostatecznie zmarł w Illinois w 1992 roku.

W tej wojnie, w trakcie której zginęło ponad sześćdziesiąt milionów ludzi i która objęła prawie cały świat, owemu nieskoremu do wojaczki weteranowi armii japońskiej, radzieckiej i niemieckiej dopisało względne szczęście. A jednak historia Yanga zapewne w najbardziej uderzający sposób ilustruje bezradność zwyczajnych śmiertelników w obliczu tego, co sprawia wrażenie nieuchronnych dziejowych wydarzeń.

Wojna w Europie nie wybuchła ot tak, przypadkowo 1 września 1939 roku. Niektórzy historycy mówią o „wojnie trzydziestoletniej", trwającej od 1914 do 1945 roku, a o pierwszej wojnie światowej jako o „pierwotnej katastrofie"[1]. Inni utrzymują znowu, że „długotrwała wojna", która rozpoczęła się od bolszewickiej rewolty w 1917 roku, miała się ciągnąć jako „europejska wojna domowa"[2] po rok 1945, lub nawet trwała aż do upadku komunizmu w 1989 roku.

---

[1] Autorstwo tego zwrotu przypisuje się George'owi Kennanowi; zob. *Der Erste Weltkrieg. Die Urkatastrophe des 20. Jahrhunderts*, red. S. Burgdorff, K. Wiegrefe, München 2004, s. 23–35, cyt. za: I. Kershaw, *Punkty zwrotne. Decyzje, które zmieniły bieg drugiej wojny światowej*, tłum. M. Romanek, Kraków 2009, s. 23.

[2] E. Nolte, *Der europäische Bürgerkrieg, 1917–1945*, Frankfurt am Main 1988.

Jednakże historia nigdy nie jest prosta. Michael Howard argumentuje przekonująco, że napaść Hitlera na Francuzów i Brytyjczyków na froncie zachodnim w 1940 roku była pod wieloma względami dalszym ciągiem pierwszej wojny światowej[3]. Gerhard Weinberg także twierdzi stanowczo, że wojna, rozpoczęta od ataku na Polskę w 1939 roku, stanowiła dla Hitlera wstęp do zdobycia *Lebensraum* (przestrzeni życiowej) na wschodzie, co było jego głównym celem[4]. To niewątpliwie prawda, jednak rewolucje i wojny domowe w latach 1918–1939 układały się w skomplikowany wzorzec. Na przykład lewica zawsze święcie uważała, że hiszpańska wojna domowa znamionowała faktyczny początek drugiej wojny światowej, natomiast dla prawicy było to pierwsze starcie w „trzeciej wojnie światowej" między komunizmem a „cywilizacją zachodnią". Jednocześnie zachodni historycy zazwyczaj lekceważą wojnę japońsko-chińską (1937–1945) i to, jak nałożyła się ona na światowy konflikt zbrojny. Z kolei grupa historyków z Azji przekonuje, że druga wojna światowa rozpoczęła się od japońskiej agresji na Mandżurię.

Padają przeróżne argumenty w tej kwestii, niemniej jednak druga wojna światowa niewątpliwie była fuzją wielu konfliktów. Większość z nich miało charakter starć dwóch państw czy narodów, przy tym międzynarodowa wojna lewicy z prawicą przenikała te spory, a nawet zdominowała wiele z nich. Ważne zatem, aby przyjrzeć się pewnym okolicznościom, które przywiodły do tego najokrutniejszego i najbardziej destruktywnego konfliktu, jaki wydarzył się w dziejach świata.

Straszliwe skutki pierwszej wojny światowej sprawiły, że jej główni europejscy zwycięzcy, wyczerpane Francja i Wielka Brytania, byli zdecydowani za wszelką cenę nie dopuścić do powtórnej hekatomby. Amerykanie, przyczyniwszy się w dużej mierze do pobicia cesarskich Niemiec, woleli odciąć się od tego, co postrzegali jako zepsuty i perfidny Stary Świat. Środkowa Europa, rozczłonkowana przez nowe granice wykreślone w Wersalu, stanęła w obliczu upokorzenia i nędzy wywołanych przez klęskę. Urażeni w swej dumie oficerowie *Kaiserlich und Königlich* (cesarsko-królewskiej) armii austro-węgierskiej doświadczyli czegoś na kształt przeciwieństwa bajki o Kopciuszku – zmuszeni zamienić baśniowe mundury na znoszone ubrania bezrobotnych. Rozgoryczenie większości niemieckich oficerów i żołnierzy z powodu klęski potęgował fakt, że aż do lipca 1918 roku ich wojska nie zaznały porażki, co czyniło nagłe wewnętrzne załamanie tym bardziej niewy-

---

[3]   M. Howard, *A Thirty Years War? The Two World Wars in Historical Perspective*, w: idem, *Liberation or Catastrophe? Reflections on the History of the Twentieth Century*, London 2007, s. 35, 67.

[4]   G. Weinberg, *Świat pod bronią. Historia powszechna II wojny światowej*, t. 1: *1939–1941*, tłum. M. Jania *et al.*, Kraków 2001, s. 6.

tłumaczalnym i złowrogim. W ich odczuciu bunty i rewolty w Niemczech jesienią 1918 roku, które przyspieszyły abdykację kajzera, były w zupełności dziełem żydowskich bolszewików. Lewicowi agitatorzy istotnie odegrali w tym pewną rolę, a najbardziej prominentni niemieccy rewolucjoniści z lat 1918–1919 byli Żydami, jednak głównym podłożem rozruchów pozostawały zmęczenie wojną i głód. Zgubna w skutkach teoria spiskowa niemieckiej prawicy – legenda o „ciosie nożem w plecy" – wzięła się częściowo ze świadomego pomieszania przyczyn ze skutkami.

Hiperinflacja z lat 1922–1923 podkopała podstawy funkcjonowania oraz prawość niemieckiego mieszczaństwa. Gorycz z powodu narodowego i osobistego upadku zaowocowała wielowymiarowym poczuciem wzburzenia. Niemieccy nacjonaliści marzyli o dniu, w którym uda się obalić upokorzenia wersalskiego „dyktatu". Poziom życia poprawił się w Niemczech w drugiej połowie lat dwudziestych, głównie dzięki wielkim amerykańskim pożyczkom. Ale światowy kryzys, który rozpoczął się od krachu giełdowego na Wall Street w 1929 roku, uderzył w Niemcy szczególnie mocno po tym, jak Wielka Brytania i inne kraje zarzuciły we wrześniu 1931 roku parytet złota. Silna obawa przed kolejną falą hiperinflacji skłoniła rząd kanclerza Heinricha Brüninga do utrzymania powiązań marki niemieckiej z ceną złota, co sztucznie zawyżało wartość tej waluty. Amerykańskie pożyczki się skończyły, a polityka protekcjonizmu odcięła Niemcy od rynków eksportowych. To doprowadziło do masowego bezrobocia, które z kolei bardzo ułatwiło różnym demagogom nawoływania do podjęcia radykalnych rozwiązań.

Ten kryzys kapitalizmu przyspieszył kryzys liberalnej demokracji, która okazała się nieefektywna, w wielu europejskich krajach doprowadzając do fragmentaryzacji i podziałów w obieranych wedle proporcjonalnego klucza parlamentach. Większość systemów parlamentarnych, które wyrosły po rozpadzie trzech kontynentalnych imperiów w 1918 roku, upadła, nie mogąc sobie poradzić ze społecznymi konfliktami i sporami. Z kolei mniejszościom etnicznym, żyjącym wcześniej we względnym spokoju w dawnych imperialnych reżimach, teraz zagroziły hasła „narodowej czystości".

Świeże wspomnienia rewolucji rosyjskiej i krwawego przebiegu innych wojen domowych na Węgrzech, w Finlandii i w krajach nadbałtyckich oraz w samych Niemczech znacznie nasiliły ten proces politycznej polaryzacji. Połączenie lęku i nienawiści groziło przeobrażeniem bojowej retoryki w spełnioną przepowiednię, co wkrótce miały wykazać wypadki w Hiszpanii. Manichejskie, skrajne alternatywy kruszyły demokratyczny centryzm opierający się na kompromisach. W tej nowej, kolektywistycznej erze brutalne rozwiązania wydały się intelektualistom lewicy i prawicy, a także zgorzkniałym weteranom pierwszej wojny światowej, czymś wielce bohaterskim. W obliczu finansowej katastrofy państwa autorytarne nagle zdały się w większej części Europy naturalnym i nowoczesnym ładem społecznym oraz odpowiedzią na chaos wywołany przez frakcyjne podziały.

We wrześniu 1930 roku odsetek głosów uzyskanych przez Narodowo-socjalistyczną Niemiecką Partię Robotników (NSDAP) wzrósł z 2,5 do 18,3 procent. Konserwatywna prawica w Niemczech, mająca mało szacunku dla demokracji, w praktyce zniszczyła Republikę Weimarską, tym samym otwierając drzwi Hitlerowi. Fatalnie lekceważąc bezwzględność Hitlera, politycy prawicy sądzili, że zdołają go wykorzystać jako populistyczną marionetkę do obrony własnej idei Niemiec. On jednak w przeciwieństwie do nich doskonale wiedział, czego chce. Trzydziestego stycznia 1933 roku został kanclerzem i rychło przystąpił do eliminacji całej potencjalnej opozycji.

Tragedią przyszłych ofiar Niemiec było to, że większość ludności tego kraju, rozpaczliwie złakniona porządku i poszanowania prawa, gorliwie podążyła za jednym z najbardziej bezlitosnych zbrodniarzy w dziejach świata. Hitler zdołał poruszyć najniższe instynkty Niemców: resentymenty, nietolerancję, arogancję oraz, co najgorsze, poczucie rasowej wyższości. Resztki wiary w *Rechtsstaat*, państwo praworządne, legły w gruzach pod wpływem sloganów Führera, że system sądowy musi służyć nowemu porządkowi. Instytucje użyteczności publicznej – sądy, uniwersytety, urzędy państwowe, prasa – płaszczyły się przed nowym reżimem[5]. Jego przeciwnicy znaleźli się w osamotnieniu, zepchnięci na margines, znieważani jako zdrajcy zdefiniowanej na nowo ojczyzny; zdefiniowanej nie tylko przez sam reżim, lecz i przez tych wszystkich, którzy te władze popierali. Gestapo, w odróżnieniu od stalinowskiej tajnej policji (GPU, później NKWD), miało zaskakująco niewiele do roboty. Większości aresztowań dokonywano na podstawie donosów, denuncjowania ludzi przez ich rodaków.

Korpus oficerski, który chlubił się swoją tradycyjną apolitycznością, również dał się omamić obietnicą rozbudowy wojska i masowych zbrojeń, mimo że pogardzał Hitlerem – wulgarnym, źle ubranym adoratorem. Wobec władzy oportunizm szedł ręka w rękę z tchórzostwem. Dziewiętnastowieczny kanclerz Otto von Bismarck swego czasu zauważył, że moralna odwaga to w Niemczech rzadka zaleta, a opuszcza ona Niemca całkowicie w chwili, gdy zakłada mundur[6]. Nic zatem dziwnego, że naziści chcieli wystroić w mundury niemal wszystkich, w tym i dzieci.

Największy talent Hitlera sprowadzał się do dostrzegania i umiejętności wykorzystywania słabości oponentów. Lewica, podzielona na wrogie wobec

---

[5]   Na temat upadku praworządności w Rzeszy zob.: M. Burleigh, *Trzecia Rzesza. Nowa historia*, wyd. 2, tłum. G. Siwek, Kraków 2010, s. 163–222; R.J. Evans, *The Coming of the Third Reich*, London 2005; I. Kershaw, *Hitler, 1889–1936. Hybris*, tłum. P. Bandel, Poznań 2001.

[6]   Wypowiedź Bismarcka o niemieckim moralnym tchórzostwie zob. w: S. Haffner, *Defying Hitler*, London 2002, s. 72.

siebie Komunistyczną Partię Niemiec (KPD) i Socjaldemokratyczną Partię Niemiec (SPD), realnie mu nie zagrażała. Hitler łatwo wyprowadził w pole konserwatystów, którzy z naiwną arogancją sądzili, że zdołają nad nim zapanować. Gdy tylko skonsolidował zdobytą władzę, wprowadzając w kraju radykalne dekrety i dokonując masowych aresztowań, zajął się łamaniem postanowień traktatu wersalskiego. Obowiązkową służbę wojskową przywrócono w 1935 roku, Brytyjczycy zgodzili się na rozbudowę niemieckiej floty wojennej, a Luftwaffe oficjalnie powołano do istnienia. Wielka Brytania i Francja nie zdobyły się na poważne protesty wobec tego programu przyspieszonych zbrojeń.

W marcu 1936 roku niemieckie wojska wkroczyły do Nadrenii, co stanowiło pierwsze tak jawne złamanie traktatów z Wersalu i Locarno. Ten policzek wymierzony Francuzom, którzy okupowali ów region dekadę wcześniej, zyskał Führerowi powszechny podziw w Niemczech, nawet pośród wielu z tych, którzy dotąd na niego nie głosowali. Takie poparcie oraz niemrawa reakcja Brytyjczyków i Francuzów zachęciły Hitlera do kontynuacji obranego kursu. Samodzielnie przywrócił Niemcom poczucie dumy, a zbrojenia, znacznie bardziej od wychwalanego programu robót publicznych, zahamowały bezrobocie. Brutalność nazistów i utrata swobód osobistych wydawały się większości Niemcom niewygórowaną zapłatą.

Uwiedzenie narodu niemieckiego, którego z użyciem siły dokonał Hitler, krok po kroku odarło ten kraj ze wszystkiego, co ludzkie. W niczym nie zaznaczyło się to wyraźniej niż w prześladowaniach Żydów, postępujących stopniowo. A jednak, wbrew powszechnemu przekonaniu, działo się to bardziej z inicjatywy szeregowych członków partii nazistowskiej niż za sprawą odgórnych rozkazów. Apokaliptyczne tyrady wodza pod adresem Żydów nie oznaczały jeszcze, że zdecydował się już wtedy na „ostateczne rozwiązanie", czyli fizyczne ich unicestwienie. Zadowolił się zezwalaniem oddziałom szturmowym NSDAP (Sturmabteilung, SA) na atakowanie Żydów i ich sklepów, okradanie ich dla dania upustu niespójnej mieszaninie chciwości, zawiści i wyimaginowanych resentymentów. W owym stadium nazistowska polityka zmierzała do pozbawienia Żydów praw obywatelskich oraz wszystkiego, co posiadali, a także zmuszenia ich przez upokorzenia i szykany do opuszczenia Niemiec. „Żydzi muszą zniknąć z Niemiec, właściwie z całej Europy"[7], powiedział Hitler do swojego ministra propagandy Josepha Goebbelsa 30 listopada 1937 roku. „To jeszcze trochę potrwa, ale musi nastąpić i nastąpi".

---

[7] *TBJG*, cz. I, t. III, s. 351. Najlepszą analizę źródeł Holokaustu i sporów historycznych na ten temat można znaleźć w: I. Kershaw, *The Nazi Dictatorship. Problems and Perspectives of Interpretation*, London 2000, s. 93–133; oraz *idem, Hitler, Niemcy i ostateczne rozwiązanie*, tłum. R. Bartołd, Poznań 2010.

Hitlerowski program uczynienia z Niemiec dominującego mocarstwa europejskiego został wyłożony dość jasno w *Mein Kampf*, książce będącej połączeniem autobiografii z manifestem politycznym, opublikowanej po raz pierwszy w 1925 roku. Najpierw Führer zamierzał zjednoczyć Niemcy i Austrię, następnie opanować zamieszkane przez Niemców obszary poza granicami Rzeszy. „Ludzie tej samej krwi powinni być w jednej Rzeszy", oświadczył. Dopiero po osiągnięciu tego Niemcy zyskają „moralne prawo" do „zawładnięcia obcym terytorium. Pług zostanie wtedy przekuty na miecz, a łzy wojny przyniosą codzienny chleb przyszłym pokoleniom"[8].

Swoją agresywną politykę sformułował bez osłonek już na pierwszej stronie. Jednak, mimo że wszyscy niemieccy nowożeńcy musieli nabywać egzemplarz tej książki podczas zaślubin, najwyraźniej niewiele osób potraktowało poważnie wojownicze przewidywania Hitlera. Ludzie woleli uwierzyć w jego późniejsze i często powtarzane zapewnienia, że nie pragnie wojny. Śmiałe poczynania wodza w obliczu brytyjskiej i francuskiej słabości umacniały Niemców w nadziejach, że osiągnie wszystko, co chce, bez wywoływania wielkiego konfliktu zbrojnego. Nie dostrzegano faktu „przegrzania" niemieckiej gospodarki i determinacji Führera, aby wykorzystać przewagę uzyskaną przez Niemcy w wyścigu zbrojeń do faktycznego zaatakowania sąsiadujących państw.

Hitler nie był zainteresowany wyłącznie odzyskaniem obszarów utraconych przez Niemcy w wyniku traktatu wersalskiego. Odnosił się z pogardą do takiego ograniczonego planu. Kipiał ze zniecierpliwienia, przekonany, że nie dożyje urzeczywistnienia swoich marzeń o niemieckiej supremacji. Chciał całej środkowej Europy i Rosji aż po Wołgę na niemiecki *Lebensraum*, dla zapewnienia Niemcom samowystarczalności i statusu czołowego mocarstwa. Jego pragnienie podporządkowania sobie wschodnich terytoriów zostało w znacznej mierze rozbudzone przez krótkotrwałą okupację krajów bałtyckich, części Białorusi, Ukrainy i południowej Rosji aż do Rostowa nad Donem w 1918 roku. Wkrótce potem doszło do zawarcia traktatu w Brześciu, dyktatu narzuconego przez Niemcy młodemu radzieckiemu reżimowi. Zainteresowanie Niemców przyciągała zwłaszcza „chlebodajna" Ukraina, po tym jak brytyjska blokada morska podczas pierwszej wojny światowej nieomal zagłodziła Rzeszę. Hitler był zdecydowany nie dopuścić do demoralizacji, której ulegli Niemcy w 1918 roku i która doprowadziła do rewolucji oraz załamania frontów. Tym razem głodować miały inne nacje. Ale jednym z głównych punktów planu zdobycia przestrzeni życiowej było pozyskanie złóż ropy naftowej na wschodzie. Rzesza musiała importować około osiemdziesięciu pięciu procent ropy, nawet w czasach pokojowych, co stanowiło niemiecką bolączkę i słabość w warunkach wojny.

---

[8] Zob. A. Hitler, *Mein Kampf*, München 1943, s. 1.

Wschodnioeuropejskie kolonie wydawały się najlepszym sposobem na zapewnienie Niemcom samowystarczalności, a jednak ambicje Hitlera wybiegały znacznie dalej niż plany innych niemieckich nacjonalistów. Zgodnie ze swoją przesiąkniętą darwinizmem wiarą, że byt narodów sprowadza się do walki o rasową dominację, chciał zdziesiątkowania ludności słowiańskiej poprzez rozmyślne jej zagłodzenie i uczynienie z ocalałych Słowian niewolników.

Jego decyzja o interwencji w hiszpańskiej wojnie domowej latem 1936 roku nie była tak oportunistycznym krokiem, jak to się często przedstawia. Hitler żywił bowiem przekonanie, że zbolszewizowana Hiszpania, wraz z rządzoną przez lewicę Francją, stanowi dla Niemiec strategiczne zagrożenie z zachodu, podczas gdy na wschodzie znajdował się Związek Radziecki Stalina. W ten sposób znowu zdołał zagrać na głębokiej niechęci zachodnich demokracji wobec wojny. Brytyjczycy bali się, że konflikt w Hiszpanii może wywołać następną europejską wojnę, natomiast Front Ludowy, który nieco wcześniej przejął władzę we Francji, obawiał się działania w pojedynkę. Umożliwiło to Niemcom udzielanie jawnej pomocy militarnej nacjonalistom generalissimusa Francisco Franco, a Luftwaffe Hermanna Göringa wypróbowywała w Hiszpanii nowe samoloty i nową taktykę. Ponadto hiszpańska wojna domowa zbliżyła Hitlera i Benita Mussoliniego, gdyż włoski faszystowski rząd wysyłał korpusy „ochotników" do walki u boku frankistów. Ale Mussoliniego, przy całej jego pompatyczności i zakusach dotyczących basenu śródziemnomorskiego, niepokoiły bezkompromisowe dążenia Hitlera do przełamania istniejącego *status quo*. Włosi nie byli gotowi, pod względem militarnym i psychologicznym, do nowej wojny w Europie.

Dążąc do zyskania kolejnego sojusznika w nadchodzącej wojnie ze Związkiem Radzieckim, Hitler w listopadzie 1936 roku zawarł pakt antykominternowski z Japonią. Japonia rozpoczęła kolonialną ekspansję na Dalekim Wschodzie w ostatnim dziesięcioleciu XIX wieku. Korzystając z rozkładu chińskiego imperialnego reżimu, Japończycy usadowili się w Mandżurii, zajęli Tajwan i okupowali Koreę. Klęska carskiej Rosji w wojnie z lat 1904–1905 uczyniła z Japonii główną potęgę militarną w dalekowschodnim regionie. Antyzachodnie nastroje narastały w tym kraju wraz z nasilaniem się skutków krachu giełdowego na Wall Street i ogólnoświatowego kryzysu gospodarczego. Nastawiona coraz bardziej nacjonalistycznie cesarska kasta oficerska postrzegała Mandżurię i Chiny podobnie, jak naziści zapatrywali się na Związek Radziecki: jako rozległe ziemie, z ludnością, którą należy podporządkować w celu zapewnienia dostatku japońskim wyspom.

Konflikt chińsko-japoński od dawna przywodzi na myśl brakujący element mozaiki, jaką była druga wojna światowa. Owe zmagania w Chinach, rozpoczęte na długo przed wybuchem walk w Europie, często bywają traktowane jak zupełnie odrębne zjawisko, mimo że uczestniczył w nich największy kontyngent japońskich wojsk lądowych na Dalekim Wschodzie, a w jego przebieg zaangażowali się zarówno Amerykanie, jak i Sowieci.

We wrześniu 1931 roku japońskie oddziały wywołały tak zwany incydent mukdeński, wysadzając w powietrze tory kolejowe, żeby usprawiedliwić zajęcie całej Mandżurii. Japończycy liczyli na przekształcenie tego obszaru w ważny region produkcji rolnej, ponieważ rolnictwo w Kraju Kwitnącej Wiśni katastrofalnie podupadło. Podbitemu obszarowi nadali nazwę Mandżukuo i ustanowili tam marionetkowe władze, z narzuconym cesarzem Pu Yi jako nominalną głową państwa. Władze cywilne w Tokio, do których japońscy oficerowie odnosili się pogardliwie, uznały że są zobowiązane do poparcia armii. Z kolei Liga Narodów w Genewie odrzuciła chińskie wezwania do nałożenia sankcji na Japonię. Cesarscy koloniści, głównie chłopi, napłynęli do Mandżurii, by przejmować tam ziemię, do czego zachęcał ich rząd. Tokijskie władze chciały zorganizowania „miliona gospodarstw" przez napływowych rolników w trakcie nadchodzących dwudziestu lat. Japońskie działania doprowadziły do dyplomatycznej izolacji Mandżukuo, niemniej sam kraj radował się swoimi sukcesami. Wszystko to oznaczało wstęp do dalszych dramatycznych wydarzeń związanych z japońską ekspansją terytorialną oraz wzmożonym wpływem wojskowych na tokijskie władze.

Rządy objęli bardziej wojowniczy ludzie, a Armia Kwantuńska w Mandżurii rozszerzyła swe wpływy niemal po sam Pekin. Władze Kuomintangu Chiang Kai-sheka w Nankinie zostały zmuszone do wycofania swoich wojsk. Chiang był samozwańczym następcą Sun Yat-sena, który chciał wprowadzić w Chinach demokrację w zachodnim stylu; w istocie jawił się jako generalissimus stojący na czele kasty watażków.

Japońscy wojskowi zaczęli popatrywać łasym okiem na radzieckiego sąsiada na północy, a także na południe, ku Oceanii. Ich celem były dalekowschodnie kolonie Wielkiej Brytanii, Francji i Holandii, wraz ze złożami ropy Holenderskich Indii Wschodnich. Kruchy spokój w Chinach został nagle przerwany 7 lipca 1937 roku przez japońską prowokację na moście Marco Polo koło starej chińskiej stolicy w Pekinie. Imperialna armia w Tokio zapewniała cesarza Hirohito, że Chiny można podbić w ciągu kilku miesięcy. Posłano posiłki wojskowe na azjatycki kontynent i rozpoczęła się okrutna kampania, sprowokowana częściowo przez masakrę japońskich cywilów przez Chińczyków. Cesarską Armię Japońską spuszczono ze smyczy. Jednak wbrew przewidywaniom tokijskich generałów wojna japońsko-chińska nie zakończyła się szybkim triumfem. Zatrważające okrucieństwa agresorów wzmagały zawzięty opór. Hitler nie wyciągnął z tego nauki podczas napaści dokonanej na Związek Radziecki cztery lata później.

Niektórzy ludzie Zachodu zaczęli postrzegać wojnę japońsko-chińską jako azjatycką wersję hiszpańskiej wojny domowej. Robert Capa, Ernest Hemingway, Wystan Hugh Auden i Christopher Isherwood, filmowiec Joris Ivens oraz wielu reporterów odwiedziło Chiny, wyrażając współczucie i poparcie dla Chińczyków. Lewicowcy, którzy wszak rzadko zaglądali do kwatery głównej chińskich komunistów w Yan'anie, popierali Mao Zedonga, mimo że Stalin udzielał wsparcia Chiang Kai-shekowi i jego partii – Kuomintangowi. Ale ani Brytyjczycy, ani władze amerykańskie nie byli gotowi do podjęcia jakichkolwiek konkretnych kroków w sprawie Chin.

Rząd Neville'a Chamberlaina, jak większość brytyjskiego społeczeństwa, nadal godził się na tolerowanie dozbrojonych i ożywionych Niemiec. Wielu konserwatystów uważało nazistów za ochronę przed bolszewizmem. Chamberlain, były burmistrz Birmingham, odznaczający się trochę staromodną rzetelnością i prawością, popełnił poważny błąd, oczekując od przywódców innych państw, że i oni zaprezentują takie cechy i cofną się przed okropnościami wojny. Wcześniej wykazał się jako świetny minister zdrowia i kanclerz skarbu, ale nie znał się na polityce międzynarodowej czy sprawach związanych z obronnością. W swoim sztywnym kołnierzyku, z wąsami z epoki edwardiańskiej i ze staroświeckim parasolem okazał się kimś zupełnie nie na miejscu w konfrontacji z rażącą bezwzględnością nazistowskiego reżimu.

Inni, nawet ci o sympatiach lewicowych, również nie wykazywali zapału do stawienia czoła władzom Hitlera, wciąż przeświadczeni, że Niemców potraktowano nadzwyczaj niesprawiedliwie na konferencji w Wersalu. Trudno też było im się sprzeciwić głoszonemu przez Führera pragnieniu włączenia w skład Rzeszy terenów zamieszkanych przez niemiecką mniejszość, na przykład tę w czechosłowackich Sudetach. Przede wszystkim jednak Brytyjczyków i Francuzów przerażała myśl o następnej europejskiej wojnie. Przyzwolenie na aneksję Austrii przez nazistowskie Niemcy w marcu 1938 roku wydawało się niewygórowaną ceną za światowy pokój, zwłaszcza że większość Austriaków zagłosowała już w 1918 roku za anszlusem, czyli unią z Niemcami, a dwadzieścia lat później radośnie witała wkraczających nazistów. Austriackie zapewnienia, zgłaszane pod koniec drugiej wojny światowej, że kraj ten okazał się pierwszą ofiarą Hitlera, były wyssane z palca.

W październiku Hitler postanowił zaatakować Czechosłowację[9]. Porę wybrano tak, by niemieccy rolnicy zakończyli żniwa, ponieważ nazistowscy ministrowie obawiali się trudności na lokalnym rynku żywnościowym.

---

[9] Na temat planów Hitlera związanych z napaścią na Czechosłowację w październiku 1938 roku zob. A. Tooze, *The Wages of Destruction. The Making and the Breaking of the Nazi Economy*, London 2006, s. 264.

Jednak, ku irytacji Hitlera, Chamberlain i francuski premier Édouard Daladier w trakcie wrześniowych monachijskich negocjacji zaoferowali mu Sudety w nadziei na utrzymanie w ten sposób pokoju. W tej sytuacji Hitler nie rozpętał wojny, ale zdołał ostatecznie zająć całe Czechy bez walki. Chamberlain popełnił jeszcze jeden fundamentalny błąd, nie chcąc skonsultować się ze Stalinem. Wpłynęło to na decyzję sowieckiego dyktatora, podjętą w sierpniu następnego roku, by zgodzić się na pakt z nazistowskimi Niemcami. Chamberlain, podobnie jak później Franklin Delano Roosevelt w swoich kontaktach ze Stalinem, uwierzył z niestosowną prostodusznością, że sam zdoła przekonać Hitlera, iż dobre stosunki z Zachodem leżą w interesie niemieckiego przywódcy.

Niektórzy historycy utrzymują, że gdyby Wielka Brytania i Francja były gotowe do walki jesienią 1938 roku, wypadki mogłyby potoczyć się zupełnie inaczej. To z pewnością możliwe – z niemieckiej perspektywy. Jednak pozostaje faktem, że ani Brytyjczycy, ani Francuzi nie byli w sensie psychologicznym przygotowani do wojny, głównie z powodu dezinformowania przez polityków, dyplomatów i prasę. Każdego, kto próbował ostrzegać przed planami Hitlera, osoby w rodzaju Winstona Churchilla, uważano po prostu za podżegacza wojennego.

Dopiero w listopadzie opadły łuski z oczu i ujrzano prawdziwą naturę reżimu Hitlera. Po zabójstwie pracownika niemieckiej ambasady w Paryżu przez młodego polskiego Żyda nazistowscy bojówkarze dokonali w Niemczech pogromu znanego jako *Kristallnacht* („kryształowa noc") – od potłuczonego szkła ze sklepowych okien. Gdy owej jesieni burzowe chmury zawisły nad Czechosłowacją, w partii nazistowskiej zakipiała „gwałtowna energia"[10]. Bojówkarze z SA palili synagogi, atakowali i mordowali Żydów, rozbijali okna wystawowe w ich sklepach, co skłoniło Göringa do narzekań na konieczność zapłaty w obcej walucie za przywożone z Belgii nowe szyby. Wszystko to wywołało wstrząs u wielu zwykłych Niemców, lecz nazistowska polityka izolowania Żydów rychło zaowocowała przekonaniem zdecydowanej większości ich współobywateli, że należy odnieść się do losu ludności żydowskiej z obojętnością. Nadzwyczaj wielu uległo wkrótce pokusie łatwego zajmowania pozostawionych przez Żydów rzeczy, zawłaszczonych mieszkań czy też „aryzacji" żydowskich firm. Naziści wykazali się wyjątkową przebiegłością w wyszukiwaniu coraz to nowych metod wciągania kolejnych grup obywateli Niemiec w swój zbrodniczy krąg.

Zajęcie przez Hitlera reszty Czech i Moraw w marcu 1939 roku – co stanowiło rażące pogwałcenie porozumień monachijskich – ostatecznie dowiodło, że zgłaszane przezeń roszczenia do objęcia granicami Rzeszy et-

---

[10] *Ibidem*, s. 274.

nicznych Niemców to zaledwie pretekst uzasadniający ambicje terytorialne. Oburzenie Brytyjczyków zmusiło Chamberlaina do zaproponowania gwarancji Polsce, co miało odstręczyć Hitlera od nowych zaborów.

Hitler użalał się później, że nie rozpoczął wojny w 1938 roku, ponieważ „Brytyjczycy i Francuzi zaakceptowali wszystkie moje żądania w Monachium"[11]. Na wiosnę roku 1939 wyjaśnił powody swego zniecierpliwienia i pośpiechu rumuńskiemu ministrowi spraw zagranicznych: „Mam teraz pięćdziesiąt lat – powiedział. – Wolę prowadzić wojnę teraz, niż kiedy skończę lat pięćdziesiąt pięć albo sześćdziesiąt[12]".

Tym samym Hitler ujawnił, że zamierza zrealizować cel zapanowania nad Europą jeszcze za swojego życia, a nie sądził, iż pożyje długo. Z powodu obsesyjnej próżności nie mógł powierzyć nikomu innemu przeprowadzenia tej misji. Uważał się, i to dosłownie, za niezastąpionego, oznajmił więc swoim generałom, że losy Rzeszy spoczywają wyłącznie w jego rękach. Partia nazistowska i zaprowadzona chaotyczna forma rządów wcale nie miały na celu zapewnienia stabilności i ciągłości. Retoryka Hitlera o „tysiącletniej Rzeszy" ujawniała natomiast poważną psychologiczną sprzeczność, wynikającą z rozumowania zatwardziałego starego kawalera, odczuwającego przewrotny rodzaj dumy z tego, że stanowi kres swojej linii genetycznej, i przejawiającego niezdrową fascynację samobójstwem.

Trzydziestego stycznia 1939 roku, w szóstą rocznicę przejęcia władzy, Hitler wygłosił ważne przemówienie do deputowanych w Reichstagu[13]. Zawarł w nim złowieszcze „proroctwo", do którego w przyszłości kompulsywnie odwoływali się jego zausznicy po przystąpieniu do „ostatecznego rozwiązania kwestii żydowskiej". Stwierdził, że Żydzi wyśmiewali jego przewidywania, iż stanie na czele Niemiec, a także „doprowadzi problem żydowski do rozwiązania". Następnie oświadczył: „Dziś znów chcę być prorokiem: jeśli międzynarodowemu żydostwu w Europie i poza nią uda się raz jeszcze wplątanie narodów w światową wojnę, to jej wynikiem nie będzie bolszewizacja świata, a więc i zwycięstwo żydostwa, lecz unicestwienie rasy żydowskiej w Europie". Takie niebywałe pomieszanie przyczyn ze skutkami leżało u podstaw obsesyjnej sieci kłamstw i samooszukiwania się Hitlera.

Mimo że Hitler sposobił się do wojny i chciał jej wybuchu przy okazji konfliktu o Czechosłowację, nadal nie potrafił zrozumieć, dlaczego postawa Brytyjczyków uległa tak nagłej zmianie – z ugodowej na nieprzejednaną. Wciąż

---

[11] S. Haffner, *Rozważania o Hitlerze*, tłum. W. Jeżewski, Warszawa 1994, s. 20.

[12] *Ibidem*, s. 22.

[13] Tekst przemówienia Hitlera z 30 stycznia 1939 roku w: *Hitler. Reden und Proklamationen, 1932–1945*, t. 2, red. M. Domarus, Wiesbaden 1973, s. 1058, cyt. za: I. Kershaw, *Hitler, 1936–1945. Nemezis*, tłum. P. Bandel, Poznań 2002.

zamierzał zaatakować później Francję i Wielką Brytanię, tyle że w czasie wybranym przez siebie. Nazistowski plan, uwzględniający gorzką lekcję wyniesioną przez Niemcy z pierwszej wojny światowej, zakładał lokalizowanie konfliktów zbrojnych w celu uniknięcia jednoczesnej walki na kilku frontach.

Zaskoczenie Hitlera z powodu brytyjskiej reakcji ujawnia jakże niedoskonałe zrozumienie światowej historii przez tego samouka. Analiza brytyjskiego angażowania się w niemal każdy większy kryzys europejski, począwszy od XVIII wieku, powinna wyjaśniać nową politykę rządu Chamberlaina. Owa zmiana nie miała nic wspólnego z ideologią czy idealizmem. Wielka Brytania nie stawiała sobie za cel przeciwstawienia się faszyzmowi czy antysemityzmowi, nawet jeżeli moralny aspekt jej działań okazał się z czasem użyteczny w ujęciu propagandowym. Zasadniczy motyw brytyjskich poczynań tkwił w tradycyjnej strategii tego kraju. Zajęcie Czechosłowacji przez Niemcy jasno wykazało dążenia Hitlera do zdominowania Europy i stanowiło zagrożenie dla *status quo*, którego nawet osłabiona i niewojowniczo usposobiona Wielka Brytania nie mogła tolerować. Hitler nie docenił też wzburzenia Chamberlaina z powodu tak oczywistego oszukania go w Monachium. Duff Cooper, który ustąpił ze stanowiska pierwszego lorda Admiralicji po zdradzeniu Czechów, napisał, że Chamberlain „nie spotkał nigdy w Birmingham nikogo, kto choć trochę przypominałby Adolfa Hitlera. (...) Nikt w Birmingham nie łamał obietnic złożonych burmistrzowi"[14].

Zamiary Hitlera stały się boleśnie jasne, a wstrząs wywołany za sprawą jego paktu ze Stalinem w sierpniu 1939 roku potwierdził, że następną ofiarą będzie Polska. „Państwa buforowe – jak pisał w *Mein Kampf* – są tworzone przez człowieka i przez człowieka zmieniane". Retrospektywnie można uznać, że resentymenty wywołane przez traktat wersalski mogły z pozoru czynić wybuch kolejnej wojny światowej nieuchronnym, ale nic w historii nie jest określone z góry. Następstwami pierwszej wojny światowej z pewnością było powstanie niestabilnych granic i napięcia w większości regionów Europy. Jednak niewątpliwie to Adolf Hitler był głównym sprawcą nowego i o wiele straszliwszego konfliktu, który rozprzestrzenił się na wszystkie kontynenty, pochłaniając życie milionów – a w końcu i samego Hitlera. Mimo to, co stanowi intrygujący paradoks, do pierwszego starcia drugiej wojny światowej – w trakcie którego Yang Kyoungjong po raz pierwszy trafił do niewoli – doszło na Dalekim Wschodzie.

---

[14] Cyt. za: R. Overy, *1939. Nad przepaścią*, tłum. J. Skowroński, Warszawa 2009, s. 44.

ROZDZIAŁ 1

Wybuch wojny

czerwiec–sierpień 1939

Pierwszego czerwca 1939 roku Gieorgij Żukow, niski i krzepki dowód-ca kawaleryjski, dostał pilne wezwanie do Moskwy. Stalinowska czystka w Armii Czerwonej, rozpoczęta w 1937 roku, wciąż trwała, więc Żukow, na którego już padło oskarżenie, przypuszczał, że został zadenuncjowany jako „wróg ludu". Oczekiwał, że wpadnie w tryby „maszynki do mielenia mięsa", jak nazywano przesłuchania w NKWD Ławrientija Berii[1].

W obłędzie wielkiego terroru wyżsi rangą sowieccy oficerowie znaleźli się pośród pierwszych ofiar, rozstrzelanych jako trockistowsko-faszystowscy szpiedzy. Aresztowano około trzydziestu tysięcy oficerów. Wielu z czoło-wych dowódców stracono, a większość poddawano torturom w celu zmu-szenia ich do groteskowych zeznań. Żukow, który znał się dobrze z wielo-ma ofiarami, przygotował sobie pakunek na wypadek uwięzienia już dwa lata wcześniej, gdy zaczęły się czystki. Od dawna spodziewając się nadejścia takiej chwili, napisał pożegnalny list do żony: „Miałbym do ciebie takie ży-czenie – tak brzmiał początek tego listu. – Nie popadaj w biadolenie i po-staraj się z godnością i uczciwie znieść tę przymusową rozłąkę"[2].

Ale kiedy nazajutrz Żukow dotarł pociągiem do Moskwy, nie został aresz-towany i przewieziony do więzienia na Łubiance. Polecono mu stawić się na Kremlu i spotkać się tam ze starym kamratem Stalina z 1. Armii Konnej z okre-su wojny domowej, marszałkiem Klimentem Woroszyłowem, w 1939 roku

---

[1] Na temat zawezwania Żukowa do Moskwy zob. O.P. Chaney, *Zhukov*, Norman, OK 1971, s. 62–65.

[2] Cyt. za: E. Żukowa, *Intieriesy otca*, w: *Marszał Żukow. Połkowodiec i człowiek*, t. 1, red. I.G. Aleksandrow, Moskwa 1988, s. 38.

ludowym komisarzem obrony. Podczas czystek ten „nijaki, bezbarwny, niezbyt rozgarnięty"[3] wojak umocnił swoją pozycję w wojsku, zawistnie usuwając bardziej uzdolnionych oficerów. Nikita Chruszczow, z typową dla siebie dosadnością, określił go potem mianem „największej kupy gówna w wojsku"[4].

Żukow dowiedział się, że ma polecieć do radzieckiego państwa satelickiego, jakim była Mongolia Zewnętrzna. Tam winien objąć dowództwo nad 57. Korpusem Specjalnym, w którego składzie znajdowały się formacje radzieckie i mongolskie, po czym przeprowadzić decydujące uderzenie na oddziały Cesarskiej Armii Japońskiej. Stalin złościł się, że jego dotychczasowy dowódca wojsk na froncie dalekowschodnim najwyraźniej nie wskórał wiele. Wobec zagrożenia wojną z Hitlerem na zachodzie chciał położyć kres japońskim prowokacjom z marionetkowego państwa Mandżukuo. Rywalizacja między Rosją a Japonią datowała się już od czasów carskich, a sowiecki reżim z pewnością nie zapomniał o upokarzającej klęsce doznanej przez Rosję w 1905 roku. Pod rządami Stalina radzieckie wojska na Dalekim Wschodzie zostały znacznie wzmocnione.

Tymczasem japońscy wojskowi obsesyjnie bali się bolszewizmu. Od czasu podpisania w listopadzie 1936 roku paktu antykominternowskiego między Niemcami i Japonią na mongolskiej granicy nasiliły się starcia pograniczników Armii Czerwonej z oddziałami japońskiej Armii Kwantuńskiej. Napięcie wzrosło znacznie po serii granicznych potyczek w roku 1937, a w 1938 doszło do poważnej bitwy nad jeziorem Chasan, oddalonej o sto dziesięć kilometrów na południowy zachód od Władywostoku.

Japończyków rozdrażniało i to, że Związek Radziecki wspomagał ich chińskich wrogów nie tylko ekonomicznie, ale także dostarczając im czołgi T-26, podsyłając licznych doradców wojskowych i „ochotnicze" eskadry lotnicze. Dowództwo Armii Kwantuńskiej było coraz bardziej sfrustrowane z tego powodu, że w sierpniu 1936 roku cesarz Hirohito odniósł się z wielką niechęcią do planów silnego uderzenia na Związek Radziecki. Arogancja Japończyków wynikała z przeświadczenia, że ZSRR nie odpowie zbrojnie na taki atak. Zażądali wolnej ręki w podejmowaniu działań, które uznają za stosowne w razie następnych incydentów granicznych. Niewypowiedziany konflikt zbrojny ze Związkiem Radzieckim zmusiłby Tokio do rozbudowy Armii Kwantuńskiej, a nie do jej zmniejszenia. Japońscy wojskowi żywili obawy, że w przeciwnym razie część ich oddziałów może zostać skierowana na południe, do walki z armiami chińskich nacjonalistów pod wodzą Chiang Kai-sheka[5].

---

[3] D. Wołkogonow, w: *Stalin's Generals*, red. H. Shukman, London 1993, s. 313.
[4] Cyt. za: R. Edwards, *White Death. Russia's War on Finland, 1939–1940*, London 2006, s. 96.
[5] Więcej na temat tego konfliktu zbrojnego zob.: A.D. Coox, *Nomonhan. Japan against Russia, 1939*, t. 1–2, Stanford 1985; K.H. Young, *The Nomonhan Incident. Imperial Japan and the Soviet Union*, „Monumenta Nipponica", t. 22: 1967, nr 1/2, s. 82–102.

W łonie Cesarskiego Sztabu Generalnego w Tokio zaznaczało się pewne poparcie dla agresywnych ambicji kwantuńskiego dowództwa. Jednak szefostwo marynarki wojennej i cywilni politycy byli głęboko zaniepokojeni. Naciski ze strony nazistowskich Niemiec wywierane na Japonię, aby uznawać Związek Radziecki za głównego przeciwnika, były im nie w smak. Nie chcieli wikłać się w wojnę na północy, wzdłuż mongolskiego i syberyjskiego pogranicza. Owe podziały doprowadziły do upadku rządu księcia Fumimary Konoe. Ale spory w kręgach rządowych i dowódczych nie ucichły, gdy Europa wyraźnie zmierzała ku wojnie. Armia i skrajne ugrupowania prawicowe informowały opinię publiczną, nierzadko uciekając się do przesady, o coraz częstszych potyczkach na północnych granicach. Tymczasem w Armii Kwantuńskiej wydano rozkaz, nie informując o tym Tokio, zezwalający lokalnym dowódcom na podejmowanie samodzielnych działań odwetowych. Była to tak zwana prerogatywa frontowej inicjatywy, ze względu na wymogi bezpieczeństwa umożliwiająca armiom przemieszczanie oddziałów w swojej strefie operacyjnej bez konieczności konsultowania tego z Cesarskim Sztabem Generalnym.

Do incydentu w Nomonhanie, określanego potem w Związku Radzieckim jako bitwa nad rzeką Chalchyn gol, doszło 12 maja 1939 roku[6]. Mongolski pułk kawalerii przekroczył tę rzekę z zamiarem wypasu swoich kudłatych koników na otwartym, pagórkowatym stepie. Następnie oddalił się na około dwudziestu kilometrów od rzeki, którą Japończycy uznawali za granicę, docierając do dużej osady Nomonhan, którą z kolei władze Mongolskiej Republiki Ludowej uważały za obszar graniczny. Mandżurskie oddziały Armii Kwantuńskiej zepchnęły Mongołów nad Chalchyn gol, a następnie Mongołowie przeszli do kontrataku. Nieregularne starcia trwały około dwóch tygodni. Armia Czerwona ściągnęła posiłki wojskowe. Dwudziestego ósmego maja wojska radzieckie i mongolskie rozbiły dwustuosobowy oddział, niszcząc kilka starych samochodów pancernych. W połowie czerwca sowieckie bombowce przeprowadziły naloty na liczne cele, a oddziały wojsk lądowych Armii Czerwonej natarły na Nomonhan.

Rychło nastąpiła eskalacja konfliktu. Lokalne jednostki radzieckie zostały wzmocnione oddziałami z Zabajkalskiego Okręgu Wojskowego, czego Żukow zażądał zaraz po swoim przybyciu 5 czerwca. Zasadniczy problem, przed którym stanęli Sowieci, sprowadzał się do tego, że najbliższa stacja kolejowa znajdowała się w odległości ponad sześciuset pięćdziesięciu kilometrów, co nastręczało wielkich kłopotów natury logistycznej – konieczność przewozu żołnierzy ciężarówkami po nieutwardzonych drogach, które

---

[6] M.R. Peattie, *The Dragon's Seed*, w: M. Peattie, E. Drea, H. van de Ven, *The Battle for China. Essays on the Military History of the Sino-Japanese War of 1937–1945*, Stanford 2011, s. 55.

były tak złe, iż przejazd trwał pięć dni. Ale owe gigantyczne trudności przynajmniej uśpiły czujność Japończyków, którzy zlekceważyli wartość bojową wojsk koncentrowanych przez Żukowa[7].

Posłali oni do Nomonhanu 23. Dywizję generała porucznika Michitarō Komatsubary, a także elementy 7. Dywizji. Armia Kwantuńska domagała się znacznego wzmocnienia wsparcia lotniczego dla swoich oddziałów. To wzbudziło zaniepokojenie w Tokio. Cesarski Sztab Generalny wystosował rozkaz zabraniający odwetowych kontrakcji i obwieścił, że wysyła swego przedstawiciela, aby zapoznał się na miejscu z sytuacją. Wieści te skłoniły dowództwo Armii Kwantuńskiej do przyspieszenia operacji, zanim zwierzchnictwo powściągnie jego zamiary. Rankiem 27 czerwca japońskie dywizjony lotnicze uderzyły na radzieckie bazy w Mongolii. Sztabowcy z Tokio kipieli ze wściekłości i skierowali serię rozkazów zabraniających podejmowania jakichkolwiek dalszych ataków powietrznych.

Nocą 1 lipca Japończycy sforsowali Chalchyn goł i opanowali mające strategiczne znaczenie wzgórze, zagrażając sowieckiej flance. Jednakże w wyniku trzydniowych ciężkich walk Żukow zepchnął ich za rzekę i przeprowadził kontrnatarcie z użyciem czołgów. Następnie zajął wycinek wschodniego brzegu rzeki i rozpoczął wielką akcję pozorującą – to, co w Armii Czerwonej nosiło miano *maskirowki*. Gdy Żukow szykował się po cichu do dużej ofensywy, jego żołnierze na pozór przygotowywali umocnienia obronne. Rozsyłano marnie zaszyfrowane rozkazy z żądaniami materiałów do budowy bunkrów, przez głośniki emitowano odgłosy pracy kafarów do wbijania pali, broszury zatytułowane *Co radziecki żołnierz musi wiedzieć o prowadzeniu obrony* były rozdawane w takich ilościach, że część z nich musiała wpaść w ręce wroga. Tymczasem Żukow pod osłoną ciemności koncentrował czołgi i maskował ich pozycje. Kierowcy radzieckich ciężarówek znaleźli się na skraju wyczerpania, przewożąc bardzo kiepskimi drogami z końcowych stacji kolejowych zapasy amunicji na potrzeby zaplanowanej ofensywy.

Dwudziestego trzeciego lipca Japończycy znów przypuścili gwałtowny szturm, lecz nie zdołali przełamać sowieckich linii. Sami mieli problemy z zaopatrzeniem, wobec czego musieli ponownie odczekać z przeprowadzeniem trzeciego ataku. Jednak nie wiedzieli o tym, że wojska Żukowa zostały do tego czasu wzmocnione, licząc pięćdziesiąt osiem tysięcy żołnierzy, prawie pięćset czołgów i dwieście pięćdziesiąt samolotów.

---

[7] Pełniejsza biografia Żukowa zob. O.P. Chaney, *Zhukov, op. cit.*, s. 69–70. Szczegółowy opis tej bitwy zob.: E.J. Drea, *Nomonhan. Japanese-Soviet Tactical Combat, 1939*, Fort Leavenworth 1981; A.D. Coox, *Nomonhan, op. cit.*; G. Żukow, *Marszał Żukow. Kakim my jego pomnim*, Moskwa 1988.

O godzinie 5.45 w niedzielę 20 sierpnia Żukow przystąpił do niespodziewanego uderzenia; zaczęło się ono od trzygodzinnego przygotowania artyleryjskiego, potem ruszyły do natarcia czołgi i samoloty oraz piechota i kawaleria. Panował piekielny upał. W temperaturze powyżej czterdziestu stopni Celsjusza podobno zacinały się zamki karabinów maszynowych i dział, a kurz i dym eksplozji przesłaniały pole bitwy.

Podczas gdy radziecka piechota, w tym trzy dywizje strzeleckie i brygada spadochronowa, broniła zawzięcie centralnego wycinka frontu, starając się powstrzymać główne japońskie siły, Żukow rzucił do walki trzy brygady pancerne i mongolską dywizję kawalerii, które miały okrążyć przeciwnika. Wśród jego czołgów, które z marszu sforsowały dopływ Chalchyn gol, znajdowały się lekkie T-26, użyte wcześniej po stronie republikańskiej w hiszpańskiej wojnie domowej, oraz znacznie szybsze egzemplarze prototypowej wersji T-34, czyli najskuteczniejszego czołgu średniego drugiej wojny światowej. Przestarzałe japońskie wozy bojowe były bez szans. Ich działa nie strzelały zresztą amunicją przeciwpancerną.

Japońska piechota, mimo że również pozbawiona efektywnej broni przeciwpancernej, walczyła desperacko. Widziano, jak porucznik Tetsuo Sadakaji zaatakował czołg, wymachując samurajskim mieczem, póki nie padł skoszony serią pocisków. Japońscy żołnierze strzelali z ziemnych schronów, zadając dotkliwe straty atakującym, którzy czasami niszczyli gniazda oporu, ściągając na miejsce walk czołgi z miotaczami ognia. Żukow był skonsternowany wysokimi stratami własnymi. Kiedy naczelny dowódca Frontu Zabajkalskiego, który przybył, by poobserwować batalię, zasugerował chwilowe wstrzymanie ofensywy, Żukow szybko go usadził. Gdyby przerwał atak, a potem podjął go na nowo, argumentował, radzieckie straty byłyby dziesięciokrotnie wyższe „z powodu naszego niezdecydowania"[8].

Pomimo japońskiej determinacji, by się nie poddawać, archaiczna taktyka i uzbrojenie Armii Kwantuńskiej doprowadziły do upokarzającej klęski. Wojska Komatsubary znalazły się w okrążeniu i uległy prawie całkowitemu zniszczeniu w trakcie długotrwałej masakry, która przyniosła sześćdziesiąt jeden tysięcy ofiar. Armia Czerwona straciła 7974 zabitych i 15 251 rannych. Do rana 31 sierpnia bitwa się zakończyła[9]. W czasie jej trwania w Moskwie podpisano pakt nazistowsko-sowiecki, a zaraz potem niemieckie wojska, zmasowane u polskich granic, rozpoczęły wojnę w Europie. Odosobnione starcia na Dalekim Wschodzie ciągnęły się do połowy września, jednak w obliczu zmienionej sytuacji na świecie

---

[8] Cyt. za: O.P. Chaney, *Zhukov, op. cit.*, s. 73.
[9] Na temat ofiar Armii Czerwonej nad Chalchyn gol: G.F. Krivosheev, *Soviet Casualties and Combat Losses in the Twentieth Century*, London 1997, s. 53.

Stalin zadecydował, że rozsądniej będzie przystać na zaproponowane przez Japończyków zawieszenie broni.

Żukow, który wcześniej jechał do Moskwy, obawiając się aresztowania, teraz powrócił do stolicy, by odebrać z rąk Stalina złotą gwiazdę Bohatera Związku Radzieckiego. Jego pierwsze zwycięstwo, radosny moment w straszliwym dla Armii Czerwonej okresie, zaowocowało dalekosiężnymi skutkami. Japończykami wstrząsnęła do głębi niespodziewana porażka, natomiast dodała ona skrzydeł ich chińskim przeciwnikom, zarówno nacjonalistom, jak i komunistom. W Tokio frakcja opowiadająca się za „uderzeniem na północy", która chciała wojny ze Związkiem Radzieckim, doznała silnego niepowodzenia. Od tej pory doszło do głosu ugrupowanie opowiadające się za „ekspansją na południe", kierowane przez dowództwo floty. W kwietniu 1941 roku, ku konsternacji Berlina, planowano zawrzeć sowiecko-japoński pakt o nieagresji, sygnowany zaledwie na kilka tygodni przed rozpoczęciem operacji „Barbarossa" czyli niemieckiej inwazji na ZSRR. W związku z tym bitwa nad Chalchyn gol wywarła znaczny wpływ na późniejsze japońskie postanowienie, ażeby zaatakować kolonie francuskie, holenderskie i brytyjskie w południowo-wschodniej Azji i w Oceanii, a nawet flotę amerykańską na Pacyfiku. Konsekwentne odmawianie przez Tokio uderzenia na Związek Radziecki zimą 1941 roku miało zatem odegrać arcyważną rolę w geopolitycznym punkcie zwrotnym tej wojny, i na Dalekim Wschodzie, i w prowadzonych przez Hitlera śmiertelnych zmaganiach z ZSRR.

Strategia Hitlera w okresie przedwojennym nie była spójna. Czasami żywił nadzieje na zawarcie zawczasu sojuszu z Wielką Brytanią w razie ewentualnego zamiaru zaatakowania Związku Radzieckiego, to znów planował pozbawienie Brytyjczyków wpływów na kontynencie europejskim za sprawą niespodziewanego uderzenia na Francję. W celu zabezpieczenia niemieckiej wschodniej flanki, na wypadek gdyby zdecydował się przypuścić atak najpierw na zachodzie, Hitler polecił swemu ministrowi spraw zagranicznych Joachimowi von Ribbentropowi zaproponowanie przymierza Polakom. Polacy, w pełni świadomi niebezpieczeństw związanych z prowokowaniem Stalina i słusznie podejrzewający, że Niemcy chcą sprowadzić ich kraj do poziomu państwa satelickiego, wykazali w tym względzie wyjątkową ostrożność. A jednak polskie władze popełniły przy tym poważny błąd, kierując się krótkowzrocznym oportunizmem. Otóż kiedy Niemcy wkroczyli do Sudetów w 1938 roku, polskie oddziały zajęły Śląsk Cieszyński (Zaolzie), do którego Warszawa rościła pretensje już od 1918 roku jako do prowincji zamieszkanej głównie przez ludność polską, a także próbowały „skorygować" przebieg granicy w Karpatach. Posunięcia te wrogo usposobiły Sowietów i wprawiły w konsternację rządy francuski i brytyjski. Przesadna wiara we własne siły, jaką prezentowali Polacy, była Hitlerowi bardzo na rękę. Snute przez Polskę plany stworzenia środkowoeuropejskiego bloku celem powstrzymania niemieckiej ekspansji – „trzeciej Europy", jak go czasem nazywano – okazały się mrzonką.

Ósmego marca 1939 roku, na krótko przed tym, jak niemieckie oddziały wkroczyły do Pragi i zajęły resztę Czech i Moraw, Hitler oświadczył dowódcom Wehrmachtu, że zamierza zniszczyć Polskę. Przekonywał, że dzięki temu Niemcy będą mogły korzystać z polskich surowców i zdominować południowe regiony środkowoeuropejskie. Postanowił podporządkować Polskę zbrojnie, a nie środkami dyplomatycznymi, przed przystąpieniem do ofensywy na zachodzie. Dodał również, że planuje zniszczenie „żydowskiej demokracji"[10] w Stanach Zjednoczonych.

Dwudziestego trzeciego marca Hitler polecił zajęcie okręgu Kłajpedy – oderwanie go od Litwy i przyłączenie do Prus Wschodnich. Przygotowania do wojny nabrały tempa, ponieważ Hitler obawiał się, że wkrótce Wielka Brytania i Francja zdążą się dozbroić. Mimo to nie potraktował poważnie gwarancji udzielonych Polsce przez Chamberlaina, ogłoszonych oficjalnie w Izbie Gmin 31 marca. Trzeciego kwietnia Hitler polecił swoim generałom opracowanie planów operacji o kryptonimie „Fall Weiss" (Plan Biały), czyli inwazji na Polskę, które miały być gotowe na koniec sierpnia.

Chamberlain, z racji swego instynktownego antykomunizmu niechętny do układów ze Stalinem, a także przeceniający siły Polski, nie spieszył się zanadto z tworzeniem antyhitlerowskiego bloku defensywnego w Europie Środkowej i na Bałkanach. W istocie brytyjskie gwarancje dla Polski wprost wykluczały współdziałanie ze Związkiem Radzieckim. Rząd Chamberlaina zareagował na to jawne zaniedbanie dopiero pod wpływem doniesień o niemiecko-sowieckich rozmowach handlowych. Stalina, który nienawidził Polaków, głęboko zaniepokoiła ustępliwość władz brytyjskich i francuskich wobec Hitlera. Fakt, że rok wcześniej nie zaproszono sowieckiego przywódcy do negocjacji na temat przyszłych losów Czechosłowacji, tylko umocnił go w nieprzychylnym nastawieniu. Podejrzewał ponadto, że Brytyjczycy i Francuzi chcieli wmanewrować go w konflikt z Niemcami, aby tym samym uniknąć walki. Naturalnie Stalin wolał, aby to państwa kapitalistyczne uwikłały się w wyczerpującą wojnę między sobą.

Osiemnastego kwietnia Stalin, dążąc do wyjaśnienia zamiarów rządów brytyjskiego i francuskiego, zaoferował im zawarcie sojuszu w ramach paktu, który obiecywałby pomoc jakiemukolwiek państwu środkowoeuropejskiemu zagrożonemu agresją. Brytyjczycy nie byli pewni, jak na to zareagować. W pierwszym odruchu zarówno minister spraw zagranicznych

---

[10] *GSWW*, t. I, s. 685.

lord Halifax, jak i stały podsekretarz stanu w Ministerstwie Spraw Zagranicznych Alexander Cadogan uznali te radzieckie zabiegi dyplomatyczne za rozmyślnie „podstępne"[11]. Chamberlain żywił obawy, że zgoda na taki sojusz po prostu sprowokowałaby Hitlera. W istocie skłoniła Führera do tego, by samemu porozumieć się z sowieckim dyktatorem. Tak czy owak, Polacy i Rumuni odnieśli się do tego podejrzliwie. Słusznie się lękali, że Związek Radziecki zażąda prawa wkroczenia na ich terytoria oddziałów Armii Czerwonej. Z kolei Francuzi, uważając Rosję za swoją naturalną sojuszniczkę przeciwko Niemcom już od czasów sprzed pierwszej wojny światowej, wyrazili znacznie większe zainteresowanie ewentualnym przymierzem z Sowietami. Uznając, że nie mogą działać samodzielnie, bez porozumienia z Wielką Brytanią, wywierali na Londyn naciski, chcąc, aby Brytyjczycy zgodzili się na wspólne rokowania wojskowe z przedstawicielami radzieckiego reżimu. Na Stalinie nie wywarła dobrego wrażenia podszyta wahaniami brytyjska reakcja, niemniej sam rzeczywiście po cichu dążył do przesunięcia sowieckich granic dalej na zachód. Planował już zagarnięcie rumuńskiej Besarabii, Finlandii, krajów nadbałtyckich oraz wschodniej Polski, zwłaszcza części Białorusi i Ukrainy utraconych przez Moskwę w wyniku przegranej wojny polsko-bolszewickiej w latach 1919–1921. Brytyjczycy, ostatecznie zaakceptowawszy konieczność paktowania ze Związkiem Radzieckim, rozpoczęli negocjacje dopiero pod koniec maja. Stalin podejrzewał jednak, i wcale nie bezpodstawnie, że rząd brytyjski gra na zwłokę.

Jeszcze bardziej rozczarował go skład francusko-brytyjskiej delegacji, która 5 sierpnia wyruszyła do Leningradu na pokładzie powolnego parowca. Generał Aimé Doumenc i admirał Reginald Plunkett-Ernle-Erle-Drax nie mieli uprawnień do podejmowania wiążących decyzji. Mogli tylko przesyłać raporty do Paryża i Londynu. Ich misja zresztą i tak była skazana na niepowodzenie z innych powodów. Otóż Doumenc i Drax stanęli przed problemem nie do przezwyciężenia, gdy Stalin domagał się prawa tranzytu wojsk Armii Czerwonej przez polskie i rumuńskie obszary. Oba te kraje nie dopuszczały takiego rozwiązania. Odnosiły się bardzo podejrzliwie do komunistów, a przede wszystkim do samego Stalina. Czas upływał na bezowocnych rozmowach, które potrwały do drugiej połowy sierpnia, ale nawet Francuzi, którym bardziej zależało na zawarciu układu, nie potrafili skłonić rządu w Warszawie do ustępstw w tym względzie. Polski naczelny wódz marszałek Edward Rydz-Śmigły stwierdził, że „w [przypadku wojny] z Niemcami ryzykujemy utratę niepodległości, lecz z Rosjanami – utratę duszy"[12].

---

[11] *The Diaries of Sir Alexander Cadogan*, red. D. Dilks, London 1971, s. 175.
[12] Cyt. za: T. Charman, *Outbreak 1939. The World Goes to War*, London 2009, s. 46.

Hitler, rozdrażniony brytyjsko-francuskimi próbami wciągnięcia Rumunii do obronnego paktu przeciw niemieckiej agresji, uznał, iż czas na rozważenie kroku nie do pomyślenia w wymiarze ideologicznymi – paktu nazistowsko-sowieckiego. Drugiego sierpnia Ribbentrop po raz pierwszy napomknął o możliwości poprawy stosunków między Niemcami a ZSRR w rozmowie z radzieckim chargé d'affaires w Berlinie. „Nie ma takiego problemu na obszarze od Bałtyku po Morze Czarne – powiedział wtedy Ribbentrop – którego wspólnie nie moglibyśmy rozwiązać"[13].

Ribbentrop nie ukrywał agresywnych niemieckich zamiarów wobec Polski i wspomniał o możliwości podziału łupów. Dwa dni później niemiecki ambasador w Moskwie dał do zrozumienia, że Trzecia Rzesza mogłaby uznać kraje nadbałtyckie za część radzieckiej strefy wpływów. Czternastego sierpnia Ribbentrop stwierdził, że chciałby udać się do Moskwy na rokowania. Wiaczesław Mołotow, nowy radziecki komisarz spraw zagranicznych, wyraził zaniepokojenie z powodu niemieckiego poparcia dla Japończyków, wciąż toczących walki z Armią Czerwoną nad Chalchyn gol, niemniej jednak zgłosił gotowość do kontynuowania rozmów, zwłaszcza w kwestii państw nadbałtyckich.

Stalinowi korzyści z takiego obrotu spraw wydawały się coraz wyraźniejsze. W rzeczywistości sam rozważał pomysł dogadania się z Hitlerem już od czasów układu monachijskiego. Wstępne przygotowania do takiej wolty podjęto wiosną 1939 roku. Trzeciego maja oddziały NKWD obstawiły siedzibę Ludowego Komisariatu Spraw Zagranicznych. „Oczyścić komisariat z Żydów – nakazał Stalin. – Posprzątać »synagogę«"[14]. Mołotow zastąpił na stanowisku komisarza spraw zagranicznych weterana radzieckiej dyplomacji Maksima Litwinowa, a wielu innych Żydów aresztowano.

Porozumienie z Hitlerem umożliwiłoby Stalinowi zajęcie krajów bałtyckich oraz Besarabii, nie wspominając już o wschodniej Polsce, na wypadek niemieckiej inwazji na zachodzie. Wiedząc, że Hitler skieruje się następnie przeciwko Francji i Wielkiej Brytanii, Stalin liczył na osłabienie niemieckiej potęgi w, jak oczekiwał, krwawej wojnie z kapitalistycznym Zachodem. To dałoby mu czas na odbudowę Armii Czerwonej, osłabionej i zdemoralizowanej przeprowadzonymi w niej czystkami.

Hitlerowi układ ze Stalinem miał pozwolić na przeprowadzenie wojennych kampanii, najpierw w Polsce, a następnie przeciwko Francji i Wielkiej Brytanii, nawet samodzielnie, bez udziału sprzymierzeńców. Tak zwany pakt stalowy z Włochami, podpisany 22 maja, miał w praktyce bardzo niewielkie

---

[13] *Nazi-Soviet Relations, 1939–1941*, red. R.J. Sontag, J.S. Beddie, New York 1948, s. 38.
[14] Cyt. za: S. Sebag Montefiore, *Stalin. Dwór czerwonego cara*, tłum. M. Antosiewicz, Warszawa 2004, s. 298.

znaczenie, gdyż Mussolini uważał, że jego kraj nie będzie gotowy do wojny aż do roku 1943. Jednakże Hitler wciąż polegał na swoim przeczuciu, że Wielka Brytania i Francja nie przystąpią do działań zbrojnych, kiedy uderzy na Polskę – pomimo złożonych Polakom przez kraje zachodnie gwarancji.

Tymczasem nasiliła się antypolska wojna propagandowa nazistowskich Niemiec. Polaków obwiniano za szykowaną na nich napaść. Hitler za wszelką cenę unikał wszelkich negocjacji, ponieważ nie chciał, by zgłoszone w ostatniej chwili ustępstwa uniemożliwiły mu wojnę.

Aby pociągnąć za sobą naród niemiecki, żerował na głębokiej niechęci Niemców do Polski, gdyż ta dostała Prusy Zachodnie i część Śląska na mocy znienawidzonego traktatu wersalskiego. Wolne Miasto Gdańsk i tak zwany polski korytarz, mający zapewniać Polsce dostęp do Bałtyku i oddzielający Prusy Wschodnie od reszty Rzeszy, piętnowano jako dwie największe niesprawiedliwości, narzucone Niemcom w Wersalu. Jednak 23 maja Führer oznajmił, że nadchodząca wojna nie rozegra się o Gdańsk, lecz o przestrzeń życiową na wschodzie. Doniesieniami o prześladowaniach osiemsettysięcznej mniejszości niemieckiej w Polsce cynicznie manipulowano. Nie powinno dziwić, że groźby Hitlera pod adresem Polski sprowokowały pewne dyskryminujące kroki przeciwko etnicznym Niemcom, z których pod koniec sierpnia zbiegło do Rzeszy około siedemdziesięciu tysięcy. Polskie oświadczenia, że etniczni Niemcy angażowali się w działalność wywrotową przed wybuchem konfliktu zbrojnego, były prawie na pewno nieprawdziwe. Tak czy owak, nazistowska prasa w dramatycznym tonie donosiła o prześladowaniach Niemców w Polsce.

Siedemnastego sierpnia, gdy armia niemiecka przeprowadzała manewry nad Łabą, zaproszeni jako obserwatorzy dwaj brytyjscy kapitanowie z ambasady stwierdzili, że niemieccy młodsi oficerowie są „bardzo pewni siebie i przekonani, że niemiecka armia poradzi sobie z każdym [przeciwnikiem]"[15]. Ale generalicja i starsi urzędnicy niemieckiego Ministerstwa Spraw Zagranicznych obawiali się poważnie, iż uderzenie na Polskę wywoła europejską wojnę. Hitler był przeświadczony, że Brytyjczycy nie podejmą walki. Ostatecznie, argumentował, zawarty pakt ze Związkiem Radzieckim powinien uspokoić tych dowódców, którzy bali się wojny na dwa fronty. Mimo to 19 sierpnia, na wypadek gdyby Brytyjczycy i Francuzi jednak wypowiedzieli wojnę, admirał Erich Raeder rozkazał pancernikom kieszonkowym „Deutschland" i „Admiral Graf Spee", a także szesnastu U-Bootom wyjść w morze i skierować się na Atlantyk[16].

---

[15] JJG, 17 sierpnia 1939 r.
[16] Rozkazy admirała Raedera: *GSWW*, t. II, s. 153.

Dwudziestego pierwszego sierpnia o 11.30 w niemieckim MSZ przy Wilhelmstrasse poinformowano o propozycji zawarcia radziecko-niemieckiego paktu o nieagresji. Gdy wiadomość o zgodzie Stalina dotarła do Hitlera w Berghofie, jego alpejskiej rezydencji koło Berchtesgaden, ów ponoć zacisnął triumfalnie pięści i uderzył w blat stołu, zwracając się do swojej świty: „Teraz ich mam! Teraz ich mam!"[17]. „Niemcy w kawiarniach byli zachwyceni, gdyż, jak sądzili, oznacza to pokój"[18], zauważył pewien pracownik ambasady brytyjskiej. A sam ambasador Nevile Henderson poinformował niebawem Londyn, że „najpierw w Berlinie zapanowało poczucie wielkiej ulgi. (...) Raz jeszcze znalazła potwierdzenie wiara niemieckiego narodu w zdolność *Herr* Hitlera do osiągania celów bez wojny"[19].

Brytyjczykami wstrząsnęły te nowiny, a dla Francuzów, którzy liczyli o wiele bardziej na pakt z ich tradycyjnym sojusznikiem, czyli z Rosją, stanowiły one istny grom z jasnego nieba. Jak na ironię, najbardziej przerażeni byli Franco w Hiszpanii oraz przywódcy Japonii. Poczuli się zdradzeni, gdyż nikt ich nie uprzedził, że pomysłodawca paktu antykominternowskiego dąży teraz do sojuszu z Moskwą. Doprowadziło to do upadku gabinetu rządowego w Tokio, lecz wspomniane wieści okazały się również dotkliwym ciosem dla Chiang Kai-sheka i chińskich nacjonalistów.

Dwudziestego trzeciego sierpnia Ribbentrop udał się samolotem na historyczną wizytę w radzieckiej stolicy. Podczas rokowań wyłoniło się kilka kwestii spornych, gdy dwa totalitarne reżimy dzieliły między siebie środkową Europę, zawierając tajny protokół. Stalin domagał się całej Łotwy, na co Ribbentrop wyraził zgodę, szybko uzyskawszy przez telefon aprobatę Hitlera. Już po podpisaniu jawnego paktu o nieagresji oraz tajnego protokołu Stalin wzniósł toast za Hitlera. Powiedział do Ribbentropa, iż wie, „jak bardzo niemiecki naród wielbi swojego Führera".

Tegoż dnia Nevile Henderson poleciał do Berchtesgaden z listem od Chamberlaina, w ostatniej próbie uniknięcia wojny. Ale Hitler po prostu oskarżył Brytyjczyków o to, że zachęcili Polaków do przyjęcia antyniemieckiej postawy. Henderson, choć zaliczał się do czołowych ugodowców, przekonał się w końcu, że „temu kapralowi z ostatniej wojny pilno do wykazania, iż poradzi sobie jako zwycięski generalissimus w następnej"[20]. Tego samego wieczoru Hitler wydał swoim armiom wstępne rozkazy do uderzenia na Polskę trzy dni później.

---

[17] Relacja Alberta Speera, cyt. za: G. Sereny, *Albert Speer. His Battle with Truth*, London 1995, s. 207.
[18] JJG, 21 sierpnia 1939 r.
[19] *FRNH*, s. 9.
[20] *Ibidem*, s. 10.

O trzeciej nad ranem 24 sierpnia brytyjska ambasada w Berlinie odebrała depeszę z hasłem „Rajah". Dyplomaci, niektórzy jeszcze w piżamach, zajęli się paleniem tajnych dokumentów. W południe polecono wszystkim Brytyjczykom w Niemczech opuszczenie tego kraju. Ambasador, choć niewyspany po wizycie w Berchtesgaden, grał tego wieczoru w brydża z ludźmi ze swojego personelu.

Nazajutrz Henderson znowu widział się z Hitlerem, który wrócił do Berlina. Führer zaoferował Wielkiej Brytanii zawarcie paktu po zajęciu Polski, ale zirytował się, słysząc odpowiedź Hendersona, że aby osiągnąć jakiekolwiek porozumienie, będzie musiał odstąpić od planów agresji, a ponadto ewakuować niemieckie wojska z Czechosłowacji. Ponownie oświadczył, że jeśli ma wybuchnąć wojna, to powinno do niej dojść wkrótce, a nie wtedy, gdy on sam skończy pięćdziesiąt pięć czy sześćdziesiąt lat. Wieczorem, ku szczeremu zaskoczeniu wstrząśniętego Hitlera, formalnie podpisano układ angielsko-polski.

W Berlinie brytyjscy dyplomaci spodziewali się najgorszego. „Przenieśliśmy wszystkie bagaże osobiste do sali balowej w ambasadzie – napisał jeden z nich – która teraz przypomina Victoria Station po przyjeździe pociągu towarowego"[21]. Niemieckie ambasady i konsulaty w Wielkiej Brytanii, Francji i Polsce otrzymały dyspozycję, by polecić Niemcom w tych krajach powrót do Rzeszy albo wyjazd do neutralnego państwa.

W sobotę 26 sierpnia władze niemieckie odwołały uroczystości upamiętniające dwudziestą piątą rocznicę bitwy pod Tannenbergiem. Tak naprawdę przygotowania do tej ceremonii posłużyły jedynie za przykrywkę do koncentracji wojsk w Prusach Wschodnich. Stary pancernik „Schleswig--Holstein" przypłynął do Gdańska dzień wcześniej, rzekomo z kurtuazyjną wizytą, jednak bez poinformowania o tym polskich władz. Pod pokładem znajdowała się amunicja artyleryjska do ostrzału polskiej placówki na Westerplatte w pobliżu ujścia Wisły.

W ów weekend mieszkańcy Berlina korzystali ze wspaniałej pogody. Plaże grunewaldzkiego brzegu jeziora Wannsee zapchane były ludźmi, którzy opalali się i kąpali. Sprawiali wrażenie niepomnych groźby wybuchu wojny, pomimo obwieszczeń o wprowadzeniu racjonowania żywności. W brytyjskiej ambasadzie personel zajął się wypijaniem zapasów szampana przechowywanych w piwnicach. Brytyjscy dyplomaci zwrócili uwagę na tłumy żołnierzy na ulicach; wielu z tych ostatnich nosiło nowe, żółtawe wojskowe kamasze, których skóry jeszcze nie poczerniono pastą.

Początek inwazji zaplanowano na ten właśnie dzień, jednak Hitler, wytrącony z równowagi twardym postanowieniem Brytyjczyków i Francuzów,

---

[21] JJG, 25 sierpnia 1939 r.

aby udzielić pomocy Polsce, poprzedniego wieczoru przełożył rozpoczęcie ataku na późniejszy termin. Ciągle z nadzieją wypatrywał oznak brytyjskiego niezdecydowania. Tymczasem jeden ze zorganizowanych przez Abwehrę oddziałów dywersanckich, do którego nie dotarł na czas rozkaz wstrzymujący akcję, zdążył wkroczyć do Polski i przechwycić stację kolejową w Mostach koło Jabłonkowa.

Hitler, wciąż licząc na zrzucenie na Polskę winy za inwazję, udawał, że zgadza się na negocjacje – z Wielką Brytanią i Francją, a także z Polską. Ale była to tylko ponura farsa. Odmówił przedstawienia jakichkolwiek warunków do przedyskutowania z polskim rządem, nie chciał przyjąć emisariusza z Warszawy i dał Polakom czas do północy 30 sierpnia. Odrzucił również ofertę mediacyjną rządu Mussoliniego. Dwudziestego ósmego sierpnia ponownie rozkazał armii przygotowanie się do ataku rankiem 1 września.

Tymczasem Ribbentrop stał się niedostępny dla ambasadorów Polski i Wielkiej Brytanii. Przybrał typową dla siebie postawę, popatrując wyniośle z oddalenia i ignorując wszystkich wokół, jak gdyby nie byli godni poznania jego myśli. Ostatecznie zgodził się przyjąć Hendersona o północy 30 sierpnia, kiedy akurat wygasał termin przyjęcia niejasno sformułowanych warunków pokojowych. Henderson zażądał ich przedstawienia. Ribbentrop „dobył obszerny dokument", jak poinformował później Henderson, „który odczytał po niemiecku, a raczej wybełkotał tak szybko, jak potrafił, tonem najwyższego poirytowania. (...) Kiedy skończył, poprosiłem, aby dał mi ten dokument do przejrzenia. *Herr* von Ribbentrop kategorycznie odmówił, pogardliwym gestem rzucił dokument na stół i powiedział, że to już nieaktualne, gdyż do północy nie zjawił się w Berlinie polski wysłannik"[22]. Następnego dnia Hitler wydał dyrektywę nr 1, nakazując rozpoczęcie operacji „Weiss", czyli inwazji na Polskę, do której Niemcy czyniły przygotowania w trakcie minionych pięciu miesięcy.

W Paryżu zapanował nastrój ponurej rezygnacji, gdyż pamiętano tam ponad milion ofiar śmiertelnych poprzedniej wojny. W Wielkiej Brytanii na 1 września zarządzono masową ewakuację dzieci z Londynu, ale większość ludności nadal wierzyła, że nazistowski przywódca blefuje. Polacy nie mieli podobnych złudzeń; a jednak w Warszawie nie było oznak paniki, tylko atmosfera determinacji.

Podjęta ostatecznie przez nazistów próba sprokurowania *casus belli* była wielce reprezentatywna dla ich metod. Ów obliczony na skutki propagandowe akt został zaplanowany i zorganizowany przez Reinharda Heydricha, zastępcę Reichsführera SS Heinricha Himmlera. Heydrich starannie wyselekcjonował do tego zadania grupę najbardziej zaufanych esesmanów. Mieli

---

[22] *FRNH*, s. 17.

upozorować atak na niemiecki urząd celny oraz rozgłośnię radiową w przygranicznych Gliwicach, by następnie wygłosić stamtąd orędzie po polsku. Esesmani dostali rozkaz zastrzelenia grupy oszołomionych narkotykami więźniów obozu koncentracyjnego w Sachsenhausen, przebranych w polskie mundury, i pozostawienia ich zwłok na miejscu incydentu jako „dowodu". Popołudniem 31 sierpnia Heydrich zatelefonował do oficera, któremu powierzył przeprowadzenie akcji, przekazując mu umówione hasło: „Babcia nie żyje"[23]. Uderzająco wymowne jest to, że pierwszymi ofiarami drugiej wojny światowej w Europie okazali się więźniowie kacetu, na których mord miał posłużyć kłamstwu.

---

[23] R. Overy, *1939. Nad przepaścią, op. cit.*, s. 90.

ROZDZIAŁ 2

„Całkowite zniszczenie Polski”[1]

wrzesień–grudzień 1939

W czesnym rankiem 1 września 1939 roku niemieckie wojska stały w gotowości do przekroczenia polskiej granicy. Dla zdecydowanej większości żołnierzy, poza weteranami pierwszej wojny światowej, miał to być chrzest ogniowy. Jak prawie wszyscy żołnierze rozmyślali w panujących ciemnościach o swych szansach na przeżycie i o tym, czy staną na wysokości zadania. Gdy tak oczekiwali na rozkaz uruchomienia silników, dowódca jednej z formacji pancernych na śląskiej granicy tak opisał widmowe otoczenie: „Ciemny las, pełnia księżyca i delikatna mgła tuż nad ziemią tworzyły fantastyczny widok”[2].

O 4.45 pierwsze strzały padły od strony morza w pobliżu Gdańska. Pancernik „Schleswig-Holstein”, weteran bitwy jutlandzkiej z 1916 roku, pod osłoną mroku ustawił się naprzeciwko półwyspu Westerplatte. Ostrzelał tamtejsze polskie fortyfikacje z dział artylerii głównej kalibru 280 mm. Kompania szturmowa Kriegsmarine, wcześniej stłoczona pod pokładem „Schleswiga-Holsteina”, wkrótce znalazła się na brzegu, ale jej atak został krwawo odparty. W samym Gdańsku polscy ochotnicy zebrali się do obrony gmachu poczty głównej przy placu Heweliusza, ale nie mieli żadnych szans w starciu z nazistowskimi oddziałami szturmowymi, esesmanami i oddziałami regularnego wojska po cichu wprowadzonymi do tego miasta. Po stoczonej walce prawie wszystkich ocalałych polskich obrońców rozstrzelano.

---

[1] Hitler, 22 sierpnia 1939 r., *DGFP*, Seria D, t. VII, nr 193.
[2] BA-MA, RH39/618, cyt. za: J. Böhler, *Zbrodnie Wehrmachtu w Polsce: wrzesień 1939. Wojna totalna*, tłum. P. Pieńkowska-Wiederkehr, Kraków 2009, s. 59.

Nazistowskie sztandary zawisły na gmachach publicznych i uderzono w dzwony, kiedy aresztowano duchownych, nauczycieli i innych prominentnych Polaków w tym mieście, a także gdańskich Żydów. Budowa obozu koncentracyjnego w pobliskim Sztutowie (Stutthof) miała zostać przyspieszona, aby pomieścić nowych więźniów. Później w trakcie wojny zwłoki ofiar ze Stutthofu dostarczano do gdańskiego Instytutu Anatomicznego, gdzie eksperymentowano z wytwarzaniem mydła z ludzkiego tłuszczu[3].

Przesunięcie przez Hitlera terminu inwazji o sześć dni dało Wehrmachtowi okazję do zmobilizowania i skierowania na front dwudziestu jeden rezerwowych dywizji piechoty oraz dwóch dodatkowych dywizji zmotoryzowanych. Łącznie Niemcy powołali pod broń prawie trzy miliony ludzi, dysponując także czterystoma tysiącami koni i dwustoma tysiącami pojazdów[4]. Półtora miliona żołnierzy znalazło się nad polską granicą, a wielu z nich zaopatrzono w ślepą amunicję pod pozorem, że chodzi o manewry. Wątpliwości co do ich misji rozwiały się, gdy wydano im już na miejscu ostre naboje.

Z kolei polskie siły zbrojne zostały postawione w stan pełnej gotowości, ponieważ rządy brytyjski i francuski ostrzegały Warszawę, że przedwczesna mobilizacja może dać Hitlerowi pretekst do napaści. Polacy zwlekali więc z ogłoszeniem całkowitej mobilizacji do 28 sierpnia, lecz i następnego dnia ograniczyli jej skalę, gdy ambasadorowie Wielkiej Brytanii i Francji nakłonili ich do powściągliwości w nadziei na podjęcie w ostatniej chwili negocjacji. Ostatecznie mobilizację zarządzono 30 sierpnia. Owe zmiany wywołały chaos. Zaledwie około 70 procent pierwszorzutowych polskich oddziałów zajęło pozycje do 1 września.

Jedyną nadzieją Polaków było wytrwanie do czasu, aż Francuzi będą mogli podjąć obiecaną ofensywę na froncie zachodnim. Generał Maurice Gamelin, francuski naczelny wódz, zapewniał 19 maja, że armia francuska przystąpi do ataku „większością sił"[5] nie później niż piętnaście dni od chwili ogłoszenia mobilizacji przez rząd w Paryżu. Ale czas, a także warunki geograficzne działały na niekorzyść Polaków. Niemcy mieli szybko wedrzeć się w głąb Polski z Prus Wschodnich od północy, Pomorza i Śląska od zachodu oraz z uległej wobec Rzeszy Słowacji na południu. Polskie władze, nie wiedząc o tajnym protokole paktu Ribbentrop-Mołotow, nie próbowały poważniej osłonić wschodniej granicy. Perspektywa podwójnej in-

---

[3] Aresztowania w Gdańsku: R. Overy, *1939. Nad przepaścią*, tłum. J. Skowroński, Warszawa 2009, s. 95–98. Na temat gdańskiego Instytutu Anatomicznego i Sztutowa zob. GARF 9401/2/96 i RGWA 32904/1/19.
[4] Liczebność niemieckich wojsk, zob. *GSWW*, t. II, s. 90.
[5] SHD-DAT, cyt. za: C. Quétel, *L'impardonnable défaite, 1918–1940*, Paris 2010, s. 196.

Agresja na Polskę i rozbiór Polski
(wrzesień–listopad 1939)

Wojska niemieckie
Armia Czerwona
Cyfry w kwadratach oznaczają
numery niemieckich armii
polowych

Morze Bałtyckie

Kłajpeda

LITWA

p o m o r z e

Gdańsk

PRUSY
WSCHODNIE

FRONT
BIAŁORUSKI

Wisła

Poznań

Warszawa

Brześć

Prypeć

P O L S K A

Wrocław

N I E M C Y

ŚLĄSK

Wisła

Kraków

Lwów

FRONT
UKRAIŃSKI

Protektorat
Czech
i Moraw

Dniestr

S Ł O W A C J A

W Ę G R Y

0   50   100 mil
0   50   100   150 km

R U M U N I A

wazji koordynujących działania sił nazistowskich i radzieckich wydawała się
nie do pomyślenia.

Pierwszego września o godzinie 4.50, gdy niemieckie oddziały czekały na sygnał do ataku, żołnierze usłyszeli nad sobą dźwięk lotniczych silników. Kiedy fale stukasów, messerschmittów i heinkli przelatywały ponad
ich głowami, radowali się na myśl, że Luftwaffe zaatakuje zawczasu polskie
lotniska. Niemieccy żołnierze dowiedzieli się od swoich oficerów, że Polacy będą walczyli podstępnie, uciekając się do metod partyzanckich oraz

sabotażu[6]. Polscy Żydzi rzekomo mieli być „przyjaźni wobec bolszewików i nienawidzić Niemców"[7].

Plan Wehrmachtu polegał na równoczesnym uderzeniu na Polskę od północy, zachodu i południa. Postępy wojsk winny być „szybkie i bez-względne"[8], a kolumny pancerne i samoloty Luftwaffe miały pomieszać szyki Polakom, nim ci zdołają zająć pozycje obronne. Jednostki Grupy Armii „Północ" (Heeresgruppe Nord) nacierały z Pomorza i Prus Wschodnich. Ich głównym zadaniem było opanowanie korytarza pomorskiego i marsz na południowy wschód ku Warszawie. Grupa Armii „Południe" (Heeresgruppe Süd) pod dowództwem generała pułkownika Gerda von Rundstedta dostała zadanie szybkiego marszu szerszym frontem z południowego Śląska w kierunku stolicy. Zamiar polegał na oskrzydleniu przez te dwie grupy armii większości wojsk polskich na zachód od Wisły. Dziesiąta Armia, tworząca rdzeń południowego zgrupowania, miała w swoim składzie największą liczbę jednostek pancernych i zmotoryzowanych. Na jej prawym skrzydle 14. Armia miała nacierać na Kraków, natomiast trzy dywizje górskie, jedna dywizja pancerna i jedna dywizja lekka oraz trzy dywizje słowackie uderzyły na północ z terytorium marionetkowego państwa słowackiego.

W centrum Berlina w godzinach porannych pierwszego dnia inwazji oddziały SS obstawiły Wilhelmstrasse i Pariser Platz na czas przejazdu Hitlera z Kancelarii Rzeszy do gmachu opery Krolla (Krolloper). Tam właśnie mieściła się siedziba Reichstagu po sławnym pożarze, w wyniku którego spłonął budynek niemieckiego parlamentu, co wydarzyło się zaledwie niespełna miesiąc po dojściu nazistów do władzy w 1933 roku. Hitler oznajmił, że jego niewygórowane żądania wobec Polski, których w istocie z rozmysłem wcale nie przedstawił władzom w Warszawie, zostały odrzucone[9]. Ów „szesnastopunktowy plan pokojowy" opublikowano następnego dnia w cynicznej próbie zademonstrowania, że to rząd warszawski ponosi odpowiedzialność za wybuch konfliktu. Wielką owację wywołało oświadczenie Hitlera o powrocie Gdańska do Rzeszy. Doktor Carl Jakob Burckhardt, wysoki komisarz Ligi Narodów w Wolnym Mieście Gdańsku, musiał opuścić to miasto.

---

[6] BA-MA RH37/1381; RH26-208/5, cyt. za: J. Böhler, *Zbrodnie Wehrmachtu w Polsce*, *op. cit.*, s. 38–42.
[7] NA II RG 242, T-79, R.131, 595.
[8] *GSWW*, t. II, s. 82.
[9] Hitler do deputowanych Reichstagu, 1 września 1939 r., zob. *Hitler. Reden und Proklamationen, 1932–1945*, t. 2, red. M. Domarus, Wiesbaden 1973, s. 1307.

W Londynie, gdy już upewniono się, że doszło do napaści na Polskę, Chamberlain wydał rozkaz powszechnej mobilizacji. W trakcie poprzednich dziesięciu dni Wielka Brytania poczyniła już wstępne przygotowania do wojny. Chamberlain zwlekał jednak z powszechną mobilizacją, ponieważ mogło to wywołać reakcję łańcuchową w Europie, tak jak się to zdarzyło w 1914 roku. Naczelnym zadaniem było postawienie w stan gotowości obrony przeciwlotniczej i obrony wybrzeża. Nastawienie uległo radykalnej zmianie, kiedy tylko dotarły wieści o niemieckiej agresji. Teraz już nikt nie łudził się, że Hitler blefuje. Nastroje w całym kraju i w Izbie Gmin były o wiele bardziej bojowe aniżeli podczas kryzysu monachijskiego rok wcześniej. Mimo to gabinet rządowy i brytyjskie Ministerstwo Spraw Zagranicznych poświęciły większość tego dnia na narady nad treścią ultimatum z żądaniem od Hitlera wycofania wojsk z Polski. Dokument ten, nawet kiedy już był gotowy, nie do końca brzmiał jak ultimatum, gdyż nie wyznaczono w nim jasnego, ostatecznego terminu.

Po tym jak francuska rada ministrów odebrała raport od ambasadora Roberta Coulondre'a z Berlina, Édouard Daladier rozkazał ogłoszenie następnego dnia powszechnej mobilizacji. „Słowo »wojna« nie padło w trakcie tego posiedzenia"[10], zauważył jeden z obecnych. Zamiast tego posługiwano się różnymi eufemizmami. Wydane zostało także polecenie ewakuowania dzieci z obu alianckich stolic. Spodziewano się powszechnie, że działania wojenne zostaną poprzedzone zmasowanymi nalotami bombowymi. Tego samego wieczoru w obydwu stolicach wprowadzono obowiązkowe zaciemnienie.

W Paryżu nowiny o niemieckiej agresji wywołały szok, gdyż w trakcie poprzednich dni zapanowały nadzieje, że europejskiego konfliktu zbrojnego uda się jednak uniknąć. Georges Bonnet, francuski minister spraw zagranicznych i czołowy ugodowiec, obwinił Polaków za „niemądrą i upartą postawę"[11]. Nadal chciał zaangażować Mussoliniego w roli mediatora w doprowadzeniu do nowego porozumienia w monachijskim stylu. Jednakże *mobilisation générale* już trwała, a pociągi pełne rezerwistów wyruszały z Gare de l'Est w Paryżu ku Metz i Strasburgowi.

Nie powinno dziwić, że polskie władze w Warszawie zaczęły się obawiać, iż sojusznicy znowu się wystraszą. Nawet niektórzy politycy w Londynie żywili podejrzenia, na podstawie mało wyrazistej noty dyplomatycznej skierowanej do Niemców i braku określenia w niej terminu upływu ultimatum, że Chamberlain wciąż może usiłować wykręcić się od zobowiązania udzielenia pomocy Polsce. Ale Wielka Brytania i Francja trzymały się

---

[10] A. de Monzie, *Ci-devant*, Paris 1941, cyt. za: C. Quétel, *L'impardonnable défaite, op. cit.*, s. 204.

[11] G. Bonnet, *Dans la tourmente, 1938–1948*, Paris 1971, cyt. za: C. Quétel, *L'impardonnable défaite, op. cit.*, s. 195.

tradycyjnych w dyplomacji procedur, jak gdyby chciały podkreślić, że pogróżki orędownika blitzkriegu nie robią na nich wrażenia.

W Berlinie późnym wieczorem 1 września wciąż było niezwykle ciepło. Księżyc w pełni oświetlał zaciemnione, na wypadek polskich nalotów, ulice niemieckiej stolicy. Wprowadzono także inną formę „zaciemnienia". Otóż Goebbels ogłosił wprowadzenie surowych kar za słuchanie zagranicznych stacji radiowych. Ribbentrop nie zgodził się na to, by przyjąć równocześnie ambasadorów brytyjskiego i francuskiego, więc o 21.20 Henderson doręczył notę z żądaniem niezwłocznego wycofania niemieckich wojsk z Polski. Coulondre dostarczył francuską wersję tego dokumentu pół godziny później. Hitler, zapewne nieco podbudowany na duchu niezbyt ostrym tonem obu tych not, pozostał przekonany, że alianckie rządy raz jeszcze poniechają w ostatniej chwili wypowiedzenia wojny.

Nazajutrz personel brytyjskiej ambasady pożegnał się z niemieckimi służącymi i przeniósł się do pobliskiego hotelu Adlon. W trzech stolicach – Berlinie, Londynie i Paryżu – zapanował rodzaj dyplomatycznej próżni. Pogłoski o powrocie do polityki *appeasementu* zrodziły się na nowo w Londynie, lecz zwłoka z wypowiedzeniem wojny wynikła w rzeczywistości z żądania wysuniętego przez Francuzów, którzy stwierdzili, iż potrzeba im więcej czasu na mobilizację rezerwistów i ewakuację ludności cywilnej. Obydwa rządy alianckie były przeświadczone o potrzebie ścisłej współpracy, niemniej jednak Georges Bonnet i jego polityczni sprzymierzeńcy nadal starali się opóźnić przystąpienie do wojny. Niestety znany z niezdecydowania Daladier pozwalał Bonnetowi na kontynuowanie dążeń do zorganizowania międzynarodowej konferencji z udziałem faszystowskich władz w Rzymie. Bonnet telefonował w tej sprawie do Londynu, aby zyskać brytyjskie poparcie dla owej inicjatywy, ale zarówno minister spraw zagranicznych lord Halifax, jak i Chamberlain stwierdzili stanowczo, że żadnych rokowań nie będzie, dopóki niemieckie oddziały pozostają na polskim terytorium. Halifax zatelefonował także do szefa włoskiej dyplomacji, hrabiego Galeazza Ciano, by rozwiać wszelkie wątpliwości w tej kwestii.

Wystosowanie mglistego w treści ultimatum, bez określenia konkretnej daty, późnym popołudniem doprowadziło do kryzysu gabinetowego w Londynie. Chamberlain i Halifax tłumaczyli się koniecznością współdziałania z Francją, co oznaczało w praktyce, że ostateczna decyzja leżała w gestii Francuzów. Ale sceptycy, popierani przez obecnych na posiedzeniu sztabowców, odrzucali taką logikę. Obawiali się, że bez zdecydowanej brytyjskiej inicjatywy Francuzi pozostaną bierni. Należało określić limit czasowy. Chamberlainem jeszcze bardziej wstrząsnęła reakcja Izby Gmin niecałe trzy godziny później. Jego wyjaśnień przyczyn zwlekania z wypowiedzeniem wojny wysłuchano w nieprzyjaznym milczeniu. Potem, kiedy Arthur

Greenwood, występujący jako lider Partii Pracy, wstał, aby mu odpowiedzieć, nawet z ław zajmowanych przez konserwatystów dało się słyszeć okrzyki: „Mów w imieniu Anglii!". Greenwood nie pozostawił wątpliwości, że Chamberlain winien następnego ranka złożyć w Izbie Gmin formalną deklarację przystąpienia do wojny.

Tego wieczoru, gdy za oknami rozpętała się burza, Chamberlain i Halifax wezwali na Downing Street ambasadora Francji Charles'a Corbina. Zadzwonili też do Paryża, aby rozmówić się z Daladierem i Bonnetem. Rząd francuski nadal nie przejawiał pośpiechu, mimo że Daladier otrzymał w Izbie Deputowanych pełne poparcie w sprawie kredytów wojennych kilka godzin wcześniej. (Słowa „wojna" nadal przesądnie wystrzegano się we francuskich oficjalnych kręgach. Zamiast tego podczas debat w Pałacu Burbońskim, czyli siedzibie Zgromadzenia Narodowego, posługiwano się takimi zawoalowanymi zwrotami jak *obligations de la situation internationale* [„zobowiązania wynikające z sytuacji międzynarodowej"]). A ponieważ Chamberlain nabrał przekonania, że jego rząd upadnie następnego przedpołudnia, jeśli nie przedstawi uściślonego ultimatum, Daladier ostatecznie uznał, iż Francja też nie może dłużej czekać. Obiecał, że również jego kraj wystosuje następnego dnia ultimatum. Następnie Chamberlain zwołał kolejne posiedzenie gabinetu rządowego. Na krótko przed północą przygotowano i uzgodniono ostateczną wersję ultimatum. Miało zostać doręczone Niemcom o 9.00 nazajutrz przez Nevile'a Hendersona w Berlinie, a termin zastosowania się do zawartych w tym dokumencie żądań upływał dwie godziny później.

Rankiem w niedzielę 3 września Nevile Henderson ściśle wypełnił dane mu instrukcje. Hitler, wcześniej nieustannie zapewniany przez Ribbentropa, że Brytyjczycy nie przystąpią do wojny, był wyraźnie wstrząśnięty. Po tym jak zapoznał się z treścią ultimatum, zapadło długotrwałe milczenie. Wreszcie zwrócił się ze złością do Ribbentropa i ostro zapytał: „I co teraz?"[12]. Ribbentrop, arogancki pozer, którego jego teściowa określiła mianem „nadzwyczaj niebezpiecznego głupca"[13], od dawna przekonywał Hitlera, iż wie, jaka będzie brytyjska reakcja. Teraz zabrakło mu słów. Po tym jak Coulondre doręczył nieco później francuskie ultimatum, Göring odezwał się do tłumacza Hitlera: „Jeśli przegramy tę wojnę, to niech Bóg ma nas w opiece".

Po burzy poprzedniego wieczoru poranek w Londynie był pogodny i słoneczny. Z Berlina nie nadeszła odpowiedź na ultimatum do czasu, gdy Big Ben

---

[12] P. Schmidt, *Statysta na dyplomatycznej scenie*, tłum. H. Batowski, Kraków 1965, s. 189–191.
[13] Cyt. za: H. Nicolson, *Friday Mornings, 1941–1944*, London 1944, s. 218.

rozbrzmiał jedenaście razy. Henderson w Berlinie potwierdził w rozmowie telefonicznej, że do niego także nic nie dotarło. W siedzibie brytyjskich dyplomatów trzeci sekretarz ambasady zatrzymał zegar o jedenastej i włożył za szklane wieko kartkę z informacją, by nie uruchamiać ponownie tego zegara, póki Hitler nie zostanie pokonany.

O 11.15 Chamberlain przemówił do narodu przez radio z sali posiedzeń rządu na Downing Street 10. W całym kraju ludzie stanęli na baczność na dźwięk zagranego na koniec tego wystąpienia brytyjskiego hymnu. Wielu płakało. Przemówienie premiera odznaczało się jednocześnie prostotą i elokwencją, lecz liczni zwrócili uwagę, jak smutnym i zmęczonym głosem mówił Chamberlain. Zaraz po tej krótkiej audycji zawyły syreny alarmu przeciwlotniczego. Londyńczycy zbiegli do piwnic i schronów, spodziewając się potężnego nalotu. Ale był to fałszywy alarm, który niebawem odwołano. Powszechną i jakże brytyjską reakcją na to było nastawienie czajników z wodą na herbatę. A jednak bynajmniej nie wszyscy prezentowali flegmatyczną postawę, o czym świadczą badania przeprowadzone przez organizację Mass Observation: „Krążyły pogłoski, że niemal każde ważniejsze miasto zostało zburzone przez bomby w pierwszych dniach wojny. Setki naocznych świadków w i d z i a ł o spadające płonące samoloty"[14].

Żołnierze w trzytonowych wojskowych ciężarówkach śpiewali na głos *It's a Long Way to Tipperary*, która to pieśń mimo wesołej melodii przypominała o koszmarze pierwszej wojny światowej. Londyn poniekąd przywdział wojenny strój. W Hyde Parku, naprzeciwko koszar w Knightsbridge, koparki zaczęły ładować na skrzynie ciężarówek ziemię, którą, upakowaną w worki, obkładano rządowe gmachy. Królewscy gwardziści w pałacu Buckingham zdjęli charakterystyczne futrzane czapy i czerwone kurtki, zakładając stalowe hełmy i starannie odprasowane mundury polowe. Srebrzyste balony zaporowe unosiły się nad miastem, całkowicie zmieniając widok nieba. Na czerwonych skrzynkach pocztowych wymalowano żółte pasy specjalną farbą, zmieniającą kolor pod wpływem gazów bojowych. Szyby w oknach zaklejono paskami papieru, chroniącymi przed odpryskami szkła. Wygląd ulicznych tłumów też uległ zmianie: pojawiło się dużo więcej mundurów, a cywile nosili w tekturowych pudełkach na sznurku maski przeciwgazowe. Dworce kolejowe były zapchane ewakuowanymi dziećmi, które miały na ubraniach karteczki z nazwiskami i adresami, a w rękach ściskały szmaciane lalki i pluszowe misie. Nocami, po zaciemnieniu, niczego nie dawało się rozpoznać. Tylko nieliczni kierowcy decydowali się na bardzo ostrożną jazdę, z częściowo przesłoniętymi światłami przednimi w samochodach. Wie-

---

[14] Sondaż Mass Observation, cyt. za: D. Swift, *Bomber County. The Poetry of a Lost Pilot's War*, London 2010, s. 118.

lu ludzi po prostu przesiadywało w domach, za zaciągniętymi w oknach kotarami, słuchając rozgłośni BBC[15].

Tego samego dnia Australia i Nowa Zelandia także wypowiedziały Niemcom wojnę, podobnie jak kontrolowane przez Brytyjczyków władze Indii, choć bez porozumienia z czołowymi hinduskimi działaczami politycznymi. Południowa Afryka wypowiedziała wojnę trzy dni później, po zmianie tamtejszego rządu, a Kanada oficjalnie przystąpiła do wojny po tygodniu. Owej nocy brytyjski liniowiec „Athenia" został zatopiony przez niemiecki okręt podwodny U-30; zginęło w tym incydencie sto dwanaście osób, w tym dwudziestu ośmiu obywateli USA[16]. Opisywane wydarzenia przyćmiły nieco inne: Chamberlain bez entuzjazmu wprowadził w skład gabinetu rządowego swego najbardziej nieprzejednanego krytyka. Powrót Churchilla do Admiralicji, którą kierował także w chwili wybuchu poprzedniej wojny, skłonił pierwszego lorda morskiego do przesłania na wszystkie okręty Royal Navy depeszy: „Winston powrócił!".

Wiadomość o wypowiedzeniu wojny przez Wielką Brytanię nie wywołała zbytniej radości w Berlinie. Większość Niemców była oszołomiona i przybita z tego powodu. Wcześniej liczyli na to, że Hitlerowi nadal będzie sprzyjało nadzwyczajne szczęście, i uważali, że przyniesie mu ono zwycięstwo nad Polską bez wikłania się w europejski konflikt. Nieco później, o 17.00, upłynął termin francuskiego ultimatum (w którego tekście nie było budzącego grozę słowa „wojna"), pomimo prób lawirowania, podejmowanych przez Bonneta. Chociaż we Francji przeważały nastroje wyrażane podszytym zniechęceniem zwrotem „il faut en finir" („trzeba z tym skończyć"), to prezentująca antywojenne nastawienie lewica zdawała się zgadzać z defetystami z prawicy, że nie ma sensu „ginąć za Gdańsk". Jeszcze bardzo niepokojące było to, że niektórzy starsi rangą francuscy oficerowie zaczęli sobie wmawiać, iż to Brytyjczycy popchnęli ich ku tej wojnie. „Chodzi o postawienie nas przed faktem dokonanym"[17], pisał generał Paul de Villelume, oficer łącznikowy francuskiego dowództwa przy rządzie, „ponieważ Anglicy boją się, że możemy zmięknąć". Dziewięć miesięcy później tenże generał miał wywrzeć silnie defetystyczny wpływ na następnego francuskiego premiera, Paula Reynauda.

Wieści o wypowiedzeniu wojny przez obydwu sojuszników wzbudziły z kolei euforyczną radość w Warszawie. Wiwatujący Polacy, nieświadomi

[15] Zmiany w Londynie zob. M. Panter-Downes, *London War Notes, 1939–1945*, London 1971, s. 3–6.
[16] Zatopienie „Athenii" zob. R. Overy, *1939. Nad przepaścią, op. cit.*, s. 130–131.
[17] P. de Villelume, *Journal d'une défaite: août 1939–juin 1940*, Paris 1976, cyt. za: C. Quétel, *L'impardonnable défaite, op. cit.*, s. 211.

wątpliwości targających Francuzami, zgromadzili się przed ambasadami obu aliantów. Hymny państwowe trzech sprzymierzonych krajów nadawano przez radio. Przesadny optymizm kazał wielu Polakom sądzić, że obiecana francuska ofensywa szybko zmieni przebieg wojny na ich korzyść.

Jednakże w innych miejscach rozgrywały się mniej podniosłe sceny. Niektórzy Polacy zwrócili się przeciwko etnicznym Niemcom, aby zemścić się za napaść na Polskę. W atmosferze strachu, wzburzenia i chaosu wywołanego przez nagłą wojnę ludność pochodzenia niemieckiego atakowano w wielu miejscowościach. Trzeciego września w Bydgoszczy przypadkowe strzały do Polaków na ulicach pociągnęły za sobą masakrę, w której zginęło dwustu dwudziestu trzech etnicznych Niemców (a według oficjalnej niemieckiej historii około tysiąca[18]). Szacunki dotyczące łącznej liczby zabitych osób pochodzenia niemieckiego w całej Polsce wahają się od dwóch do trzynastu tysięcy, a prawdopodobnie wynosiła ona około sześciu tysięcy. Później Goebbels zawyżył ją do pięćdziesięciu ośmiu tysięcy, aby w ten sposób usprawiedliwić niemiecki program czystek etnicznych wymierzony przeciwko Polakom.

W pierwszym dniu europejskiej wojny niemiecka 4. Armia nacierająca z Pomorza przecięła pomorski korytarz u jego podstawy. Oznaczało to fizyczne połączenie Prus Wschodnich z resztą Rzeszy. Czołowe oddziały 4. Armii opanowały także przyczółki wzdłuż dolnego biegu Wisły.

Trzecia Armia, atakująca z Prus Wschodnich, posuwała się na południowy wschód w kierunku Narwi, aby oskrzydlić Modlin i Warszawę. Tymczasem Grupa Armii „Południe" zmusiła do odwrotu polskie Armie „Łódź" i „Kraków", zadając im ciężkie straty. Luftwaffe, po unicestwieniu znacznej części polskiego lotnictwa (pozostałe samoloty przebazowano zawczasu na lotniska polowe), skoncentrowała się na taktycznym wsparciu wojsk lądowych Wehrmachtu i bombardowaniu polskich miast na tyłach, siejąc chaos na szlakach komunikacyjnych.

Niemieccy żołnierze wkrótce zaczęli odczuwać odrazę na widok mijanych ubogich polskich wiosek. Wiele z tych miejscowości sprawiało wrażenie opuszczonych przez Polaków, lecz przy tym pełnych Żydów. Żołnierze opisywali te miasteczka jako pełne „brudu i smrodu" oraz bardzo zacofane[19]. Reakcje te nasiliły się jeszcze po natknięciu się na „wschodnich Żydów",

---

[18] Zabicie tysiąca Niemców w Bydgoszczy zob. *GSWW*, t. II, s. 138; trzysta ofiar stłumienia rewolty por. R.J. Evans, *The Third Reich at War. How the Nazis Led Germany from Conquest to Disaster*, London 2008, s. 8.

[19] Cyt. z listu z 17 września 1939 r., BfZ-SS 28774, cyt. za: J. Böhler, *Zbrodnie Wehrmachtu w Polsce, op. cit.*, s. 43; zob. też BA-MA RH37/5024; RH53-18/152; RH37/5024.

brodatych i ubranych w kaftany. Ich wygląd, „nieszczere oczy"[20] i „przymilnie przyjacielski"[21] sposób bycia, kiedy „z szacunkiem zdejmowali czapki z głów"[22], wydawał się bardziej odpowiadać karykaturom zamieszczanym przez nazistowską propagandę w zawzięcie antysemickiej gazecie „Der Stürmer"[23] niż wizerunkowi zasymilowanych Żydów spotykanych w Rzeszy. „Każdy – pisał pewien Gefreiter (starszy szeregowy) – kto jeszcze nie był bezwzględnym wrogiem Żydów, musi stać się nim tutaj"[24]. Zwykli niemieccy żołnierze, nie tylko esesmani, znajdowali rozrywkę w maltretowaniu Żydów, biciu ich, ścinaniu bród starcom, upokarzaniu, a nawet gwałceniu młodych kobiet (pomimo obowiązujących ustaw norymberskich, zakazujących stosunków z przedstawicielkami „niższych" ras) i podpalaniu bożnic.

Przede wszystkim jednak niemieccy żołnierze mieli w pamięci ostrzeżenia, których im udzielono, na temat niebezpieczeństwa akcji sabotażowych i strzelania im w plecy przez partyzantów. Kiedy padał pojedynczy strzał, podejrzenie kierowano często na okolicznych Żydów, nawet jeśli było o wiele bardziej prawdopodobne, że podziemne działania zbrojne podjęli raczej Polacy. Doszło do licznych masakr po otwarciu ognia przez jakiegoś niespokojnego wartownika; potem inni włączali się do strzelaniny, a czasem niemieccy żołnierze pomyłkowo strzelali do siebie nawzajem. Oficerów przerażał taki brak dyscypliny, lecz wydawali się bezsilni, nie potrafiąc powstrzymać tej *Freischärlerpsychose* – obsesyjnego strachu przed atakiem uzbrojonych cywilów[25]. (Czasami nazywano to *Heckenschützenpsychose* – lękiem przed strzałami zza żywopłotów). Niewielu niemieckich oficerów starało się powstrzymywać akty ślepego odwetu po takich incydentach. Granaty wrzucano do piwnic, gdzie chroniły się bezbronne rodziny, a nie partyzanci. Żołnierze uważali to za uprawnione działania w obronie własnej, nie zaś za zbrodnie wojenne.

Zadawniony w niemieckim wojsku obsesyjny strach przed partyzantką prowadził do zbiorowych egzekucji i puszczania wiosek z dymem. W bardzo niewielu jednostkach zadawano sobie trud trwonienia czasu na prawne procedury. W odczuciu Niemców Polakom i Żydom po prostu nie przysługiwały podobne subtelności. Niektóre formacje mordowały ludność cywilną ze szczególnym zapałem. W tym względzie wyróżniała się zwłaszcza gwardia

---

[20] Cyt. za: K. Latzel, *Deutsche Soldaten – nationalsozialistischer Krieg? Kriegserlebnis – Kriegserfahrung 1939–1945*, Paderborn 1998, s. 153.

[21] BA-MA RH41/1012 („*katzenfreundlich*").

[22] BA-MA RH37/6891, s. 11 („*zogen respektvoll den Hut*").

[23] BA-MA RH28-1/255.

[24] BA-MA RH53-18/17.

[25] BA-MA RH26-4/3, cyt. za: J. Böhler, *Zbrodnie Wehrmachtu w Polsce, op. cit.*, s. 110–112.

przyboczna Hitlera, „Leibstandarte SS Adolf Hitler". Jednakże większości mordów dokonywały na tyłach oddziały Einsatzgruppen SS, tajnej policji oraz paramilitarnej Volksdeutscher Selbstschutz („samoobrony" etnicznych Niemców); członkowie tej ostatniej organizacji od dawna łaknęli zemsty.

Źródła niemieckie wskazują, że w trakcie pięciotygodniowej kampanii w Polsce stracono szesnaście tysięcy cywilów[26]. W rzeczywistości liczba ofiar musiała być znacznie wyższa, do końca roku dochodząc do sześćdziesięciu pięciu tysięcy. Niemieckie bojówki dokonały masakry około dziesięciu tysięcy Polaków i Żydów w wyrobisku żwiru koło miejscowości Mniszek na Pomorzu[27], a kolejnych osiem tysięcy ofiar zamordowano w lasach opodal Karolewa (Karlshof). W ramach zbiorowych represji niszczono domy, a czasem i całe wsie. Łącznie Niemcy spalili doszczętnie ponad pięćset wiosek i miasteczek. Tu i ówdzie linię niemieckiego natarcia wyznaczała na horyzoncie czerwona łuna płonących wsi i gospodarstw rolnych.

Wkrótce Żydzi, a także Polacy zaczęli się ukrywać na widok nadciągających niemieckich wojsk. To czyniło żołnierzy Wehrmachtu jeszcze bardziej niespokojnymi, gdyż nabierali przekonania, że nie tylko są ukradkowo obserwowani przez okna i okienka, ale i niewidoczny wróg celuje do nich z broni. Czasami można było odnieść wrażenie, iż wielu żołnierzy chciało zniszczyć te niechlujne i wrogie wioski, aby zaraza, która według nich tam się wylęgała, nie rozprzestrzeniła się na pobliskie ziemie niemieckie. Nie powstrzymywało ich to wszak przed rabowaniem przy każdej okazji – pieniędzy, odzieży, kosztowności, prowiantu i pościeli. O pomyleniu przyczyn ze skutkami świadczyło to, że wszystko, co widzieli w trakcie tej kampanii, a co wzbudzało w nich tak głęboką odrazę, jakoś wydawało się usprawiedliwiać sam akt agresji.

Polskim wojskom, choć te często prezentowały rozpaczliwą odwagę w walce, utrudniały skuteczne działania nie tylko brak nowoczesnej broni, ale przede wszystkim przestarzałe środki łączności. O odwrocie jednej formacji nie dowiadywały się na czas inne na jej skrzydłach, co przynosiło katastrofalne rezultaty. Naczelny wódz marszałek Rydz-Śmigły szybko nabrał przekonania, że wojna jest już przegrana. Nawet jeśli Francuzi przeszliby do obiecanej ofensywy, to nastąpiłaby ona za późno. Czwartego września coraz bardziej pewny siebie Hitler powiedział Goebbelsowi, że nie obawia się uderzenia z zachodu. Przewidywał, iż dojdzie tam do *Kartoffelkrieg* – okopowej „wojny ziemniaczanej"[28].

---

[26] J. Böhler, *Zbrodnie Wehrmachtu w Polsce, op. cit.*, s. 240–245.
[27] Zob. R.J. Evans, *The Third Reich at War, op. cit.*, s. 14–15.
[28] *TBJG*, cz. I, t. VII, s. 92.

Zabytkowy uniwersytecki Kraków został zdobyty 6 września przez 14. Armię, a natarcie Grupy Armii „Południe" Rundstedta rozwijało się bez większych przeszkód, gdy broniący się Polacy prowadzili trudne walki odwrotowe. Ale trzy dni później naczelne dowództwo niemieckich wojsk lądowych – Oberkommando des Heeres (OKH) – zaczęło się niepokoić, że polskie armie mogą się wyrwać z kotła, w jakim Niemcy chcieli je zamknąć na zachód od Wisły. Wobec tego dwa korpusy ze składu Grupy Armii „Północ" otrzymały rozkaz wyruszenia dalej na wschód, w razie konieczności wyjścia nad Bug i przekroczenia tej rzeki w celu zamknięcia wojsk przeciwnika w nowych kleszczach.

W Gdańsku bohaterscy obrońcy Westerplatte, którym kończyła się amunicja, ostatecznie zostali zmuszeni do kapitulacji 7 września, po nalocie stukasów i ostrzale z ciężkich dział okrętu „Schleswig-Holstein". Potem ten stary pancernik skierował się na północ, aby wesprzeć atak na portową Gdynię i Oksywie, które broniło się do 19 września.

W centralnej Polsce opór tężał, gdy Niemcy zbliżali się do stolicy. Kolumna czołgów 4. Dywizji Pancernej dotarła na obrzeża tego miasta 8 września, ale została szybko zmuszona do wycofania się. O determinacji Polaków, by bronić Warszawy, świadczyło skoncentrowanie artylerii na wschodnim brzegu Wisły, by stamtąd móc ostrzeliwać wdzierających się do miasta napastników. Jedenastego września Związek Radziecki odwołał z Warszawy swojego ambasadora i personel dyplomatyczny, jednak Polacy nadal nie mieli pojęcia o „ciosie nożem w plecy" szykowanym ze wschodu.

W innych rejonach polskie oddziały, okrążone przez zmechanizowane jednostki niemieckie, zaczęły już masowo się poddawać. Szesnastego września Niemcy zamknęli wielki kocioł osiemdziesiąt kilometrów na zachód od Warszawy, schwytawszy w pułapkę dwie polskie armie w rozwidleniu Bzury i Wisły. Zmasowane naloty Luftwaffe ostatecznie złamały opór broniących się tam jednostek. Dzielne polskie lotnictwo, dysponujące zaledwie dwustu siedemdziesięcioma przestarzałymi myśliwcami – samoloty P-11 z wyglądu przypominały nieco lysandery[29] – nie miały większych szans w walkach z szybkimi i smukłymi messerschmittami.

*

Niebawem legły w gruzach resztki żywionych przez Polaków nadziei na ocalenie, związanych z aliancką ofensywą na froncie zachodnim. Generał Gamelin, popierany przez francuskiego premiera Daladiera, odrzucał pomysł

---

[29] Powolne brytyjskie maszyny rozpoznawczo-łącznikowe (przyp. tłum.).

jakiejkolwiek większej akcji zaczepnej do czasu przerzucenia na kontynent Brytyjskiego Korpusu Ekspedycyjnego oraz mobilizacji wszystkich rezerwistów. Twierdził także, iż Francja musi nabyć sprzęt wojskowy od Stanów Zjednoczonych. Tak czy owak, w armii francuskiej obowiązywała zasadniczo defensywna doktryna. Gamelin, pomimo złożonych Polakom obietnic, wzdragał się na myśl o przeprowadzeniu większej ofensywy, uważając, że doliny Renu i umocnień niemieckiego Wału Zachodniego nie uda się przełamać. Brytyjczycy prezentowali niewiele bardziej agresywną postawę. Zwali Wał Zachodni „Linią Zygfryda", na której, zgodnie ze słowami ich wesołej pieśni z okresu „dziwnej wojny", chcieli suszyć pranie. Brytyjczykom wydawało się, że czas pracuje na ich korzyć, i obstawali przy osobliwym przekonaniu, że najskuteczniejsza strategia polega na morskiej blokadzie Niemiec – tyle tylko, że oczywiste było, iż Związek Radziecki mógł zaopatrywać Hitlera we wszelkie surowce niezbędne dla niemieckiego przemysłu wojennego.

Wielu Brytyjczyków czuło zawstydzenie z powodu takiej pasywności i braku energicznej pomocy Polakom. Samoloty RAF-u zaczęły latać nad Niemcy, zrzucając ulotki propagandowe, co zrodziło dowcipy o „*Mein Pamph*"[30] i „wojnie na konfetti"[31]. Nalot bombowy na niemiecką bazę floty wojennej w Wilhelmshaven, przeprowadzony 4 września, okazał się żałośnie nieskuteczny. Pierwsze oddziały Brytyjskiego Korpusu Ekspedycyjnego (British Expeditionary Force, BEF) tego samego dnia znalazły się we Francji, a w ciągu następnych pięciu tygodni ogółem sto pięćdziesiąt osiem tysięcy brytyjskich żołnierzy przerzucono na kontynent przez kanał La Manche. Ale do pierwszych starć z niemieckimi oddziałami doszło dopiero w grudniu.

Francuzi ograniczyli się do wejścia na zaledwie kilka kilometrów w głąb niemieckiego terytorium koło Saarbrücken. Z początku Niemcy obawiali się silnego ataku. Szczególnie martwiło to Hitlera, który zaangażował większość swoich wojsk w Polsce, ale bardzo ograniczony zakres alianckiej ofensywy wykazał, że to tylko rodzaj symbolicznego gestu. Naczelne dowództwo niemieckich sił zbrojnych – Oberkommando der Wehrmacht (OKW) – niebawem przestało się niepokoić. Francuzi i Brytyjczycy haniebnie uchylili się od wypełnienia swych zobowiązań, a przecież Polacy w lipcu przekazali Wielkiej Brytanii i Francji posiadane informacje wywiadowcze na temat Enigmy – niemieckiej maszyny szyfrującej.

Siedemnastego września polskie cierpienia się dopełniły, kiedy wojska radzieckie przekroczyły długą wschodnią granicę, zgodnie z postanowieniami tajnego protokołu podpisanego z Niemcami w Moskwie zaledwie mie-

---

[30] *Pamph* – skrót od angielskiego słowa *pamphlet*, oznaczającego broszurkę (przyp. tłum.).
[31] M. Panter-Downes, *London War Notes, 1939–1945, op. cit.*, s. 19.

siąc temu. Niemców zdziwiło nieco, że Sowieci nie wkroczyli wcześniej, ale Stalin skalkulował, że jeśli radziecki atak nastąpi zbyt szybko, to zachodni alianci mogą poczuć się zobligowani do wypowiedzenia wojny także Związkowi Radzieckiemu. Sowieci utrzymywali, z dość typowym dla siebie cynizmem, że to polskie prowokacje zmusiły ich do interwencji w celu ochrony ludności białoruskiej i ukraińskiej. Ponadto Kreml stwierdził, że ZSRR nie jest już związany traktatem o nieagresji z Polską, ponieważ władze w Warszawie przestały istnieć. Polski rząd rzeczywiście opuścił kraj tego samego przedpołudnia, aby uniknąć schwytania przez oddziały radzieckie. Ministrowie spieszyli ku granicy z Rumunią, nim droga nie została odcięta przez jednostki Armii Czerwonej nadciągające z Kamieńca Podolskiego na południowo-zachodniej Ukrainie.

Na granicy rumuńskiej pojazdy wojskowe i cywilne auta utworzyły gigantyczny zator, lecz ostatecznie w nocy pokonanym Polakom zezwolono na jej przekroczenie. Prawie każdy brał na pamiątkę kamień lub garść polskiej ziemi. Wielu płakało; zdarzały się samobójstwa. Ludność rumuńska okazywała Polakom przychylność, ale Niemcy wywierali naciski na tamtejsze władze, by wydać im uciekinierów. Łapówki ocaliły większość uchodźców od aresztowania i internowania, chyba że trafili na rumuńskiego oficera, który był stronnikiem faszystowskiej Żelaznej Gwardii. Niektórzy Polacy uciekali małymi grupkami[32]. Większe grupy, organizowane przez polskie władze w Bukareszcie, przemycano z Konstancy i innych portów nad Morzem Czarnym, skąd przedostawały się do Francji. Inni uciekali przez Węgry, Jugosławię i Grecję, a mniej liczni, borykając się w trakcie ucieczki z poważniejszymi problemami, przedzierali się przez kraje nadbałtyckie do Szwecji.

Na polecenie Hitlera OKW pospiesznie wystosowało rozkazy dla tych niemieckich formacji, które znalazły się za Bugiem, aby się wycofały. O ścisłej współpracy Berlina i Moskwy świadczył fakt, że Niemcy opuścili zajęte obszary, przyznane na mocy tajnego protokołu, a ruchy niemieckich wojsk były skoordynowane z natarciem formacji Armii Czerwonej.

Do pierwszego kontaktu między tymi osobliwymi sprzymierzeńcami doszło na północ od Brześcia. Dwudziestego drugiego września potężną brzeską twierdzę przekazano Armii Czerwonej, czemu towarzyszyła uroczysta defilada. Na nieszczęście dla uczestniczących w niej radzieckich oficerów to zetknięcie z Niemcami sprawiło, iż wkrótce padli ofiarą aresztowań dokonywanych przez NKWD Berii.

---

[32] Na temat Polaków w Rumunii zob. A. Zamoyski, *Orły nad Europą. Losy polskich lotników w czasie drugiej wojny światowej*, tłum. T. Kubikowski, Kraków 2004, s. 38–46.

Polacy nadal stawiali opór, gdy jednostki starały się przebijać z okrążenia, a pojedynczy żołnierze tworzyli nieformalne oddziały, aby walczyć na trudniej dostępnych terenach – lesistych, bagiennych i górskich. Drogi na wschodzie były zapchane uchodźcami, którzy z rejonów objętych walkami próbowali uciekać wozami drabiniastymi, zużytymi samochodami, a nawet na rowerach. „Wróg zawsze nadlatywał z powietrza – pisał pewien młody polski żołnierz – ale nawet kiedy leciał bardzo nisko, był poza zasięgiem naszych starych mauzerów. Ten wojenny spektakl rychło stał się monotonny; dzień po dniu widywaliśmy te same sceny: cywile uciekający przed nalotami, rozpraszające się konwoje, płonące ciężarówki i konne zaprzęgi. Swąd wyczuwany po drodze też był niezmienny. Był to odór martwych koni, których nikt nie grzebał i które cuchnęły na kilometr. Przemieszczaliśmy się tylko nocami i nauczyliśmy się przysypiać w marszu. Palenie tytoniu było zabronione z obawy, że żar z papierosa może ściągnąć na nas wszechpotężną Luftwaffe"[33].

Tymczasem Warszawa pozostawała głównym bastionem polskiego oporu. Hitler chciał możliwie najszybciej zdobyć polską stolicę, więc maszyny Luftwaffe rozpoczęły intensywne naloty bombowe. W powietrzu były już prawie bezkarne, a miastu zabrakło skutecznej obrony przeciwlotniczej. Dwudziestego września Warszawę i Modlin zaatakowało sześćset dwadzieścia niemieckich samolotów. Następnego dnia Göring wydał rozkaz 1. i 4. Flocie Powietrznej przeprowadzenia ponownych zmasowanych nalotów. Nieustępliwe bombardowania – Luftwaffe wykorzystywała nawet samoloty transportowe Junkers Ju 52 do zrzucania ładunków zapalających – trwały do czasu, aż Warszawa skapitulowała 28 września. Fetor rozkładających się pod gruzami i rozdętych końskich ciał na ulicach stawał się nie do zniesienia. W wyniku tych nalotów zginęło około dwudziestu pięciu tysięcy cywilów i sześć tysięcy żołnierzy.

Dwudziestego ósmego września, gdy Warszawa się poddawała, Ribbentrop znowu udał się samolotem do Moskwy i podpisał tam uzupełniający „traktat o granicach i przyjaźni", w którym Stalin dokonał różnych zmian w przebiegu linii demarkacyjnej. Doprowadziło to do oddania Związkowi Radzieckiemu niemal całej Litwy w zamian za nieznaczne powiększenie terytoriów polskich pod okupacją niemiecką. Etniczni Niemcy na ziemiach zajętych przez Sowietów mieli zostać przesiedleni do strefy pod kontrolą nazistowską. Stalinowski reżim wydał też Rzeszy wielu niemieckich komunistów i innych opozycjonistów. Rządy obu państw zaapelowały o zakończenie wojny w Europie, po tym jak „kwestia polska" została rozwiązana.

---

[33] K.S. Karol, *A Polish Cadet in Inaction*, w: *idem, Between Two Worlds. The Life of a Young Pole in Russia, 1939–1946*, New York 1987, cyt. za: J.E. Lewis, *Eyewitness World War II*, Philadelphia 2008, s. 36–37.

Nie ma wątpliwości, kto zyskał najwięcej na tych dwóch porozumieniach, które złożyły się na pakt nazistowsko-sowiecki. Niemcy, zagrożone brytyjską blokadą morską, zdobyły dostęp do wszelkich zasobów nieodzownych do prowadzenia wojny. Poza tym, co dostarczał Rzeszy Związek Radziecki, w tym zbożem, ropą naftową i manganem, rząd Stalina pośredniczył też w dostawach innych surowców, zwłaszcza kauczuku, których Niemcy nie byli w stanie nabyć za granicą.

Już w trakcie moskiewskich rozmów Sowieci zaczęli wywierać naciski na państwa nadbałtyckie. Dwudziestego ósmego września Estonii został narzucony traktat o „wzajemnej pomocy". W ciągu następnych dwóch tygodni Łotwa i Litwa musiały zawrzeć podobne układy. Pomimo składanych osobiście przez Stalina zapewnień, że suwerenność tych państw zostanie uszanowana, wszystkie trzy zostały wchłonięte przez ZSRR na początku lata następnego roku, a NKWD rozpoczęło deportowanie około dwudziestu pięciu tysięcy „wrogów ludu"[34].

Chociaż naziści przystali na zajęcie przez Stalina krajów nadbałtyckich, a nawet na oderwanie rumuńskiej Besarabii, to uznali jego zakusy, zmierzające do zawładnięcia całym czarnomorskim wybrzeżem i okolicami ujścia Dunaju w pobliżu pól naftowych koło Ploeszti, nie tylko za prowokacyjne, ale i niebezpieczne.

*

Polacy bronili się w odosobnionych punkach oporu aż do października, lecz w kampanii ponieśli straszliwą klęskę. Wedle szacunków polskie siły zbrojne straciły w walce z Niemcami we wrześniu 1939 roku 70 tysięcy poległych, 133 tysiące rannych i 700 tysięcy wziętych do niewoli. Łączne straty niemieckie wynosiły 44 400 żołnierzy, w tym 11 tysięcy zabitych. Słabe polskie lotnictwo zostało całkowicie zniszczone, niemniej Luftwaffe utraciły podczas kampanii wrześniowej 560 samolotów, głównie w wyniku katastrof i ognia przeciwlotniczego, który okazał się zaskakująco silny[35]. Dostępne zestawienie strat związanych z radziecką inwazją jest przerażające. Armia Czerwona podobno straciła 996 zabitych i 2002 rannych, natomiast Polacy we wschodniej części kraju – 50 tysięcy zabitych (bez znanej liczby rannych). Taką dysproporcję można zapewne wyjaśnić tylko dokonywanymi

---

[34] W.N. Ziemskow, *Prinuditielnyje migracii iz Pribałtiki w 1940–1950-ch godach*, „Otczestwiennyj Archiw" 1993, nr 1, s. 4, cyt. za: G. Roberts, *Stalin's Wars. From World War to Cold War, 1939–1953*, New Haven 2006, s. 45.

[35] Dane na temat strat polskich i niemieckich por.: *GSWW*, t. II, s. 124; straty radzieckie zob. G.F. Krivosheev, *Soviet Casualties and Combat Losses in the Twentieth Century*, London 1997, s. 59.

tam egzekucjami, w tym i masakrami, jakich dopuszczono się następnej wiosny, także w Lesie Katyńskim.

Hitler nie od razu ogłosił likwidację państwa polskiego. W październiku 1939 roku miał nadzieję, że uda mu się skłonić Brytyjczyków i Francuzów do porozumienia. Militarna bierność aliantów na froncie zachodnim i fakt, że sprzymierzeni nie udzielili pomocy Polakom, podsuwała mu wniosek, że Brytyjczycy, a jeszcze bardziej Francuzi, nie chcą tak naprawdę ciągnąć tej wojny. Piątego października po odebraniu defilady zwycięstwa w Warszawie, w towarzystwie generała majora Erwina Rommla, Hitler przemówił do zagranicznych dziennikarzy. „Panowie – powiedział – ujrzeliście ruiny Warszawy. Niechże będzie to ostrzeżeniem dla tych polityków w Londynie i Paryżu, którzy nadal myślą o kontynuowaniu wojny"[36]. Nazajutrz przedstawił w Reichstagu „ofertę pokojową". Ale kiedy odrzuciły ją obydwa alianckie rządy i gdy stało się jasne, że Związek Radziecki jest zdecydowany wykorzenić polskość w zajętej przez siebie strefie, Hitler ostatecznie także podjął decyzję o całkowitym unicestwieniu Polski.

Okupowane przez Niemcy polskie terytoria zostały podzielone na Generalne Gubernatorstwo, stworzone z ziem centralnej i południowo-zachodniej Polski, i obszary przyłączone do Rzeszy (Prusy Zachodnie z Gdańskiem i część Mazur na północy, Wielkopolska na zachodzie i Górny Śląsk na południu). Rozpoczęła się realizacja zakrojonego na masową skalę programu czystek etnicznych w celu germanizacji włączonych w skład Rzeszy ziem. Miały zostać skolonizowane, zasiedlone folksdojczami z państw nadbałtyckich, Rumunii i Bałkanów. Polskim miastom nadano nowe nazwy. Łódź nazwano Litzmannstadt, od nazwiska niemieckiego generała dowodzącego w tamtych okolicach podczas pierwszej wojny światowej. Poznań powrócił do pruskiej nazwy Posen i został stolicą Kraju Warty (Warthegau).

Kościół katolicki w Polsce, symbolizujący polski patriotyzm, bezwzględnie prześladowano, aresztując i deportując księży. W próbie likwidacji polskiej kultury i potencjalnych kadr przywódczych pozamykano szkoły i wyższe uczelnie. Niemcy dopuszczali edukację tylko na najniższym poziomie, wystarczającym dla klasy przyszłych niewolników. Profesurę i personel Uniwersytetu Jagiellońskiego wywieziono w listopadzie do obozu koncentracyjnego w Sachsenhausen. Polskich więźniów politycznych zsyłano do zorganizowanego w byłych koszarach kawalerii obozu w Oświęcimiu, wkrótce przemianowanego na Auschwitz.

Urzędnicy partii nazistowskiej przystąpili do masowych wywózek do robót przymusowych w Niemczech, a także selekcji młodych kobiet do służby domowej. Hitler oznajmił głównodowodzącemu wojsk lądowych generałowi Waltherowi von Brauchitschowi, że potrzebni są mu „tani niewolni-

---

[36] J.W. Grigg, *Poland. Inside Fallen Warsaw*, agencja United Press, 6 października 1939 r.

cy"[37] i że trzeba wymieść „śmiecie" z nowo nabytych niemieckich obszarów. Jasnowłose dzieci, odpowiadające wyglądem ideałom aryjskości, były wywożone i adoptowane przez niemieckie rodziny. Jednakże Albert Förster, gauleiter Gdańska i Prus Zachodnich, wzbudził oburzenie nazistowskich purystów, sankcjonując masowe uznawanie Polaków za etnicznych Niemców. Dla Polaków z Pomorza takie „przekwalifikowanie", choć upokarzające i budzące niechęć, stanowiło jedyny sposób na uniknięcie deportacji i utratę domostw. Tyle że owi „nowi Niemcy" rychło musieli się liczyć z przymusowym poborem do Wehrmachtu.

Czwartego października Hitler amnestionował tych niemieckich żołnierzy, którzy wcześniej dopuścili się zabijania jeńców i cywilów. Uznano, że działali pod wpływem „afektu wywołanego zbrodniami popełnianymi przez Polaków"[38]. Wielu oficerów odczuwało zaniepokojenie tym, co postrzegali jako rozluźnienie wojskowej dyscypliny. „Smutkiem napełnia nas widok niemieckich żołnierzy, którzy bezmyślnie podpalają, mordują i rabują – pisał dowódca jednego z dywizjonów artylerii. – Dorośli ludzie, którzy nawet nie zdają sobie sprawy z tego, co robią, bez skrupułów łamiąc prawo i przepisy i plamiąc honor niemieckiego żołnierza"[39].

Generał porucznik Johannes Blaskowitz, dowódca 8. Armii, energicznie protestował przeciwko zabijaniu ludności cywilnej przez SS i pokrewne formacje – Sicherheitspolizei (Policję Bezpieczeństwa) i Volksdeutscher Selbschutz. Hitler, po zapoznaniu się z treścią memorandum Blaskowitza, stwierdził rozwścieczony, że „nie da się prowadzić wojny metodami Armii Zbawienia"[40]. Zjadliwie ganił też wszelkie inne obiekcje wysuwane przez wojsko. Mimo to wielu niemieckich oficerów nadal uważało, że Polska nie zasługuje na istnienie. Prawie nikt nie sprzeciwiał się agresji na ten kraj z pobudek moralnych. Niektórzy ze starszych oficerów, jako byli członkowie Freikorpsów w okresie krwawego chaosu tuż po pierwszej wojnie światowej, uczestniczyli wcześniej w zażartych zmaganiach z Polakami w regionach granicznych, zwłaszcza na Śląsku.

Pod wieloma względami kampania w Polsce oraz jej bezpośrednie następstwa stanowiły dla Hitlera wstęp do późniejszej *Rassenkrieg* – „wojny rasowej" ze Związkiem Radzieckim. Zastrzelono około czterdziestu pięciu tysięcy polskich i żydowskich cywilów, a najczęściej dopuszczali się tego szeregowi

[37] F. Halder, *Dziennik wojenny. Codzienne zapisy szefa Sztabu Generalnego Wojsk Lądowych 1939–1942*, t. 1: *Od kampanii polskiej do zakończenia ofensywy na Zachodzie (14.8.1939–30.6.1940)*, tłum. B. Woźniecki, Warszawa 1971, s. 102.

[38] *GSWW*, t. IX/1, s. 811.

[39] 12 października 1939 r., BA-MA RH41/1177, cyt. za: J. Böhler, *Zbrodnie Wehrmachtu w Polsce, op. cit.*, s. 5.

[40] *GSWW*, t. IX/1, s. 811.

niemieccy żołnierze. Einsatzgruppen SS zabijały z broni maszynowej pacjentów zakładów dla umysłowo chorych. Poszczególne Einsatzgruppen działały na tyłach armii, przeprowadzając operację pod kryptonimem „Tannenberg", polegającą na wyłapywaniu, a czasem nawet zabijaniu ziemian, sędziów, znanych dziennikarzy, profesorów i wszystkich innych osób, które w przyszłości mogły stanąć na czele polskiego ruchu oporu. Dziewiętnastego września Obergruppenführer SS Reinhard Heydrich bez ogródek wyjawił generałowi artylerii Franzowi Halderowi, szefowi sztabu wojsk lądowych, że dojdzie do „czystki: [likwidacji] Żydów, inteligencji, kleru, arystokracji". Początkowo terror miał dość chaotyczny charakter, zwłaszcza kiedy zbrodni dopuszczali się członkowie niemieckich paramilitarnych milicji, jed nak z końcem roku stał się bardziej zorganizowany i celowy.

Mimo że Hitler nigdy nie wyzbył się nienawiści do Żydów, to początkowo nie planował masowego, zorganizowanego ludobójstwa, które zaczęło się w 1942 roku. Wieścił swój obsesyjny antysemityzm i rozwijał nazistowską teorię „oczyszczenia"[41] Europy ze wszelkich żydowskich wpływów, ale jego przedwojenne koncepcje nie obejmowały masowej, fizycznej ekszterminacji ludności żydowskiej. Polegały na stworzeniu warunków tak nieznośnych i wprowadzeniu takich prześladowań, które zmusiłyby Żydów do emigrowania.

Nazistowska polityka w „kwestii żydowskiej" miała niestały, zmienny charakter. W istocie sam termin „polityka" jest cokolwiek zwodniczy w odniesieniu do zinstytucjonalizowanego chaosu panującego w Trzeciej Rzeszy. Lekceważące nastawienie Hitlera do administracji doprowadziło do mnożenia się rywalizujących z sobą departamentów i ministerstw. Taka rywalizacja, zwłaszcza między gauleiterami a innymi partyjnymi oficjelami, SS i wojskiem, owocowała zdumiewająco marnotrawnym brakiem spójnych działań, co stało w jawnej sprzeczności z wizerunkiem bezwzględnej skuteczności nazistowskiego reżimu. Podchwytując rzucane mimochodem przez Führera uwagi lub starając się odgadywać jego życzenia, osoby z otoczenia wodza konkurujące o jego względy inicjowały takie czy inne akcje, nie konsultując tego z innymi zainteresowanymi organizacjami.

Dwudziestego pierwszego września 1939 roku Heydrich wydał zarządzenie podjęcia „wstępnych przygotowań" do rozprawy z populacją polskich Żydów, która do chwili niemieckiej agresji liczyła około trzech i pół miliona osób i stanowiła dziesięć procent ludności Polski – najwyższy odsetek w Europie. W sowieckiej strefie okupacyjnej znalazło się około pół miliona Żydów, plus trzysta pięćdziesiąt tysięcy Żydów zbiegłych na wschód przed niemieckimi armiami. Heydrich polecił, aby tych Żydów, którzy jeszcze pozostawali na niemieckich terytoriach, przesiedlić do większych miast mają

---

[41]   F. Halder, *Dziennik wojenny, op. cit.*, t. 1, s. 82.

cych dobre połączenia kolejowe. Przewidywano masowe wysiedlenia i migracje ludności. Trzydziestego października Himmler zarządził, aby wszystkich Żydów z Kraju Warty przetransportować przymusowo do Generalnego Gubernatorstwa. Opuszczone przez nich domy i mieszkania miały przypaść osadnikom-volksdeutschom, którzy dotąd mieszkali poza granicami Rzeszy i nierzadko mówili po niemiecku tak źle, że nie sposób ich było zrozumieć.

Hans Frank, butny i skorumpowany nazista, który rządził Generalnym Gubernatorstwem z krakowskiego Wawelu, czerpiąc przy tym osobiste zyski, wzburzył się, kiedy polecono mu przygotować się na przyjęcie setek tysięcy wysiedlanych Żydów i Polaków. Nie powstał wcześniej żaden plan zakwaterowania i wyżywienia tej fali przesiedleńców i nikt nie zastanowił się, co z nimi począć. Teoretycznie dostatecznie sprawni fizycznie Żydzi mogli się przydać jako przymusowa siła robocza. Pozostali mieli zostać zamknięci w tymczasowych gettach w większych miastach aż do czasu ponownego wysiedlenia. Żydzi w pułapce gett, bez pieniędzy i prawie pozbawieni żywności, często ginęli z głodu i chorób. Mimo że nie istniał jeszcze plan bezpośredniego ich unicestwienia, to podjęte inicjatywy stanowiły ważny krok w tym kierunku. A ponieważ problemy z przesiedleniem Żydów do jeszcze niewyznaczonej „kolonii" okazały się większe, niż wcześniej zakładano, wkrótce zaczęła kiełkować myśl, iż wymordowanie ich może być rozwiązaniem prostszym od przesiedlania z miejsca na miejsce.

Jeśli rabunki, morderstwa i chaos na obszarach okupowanych przez nazistów czyniły życie tamtejszych Polaków przerażającym, to niewiele lepiej działo się po radzieckiej stronie nowej rozbiorowej granicy.

Nienawiść Stalina do Polaków sięgała swoimi korzeniami wojny polsko-bolszewickiej i klęski zadanej Armii Czerwonej w bitwie warszawskiej w 1920 roku, którą Polacy zwą cudem nad Wisłą. Stalina ostro krytykowano za rolę, jaką odegrał w fiasku wsparcia wojsk marszałka Michaiła Tuchaczewskiego przez 1. Armię Konną; Stalin nakazał stracić Tuchaczewskiego pod fałszywymi zarzutami na początku czystek przeprowadzonych w sowieckim wojsku w 1937 roku. W latach trzydziestych radziecka tajna policja aresztowała jako szpiegów bardzo wielu Polaków przebywających w Związku Radzieckim, głównie komunistów.

Nikołaj Jeżow, szef NKWD podczas tak zwanego wielkiego terroru, uległ obsesji rzekomych polskich spisków. Z NKWD usunięto wszystkich czekistów polskiego pochodzenia, a rozkazem nr 00485 z 11 sierpnia 1937 roku Polaków określono, choć nie wprost, mianem „wrogów ludu"[42].

---

[42] Na temat rozkazu nr 00485 i antypolskiej polityki zob. T. Snyder, *Skrwawione ziemie. Europa między Hitlerem a Stalinem*, tłum. B. Pietrzyk, Warszawa 2010, s. 91–109.

Kiedy Jeżow składał raport z pierwszych dwudziestu dni aresztowań, tortur i egzekucji, Stalin pochwalił jego starania: „Bardzo dobrze! Wyłapujcie i likwidujcie te polskie szumowiny. Eliminujcie je dla dobra Związku Radzieckiego"[43]. Na fali antypolskich represji w trakcie wielkiego terroru w ZSRR aresztowano pod zarzutem szpiegostwa 143 810 osób, z których 111 091 stracono. W tym okresie Polacy w Związku Radzieckim byli czterdziestokrotnie bardziej narażeni na fizyczną likwidację niż przedstawiciele innych nacji w państwie sowieckim.

Na mocy traktatu ryskiego z 1921 roku, który zakończył wojnę polsko-bolszewicką, zwycięskim Polakom przypadły zachodnie obszary Białorusi i Ukrainy. Następnie obszary te zostały zasiedlone wieloma legionistami marszałka Józefa Piłsudskiego. Jednakże po inwazji Armii Czerwonej jesienią 1939 roku ponad pięć milionów polskich obywateli znalazło się pod panowaniem radzieckim, a Sowieci z definicji traktowali polski patriotyzm jako kontrrewolucyjny. NKWD aresztowało 109 400 osób, z których większość zesłano do łagrów, a 8513 stracono. Radzieckie władze represjonowały tych wszystkich, którzy mogli odegrać rolę w podtrzymaniu polskości, w tym ziemian, prawników, nauczycieli, księży, dziennikarzy i oficerów. Była to rozmyślna polityka wojny klasowej i dekapitacji podbitego narodu. Wschodnią Polskę, okupowaną przez Armię Czerwoną, podzielono i włączono w skład Związku Radzieckiego; obszary północne stały się częścią sowieckiej Białorusi, a południowe zostały przyłączone do Ukrainy.

Masowe deportacje na Syberię albo do środkowej Azji rozpoczęły się 10 lutego 1940 roku. Pułki strzeleckie NKWD wywlekły z domów 139 794 polskich cywilów w temperaturze poniżej minus trzydziestu stopni Celsjusza. Pierwszą grupę rodzin przeznaczonych do wywózki obudzono wrzaskami i waleniem w drzwi kolbami karabinów. Czerwonoarmiści lub ukraińscy milicjanci pod komendą oficerów NKWD wdzierali się do mieszkań z bronią gotową do strzału, wykrzykując pogróżki. Wywracali pościel i grzebali w szafach, rzekomo w poszukiwaniu ukrytej broni. „Jesteście polską elitą – powiedział pewien enkawudzista do rodziny Adamczyków. – Jesteście polskimi szlachcicami i panami. Jesteście wrogami ludu"[44]. Częściej powtarzanym w NKWD zwrotem było: „Jak Polak, to i kułak"[45] (kułak to sowieckie pogardliwe określenie bogatego i reakcyjnego chłopa).

Rodzinom dawano mało czasu na przygotowania do strasznej podróży, opuszczenie na zawsze domów i gospodarstw. Widmo koszmarnej przyszłości paraliżowało większość ofiar. Ojców i synów zmuszano do klę-

[43] L. Naumow, *Stalin i NKWD*, Moskwa 2007, s. 299–300.
[44] W. Adamczyk, *Kiedy Bóg odwrócił wzrok*, tłum. E. Ledóchowicz, Poznań 2010, s. 28–32.
[45] Cyt. za: T. Snyder, *Skrwawione ziemie*, *op. cit.*, s. 89.

czenia twarzą do ściany, podczas gdy kobiety zbierały dobytek, taki jak maszyny do szycia[46], które mogły przydać się do zarobkowania tam, gdzie mieli się znaleźć, sztućce, pościel, rodzinne fotografie, dziecięce szmaciane lalki i szkolne podręczniki. Niektórzy sowieccy żołnierze byli wyraźnie zażenowani z powodu zadania, jakie im powierzono, i mamrotali słowa przeprosin. Nielicznym rodzinom zezwolono na wydojenie krów lub zarżnięcie kilku kurcząt albo prosiąt, których mięso stanowiło prowiant na trzytygodniową jazdę w bydlęcych wagonach. Wszystko inne trzeba było pozostawić. Zaczęła się polska diaspora.

---

[46] Por. M. Kelly, *Ocaleni. Wojenna tułaczka kresowej rodziny*, tłum. M. Miłkowski, Warszawa 2011, s. 65–70. Por. też Association of the Families of the Borderland Settlers, *Stalin's Ethnic Cleansing in Eastern Poland. Tales of the Deported, 1940–1946*, London 2000.

ROZDZIAŁ 3

Od dziwnej wojny do blitzkriegu na Zachodzie

wrzesień 1939–marzec 1940

Kiedy tylko stało się jasne, że zmasowane naloty nieprzyjacielskich bombowców nie od razu zrównają z ziemią Londyn i Paryż, życie w tych miastach niemal wróciło do normy. Ta wojna miała w sobie coś „dziwnego, lunatycznego"[1], jak napisał jeden z komentatorów ówczesnej londyńskiej codzienności. Poza ryzykiem wpadnięcia na uliczną latarnię podczas zaciemnienia, największe zagrożenie wiązało się z wypadkami samochodowymi. W Londynie ponad dwa tysiące pieszych zginęło pod kołami aut w ostatnich czterech miesiącach 1939 roku. Warunki pełnego zaciemnienia zachęcały niektóre młode pary do miłosnych igraszek przed drzwiami zamkniętych sklepów, które to zajęcie wkrótce stało się tematem musicalowych dowcipów[2]. Kina i teatry stopniowo otwierano na nowo. Londyńskie puby pękały w szwach. Także w Paryżu kawiarnie i restauracje były pełne klientów, a Maurice Chevalier śpiewał przebój tamtych dni: *Paris sera toujours Paris*. O losie Polski prawie zapomniano.

O ile działania wojenne na lądzie i w powietrzu toczyły się niemrawo, o tyle wojna na morzu nabierała coraz bardziej zaciekłego charakteru. Dla Brytyjczyków zaczęła się tragicznie. Dziesiątego września brytyjski okręt podwodny HMS „Triton" storpedował inny okręt podwodny, HMS „Oxley", gdyż jego załoga sądziła, że to U-Boot[3]. Pierwszy niemiecki U-Boot został zatopiony 14 września przez niszczyciele eskortujące lotniskowiec HMS „Ark Royal". Jednak 17 września U-29 posłał na dno stary lotniskowiec HMS

---

[1] M. Panter-Downes, *London War Notes, 1939–1945*, London 1971, s. 21.
[2] T. Charman, *Outbreak 1939. The World Goes to War*, London 2009, s. 322–323.
[3] SWWEC, „Everyone's War", nr 20, zima 2009, s. 60.

„Courageous". Niecały miesiąc później na Royal Navy spadł znacznie bardziej dotkliwy cios, gdy U-47 przedostał się do brytyjskiej bazy morskiej Scapa Flow na Orkadach i zatopił tam pancernik HMS „Royal Oak". Brytyjskie zaufanie w potęgę własnej floty zostało poważnie nadwerężone.

Tymczasem dwa niemieckie pancerniki kieszonkowe pływające po Atlantyku, „Deutschland" i „Admiral Graf Spee", odebrały rozkaz podjęcia intensywnych działań zaczepnych. Jednakże dowództwo Kriegsmarine popełniło poważny błąd 3 października, kiedy „Deutschland" zajął amerykański frachtowiec jako łup wojenny. Po brutalnej agresji na Polskę incydent ten przyczynił się do bardziej niechętnego nastawienia opinii publicznej w Stanach Zjednoczonych do Ustawy o neutralności, zabraniającej sprzedaży uzbrojenia którejś z wojujących stron – co było wielce korzystne dla aliantów – potrzebującej alianckiej broni.

Szóstego października Hitler przedstawił w Reichstagu propozycje pokojowe, złożone Wielkiej Brytanii i Francji, zakładając, że alianci pogodzą się z niemiecką okupacją Polski i Czechosłowacji. Już następnego dnia, nie czekając nawet na odpowiedź na tę ofertę, Hitler podjął dyskusje z szefem sztabu wojsk lądowych generałem artylerii Franzem Halderem na temat ofensywy na froncie zachodnim. Naczelne Dowództwo Wojsk Lądowych, czyli OKH, otrzymało polecenie sporządzenia planu „Fall Gelb" (Plan Żółty), a operacja pod takim kryptonimem miała się rozpocząć za pięć tygodni. Argumenty wyższych dowódców Wehrmachtu, zwracających uwagę na trudności z przerzutem wojsk, zaopatrzeniem i zbyt późną porą roku jak na taką operację, irytowały wodza. Zapewne też skonfundowała go pogłoska, jaka gruchnęła w Berlinie 10 października, że Brytyjczycy zgodzili się na jego warunki pokojowe. Spontaniczne oznaki radości na ulicznych skwerach i w hotelach ustąpiły miejsca przygnębieniu, kiedy Hitler w niecierpliwie wyczekiwanym przemówieniu radiowym zdementował te wieści jako wymysły. Goebbels był wściekły, przede wszystkim z powodu tego, iż wyszło na jaw, jak mało entuzjazmu wzbudza trwająca wojna.

Piątego listopada Führer zgodził się przyjąć generała pułkownika Walthera von Brauchitscha, głównodowodzącego wojsk lądowych. Brauchitsch, którego inni generałowie przekonywali wcześniej, aby stanowczo się sprzeciwił rychłemu rozpoczęciu inwazji na froncie zachodnim, ostrzegł Hitlera, by ten nie lekceważył Francuzów. Uzupełnienie braków w zakresie amunicji i sprzętu w niemieckiej armii wymagało czasu. Hitler przerwał mu, aby wyrazić swą pogardę dla Francji. Wtedy Brauchitsch wysunął argument, że w trakcie kampanii polskiej armia niemiecka okazała się nie najlepiej zdyscyplinowana i wyszkolona. Na to wódz wybuchnął złością, żądając konkretnych przykładów. Roztrzęsiony Brauchitsch nie potrafił ich przytoczyć z pamięci. Hitler odesłał podenerwowanego i upokorzonego szefa wojsk

Wojna zimowa
(listopad 1939–marzec 1940)

Przylądek Północny

Morze Barentsa

Półwysep Rybacki

Tromsø

NORWEGIA

Petsamo

Murmańsk

14

PÓŁWYSEP KOLSKI

L A P O N I A

Kandałaksza

Morze Białe

SZWECJA

Kemijärvi

Oulu

Suomussalmi

K A R E L I A

Kuhmo

FINLANDIA

Zatoka Botnicka

8

jezioro Ładoga

Linia Mannerheima
Wojska radzieckie
(numery armii)
Radziecka ofensywa

Wyborg

Turku

Helsinki

Zatoka Fińska

Hanko

Leningrad

10

7

Tallinn

Estonia

| 0 | 50 | 100 mil |
| 0 | 50 | 100 | 150 km |

lądowych, rzucając pogróżkę, iż zna panującego w „Zossen [kwaterze głównej OKH] ducha i jest zdecydowany go skruszyć"[4].

Halder, szef sztabu sił lądowych, który nosił się z mglistymi zamiarami zorganizowania wojskowego puczu i odsunięcia Hitlera od władzy, teraz przeląkł się, że te słowa Führera wskazywały, iż Gestapo wie coś o takich planach. Zniszczył więc wszystko, co mogło go inkryminować. Halder, który z wyglądu przypominał raczej dziewiętnastowiecznego niemieckiego profesora, z włosami obciętymi „na jeża" i w binoklach, miał w przyszłości zapłacić za zniecierpliwienie Hitlera z powodu konserwatyzmu niemieckiego Sztabu Generalnego.

W tym okresie Stalinowi spieszyło się, by zagarnąć łupy, zaoferowane mu na mocy układu Ribbentrop-Mołotow. Zaraz po tym jak Sowieci zajęli wschodnią Polskę i umocnili swoje panowanie, Kreml przystąpił do narzucania traktatów o „wzajemnej pomocy" państwom nadbałtyckim. Piątego października od rządu fińskiego zażądano przysłania do Moskwy specjalnych emisariuszy. Tydzień później Stalin przedstawił im listę żądań w postaci szkicu traktatu radziecko-fińskiego. Obejmowały one wydzierżawienie Związkowi Radzieckiemu półwyspu Hanko i przekazanie ZSRR kilku wysp w Zatoce Fińskiej, a także części Półwyspu Rybackiego w pobliżu Murmańska oraz portu Petsamo. Kolejnym żądaniem było przesunięcie granicy w Przesmyku Karelskim koło Leningradu o trzydzieści pięć kilometrów na północ. W zamian zaproponowano Finom prawie niezamieszkaną część radzieckiej północnej Karelii[5].

Negocjacje w Moskwie potrwały do 13 listopada i nie przyniosły porozumienia. Stalin, przekonany o tym, że Finowie nie mogą liczyć na międzynarodową pomoc i brakuje im woli walki, postanowił dokonać zbrojnej agresji. Naciągany pretekst stanowił apel o „braterską pomoc", skierowany do Związku Radzieckiego przez marionetkowe „władze emigracyjne", złożone z garstki fińskich komunistów. Wojska radzieckie sprowokowały incydent graniczny w pobliżu wsi Mainila w Karelii. Finowie zwrócili się o wsparcie do Niemiec, ale nazistowskie władze odmówiły jakiejkolwiek pomocy i doradziły pójście na ustępstwa wobec Sowietów.

Dwudziestego dziewiątego listopada Związek Radziecki zerwał stosunki dyplomatyczne z Finlandią. Następnego dnia oddziały leningradzkiego okręgu wojskowego uderzyły na fińskie pozycje, a radzieckie bombowce przeprowadziły nalot na Helsinki. Rozpoczęła się wojna zimowa. Sowieccy przywódcy przypuszczali, że kampania ta będzie „spacerkiem", podobnie jak

---

[4] Cyt. za: A. Tooze, *The Wages of Destruction. The Making and the Breaking of the Nazi Economy*, London 2006, s. 330.
[5] *GSWW*, t. II, s. 12.

zajęcie wschodniej Polski. Komisarz obrony Kliment Woroszyłow chciał jej zakończenia do dnia sześćdziesiątych urodzin Stalina, które wypadały dwudziestego pierwszego grudnia. Dymitrowi Szostakowiczowi polecono skomponowanie utworu muzycznego upamiętniającego to wydarzenie.

W Finlandii marszałek Carl Gustaf Mannerheim, były oficer carskiego Gwardyjskiego Pułku Ułanów i bohater fińskiej wojny niepodległościowej z bolszewikami, ponownie objął naczelne dowództwo fińskich wojsk. Finowie, niespełna sto pięćdziesiąt tysięcy żołnierzy, z których wielu było rezerwistami albo nastolatkami, stawili opór ponadmilionowej Armii Czerwonej. Ich umocnienia polowe na Przesmyku Karelskim na południowy zachód od jeziora Ładoga, znane jako Linia Mannerheima, składały się głównie z okopów, drewnianych schronów i nielicznych betonowych bunkrów. Finom sprzyjał też lesisty i pełnej niewielkich jezior teren, a wąskie podejścia do pozycji obronnych starannie zaminowano.

Pomimo silnego wsparcia artyleryjskiego atakującą radziecką 7. Armię czekała przykra niespodzianka. Natarcie jej dywizji piechoty spowolniły początkowo fińskie oddziały osłonowe i snajperzy rozmieszczeni w pobliżu granicy. Bez wykrywaczy min i wobec rozkazów podjęcia niezwłocznego natarcia sowieccy dowódcy po prostu nacierali frontalnie przez zaśnieżone pola minowe na Linię Mannerheima. Rzeczywiste warunki, w jakich toczyły się walki, podkopały morale żołnierzy Armii Czerwonej, którym wmawiano, że Finowie powitają ich jak braci i wyzwolicieli od kapitalistycznych wyzyskiwaczy. Czerwonoarmiści brnęli przez zaspy śniegu ku brzozowym zagajnikom, gdzie skrywały się niektóre punkty umocnionej Linii Mannerheima. Finowie, mistrzowie zimowego kamuflażu, dziesiątkowali ich ogniem broni maszynowej.

Na dalekiej północy Finlandii radzieckie wojska z Murmańska zaatakowały tamtejszy okręg górniczy i port Petsamo, ale radzieckie próby, by przeciąć Finlandię na dwie połowy atakiem od wschodu i dotrzeć do Zatoki Botnickiej, podejmowane nieco dalej na południe, przyniosły katastrofalne fiasko. Stalin, zdumiony tym, że Finowie od razu nie skapitulowali, rozkazał Woroszyłowowi zniszczenie wojsk przeciwnika przeważającymi liczebnie siłami Armii Czerwonej. Sowieccy dowódcy, sterroryzowani przez czystki i skrępowani sztywną radziecką doktryną wojskową, jaką im narzucono, wysyłali kolejne zastępy swoich żołnierzy na śmierć. W temperaturze poniżej minus czterdziestu stopni Celsjusza czerwonoarmiści, źle wyposażeni i słabo przeszkoleni do prowadzenia działań w warunkach zimowych, stanowili w swoich brązowych płaszczach widoczny cel, zapadając się w głębokim śniegu. Pośród zamarzniętych jezior i lasów centralnej i północnej Finlandii radzieckie kolumny mogły posuwać się naprzód tylko po nielicznych leśnych drogach. Tam wpadali w pułapki, ulegając błyskawicznym atakom fińskich narciarzy uzbrojonych w pistolety maszynowe typu Suomi, granaty i noże myśliwskie, którymi dobijano ofiary.

Finowie zastosowali taktykę rozbijania nieprzyjacielskich kolumn na człony i odcinania dróg zaopatrzenia, które nie docierało do wygłodzonych radzieckich oddziałów. Wyłaniając się po cichu z mroźnej mgły, fińscy narciarze obrzucali radzieckie czołgi i działa granatami i butelkami z benzyną, po czym błyskawicznie znikali. Był to rodzaj półpartyzanckich zmagań, do których prowadzenia Armia Czerwona była zupełnie nieprzygotowana. Finowie palili farmy, obory i stodoły, aby nacierający czerwonoarmiści nie mieli gdzie się schronić. Drogi zaminowywano i zastawiano pułapki. Każdy radziecki żołnierz ranny podczas ataku szybko zamarzał. Sowieccy żołnierze zaczęli określać zamaskowanych fińskich narciarzy mianem „białej śmierci". Radziecka 163. Dywizja Strzelecka znalazła się w okrążeniu pod Suomussalmi, a idącą jej z odsieczą 44. Dywizję Strzelecką Finowie rozbili w serii kontrataków, niemal całkowicie unicestwiając ją pośród zasypanych śniegiem lasów.

„Na odcinku czterech mil – relacjonowała amerykańska reporterka Virginia Cowles, która znalazła się potem na miejscu tej walki – droga i lasy były zasłane trupami ludzi i koni, wrakami czołgów, kuchni polowych, ciężarówek, lawet armatnich, mapami, książkami i częściami ubiorów. Ciała zabitych były zesztywniałe jak drewno, a ich skóra miała ciemnobrązowe zabarwienie. Niektóre zwłoki leżały w stosach jak góra odpadów, przysypana miłosiernym śnieżnym puchem; inne zalegały pod drzewami w groteskowych pozach. Wszystkie ofiary zamarzły tam, gdzie kuliły się przed mrozem. Widziałam jedną z nich, jak przyciskała dłonie do rany na brzuchu; inna próbowała rozpiąć kołnierz swojego płaszcza"[6].

Podobny los spotkał 122. Dywizję Strzelecką, nacierającą na południe z Półwyspu Kolskiego w kierunku Kemijärvi, gdzie została zaskoczona i zmasakrowana przez oddziały generała Kurta Marttiego Walleniusa. „Jakże dziwne były zwłoki na tej drodze – pisał pierwszy z zagranicznych dziennikarzy, który przekonał się o skuteczności dzielnego fińskiego oporu. – Lód zamroził je w pozach, w jakich padli. Poza tym mróz trochę obkurczył ich ciała i rysy twarzy, nadając im sztuczny, woskowaty wygląd. Cała ta droga przypominała jakiś wielki gabinet figur woskowych, przedstawiający starannie zaaranżowaną scenę batalistyczną. (...) Jeden z [zabitych] ludzi zastygł oparty o koło wozu, z długim drutem w rękach; inny ładował akurat magazynek w swoim karabinie"[7].

---

[6] V. Cowles, „Sunday Times", 4 lutego 1940 r.
[7] G. Cox, *Countdown to War. A Personal Memoir of Europe, 1938–1940*, London 1988, s. 176–177.

Potępienie inwazji przez opinię międzynarodową doprowadziło do usunięcia Związku Radzieckiego z Ligi Narodów w ostatnim akcie dziejów tej organizacji. Ludność Wielkiej Brytanii i Francji była prawie tak oburzona tą agresją jak niemiecką napaścią na Polskę. Niemcy, ówczesny sojusznik Stalina, znalazły się w dość niezręcznej sytuacji. Choć otrzymywały coraz więcej dostaw ze Związku Radzieckiego, to obawiały się teraz, że wojna radziecko--fińska zaszkodzi ich relacji z krajami skandynawskimi, zwłaszcza ze Szwecją. Przede wszystkim jednak nazistowskie przywództwo było zaniepokojone rozlegającymi się w Wielkiej Brytanii i Francji apelami o udzielenie militarnej pomocy Finlandii. Aliancka obecność wojskowa w Skandynawii zagrażała zakłóceniem dostaw szwedzkiej rudy żelaza do Niemiec – surowca wysokogatunkowego i nieodzownego dla niemieckiego przemysłu wojennego.

Jednakże Hitler w tym czasie zachowywał spokój i pewność siebie. Nabrał przeświadczenia, że sprzyja mu opatrzność, zachowując go przy życiu dla wypełnienia wielkiego zadania. Oto bowiem 8 listopada wygłosił doroczne przemówienie w monachijskiej piwiarni Bürgerbräukeller, gdzie w 1923 roku naziści zainicjowali nieudany pucz. Georg Elser, stolarz, potajemnie umieścił wcześniej w kolumnie w pobliżu mównicy ładunek wybuchowy. Ale akurat tego dnia Hitler skrócił swoje wystąpienie, aby wrócić do Berlina, a dwadzieścia minut po tym jak opuścił piwiarnię, potężna eksplozja wstrząsnęła tym miejscem, zabijając wielu nazistowskich „starych bojowników". Według jednego z komentatorów, w Londynie reakcję na te nowiny „podsumowano flegmatycznym brytyjskim »A to pech«, jak gdyby ktoś spudłował, strzelając do bażanta"[8]. Z zupełnie nieuzasadnionym optymizmem Brytyjczycy pocieszali się myślą, że to tylko kwestia czasu i Niemcy sami obalą odrażający nazistowski reżim.

Elsera aresztowano jeszcze tego samego wieczoru, gdy usiłował przekroczyć granicę szwajcarską. Mimo że działał na własną rękę, nazistowska propaganda natychmiast oskarżyła brytyjską Specjalną Służbę Wywiadowczą (Secret Intelligence Service, SIS) o zorganizowanie zamachu na życie Führera. Himmler zyskał doskonałą okazję do wykorzystania takiego fikcyjnego powiązania. Walter Schellenberg, as wywiadu SS, nawiązał już kontakt z dwoma brytyjskimi oficerami SIS, przekonawszy ich, że uczestniczy w antyhitlerowskim spisku w łonie Wehrmachtu. Nazajutrz skłonił ich do spotkania w Venlo, na granicy holenderskiej. Tam obydwaj Brytyjczycy zostali schwytani i uprowadzeni przez grupę esesmanów. Kierował nią Sturmbannführer Alfred Naujocks, który wcześniej, pod koniec sierpnia, poprowadził upozorowany atak na radiostację gliwicką. Opisany incydent z Venlo nie

---

[8]   M. Panter-Downes, *London War Notes, 1939–1945*, *op. cit.*, s. 25.

był jedyną akcją brytyjskich tajnych służb w Holandii, które zakończyły się kompromitującym fiaskiem.

Wpadkę tę ukryto przed brytyjską opinią publiczną, która nieco później w tym samym miesiącu mogła przynajmniej odczuwać dumę z odzyskanej wiary w potęgę Royal Navy. Dwudziestego trzeciego listopada krążownik pomocniczy HMS „Rawalpindi" stoczył walkę z niemieckimi krążownikami liniowymi „Gneisenau" i „Scharnhorst". Wykazując się wielką dzielnością w beznadziejnym pojedynku artyleryjskim, który nieuchronnie przyrównano do wyczynu Richarda Grenville'a, atakującego na okręcie „Revenge" wielkie hiszpańskie galeony, brytyjska załoga biła się aż do śmierci. „Rawalpindi", płonąc od dziobu po rufę, zatonął z banderą powiewającą na maszcie.

Wkrótce potem, 13 grudnia, opodal wybrzeży Urugwaju eskadra komandora Henry'ego Harwooda, złożona z krążowników HMS „Ajax", „Achilles" i „Exeter", wytropiła niemiecki pancernik kieszonkowy „Admiral Graf Spee", który wcześniej zatopił dziewięć alianckich statków. Dowódcę tej jednostki komandora Hansa Langsdorffa wysoce szanowano, gdyż dobrze traktował załogi zniszczonych okrętów przeciwnika. Ale Langsdorff błędnie uznał, że w skład brytyjskiej eskadry wchodziły tylko niszczyciele, i nie uchylił się od walki, co powinien był uczynić, mimo że dysponował przewagą ogniową – działa wież artylerii głównej tego okrętu miały kaliber 280 mm. „Exeter", ściągnąwszy na siebie ostrzał „Grafa Spee", doznał poważnych uszkodzeń, podczas gdy „Ajax" oraz obsadzony nowozelandzką załogą „Achilles" starały się podejść na odległość skutecznego ataku torpedowego. Choć brytyjskiej eskadrze solidnie się dostało, to i „Admiral Graf Spee" nie uniknął trafień, przerywając walkę po postawieniu zasłony dymnej, i skierował się do portu Montevideo.

W trakcie następnych dni Brytyjczycy zwiedli Langsdorffa, który nabrał przekonania, że ich eskadra została znacznie wzmocniona. Siedemnastego grudnia, po odesłaniu na brzeg jeńców i większości załogi, Langsdorff wyprowadził „Grafa Spee" w ujście La Platy i dokonał zatopienia okrętu. Wkrótce potem odebrał sobie życie. Brytyjczycy świętowali ten sukces, odniesiony w okresie, gdy dobrych wieści nie nadchodziło zbyt wiele. Hitler, z obawy, że „Deutschland" może spotkać podobny los, rozkazał przemianowanie tego okrętu na „Lützow". Nie chciał, aby gazety na całym świecie napisały o zatopieniu okrętu o nazwie „Niemcy". Symbole miały dlań wielkie znaczenie, co zaznaczyło się jeszcze silniej, kiedy losy wojny obróciły się na jego niekorzyść.

Niemcy usłyszeli wcześniej od ministra propagandy Goebbelsa, że bitwa u ujścia La Platy zakończyła się zwycięstwem, więc wiadomość o zatopieniu „Grafa Spee" stanowiła dla nich prawdziwy wstrząs. Władze nazistowskie dokładały wszelkich starań, aby ta przykra nowina nie zepsuła

Niemcom „wojennej Gwiazdki". Racjonowanie żywności złagodzono na czas tych świąt, a ludność zachęcano do rozpamiętywania błyskawicznego zwycięstwa nad Polską. Większość wmawiała sobie, że wkrótce nastanie pokój, ponieważ zarówno Związek Radziecki, jak i Niemcy wezwały zachodnich aliantów do pogodzenia się z likwidacją państwa polskiego.

Prezentując w kronikach filmowych scenki z dziećmi wokół świątecznych choinek, nazistowskie Ministerstwo Propagandy cynicznie grało na niemieckim sentymentalizmie. Jednak wiele rodzin w Rzeszy trawił straszliwy niepokój. Mimo że oficjalnym powodem śmierci kalekich dzieci lub ich sędziwych krewnych w niektórych zakładach lecznictwa było „zapalenie płuc", zaczęły się szerzyć podejrzenia, iż w rzeczywistości te niepełnosprawne ofiary zagazowano w ramach programu realizowanego przez SS i niektórych lekarzy. Hitlerowski rozkaz eutanazyjny został podpisany w październiku, ale antydatowano go na dzień wybuchu wojny, czyli 1 września, żeby uprawomocnić dokonaną przez SS masakrę około dwóch tysięcy polskich pacjentów z zakładów dla umysłowo chorych; niektórych z nich zastrzelono w kaftanach bezpieczeństwa. Ta nazistowska potajemna akcja eksterminacyjna, wymierzona przeciwko „degeneratom", „bezużytecznym gębom [do wykarmienia]", czy też osobom „niewartym życia", oznaczała pierwszy krok ku planowemu unicestwieniu tak zwanych „podludzi". Hitler zaczekał do wybuchu wojny z wprowadzeniem tego radykalnego programu eugenicznego. Ponad sto tysięcy niesprawnych umysłowo i fizycznie Niemców miało zginąć w ramach jego realizacji do sierpnia 1941 roku. W Polsce zabijanie trwało w najlepsze; ofiary najczęściej likwidowano strzałem w tył głowy, choć czasami wykorzystywano w tym celu szczelnie zamykane nadbudówki na ciężarówkach, do których wnętrza wnikały spaliny, w Poznaniu natomiast po raz pierwszy została uruchomiona komora gazowa – Himmler osobiście przybył tam, by obserwować egzekucję[9]. Poza kalekami zamordowano też wiele prostytutek i Cyganów.

Hitler, który na czas wojny wyrzekł się swojego zamiłowania do fabularnych filmów, zrezygnował też ze świętowania Bożego Narodzenia. W świątecznym okresie niespodziane odwiedził liczne jednostki Wehrmachtu i SS – czemu niemiecka propaganda nadała dużo rozgłosu – w tym dywizję Grossdeutschland, lotniska Luftwaffe i baterie przeciwlotnicze, a także formację „Leibstandarte SS Adolf Hitler", oddelegowaną na „wypoczynek" po zbrodniczych działaniach w Polsce. W sylwestra przemówił przez radio

---

[9] Nazistowski program eutanazji zob.: G. Weinberg, *Świat pod bronią. Historia powszechna II wojny światowej*, t. 1: *1939–1941*, tłum. M. Jania *et al.*, Kraków 2001, s. 101–106; oraz R.J. Evans, *The Third Reich at War. How the Nazis Led Germany from Conquest to Disaster*, London 2008, s. 75–105.

do narodu. Głosząc powstanie „nowego ładu" w Europie, stwierdził: „Będziemy rozmawiać o pokoju dopiero wtedy, gdy wygramy tę wojnę. Żydowski kapitalistyczny świat nie przetrwa dwudziestego wieku". Nie wspomniał wprawdzie o „żydobolszewizmie", nieco wcześniej przesławszy Stalinowi powinszowania z okazji sześćdziesiątych urodzin, w którym to przesłaniu nie zabrakło również najlepszych życzeń „świetnej przyszłości narodom zaprzyjaźnionego Związku Radzieckiego". Stalin odpowiedział, że „przyjaźń narodów niemieckiego i radzieckiego, scementowana krwią, winna być trwała i mocna". Nawet w przesiąkniętych hipokryzją nienaturalnych relacjach tych dwóch państw zwrot „scementowana krwią", odnoszący się do wspólnej, niemiecko-sowieckiej napaści na Polskę, stanowił szczyt bezwstydu, a także zły omen na przyszłość.

Z końcem owego roku Stalinowi raczej nie dopisywał dobry humor. Wojska fińskie wdarły się na radzieckie terytorium, a dyktator musiał pogodzić się z tym, że klęski Armii Czerwonej w wojnie zimowej częściowo wynikały z niedołęstwa jego niekompetentnego kamrata, marszałka Woroszyłowa. Blamaż wojsk radzieckich na oczach całego świata należało zmazać, zwłaszcza że Stalina bardzo niepokoiła niszczycielska skuteczność taktyki niemieckiego blitzkriegu podczas kampanii polskiej.

Wobec tego postanowił postawić na czele Frontu Północno-Zachodniego *komandarma* (generała armii) Siemiona Konstantynowicza Timoszenkę. Timoszenko, podobnie jak Woroszyłow, należał do grona weteranów 1. Armii Konnej, w której Stalin służył jako komisarz podczas rosyjskiej wojny domowej, ale odznaczał się przynajmniej pewną wyobraźnią. Wojska walczące na froncie otrzymały nową broń i wyposażenie, w tym najnowsze karabiny, motorowe sanie i ciężkie czołgi KW. Zamiast przeprowadzać zmasowane ataki z użyciem piechoty, wojska radzieckie zaczęły niszczyć fińskie umocnienia ogniem artylerii.

Nowa sowiecka ofensywa, mająca na celu przełamanie Linii Mannerheima, rozpoczęła się 1 lutego. Wojska fińskie tym razem uległy przeważającym siłom nieprzyjaciela. Cztery dni później fiński minister spraw zagranicznych nawiązał wstępny kontakt z Aleksandrą Kołłontaj, radziecką ambasador w Sztokholmie. Brytyjczycy, a jeszcze bardziej Francuzi liczyli na podtrzymanie fińskiego oporu. W związku z tym zwrócili się do rządów norweskiego i szwedzkiego o pozwolenie na tranzyt wojsk ekspedycyjnych, wysłanych na pomoc Finom. Niemców wielce to zaniepokoiło, przystąpili więc do analizowania możliwości wysłania własnych oddziałów do Skandynawii w celu uprzedzenia alianckiego lądowania.

Władze brytyjskie i francuskie rozważały też ewentualność zajęcia norweskiego Narwiku i okręgów wydobywczych w północnej Szwecji, aby w ten sposób odciąć Niemcy od dostaw rud żelaza. Rządy Norwegii i Szwecji obawiały się jednak wciągnięcia ich krajów w wojnę, dlatego nie wyraziły zgody na to, by Brytyjczycy i Francuzi przepuścili przez ich terytoria wsparcie dla Finów.

Dwudziestego dziewiątego lutego Finowie, pozbawieni nadziei na zagraniczną pomoc, postanowili negocjować warunki rozejmowe, godząc się na żądania postawione przez Związek Radziecki przed wybuchem wojny zimowej, a 13 marca podpisali w Moskwie traktat pokojowy. Jego warunki były dla nich surowe, ale mogły być znacznie gorsze. Finowie wykazali, jak stanowczo są gotowi bronić niepodległości, lecz istotniejsze było to, że Stalin nie chciał przedłużać wojny, która mogła wciągnąć w konflikt zbrojny z ZSRR zachodnich aliantów. Musiał również pogodzić się z tym, że propaganda Kominternu miała groteskowo mało wspólnego z rzeczywistością, i zarzucił myśl o ustanowieniu w Helsinkach marionetkowego rządu złożonego z fińskich komunistów. W całej wojnie zimowej Armia Czerwona straciła 84 994 zabitych i zaginionych oraz 248 090 rannych i kontuzjowanych[10]. Straty fińskie wynosiły około dwudziestu pięciu tysięcy poległych.

Jednocześnie Stalin nadal mścił się na Polakach. Piątego marca 1940 roku wraz z Biurem Politycznym zaaprobował zgłoszony przez Berię plan wymordowania polskich oficerów i innych potencjalnych przywódców, którzy nie chcieli poddać się komunistycznej „reedukacji". Było to elementem prowadzonej przez Stalina polityki zmierzającej do udaremnienia odzyskania przez Polskę niezawisłości w przyszłych latach. Z więzień wywieziono ciężarówkami 21 892 ofiary do pięciu miejsc straceń. Najbardziej znane spośród nich to lasy w Katyniu koło Smoleńska w zachodniej Rosji. NKWD zebrało adresy rodzin ofiar, którym wcześniej zezwolono na korespondencję z bliskimi. Owe rodziny także aresztowano, a 60 667 osób deportowano do Kazachstanu. Wkrótce potem wywózka objęła również ponad sześćdziesiąt pięć tysięcy polskich Żydów, którzy uciekli przed SS, ale nie chcieli przyjąć radzieckich paszportów; wywieziono ich do Kazachstanu i na Syberię[11].

*

Tymczasem rząd francuski dążył do prowadzenia wojny możliwie najdalej od granic swego kraju. Daladier, rozdrażniony poparciem francuskich komunistów dla paktu nazistowsko-radzieckiego, sądził, że alianci mogą osła-

---

[10] G.F. Krivosheev, *Soviet Casualties and Combat Losses in the Twentieth Century*, London 1997, s. 58.
[11] Deportacje Polaków i polskich Żydów w roku 1940 zob. T. Snyder, *Skrwawione ziemie. Europa między Hitlerem a Stalinem*, tłum. B. Pietrzyk, Warszawa 2010, s. 150–153.

bić Niemcy, atakując nowego sojusznika Hitlera. Opowiadał się za prze-prowadzeniem nalotów bombowych na sowieckie okręgi wydobycia ropy naftowej w Baku i na Kaukazie, ale Brytyjczycy przekonali Francuzów do zarzucenia takiego pomysłu, gdyż jego urzeczywistnienie groziło wciągnię-ciem ZSRR do wojny po stronie niemieckiej. Nieco później Daladier ustą-pił ze stanowiska premiera, zastąpiony 20 marca przez Paula Reynauda.

Armia francuska, która stanowiła główną aliancką siłę zbrojną pod-czas pierwszej wojny światowej, była powszechnie uważana za najpotężniej-szą w Europie i z pewnością zdolną do skutecznej obrony terytorium swego kraju. Jednak bystrzejsi obserwatorzy nie podzielali tej opinii. Już w mar-cu 1935 roku marszałek Tuchaczewski przewidywał, że Francuzi nie będą w stanie powstrzymać niemieckiej ofensywy. Jego zdaniem fatalną ułomno-ścią francuskich wojsk było to, że reagowały zbyt opieszale na działania za-czepne nieprzyjaciela[12]. Wynikało to nie tylko ze sztywnego, defensywnego nastawienia francuskich strategów, lecz i z niemal całkowitego braku łącz-ności radiowej w wojsku. W każdym razie Niemcy już w 1938 roku złamali staroświeckie wojskowe szyfry Francuzów.

Prezydent Roosevelt, który pilnie studiował depesze amerykańskiej am-basady w Paryżu, również był w pełni świadomy słabości Francuzów. Siły powietrzne Francji dopiero rozpoczęły zastępowanie przestarzałych samo-lotów nowszymi modelami. Armia lądowa, choć najliczniejsza na świecie, była ociężała, nienowoczesna i pokładała przesadne zaufanie w obronnej Linii Maginota, przebiegającej wzdłuż niemieckiej granicy, której istnienie sprzyjało kultywowaniu pasywnej strategii. U źródeł takiej „fortecznej men-talności" leżały gigantyczne straty, jakie Francja poniosła podczas pierwszej wojny światowej – sama tylko bitwa pod Verdun przyniosła czterysta tysię-cy ofiar. Poza tym, jak zauważyło wielu dziennikarzy, attaché wojskowych i komentatorów, niezdrowa atmosfera polityczna i społeczna w tym kraju, panująca w wyniku licznych skandali i upadków rządów, podkopywała na-dzieje na zjednoczenie Francuzów i determinację w kryzysowym okresie.

Roosevelt, wykazując się godną podziwu dalekowzrocznością, uznał, że dla dobra demokracji i w strategicznym interesie Stanów Zjednoczonych należy poprzeć Wielką Brytanię i Francję przeciwko nazistowskim Niem-com. Ostatecznie 4 listopada 1939 roku Kongres ratyfikował ustawę znaną jako „Cash and Carry". Ta pierwsza porażka izolacjonistów umożliwiła obu państwom alianckim zakup uzbrojenia w USA.

We Francji trwał nastrój osobliwego oderwania od rzeczywistości. Kore-spondent Agencji Reutera, który odwiedził zastygły w bezruchu front, pytał

---

[12] „Prawda", 29 marca 1935 r.

francuskich żołnierzy, dlaczego nie strzelają do Niemców, których przecież dobrze widać. Zagadnięci Francuzi sprawiali wrażenie wstrząśniętych. „*Ils ne sont pas méchants* [Oni nie są źli] – odparł jeden z nich. – Jeśli będziemy strzelać, oni odpowiedzą ogniem"[13]. Niemieckie patrole, wyszukujące słabsze punkty na linii frontu, rychło się przekonały o nieporadności i braku agresywnego instynktu żołnierzy większości francuskich oddziałów. Niemiecka propaganda zaś nieustannie przekonywała, że Brytyjczycy chcą zrzucić na Francuzów ciężar prowadzenia wojny.

Poza niemrawym umacnianiem defensywnych pozycji francuska armia niewiele ćwiczyła. Żołnierze po prostu się nudzili. Bierność osłabiała morale i wprawiała w stan przygnębienia – *le cafard*. Do polityków zaczęły docierać informacje o pijaństwie, samowolnym oddalaniu się z jednostek i zapuszczonym wyglądzie żołnierzy na przepustkach. „Nie da się spędzać całego czasu na graniu w karty, piciu i pisaniu listów do żony – napisał jeden z francuskich żołnierzy. – Wylegujemy się na sianie i ziewamy, i nawet zaczynamy gustować w takim lenistwie. Myjemy się coraz rzadziej, już nie przejmujemy się goleniem i nie potrafimy się zmusić do pozamiatania albo posprzątania stołu po jedzeniu. Wraz z nudą w bazie zapanował brud"[14].

Jean Paul Sartre, który akurat pełnił służbę w wojskowej stacji meteorologicznej, znalazł czas na napisanie pierwszego tomu *Dróg wolności* i części *Bytu i nicości*. Tej zimy, jak zanotował, „liczyło się tylko to, aby wyspać się, najeść i nie zmarznąć. I nic ponadto"[15]. Generał Édouard Ruby zauważył: „Wszelkie ćwiczenia uważano za udrękę, każdą pracę za męczącą. Po kilku miesiącach zastoju nikt już nie wierzył w [prawdziwą] wojnę"[16]. Nie każdy francuski oficer popadał w podobny błogostan. Elokwentny pułkownik Charles de Gaulle, energiczny orędownik tworzenia dywizji pancernych, takich jak w armii niemieckiej, przestrzegał, że „być pasywnym oznacza narażanie się na pobicie"[17]. Ale jego apele były lekceważone przez poirytowanych generałów.

Wszystkim, co francuskie naczelne dowództwo uczyniło dla podtrzymania morale wojska, było organizowanie na froncie występów rozrywkowych z udziałem tak znanych aktorów i piosenkarzy jak Édith Piaf, Joséphine Baker, Maurice Chevalier czy Charles Trenet. W Paryżu, gdzie restauracje i kabarety wprost pękały w szwach, rekordy popularności biła

---

[13]   G. Waterfield, *What Happened to France*, London 1940, s. 16.
[14]   G. Sadoul, *Journal de guerre*, Paris 1972, wpis z 12 grudnia 1939 r.
[15]   J.P. Sartre, *Carnets de la drôle de guerre (2 septembre 1939–20 juillet 1940)*, Paris 1983, s. 142.
[16]   É. Ruby, *Sedan, terre d'épreuve*, Paris 1948, cyt. za: A. Horne, *To Lose a Battle. France 1940*, London 1969, s. 163.
[17]   Cyt. za: C. Quétel, *L'impardonnable défaite, 1918–1940*, Paris 2010, s. 253.

piosenka *J'attendrai* (Poczekam). Jednak alianckiej sprawie jeszcze bardziej zagrażali prawicowcy na ważnych stanowiskach, którzy powiadali, że „lepszy Hitler niż Blum", mając na myśli socjalistycznego przywódcę Frontu Ludowego z 1936 roku Léona Bluma, polityka żydowskiego pochodzenia.

Georges Bonnet, czołowy ugodowiec z Quai d'Orsay (siedziby francuskiego MSZ), miał bratanka, który przed wojną pośredniczył w przekazywaniu nazistowskich pieniędzy na subsydiowanie antybrytyjskiej i antysemickiej propagandy we Francji[18]. Przyjaciel Bonneta Otto Abetz, późniejszy nazistowski ambasador w Paryżu w okresie okupacji, uwikłany w tego typu działalność, został wydalony z Francji. Nawet nowy francuski premier Paul Reynaud, mocno wierzący w sens wojny z nazizmem, miał pewną niebezpieczną słabostkę. Otóż jego kochanka, baronowa Hélène de Portes, „kobieta, której nieco szorstka powierzchowność emanowała niezwykłą żywotnością i pewnością siebie"[19], uważała, że Francja wcale nie powinna wypełnić swoich zobowiązań wobec Polski.

Polska, a właściwie jej władze emigracyjne, znalazła się we Francji, z generałem Władysławem Sikorskim jako premierem i naczelnym wodzem. Kierując działaniami Polskiego Rządu na Uchodźstwie z siedzibą w Angers, Sikorski przystąpił do odtwarzania polskich sił zbrojnych z osiemdziesięciu czterech tysięcy żołnierzy, którzy zbiegli, głównie przez Rumunię, po upadku ojczyzny. Tymczasem w ich rodzinnym kraju zaczął się rozwijać polski ruch oporu; w istocie zorganizował się tam najszybciej spośród wszystkich okupowanych przez Niemcy państw. W połowie 1940 roku polska armia podziemna liczyła już, w samym tylko Generalnym Gubernatorstwie, około stu tysięcy członków. Polska była jednym z bardzo nielicznych krajów w nazistowskim imperium, gdzie kolaboracja z najeźdźcą była zjawiskiem praktycznie nieznanym[20].

Francuzi bynajmniej nie zamierzali podzielić losu Polski. A jednak większość ich przywódców i znaczna część ludności zupełnie nie pojmowali, że ta wojna będzie niepodobna do wcześniejszych konfliktów zbrojnych. Nazistów miały nie zadowolić reparacje wojenne, czy też oddanie jednej lub dwóch prowincji. Planowali przeobrażenie Europy wedle swoich bezwzględnych wzorców.

---

[18] G. Cox, *Countdown to War, op. cit.*, s. 142.
[19] *Ibidem*, s. 138.
[20] *GSWW*, t. II, s. 141–142.

ROZDZIAŁ 4

Chiński smok i Kraj Wschodzącego Słońca

1937–1940

Cierpienia nie były niczym nowym dla ubogich mas chińskiego chłopstwa. Wiedzieli oni aż za dobrze, co to takiego głód, który następował po powodziach, suszach, w wyniku wyrębu lasów, erozji gleby oraz grabieżach, jakich dopuszczały się wojska watażków. Mieszkali w walących się lepiankach, a na ich życiu odciskały piętno choroby, niewiedza, przesądy i ucisk, któremu byli poddawani przez posiadaczy ziemskich, zabierających w ramach czynszu połowę do dwóch trzecich zebranych plonów.

Mieszkańcy chińskich miast, w tym nawet wielu lewicujących intelektualistów, zazwyczaj rzadko traktowali wiejską ludność jako coś więcej niż bezimienne, ciążące krajowi zbiorowisko. „Współczucie dla ludu nie prowadzi do niczego – oznajmił komunistyczny tłumacz odważnej amerykańskiej dziennikarce i działaczce Agnes Smedley. – Lud jest stanowczo zbyt liczny"[1]. Sama Smedley przyrównała egzystencję ubogich w Chinach do losu „pańszczyźnianych chłopów ze średniowiecza"[2]. Żywili się małymi porcjami ryżu, prosa lub kabaczków, gotowanymi w żeliwnych kociołkach, które były ich najcenniejszym dobytkiem. Wielu chodziło boso, nawet w zimie, nosili trzcinowe kapelusze latem, podczas pracy, zgięci w pół na poletkach. Ich życie trwało krótko, więc rzadko spotykało się stare, pomarszczone wieśniaczki, kuśtykające na wykoślawionych, krępowanych w dzieciństwie stopach. Mało który chiński chłop widział kiedykolwiek samochód albo samolot, czy choćby elektryczne oświetlenie. W większości kraju na prowincji kacykowie i ziemianie nadal sprawowali feudalną władzę.

---

[1] A. Smedley, *China Fights Back*, London 1938, s. 30.
[2] *Ibidem*, s. 28.

Życie w miastach nie było wcale lepsze dla biedoty, nawet tej pracującej. „W Szanghaju – pisał pewien amerykański dziennikarz w Chinach – widok ciżby wycieńczonych młodocianych pracowników rankiem u bram fabryk nie jest niczym nadzwyczajnym"[3]. Ubodzy byli ponadto uciskani przez chciwych poborców podatkowych i urzędników. W Harbinie żebracy nawoływali: „Daj! Daj! Obyś się wzbogacił! Obyś został urzędnikiem!". Czasami wołali też: „Obyś był bogaty! Obyś został dowódcą!"[4]. Fatalizm zakorzenił się tak silnie, że prawdziwe przemiany społeczne wydawały się nierealne. Rewolucja roku 1911, która doprowadziła do upadku dynastii Qing i proklamacji republiki pod przywództwem doktora Sun Yat-sena, miała charakter mieszczański. To samo odnosiło się początkowo do chińskiego nacjonalizmu, ożywionego przez jawne plany Japończyków dążących do wykorzystania słabości Chin.

Wang Jingwei, który w latach trzydziestych na krótko stanął na czele Kuomintangu po śmierci Sun Yat-sena w 1924 roku, był głównym rywalem rosnącego w siłę dowódcy wojskowego Chiang Kai-sheka. Chiang, dumny i nieco paranoiczny, przejawiał wielkie ambicje i dążył to tego, by zostać wybitnym chińskim przywódcą. Ten szczupły, łysawy człowiek z przystrzyżonymi wąsikami był świetny w politycznych machinacjach, ale nie zawsze się sprawdzał jako naczelny wódz. Wcześniej stał na czele Akademii Wojskowej w Huangpu, a swoich ulubionych studentów wyznaczył na najważniejsze stanowiska dowódcze. Ze względu na rywalizację i walki frakcyjne w łonie Narodowej Armii Rewolucyjnej, oraz te toczone przez sojusze prowincjonalnych watażków, Chiang starał się kierować swoim ugrupowaniem politycznym z oddali, co często skutkowało zamieszaniem i opóźnieniami.

W 1932 roku, czyli rok po incydencie mukdeńskim i zajęciu Mandżurii przez Japonię, Japończycy bardzo szybko przerzucili swoje oddziały piechoty morskiej do wydzielonej im strefy w Szanghaju. Chiang przewidział, że to tylko wstęp do znacznie bardziej agresywnych posunięć, i podjął odpowiednie przygotowania. Generał Hans von Seeckt, były naczelny dowódca Reichsheer (wojsk lądowych Rzeszy) z czasów Republiki Weimarskiej, który przybył do Chin w maju 1933 roku, doradzał w sprawach modernizacji i profesjonalizacji chińskich nacjonalistycznych armii. Seeckt oraz jego następca, generał Alexander von Falkenhausen, opowiadali się za prowadzeniem długotrwałej wojny na wyczerpanie, która ich zdaniem stanowiła jedyną szansę w zmaganiach z lepiej wyszkoloną Cesarską Armią Japońską. Nie dysponując prawie zagranicznymi walutami, Chiang postanowił nabyć niemieckie uzbrojenie w zamian za chiński wolfram.

---

[3] T.H. White, A. Jacoby, *Thunder Out of China*, New York 1946, s. xiii.
[4] A. Smedley, *China Fights Back*, *op. cit.*, s. 31.

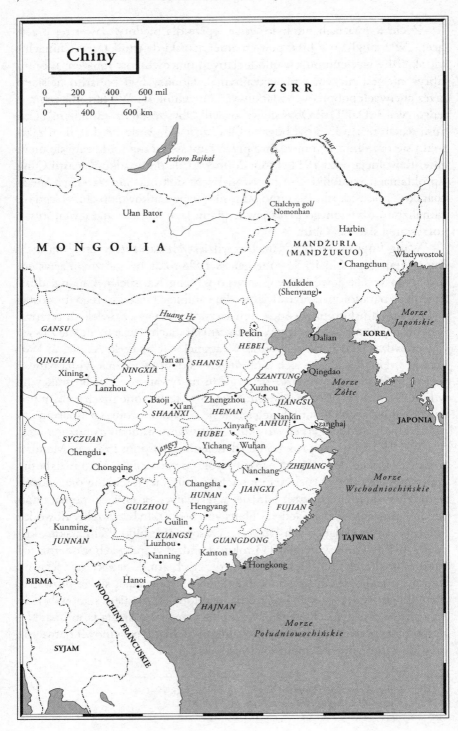

Chiny

0   200   400   600 mil
0   400   600 km

ZSRR

Amur

jezioro Bajkał

Ułan Bator

MONGOLIA

Chalchyn goł/
Nomonhan

Harbin

MANDŻURIA
(MANDŻUKUO)
Changchun

Władywostok

Mukden
(Shenyang)

Huang He

GANSU

Pekin

HEBEI

*Morze
Japońskie*

KOREA

Dalian

QINGHAI

Yan'an   SHANSI

Xining

NINGXIA

SZANTUNG   Qingdao

Lanzhou

Xuzhou

*Morze
Żółte*

Baoji   Xi'an

Zhengzhou

JIANGSU

SHAANXI

HENAN

Nankin

JAPONIA

Xinyang   ANHUI

Szanghaj

HUBEI

SYCZUAN

Jangcy

Yichang   Wuhan

Chengdu

ZHEJIANG

Chongqing

Nanchang

*Morze
Wschodniochińskie*

Changsha

JIANGXI

HUNAN

GUIZHOU   Hengyang

FUJIAN

Guilin

Kunming

KUANGSI

TAJWAN

JUNNAN

Liuzhou

GUANGDONG

Nanning   Kanton

Hongkong

BIRMA

Hanoi

HAJNAN

*Morze
Południowochińskie*

SYJAM

Chiang Kai-shek był w tym okresie niestrudzonym orędownikiem unowocześniania kraju, kierując się szczerym idealizmem. Podczas tak zwanej dekady nankińskiej (1928–1937) kierował przyspieszonym programem industrializacji, budowy dróg, modernizacji sił zbrojnych i rolnictwa. Dążył też do przełamania tradycyjnej dyplomatycznej izolacji Chin. Jednak świadom chińskiej słabości militarnej starał się również możliwie najdłużej unikać wojny z Japonią.

W 1935 roku Stalin, za pośrednictwem Kominternu, polecił chińskim komunistom utworzenie wspólnego frontu z nacjonalistami przeciwko japońskiemu zagrożeniu. Była to strategia, która nie mogła zbytnio przypaść do gustu Mao Zedongowi, zwłaszcza po tym jak Chiang zaatakował wojska komunistyczne, co zmusiło Mao w październiku 1934 roku do tak zwanego Długiego Marszu, aby uchronić przed zagładą chińską Armię Czerwoną. W istocie Mao, postawny Chińczyk o osobliwie piskliwym głosie, był uważany na Kremlu za dysydenta, ponieważ rozumiał, że interesy Stalina i Chińskiej Partii Komunistycznej są nieco odmienne. Wyznawał leninowską doktrynę, zgodnie z którą wojna stanowi wstęp do przejęcia władzy na drodze rewolucji.

Z kolei Moskwa nie chciała wojny na Dalekim Wschodzie. Interesy Związku Radzieckiego uznawano tam za o wiele ważniejsze od trwałego zwycięstwa chińskich komunistów. Wobec tego Komintern zarzucił Mao brak „internacjonalistycznej perspektywy". Mao dopuścił się niemalże herezji, twierdząc, że marksistowsko-leninowska zasada przewodniej roli wielkomiejskiego proletariatu nie sprawdza się w Chinach, gdzie na czele rewolucji musi stanąć chłopstwo. Opowiadał się za prowadzeniem samodzielnej walki partyzanckiej i organizowaniem podziemnej siatki na japońskich tyłach.

Chiang Kai-shek wysłał swoich przedstawicieli na spotkanie z komunistami. Chciał, aby wojska tych ostatnich połączyły się z armią Kuomintangu. W zamian proponował im oddanie ich ziem na północy i zaprzestanie zbrojnych ataków na oddziały komunistyczne. Mao podejrzewał, że Chiang zamierza pchnąć ich na obszar, gdzie zostaliby zmiażdżeni przez Japończyków nacierających z Mandżurii. Z kolei Chiang wiedział, że komuniści nie pójdą na kompromis, ani też na dłuższą metę nie podejmą współpracy z żadnym innym ugrupowaniem. Byli bowiem zainteresowani wyłącznie zagarnięciem pełnej władzy. „Komuniści to choroba serca – powiedział pewnego razu. – Japończycy to schorzenie skóry"[5].

W trakcie prób porozumienia z komunistami w południowych i środkowych Chinach Chiang mógł zrobić niewiele, żeby powstrzymać japońskie

---

[5] Cyt. za: S. Mackinnon, *The Defense of the Central Yangtze*, w: M. Peattie, E. Drea, H. van de Ven, *The Battle for China. Essays on the Military History of the Sino-Japanese War of 1937–1945*, Stanford 2011, s. 184.

najazdy i prowokacje na północnym wschodzie kraju. Dowództwo Armii Kwantuńskiej w Mandżukuo wiodło spory z Tokio, przekonując, że nie czas na kompromisy z Chinami. Jej szef sztabu generał Hideki Tōjō, przyszły premier, stwierdził, że przygotowania do wojny ze Związkiem Radzieckim bez uprzedniej likwidacji „zagrożenia na naszych tyłach", w postaci rządu w Nankinie, to „dopraszanie się o kłopoty"[6].

Jednocześnie ostrożna polityka Chiang Kai-sheka wobec japońskich agresorów wywołała powszechne oburzenie i studenckie demonstracje w chińskiej stolicy. Pod koniec 1936 roku japońskie wojska wkroczyły do prowincji Syczuan niedaleko granicy mongolskiej, zamierzając zawładnąć kopalniami węgla i złożami rud żelaza w tamtym regionie. Oddziały nacjonalistów przypuściły kontratak i wyparły stamtąd Japończyków. To wzmocniło pozycję Chianga, który postawił komunistom twardsze warunki współdziałania w ramach zjednoczonego frontu. Wtedy komuniści wraz z watażkami z aliansu północno-zachodniego zaatakowali od tyłu formacje nacjonalistyczne. Chiang chciał całkowicie rozbić wojska komunistów, mimo że wciąż prowadził z nimi rokowania. Ale na początku grudnia poleciał do Xi'anu na rozmowy z dwoma dowódcami armii nacjonalistów, którzy domagali się stawienia twardszego oporu Japończykom i przerwania wojny domowej z komunistami. Obaj uprowadzili go i uwięzili na dwa tygodnie, aż przystał na ich warunki. Komuniści żądali postawienia Chiang Kai-sheka przed trybunałem ludowym.

Uwolniony Chiang po powrocie do Nankinu musiał zmienić swoją politykę. Naród chiński szczerze się radował z perspektywy antyjapońskiego zjednoczenia. Szesnastego grudnia Stalin, głęboko zaniepokojony zawarciem paktu antykominternowskiego przez nazistowskie Niemcy i Japonię, wywarł nacisk na Mao i Zhou Enlaia, jego subtelniejszego i bardziej dyplomatycznego współpracownika, by utworzyli z nacjonalistami zjednoczony front. Radziecki przywódca bał się, że jeśli chińscy komuniści rozpętają wojenną zawieruchę na północy kraju, wówczas Chiang Kai-shek może zawrzeć skierowany przeciwko nim sojusz z Japończykami. Gdyby zaś udało się usunąć Chianga, wtedy Wang Jingwei, który nie chciał walczyć z Japonią, mógłby stanąć na czele Kuomintangu. Stalin skłaniał nacjonalistów do przypuszczeń, że mógłby ich poprzeć w walce z Japończykami, w istocie cynicznie zachęcając ich do wytrwania w oporze. Machał tą polityczną marchewką, nie mając najmniejszego zamiaru angażować Związku Radzieckiego w wojnę na Dalekim Wschodzie.

Zawarcie porozumienia między Kuomintangiem a komunistami nadal nie następowało, a 7 lipca 1937 roku doszło do nowego starcia między wojskami chińskimi i japońskimi na moście Marco Polo na południowy za-

---

[6] Cyt. za: E.J. Drea, *The Japanese Army on the Eve of War*, w: *ibidem*, s. 107.

chód od Pekinu[7]. Ten incydent znamionował początek głównej fazy wojny chińsko-japońskiej. Faktycznie zajście to przypominało ponurą farsę, która dowiodła, że wypadki toczą się nieprzewidywalnie i lawinowo w okresach napięcia międzynarodowego. Oto podczas nocnych ćwiczeń zaginął jeden z japońskich żołnierzy. Dowódca jego kompanii zażądał zezwolenia na wkroczenie do miasta Wanping w trakcie prowadzonych poszukiwań. Kiedy mu odmówiono, przypuścił atak, na który chińscy żołnierze odpowiedzieli ogniem. Tymczasem zaginiony Japończyk sam wrócił do koszar. Jak na ironię, to sztab generalny w Tokio starał się w trakcie tego zdarzenia powściągać wojownicze zapędy fanatycznych japońskich oficerów w Chinach, natomiast Chińczycy wywierali na Chianga silną presję, aby skończył z kompromisową polityką.

Generalissimus Chiang Kai-shek nie był pewien japońskich intencji i zwołał naradę chińskich przywódców. Z początku wśród samych japońskich wojskowych nie było jednolitej opinii co do dalszych celów. Armia Kwantuńska w Mandżurii dążyła do eskalacji konfliktu zbrojnego, natomiast tokijski sztab generalny obawiał się reakcji wojsk radzieckich na północnych granicach. Zaledwie tydzień wcześniej doszło do starć nad rzeką Amur, jednakże już niebawem japońscy sztabowcy zdecydowali się na otwarte działania wojenne. Uważali, że Chiny można szybko pokonać, przed rozszerzeniem się skali konfliktu, czyli ewentualną interwencją Związku Radzieckiego lub państw zachodnich. Japońscy dowódcy popełnili ten sam błąd, którego nieco później dopuścił się Hitler, napadając na ZSRR, i zdecydowanie nie doceniając determinacji oraz woli oporu zaatakowanych Chińczyków. Japończykom nie przyszło na myśl, że Chińczycy uciekną się do strategii prowadzenia długotrwałej, wyniszczającej wojny podjazdowej.

Chiang Kai-shek, w pełni świadomy niedostatków swojej armii i nieobliczalności jej sprzymierzeńców z północy kraju, rozumiał kolosalne ryzyko związane z wojną z Japonią, ale nie miał większego wyboru. Japończycy dwukrotnie wystosowali ultimatum, odrzucone przez rząd w Nankinie, i 26 lipca cesarskie wojska zaatakowały. Pekin padł trzy dni później. Formacje nacjonalistów i ich sojuszników wycofały się, stawiając tylko sporadyczny opór, gdy Japończycy nacierali na południe.

„Nagle spadła na nas wojna – pisała Agnes Smedley, przewieziona dżonką na północny brzeg Huang He (Rzeki Żółtej) do pełnej stojących to tu, to tam lepianek mieściny Fenglingtohkow. – Liczyliśmy na znalezienie noclegu w tym miasteczku, zapchanym masami żołnierzy, cywilów, wozów, mułów, koni i ulicznych sprzedawców. Gdy szliśmy błotnistą ścieżką do tego miasta, widzieliśmy po obu stronach długie rzędy rannych żołnierzy leżących na

---

[7] Zob. T. Yang, *Chiang Kai-shek and the Battles of Shanghai and Nanjing*, w: *ibidem*, s. 143.

ziemi. Były ich setki, poowijanych w brudne, zakrwawione bandaże, niektórzy nieprzytomni. (...) Nie było przy nich lekarzy, pielęgniarzy czy sanitariuszy"[8].

Pomimo wszelkich podejmowanych przez Chianga wysiłków, zmierzających do zmodernizowania wojsk nacjonalistycznych, były one, podobnie jak oddziały ich prowincjonalnych sojuszników, znacznie gorzej wyszkolone i wyposażone od japońskich dywizji, z którymi musiały się zmierzyć. Żołnierze piechoty nosili latem niebieskoszare mundury, a w zimie ci, którym poszczęściło się bardziej, dostawali waciaki albo owcze kubraki mongolskich wojsk. Ich obuwie stanowiły szmaciane łapcie lub sandały z łyka. Choć można się w nich było podkradać, nie czyniąc większego hałasu, to nie chroniły przed ostrymi bambusowymi kolcami, wysmarowanymi ekskrementami, aby powodować zakażenie krwi, którymi Japończycy obstawiali swoje pozycje obronne.

Chińscy żołnierze nosili okrągłe czapki ze związywanymi na czubku głowy nausznikami. Nie mieli stalowych hełmów, jeśli nie liczyć tych zdjętych z zabitych Japończyków, które obnosili z dumą. Wielu ubierało także kurtki zabrane poległym żołnierzom wroga, co czasami powodowało zamieszanie na polu walki. Najbardziej cenionymi trofeami były japońskie pistolety. W rzeczywistości nierzadko chińskim żołnierzom łatwiej przychodziło znajdowanie amunicji do zdobycznej japońskiej broni aniżeli do wydawanych im karabinów, wyprodukowanych w różnych krajach i przez rozmaite wytwórnie. Największą bolączkę stanowił brak służby medycznej, artylerii i lotnictwa.

W bitwach i na co dzień chińskimi żołnierzami dowodzono za pomocą sygnałów na trąbkach. Łącznością radiową dysponowały tylko ważniejsze dowództwa, a i ta bywała zawodna. Japończycy bez trudu łamali chińskie szyfry, wobec czego znali stan i zamiary przeciwnika. Chiński transport wojskowy składał się z nielicznych ciężarówek, ale większość jednostek polowych korzystała z jucznych mułów, poganianych i bitych przy akompaniamencie przekleństw, mongolskich kucyków oraz ciągnionych przez woły wozów na masywnych drewnianych kołach. Tych prymitywnych środków transportu zawsze było za mało, co oznaczało, że żołnierze często zostawali bez żywności. Ponieważ z żołdem, nieraz przywłaszczanym przez oficerów, zalegano całymi miesiącami, odbijało się to fatalnie na morale wojska. Jednak owego lata chińskie oddziały wykazały niewątpliwą odwagę i determinację w bitwie o Szanghaj.

Nadal toczą się spory, co doprowadziło do tego wielkiego starcia. Utrwaliło się przekonanie, że Chiang Kai-shek chciał, poprzez otwarcie nowego frontu pod Szanghajem i nie przerywając zmagań na północny oraz w centrum Chin, spowodować rozproszenie japońskich sił, aby te nie mog-

---

8 A. Smedley, *China Fights Back*, *op. cit.*, s. 132.

ły się skoncentrować w celu osiągnięcia szybkiego zwycięstwa. Oznaczało to prowadzenie wojny podjazdowej, co doradzał generał von Falkenhausen. Uderzenie na Szanghaj miało również zmusić komunistów i inne wojska sojusznicze do zaangażowania się w wojnę w obronie kraju, choć ciągle istniało ryzyko, że wycofają się z walki, aby nie wytracić swoich żołnierzy i kadr. Taki manewr zapewnił ponadto uzyskanie sowieckiego wsparcia w postaci doradców wojskowych oraz dostaw myśliwców, czołgów, artylerii, karabinów maszynowych i pojazdów. Chińczycy mieli za to płacić surowcami eksportowanymi do Związku Radzieckiego.

Inne wyjaśnienie także brzmi przekonująco. Stalin, poważnie zaniepokojony japońskimi sukcesami w północnych Chinach, był tym, któremu naprawdę zależało na przesunięciu rejonu głównych zmagań na południe, z dala od radzieckiej granicy dalekowschodniej. Mógł to uczynić za pośrednictwem chińskiego regionalnego nacjonalistycznego dowódcy, generała Zhang Zhingzhonga, agenta Sowietów[9]. Kilkakrotnie Zhang próbował nakłonić generalissimusa Chiang Kai-sheka do przeprowadzenia zaskakującego uderzenia na liczący trzy tysiące żołnierzy piechoty morskiej japoński garnizon w Szanghaju. Przywódca Kuomintangu zabronił mu podobnej akcji bez wyraźnego rozkazu. Atak na Szanghaj wiązał się zresztą z gigantycznym ryzykiem. Miasto to leży bowiem zaledwie dwieście dziewięćdziesiąt kilometrów od Nankinu, a ewentualna klęska poniesiona w pobliżu ujścia rzeki Jangcy mogła skutkować szybkim natarciem Japończyków na ówczesną stolicę kuomintangowskich Chin i marszem ku środkowym regionom kraju. Dziewiątego sierpnia Chang posłał wyselekcjonowany oddział wojska na szanghajskie lotnisko, gdzie zastrzelili japońskiego porucznika piechoty morskiej oraz jednego żołnierza. Zgodnie z relacją samego Zhanga następnie zabili także chińskiego więźnia skazanego na śmierć, aby stworzyć wrażenie, że to Japończycy pierwsi otworzyli ogień. Japończycy, którym nie zależało na podejmowaniu walk w okolicach Szanghaju, początkowo nie zareagowali zbrojnie, wzywając jedynie posiłki wojskowe. Chiang ponownie zakazał Zhangowi atakowania. Trzynastego sierpnia japońskie okręty wojenne rozpoczęły ostrzał chińskich dzielnic Szanghaju. Następnego ranka dwie nacjonalistyczne dywizje przypuściły szturm na miasto. Z powietrza zaatakowano także flagowy okręt japońskiej 3. Floty, stary krążownik „Izumo", zakotwiczony opodal śródmiejskiego portu[10]. Był to niepomyślny dla Chińczyków początek walk. Ogniem ze wspomnianego okrętu odpędzono przestarzałe chińskie samoloty. Kilka pocisków uszkodziło przedział bombowy jednej

---

[9] J. Chang, J. Halliday, *Mao. The Unknown Story*, London 2007, s. 245–246.
[10] D. Lary, *The Chinese People at War. Human Suffering and Social Transformation, 1937–1945*, Cambridge 2010, s. 22–23.

z chińskich maszyn, a gdy przelatywały nad dzielnicą cudzoziemską, ładunek bomb spadł na hotel Palace, ulicę Nankińską i inne miejsca zapchane uciekinierami. W taki dość przypadkowy sposób zginęło lub odniosło obrażenia około tysiąca trzystu osób.

Obie strony zaczęły pospiesznie gromadzić siły, a starcie rychło przeobraziło się w największą bitwę wojny chińsko-japońskiej. Dwudziestego trzeciego sierpnia Japończycy, wzmocniwszy swój kontyngent w Szanghaju, wylądowali na wybrzeżu na północ od miasta, aby oskrzydlić pozycje chińskich nacjonalistów. Opancerzone barki desantowe wysadziły na brzeg czołgi, a japoński ostrzał z morza był zabójczo skuteczny, tym bardziej że nacjonalistycznym dywizjom brakowało artylerii[11]. Podejmowane przez Chińczyków próby zablokowania ujścia Jangcy także na nic się zdały, a słabe chińskie lotnictwo nie miało większych szans wobec dominacji Japończyków w powietrzu.

Poczynając od 11 września, wojska nacjonalistycznych Chin walczyły bardzo dzielnie pod dowództwem Falkenhausena, mimo ogromnych strat. Większość dywizji, zwłaszcza elitarnych formacji Chiang Kai-sheka, utraciło ponad połowę stanu osobowego, w tym dziesięć tysięcy młodszych oficerów i podoficerów. Chiang, nie mogąc się zdecydować, czy kontynuować bój, czy też się wycofać, rzucił do walki kolejne dywizje. Liczył, że w ten sposób zwróci uwagę międzynarodowej opinii publicznej na zmagania w Chinach, tuż przed zaplanowaną sesją Ligi Narodów.

Łącznie Japończycy wprowadzili do walk na froncie szanghajskim prawie dwieście tysięcy ludzi, czyli więcej niż użyli w północnych Chinach. W trzecim tygodniu września dokonali wyłomów w liniach obronnych wojsk nacjonalistycznych, zmuszając je w październiku do odwrotu nad Suzhou – poważną przeszkodę wodną, mimo że umownie określano ją mianem „rzeczki". Jeden z batalionów pozostawiono do obrony godown, czyli magazynów, aby stworzyć wrażenie, iż chińscy nacjonaliści wciąż bronią się w Szanghaju. Ten „samotny batalion" urósł do roli wielkiego propagandowego mitu w walce o chińską sprawę.

Na początku listopada, po nowej fali zażartych walk, Japończycy sforsowali rzekę Suzhou przy użyciu małych metalowych łodzi szturmowych i w kilku miejscach umocnili się na przyczółkach. Następnie, za sprawą kolejnego desantu na wybrzeżu nieco dalej na południu, zmusili nacjonalistów do wycofania się. Dyscyplina i morale, które utrzymywały się na wysokim poziomie podczas krwawych, okupionych wielkimi stratami zmagań, nagle się załamały. Chińscy żołnierze porzucali karabiny, a uciekinierzy tratowali się w popłochu wywołanym przez japońskie bombowce i myśliwce. W trakcie

---

[11] Walki o Szanghaj zob. T. Yang, *Chiang Kai-shek and the Battles of Shanghai and Nanjing*, *op. cit.*, s. 145–154.

trzech miesięcy walk pod Szanghajem Japończycy stracili ponad siedemdziesiąt tysięcy żołnierzy. Straty chińskie przekraczały sto osiemdziesiąt siedem tysięcy ludzi, to jest były co najmniej dwa i pół raza wyższe.

Błyskawicznie posuwając się naprzód, podpalając po drodze mijane wioski, japońskie dywizje urządziły rodzaj wyścigu do Nankinu. Cesarska Marynarka Wojenna skierowała trałowce i kanonierki w górę Jangcy, aby ostrzeliwały to miasto. Nacjonalistyczny rząd chiński uciekał po Jangcy, głównie rzecznymi parostatkami i dżonkami, do Hankou, które ogłoszono tymczasową stolicą. Później rolę tę miał przejąć Chongqing w górnym biegu Jangcy w Syczuanie.

Chiang Kai-shek nie potrafił się zdecydować, czy bronić Nankinu, czy opuścić to miasto bez walki. Nie nadawało się do obrony, ale porzucenie tego mającego rangę symbolu miejsca byłoby upokorzeniem. Podlegli mu generałowie też nie byli co do tego zgodni. W końcu wybrano najgorsze z możliwych, połowiczne wyjście, a słaby chiński opór tylko rozdrażnił atakujących Japończyków. W istocie japońscy dowódcy planowali użycie iperytu i bomb zapalających przeciwko Nankinowi, gdyby doszło do walk o takiej intensywności jak wcześniej w okolicach Szanghaju[12].

Chińczycy z pewnością mieli pojęcie o bezwzględności swoich przeciwników, ale nawet oni nie wyobrażali sobie skali okrucieństw, do jakich doszło. Trzynastego grudnia chińskie wojska ewakuowały się z Nankinu, lecz za miastem wpadły w zasadzkę i zostały okrążone. Oddziały japońskie wkroczyły do miasta, otrzymawszy rozkaz, by nie okazywać wrogom litości. Żołnierze jednego z pododdziałów 16. Dywizji wymordowali piętnaście tysięcy chińskich jeńców, a jedna z kompanii urządziła rzeź tysiąca trzystu ofiar[13]. Pewien niemiecki dyplomata donosił do Berlina, że „oprócz masowych egzekucji z użyciem broni maszynowej zastosowano też inne metody, zabijając ludzi pojedynczo, na przykład oblewając ofiary benzyną i podpalając je"[14]. Zabudowania w mieście plądrowano i puszczano z dymem. Aby ocalić życie i uniknąć gwałtów oraz zniszczeń, cywile usiłowali się schronić w wyznaczonej „międzynarodowej strefie bezpieczeństwa".

Taki przejaw japońskiej furii zaszokował świat; przerażające masakry i zbiorowe gwałty stanowiły odwet za krwawe walki pod Szanghajem, gdyż

---

[12] Na temat użycia iperytu i bomb zapalających zob.: H. Satoshi, *Japanese Operations from July to December 1937*, w: M. Peattie, E. Drea, H. van de Ven, *The Battle for China, op. cit.*, s. 176.

[13] *Ibidem*, s. 179.

[14] Doktor Rosen do niemieckiego Ministerstwa Spraw Zagranicznych, 20 stycznia 1938 r., cyt. za: J. Rabe, *The Good German of Nanking. The Diaries of John Rabe*, New York 1998, s. 145. Dziennik Rabego, dyrektora lokalnej filii Siemensa i organizatora międzynarodowej strefy bezpieczeństwa w Chinach, stanowi najbardziej wiarygodną relację na temat zbrodni popełnionych w Nankinie.

japońska armia nie spodziewała się tak zaciętego oporu po Chińczykach, którymi pogardzała. Szacunki dotyczące liczby ofiar znacznie się od siebie różnią. Niektóre chińskie źródła podają, że było ich aż trzysta tysięcy, choć bardziej prawdopodobne, iż w Nankinie zginęło około dwustu tysięcy ludzi. Japońskie władze wojskowe, uciekając się do nieudolnych łgarstw, twierdziły, że zabijano tylko tych chińskich żołnierzy, którzy przebierali się w cywilne ubrania, i że zginęło ich tylko niewiele ponad tysiąc. Rozgrywały się iście dantejskie sceny, zwłoki ofiar rozkładały się na ulicach i placach, czasami zjadane przez na poły zdziczałe psy. Każdy staw, wszystkie strumienie i rzeki były zatrute gnijącymi ciałami.

Japońskich żołnierzy wychowywano w warunkach typowych dla zmilitaryzowanego społeczeństwa. Mieszkańcy całych wsi lub kwartałów domów w miastach zazwyczaj uroczyście żegnali poborowych powoływanych do wojska. Tak więc żołnierze na ogół walczyli o honor swoich rodzin i lokalnych społeczności, a nie za cesarza, jak zazwyczaj uważano w krajach Zachodu. Podstawowe szkolenie w siłach zbrojnych obliczone było na eliminację wszelkiego indywidualizmu. Podoficerowie nagminnie znieważali i bili rekrutów, ażeby uczynić ich twardszymi i by ich prowokować, co z kolei wywoływało rodzaj reakcji pokrewnej do efektu domina – upokarzani japońscy żołnierze wyżywali się z kolei na jeńcach i cywilach pokonanego wroga[15]. Wszystkich młodych Japończyków już od szkoły podstawowej utwierdzano w przekonaniu o tym, że Chińczycy są znacznie gorsi od „boskiej rasy" japońskiej, że są „gorsi od świń"[16]. W trakcie powojennych przesłuchań jeden z japońskich żołnierzy zeznał, że choć przerażało go bezmyślne torturowanie pewnego chińskiego jeńca, to sam z własnej woli uczestniczył w tym dręczeniu pojmanego, by odpłacić za rzekomo doznaną zniewagę.

W Nankinie rannych Chińczyków dźgano bagnetami tam, gdzie leżeli. Oficerowie kazali jeńcom klękać w rzędach, a potem kolejno ścinali im głowy samurajskimi mieczami. Szeregowcom rozkazywano ćwiczenie się w atakowaniu bagnetami na tysiącach chińskich więźniów skrępowanych lub przywiązanych do drzew. Każdy, kto odmawiał wykonania takiego rozkazu, był katowany przez przełożonego podoficera. W Cesarskiej Armii Japońskiej proces dehumanizowania żołnierzy nabierał tempa po ich przybyciu do Chin z ojczystych wysp. Kapral Nakamura, który został przymusowo wcielony do wojska, opisywał w swoim dzienniku, jak on i pięciu jego towarzyszy broni zmuszali rekrutów do patrzenia na torturowanie pięciorga

---

[15] O przygotowaniu japońskich żołnierzy zob. H. Kawano, *Japanese Combat Morale*, w: M. Peattie, E. Drea, H. van de Ven, *The Battle for China*, op. cit., s. 332–334.

[16] Kondo Hajime, cyt. za: L. Rees, *Kaci i ofiary. Okrucieństwa II wojny światowej i ich sprawcy*, tłum. M. Antosiewicz, Warszawa 2008, s. 69.

chińskich cywilów, które doprowadziło do śmierci dręczonych ofiar. Młodzi żołnierze byli przerażeni, ale Nakamura zapisał: „Wszyscy rekruci reagują podobnie, lecz wkrótce sami będą wyprawiać takie rzeczy"[17]. Starszy szeregowy Toshio Shimada wspominał swój „krwawy chrzest" po dołączeniu nieco później do 226. Pułku w Chinach. Pewnego chińskiego więźnia przywiązano za ręce i kostki do słupów. Prawie pięćdziesięciu rekrutów ustawiło się w rzędzie, aby zaatakować go bagnetami. „Musiałem stłumić wszelkie emocje. Nie czułem dla niego litości. W końcu sam zaczął nas prosić: »No, już. Szybciej!«. Nie udawało nam się zadać mu śmiertelnej rany. Więc mówił: »Prędzej!«, co oznaczało, że chciał szybciej umrzeć"[18]. Shimada twierdził, że zadanie było trudne, gdyż bagnet utknął w ofierze „jak w tofu".

John Rabe, niemiecki przedsiębiorca z firmy Siemens, który organizował międzynarodową strefę bezpieczeństwa w Nankinie, wykazując się przy tym osobistą odwagą i humanitaryzmem, poczynił taki oto wpis w swoim diariuszu: „Nijak nie mogę pojąć postępowania Japończyków. Z jednej strony chcą się cieszyć uznaniem i być traktowani jak mocarstwo, na równi z europejskimi potęgami, a z drugiej przejawiają obecnie taką surowość, brutalność i bestialstwo, które przyrównać można tylko do postępków hord Czyngis-chana"[19]. Dwanaście dni później napisał: „Wprost nie można oddychać z odrazy, gdy człowiek natyka się co rusz na ciała kobiet z bambusowymi tyczkami wetkniętymi w pochwy. Gwałcone są nawet ponadsiedemdziesięcioletnie staruszki"[20].

Zbiorowy etos Cesarskiej Armii Japońskiej, wpajany w trakcie szkolenia za pomocą kar, poskutkował również hierarchizacją, ścisłym podziałem między doświadczonymi żołnierzami a tymi nowo wcielonymi do wojska. Starsi żołnierze organizowali gangi, trzydziestoosobowymi grupami gwałcąc pojedyncze kobiety, które zazwyczaj już po wszystkim zabijali. Młodszym stażem nie wolno było brać udziału w tym procederze. Dopiero gdy zyskiwali akceptację jako członkowie grupy, „zapraszano" ich do uczestniczenia w jej zbrodniczych wyczynach.

Młodzi żołnierze nie mogli też odwiedzać „pocieszycielek" w wojskowych burdelach, czyli dziewcząt i młodszych mężatek porywanych na ulicach albo oddawanych przez przywódców wiosek z rozkazu budzącej postrach japońskiej żandarmerii, Kempeitai, narzucających osadom określone normy w tej mierze. Po masakrze i gwałtach w Nankinie japońskie władze

---

[17] Ze zdobytego przez Chińczyków dziennika kaprala Nakamury, cyt. za: A. Smedley, *Battle Hymn of China*, London 1944, s. 186.
[18] Toshio Shimada, cyt. za: H. Kawano, *Japanese Combat Morale, op. cit.*, s. 341.
[19] J. Rabe, *The Good German of Nanking, op. cit.*, s. 148 (22 stycznia 1938 r.).
[20] *Ibidem*, s. 172.

wojskowe zażądały kolejnych trzech tysięcy kobiet „na potrzeby armii"[21]. Ponad dwa tysiące uprowadzono już z samego Suzhou po zdobyciu tego miasta w listopadzie[22]. Poza miejscowymi kobietami, zmuszanymi do nierządu, Japończycy przywozili także wiele młódek ze skolonizowanej Korei. Dowódca jednego z batalionów 37. Dywizji nawet trzymał w swojej kwaterze trzy chińskie niewolnice, które usługiwały tylko jemu. Aby ukryć prawdziwą rolę, jaką pełniły, próbowano upodobnić je do mężczyzn i w tym celu ogolono im głowy[23].

Władze wojskowe dążyły do zmniejszenia liczby przypadków chorób wenerycznych i gwałtów dokonywanych publicznie przez japońskich żołnierzy, co mogło pobudzić chińską ludność do stawiania oporu. Preferowano nieustanne zmuszanie do nierządu zniewolonych kobiet w zamkniętych „domach uciechy". Jednak koncepcja, że zapewnienie damskiego towarzystwa odwiedzie japońskich żołnierzy od gwałcenia, okazała się całkowicie błędna. Żołnierze zdecydowanie woleli uczestniczyć w sporadycznych aktach gwałtu, niż wystawać w kolejkach do burdeli, a oficerowie uważali, że gwałty wpływają korzystnie na ducha bojowego.

W tych rzadkich wypadkach, kiedy Japończycy musieli wycofać się z jakiegoś miasta, mordowali „pocieszycielki", dając upust antychińskiej mściwości[24]. Przykładowo – po chwilowym odbiciu z rąk japońskich miasteczka Xuancheng niedaleko Nankinu chińskie oddziały weszły do „budynku, w którym po wyparciu Japończyków odkryto nagie zwłoki tuzina Chinek. Napis na framudze drzwi od ulicy nadal głosił: »Dom Pociechy [Uciech] Wielkiej Armii Cesarskiej«"[25].

W północnych Chinach Japończycy doznawali pewnych niepowodzeń niemal wyłącznie w starciach z oddziałami chińskich nacjonalistów. Wojska komunistyczne, sformowane w 8. Armię Marszową, która utrzymywała, że jest w stanie przebywać ponad setkę kilometrów, na wyraźny rozkaz Mao trzymały się z dala od najbardziej krwawych walk. Do końca roku japońska Armia Kwantuńska opanowała miasta w prowincjach Chahar i Suiyuan oraz północny rejony Shanxi. Na południe od Pekinu Japończycy z łatwością zdobyli prowincję Szantung wraz z jej stolicą, głównie za sprawą tchórzostwa regionalnego chińskiego dowódcy generała Han Fu-chu.

---

[21] A. Smedley, *China Fights Back, op. cit.*, s. 227 i 230.

[22] D. Lary, *The Chinese People at War, op. cit.*, s. 25.

[23] H. Kawano, *Japanese Combat Morale, op. cit.*, s. 351.

[24] Na temat markietanek i gwałtów zob. Y. Tanaka, *Hidden Horrors. Japanese War Crimes in World War II*, Oxford 1996, s. 94–97.

[25] A. Smedley, *Battle Hymn of China, op. cit.*, s. 206.

Generał Han, który uciekł samolotem, zabierając z sobą zawartość lokalnego skarbca i srebrną trumnę, został aresztowany przez nacjonalistów i skazany na śmierć. W trakcie egzekucji musiał uklęknąć, a wtedy jeden z generałów strzelił mu w głowę. Stanowiło to ostrzeżenie dla innych dowódców, przyjęte z uznaniem przez wszystkie ugrupowania, które znacznie zacieśniło chińską jedność. Coraz bardziej zaskoczeni Japończycy przekonywali się, jaką determinację Chińczycy wykazują w toczonej nadal walce, nawet po utracie stolicy oraz niemal całych sił powietrznych. Agresora zirytowało też to, że Chińczycy zdołali po bitwie szanghajskiej uniknąć okrążenia, a tym samym całkowitej klęski.

W styczniu 1938 roku Japończycy rozpoczęli natarcie na północ wzdłuż linii kolejowej z Nankinu do Xuzhou, miasta będącego ważnym węzłem komunikacyjnym i mającego wielkie strategiczne znaczenie, gdyż miało połączenia z portami na wschodnim wybrzeżu i leżało w pobliżu szlaku kolejowego wiodącego na zachód. W razie utraty Xuzhou zagrożone zostałyby wielkoprzemysłowe miasta Wuhan i Hankou[26]. Tak jak w czasie wojny domowej w Rosji linie kolejowe w Chinach miały nadzwyczajne znaczenie dla przerzutu i zaopatrywania wojsk. Chiang Kai-shek, który od dawna wiedział, że Xuzhou stanowi główny cel japońskiej ofensywy, skoncentrował w tym regionie około czterysta tysięcy żołnierzy – armię złożoną częściowo z oddziałów nacjonalistycznych, po części zaś z wojsk lokalnych watażków.

Chiński generalissimus był świadomy znaczenia zbliżającej się batalii. Konflikt zbrojny w Chinach przyciągnął wielu zagranicznych korespondentów i był uważany za azjatycki odpowiednik hiszpańskiej wojny domowej. Niektórzy z dziennikarzy i pisarzy, fotoreporterów i filmowców, którzy wcześniej znaleźli się w Hiszpanii – Robert Capa, Joris Ivens, W.H. Auden i Christopher Isherwood – przybyli, aby rejestrować chiński opór przeciwko japońskiej agresji. Obronę Wuhanu porównywano do obrony Madrytu przez wojska republikańskie, gdy afrykańska armia Franco zaatakowała jesienią 1936 roku hiszpańską stolicę. Lekarze, którzy udzielali pomocy medycznej rannym w walkach hiszpańskim republikanom, wkrótce przybyli na pomoc żołnierzom wojsk nacjonalistycznych i komunistycznych w Chinach. Najbardziej znanym spośród tych lekarzy był kanadyjski chirurg dr Norman Bethune, który zmarł w Chinach wskutek zakażenia krwi.

Choć Stalin także dostrzegał pewne podobieństwa walk w Chinach z hiszpańską wojną domową, niemniej jednak jego przedstawiciele w Moskwie zwodzili Chianga, który stanowczo nazbyt optymistycznie wierzył, że Związek Radziecki przystąpi do wojny z Japonią. Gdy walki trwały, Chiang

---

[26] R. Tobe, *The Japanese Eleventh Army in Central China, 1938–1941*, w: M. Peattie, E. Drea, H. van de Ven, *The Battle for China, op. cit.*, s. 208–209.

rozpoczął zakulisowe negocjacje z Japończykami za pośrednictwem niemieckiego ambasadora – częściowo po to, by pobudzić Stalina do działania – ale Japończycy stawiali stanowczo zbyt ostre warunki. Stalin, przypuszczalnie dobrze poinformowany o tych rokowaniach przez jednego ze swoich agentów, wiedział, że nacjonaliści nie mogli ich zaakceptować.

W lutym cesarskie dywizje 2. Armii nadciągającej z północy sforsowały Jangcy, aby zamknąć w okrążeniu wojska chińskie. Z końcem marca Japończycy wkroczyli do Xuzhou, gdzie zaciekłe walki trwały przez kilka dni. Chińczykom brakowało broni do zwalczania japońskich czołgów, ale zaczęło już docierać radzieckie uzbrojenie i sześćdziesiąt kilometrów na wschód od Tai'erzhuang udało się przeprowadzić kontruderzenie, które chińscy nacjonaliści uznali za swoje wielkie zwycięstwo. Japończycy szybko przerzucili wsparcie z Japonii i Mandżurii. Siedemnastego maja uznali, że zamknęli w kotle większość chińskich dywizji, ale dwieście tysięcy nacjonalistycznych żołnierzy, podzieliwszy się na małe grupki, wyrwało się z okrążenia. Xuzhou ostatecznie padło 21 maja, a wojska japońskie wzięły do niewoli trzydzieści tysięcy jeńców.

W lipcu nad jeziorem Chasan miały miejsce pierwsze poważniejsze starcia graniczne między Japończykami a Armią Czerwoną. I znowu w chińskich nacjonalistach rozbudziło to nadzieje, że Związek Radziecki przystąpi do wojny, lecz te rychło się rozwiały. Stalin po cichu uznał nawet japońskie panowanie w Mandżurii. W związku z agresywnymi planami Hitlera wobec Czechosłowacji niepokoił się poważnie niemieckim zagrożeniem na zachodzie. Niemniej wysłał do sztabu Chianga swoich doradców wojskowych. Pierwsi z nich przybyli w czerwcu, tuż przed wyjazdem generała von Falkenhausena i jego ludzi, odwołanych do Niemiec przez Göringa.

Wtedy Japończycy zaplanowali atak na przemysłowe miasto Wuhan, czego wcześniej obawiał się Chiang. Postanowili także powołać do istnienia marionetkowe władze chińskie. W celu spowolnienia nieprzyjacielskiego natarcia na Wuhan Chiang Kai-shek wydał rozkaz zniszczenia zapór wodnych na Jangcy, aby – jak to określiło chińskie naczelne dowództwo – „wykorzystać wodę zamiast żołnierzy"[27]. Ta taktyka „zalanej ziemi" opóźniła marsz Japończyków o około pięć miesięcy, ale spustoszenia i straty wśród ludności cywilnej na obszarze o powierzchni siedemdziesięciu tysięcy kilometrów kwadratowych, które znalazły się pod wodą, były straszliwe. W okolicy nie było wzniesień, na których mogli schronić się ludzie. Oficjalna liczba osób, które utonęły i zmarły w wyniku wygłodzenia bądź chorób, sięgnęła ośmiuset tysięcy, a ponad sześć milionów ludzi uciekło w inne rejony kraju.

Gdy grunty nieco wyschły, japońskie pojazdy i wozy bojowe mogły ponownie ruszyć na Wuhan, wspierane przez siły cesarskiej floty operujące na

---

[27] Cyt. za: D. Lary, *The Chinese People at War, op. cit.*, s. 61.

Jangcy oraz oddziały 11. Armii, maszerujące wzdłuż północnego i południowego brzegu tej rzeki. Jangcy stała się bardzo ważną linią zaopatrzeniową japońskich wojsk, niezagrożoną atakami chińskiej partyzantki.

Do tego czasu nacjonaliści Chianga otrzymali około pięciuset samolotów pilotowanych przez stu pięćdziesięciu radzieckich „ochotników", ci jednak walczyli w Chinach przez trzy miesiące i wracali do kraju, kiedy tylko nabrali odpowiedniego doświadczenia. Jednorazowo służyło tam od stu pięćdziesięciu do dwustu sowieckich lotników, a łącznie około dwóch tysięcy odbyło loty bojowe nad Chinami[28]. Zastawili na nieprzyjaciela udaną pułapkę 29 kwietnia 1938 roku, trafnie przewidując, że Japończycy przeprowadzą duży nalot na Wuhan w dniu urodzin cesarza Hirohito, ale generalnie japońscy lotnicy utrzymali przewagę w powietrzu nad centralnymi i południowymi Chinami. Chińscy piloci, zasiadający za sterami przestarzałych samolotów, często przeprowadzali desperackie ataki na wrogie okręty wojenne, ginąc w ich trakcie.

W lipcu Japończycy zbombardowali rzeczny port w Jiujiang, niemal na pewno posłużywszy się bronią chemiczną, którą eufemistycznie określili mianem „specjalnego dymu". Dwudziestego szóstego lipca, po zdobyciu wspomnianego miasta oddział Namita dokonał kolejnej straszliwej masakry ludności cywilnej. Jednak w panującym upale natarcie 11. Armii uległo spowolnieniu, ze względu na zacięty opór stawiany przez wojska chińskie i zapadnięcie bardzo wielu japońskich żołnierzy na malarię i cholerę. To dało Chińczykom czas na oderwanie się od przeciwnika i przetransportowanie oddziałów w górę rzeki Jangcy, ku miastu Chongqing. Dwudziestego pierwszego października japońska 21. Armia w rezultacie operacji desantowej zdobyła wielkie portowe miasto Kanton na południowym wybrzeżu. Cztery dni później 6. Dywizja 11. Armii wkroczyła do Wuhanu, a wojska chińskie przystąpiły do odwrotu.

Chiang Kai-shek żalił się z powodu nieudolności swoich sztabowców, łączników, wywiadowców i służb komunikacyjnych. Dowództwa poszczególnych dywizji usiłowały unikać wykonania rozkazów ataku. Pozycje obronne nie były rozbudowane w głąb, a tworzyły je pojedyncze linie okopów, łatwe do przełamania; zapasy rzadko docierały we właściwe miejsca. Ale następna katastrofa wynikła zasadniczo z winy samego Chianga.

Po utracie Wuhanu szczególnie zagrożone wydawało się miasto Changsha. Japońskie lotnictwo zbombardowało je 8 listopada. Nazajutrz Chiang polecił rozpoczęcie przygotowań do spalenia tego miasta, na wypadek gdyby Japończycy przełamali front. Posłużył się przykładem Rosjan, którzy w 1812 roku

---

[28] J.W. Garver, *Chinese-Soviet Relations, 1937–1945. The Diplomacy of Chinese Nationalism*, Oxford 1988, s. 40–41; oraz M. Hagiwara, *Japanese Air Campaigns in China*, w: M. Peattie, E. Drea, H. van de Ven, *The Battle for China, op. cit.*, s. 245–246.

zniszczyli w ten sam sposób Moskwę. Trzy dni później rozeszła się fałszywa pogłoska, że Japończycy są już blisko, a wczesnym rankiem 13 listopada miasto stanęło w ogniu. Changsha płonęła przez trzy doby. Dwie trzecie obszaru uległo całkowitemu zniszczeniu, w tym magazyny pełne ryżu i zboża. Zginęło dwadzieścia tysięcy ludzi, wśród nich wszyscy ranni żołnierze, a dwieście tysięcy pozostało bez dachu nad głową.

Pomimo odnoszonych zwycięstwo armia japońska bynajmniej nie osiadała na laurach. Jej dowódcy wiedzieli, że dotąd nie udało im się zadać przeciwnikowi decydującego ciosu. Japońskie linie zaopatrzeniowe były nadmiernie rozciągnięte i przez to narażone na ataki. Ponadto Japończycy aż za dobrze zdawali sobie sprawę z faktu radzieckiej pomocy militarnej dla chińskich nacjonalistów, gdyż sowieccy piloci myśliwscy zestrzeliwali wiele samolotów należących do cesarskich sił powietrznych. Japończycy zastanawiali się z niepokojem, co knuje Stalin. Takie obawy skłoniły ich w listopadzie do wysunięcia propozycji wycofania swoich wojsk za Wielki Mur Chiński na północy kraju, pod warunkiem że nacjonaliści zreformują swe władze, uznają japońskie prawa do Mandżurii, zezwolą Japończykom na eksploatację chińskich złóż i zgodzą się na utworzenie wspólnego frontu przeciwko komunistom. Rywal Chianga, Wang Jingwei, wyruszył w grudniu do Indochin, aby nawiązać kontakt z japońskimi władzami w Szanghaju. Uważał, że sam, jako lider frakcji pokojowej Kuomintangu, jest oczywistym kandydatem na następcę Chiang Kai-sheka. Jednakże tylko nieliczni chińscy politycy opowiedzieli się za nim, gdy przeszedł na stronę nieprzyjaciela. Większy posłuch znalazły emocjonalne apele Chianga o kontynuację walki w imię wyzwolenia kraju.

Japończycy, zarzuciwszy strategię niespodziewanych ataków w celu osiągnięcia szybkiego zwycięstwa, postępowali teraz ostrożniej. Wobec zbliżającego się wybuchu wojny w Europie przypuszczali, że niebawem przyjdzie im przerzucić część znacznych sił, zaangażowanych w Chinach, na inne fronty. Uważali również, bardzo naiwnie, jeśli wziąć pod uwagę zbrodnie popełnione przez ich żołnierzy w Chinach, że uda im się zjednać sobie chińską ludność. Tak więc choć wojska nacjonalistów dalej ponosiły gigantyczne straty, a rzesze chińskich cywilów wciąż ginęły – około dwudziestu milionów Chińczyków miało stracić życie do końca wojny w 1945 roku – to Japończycy ograniczyli skalę swoich działań wojskowych w Chinach, koncentrując się głównie na zwalczaniu ugrupowań partyzanckich na swoich tyłach.

Komuniści rekrutowali wielkie zastępy cywilów do swojej partyzantki – zgrupowań w rodzaju 4. Nowej Armii, działającej w dolinie środkowego biegu Jangcy. Wielu z tych partyzantów, wywodzących się z grona lokalnych chłopów, było uzbrojonych tylko w narzędzia rolnicze albo bambusowe włócznie. Ale po plenum Komitetu Centralnego, które odbyło się w październiku 1938 roku, Mao obrał konsekwentną strategię[29]. Oddziały komunistyczne miały zaprzestać walki z Japończykami, chyba że same zostaną zaatakowane. Winny za to gromadzić siły do odbierania terytoriów nacjonalistom. Mao wyjaśnił, że Chiang Kai-shek to ich główny przeciwnik, „wróg numer jeden".

Japońskie obławy na prowincji wiązały się z mającymi na celu sterroryzowanie chińskiej ludności masakrami i zbiorowymi gwałtami. Cesarscy żołnierze rozpoczynali od zabijania wszystkich młodych mężczyzn w wioskach. „Powiązali ich razem, a potem rozłupywali im czaszki mieczami"[30]. Potem zajmowali się kobietami. Kapral Nakamura napisał w swoim dzienniku we wrześniu 1938 roku o ekspedycji do Lukuochen, miejscowości na południe od Nankinu: „Wkroczyliśmy do wsi i przeszukaliśmy każde domostwo. Próbowaliśmy wyłapywać najładniejsze dziewczęta. Takie uganianie się trwało dwie godziny. Niura zastrzelił jedną, bo to był jej pierwszy raz i była brzydka, a reszta z nas się naigrywała"[31]. Zarówno gwałty w Nankinie, jak i niezliczone zbrodnie dokonane w okolicach wywołały wśród chłopstwa patriotyczny gniew, niewyobrażalny przed wojną, kiedy to tamtejsi wieśniacy nie wiedzieli prawie nic o Japonii, a nawet nie traktowali Chin jako jednolitego kraju.

Następna większa bitwa rozegrała się dopiero w marcu 1939 roku, kiedy Japończycy przerzucili znaczne siły do prowincji Jiangxi, aby zaatakować jej stolicę – Nanchang. Chińczycy stawiali zacięty opór, mimo że Japończycy ponownie użyli gazów bojowych. Dwudziestego siódmego marca miasto zostało zdobyte po zażartych zmaganiach o każdy dom. Setki tysięcy uciekinierów wyruszyło na zachód, uginając się pod ciężarem dobytku w tobołkach dźwiganych na plecach albo pchając drewniane taczki z tym, co posiadali – kołdrami, narzędziami i miseczkami do ryżu. Włosy kobiet zmatowiały od kurzu, a staruszki utykały na swoich wykoślawionych stopach.

Generalissimus Chiang Kai-shek rozkazał przeprowadzenie kontrataku w celu odzyskania Nanchangu. To zaskoczyło Japończyków; nacjonaliści wdarli się do miasta pod koniec kwietnia, ale to wszystko, na co ich było stać. Chiang, który wcześniej zagroził dowódcom oddziałów śmiercią, jeżeli nie odbiją miasta, musiał wydać zgodę na odwrót.

Wkrótce po radziecko-japońskich starciach w maju nad Chalchyn gol, których przebieg skłonił Stalina do powierzenia dowództwa nad wojskami

---

[29] Na temat plenum Komitetu Centralnego, wrzesień–październik 1938, zob. J. Chang, J. Halliday, *Mao, op. cit.*, s. 260–264.
[30] A. Smedley, *China Fights Back, op. cit.*, s. 156.
[31] Dziennik Nakamury, cyt. za: A. Smedley, *Battle Hymn of China, op. cit.*, s. 185–186.

dalekowschodnimi Żukowowi główny sowiecki doradca wojskowy przy Chiang Kai-sheku przekonał chińskiego generalissimusa do przeprowadzenia dużej kontrofensywy, by odzyskać Wuhan. Stalin zwodził Chianga, dając mu do zrozumienia, że jest bliski zawarcia porozumienia z Brytyjczykami, podczas gdy w istocie skłaniał się już ku układowi z nazistowskimi Niemcami. Ale Chiang grał na zwłokę, słusznie podejrzewając, że Stalin po prostu chce załagodzenia sytuacji na sowieckich obszarach granicznych. Chińskich nacjonalistów bardzo niepokoiła rozbudowa sił komunistycznych i wzmożone wsparcie Stalina udzielane Mao. A jednak Chiang wykalkulował, iż zasadniczy cel radzieckiego dyktatora to podtrzymanie Kuomintangu w wojnie z Japonią, uznał więc, że może powstrzymać ekspansję wojsk komunistycznych. Doprowadziło to do wielu krwawych potyczek, w których, wedle danych chińskich komunistów, zginęło jedenaście tysięcy ludzi[32].

Mimo że Changsha została w połowie strawiona przez tragiczny w skutkach pożar, Japończykom nadal zależało na zdobyciu tego miasta ze względu na jego znaczenie strategiczne. Changsha stanowiła oczywisty cel, leżąc na szlaku kolejowym łączącym Kanton z Wuhanem – oba te ośrodki były w tym czasie okupowane przez silne japońskie zgrupowania. Zdobycie Changshy odcięłoby wojska nacjonalistyczne w ich zachodniej syczuańskiej twierdzy. Japończycy rozpoczęli atak w sierpniu, czyli w tym samym czasie, gdy ich towarzysze broni z Armii Kwantuńskiej walczyli z formacjami generała Żukowa daleko na północy.

Trzynastego września, kiedy wojska niemieckie wdzierały się w głąb Polski, Japończycy uderzyli na Changshę siłami stu dwudziestu tysięcy żołnierzy zgrupowanych w sześciu dywizjach. Plan nacjonalistów polegał na początkowym powolnym, zorganizowanym odwrocie bez przerywania walk, skłonieniu Japończyków do szybkiego wkroczenia do miasta i wreszcie na niespodziewanym chińskim kontrataku oskrzydlającym. Chiang Kai-shek już wcześniej zauważył, że Japończycy przejawiają skłonność do zbytniego rozpraszania sił. Ich rywalizujący z sobą dowódcy, żądni zwycięstw, nacierali, nie licząc się z położeniem innych formacji na ich flankach. Szkolenie, prowadzone w wojsku chińskim po utracie Wuhanu, wydało owoce i pułapka zadziałała. Strona chińska twierdziła, że japońskie wojsko straciło w tej bitwie czterdzieści tysięcy żołnierzy.

Owego sierpnia, kiedy Żukow zwyciężał w walkach nad Chalchyn goł, Stalin za najważniejsze uważał uniknięcie eskalacji konfliktu z Japonią w czasie, gdy podejmował tajne rokowania z Niemcami. A jednak oficjalna wia-

---

[32] Starcia nacjonalistów z komunistami w 1939 roku zob. J.W. Garver, *Chinese-Soviet Relations, 1937–1945, op. cit.*, s. 81–82.

domość o zawarciu paktu nazistowsko-sowieckiego wstrząsnęła japońskimi przywódcami do głębi. Wprost nie potrafili uwierzyć, że ich niemieccy sprzymierzeńcy mogli pójść na układy z komunistycznym „diabłem". Równocześnie niechęć Stalina do dalszej walki z Japończykami po zwycięstwie odniesionym przez Żukowa stanowiła silny cios dla chińskich nacjonalistów. Rozejm na mongolskich i syberyjskich granicach umożliwił Japończykom skupienie się na zmaganiach z Chińczykami bez konieczności oglądania się na Sowietów na północy.

Chiang Kai-shek lękał się, że Związek Radziecki i Japonia mogą zawrzeć potajemne porozumienie i dokonać rozbioru Chin, na podobieństwo nazistowsko-radzieckiego podziału Polski we wrześniu. Z kolei Mao taka ewentualność była na rękę, gdyż dzięki temu znacznie zwiększyłby zakres swojej władzy kosztem nacjonalistów. Chianga wielce zaniepokoił też fakt znacznego ograniczenia pomocy militarnej dla Kuomintangu. Wrześniowy wybuch wojny w Europie oznaczał natomiast, że gasły nadzieje na wsparcie ze strony Brytyjczyków i Francuzów.

Dla chińskich nacjonalistów brak pomocy zagranicznej stawał się coraz bardziej dotkliwy, zwłaszcza po utracie przez nich głównych ośrodków przemysłowych i wpływów z podatków. Japońska inwazja niosła nie tylko zagrożenie czysto militarne. Niszczały plony i zapasy żywności. Narastał bandytyzm, a dezerterzy i maruderzy tworzyli grasujące gangi. Dziesiątki milionów uchodźców próbowało uciekać na zachód kraju, choćby po to, aby uchronić żony i córki przed okrucieństwami japońskich żołnierzy. Fatalne warunki sanitarne panujące w przeludnionych miastach prowadziły do wybuchów epidemii cholery. Malaria rozprzestrzeniała się na regiony objęte masowymi wędrówkami ludności. Rozpanoszył się też dur plamisty, to przenoszone przez wszy przekleństwo uciekinierów. Chociaż podejmowano wielkie starania na rzecz poprawy stanu chińskich służb medycznych, wojskowych i cywilnych, to nieliczni lekarze nie mogli zbytnio pomóc uchodźcom, którzy cierpieli na grzybicę, świerzb, jaglicę i inne choroby wywołane nędzą pogarszaną przez skrajne niedożywienie.

A jednak nadzwyczaj uskrzydleni sukcesami w Changshy nacjonaliści przeprowadzili serię kontrnatarć w ramach „zimowej ofensywy" w całych środkowych Chinach. Zamierzali przeciąć linie zaopatrzeniowe wysuniętych japońskich garnizonów, zakłócając transport rzeczny na Jangcy i niszcząc połączenia kolejowe. Ale kiedy tylko w listopadzie zaczęły się ataki wojsk Kuomintangu, Japończycy przeprowadzili desant morski w południowo-zachodniej prowincji Kuangsi. Dwudziestego czwartego listopada zajęli miasto Nanning i zagrozili linii kolejowej łączącej Chiny z Indochinami Francuskimi. Nieliczne oddziały nacjonalistów w tym regionie zostały zaskoczone i pospiesznie się wycofały. Chiang Kai-shek rzucił tam do walki odwody, a zmagania, które trwały przez dwa tygodnie, miały bardzo krwawy przebieg. Japończycy utrzymywali, że tylko w jednej z bitew zabili dwadzieścia pięć tysięcy Chińczyków. Inne japońskie akcje zaczepne dalej na północy doprowadziły do opanowania przez najeźdźców obszarów ważnych dla nacjonalistów, skąd czerpali zboże i rezerwy ludzkie. Ponadto Japończycy rozbudowywali w Chinach swoje lotnictwo bombowe, przeprowadzając naloty na głębokie zaplecze Kuomintangu i niszcząc nową stolicę nacjonalistów w Chongqingu. Tymczasem komuniści potajemnie wynegocjowali z Japończykami w centralnych Chinach porozumienie, na mocy którego zobowiązywali się nie atakować linii kolejowych, pod warunkiem że Japończycy pozostawią w spokoju komunistyczną 4. Nową Armię, działającą na terenach wiejskich.

Sytuacja na świecie nie sprzyjała chińskim nacjonalistom, gdyż Stalin zawarł sojusz z Niemcami i ostrzegł Chiang Kai-sheka, aby ten nie próbował konszachtów z Wielką Brytanią i Francją. Radziecki przywódca obawiał się, że Brytyjczycy, podobnie jak Chińczycy, chcą go wplątać w wojnę z Japonią. W grudniu 1939 roku, w czasie wojny zimowej ZSRR z Finlandią, chińscy nacjonaliści stanęli przed poważnym dylematem, gdy głosowano nad wydaleniem Związku Radzieckiego z Ligi Narodów. Chińczycy nie chcieli prowokować Stalina, a zarazem nie mogli skorzystać z prawa weta, gdyż rozdrażniłoby to zachodnie demokracje. Ostatecznie chiński przedstawiciel wstrzymał się od głosu. To zirytowało Moskwę, a równocześnie nie zadowoliło Brytyjczyków i Francuzów. Sowieci znacznie zredukowali dostawy sprzętu wojskowego do Chin, które dopiero po upływie roku osiągnęły wcześniejszy poziom. Aby zmiękczyć nieco Stalina, Chiang Kai-shek rozsiewał pogłoski o swoim dążeniu do rokowań pokojowych z Japończykami.

Mimo wszystko nacjonaliści z Chin pokładali coraz większe nadzieje na przyszłość w Stanach Zjednoczonych, które zaczęły potępiać japońską agresję i wzmacniać własne bazy na Pacyfiku. Jednak Chiang Kai-shek stał też w obliczu wewnętrznych trudności. Chińska Partia Komunistyczna pod wodzą Mao stale rosła w siłę, umacniając się na obszarach położonych za japońskimi liniami i głosząc, że pokona Kuomintang po zakończeniu wojny chińsko-japońskiej. Trzydziestego marca 1945 roku Japończycy zorganizowali w Nankinie „narodowy rząd" Wang Jingweia, złożony z przedstawicieli odłamu zwanego Zreformowaną Chińską Partią Narodową. „Prawdziwi" chińscy nacjonaliści uznali jego szefa za „przestępczego zdrajcę"[33]. Obawiali się przy tym jednak, że rząd Wanga może zostać uznany nie tylko przez Niemcy i Włochy, czyli jedynych europejskich sprzymierzeńców Japonii, ale i przez inne państwa.

---

[33] H. van de Ven, *War and Nationalism in China, 1925–1945*, London – New York 2003, s. 237.

ROZDZIAŁ 5

Norwegia i Dania

styczeń–maj 1940

Hitler chciał początkowo, aby atak na Niderlandy i Francję rozpoczął się już w listopadzie 1939 roku, od razu po przerzuceniu niemieckich dywizji z Polski. Przede wszystkim pragnął uchwycić porty i lotniska nad kanałem La Manche, żeby móc uderzyć na Wielką Brytanię, którą uznawał za najgroźniejszego przeciwnika. Rozpaczliwie spieszno mu było do osiągnięcia rozstrzygającego zwycięstwa na froncie zachodnim, zanim Stany Zjednoczone zdołają zainterweniować.

Niemieckich dowódców wojskowych ogarnął niepokój. Uważali oni, że starcie z wielką armią francuską może doprowadzić do militarnego pata, takiego jak podczas pierwszej wojny światowej. Niemcy nie miały ani zapasu paliw, ani też surowców na długotrwałą kampanię. Niektórzy z generałów odnosili się też cokolwiek niechętnie do planów zaatakowania państw neutralnych, Holandii i Belgii, jednak Hitler ze wściekłością odrzucał takie skrupuły – podobnie jak nieliczne protesty przeciwko zabijaniu polskich cywilów przez SS. Jeszcze bardziej pieklił się na wieść, że Wehrmachtowi pozostało niebezpiecznie mało amunicji i uzbrojenia, zwłaszcza bomb i czołgów. Nawet krótka polska kampania uszczupliła ich zapasy, przy okazji wykazując niską wartość bojową niemieckich lekkich czołgów typu PzKpfw I i II[1].

Hitler obarczył winą za to wojskowe służby zaopatrzeniowe, które niebawem powierzył pieczy swego głównego budowniczego – doktora Fritza Todta. Podejmując bardzo typową dla siebie decyzję, Führer postanowił zużyć wszelkie rezerwy surowców „bez oglądania się na przyszłość i koszty

---

[1] O kryzysie w zaopatrzenia w amunicję zob. A. Tooze, *The Wages of Destruction. The Making and the Breaking of the Nazi Economy*, London 2006, s. 328–357.

późniejszych wojennych lat"[2]. Można je będzie uzupełnić, utrzymywał, gdy tylko Wehrmacht zajmie górnicze i hutnicze obszary Holandii, Belgii, Francji i Luksemburga.

Mglista pogoda późną jesienią 1939 roku zmusiła jednak Hitlera do pogodzenia się z tym, że Luftwaffe nie mogła zapewnić niezbędnego wsparcia powietrznego w czasie wyznaczonej na listopad nowej kampanii. (Intrygujący charakter mają spekulacje, na ile odmienny przebieg miałaby owa kampania, gdyby Hitler uderzył na froncie zachodnim wtedy, a nie sześć miesięcy później). Wódz polecił zatem przygotowanie planów ataku na neutralną Holandię w połowie stycznia 1940 roku. Zdumiewające, że i Holendrzy, i Belgowie zostali o tym ostrzeżeni przez włoskiego ministra spraw zagranicznych. Wynikało to z faktu, że wielu Włochów, zwłaszcza ministra spraw zagranicznych Mussoliniego hrabiego Ciano zirytowało pospieszne dążenie Niemiec do rozpętania wojny we wrześniu. Obawiali się sami, że w basenie śródziemnomorskim Brytyjczycy przeprowadzą prewencyjne uderzenie na ich kraj. Ponadto pułkownik Hans Oster, antynazista z Abwehry (niemieckiego wywiadu wojskowego), przekazał stosowne informacje holenderskiemu attaché wojskowemu w Berlinie. Następnie, 10 stycznia 1940 roku, załoga niemieckiego samolotu łącznikowego zagubiła się w gęstych chmurach i przymusowo wylądowała na belgijskim terytorium. Oficer sztabowy Luftwaffe, który miał przy sobie kopię planów ataku na Holandię, usiłował zniszczyć te dokumenty, ale belgijscy żołnierze przybyli na miejsce, zanim mu się to udało.

Jak na ironię, taki obrót wypadków okazał się wyjątkowo niefortunny dla aliantów. Przypuszczając, że niemiecka agresja nastąpi już wkrótce, niezwłocznie przesunęli nad samą granicę swoje wojska w północno-wschodniej Francji, tym samym zdradzając własne plany. Hitler i OKW uznali, że trzeba przemyśleć na nowo strategię. Alternatywnym planem była błyskotliwa koncepcja generała porucznika Ericha von Mansteina, zgodnie z którą należało rzucić do ataku niemieckie dywizje pancerne przez Ardeny, a potem zwrócić się ku kanałowi La Manche, odcinając brytyjskie i francuskie armie wkraczające na obszar Belgii. Wielokrotnie odraczany przez Hitlera termin ataku uśpił czujność wojsk sprzymierzonych, próżnujących na francuskim pograniczu. Wielu alianckich żołnierzy, a nawet stratedzy z brytyjskiego Ministerstwa Wojny, zaczynali wierzyć, że Hitler nigdy nie zdobędzie się na odwagę uderzenia na Francję.

Admirał Raeder, w odróżnieniu od starszych rangą dowódców niemieckich wojsk lądowych, w pełni popierał agresywną strategię Hitlera. Poszedł w tym jeszcze dalej, przekonując Führera, iż należy włączyć w plany inwazję

---

[2]   Göring do generała majora Thomasa, 30 stycznia 1940 r., cyt. za: *ibidem*, s. 357.

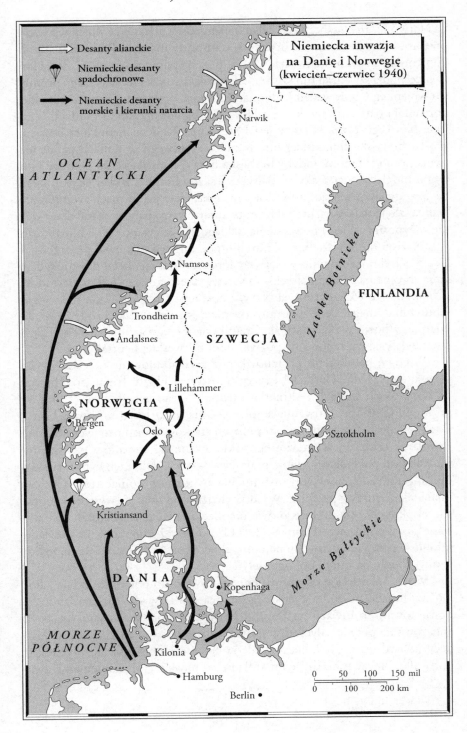

Desanty alianckie

Niemieckie desanty
spadochronowe

Niemieckie desanty
morskie i kierunki natarcia

**Niemiecka inwazja
na Danię i Norwegię
(kwiecień–czerwiec 1940)**

Narwik

OCEAN
ATLANTYCKI

Namsos

Trondheim

SZWECJA

FINLANDIA

Åndalsnes

Zatoka Botnicka

Lillehammer

NORWEGIA

Bergen

Oslo

Sztokholm

Kristiansand

Morze Bałtyckie

DANIA

Kopenhaga

MORZE
PÓŁNOCNE

Kilonia

Hamburg

Berlin

0   50   100   150 mil

0   100   200 km

na Norwegię, ażeby zabezpieczyć flanki niemieckiej marynarce wojennej w celu przeprowadzenia ataków na brytyjskie transporty morskie. Posłużył się też argumentem, że trzeba uchwycić Narwik, port na północy Norwegii, przez który przechodzi szwedzka ruda żelaza, tak nieodzowna dla niemieckiego przemysłu wojennego. Sprowadził Vidkuna Quislinga, przywódcę pronazistowskiej norweskiej partii, na spotkanie z Hitlerem, by ten przekonał Führera, że zajęcie Norwegii przez Niemcy jest konieczne. Raedera niepokoiła bowiem groźba brytyjsko-francuskiej interwencji w Norwegii w ramach planu niesienia pomocy Finom. Gdyby brytyjska flota usadowiła się na północy Norwegii, mogłaby odciąć akwen Bałtyku. Także Himmler zerkał łasym okiem na Skandynawię, chcąc prowadzić tam rekrutację do formacji wojskowych Waffen-SS. Jednakże nazistowskie próby infiltrowania państw skandynawskich nie przynosiły takiego powodzenia, jakiego spodziewano się w Niemczech.

Naziści nie wiedzieli, że Churchill początkowo planował nie tylko odcięcie Bałtyku. Wojowniczy pierwszy lord Admiralicji chciał przenieść działania zbrojne na Morze Bałtyckie za sprawą skierowania tam floty nawodnej, jednak, na szczęście dla Royal Navy, z operacji „Catherine" nic nie wyszło. Churchill domagał się również przerwania dostaw szwedzkiej rudy żelaza do Niemiec z portu w Narwiku, ale Chamberlain i jego gabinet wojenny przeciwstawiali się zdecydowanie pogwałceniu norweskiej neutralności.

Wtedy Chamberlain postanowił podjąć skalkulowane ryzyko. Szesnastego lutego HMS „Cossack", brytyjski niszczyciel klasy Tribal, przechwycił na norweskich wodach „Altmarka", jednostkę zaopatrującą okręt liniowy „Admiral Graf Spee", uwalniając przewożoną na „Altmarku" grupę brytyjskich jeńców – marynarzy z zatopionych statków transportowych. Sławne zawołanie oddziału abordażowego, skierowane do więźniów przetrzymywanych pod pokładem – „Flota przybywa!" – wywołało zachwyt brytyjskiej opinii publicznej, znoszącej utrudnienia związane z wojną, która na razie miała tak niemrawy przebieg. W odpowiedzi Kriegsmarine wysłała w morze więcej okrętów. Ale 22 lutego dwa niemieckie niszczyciele zostały zaatakowane przez bombowce Heinkel He 111, ponieważ Luftwaffe nie powiadomiono w porę, że operowały na tamtych akwenach. Niszczyciele te, uszkodzone, weszły na miny; oba zatonęły[3].

Wtedy niemieckie okręty wojenne wezwano do powrotu do baz, choć z nieco innego powodu. Pierwszego marca Hitler wydał rozkazy podjęcia przygotowań do inwazji na Danię i Norwegię – operacji wymagającej zaangażowania prawie całych dostępnych sił nawodnych Kriegsmarine. Jego decyzja bardzo zaniepokoiła dowódców niemieckich wojsk lądowych oraz Luftwaffe, którzy uważali, że już stoją przed poważnymi problemami, zwią-

---

[3]   *GSWW*, t. II, s. 170–171.

zanymi z planami uderzenia na Francję. Dywersyjny atak na Norwegię, podjęty tuż wcześniej, mógł się okazać katastrofalny. Wściekał się zwłaszcza Göring, choć głównie dlatego, że poczuł się zlekceważony. Uznał, że zawczasu nie skonsultowano z nim należycie tej decyzji.

Siódmego marca Hitler podpisał stosowną dyrektywę. Niemcy byli przekonani, że trzeba się spieszyć, gdyż rozpoznanie lotnicze donosiło o koncentracji sił Royal Navy w Scapa Flow – zakładano, że w ramach przygotowań do desantu na norweskim wybrzeżu. Jednak kilka dni później nowiny o zakończeniu sowiecko-fińskiego konfliktu zbrojnego wywoływały w niemieckim naczelnym dowództwie mieszane uczucia. Nawet stratedzy z Kriegsmarine, którzy od dawna naciskali na interwencję militarną w Norwegii, teraz uznali, że napięcie nieco się rozładowało, gdyż Brytyjczycy i Francuzi utracili pretekst uzasadniający ewentualne lądowanie w Skandynawii. Ale Hitler i niektórzy inni, w tym admirał Raeder, uważali, że przygotowania zaszły już tak daleko, iż zaplanowaną operację trzeba przeprowadzić. Poza tym niemiecka okupacja Norwegii wywierałaby bardzo skuteczny nacisk na Szwecję, aby ta nie przerywała dostaw rud żelaza do Rzeszy. Hitlerowi zaś przypadł do gustu pomysł zorganizowania niemieckich baz niedaleko wschodnich wybrzeży Wielkiej Brytanii, ułatwiających Kriegsmarine dostęp do wód północnego Atlantyku.

Termin jednoczesnej inwazji na Norwegię (*Weserübung Nord*), siłami sześciu dywizji piechoty, oraz na Danię (*Weserübung Süd*), z użyciem dwóch dywizji piechoty i zmotoryzowanej brygady, ustalono na 9 kwietnia. Transportowce, eskortowane przez okręty Kriegsmarine, miały wysadzić na brzeg wojska w kilku punktach, w tym w Narwiku, Trondheim i Bergen. Dziesiąty Korpus Lotniczy Luftwaffe otrzymał zadanie zrzucenia spadochroniarzy i oddziałów powietrznodesantowych w innych miejscach, zwłaszcza w Oslo. Kopenhagę i siedem innych ważniejszych miast w Danii miano zaatakować z lądu i morza. W OKW sądzono, że trwa swoisty wyścig z Brytyjczykami, ale w istocie Niemcy znacznie wyprzedzili przeciwnika.

Chamberlain, nieświadomy tych niemieckich planów, poniechał skierowania brytyjsko-francuskich sił ekspedycyjnych do Norwegii i Finlandii po zawarciu rozejmu przez Sowietów i Finów. Było to sprzeczne z sugestiami szefa Sztabu Imperialnego generała Edmunda Ironside'a. Chamberlain, który lękał się rozszerzenia działań wojennych na neutralną Skandynawię, liczył na rozpad sojuszu Niemiec ze Związkiem Radzieckim. Ale bierność aliantów i ich pobożne nadzieje, że uda się prowadzić tę wojnę w zgodzie z zasadami ustalonymi przez Ligę Narodów, raczej nie mogły zrobić wrażenia na ich przeciwnikach.

Daladier, podówczas nadal francuski premier, opowiadał się za przyjęciem dużo agresywniejszej strategii, byle tylko oznaczała ona utrzymanie działań wojennych z dala od Francji. Oprócz pomysłu zbombardowania Baku i kaukaskich pól naftowych – który to zamysł przerażał Chamberlaina – Daladier chciał też zajęcia okręgu górniczego Petsamo w północnej Finlandii w pobliżu radzieckiej bazy morskiej w Murmańsku. Ponadto opowiadał się stanowczo za lądowaniem na norweskim wybrzeżu i roztoczeniem ścisłej kontroli na wodach Morza Północnego, aby szwedzka ruda żelaza nie mogła docierać do Niemiec. Jednakże Brytyjczycy podejrzewali, że francuskiemu premierowi chodzi o przeniesienie działań zbrojnych do Skandynawii, aby tym samym ograniczyć ryzyko niemieckiego ataku na Francję. Uważali tak częściowo dlatego, że Daladier uparcie sprzeciwiał się brytyjskiemu planowi sparaliżowania transportu rzecznego na Renie za pomocą zrzucenia min. Tak czy owak, Daladier został zmuszony do ustąpienia ze stanowiska premiera 20 marca. Paul Reynaud przejął po nim ten urząd, a tymczasem Daladier został ministrem wojny.

Spory toczone przez aliantów na temat planów różnych operacji oznaczały marnowanie cennego czasu. Daladier zmusił Reynauda do dalszego przeciwstawiania się minowaniu Renu. Brytyjczycy przystali na francuską koncepcję zaminowania wód opodal Narwiku, co przeprowadzono 8 kwietnia. Churchill domagał się postawienia w stan gotowości sił desantowych i był pewien, że Niemcy zareagują, lecz Chamberlain nadal wykazywał się przesadną ostrożnością.

Brytyjczycy nie wiedzieli, że silny niemiecki zespół morski, z zaokrętowaną piechotą, wypłynął już 7 kwietnia z Wilhelmshaven do Trondheim i Narwiku w północnej części Norwegii. Krążownikom liniowym „Gneisenau" i „Scharnhorst" towarzyszyły ciężki krążownik „Admiral Hipper" i czternaście niszczycieli. Cztery inne grupy skierowały się ku portom na południu Norwegii.

Brytyjskie lotnictwo wykryło główne nieprzyjacielskie zgrupowanie pod dowództwem wiceadmirała Günthera Lütjensa. Bombowce RAF-u przeprowadziły atak, ale ani jedna bomba nie trafiła w cel. Brytyjska Home Fleet (Flota Atlantycka) pod komendą admirała Charlesa Forbesa wyszła w morze ze Scapa Flow, ale nie mogła dogonić niemieckich okrętów. Interweniować był w stanie tylko krążownik liniowy HMS „Renown" wraz z eskortą niszczycieli, osłaniający minowanie wód w pobliżu Narwiku. Jeden z tychże niszczycieli, HMS „Glowworm", dostrzegł niemiecki niszczyciel i puścił się w pogoń, ale Lütjens wprowadził do walki „Hippera", który zatopił „Glowworma", usiłującego staranować wrogi okręt.

Dowództwo Royal Navy, zdecydowane skoncentrować swoje siły do walnej bitwy morskiej, wydało rozkaz zejścia na ląd oddziałom gotowym do wyruszenia do Narwiku i Trondheim. Jednakże okrętom Home Fleet nie powiodło się przechwycenie głównych niemieckich sił inwazyjnych. To dało Lütjensowi czas na skierowanie swoich niszczycieli do Narwiku, a o świcie 9 kwietnia jego eskadra natknęła się na krążownik „Renown". Załoga „Renowna", prezentując imponującą skuteczność w prowadzeniu ostrzału na pełnym morzu, trafiła „Gneisenaua" i uszkodziła „Scharnhorsta", co zmusiło Lütjensa do przejściowego wycofania się z walki, by przeprowadzić doraźne naprawy na obu tych okrętach.

Tymczasem niemieckie niszczyciele, zatopiwszy dwa mniejsze norweskie okręty wojenne, wysadziły żołnierzy na ląd, a ci zajęli Narwik. Dziewiątego kwietnia „Hipper" i towarzyszące mu kontrtorpedowce wysadziły desant w Trondheim, a jeszcze inny zespół wpłynął do portu w Bergen. Spadochroniarze i dwa przewiezione drogą powietrzną bataliony piechoty opanowały Stavanger. Zdobycie Oslo okazało się znacznie trudniejszym zadaniem, mimo że Kriegsmarine skierowała tam nowy ciężki krążownik „Blücher" i pancernik kieszonkowy „Lützow" (wcześniej noszący nazwę „Deutschland"). Norweskie nabrzeżne baterie artyleryjskie i wyrzutnie torpedowe zatopiły „Blüchera", a uszkodzony „Lützow" musiał się wycofać.

Następnego poranka w Narwiku pięć brytyjskich niszczycieli zdołało niespostrzeżenie wpłynąć do tamtejszego fiordu. Intensywne opady śniegu sprawiły, że nie dostrzegły ich załogi U-Bootów patrolujących przybrzeżne wody. W rezultacie brytyjskie okręty zaskoczyły pięć niemieckich niszczycieli, na których akurat uzupełniano paliwo. Zatopiły dwa z nich, lecz następnie same zostały zaatakowane przez dwa niemieckie niszczyciele z pobliskich fiordów. Dwa okręty Royal Navy poszły na dno, a trzeci doznał poważnych uszkodzeń. Nie mogąc się wydostać na otwarte morze, pozostałe niszczyciele musiały czekać do 13 kwietnia, kiedy przybyły im z odsieczą pancernik HMS „Warspite" i dziewięć niszczycieli, zatapiając znajdujące się tam okręty niemieckie.

W trakcie innych starć wzdłuż norweskiego wybrzeża zostały zatopione jeszcze dwa niemieckie krążowniki, „Königsberg" i „Karlsruhe" – pierwszy przez bomby z pokładowych samolotów typu Blackburn Skua, a drugi storpedowany przez okręt podwodny. Znacznych uszkodzeń doznał też „Lützow", który musiał zostać odholowany do Kilonii. Jednak te połowiczne sukcesy Royal Navy nie udaremniły przerzutu do Norwegii ponad stu tysięcy niemieckich żołnierzy w ciągu jednego miesiąca.

Zajęcie Danii okazało się dla Niemców łatwiejsze. Zdołali wysadzić desant w Kopenhadze, zanim tamtejsze baterie obrony wybrzeża postawiono w stan gotowości. Rząd duński poczuł się zmuszony do przyjęcia warunków kapitulacyjnych narzuconych przez Berlin. Jednakże Norwedzy nie zgodzili się na „pokojową okupację"[4]. Król, ewakuowany wraz z władzami z Oslo

---

[4] *Ibidem*, s. 212.

9 kwietnia, zarządził mobilizację. Mimo że niemieckie wojska uchwyciły podczas przeprowadzonego z zaskoczenia ataku wiele baz, to pozostały w nich izolowane do czasu przybycia silniejszych odwodów.

Ze względu na wspomnianą już, podjętą przez Royal Navy decyzję wyokrętowania żołnierzy w portach 9 kwietnia, pierwsze alianckie oddziały desantowe wyszły w morze dopiero dwa dni później. Sytuacji nie poprawiała niecierpliwość Churchilla, co rusz zmieniającego zdanie i ingerującego bez ustanku w plany operacyjne, ku irytacji generała Ironside'a i dowództwa Royal Navy. Tymczasem norweskie wojska zaatakowały bardzo odważnie niemiecką 3. Dywizję Górską. Ponieważ jednak nazistowskie oddziały już zdążyły się umocnić w Narwiku i w Trondheim, Brytyjczycy i Francuzi musieli próbować je oskrzydlić. Bezpośredni szturm na porty znajdujące się w rękach nieprzyjaciela uznano za zbyt ryzykowny. Dopiero 28 kwietnia brytyjskie formacje, wsparte przez dwa bataliony francuskiej Legii Cudzoziemskiej i polską Samodzielną Brygadę Strzelców Podhalańskich, przystąpiły do lądowania. Uchwyciły Narwik i zdołały zniszczyć tamtejszy port, lecz supremacja Luftwaffe w powietrzu spowodowała, że aliancka operacja była skazana na niepowodzenie. W trakcie następnego miesiąca niemiecka ofensywa w Niderlandach i we Francji wymusiła ewakuację wojsk sprzymierzonych z północy kontynentu i kapitulację sił norweskich.

Norweska rodzina królewska wraz z rządem odpłynęła do Anglii, by stamtąd kontynuować wojnę z najeźdźcą. Obsesja Raedera na punkcie konieczności zdobycia Norwegii, którą to obsesją zaraził Hitlera, przyniosła nazistowskim Niemcom tyleż korzyści, ile problemów. Dowództwo niemieckich sił lądowych przez cały okres wojny utyskiwało, że okupacja Norwegii wymaga utrzymywania tam bardzo licznych oddziałów, które o wiele bardziej przydałyby się na innych frontach. Z perspektywy alianckiej kampania norweska była wprost katastrofalna. Chociaż okręty Royal Navy zdołały zatopić połowę niszczycieli Kriegsmarine, to łączona operacja desantowa sprzymierzonych wykazała nieumiejętność współdziałania różnych rodzajów alianckich sił zbrojnych. Poza tym wielu starszych stopniem oficerów podejrzewało, że za przesadnym entuzjazmem okazywanym przez Churchilla dla tej akcji kryła się niejawna chęć wymazania wspomnień o jego nieudanej ekspedycji dardanelskiej podczas pierwszej wojny światowej. Sam Churchill, do czego później prywatnie się przyznawał, ponosił znacznie większą odpowiedzialność za norweskie fiasko niż ta, którą obarczano Neville'a Chamberlaina. A jednak, co świadczy o okrutnej przewrotności polityki, właśnie za sprawą tego niepowodzenia miał zastąpić Chamberlaina na stanowisku premiera Wielkiej Brytanii.

Na granicy francuskiej „dziwna wojna", czyli *drôle de guerre* albo, jak nazywali ją Niemcy, *Sitzkrieg* (wojna na siedząco), potrwała dłużej, aniżeli zaplanował to Hitler. Pogardzał francuską armią i był pewien, że opór Holendrów uda się przełamać błyskawicznie. Potrzebował do tego odpowiedniego planu, który zastąpiłby ten przekazany aliantom przez Belgów.

Głównym dowódcom Wehrmachtu nie podobał się śmiały projekt generała von Mansteina i próbowali go utrącić. Ale Manstein, gdy w końcu uzyskał dostęp do Hitlera, przekonywał, że niemieckie uderzenie na Holandię i Belgię ściągnie siły brytyjskie i francuskie nad granicę francusko--belgijską. Wtedy będzie można je odciąć za sprawą natarcia przez Ardeny i Mozę, w kierunku ujścia Sommy oraz Boulogne-sur-Mer. Hitler podchwycił ten plan, ponieważ chciał zadać nieprzyjacielowi nokautujące uderzenie[5]. Charakterystyczne, że później utrzymywał, iż był to wyłącznie jego pomysł. Złożony początkowo z czterech dywizji Brytyjski Korpus Ekspedycyjny (BEF) zajął pozycje wzdłuż belgijskiej granicy już w październiku 1939 roku. Do maja 1940 roku został powiększony do jednej dywizji pancernej i dziesięciu dywizji piechoty pod dowództwem generała Johna Verekera Gorta. Lord Gort, mimo że miał pod swoją komendą znaczne siły, podlegał formalnie francuskiemu dowódcy sektora północno-wschodniego generałowi Alphonse'owi Georges'owi, a także osobliwie niemrawemu francuskiemu głównodowodzącemu, generałowi Maurice'owi Gamelinowi. Nie było wspólnego alianckiego dowództwa, znanego z lat pierwszej wojny światowej.

Największy problem, przed jakim stanęli Gort i Georges, sprowadzał się do tego, że rząd belgijski uparcie nie pozwalał na naruszenie neutralności Belgii, mimo iż wiedział o niemieckich planach ataku. Gort i francuscy dowódcy musieli zatem czekać na rozpoczęcie niemieckiej inwazji, by przyjść Belgom w sukurs. Holendrzy, którym udało się utrzymać neutralność w pierwszej wojnie światowej, jeszcze bardziej starali się nie prowokować Niemców i nie opracowali wspólnych planów obronnych z Francuzami czy z Belgami. Mieli jednak nadzieję, że wojska alianckie udzielą zbrojnej pomocy ich małej i słabo wyposażonej armii, gdy wybuchną walki. Władze Wielkiego Księstwa Luksemburga, choć sympatyzowały ze sprzymierzonymi, wiedziały, że nie mogą uczynić wiele poza zamknięciem swojej granicy i poinformowaniem niemieckich agresorów, iż ci pogwałcili luksemburską neutralność.

Plany francuskie miały jeszcze jedną bardzo poważną skazę. Linia Maginota rozciągała się tylko od granicy szwajcarskiej po południowy skraj

---

5 K.H. Frieser, *The Blitzkrieg Legend. The 1940 Campaign in the West*, Annapolis, MD 2005, s. 79–81.

granicy belgijskiej naprzeciwko Ardenów. Ani francuscy, ani brytyjscy szta-bowcy nie wyobrażali sobie, że Niemcy spróbują przedrzeć się przez ten gęsto zalesiony, górzysty region. Wprawdzie Belgowie uprzedzali Francu-zów o takim niebezpieczeństwie, ale zadufany Gamelin zlekceważył tę in-formację. Reynaud, który przezywał Gamelina „filozofem bez nerwów"[6], chciał wprawdzie pozbawić go dowództwa, ale minister wojny Daladier stanowczo się temu sprzeciwiał. Kierownictwo francuskie ogarnął para-liż decyzyjny.

We Francji nietrudno było zauważyć, że ta wojna nie cieszy się zbytnim poparciem. Twierdzenia niemieckiej propagandy, że to Brytyjczycy wciągnęli Francuzów w ten konflikt, skutecznie podkopywały wolę walki. Nawet fran-cuski sztab generalny pod kierownictwem generała Gamelina nie przejawiał zbytniego entuzjazmu. Symboliczny gest solidarności, polegający na lokal-nej akcji zbrojnej koło Saarbrücken we wrześniu 1939 roku, stanowił nie-mal zniewagę dla Polaków.

Defensywne nastawienie Francji znajdowało odzwierciedlenie w sa-mej organizacji francuskich sił zbrojnych. Większość jednostek pancernych, choć francuskie czołgi nie ustępowały parametrami technicznymi niemiec-kim, była niedostatecznie wyszkolona. Poza trzema dywizjami zmotoryzo-wanymi – plus czwartą organizowaną pospiesznie pod komendą pułkow-nika Charles'a de Gaulle'a – francuskie czołgi przydzielono formacjom piechoty. Wojskom francuskim i brytyjskim brakowało skutecznych dział przeciwpancernych – brytyjskie armaty dwufuntowe powszechnie okreś-lano mianem „*pea-shooters*" (rurek do strzelania z ziaren grochu) – a ich łączność radiowa była, delikatnie mówiąc, prymitywna. W wojnie ma-newrowej telefony polowe i naziemne linie telefoniczne okazały się nie-zbyt przydatne.

Francuskie siły powietrzne nadal znajdowały się w dość opłakanym stanie. Generał Joseph Vuillemin pisał do Daladiera już w czasie kryzysu czechosłowackiego w 1938 roku, ostrzegając, że Luftwaffe szybko zniszczy francuskie eskadry. Od tamtej pory sytuacja tylko nieznacznie się poprawiła. W związku z tym Francuzi oczekiwali, że to RAF weźmie na siebie główny ciężar działań powietrznych, ale generał broni *Air Chief Marshal* Hugh Do-wding, szef brytyjskiego lotnictwa myśliwskiego (Fighter Command), był zdecydowanie przeciwny skierowaniu myśliwców RAF-u do Francji. Głów-ne zadanie Fighter Command polegało na obronie Wielkiej Brytanii, a poza tym na francuskich lotniskach brakowało skutecznej obrony przeciwlotni-czej. Ponadto ani lotnicy RAF-u, ani też piloci francuskich sił powietrznych nie byli przeszkoleni we wspieraniu wojsk lądowych. Alianci nie wyciągnęli

---

[6] A. Horne, *To Lose a Battle. France 1940*, London 1969, s. 155.

odpowiednich wniosków z przebiegu z polskiej kampanii wrześniowej oraz z wcześniejszych walk, lekceważąc kunszt Luftwaffe w przeprowadzaniu wyprzedzających ataków na nieprzyjacielskie lotniska oraz błyskawicznych zagonów jednostek pancernych niemieckiej armii, które dezorientowały siły przeciwnika.

Po kolejnych odroczeniach terminu ataku, spowodowanych po części kampanią norweską, a częściowo niesprzyjającymi prognozami pogody, ustalono ostateczny dzień niemieckiej inwazji na froncie zachodnim. Piątek 10 maja miał być „dniem X". Hitler, z typową dla siebie nieskromnością, przewidywał „największe zwycięstwo w dziejach świata"[7].

---

[7] *GSWW*, t. II, s. 280.

ROZDZIAŁ 6

Ofensywa na Zachodzie

maj 1940

Czwartek 9 maja 1940 roku na większości obszarów północno-zachodniej Europy był pięknym wiosennym dniem. Pewien korespondent wojenny zauważył, że belgijscy żołnierze sadzą bratki wokół swoich koszar[1]. Wcześniej krążyły pogłoski o niemieckim ataku, a Niemcy ponoć dowozili nad granicę mosty pontonowe, ale w Brukseli doniesienia te uznano za nieprawdziwe. Wielu sądziło, że Hitler uderzy na południe, na Bałkany, a nie na froncie zachodnim. Tak czy owak, raczej nie wyobrażano sobie, że za jednym zamachem zaatakuje cztery kraje – Holandię, Belgię, Luksemburg i Francję.

W Paryżu życie toczyło się normalnie. Stolica wyglądała wyjątkowo pięknie. Kasztanowce zazieleniły się liśćmi. W kawiarniach było pełno klientów. Nadal rozbrzmiewał szlagier *J'attendrai*, w którego słowach jakoś nie dopatrywano się ironii. Na hipodromie Auteuil odbywały się wyścigi konne, a eleganckie kobiety tłoczyły się w Ritzu. Szczególnie uderzał widok wielu oficerów i żołnierzy na ulicach. Generał Gamelin właśnie przywrócił w wojsku urlopy[2]. Przedziwnym zbiegiem okoliczności premier Paul Reynaud tego samego przedpołudnia złożył na ręce prezydenta Alberta Lebruna swoją rezygnację, ponieważ Daladier znowu nie zgodził się na dymisję głównodowodzącego.

W Wielkiej Brytanii rozgłośnia BBC obwieściła, że poprzedniego wieczoru trzydziestu ośmiu konserwatystów głosowało przeciwko rządowi

---

[1] G. Cox, *Countdown to War. A Personal Memoir of Europe, 1938–1940*, London 1988, s. 194–195.

[2] Paryż na początku maja 1949 roku zob. A. Horne, *To Lose a Battle. France 1940*, London 1969, s. 171–172.

Chamberlaina w Izbie Gmin po debacie na temat fiaska operacji w Norwegii. Wystąpienie Leo Amery'ego atakujące Chamberlaina okazało się ostatecznym ciosem dla brytyjskiego premiera. Amery zakończył swoją mowę słowami Cromwella rozwiązującego Długi Parlament w 1653 roku: „Odejdź, powiadam, niechże przyjdzie twój kres. W imię Boga, odejdź!". Pośród tumultu i skandowania „Odejdź! Odejdź! Odejdź!" roztrzęsiony Chamberlain opuścił salę, ledwie skrywając emocje.

W trakcie tego słonecznego dnia politycy w Westminsterze i w klubach Saint James omawiali następne kroki albo przyciszonymi, albo wzburzonymi głosami. Kto ma zastąpić Chamberlaina: Churchill czy lord Halifax, minister spraw zagranicznych? Dla większości konserwatystów osoba Halifaxa stanowiła naturalną kandydaturę. Wielu nadal nie ufało Churchillowi, uważając go za niebezpiecznego, a nawet pozbawionego skrupułów indywidualistę. Jednakże Chamberlain wciąż próbował utrzymać ster władzy. Szukał porozumienia z partią laburzystowską, proponując jej utworzenie koalicji, ale laburzyści oświadczyli mu wprost, że nie zaakceptują go jako szefa rządu. Tego wieczoru Chamberlainowi przyszło pogodzić się z faktem, że musi ustąpić. W ten sposób w Wielkiej Brytanii zapanowała polityczna próżnia w przededniu potężnej niemieckiej ofensywy na zachodzie.

W Berlinie Hitler dyktował tekst proklamacji, którą nazajutrz miano odczytać niemieckim armiom na froncie zachodnim. Kończyła się takimi słowami: „Bitwa, która zaczyna się dzisiaj, zadecyduje o losach niemieckiego narodu na następne tysiąc lat"[3]. Führer z każdym dniem nabierał optymizmu, zwłaszcza po sukcesie kampanii norweskiej. Przewidywał, że Francja skapituluje w ciągu sześciu tygodni. Śmiały szturm desantu szybowcowego na najważniejszą belgijską fortecę Eben-Emael nad granicą holenderską ekscytował go najbardziej. Tego popołudnia wyruszył pociągiem specjalnym „Amerika" do swojej nowej kwatery głównej, znanej jako „Felsennest" (Skalne Gniazdo), na lesistych wzgórzach masywu Eifel w pobliżu Ardenów. O 21.00 hasło „Danzig" rozesłano do dowództw poszczególnych grup armii. Prognozy meteorologiczne potwierdzały, że w następnym dniu widoczność będzie znakomita, co sprzyjało działaniom Luftwaffe. Ofensywę do tego stopnia utrzymywano w tajemnicy, że po odroczeniu ostatniego terminu ataku niektórzy oficerowie znajdowali się poza swoimi pułkami i nie mogli na czas dotrzeć do jednostek.

Na północnym odcinku, po obu stronach Renu niemiecka 18. Armia szykowała się do uderzenia na Holandię, ku Amsterdamowi i Rotterdamowi. Jedna trzecia tych sił winna podążać na północ od Tilburga i Bredy

---

[3] N. von Below, *Byłem adiutantem Hitlera, 1937–1945*, tłum. Z. Rybicka, Warszawa 1990, s. 240.

w kierunku morza. Dalej na południe stała 6. Armia generała pułkownika Waltera von Reichenaua. Celem jej natarcia były Antwerpia i Bruksela. W składzie dowodzonej przez generała pułkownika Gerda von Rundstedta Grupy Armii A, liczącej łącznie czterdzieści pięć dywizji, znajdowały się główne niemieckie siły pancerne. Czwarta Armia generała pułkownika Günthera von Klugego miała wkroczyć do Belgii i maszerować na Charleroi i Dinant. Uderzenie tych armii od wschodu na Niderlandy miało w zamierzeniu sprowokować wojska brytyjskie i francuskie do szybkiego marszu na północ w celu połączenia się z siłami belgijskimi i holenderskimi. Wtedy właśnie miał wejść w życie *Sichelschnitt*, czyli opracowany przez Mansteina plan „cięcia sierpem". Dwunasta Armia generała pułkownika Wilhelma Lista otrzymała zadanie natarcia przez północną część Luksemburga i belgijskie Ardeny ku Mozie na południe od Givet i okolicom Sedanu – scenie wielkiej klęski militarnej Francji w 1870 roku.

Po wyjściu nad Mozę grupa pancerna pod komendą generała kawalerii Ewalda von Kleista winna ruszyć w kierunku Amiens, Abbeville i ujścia Sommy nad kanałem La Manche. Powodzenie takiej akcji oznaczało odcięcie Brytyjskiego Korpusu Ekspedycyjnego oraz francuskich 7., 1. i 9. Armii. Tymczasem niemiecka 16. Armia miała przedostać się przez południowy Luksemburg i ubezpieczać odsłonięte lewe skrzydło zgrupowania von Kleista. Grupie Armii C generała pułkownika Wilhelma von Leeba, dysponującej dwiema armiami, powierzono zadanie wywierania nacisku na Linię Maginota nieco dalej na południu, aby Francuzi nie mogli skierować wojsk na północ, na pomoc jednostkom odciętym we Flandrii.

A zatem „lewy sierpowy" Mansteina stanowił poniekąd zwierciadlane odbicie „prawoskrzydłowego" planu Schlieffena, zastosowanego przez Niemców w 1914 roku, a którego powtórki spodziewali się Francuzi. Admirał Wilhelm Canaris, szef Abwehry, prowadził bardzo skuteczną kampanię dezinformacyjną, rozsiewając w Belgii i gdzie indziej pogłoski, że Niemcy zaplanowali właśnie taką operację. Manstein był przekonany, że Gamelin skieruje większość swoich mobilnych sił do Belgii, ponieważ alianci przemieścili wojska ku granicy belgijskiej po zdobyciu niemieckich dokumentów w wyniku wspomnianej wcześniej katastrofy lotniczej. (Później wielu wyższych stopniem oficerów alianckich uważało, że wypadek ten został świadomie zaaranżowany przez Niemców, podczas gdy w istocie tak nie było, o czym świadczy furia, w jaką wpadł na wieść o nim Hitler). W każdym razie przedstawiony przez Mansteina plan wciągnięcia aliantów na terytorium Belgii odpowiadał jeszcze innym założeniom francuskiej strategii. Otóż generał Gamelin, podobnie jak większość jego rodaków, wolał walczyć na obszarze belgijskim, a nie we francuskiej Flandrii, która ucierpiała tak straszliwie podczas pierwszej wojny światowej.

Niemiecka inwazja
na Niderlandy i Francję
(maj 1940)

Wojska niemieckie

Wojska alianckie

Cyfry oznaczają numery armii
polowych
BEF – brytyjska
Belg – belgijska
FR – francuska
NL – holenderska

Morze Północne

WIELKA
BRYTANIA

Haga • HOLANDIA

• Rotterdam

• Breda

NL

18

NIEMCY

BELGIA Antwerpia

Dunkierka

Calais

FR 7

Bruksela

Skalda

Belg

Kanał Alberta

Moza

6

• Kolonia

Ren

Eben-Emael

Boulogne

BEF

Lille

Dyle

Wavre

Namur

4

FR 1

Malmedy

Ardeny

12

Arras

FR 9

Dinant

Bastogne

16

Mozela

Abbeville

Somma

LUKS.

Amiens

Laon

FR 2

Sedan

• Luksemburg

1

FRANCJA

Sekwana

Aisne

FR 3

Metz

Linia Maginota

Sekwana

0   20   40   60   80 mil

0   50   100 km

Hitler chciał także, aby w kampanii poważniejszą rolę odegrały wojska powietrznodesantowe i oddziały specjalne. Już w październiku 1939 roku wezwał do Kancelarii Rzeszy generała porucznika Kurta Studenta i rozkazał mu podjęcie przygotowań do zdobycia fortecy Eben-Emael i najważniejszych mostów na Kanale Alberta z wykorzystaniem grup szturmowych w szybowcach. Żołnierze ze specjalnej formacji „Brandenburg", przebrani w holenderskie mundury, winni uchwycić mosty, podczas gdy inni, przebrani za turystów, mieli przeniknąć na obszar Luksemburga tuż przed ofensywą. Główną operacją desantową, przeprowadzoną przez jednostki 7. Dywizji Lotniczej i 22. Powietrznodesantowej Dywizji Piechoty (Luftlande) pod dowództwem generała porucznika Hansa von Sponecka, miał być jednak szturm na trzy lotniska koło Hagi. Oddziałom tym powierzono opanowanie miasta oraz pojmanie członków tamtejszego rządu i rodziny królewskiej.

Niemcy prowadzili wiele działań dywersyjnych: rozpowszechniali plotki o koncentrowaniu sił głównie przeciwko Holandii i Belgii, szykowaniu się do szturmu na Linię Maginota, a nawet pogłoski o planach obejścia tego pasma fortyfikacji od południa, z pogwałceniem neutralności Szwajcarii. Gamelin był pewien, że niemieckie uderzenie na Holandię i Belgię okaże się główną operacją Wehrmachtu. Nie zwracał zbytniej uwagi na sektor Ardenów, przeświadczony, że tamte gęsto zalesione wzgórza są „nie do przebycia". Tymczasem ardeńskie drogi i dróżki okazały się wystarczająco dobre dla lekkich niemieckich czołgów, natomiast korony buków, jodeł i dębów stanowiły znakomitą osłonę pancernego zgrupowania von Kleista.

Generał pułkownik von Rundstedt dowiedział się od pewnego eksperta w dziedzinie analizy zdjęć lotniczych, że francuskie umocnienia obronne nad Mozą znajdują się dopiero w fazie przygotowywania. W odróżnieniu od Luftwaffe, która nieustannie przeprowadzała loty rozpoznawcze nad alianckimi liniami, lotnictwo francuskie nie chciało posyłać samolotów nad terytoria niemieckie. A jednak wywiad wojskowy Gamelina – Deuxième Bureau – opracował uderzająco trafny obraz schematu organizacyjnego niemieckich wojsk. Ustalono, że Niemcy zgrupowali dywizje pancerne na masywie Eifel opodal Ardenów; nadto Francuzi odkryli, że przeciwnika szczególnie interesują szlaki wiodące z Sedanu do Abbeville. Francuski attaché wojskowy w Bernie, informowany przez bardzo skuteczne szwajcarskie służby wywiadowcze, już 30 kwietnia ostrzegał sztab Gamelina, że Niemcy zaatakują między 8 a 10 maja, a Sedan będzie leżał na „głównej osi" ich natarcia[4].

---

[4] A. Horne, *To Lose a Battle*, op. cit., s. 169.

Gamelin i inni czołowi francuscy dowódcy mimo wszystko nie liczyli się z taką groźbą. „Francja to nie Polska", twierdzili. Generał Charles Huntziger, którego 2. Armii powierzono osłonę okolic Sedanu, dysponował na tym odcinku frontu zaledwie trzema zapasowymi dywizjami. Dodatkowo wiedział, że jego rezerwiści nie palą się do walki i nie są do niej odpowiednio przygotowani. Huntziger dopraszał się u Gamelina o cztery kolejne dywizje, gdyż obrona na jego odcinku była słaba, ale Gamelin odmawiał[5]. Jednakże wedle niektórych relacji Huntziger także okazywał beztroskę, a bardziej świadom zagrożenia miał być generał André Corap, dowodzący sąsiednią 9. Armią[6]. W każdym razie betonowe umocnienia nad Mozą, budowane przez cywilnych podwykonawców, nie miały nawet otworów strzelniczych skierowanych w odpowiednim kierunku. Pola minowe i zasieki z drutu kolczastego były zupełnie niewystarczające, a sugestie utworzenia na leśnych drogach na wschodnim brzegu rzeki doraźnych zapór ze ściętych drzew odrzucono, gdyż mogły one przeszkodzić francuskiej kawalerii w kontrnatarciu.

We wczesnych godzinach porannych w piątek 10 maja wieści o niemieckiej napaści dotarły do Brukseli. W całym mieście rozdzwoniły się telefony. Policjanci biegali od hotelu do hotelu, polecając portierom budzić wszystkich przebywających tam wojskowych. Oficerowie, pospiesznie ubierając mundury, wybiegali na ulice, by zatrzymać taksówki, które miały ich zawieźć do odpowiednich pułków i sztabów. O świcie pojawiły się samoloty Luftwaffe. Belgijskie dwupłatowe myśliwce wystartowały, aby je przechwycić, ale ich przestarzałe karabiny maszynowe niewiele mogły wskórać. Ludność cywilną w Brukseli obudziły odgłosy strzelających dział przeciwlotniczych.

Raporty o nieprzyjacielskim ataku dotarły też bardzo wcześnie rano do sztabu Gamelina, lecz tam je zlekceważono, uznając za paniczną reakcję na kolejny fałszywy alarm. Głównodowodzącego wojsk francuskich zbudzono dopiero o 6.30. Jego kwatera główna, zorganizowana w średniowiecznym zamku Vincennes na wschodnich obrzeżach Paryża, znajdowała się daleko od rejonu walk, za to blisko ośrodka władzy politycznej. Gamelin był bowiem politykującym wojskowym, umiejącym utrzymać się na wysokim stanowisku w bizantyjskim świecie francuskiej Trzeciej Republiki. W odróżnieniu od zaciekle prawicowego generała Maxime'a Weyganda, którego zastąpił w 1935 roku, enigmatyczny Gamelin wystrzegał się reputacji przeciwnika ustroju republikańskiego.

---

[5] *Ibidem*, s. 165.
[6] J. Jackson, *The Fall of France. The Nazi Invasion of 1940*, Oxford 2003, s. 35.

Gamelinowi, w 1914 roku stosunkowo młodemu, zdolnemu sztabowcowi, przypisywano zasługi w planowaniu bitwy nad Marną; w roku 1940 był drobnej budowy, skrupulatnym sześćdziesięciooośmiolatkiem w nieskazitelnie odprasowanych bryczesach. Wiele osób zwracało uwagę na jego zaskakująco delikatny uścisk dłoni. Uwielbiał wyrafinowane towarzystwo swoich ulubionych oficerów sztabowych, podzielających jego intelektualne zainteresowania, rozprawiając z nimi o sztuce, filozofii i literaturze, zupełnie jakby wszyscy oni odgrywali role w nadętym dramacie scenicznym, oderwanym od realnego świata. Ponieważ Gamelin nie wierzył w łączność radiową i nie miał w swoim sztabie radiostacji, rozkazy wkroczenia na obszar Belgii przekazywano telefonicznie. Owego poranka francuski naczelny wódz wyrażał przekonanie, że Niemcy postępują zgodnie z jego przewidywaniami. Pewien sztabowiec widział go, jak nuci wojskową pieśń, przechadzając się korytarzami.

Wieść o niemieckim ataku dotarła również do Londynu. Jeden z ministrów udał się o szóstej rano do siedziby Admiralicji, gdzie zastał Winstona Churchilla palącego cygaro i zajadającego jajka na boczku. Churchill wyczekiwał na wyniki narady u Chamberlaina. Podobnie jak król i wielu czołowych konserwatystów Chamberlain chciał, aby w razie gdyby sam musiał ustąpić, jego następcą został lord Halifax. Ale Halifax, oddany sprawie służenia krajowi, przypuszczał, że Churchill będzie lepszym od niego wojennym przywódcą, i odmówił objęcia premierostwa. Churchill zwrócił też uwagę na fakt, że Halifax jako członek Izby Lordów nie mógłby efektywnie kierować rządem spoza Izby Gmin. Tamtego dnia w Wielkiej Brytanii dramatyczne zmiany polityczne przyćmiły o wiele poważniejsze wypadki po drugiej stronie kanału La Manche.

Plan Gamelina zakładał, że 7. Armia generała Henriego Girauda na skraju lewego skrzydła frontu przejdzie szybkim marszem wzdłuż wybrzeża, omijając Antwerpię, i w okolicach Bredy połączy siły z armią holenderską. Taki uzupełniający element koncepcji wkroczenia do Niderlandów miał w poważny sposób przyczynić się do katastrofy, która nastąpiła, gdyż 7. Armia stanowiła jedyny większy odwód Gamelina w północno-wschodniej Francji. Holendrzy spodziewali się wydatniejszej pomocy, lecz takie oczekiwania były nader optymistyczne po ich wcześniejszej odmowie skoordynowania planów działań i wobec znacznej odległości do przebycia od francuskiej granicy.

Zgodnie z tak zwanym planem D Gamelina liczące dwadzieścia dwie dywizje wojska belgijskie miały bronić linii rzeki Dijle (Dyle) od Antwerpii po Leuven (Louvain). Dalej Brytyjski Korpus Ekspedycyjny Gorta, z jego dziewięcioma dywizjami piechoty i jedną dywizją pancerną, osłaniał prawą flankę Belgów i linię Dyle na wschód od Brukseli, od Louvain do Wavre.

Na południowym skrzydle BEF francuska 1. Armia generała Georges'a Blancharda zapełniała lukę między Wavre a Namur, natomiast 9. Armia generała Corapa miała utrzymać się na linii Mozy od okolic na południe od Namur do obszarów na północ od Sedanu. Niemcy znali ten plan w najdrobniejszych szczegółach, bez trudu złamawszy francuskie szyfry wojskowe[7].

Gamelin zakładał, że belgijskie oddziały broniące Kanału Alberta od Antwerpii po Maastricht zdołają powstrzymywać Niemców na tyle długo, by wojska alianckie zdążyły się przemieścić na uprzednio przygotowane, jak sobie wyobrażano, pozycje. W teorii plan D wydawał się zadowalającym kompromisem, jednak w rzeczywistości zupełnie nie uwzględniał tempa i perfidii połączonych operacji Wehrmachtu, przeprowadzonych z wielką bezwzględnością. Sprzymierzeni nie wyciągnęli żadnych wniosków z przebiegu kampanii w Polsce.

O świcie na froncie zachodnim samoloty Luftwaffe niespodziewanie uderzyły na lotniska w Holandii, Belgii i we Francji. Messerschmitty niszczyły z broni pokładowej francuskie maszyny na pasach startowych. Polskich pilotów przerażała „niefrasobliwość Francuzów"[8] i wykazywany przez sojuszników brak entuzjazmu wobec podejmowania walki z nieprzyjacielem. Dywizjony RAF-u startowały na rozkaz, ale już w powietrzu nie bardzo wiedziały, co robić. Bez skutecznych urządzeń radarowych naziemna kontrola lotów niewiele mogła dopomóc. Mimo to już pierwszego dnia hurricane'y RAF-u zdołały zestrzelić trzydzieści niemieckich bombowców, pozbawionych eskorty myśliwskiej – jednak dowództwo Luftwaffe nie powtórzyło już takiego błędu i rychło zapewniło samolotom bombowym odpowiednią osłonę.

Największą odwagą wykazali się ci brytyjscy lotnicy, którzy w dość nowoczesnych, ale nieudanych lekkich bombowcach Fairey Battle atakowali niemieckie kolumny nacierające przez Luksemburg. Samoloty typu Battle, powolne i słabo uzbrojone, okazały się nadzwyczaj wrażliwe na ataki nieprzyjacielskich myśliwców oraz na ogień przeciwlotniczy. Trzynaście z 32 zostało zestrzelonych, a wszystkie pozostałe doznały uszkodzeń. Tego dnia Francuzi stracili 56 samolotów z 879, a RAF 49 z 384. Holenderskie siły powietrzne postradały owego przedpołudnia połowę swoich maszyn. Jednakże walki w powietrzu bynajmniej nie miały jednostronnego przebiegu. Luftwaffe też utraciła 126 samolotów, w większości transportowych junkersów Ju 52[9].

---

[7] K.H. Frieser, *The Blitzkrieg Legend. The 1940 Campaign in the West*, Annapolis, MD 2005, s. 87.

[8] A. Zamoyski, *Orły nad Europą. Losy polskich lotników w czasie drugiej wojny światowej*, tłum. T. Kubikowski, Kraków 2004, s. 60.

[9] J. Holland, *The Battle of Britain*, London 2010, s. 67–68.

Początkowo Luftwaffe przeprowadziła główne uderzenia na Holandię, licząc na szybkie wyeliminowanie tego kraju z walk, ale także po to, by wzmóc wrażenie, że do zasadniczego ataku dojdzie na północnym odcinku frontu. Było to częścią tego, co brytyjski analityk wojskowy Basil Liddell Hart określił mianem „taktyki matadora", mającej na celu zwabienie w pułapkę mobilnych sił Gamelina.

Niemcy po raz pierwszy na taką skalę zastosowali nowatorski element w działaniach zbrojnych: samoloty transportowe Junkers Ju 52, eskortowane przez messerschmitty, przeprowadziły zrzut oddziałów spadochronowych. Realizacja kluczowego zadania tych ostatnich, czyli opanowania Hagi przez jednostki 7. Dywizji Lotniczej i 22. Powietrznodesantowej Dywizji Piechoty „Luftlande", przyniosła wszak kosztowne fiasko. Wiele z powolnych maszyn transportowych zostało zestrzelonych podczas lotu i zaledwie połowa desantu dotarła na trzy lotniska w pobliżu holenderskiej stolicy. Holendrzy podjęli bój, zadając spadochroniarzom poważne straty, a holenderska rodzina królewska i rząd tego kraju zdołały uciec. Inne oddziały wspomnianych niemieckich dywizji opanowały lotnisko Waalhaven koło Rotterdamu, a także najważniejsze mosty. Ale operujące nieco dalej na wschodzie kraju wojska holenderskie zareagowały bardzo szybko, wysadzając w powietrze mosty w pobliżu Maastricht, zanim niemieccy komandosi w holenderskich mundurach zdążyli je opanować.

Podobno Hitler w swojej kwaterze polowej „Felsennest" płakał z radości na wiadomość, że alianci podjęci marsz wprost w belgijską pułapkę. Był też zachwycony tym, że szturmowemu oddziałowi desantu powietrznego w szybowcach udało się wylądować w twierdzy Eben-Emael u zbiegu Mozy i Kanału Alberta. Unieszkodliwił on silny tamtejszy belgijski garnizon do czasu nadejścia niemieckiej 6. Armii następnego wieczoru. Inne jednostki spadochroniarzy zdobyły mosty na Kanale Alberta, a Niemcy szybko przełamali główną linię belgijskiej obrony. Mimo że nie powiodło się zdobycie Hagi przez wojska powietrznodesantowe, to jednak lądowanie niemieckich spadochroniarzy w głębi Holandii wywołało popłoch i zamieszanie. Krążyły niestworzone pogłoski o tym, że spadochroniarze byli przebrani za zakonnice, że Niemcy zrzucali zatrute słodycze, a członkowie piątej kolumny dawali sygnały lotnikom przez okienka na poddaszach; podobne paniczne plotki powtarzano także w Belgii, Francji, a później i w Wielkiej Brytanii.

W Londynie tego dnia, czyli 10 maja, Gabinet Wojenny obradował aż trzykrotnie. Chamberlain początkowo chciał pozostać na stanowisku premiera, twierdząc, że nie powinno dochodzić do zmian we władzach, kiedy toczy się bitwa za kanałem La Manche, ale gdy nadeszła wiadomość, iż Partia Pracy odmówiła mu poparcia, zrozumiał, że musi ustąpić. Halifax ponownie odrzucił propozycję objęcia premierostwa, więc Chamberlain pojechał do pałacu Buckingham, aby doradzić królowi Jerzemu VI zawezwanie Churchilla. Król, przygnębiony, że jego przyjaciel Halifax nie obejmie najwyższego urzędu w państwie, nie miał wyboru.

Gdy tylko Churchill upewnił się, że przejmie władzę, niezwłocznie zajął się prowadzeniem wojny i operacją wkroczenia BEF do Belgii. Dwunasty Królewski Pułk Lansjerów, wyposażony w samochody pancerne, wyruszył o 10.20 jako pierwszy z zadaniem rozpoznania i osłony. Większość pozostałych jednostek brytyjskich wymaszerowała tego samego dnia. Czołową kolumnę 3. Dywizji Piechoty zatrzymał na granicy belgijski urzędnik, żądając „zezwolenia na wjazd do Belgii"[10]. W odpowiedzi brytyjska ciężarówka po prostu staranowała graniczny szlaban. Prawie wszystkie drogi w Belgii zapełniały kolumny pojazdów wojskowych zmierzających na północ ku linii rzeki Dijle, do której 12. Pułk Lansjerów dotarł o osiemnastej.

Fakt, że samoloty Luftwaffe początkowo bombardowały lotniska, a potem inne cele w Holandii, wiązał się przynajmniej z tym, iż wkraczające do Belgii armie alianckie nie były na razie atakowane z powietrza. Francuzi działali nieco bardziej opieszale. Wiele francuskich formacji wyruszyło dopiero wieczorem[11]. Okazało się to poważnym błędem, gdyż szosy wkrótce się zapchały uciekinierami podążającymi w przeciwnym kierunku. Z kolei 7. Armia pospieszyła wzdłuż wybrzeży kanału La Manche ku Antwerpii, ale już niebawem, dotarłszy do południowej Holandii, ucierpiała od skoncentrowanych nalotów Luftwaffe.

Tamtego upalnego dnia Belgowie wyłaniali się z przydrożnych kawiarni, podając strudzonym maszerującym żołnierzom kufle z piwem – był to gest szczodrości, który jednak nie wzbudził entuzjazmu wszystkich oficerów i podoficerów. Niektóre brytyjskie jednostki przeszły ulicami Brukseli o zmierzchu. „Belgowie stali i wiwatowali – pisał pewien obserwator – a żołnierze w ciężarówkach i lekkich transporterach opancerzonych pozdrawiali ich, machając rękami. Wszyscy żołnierze mieli liliowe bzy powtykane w siatki na hełmach i w lufy karabinów. Uśmiechali się i salutowali, unosząc kciuki – gest ten początkowo szokował Belgów, dla których ma on bardzo nieprzyzwoitą wymowę, ale wkrótce zorientowali się, że to tylko oznaka radosnej pewności siebie. Był to wspaniały widok, łzy cisnęły się do oczu, gdy ta wojskowa machina podążała naprzód całą swoją siłą, skutecznie, w porządku, z brytyjskimi żandarmami wskazującymi drogę na każdym skrzyżowaniu, zupełnie jakby kierowali ruchem ulicznym w Londynie w godzinie szczytu"[12].

---

[10] R. McNish, *Iron Division. The History of the 3rd Division*, London 2000, s. 77.
[11] Na temat opóźnień w wymarszu francuskich jednostek zob. *GSWW*, t. II, s. 283.
[12] G. Cox, *Countdown to War, op. cit.*, s. 203.

Jednakże wielka batalia miała się rozegrać znacznie dalej na południowy wschód, w Ardenach, gdzie atakowała Grupa Armii A Rundstedta. Długie kolumny niemieckich pojazdów przeciskały się przez lasy, które skrywały je przed wzrokiem alianckich lotników. Powietrzna osłona, złożona z myśliwskich messerschmittów, była gotowa do ataku na nieprzyjacielskie bombowce i samoloty rozpoznawcze. Każdy wóz czy czołg, który uległ awarii, był spychany z drogi. Przestrzegano ściśle szybkiego tempa marszu, sama operacja zaś mimo obaw wielu sztabowców przebiegała nawet lepiej, niż się tego spodziewano. Wszystkie pojazdy Grupy Pancernej von Kleista miały wymalowane z przodu i z tyłu kadłuba małe, białe litery „K", co zapewniało im bezwzględne pierwszeństwo przejazdu. Maszerująca piechota i cały pozostały transport musiały ustępować im z drogi.

O 4.30 generał wojsk pancernych Heinz Guderian, dowódca XIX Korpusu Pancernego, przekroczył granicę luksemburską wraz z 1. Dywizją Pancerną. Żołnierze z jednostki „Brandenburg" już wcześniej opanowali ważniejsze skrzyżowania i przeprawy. Luksemburscy żandarmi mogli tylko oznajmić żołnierzom Wehrmachtu, iż ci pogwałcili neutralność małego kraju, po czym szli do niewoli. Wielki książę wraz z rodziną zdołał w porę uciec, nierozpoznany przez niemieckich komandosów.

Nieco dalej na północy XLI Korpus Pancerny nacierał w kierunku Monthermé nad Mozą, a jeszcze dalej, na ich prawym skrzydle, XV Korpus generała wojsk pancernych Hermanna Hotha, z 7. Dywizją Pancerną generała majora Erwina Rommla, podążał ku Dinant. Ale kilka niemieckich dywizji pancernych ku swojej konsternacji – i poważnemu zaniepokojeniu von Kleista – meldowało o opóźnieniach z powodu wysadzenia mostów przez belgijskich saperów przydzielonych do formacji szaserów ardeńskich.

O świcie 11 maja 7. Dywizja Pancerna Rommla, wraz z 5. Dywizją Pancerną podążającą tuż za nią i na jej prawej flance, ponownie ruszyła naprzód i wyszła nad rzekę Ourthe. Osłonowe jednostki francuskiej kawalerii zdążyły na czas ze zniszczeniem mostów, ale potem wycofały się po krótkiej wymianie ognia. Dywizyjni saperzy niebawem zbudowali most pontonowy i rozpoczęła się przeprawa przez Mozę. Rommel zauważył, że w trakcie starć jego dywizji z Francuzami Niemcy osiągają najlepsze rezultaty, gdy niezwłocznie otwierają zmasowany ogień do nieprzyjaciela.

Trochę dalej na południe XLI Korpus Pancerny generała porucznika Georga-Hansa Reinhardta, nacierający ku Bastogne i dalej ku Monthermé, musiał się przejściowo zatrzymać, gdyż część sił Guderiana przejechała przed jego frontem. W samym XIX Korpusie Pancernym Guderiana wybuchło pewne zamieszanie, wywołane zmienianymi co rusz rozkazami. Ale we francuskich jednostkach osłonowych, złożonych z oddziałów kawalerii wspieranych przez lekkie czołgi, także zapanował nieład. Choć stawało się coraz bardziej oczywiste, że Niemcy nacierają ku Mozie, francuskie lotnictwo nie atakowało ich z powietrza. RAF posłał do walki osiem kolejnych bombowców Fairey Battle. Siedem z nich zostało zestrzelonych, głównie przez naziemny ogień przeciwlotniczy.

Alianckie lotnictwo, przeprowadzające naloty na Maastricht i mosty na Kanale Alberta nieco dalej na północnym zachodzie, również poniosło ciężkie straty, choć ataki te były zbyt niemrawe i nastąpiły za późno. Niemiecka 18. Armia wdarła się do tego czasu głęboko na holenderskie terytorium, krusząc stawiany jej opór. Dowodzona przez Reichenaua 6. Armia przeprawiła się przez Kanał Alberta, ominęła Liège, natomiast inny korpus zmierzał w kierunku Antwerpii.

Brytyjski Korpus Ekspedycyjny, który zajął pozycje nad żałośnie wąską rzeczką Dijle, oraz maszerujące na wyznaczone stanowiska formacje francuskie nie były specjalnie nękane przez Luftwaffe. To zaniepokoiło niektórych bystrzejszych oficerów, którzy zaczęli się zastanawiać, czy przypadkiem nie wpadli w zastawione sidła. Chwilowo jednak największym utrapieniem były powolne postępy francuskiej 1. Armii, dodatkowo nadzwyczaj utrudniane przez coraz liczniejsze zastępy belgijskich uchodźców. Miało ich napłynąć jeszcze więcej, na co wskazywały sceny rozgrywające się w Brukseli. „Szli, jechali autami albo na wozach lub osłach, niektórych wieziono w wózkach lub nawet na taczkach. Byli tam młodzi na rowerach, starcy i staruszki, niemowlęta, wieśniaczki z chustami na głowach, powożono chłopskimi zaprzęgami obładowanymi materacami, meblami, garnkami. Długi rząd zakonnic, z zaczerwienionymi, spoconymi twarzami pod kornetami, strzepywał kurz z długich szarych habitów. (...) Obrazy na dworcach przypominały te z Rosji z czasów rewolucji; ludzie spali na posadzce, tłoczyli się przy ścianach; kobiety z zapłakanymi oseskami, mężczyźni bladzi i wyczerpani"[13].

Dwunastego maja zarówno w Paryżu, jak i w Londynie artykuły w gazetach dawały do zrozumienia, że niemieckie natarcie zostało powstrzymane. „Sunday Chronicle" obwieszczała: „Rozpacz w Berlinie"[14]. Ale w rzeczywistości niemieckie wojska przebyły Holandię i wyszły nad morze, a niedobitki armii holenderskiej wycofały się na obszar między Amsterdamem, Utrechtem i Rotterdamem. Siódma Armia generała Girauda, która dotarła do południowej Holandii, nadal była intensywnie atakowana przez Luftwaffe.

W Belgii Korpus Kawalerii generała Renégo Priouxa, stanowiący awangardę opóźnionej 1. Armii, zdołał odeprzeć nadmiernie rozciągnięte niemieckie zagony pancerne nacierające na linię Dijle. Ponownie jednak alianckie

---

[13] *Ibidem*, s. 213.
[14] Cyt. za: A. Horne, *To Lose a Battle*, *op. cit.*, s. 209.

dywizjony próbujące bombardować mosty i nieprzyjacielskie kolumny zostały zdziesiątkowane przez niemieckie lekkie baterie przeciwlotnicze, wyposażone w poczwórne działka 20 mm.

Ku pewnemu rozgoryczeniu żołnierzy Wehrmachtu walczących o przeprawy na Mozie niemieckie rozgłośnie wspominały tylko o zmaganiach w Holandii i północnej Belgii. Mało się mówiło o głównym uderzeniu dalej na południu. Było to przemyślaną częścią planu odciągnięcia uwagi aliantów od sektorów koło Sedanu i Dinant. Gamelin wciąż nie chciał przyjąć do wiadomości zagrożenia w górnym biegu Mozy, mimo kilku ostrzeżeń, niemniej generał Alphonse Georges, dowódca frontu północno-wschodniego, stary oficer o smutnej twarzy wielce szanowany przez Churchilla, zainterweniował, aby lotnictwo wsparło sektor pod komendą Huntzigera wokół Sedanu. Georges, którego Gamelin nie cierpiał, w istocie nie powrócił do pełni zdrowia po poważnym zranieniu w pierś, jakiego doznał podczas zamachu na jugosłowiańskiego króla Aleksandra w 1934 roku.

Sytuacji nie ułatwiał niejasny system dowodzenia obowiązujący we francuskiej armii, opracowany głównie przez Gamelina, który chciał osłabić uprawnienia swego zastępcy. Nawet jednak Georges zareagował na niebezpieczeństwo zbyt późno. Francuskie jednostki na północny wschód od Mozy zostały odrzucone za rzekę, a odwrót ten miał miejscami całkowicie chaotyczny charakter. Pierwsza Dywizja Pancerna Guderiana wkroczyła do Sedanu, nie napotkawszy poważniejszego oporu. Wycofujące się wojska francuskie zdołały przynajmniej wysadzić w powietrze mosty pod Sedanem, ale już wcześniej niemieckie kompanie saperów dowiodły sprawności w budowie przepraw pontonowych.

Tego popołudnia 7. Dywizja Pancerna Rommla także wyszła nad Mozę, nieco bliżej jej ujścia, koło Dinant. Mimo że belgijska straż tylna zniszczyła główny most, strzelcy niemieckiej 5. Dywizji Pancernej odkryli starą groblę w pobliżu Houx. Owej nocy, pod osłoną gęstej nadrzecznej mgły, kilka kompanii przeprawiło się przez Mozę i zorganizowało przyczółek. Francuska 9. Armia generała Andrégo Corapa nie zdołała w porę skierować oddziałów do obrony tego odcinka.

Trzynastego maja wojska Rommla rozpoczęły forsowanie Mozy w dwóch innych punktach, ale znalazły się pod intensywnym ostrzałem zajmujących dogodne pozycje regularnych francuskich oddziałów. Rommel postanowił udać się w okolicę przeprawy pod Dinant ośmiokołowym samochodem pancernym, aby na miejscu ocenić sytuację. Zorientowawszy się, że w jego opancerzonym pojeździe nie ma granatów dymnych, rozkazał swoim żołnierzom podpalić kilka pobliskich domów, by wiatr naniósł dymy pożarów nad przeprawę. Następnie, po ściągnięciu cięższych czołgów PzKpfw IV, polecił ich załogom ostrzeliwanie francuskich stanowisk po drugiej stronie rzeki i osłanianie ogniem niemieckiej piechoty w dużych szturmowych pontonach. „Ledwie pierwsze pontony opuszczono na wodę, rozpętało się istne piekło – pisał pewien oficer z batalionu rozpoznawczego 7. Dywizji Pancernej. – Snajperzy i ciężka artyleria ostrzeliwały bezbronnych żołnierzy na rzece. Strzelając z czołgów i swoich dział, usiłowaliśmy zneutralizować opór nieprzyjaciela, ten jednak był dobrze osłonięty. Atak piechoty utknął w martwym punkcie"[15].

Ten dzień zapoczątkował legendę Rommla. Jego oficerom wydawało się, że jest niemal wszędzie: wdrapywał się na czołgi, żeby kierować ogniem, towarzyszył saperom i sam przebył rzekę. Jego energia i odwaga sprawiały, że żołnierze nie ustawali w wysiłkach, kiedy szturm wytracał impet. W pewnym momencie Rommel osobiście objął dowodzenie jednym z batalionów piechoty przeprawiających się za Mozę, gdy pojawiły się francuskie czołgi. Zgodnie z owianymi legendą relacjami Rommel miał nakazać podkomendnym, niemającym broni przeciwpancernej, ostrzelanie wozów bojowych przeciwnika z rac. Załogi francuskich czołgów, myśląc, że to smugowe pociski kumulacyjne, pospiesznie się wycofały. Straty niemieckie były dotkliwe, jednak do wieczora Rommel umocnił się na dwóch przyczółkach, pod Houx oraz w rejonie ciężkich walk o przeprawę w Dinant. Tej nocy saperzy zbudowali mosty pontonowe, po których mogły przejechać na drugi brzeg rzeki niemieckie czołgi.

Tymczasem Guderian, przygotowując się do przeprawy w okolicach Sedanu, wdał się w gwałtowny spór ze swoim zwierzchnikiem, generałem pułkownikiem von Kleistem. Guderian postanowił zignorować rozkazy Kleista i przekonał dowództwo Luftwaffe, aby wspomogło realizację jego planu zmasowanymi atakami samolotów II i VIII Korpusu Lotniczego. Tym drugim korpusem dowodził generał major *Freiherr* Wolfram von Richthofen, krewniak „Czerwonego Barona" – asa powietrznego z okresu pierwszej wojny światowej – oraz były dowódca Legionu Cóndor odpowiedzialnego za zniszczenie Guerniki. To właśnie stukasy Richthofena, uruchamiając podczas nurkowania swoje syreny, przezywane „trąbami jerychońskimi", zasadniczo podkopały morale francuskich oddziałów broniących sektora pod Sedanem.

Zdumiewające, ale francuska artyleria, mając w zasięgu ostrzału skupiska niemieckich pojazdów i żołnierzy, dostała rozkaz oszczędzania amunicji. Dowódca tamtejszej francuskiej dywizji spodziewał się, że Niemcom zajmie kolejne dwa dni podciągnięcie dział polowych i że dopiero wtedy przystąpią do forsowania rzeki. Nie zdawał sobie sprawy, że to stukasy

[15] H. von Luck, *Panzer Commander*, London 1989, s. 38.

przejęły rolę „latającej artylerii" wspierającej pancerne szpice; poza tym niemieckie bombowce nurkujące wykazywały się wielką precyzją w atakowaniu stanowisk nieprzyjacielskich dział. Gdy w Sedanie rozszalały się pożary w wyniku ciężkiego ostrzału i bombardowań, Niemcy zaczęli forsowanie rzeki w ciężkich gumowych pontonach, wiosłując energicznie. Ponieśli spore straty, ale ostatecznie oddziały szturmowe saperów przedostały się na drugi brzeg i zaatakowały betonowe bunkry miotaczami ognia i ładunkami burzącymi.

Kiedy zapadał zmierzch, wśród przerażonych francuskich rezerwistów rozeszły się pogłoski, że niemieckie czołgi już przebyły rzekę i wkrótce odetną oddziały obrońców. Łączność między jednostkami frontowymi a dowództwami załamała się, gdyż bomby uszkodziły napowietrzne linie telefoniczne. Najpierw do odwrotu przystąpiły oddziały francuskiej artylerii, a następnie sztab dywizyjny. Francuzów owładnęła panika. Zapasy amunicji, oszczędzane na następny dzień zmagań, wpadły bez walki w ręce wroga. Starsi rezerwiści, przezywani „krokodylami", którzy przeżyli pierwszą wojnę światową, nie mieli ochoty ginąć w nierównej, jak sądzili, walce. Antywojenne broszury Francuskiej Partii Komunistycznej wywarły na wielu defetystyczny wpływ, ale najwięcej w tym względzie zdziałała niemiecka propaganda, która rozgłaszała, że to Brytyjczycy wciągnęli Francuzów w nową wojnę. Złożone przez Reynauda jeszcze w marcu rządowi w Londynie solenne zapewnienia, że Francja nie będzie się starała o zawarcie separatystycznego pokoju z Niemcami, tylko wzmogły podejrzenia Brytyjczyków.

Francuscy generałowie, żyjący wspomnieniami wielkiego zwycięstwa z roku 1918, zostali całkowicie zaskoczeni przez błyskawiczny rozwój wypadków. Gamelin, wizytując tego dnia sztab generała Georges'a, wciąż uważał, że główne niemieckie uderzenie nastąpi przez obszar Belgii. Dopiero wieczorem przekonał się, że Niemcy przekroczyli już Mozę. Rozkazał wtedy 2. Armii Huntzigera przeprowadzenie przeciwnatarcia, jednak do czasu gdy Huntziger odpowiednio rozwinął swoje formacje, możliwe okazały się tylko słabe, lokalne kontrataki.

Zresztą generał Huntziger i tak całkowicie błędnie odczytał zamiary Guderiana. Przypuszczał, że Niemcom po przełamaniu frontu chodziło o zwrócenie się na południe i wyjście na tyły Linii Maginota. Wobec tego wzmocnił własne siły na prawym skrzydle, podczas gdy Guderian atakował znacznie słabszą lewą flankę. Upadek Sedanu, przywołujący echa kapitulacji Napoleona III w 1870 roku, zasiał trwogę w sercach francuskich dowódców. Nazajutrz wczesnym rankiem 14 maja kapitan André Beaufre, towarzyszący generałowi Aimému Doumencowi, zjawił się w kwaterze głównej generała Georges'a. „Panowała atmosfera jak w rodzinie, w której ktoś umarł", napisał później Beaufre. „Nasz front załamał się pod Sedanem!" – oznajmił przybyłym Georges. – To katastrofa"[16]. Następnie wyczerpany nerwowo generał opadł na fotel i zapłakał.

Wraz z uchwyceniem przez wojska niemieckie trzech przyczółków – koło Sedanu, Dinant oraz trzeciego, mniejszego, pod Monthermé, gdzie XLI Korpus Pancerny Reinhardta zaczynał doganiać po ciężkich walkach pozostałe zgrupowania pancerne – we francuskiej linii frontu zaczął się tworzyć prawie osiemdziesięciokilometrowy wyłom. Istniała przy tym dogodna okazja do zniszczenia wysuniętych niemieckich czołówek, gdyby francuscy dowódcy zareagowali szybciej. W rejonie Sedanu generałowi Pierre'owi Lafontaine'owi, dowódcy 55. Dywizji Piechoty, już przydzielono dwa dodatkowe pułki piechoty oraz dwa bataliony lekkich czołgów, lecz ów przez dziewięć godzin zwlekał z wydaniem rozkazu przeprowadzenia kontrataku. Ponadto przemarsz wspomnianych batalionów pancernych na pozycje był spowolniony przez tarasujących drogi uciekających żołnierzy z 51. Dywizji Piechoty, a także przez niesprawną łączność. W nocy Niemcy nie marnowali czasu, przerzucając swoje wozy bojowe za Mozę. Ostatecznie francuskie czołgi włączyły się do walki wczesnym rankiem, ale większość z nich została zniszczona. Tymczasem klęska 51. Dywizji wywołała panikę w sąsiednich francuskich jednostkach.

Owego poranka alianckie lotnictwo rzuciło sto pięćdziesiąt dwa bombowce i dwieście pięćdziesiąt myśliwców do ataku na mosty pontonowe na Mozie. Cele te okazały się jednak za trudne do zniszczenia, osłaniane przez silne formacje messerschmittów, a niemieckie baterie dział przeciwlotniczych wykazały się morderczą skutecznością. RAF nigdy nie poniósł aż tak dotkliwych strat: Niemcy zestrzelili czterdzieści z siedemdziesięciu jeden brytyjskich bombowców. Wtedy zdesperowani Francuzi ponowili nalot z użyciem formacji bardzo przestarzałych samolotów bombowych, które dosłownie zmasakrowano. Georges rzucił do boju niedostatecznie przeszkoloną dywizję pancerną i dywizję piechoty zmotoryzowanej, którymi dowodził generał Jean Flavigny, jednakże działania tych jednostek paraliżował niedostatek paliwa. Flavigny otrzymał rozkaz zaatakowania przyczółka pod Sedanem z południa, ponieważ Georges, podobnie jak Huntziger, uważał, że zagrożone jest głównie prawe skrzydło.

Nieco dalej na północ przyczółek Rommla usiłowała atakować francuska 1. Dywizja Pancerna (1re Division Cuirassée – 1. DCR). Jednak znowu jej działania fatalnie opóźniały tłumy belgijskich uciekinierów na drogach, przez które nie mogły się przecisnąć cysterny z paliwem. Następnego przedpołudnia, 15 maja, czołowe oddziały Rommla zaskoczyły ciężkie czołgi Char B1-bis z owej francuskiej dywizji pancernej w trakcie tankowania. Rozpętał się chaotyczny bój, w którym francuskie załogi

---

[16] A. Beaufre, *1940. The Fall of France*, London 1967, s. 183.

znalazły się w wyraźnie niekorzystnym położeniu. Rommel nakazał 5. Dywizji Pancernej kontynuowanie tego starcia, a sam podążył naprzód. Gdyby francuskie czołgi były gotowe do stoczenia tej walki, mogłyby odnieść ważne zwycięstwo. Ostatecznie jednak, mimo że 1. DCR zdołała zniszczyć prawie sto niemieckich wozów bojowych, to do końca dnia w praktyce uległa unicestwieniu, w czym główną rolę odegrały niemieckie działa przeciwpancerne.

Alianckie wojska w Belgii i Holandii nadal nie miały większego pojęcia, co działo się na ich tyłach. Trzynastego maja zmechanizowany Korpus Kawalerii generała Priouxa wycofał się, prowadząc zażarte walki, na linię rzeki Dijle, nad którą pozycje zajmowała też reszta 1. Armii Blancharda. Choć czołgi typu Somua S-35 w oddziałach Priouxa były dobrze opancerzone, to niemieckie czołgi miały lepsze działa i okazały się znacznie zwrotniejsze, a brak radiostacji we francuskich wozach bojowych stanowił poważny minus. Utraciwszy prawie połowę swojego stanu w trakcie zaciekłych walk, korpus Priouxa wycofał się; wbrew planom Gamelina nie był już w stanie przeprowadzić kontrataku na południowy wschód, przeciwko wyłomowi ardeńskiemu.

Francuska 7. Armia rozpoczęła odwrót ku Antwerpii po bezowocnej próbie natarcia na Bredę i połączenia z okrążonymi wojskami holenderskimi. Oddziały holenderskie, chociaż źle wyszkolone i słabo uzbrojone, walczyły dzielnie z 9. Dywizją Pancerną, nacierającą na Rotterdam. Dowódcę niemieckiej 18. Armii irytował opór stawiany przez Holendrów, lecz w końcu wieczorem czołgi przełamały obronę.

Następnego dnia Holendrzy zgodzili się na poddanie Rotterdamu, jednak niemiecki dowódca nie powiadomił o tym Luftwaffe. Na miasto przeprowadzono silny nalot bombowy. Zginęło ponad ośmiuset cywilów. Holenderski minister spraw zagranicznych podał, że straciło życie aż trzydzieści tysięcy ludzi, co wywołało popłoch w Paryżu i Londynie. Ostatecznie głównodowodzący holenderskich wojsk lądowych generał Henri Winkelman zdecydował się na kapitulację, by uniknąć dalszych ofiar. Führer, dowiedziawszy się o tym, niezwłocznie polecił zorganizowanie parady zwycięstwa w Amsterdamie jednostkom „Leibstandarte SS Adolf Hitler" i 9. Dywizji Pancernej.

Hitlera w równej mierze rozbawił i zirytował telegram otrzymany od byłego cesarza Rzeszy Wilhelma II, wciąż przebywającego na wygnaniu w Apeldoorn w Holandii. „Mój wodzu – brzmiała treść tej depeszy – gratuluję i liczę, że pod twoim wspaniałym przywództwem nastąpi pełne odtworzenie niemieckiej monarchii"[17]. Führer był zdumiony, że stary kajzer

---

[17] Cyt. za: L. Kopelev, *Ease My Sorrows. A Memoir*, New York 1983, s. 198–199.

uważa go za nowego Bismarcka. „Co za idiota!" – powiedział do swojego ordynansa Lingego.

Zaplanowane na 14 maja francuskie kontrnatarcie na wschodnią flankę wyłomu pod Sedanem zostało najpierw przełożone na później, a następnie odwołane przez generała Flavigny'ego, dowódcę XXI Korpusu. Flavigny podjął katastrofalną w skutkach decyzję rozproszenia oddziałów 3. Dywizji Pancernej (3. DCR) po to tylko, aby utworzyć linię obronną między Chémery a Stonne. Huntziger wciąż żywił przekonanie, że Niemcy zmierzają na południe, na zaplecze Linii Maginota. Zgodnie z takim przeświadczeniem tam właśnie przegrupował swoją armię, żeby blokowała nieprzyjacielowi drogę na południe. W ten sposób tylko ułatwił wojskom niemieckim dalszy marsz, otwierając im szlaki na zachód.

Poinformowany o pojawieniu się francuskich odwodów generał von Kleist rozkazał Guderianowi zatrzymać się do czasu nadejścia oddziałów drugiego rzutu dla ochrony flanki. W wyniku kolejnej gwałtownej sprzeczki Guderian zdołał przekonać von Kleista, że może kontynuować natarcie siłami 1. i 2. Dywizji Pancernej, pod warunkiem, że skieruje się 10. Dywizję Pancerną i Pułk Piechoty „Grossdeutschland" pod dowództwem grafa Gerharda von Schwerina ku położonej na górującym nad okolicą wzgórzu miejscowości Stonne. Wczesnym rankiem 15 maja Pułk „Grossdeutschland" bezzwłocznie przystąpił do natarcia, nie czekając na 10. Dywizję Pancerną. Czołgi Flavigny'ego podjęły walkę, a Stonne kilkakrotnie przechodziło z rąk do rąk w ciągu tego dnia; obie strony poniosły znaczne straty. Na wąskich uliczkach działa przeciwpancerne Pułku „Grossdeutschland" ostatecznie zniszczyły francuskie ciężkie czołgi B1, a wyczerpanych niemieckich piechurów wsparli zmotoryzowani strzelcy z 10. Dywizji Pancernej. Pułk „Grossdeutschland" stracił stu trzech zabitych i czterystu pięćdziesięciu dziewięciu rannych – żadna inna niemiecka jednostka nie doznała większych strat w ciągu jednego dnia podczas tej kampanii.

Francuska 9. Armia generała Corapa przystąpiła do odwrotu, ale pociągnęło to za sobą szybkie rozsypanie się linii obronnych i dalsze powiększenie luki na froncie. Korpus Pancerny Reinhardta w centrum prowadzącego natarcie niemieckiego ugrupowania nie tylko dogonił 16 maja dwa pozostałe korpusy, ale nawet 6. Dywizja Pancerna z jego składu znacznie wyprzedziła inne jednostki, posuwając się o sześćdziesiąt kilometrów i dochodząc do Montcornet, gdzie rozbiła na dwie części niefortunną francuską 2. Lekką Dywizję Zmechanizowaną. Właśnie to wdarcie się głęboko na francuskie tyły przekonało generała Roberta Touchona, który usiłować zebrać 6. Armię i zatkać wyłom w linii frontu, że już na to za późno. Rozkazał więc swoim formacjom odwrót na linię rzeki Aisne. W tej sytuacji między niemieckimi jednostkami pancernymi a wybrzeżem kanału La Manche pozostało bardzo niewiele francuskich wojsk.

Guderianowi polecono, aby nie nacierał dalej, dopóki nie nadciągnie znad Mozy wystarczająca liczba dywizji piechoty. Wszyscy jego przełożeni: von Kleist, Rundstedt i Halder, głęboko niepokoili się tym, że wysforowane daleko naprzód pancerne czołówki były narażone na silny francuski kontratak z południa. Nawet Hitler obawiał się takiego zagrożenia. Ale Guderian wyczuwał, że w wojskach francuskich zapanował chaos. Nadarzała się zbyt dobra okazja, żeby ją zaprzepaścić. To, co błędnie określane bywa mianem strategii blitzkriegu, stanowiło w znacznej mierze rezultat improwizowanych działań.

Niemieckie czołówki pancerne ruszyły dalej, poprzedzane przez bataliony rozpoznawcze wyposażone w ośmiokołowe samochody opancerzone i motocykle z koszami. Te zajmowały mosty, do których wysadzenia Francuzi nie mieli czasu się przygotować. Niemieccy czołgiści w czarnych mundurach byli brudni, nieogoleni i wyczerpani. Rommel dawał żołnierzom 5. i 7. Dywizji Pancernej mało chwil na odpoczynek, a nawet na zajęcie się pojazdami. Większość Niemców na froncie przyjmowała tabletki previtinu (amfetaminy) i znajdowała się w stanie oszołomienia pod wpływem odnoszonych wspaniałych sukcesów. Napotykani francuscy żołnierze byli tak wstrząśnięci, że od razu się poddawali. Kazano im po prostu rzucać broń i maszerować przed siebie, aby podążająca z tyłu niemiecka piechota mogła wziąć ich do niewoli.

Drugi rzut, nacierający tuż za dywizjami pancernymi, tworzyła piechota zmotoryzowana. Alexander Stahlberg, podówczas porucznik 2. Dywizji Piechoty (Zmotoryzowanej), a później adiutant Mansteina, patrzył na „szczątki pobitej francuskiej armii: podziurawione pociskami pojazdy, rozbite i spalone czołgi, porzucone działa, niekończący się ciąg zniszczeń"[18]. Niemcy przejeżdżali przez opustoszałe wsie, tak mało obawiając się napotkania prawdziwego nieprzyjaciela jak na manewrach. Znacznie dalej maszerowała piechota w uwierających kamaszach, poganiana przez oficerów. „Marsz i marsz. Ciągle dalej, dalej na zachód", zapisał jeden z piechurów w swoim dzienniku[19]. Nawet konie były „śmiertelnie zmęczone".

Ten sukces pod Sedanem stanowił prawdziwy cud dla niemieckiej armii, której powoli brakowało amunicji. Jednostki Luftwaffe miały zapas bomb na zaledwie czternaście dni walk. Ponadto formacje zmotoryzowane i pancerne Wehrmachtu mogły się znaleźć w bardzo trudnym położeniu. Cięższych czołgów – PzKpfw III i IV – zdolnych do podjęcia równorzędne-

---

[18] A. Stahlberg, *Bounden Duty. The Memoirs of German Officer, 1932–1945*, London 1990, s. 132.
[19] Szeregowy Riedel, 20 maja 1940 r., BfZ-SS.

go boju z czołgami francuskimi i brytyjskimi Niemcy wciąż mieli niewiele. Kilka minionych miesięcy nadzwyczaj się zaś przydało do przeszkolenia kadr, zwłaszcza oficerskich, w armii rozbudowanej ze stu tysięcy do pięciu i pół miliona żołnierzy. Dwudziestodziewięciokrotne odsuwanie w czasie terminu rozpoczęcia „Fall Gelb" umożliwiło Wehrmachtowi odpowiednie uzupełnienie rezerw i poczynienie stosownych przygotowań. Gdyby Hitler postawił na swoim i uderzył na Francję późną jesienią poprzedniego roku, niemal na pewno poniósłby klęskę[20].

W Londynie 14 maja nawet Gabinet Wojenny nie orientował się zbytnio, jak wyglądała sytuacja na zachód od Mozy. Zupełnie przypadkowo Anthony Eden, minister wojny, ogłosił tamtego dnia utworzenie Local Defence Volunteers (LDV, wkrótce przemianowanego na Home Guard). Do tej straży terytorialnej zgłosiło się w ciągu niespełna tygodnia około dwustu pięćdziesięciu tysięcy ludzi. A jednak rząd Churchilla zaczął rozumieć skalę kryzysu dopiero po otrzymaniu z Paryża depeszy od Reynauda późnym popołudniem 14 maja. Francuski premier zażądał od Brytyjczyków przysłania kolejnych dziesięciu dywizjonów myśliwskich, mających osłaniać wojska przed nalotami stukasów. Przyznał, że Niemcy przełamali front na południe od Sedanu i jak stwierdził, kierowali się ku Paryżowi.

Generał Ironside, szef Imperialnego Sztabu Generalnego, rozkazał wysłanie oficera łącznikowego do kwatery głównej Gamelina lub Georges'a. Napływało stamtąd niewiele informacji, więc Ironside doszedł do wniosku, że Reynaud „trochę histeryzuje"[21]. Ale Reynaud już niebawem przekonał się, że sytuacja jest jeszcze bardziej katastrofalna, niż się tego obawiał. Daladier, pełniący funkcję ministra wojny, dopiero co porozumiał się z Gamelinem wytrąconym z samozadowolenia przez raport o tym, że 9. Armia poszła w rozsypkę. Nadeszła również wiadomość, że korpus pancerny Reinhardta dotarł do Montcornet. Późnym wieczorem Reynaud zwołał naradę w Ministerstwie Spraw Wewnętrznych, z udziałem Daladiera i gubernatora wojskowego Paryża. Jeśli Niemcy zmierzali w kierunku Paryża, to należało omówić metody zapobieżenia panice i utrzymania prawa i porządku.

O 7.30 następnego ranka Churchilla obudził telefon od Reynauda. „Zostaliśmy pokonani – oznajmił francuski premier bez ogródek. – Jesteśmy pobici; przegraliśmy tę batalię" – mówił z naciskiem.

„Chyba nie mogło do tego dojść tak szybko?" – odrzekł Churchill.

„Front załamał się pod Sedanem; przedarli się przez nasze linie znacznymi siłami, z czołgami i samochodami pancernymi". Według Rolanda

---

[20] K.H. Frieser, *The Blitzkrieg Legend*, op. cit., s. 21–23.
[21] Cyt. za: A. Horne, *To Lose a Battle*, op. cit., s. 331.

de Margeriego, doradcy Reynauda do spraw międzynarodowych, francuski premier miał dodać: „Droga na Paryż stoi otworem. Przyślijcie nam wszystkie samoloty i tyle wojska, ile możecie"[22].

Churchill postanowił polecieć do Paryża, by tam osobiście podnieść Reynauda na duchu, ale wpierw zwołał posiedzenie Gabinetu Wojennego, aby przedyskutować żądanie przerzucenia do Francji jeszcze dziesięciu dywizjonów myśliwskich. Chciał uczynił wszystko, co w jego mocy, aby dopomóc Francuzom. Jednak generał Dowding, szef Fighter Command, stanowczo sprzeciwił się kierowaniu na kontynent kolejnych brytyjskich samolotów. Po gorączkowej sprzeczce obszedł stół obrad i przedstawił Churchillowi pewien dokument, wykazujący przypuszczalne tempo strat, obliczone na podstawie dotychczasowych wskaźników zużycia sprzętu lotniczego. Jak tak dalej pójdzie, przekonywał, to w ciągu dziesięciu dni zabraknie myśliwskich hurricane'ów i we Francji, i w Wielkiej Brytanii. Na członkach Gabinetu Wojennego argumentacja Dowdinga zrobiła wrażenie, mimo to wciąż uważali, że trzeba posłać Francuzom cztery dodatkowe dywizjony myśliwców.

Owego dnia brytyjski rząd podjął ostatecznie inną decyzję. Bomber Command, czyli lotnictwo bombowe RAF-u, powinno w końcu rozpocząć prawdziwe naloty na niemieckie terytorium. Należało zbombardować Zagłębie Ruhry w odwecie za atak Luftwaffe na Rotterdam. Wprawdzie tylko nieliczne brytyjskie samoloty dotarły nad wyznaczone cele, ale w każdym razie oznaczało to wstęp do późniejszej kampanii bombardowań strategicznych.

Poważnie zaniepokojony perspektywą upadku Francji Churchill wysłał telegram do prezydenta Roosevelta w nadziei, iż skłoni go to do czynnego wystąpienia zbrojnego po stronie aliantów. „Bez wątpienia ma pan świadomość, że sytuacja szybko stała się dramatyczna. W razie konieczności będziemy kontynuowali tę wojnę samotnie i nie lękamy się tego. Ufam jednak, że zdaje sobie pan sprawę, panie prezydencie, iż głos i potęga Stanów Zjednoczonych mogą przestać się liczyć, jeżeli zbyt długo nie dadzą o sobie znać. Może dojść do tego, że zdumiewająco szybko staniemy w obliczu całkowicie podbitej, znazyfikowanej Europy, i będzie do brzemię zbyt wielkie, abyśmy zdołali je podźwignąć"[23]. Roosevelt udzielił odpowiedzi utrzymanej w przyjaznym tonie, niemniej jednak nie zobowiązał się do interwencji. Churchill napisał kolejny list, podkreślając w nim determinację Brytyjczyków w „wytrwaniu do samego końca, bez względu na rezultat toczącej

---

[22] R. de Margerie, *Journal, 1939–1940*, Paris 2010, s. 180–181.
[23] TNA PREM 3/468/201.

się we Francji wielkiej batalii", i znowu wspomniał o pilnej potrzebie szybkiej amerykańskiej pomocy.

Wyczuwając nadal, że Roosevelt nie pojmuje, jak nagląca jest sytuacja, 21 maja napisał kolejne posłanie, z którego skierowaniem jednak się zawahał. Mimo że podkreślał, iż jego rząd bynajmniej nie rozważa kapitulacji, to zwrócił uwagę na inne zagrożenie. „Jeśli członkowie obecnej administracji ustąpią, a inni podejmą rokowania w obliczu klęski, to nie wolno przymykać oczu na fakt, że jedynym atutem w ewentualnych negocjacjach z Niemcami będzie nasza flota, a jeżeli ten kraj zostanie pozostawiony własnemu losowi przez Stany Zjednoczone, to nikomu nie będzie wolno obwiniać tych, którzy przejmą odpowiedzialność, za przyjęcie optymalnych warunków z myślą o ocaleniu ludności. Proszę mi darować, panie prezydencie, że przedstawiam tak jasno tę koszmarną perspektywę. To jednak oczywiste, że nie będę odpowiadał za swoich następców, którzy w poczuciu zupełnej rozpaczy i bezsilności będą zmuszeni podporządkować się niemieckiej woli"[24].

Ostatecznie Churchill wysłał tę depeszę, ale jak się później zorientował, zastosowana przezeń taktyka roztaczania ponurych wizji i sugestii, że Niemcy mogą przejąć okręty Royal Navy i zagrozić Stanom Zjednoczonym, przyniosła efekty przeciwne do zamierzonych. Osłabiła bowiem wiarę Roosevelta w determinację Wielkiej Brytanii do wytrwania w samotnej walce i skłoniła amerykańskiego prezydenta do rozpatrzenia ze swoimi doradcami możliwości przebazowania brytyjskiej floty do Kanady. Roosevelt skontaktował się nawet z Williamem Mackenziem Kingiem, kanadyjskim premierem, by przedyskutować tę kwestię. Błąd Churchilla miał pociągnąć za sobą tragiczne skutki kilka tygodni później.

Popołudniem 16 maja Churchill poleciał do Paryża. Nie wiedział o tym, że Gamelin wcześniej zadzwonił do Reynauda z informacją, iż Niemcy mogą dotrzeć do Paryża jeszcze tej nocy. Już podchodzili do Laon, miejscowości leżącej niespełna sto dwadzieścia kilometrów od stolicy. Gubernator wojskowy Paryża doradził całej administracji rządowej możliwie najszybsze opuszczenie miasta. Na podwórzach ministerstw przystąpiono do palenia dokumentów, a urzędnicy wyrzucali przez okna stosy papierów.

„Wirujący wiatr – pisał Roland de Margerie – rozdmuchiwał iskry i skrawki papieru, które wkrótce zasnuły całą dzielnicę"[25]. Odnotował, że defetystyczna kochanka Reynauda hrabina de Portes poczyniła kąśliwą uwagę na temat „idioty, który wydał takie polecenie". *Chef de service* odparł, że

---

[24] *Ibidem.*
[25] R. de Margerie, *Journal, 1939–1940, op. cit.*, s. 181.

uczynił to sam Reynaud: *„C'est le Président du Conseil, Madame"* („To szef rządu, proszę pani"). Jednak w ostatniej chwili Reynaud zadecydował, że rząd pozostanie na miejscu. Niewiele dobrego to przyniosło, gdyż wieści już się rozeszły. Ludność Paryża, która nie wiedziała nic o katastrofie na froncie z powodu ścisłej cenzury prasy, wkrótce ogarnęła panika. Rozpoczęła się wielka ucieczka. Załadowane pod dachy samochody z kuframi wyruszyły ku paryskim stacjom metra: Porte d'Orléans i Porte d'Italie.

Churchill w towarzystwie nowego szefa Imperialnego Sztabu Generalnego generała Johna Dilla oraz sekretarza Gabinetu Wojennego generała majora Hastingsa Ismaya przyleciał samolotem typu Flamingo i przekonał się, że „sytuacja była nieporównywalnie gorsza, niż to sobie wyobrażaliśmy". Na Quai d'Orsay Brytyjczycy spotkali się z Reynaudem, Daladierem i Gamelinem. Panowała taka atmosfera, że nikt nawet nie usiadł. „Na wszystkich twarzach malowało się całkowite zniechęcenie"[26], napisał później Churchill. Gamelin stał przy rozwieszonej mapie, na której zaznaczono wyłom w linii frontu pod Sedanem, i próbował objaśnić położenie.

„A gdzie odwody strategiczne?" – zapytał Churchill, następnie zaś powtórzył to pytanie swoją specyficzną francuszczyzną: *„Où est la masse de manoeuvre?"*.

Gamelin zwrócił się do niego i „kręcąc głową oraz wzruszając ramionami", odparł: „Nie ma ich". Wtedy Churchill zauważył dym unoszący się za oknem. Z okna spostrzegł urzędników Ministerstwa Spraw Zagranicznych wożących na taczkach stosy akt, by spalić je w wielkich ogniskach. Był wstrząśnięty, że plan Gamelina nie przewidywał wydzielenia potężnych odwodów, które mogłyby przeprowadzić przeciwuderzenie w razie przełamania frontu przez nieprzyjaciela. Zaszokowały go też własna nieświadomość skali zagrożenia i opłakany stan wzajemnego porozumienia w ramach alianckiego sojuszu.

Kiedy spytał Gamelina o przygotowania do kontrataku, francuski głównodowodzący mógł tylko bezradnie wzruszyć ramionami. Francuska armia znajdowała się w stanie rozkładu. Teraz oczekiwano, że to Brytyjczycy wydobędą ją z tarapatów. Roland de Margerie na osobności uprzedził Churchilla, że w istocie sytuacja prezentuje się jeszcze gorzej, niż przedstawiają to Daladier czy Gamelin. A gdy dodał, że Francuzi mogą wycofać się za Loarę lub nawet kontynuować wojnę z Casablanki, Churchill spojrzał na niego „jak oniemiały"[27].

---

[26] W.S. Churchill, *Druga wojna światowa*, t. 2: *Ich najwspanialsza chwila*, tłum. K. Mostowska, Gdańsk 1995, s. 58.
[27] *Ibidem*, s. 212.

Reynaud zapytał o dziesięć dywizjonów, których się domagał. Churchill, pomny ostrzeżeń Dowdinga, wyjaśnił, że pozbawianie Wielkiej Brytanii obrony powietrznej byłoby katastrofalne. Przypomniał Francuzom o bardzo ciężkich stratach, jakich doznały jednostki RAF-u usiłujące bombardować przeprawy na Mozie, i stwierdził, że w drodze do Francji znajdują się już cztery dywizjony, a pozostałe podejmą działania nad kontynentem z baz w Wielkiej Brytanii, ale nie zadowoliło to jego rozmówców. Tego wieczoru Churchill wysłał z brytyjskiej ambasady depeszę do Gabinetu Wojennego z żądaniem przysłania pozostałych sześciu dywizjonów. (A ponieważ skorzystano w tym celu z usług łączności cywilnej, tekst tej depeszy został podyktowany przez generała Ismaya w języku hindustani, a odebrał go pewien hinduski oficer w Londynie). Uzyskawszy zgodę członków rządu na krótko przed północą, Churchill udał się znów na spotkanie z Reynaudem i Daladierem, chcąc ich podtrzymać na duchu. Reynaud przyjął go w szlafroku i bamboszach.

Ostatecznie wspomniane dywizjony miały zostać wycofane z powrotem do Wielkiej Brytanii i codziennie startować stamtąd do lotów nad Francję. Wraz z niemieckimi postępami na froncie we Francji zaczynało brakować lotnisk, a na tych, z których można było jeszcze korzystać, odnotowano niedobór warsztatów naprawczych. Ogółem sto dwadzieścia uszkodzonych w walkach hurricane'ów z baz po europejskiej stronie kanału La Manche trzeba było porzucić w trakcie pospiesznego odwrotu. Piloci byli krańcowo wyczerpani. Większość z nich startowała po pięć razy dziennie do lotów bojowych, a ponieważ francuskie myśliwce nie miały większych szans w walce z messerschmittami Bf 109, to dywizjony hurricane'ów musiały dźwigać brzemię prowadzenia bardzo nierównych zmagań powietrznych.

Nadchodziły coraz to nowe raporty o niesubordynacji i złej dyscyplinie w armii francuskiej. Podejmowano próby zmuszenia oddziałów do podjęcia walki, rozstrzeliwując oficerów oskarżonych o dezercję. Zapanowała istna szpiegomania. Wielu alianckich oficerów i żołnierzy natykało się na chaotyczny ogień zatrwożonych wojsk, przekonanych, że mają przed sobą Niemców w mundurach sprzymierzonych. Źródłem popłochu były niestworzone pogłoski o niemieckich tajnych broniach i strach przed piątą kolumną. Zdrada wydawała się jedynym logicznym wytłumaczeniem przyczyn tak straszliwej klęski, dlatego słyszało się gniewne okrzyki: *„Nous sommes trahis!"* („Zostaliśmy zdradzeni!").

Chaos narastał wraz z napływem coraz większej liczby uciekinierów z północno-wschodniej Francji. Szacuje się, że owego lata wyruszyło na tułaczkę około ośmiu milionów Francuzów, Holendrów i Belgów, głodnych, spragnionych i wymęczonych – zamożniejsi w autach, pozostali konnymi wozami lub pchając obładowane rowery i ręczne wózki, w których unosili skromny dobytek. „Widok to najbardziej żałosny – zapisał w swoim diariuszu generał porucznik Alan Brooke, dowódca II Korpusu BEF. – Kobiety utykające na obolałych stopach, małe dzieci wyczerpane tułaczką, ale przyciskające lalki, starcy i kalecy wlokący się przed siebie"[28]. Los Rotterdamu wzbudził strach w wielu ludziach. Większa część ludności Lille uciekła z tego miasta przed Niemcami. I choć nie ma dowodów, że szefowie Luftwaffe wydawali rozkazy swoim pilotom myśliwskim, aby ostrzeliwali kolumny uchodźców, to alianccy lotnicy widywali takie incydenty. Armia francuska, wierna statycznej strategii obronnej, tym bardziej nie była w stanie odpowiednio reagować na niespodziewany obrót wydarzeń w sytuacji, gdy drogi zatłoczone były zatrwożonymi cywilami.

---

[28]   A. Brooke (lord Alanbrooke), *War Diaries, 1939–1945*, London 2001, s. 67.

ROZDZIAŁ 7

Upadek Francji

maj–czerwiec 1940

Nastroje panujące w niemieckim wojsku nigdy nie były lepsze. Czołgiści w czarnych mundurach wiwatami pozdrawiali swoich dowódców, kiedy napotykali ich w trakcie natarcia ku kanałowi La Manche przez opustoszałe tereny, tankując paliwo do wozów pancernych na pozostawionych stacjach benzynowych i w porzuconych składnicach armii francuskiej. Niemieckie linie zaopatrzeniowe pozostawały bez jakiejkolwiek osłony. Opóźnienia w docieraniu do czołowych oddziałów wynikały głównie z tego, że zniszczone francuskie pojazdy oraz tłumy uciekinierów blokowały szosy.

Gdy czołgi von Kleista pędziły w kierunku wybrzeży La Manche, Hitlera coraz bardziej niepokoiło to, że Francuzi mogą zaatakować ich flankę od południa. Choć z natury uwielbiał ryzyko, to teraz wprost nie mógł uwierzyć, jak bardzo dopisuje mu szczęście. Wspomnienia roku 1914, kiedy przebieg inwazji na Francję pokrzyżował kontratak ze skrzydła, dręczyły też starszych niemieckich dowódców. Generał pułkownik von Rundstedt przyznał rację Hitlerowi i 16 maja rozkazał von Kleistowi zatrzymać swoje dywizje pancerne, ażeby piechota mogła je dogonić. Ale generał Halder, który cokolwiek późno podchwycił sens śmiałego planu Mansteina, nakłaniał go, by nie przerywał natarcia. Kleist i Guderian wdali się w kolejną kłótnię następnego dnia, w trakcie której von Kleist powoływał się na rozkazy Hitlera[1]. Ostatecznie jednak osiągnięto kompromis, zezwalając „wartościowym formacjom rozpoznawczym" podjęcie prób dotarcia do wybrzeża, podczas gdy sztab XIX Korpusu pozostał na miejscu. To dało Guderianowi szansę, której wypatrywał. W odróżnieniu od Führera tkwiącego w „Felsennest" wiedział,

---

[1] Kleist i Guderian w Saint-Quentin: *GSWW*, t. II, s. 287.

że Francuzów obezwładniała śmiałość niemieckiego uderzenia. Na tyłach frontu pozostały tylko pojedyncze punkty oporu, gdzie niedobitki francuskich dywizji kontynuowały walkę w obliczu katastrofy.

Przypadkiem tego samego dnia, w którym niemieckie dywizje pancerne się zatrzymały (co zresztą dało im jakże potrzebną okazję do odpoczynku oraz napraw sprzętu), Francuzi przeprowadzili kontratak z południa. Pułkownik Charles de Gaulle, czołowy orędownik działań manewrowych wojsk zmechanizowanych w armii francuskiej (wskutek czego ściągnął na siebie niechęć starszych, przywykłych do walk pozycyjnych generałów), nieco wcześniej objął dowództwo dopiero organizowanej 4. Dywizji Pancernej (4. DCR). Namiętne propagowanie przez de Gaulle'a mechanizacji wojsk sprawiło, iż przylgnął doń przydomek „pułkownik Motor"[2]. Jednak 4. DCR była faktycznie zaimprowizowaną formacją o sile brygady, złożoną z batalionów czołgów, ze słabymi tylko oddziałami piechoty i niemal bez artylerii.

Generał Georges wydał de Gaulle'owi dyspozycje i odesłał go ze słowami: „Niech pan rusza, de Gaulle! Nadarza się panu, który od tak dawna wyznawał idee wprowadzane teraz w czyn przez wroga, okazja do działania"[3]. De Gaulle rwał się do ataku, słysząc o tupecie niemieckich pancerniaków. Gdy ci ostatni napotykali francuskich żołnierzy na drogach, po prostu kazali im składać broń i maszerować dalej na wschód. Na koniec wołali: „Nie mamy czasu wziąć was do niewoli" – opowieści takie rozwścieczały patriotycznie usposobionego de Gaulle'a.

Postanowił uderzyć z Laon na północny wschód, w kierunku Montcornet, ważnego węzła drogowego, z którego korzystało zaopatrzenie wojsk Guderiana. Nagły kontratak francuskiej 4. Dywizji Pancernej zaskoczył Niemców, a w ręce Francuzów nieomal wpadła kwatera główna niemieckiej 1. Dywizji Pancernej. Ale Niemcy zareagowali bardzo szybko, rzucając do walki naprawione czołgi i pewną liczbę dział przeciwlotniczych 88 mm. Wezwali wsparcie powietrzne, a zdziesiątkowane oddziały de Gaulle'a, bez armat przeciwpancernych i pozbawione osłony piechoty, musiały się wycofać. Nie trzeba dodawać, że Guderian nie poinformował tego dnia kwatery głównej grupy armii Rundstedta o owym starciu.

W dowództwie Brytyjskiego Korpusu Ekspedycyjnego, który odpierał niemieckie ataki w swoim sektorze nad Dijle, wieczorem 15 maja ze zdumieniem usłyszano przypadkowo, że generał Gaston Billotte, dowodzący francuską 1. Armią, przygotowywał się do odwrotu na linię Skaldy. Oznaczało

---

[2]   R. de Margerie, *Journal, 1939–1940*, Paris 2010, s. 12.
[3]   Ch. de Gaulle, *Mémoires de guerre*, t. 1: *L'Appel, 1940–1942*, Paris 1940, s. 30.

to oddanie nieprzyjacielowi Brukseli i Antwerpii. Belgijscy generałowie dowiedzieli się o tym dopiero następnego rana i byli wściekli, że nie zostali zawczasu uprzedzeni.

W kwaterze Billotte'a panowała atmosfera skrajnego przygnębienia, a wielu oficerów płakało. Szef sztabu lorda Gorta był przerażony tym, co usłyszał od brytyjskiego oficera łącznikowego, który telefonował do Gabinetu Wojennego w Londynie i uprzedził, że może zajść konieczność ewakuacji BEF z kontynentu. Dla Brytyjczyków 16 maja oznaczał początek zorganizowanego odwrotu. Nieco na południe od Brukseli, na wzniesieniach opodal Waterloo, zajęły pozycje baterie Królewskiej Artylerii z dwudziestopięciofuntowymi działami. Tym razem działa te wycelowano w kierunku Wavre, skąd Prusacy przybyli w sukurs sprzymierzeńcom w 1815 roku. Ale już następnej nocy niemieckie oddziały wkroczyły do belgijskiej stolicy.

Owego dnia Reynaud wysłał depeszę do generała Maxime'a Weyganda w Syrii, prosząc go o przylot do Francji i objęcie naczelnego dowództwa. Reynaud postanowił pozbyć się Gamelina bez względu na opinię Daladiera. Zamierzał także wymienić kilku ministrów. Georges Mandel, wcześniej prawa ręka byłego premiera Georges'a Clemenceau i zwolennik prowadzenia walki do końca, miał zostać ministrem spraw wewnętrznych. Reynaud osobiście przejął kierowanie Ministerstwem Wojny, a jego protegowany, Charles de Gaulle, jeszcze nieoficjalnie awansowany do najmłodszej rangi generalskiej, został w tymże ministerstwie podsekretarzem stanu. Reynaud upewnił się co do słuszności podjętych przez siebie decyzji już nazajutrz, gdy usłyszał od pisarza André Maurois, pełniącego funkcję oficera łącznikowego, że choć Brytyjczycy walczą dzielnie, to utracili wiarę we francuską armię, a zwłaszcza w jej naczelne dowództwo[4].

A jednak Reynaud popełnił równocześnie fatalny błąd, zapewne pod wpływem swej nastawionej kapitulancko kochanki Hélène de Portes. Otóż posłał emisariusza do Madrytu, aby nakłonić marszałka Philippe'a Pétaina, ówczesnego ambasadora przy generale Franco, do objęcia stanowiska wicepremiera. Pétain słynął jako bohater, zwycięzca spod Verdun. Jednak podówczas osiemdziesięcioczteroletni już marszałek był, podobnie jak Weygand, bardziej pochłonięty strachem przed rewolucją i dezintegracją francuskiej armii aniżeli perspektywą klęski w starciu z Niemcami. Tak jak wielu przedstawicieli prawicy uważał, że Francja została podstępnie wciągnięta do tej wojny przez Brytyjczyków.

---

[4] R. de Margerie, *Journal, 1939–1940, op. cit.*, s. 201.

Rankiem 18 maja 1940 roku, zaledwie osiem dni po tym jak Churchill został premierem i w czasie gdy Niemcy zagrażali okrążeniem BEF w północnej Francji, Randolph Churchill odwiedził swojego ojca. Premier, który akurat się golił, kazał synowi poczytać gazetę, zanim sam nie skończy porannej toalety. Ale po chwili nagle powiedział: „Zdaje się, że widzę wyjście", i powrócił do golenia. Jego zdumiony syn odparł: „Czy to znaczy, że możemy uniknąć klęski? (...) Albo pokonać tych drani?".

Churchill odłożył brzytwę i odwrócił się. „Oczywiście, że możemy ich pobić".

„Cóż, jestem całkowicie za tym, ale nie rozumiem, jak ci się to uda".

Jego ojciec otarł twarz ręcznikiem, a potem stwierdził bardzo dobitnie: „Wciągnę w to Stany Zjednoczone"[5].

Zbiegiem okoliczności było to w tym samym dniu, kiedy rząd brytyjski, pod wpływem nalegań Halifaxa, wysłał do Moskwy ascetycznego socjalistę Stafforda Crippsa w celu polepszenia relacji Wielkiej Brytanii ze Związkiem Radzieckim[6]. Churchill uważał, że Cripps to zła kandydatura, ponieważ Stalin nienawidzi socjalistów jeszcze bardziej niż konserwatystów. Sądził też, iż odznaczający się szlachetnością Cripps jest nieodpowiednim człowiekiem do rokowań z nieokrzesanym, podejrzliwym i wyrachowanym cynikiem w rodzaju Stalina. A jednak Cripps pod pewnymi względami okazał się o wiele bardziej dalekowzroczny od premiera. Już wtedy przewidywał, że trwająca wojna położy kres imperium brytyjskiemu i przyniesie fundamentalne przemiany społeczne.

Dziewiętnastego maja „pancerny korytarz", jak określano niemiecki wyłom na froncie, rozciągnął się za Canal du Nord. Czołgiści Guderiana i Rommla wymagali odpoczynku, jednak Rommel przekonał dowódcę swojego korpusu, że jeszcze tej nocy należy wyruszyć ku Arras.

Kontyngent RAF-u we Francji był w tym czasie całkowicie odcięty od brytyjskich sił lądowych, więc zapadła decyzja o ewakuowaniu sprawnych hurricane'ów z Francji do Wielkiej Brytanii. Oczywiście Francuzi potraktowali to jak zdradę, ale utrata przez aliantów lotnisk i wyczerpanie pilotów uczyniły takie posunięcie koniecznym. W bitwie o Francję RAF już do tego czasu stracił jedną czwartą swoich myśliwców.

Tego dnia dalej na południu 1. Armia generała Erwina von Witzlebena dokonała pierwszego wyłomu w Linii Maginota. Miało to na celu zapobiec przerzuceniu przez Francuzów wojsk na południową flankę „pancernego

---

[5] Cyt. za: M. Gilbert, *Finest Hour. Winston S. Churchill, 1940–1941*, London 1983, s. 358.
[6] Na temat pobytu Crippsa w Moskwie zob. G. Gorodetsky, *Grand Delusion. Stalin and the German Invasion of Russia*, New Haven – London 1999, s. 19–22.

korytarza", mimo że niemieckie dywizje piechoty, strudzone forsownymi marszami, zaczynały już osłaniać to skrzydło.

Pułkownik de Gaulle przypuścił tego dnia kolejny kontratak siłami stu pięćdziesięciu czołgów, nacierając na północ, w kierunku Crécy-sur-Serre. Obiecano mu osłonę powietrzną złożoną z francuskich myśliwców, które miały strzec przed nalotami stukasów, ale problemy z łącznością sprawiły, że samoloty myśliwskie zjawiły się za późno. De Gaulle musiał wycofać niedobitki swoich wojsk za rzekę Aisne.

Łączność między armiami sprzymierzonych nadal szwankowała, co nasuwało stronie francuskiej podejrzenia, że Brytyjski Korpus Ekspedycyjny już się szykuje do ewakuacji. Generał Gort nie wykluczał takiej możliwości, ale w tej fazie kampanii jeszcze nie było konkretnych planów akcji ewakuacyjnej. Gort nie mógł uzyskać od generała Billotte'a prostych wyjaśnień na temat sytuacji na południu oraz tego, jakimi odwodami dysponowali Francuzi. Tymczasem w Londynie generał Ironside rozmawiał z przedstawicielami Admiralicji, aby się zorientować, jakie mniejsze okręty można wykorzystać do ściągnięcia wojsk z kontynentu.

Mimo że Brytyjczycy jeszcze nie zdawali sobie sprawy z dramatyzmu sytuacji, to nagle zaczęły krążyć niepokojące pogłoski: że król i królowa odsyłają księżniczki Elżbietę i Małgorzatę do Kanady; że Włochy już przystąpiły do wojny, a ich armia wkroczyła do Szwajcarii, oraz że „lord Haw-Haw" (pronazista William Joyce) przesyła tajne informacje niemieckim agentom w Wielkiej Brytanii w swoich audycjach radiowych z Berlina.

Owej niedzieli, będącej ostatnim dniem sprawowania naczelnego dowództwa przez generała Gamelina, francuski rząd wziął udział we mszy w katedrze Notre Dame, modląc się o Boską interwencję. Amerykański ambasador i zarazem frankofil William Bullitt płakał podczas tej ceremonii.

Generał Weygand, drobnej budowy ciała, energiczny człowiek o pomarszczonej, nieco lisiej twarzy, stwierdził, że musi najpierw się wyspać po długim locie z Syrii. Pod wieloma względami wybór tego monarchisty na głównodowodzącego stanowił zaskoczenie, gdyż Weygand nie cierpiał Reynauda, który wyznaczył go na nowego szefa francuskiej armii. Ale zdesperowany Reynaud zwracał się do tych, którzy uosabiali zwycięstwo w poprzedniej wojnie – do Pétaina i Weyganda, kojarzonego, jako zastępca marszałka Ferdinanda Focha, z triumfem Francji z 1918 roku.

W poniedziałek 20 maja, pierwszego dnia, kiedy Weygand sprawował naczelne dowództwo, niemiecka 1. Dywizja Pancerna dotarła do Amiens, miasta, które dzień wcześniej było intensywnie bombardowane. Batalion Królewskiego Pułku z Sussex, jedyna aliancka jednostka w Amiens, został rozbity po skazanej na niepowodzenie obronie. Ponadto wojska Guderiana opanowały przyczółek nad Sommą, szykując się już do kolejnego etapu batalii. Następnie Guderian skierował austriacką 2. Dywizję Pancerną do Abbeville, gdzie wspomniana dywizja dotarła tego samego wieczoru. Mansteinowski *Sichelschnitt* został uwieńczony pełnym powodzeniem. Hitler, który nie posiadał się z radości, niemal nie mógł uwierzyć w te wieści. Zaskoczenie przebiegiem operacji było tak wielkie, że wiele osób z niemieckiego naczelnego dowództwa nie potrafiło zadecydować, co robić dalej.

Na północnym skraju pancernego wyłomu 7. Dywizja Pancerna Rommla nacierała w kierunku Arras, ale została przejściowo powstrzymana przez batalion Gwardii Walijskiej. Tego wieczoru generał Ironside dotarł do kwatery głównej Gorta z rozkazem Churchilla, aby przebijać się przez opanowany przez Niemców „korytarz" i połączyć się z Francuzami dalej na południu. Ale Gort wskazał, że większość jego dywizji broni linii Skaldy i w tej fazie nie można ich wycofać. Choć organizował kontruderzenie pod Arras siłami dwóch dywizji, to nie miał pojęcia, co planują Francuzi[7].

Wtedy Ironside udał się do sztabu Billotte'a. Masywny Ironside, zastawszy francuskiego generała w stanie głębokiego przygnębienia, chwycił go za kurtkę munduru i potrząsnął nim. Ostatecznie Billotte zgodził się na wyprowadzenie równoczesnego kontrnatarcia, wyznaczając do niego dwie francuskie dywizje. Gort poważnie powątpiewał, czy Francuzi rzeczywiście podejmą działania zaczepne. I miał rację. Generał René Altmayer, dowodzący francuskim V Korpusem, który dostał rozkaz wsparcia Brytyjczyków, wedle relacji francuskiego oficera łącznikowego leżał w łóżku i rozpaczał. W końcu do akcji wkroczyły tylko nieznaczne siły doborowego korpusu kawaleryjskiego generała Priouxa.

Brytyjskie przeciwuderzenie pod Arras miało na celu opanowanie terenów na południe od tego miasta i odcięcie pancernych czołówek Rommla. Uderzeniowe siły Brytyjczyków składały się z siedemdziesięciu czterech czołgów typu Matilda z 4. i 7. Królewskiego Pułku Czołgów, dwóch batalionów Pułku Lekkiej Piechoty z Durham, oddziałów fizylierów z Northumberland oraz samochodów pancernych z 12. Pułku Lansjerów. Ponownie kontratakujące wojska nie doczekały się obiecanego wsparcia lotniczego i artyleryjskiego. Rommel na własne oczy widział uciekających niemieckich piechurów i artylerzystów, a oddziały nieco wcześniej przybyłej na front zmechanizowanej 3. Dywizji Pancernej SS „Totenkopf" ogarnęła panika. Niemiecki dowódca szybko wprowadził jednak do walki działa przeciwpancerne i przeciwlotnicze, z których otwarto ogień do powolnych czołgów Matilda. W strzelaninie omal sam nie zginął, a jednak ryzyko związane

---

[7] Więcej o kontrataku pod Arras w: H. Sebag-Montefiore, *Dunkierka. Walka do ostatniego żołnierza*, tłum. A. Krawiec, Poznań 2010, s. 158–170.

z taką interwencją na pierwszej linii walk popłaciło i niemal na pewno uchroniło Niemców od taktycznej porażki.

Inne brytyjskie kolumny odnosiły większe sukcesy, choć kosztem utraty przeważającej liczby posiadanych czołgów. Niemieckie pociski przeciwpancerne odbijały się od grubych pancerzy matild, ale ostatecznie wiele brytyjskich czołgów, po zniszczeniu licznych niemieckich lżej opancerzonych pojazdów, uległo mechanicznym awariom. Kontruderzenie pod Arras, choć odważnie przeprowadzone, było po prostu zbyt słabe, aby mogło osiągnąć zamierzony cel. Z kolei to, że Francuzi (z chlubnym wyjątkiem zmechanizowanej kawalerii Priouxa) nie włączyli się do walki, przekonało brytyjskie dowództwo, iż francuskie wojska utraciły wolę walki. Sojusz, ku wielkiemu przygnębieniu Churchilla, przeobraził się we wzajemne podejrzenia i oskarżenia. W rzeczywistości Francuzi przeprowadzili inny kontratak na Cambrai, lecz i ta akcja na niewiele się zdała.

Owego przedpołudnia główne siły BEF odpierały z wielką determinacją silne niemieckie ataki wzdłuż Skaldy. W trakcie tych walk nadano dwa Krzyże Wiktorii. Niemcy woleli nie podejmować następnego, okupionego takimi stratami w ludziach szturmu i ograniczyli się do ostrzeliwania brytyjskich pozycji z dział i moździerzy. Cała aliancka linia obrony była bliska załamania z powodu złej łączności i nieporozumień między wyższymi dowódcami, kiedy tamtego popołudnia Weygand zwołał naradę w Ypres. Chciał, aby Brytyjczycy wycofali się przejściowo, aby później można było przeprowadzić silniejszy kontratak na niemiecki wyłom, ku Sommie. Jednak połączenie z Gortem uległo przerwaniu, a on sam przybył na miejsce zdecydowanie za późno. Porozumienie, zawarte przez Weyganda z belgijskim królem Leopoldem III, na mocy którego wojska tego ostatniego miały pozostać na terytorium Belgii, przyniosło natomiast katastrofalne skutki. Co gorsza, śmierć poniósł generał Billotte, gdy jego wóz sztabowy zderzył się z zapchaną uchodźcami ciężarówką. Generał Weygand i niektórzy francuscy komentatorzy sugerowali później, że Gort rozmyślnie unikał spotkania w Ypres, gdyż już potajemnie planował ewakuację Brytyjskiego Korpusu Ekspedycyjnego, lecz nie ma świadectw, które by to potwierdzały.

„Oblicze wojny jest straszne – napisał 20 maja w liście do domu pewien żołnierz niemieckiej 269. Dywizji Piechoty. – Miasta i wsie zrujnowane przez ostrzał, wszędzie splądrowane sklepy, wartości zdeptane wojskowymi buciorami, wałęsające się, porzucone bydło i psy przemykają smutno koło domostw. (...) Żyje nam się tu, we Francji, jak bogom. Jak zechce nam się mięsa, to zarzynamy krowę, wybieramy tylko najlepsze kawałki, a resztę wyrzucamy. Szparagi, pomarańcze, sałata, orzechy, kakao, kawa, masło, szynka, czekolada, szampan i wino, spirytualia, piwo, tytoń, cygara i papierosy oraz całe komplety bielizny – wszystkiego tutaj pod dostatkiem. Podczas długich okresów, kiedy musimy maszerować, tracimy kontakt z naszymi [innymi] jednostkami. Z karabinami w rękach włamujemy się do domów, żeby zaspokoić głód. Straszne, prawda? Ale do wszystkiego można przywyknąć. Bogu dzięki, że czegoś takiego nie ma u nas w kraju"[8].

„Na poboczach rozbite i spalone francuskie czołgi i pojazdy zalegające niezmierzonymi rzędami – pisał pewien kapral artylerii do żony. – Oczywiście są wśród nich i niemieckie, ale zaskakująco niewiele"[9]. Niektórzy żołnierze uskarżali się, jak mało mają do roboty. „Jest bardzo dużo dywizji, które nie oddały nawet jednego strzału – napisał kapral z 1. Dywizji Piechoty. – A na froncie nieprzyjaciel ucieka. Francuzi i Anglicy, równorzędni przeciwnicy w [pierwszej] wojnie światowej, teraz nie chcą się z nami bić. Faktycznie nasze lotnictwo panuje na niebie. Nie widzieliśmy ani jednego wrogiego samolotu, tylko nasze. Pomyśl tylko: miejsca takie jak Amiens, Laon, *Chemin des Dames*[10] padły w ciągu niewielu godzin. W latach 1914–1918 walczyliśmy o nie bezustannie"[11].

W tych triumfalnych listach nie wspominało się o sporadycznych masakrach brytyjskich czy francuskich jeńców wojennych, a nawet cywilów. Nie było w nich też wzmianek o częstszym zabijaniu pojmanych żołnierzy francuskich oddziałów kolonialnych, zwłaszcza senegalskich *tirailleurs*, którzy walczyli dzielnie, wzbudzając rasistowską furię w Niemczech. Senegalczycy bywali rozstrzeliwani, czasem po pięćdziesięciu lub stu, przez niemieckie formacje, w tym przez Dywizję „Totenkopf", jednostki 10. Dywizji Pancernej i Pułk „Grossdeutschland". Szacuje się, że ogółem w czasie bitwy o Francję zastrzelono do trzech tysięcy żołnierzy wojsk kolonialnych wziętych do niewoli[12].

Na tyłach wojsk brytyjskich i francuskich, w Boulogne, panował chaos; niektórzy żołnierze tamtejszego francuskiego garnizonu byli pijani w sztok, a inni niszczyli baterie artylerii nabrzeżnej. Batalion Gwardii Irlandzkiej i inny, Gwardii Walijskiej, skierowano do obrony tego miasta. Gdy niemiecka 2. Dywizja Pancerna posuwała się 22 maja na północ ku portowi Boulogne, wpadła w pułapkę zastawioną przez oddział francuskiego 48. Pułku, głównie sztab tej jednostki, nie najlepiej obznajomiony z obsłu-

---

8 Szeregowy Hans B., 7. kolumna konwoju zaopatrzeniowego, 269. Dywizja Piechoty, BfZ-SS.
9 Starszy szeregowy Ludwig D., sztab 69. Pułku Artylerii Przeciwlotniczej, wtorek, 21 maja 1940 r., BfZ-SS.
10 Potoczne określenie szosy z Laon do Soissons, okolicy szczególnie zażartych zmagań podczas pierwszej wojny światowej (przyp. tłum.).
11 Gefreiter (starszy szeregowy) Konrad F., 5. kompania, 43. Pułk Piechoty, 1. Dywizja Piechoty, środa, 22 maja 1940 r., BfZ-SS.
12 Ch. Dutrône, *Ils se sont battus: mai–juin 1940*, Paris 2010, s. 150.

gą armat przeciwpancernych. Stanowiło to akt odwagi, jakże kontrastujący z haniebnymi scenami rozgrywającymi się w Boulogne, niemniej jednak obrona została przełamana, a 2. Dywizja Pancerna podjęła natarcie na port.

Wspomniane dwa brytyjskie bataliony gwardyjskie miały niewiele dział przeciwpancernych i niebawem zostały zmuszone do wycofania się do miasta, a następnie w bezpośrednie okolice portu. Kiedy stało się jasne, że nie zdołają utrzymać Boulogne, 23 maja niszczyciele Royal Navy przystąpiły do ewakuacji eszelonów tyłowych. Doszło do niecodziennego boju między brytyjskimi okrętami wpływającymi do portu a niemieckimi czołgami, ostrzelanymi z dział artylerii okrętowej. Ale miejscowy francuski dowódca, któremu wydano rozkaz walki do końca, był oburzony. Oskarżył Brytyjczyków o dezercję, co jeszcze bardziej zaostrzyło wzajemne relacje aliantów. Skłoniło też Churchilla do zorganizowania za wszelką cenę obrony Calais.

Calais, mimo że wzmocnione czterema batalionami i pewną liczbą czołgów, nie mogło utrzymać się zbyt długo, pomimo rozkazu, iż „w imię sojuszniczej solidarności"[13] nie dojdzie do ewakuacji. Dziesiąta Dywizja Pancerna wezwała 25 maja na pomoc stukasy i ciężką artylerię Guderiana i zaczęło się bombardowanie starego miasta, gdzie wycofały się resztki obrońców. Obrona Calais trwała przez cały następny dzień. Łunę nad płonącym miastem widać było z Dover. Oddziały francuskie broniły się aż do wyczerpania amunicji. Dowódca francuskiego garnizonu morskiego postanowił się poddać, a Brytyjczycy, którzy ponieśli ogromne straty, nie mieli wyboru i także musieli złożyć broń. Obrona Calais, choć skazana na niepowodzenie, przynajmniej opóźniła marsz niemieckiej 10. Dywizji Pancernej wzdłuż wybrzeża ku Dunkierce.

Wśród brytyjskiej ludności cywilnej panowały nie najgorsze nastroje, głównie dlatego, że nie wiedziano, jak naprawdę wygląda sytuacja po drugiej stronie kanału La Manche. Jednak zacytowana w doniesieniach uwaga Reynauda, że „tylko cud może ocalić Francję"[14], wywołała 22 maja ogromne zaniepokojenie. W kraju zapanowało nagłe otrzeźwienie. Z powszechnym uznaniem przyjęto wprowadzenie stanu wyjątkowego (*Emergency Powers Act*) oraz aresztowanie Oswalda Mosleya, przywódcy Brytyjskiej Unii Faszystowskiej. Organizacja Mass Observation, zajmująca się sondowaniem opinii publicznej, odnotowała, że generalnie większą determinację wykazywała ludność wiejska, prowincjonalna, aniżeli w wielkich miastach, i że kobiety znacznie bardziej niż mężczyźni lękały się o przyszłość. Nadto klasa średnia wykazywała większą nerwowość w porównaniu z robotnikami: „Im bielszy

---

[13] TNA WO 106/1693 i 1750, cyt. za: H. Sebag-Montefiore, *Dunkierka, op. cit.*, s. 247.
[14] *Listening to Britain*, red. P. Addison, J. Crang, London 2010, s. 19 (22 maja 1940 r.).

kołnierzyk, tym mniej pewności siebie"[15], stwierdzano. W istocie większość brytyjskich defetystów wywodziła się z zamożnych sfer.

Wielu ludzi nabrało przekonania, że pogłoski, choćby o tym, że generał Gamelin został rozstrzelany za zdradę albo popełnił samobójstwo, były celowo rozgłaszane przez piątą kolumnę. Ale Mass Observation donosiła Ministerstwu Informacji, iż „zebrane przez nas obecnie świadectwa wskazują, że to ludzie próżni i leniwi, zastraszeni i wystraszeni rozsiewają większość krążących plotek"[16].

Dwudziestego trzeciego maja generał Brooke, dowódca brytyjskiego II Korpusu, zapisał w swoim dzienniku: „Nic innego tylko cud może teraz ocalić BEF, a koniec nie może być odległy!"[17]. Jednakże, na szczęście dla Brytyjskiego Korpusu Ekspedycyjnego, nieudany aliancki kontratak pod Arras sprawił przynajmniej tyle, że Niemcy stali się ostrożniejsi. Rundstedt i Hitler upierali się, że trzeba zabezpieczyć opanowane obszary do czasu ponownego podjęcia natarcia. Przejściowe powstrzymanie 10. Dywizji Pancernej pod Boulogne i Calais oznaczało natomiast, że wojska niemieckie nie zdobędą Dunkierki, zanim dotrą tam oddziały BEF.

Wieczorem 23 maja generał pułkownik Günther von Kluge zatrzymał trzynaście niemieckich dywizji wzdłuż tego, co Brytyjczycy nazywali „linią kanału" po zachodniej stronie kotła dunkierskiego. Linia ta rozciągała się na odcinku ponad pięćdziesięciu kilometrów, od La Manche, wzdłuż rzeki Aa i jej kanału, przebiegając przez Saint-Omer, Béthune i La Bassée. Pojazdy dwóch korpusów pancernych von Kleista pilnie wymagały napraw. Jego Grupa Pancerna utraciła do tej pory połowę wozów bojowych. W trakcie trzech tygodni sześćset czołgów, co stanowiło nieco ponad jedną szóstą łącznej liczby niemieckich wozów bojowych na wszystkich frontach, uległo zniszczeniu wskutek nieprzyjacielskich działań lub też awarii mechanicznych[18].

Hitler zaaprobował ten rozkaz następnego dnia, jednakże wbrew temu, co się powszechnie uważa, dyspozycji takiej nie wydano na jego osobistą interwencję. Generał pułkownik Walther von Brauchitsch, głównodowodzący niemieckich wojsk lądowych, popierany przez Haldera, wydał nocą 24 maja polecenie wznowienia ofensywy, ale Rundstedt nalegał, że wpierw piechota powinna dogonić czołgi, a Hitler się z nim zgadzał. Obaj chcieli zachować wojska pancerne do forsowania Sommy i Aisne, zanim większość armii

---

[15] *Ibidem*, s. 39.
[16] *Ibidem*, s. 31.
[17] A. Brooke (lord Alanbrooke), *War Diaries, 1939–1945*, London 2001, s. 67.
[18] BA-MA, W 6965a i Wi/1F5.366, cyt. za: *GSWW*, t. II, s. 290.

francuskiej zdąży się zreorganizować. Szturm na poprzecinanych kanałami i podmokłych terenach Flandrii wydawał się im obu niepotrzebnym ryzykiem, zwłaszcza że Göring zapewniał, iż jego Luftwaffe zdoła przeszkodzić wszelkim próbom ewakuowania brytyjskich oddziałów. Choć niemieckie dywizje piechoty maszerowały w bardzo forsownym tempie, to trudno im było dotrzymać kroku pancernym formacjom. Uderzające jest to, że BEF i większość francuskich jednostek miała więcej pojazdów motorowych od tych w armii niemieckiej, a tylko szesnaście ze stu pięćdziesięciu siedmiu dywizji Wehrmachtu było całkowicie zmotoryzowanych. Wszystkie pozostałe musiały korzystać z zaprzęgów konnych, ciągnących działa i tabory.

Brytyjczykom znowu dopisało szczęście. W ręce aliantów wpadł niemiecki wóz sztabowy, przewożący dokumenty wskazujące, że następne uderzenie nastąpi nieco na wschód od Ypres, pomiędzy wojskami belgijskimi a brytyjską lewą flanką[19]. Lord Gort został przekonany przez generała Brooke'a, że należy przerzucić jedną z dywizji, wyznaczonych do kolejnego przeciwuderzenia, w celu zatkania wspomnianej luki.

Dowiedziawszy się, że Francuzi nie są w stanie zaatakować nad Sommą, Anthony Eden, minister wojny w brytyjskim rządzie, późnym wieczorem 25 maja poinstruował Gorta, iż ocalenie BEF musi „zostać uznane za najważniejsze"[20]. Gort powinien zatem wycofywać się w stronę wybrzeży kanału La Manche z myślą o ewakuacji. Gabinet Wojenny, stanąwszy w obliczu tego, że francuska armia już się nie pozbiera, musiał rozważyć konsekwencje samotnego kontynuowania wojny przez Wielką Brytanię. Gort już wcześniej ostrzegał Londyn, że BEF najprawdopodobniej utraci cały swój ciężki sprzęt, i powątpiewał, czy powiedzie się ewakuacja większej części wojsk, którymi dowodził.

Eden nie wiedział, że na coraz bardziej znękanego Reynauda zastawili sidła marszałek Pétain i generał Weygand. Pétain skontaktował się z Pierre'em Lavalem, politykiem, który nienawidził Brytyjczyków i czekał tylko na okazję, by samemu zająć miejsce Reynauda. Z kolei Laval porozumiał się z pewnym włoskim dyplomatą, sondując możliwość nawiązania rokowań z Hitlerem za pośrednictwem Mussoliniego. Głównodowodzący Weygand obwiniał francuskich polityków o „zbrodniczy brak przezorności"[21] i przystąpienie do wojny. Mając poparcie Pétaina, zażądał wycofania się ze złożonych gwarancji, że Francja nie nawiąże na własną rękę negocjacji rozejmowych. Zależało im przede wszystkim na tym, aby nie doszło do całkowitego

---

[19] K.H. Frieser, *The Blitzkrieg Legend. The 1940 Campaign in the West*, Annapolis, MD 2005, s. 29.

[20] TNA WO 106/1750, cyt. za: H. Sebag-Montefiore, *Dunkierka, op. cit.*, s. 211.

[21] J. Paul-Boncour, *Entre deux guerres*, t. 3, Paris 1946; cyt. za: C. Quétel, *L'impardonnable défaite, 1918–1940*, Paris 2010, s. 303.

rozkładu francuskiej armii. Reynaud zgodził się polecieć nazajutrz do Londynu na konsultacje z brytyjskim rządem.

Nadzieje Weyganda, że uda się nakłonić Mussoliniego do tego, aby Włochy nie wdawały się w konflikt zbrojny, za sprawą obietnicy przekazania im nowych kolonii, okazały się wielce bezzasadne. Zapewnienia Hitlera, że już osiągnął zwycięstwo, sprowokowały wahającego się dotąd Mussoliniego do oświadczenia Niemcom oraz włoskim sztabowcom, iż Włochy przystąpią do wojny wkrótce po 5 czerwca. Zarówno sam Duce, jak i dowódcy jego armii wiedzieli, że Włosi nie są zdolni do przeprowadzenia jakiejkolwiek skutecznej zaczepnej operacji militarnej. Wprawdzie rozważali zaatakowanie Malty, ale potem doszli do wniosku, iż to zbyteczne, skoro będą mogli zająć tę wyspę, gdy tylko upadnie Wielka Brytania. W trakcie kolejnych dni Mussolini miał podobno powiedzieć: „Tym razem wypowiem wojnę, ale nie będę jej prowadził"[22]. Głównymi ofiarami takiej niefortunnej strategii miały się okazać jego rozpaczliwie słabo uzbrojone armie. Bismarck zauważył pewnego razu, rzucając jedną ze swych celnych uwag, że Włosi mają wielkie apetyty, ale marne zęby[23]. Słuszność tego spostrzeżenia miał potwierdzić dobitnie przebieg drugiej wojny światowej.

Niedzielnym rankiem 26 maja, gdy brytyjskie wojska wycofywały się do Dunkierki w trakcie silnej burzy – „pioruny zlewały się z grzmotem artylerii"[24] – w Londynie zebrał się Gabinet Wojenny, nieświadomy wojowniczych zapędów Mussoliniego. Lord Halifax zwrócił uwagę na możliwość rozważenia ewentualności wybadania za pośrednictwem Mussoliniego, jakie warunki pokojowe byłby skłonny zaakceptować Hitler. Poprzedniego popołudnia spotkał się nawet prywatnie w tej sprawie z włoskim ambasadorem. Halifax żywił przekonanie, że skoro nie ma co liczyć na pomoc Stanów Zjednoczonych w najbliższej przyszłości, Wielkiej Brytanii brakuje sił, aby samotnie przeciwstawiać się Hitlerowi.

Churchill odparł na to, że najważniejsza jest brytyjska wolność i niezawisłość. Posłużył się pewnym dokumentem, sporządzonym przez szefów sztabów i zatytułowanym „Brytyjska strategia na pewną ewentualność"[25] – pod takim eufemizmem kryła się kapitulacja Francji. W rzeczonym dokumencie przewidywano możliwość samotnego kontynuowania wojny przez Wielką Brytanię. Niektóre kwestie potraktowano, jak się miało okazać, z przesadnym pesymizmem. Raport ów przewidywał, że BEF ulegnie zniszczeniu we

---

[22] Cyt. za: *GSWW*, t. III, s. 62.
[23] Cyt. za: J. Lukacs, *Five Days in London. May 1940*, New Haven 1999.
[24] Szeregowy Riedel, 26 maja 1940 r., BfZ-SS.
[25] TNA CAB 66–67.

Francji. Admiralicja nie spodziewała się, aby udało się wywieźć stamtąd więcej niż czterdzieści pięć tysięcy żołnierzy, a szefostwo sztabów obawiało się, że Luftwaffe zniszczy zakłady lotnicze w środkowej Anglii. Inne przypuszczenia były z kolei nazbyt optymistyczne: przykładowo brytyjscy sztabowcy przewidywali, że niedostatek surowców osłabi niemiecką gospodarkę wojenną – osobliwy wniosek, skoro Niemcy zajęli większość krajów zachodniej i środkowej Europy. Zasadnicza konkluzja była jednak taka, że Wielka Brytania przypuszczalnie mogłaby odeprzeć inwazję, pod warunkiem, że RAF i Royal Navy zachowają posiadane siły. Był to kluczowy argument Churchilla w sporze z Halifaxem.

Churchill udał się do siedziby Admiralicji na lunch z Reynaudem, który właśnie przyleciał do Londynu. Ze słów Reynauda jasno wynikało, że generał Weygand, jeszcze kilka dni wcześniej zapatrujący się na ogólną sytuację z nadzwyczajnym optymizmem, teraz popadł w jawny defetyzm. Francuzi już liczyli się z utratą Paryża. Reynaud stwierdził wręcz, że choć sam nigdy nie zawrze separatystycznego pokoju, to może zostać zastąpiony przez kogoś, kto to uczyni. Już naciskano nań, ażeby przekonał Brytyjczyków – „w celu proporcjonalnego ograniczenia naszego [wojennego] zaangażowania"[26] – do przekazania Gibraltaru i Suezu Włochom.

Kiedy Churchill wrócił do Anglii i zrelacjonował Gabinetowi Wojennemu tę rozmowę, Halifax ponowił sugestię szukania porozumienia z włoskim rządem. Churchill musiał ostrożnie prowadzić swoją rozgrywkę. Nie mógł ryzykować otwartego konfliktu z Halifaxem, który miał po swojej stronie wielu konserwatystów, podczas gdy pozycja samego Churchilla była niezbyt pewna. Na szczęście Chamberlain zaczął się przychylać do stanowiska Churchilla, który traktował go z wielkim szacunkiem i wspaniałomyślnością, pomimo dzielących ich dawniej sporów.

Churchill przekonywał, że Wielka Brytania powinna zerwać sojusz z Francją, gdyby ta ostatnia dążyła na własną rękę do rozejmu. „Nie możemy wplątać się w sytuację tego rodzaju, zanim uwikłamy się w poważniejsze walki"[27]. Nie należało podejmować przełomowych decyzji politycznych, nim wyjaśni się, ile żołnierzy BEF uda się uratować. Tak czy owak, Hitler z pewnością narzuciłby Wielkiej Brytanii takie warunki pokojowe, które uniemożliwiłyby temu krajowi „zakończenie naszych zbrojeń". Churchill słusznie zakładał, że Hitler byłby skłonny zaoferować znacznie łagodniejsze warunki Francji aniżeli Brytyjczykom. Jednak minister spraw zagranicznych, czyli Halifax, bynajmniej nie chciał się pogodzić z myślą o odrzuceniu idei negocjacji. „Jeśliby doszło do dyskutowania warunków pokojowych, które

---

[26] R. de Margerie, *Journal, 1939–1940, op. cit.*, s. 239.
[27] TNA CAB 65/13.

nie zakładałyby utraty naszej niezawisłości, bylibyśmy głupcami, nie przyjmując ich". I znów Churchill musiał dać do zrozumienia, że zgadza się na pomysł nawiązania kontaktów z Włochami, chociaż w istocie grał na zwłokę. Gdyby większość BEF udało się ocalić, wówczas jego własna pozycja, a także sytuacja całego kraju znacznie by się poprawiły.

Tego wieczoru Anthony Eden wysłał do Gorta depeszę potwierdzającą, że Gort powinien „wycofywać się ku wybrzeżu (...) we współdziałaniu z armiami francuską i belgijską"[28]. Mniej więcej w tym samym czasie wiceadmirał Bertram Ramsay w Dover rozkazał rozpoczęcie operacji „Dynamo", to jest ewakuacji BEF drogą morską. Niestety w tekście posłania, jakie Churchill skierował do Weyganda, gdzie była mowa o odwrocie do portów nad kanałem La Manche, nie wspomniano o planach ewakuacji. Nierozsądnie założono, że to oczywiste w zaistniałych okolicznościach. Konsekwencje psujących się stosunków z Francuzami miały się okazać tragiczne.

Zatrzymanie niemieckich dywizji pancernych dało sztabowi Gorta szansę zorganizowania nowej obrony obrzeżnej na linii ufortyfikowanych miejscowości, osłaniającej odwrót większości sił BEF. Ale francuskich dowódców we Flandrii ogarnęło wzburzenie, gdy przekonali się, że Brytyjczycy chcą się ewakuować. Gort przypuszczał, że Londyn poinformował o tym generała Weyganda w tym samym czasie, kiedy sam otrzymał polecenie wycofania wojsk ku wybrzeżu. Sądził również, że i Francuzi mieli być ewakuowani, a ponadto przeraził się, kiedy stwierdził, iż w istocie instrukcja ta nie dotyczy francuskich sojuszników.

Poczynając od 27 maja, 2. batalion Pułku z Gloucestershire oraz batalion Pułku Lekkiej Piechoty z Oksfordu i Buckinghamshire broniły Cassel na południe od Dunkierki. Niewielkie pododdziały zajęły oddalone farmy, tu i ówdzie aż przed trzy dni odpierając przeważające siły przeciwnika. Nieco dalej na południe na brytyjską 2. Dywizję, przesuniętą do obrony „linii kanału" z La Bassée do Aire, spadły bardzo silne niemieckie ataki. Po zużyciu zapasu pocisków przeciwpancernych żołnierze wyczerpanego i zdziesiątkowanego 2. Królewskiego Pułku Norfolskiego musieli rzucać granaty ręczne pod gąsienice nieprzyjacielskich wozów bojowych. Niedobitki jednego z batalionów zostały otoczone przez jednostkę SS „Totenkopf" i wzięte do niewoli. Tej nocy esesmani zmasakrowali dziewięćdziesięciu siedmiu brytyjskich żołnierzy. Owego dnia w belgijskim sektorze niemiecka 255. Dywizja Piechoty w odwecie za straty poniesione koło wsi Vinkt zamordowała siedemdziesięciu ośmiu cywilów, fałszywie utrzymując, że niektórzy z nich byli uzbrojeni. Nazajutrz oddział „Leibstandarte SS Adolf Hitler" pod do-

---

[28]   TNA WO 106/1750.

wództwem Hauptsturmführera Wilhelma Mohnkego zabił w Wormhout prawie dziewięćdziesięciu brytyjskich jeńców, głównie z Królewskiego Pułku z Warwick, walczących w straży tylnej. Tak więc mordowanie, do jakiego dochodziło w Polsce, miało też miejsce, na mniejszą skalę, na rzekomo „cywilizowanym" froncie zachodnim.

Na południe od Sommy brytyjska 1. Dywizja Pancerna przeprowadziła kontruderzenie na niemiecki przyczółek[29]. Znowu francuska artyleria i lotnictwo nie udzieliły obiecanego wsparcia, a 10. Pułk Huzarów i 2. Pułk Dragonów Gwardii (Queen's Bays) straciły sześćdziesiąt pięć czołgów, zniszczonych głównie przez niemieckie armaty przeciwpancerne. Nieco skuteczniejszego przeciwuderzenia przeciwko niemieckiemu przyczółkowi pod Abbeville dokonała 4. Dywizja Pancerna de Gaulle'a, lecz i ono zostało odparte.

W Londynie 27 maja Gabinet Wojenny znów zebrał się trzykrotnie. Drugie z tych posiedzeń, popołudniowe, prawdopodobnie można uznać za jeden z krytycznych momentów tej wojny, który mógł zadecydować o zwycięstwie nazistowskich Niemiec. Właśnie wtedy doszło do otwartego starcia między Halifaxem a Churchillem. Ten pierwszy stanowczo opowiedział się za wykorzystaniem Mussoliniego w roli mediatora, który mógłby wybadać, jakie warunki pokojowe Hitler byłby skłonny zaproponować Francji i Wielkiej Brytanii. Halifax uważał, że jeśli będzie się z tym zwlekać, owe warunki będą coraz ostrzejsze.

Churchill występował zdecydowanie przeciwko takiemu okazywaniu słabości i twierdził, że trzeba walczyć dalej. „Jeśli nawet zostaniemy pobici – powiedział – nie wyjdziemy na tym gorzej, niż gdybyśmy mieli teraz zaprzestać walki. Nie wstępujmy zatem na równię pochyłą, po której stacza się Francja"[30]. Rozumiał, że kiedy zacznie się już negocjować, to „nie będzie odwrotu" i szans na ożywienie bojowego ducha wśród ludności. Churchilla poparli jednoznacznie liderzy laburzystowscy Clement Attlee i Arthur Greenwood, a także Archibald Sinclair, przywódca liberałów. Również Chamberlain uznał za słuszny zasadniczy argument Churchilla. W trakcie tego burzliwego posiedzenia Halifax jasno stwierdził, że złoży dymisję, jeśli jego poglądy zostaną odrzucone, ale Churchillowi udało się później nieco go uspokoić.

Tamtego wieczoru spadł następny cios. Po przełamaniu belgijskiej linii obrony na rzece Leie (Lys) król Leopold postanowił skapitulować. Następnego dnia bezwarunkowo poddał swoje wojska dowództwu niemieckiej 6. Armii. Generał pułkownik Walter von Reichenau i jego szef sztabu generał porucznik Friedrich Paulus podyktowali warunki zawieszenia ognia w swojej kwaterze polowej. Do kolejnego aktu podpisania kapitulacji

---

[29] Na temat 1. Dywizji Pancernej zob. H. Sebag-Montefiore, *Dunkierka, op. cit.*, s. 289–295.
[30] TNA CAB 65/13/161, cyt. za: M. Gilbert, *Finest Hour, op. cit.*, s. 412.

z udziałem Paulusa dojdzie pod Stalingradem dwa lata i osiem miesięcy później, ale wtedy to już Paulus złoży broń.

Władze francuskie oficjalnie pomstowały z powodu „zdrady" króla Leopolda, jednak po cichu cieszyły się z tego. Jeden z kapitulantów wyraził powszechnie panujące nastroje, kiedy rzekł: „Wreszcie mamy kozła ofiarnego!"[31]. Z kolei Brytyjczyków niezbyt zaskoczyło załamanie się belgijskiej obrony. Gort, za radą generała Brooke'a, zawczasu roztropnie przegrupował swoje wojska za belgijskimi liniami, aby zapobiec przedarciu się niemieckich oddziałów między Ypres (Ieper) a Comines na wschodniej flance.

Generał Weygand, teraz już oficjalnie poinformowany o tym, że Brytyjczycy postanowili się wycofać, wściekał się z powodu niejawnych kombinacji sojusznika. Niestety nie wydawał swoim oddziałom rozkazu ewakuacji aż do następnego dnia i w rezultacie francuskie wojska dotarły na plaże znacznie później, aniżeli znaleźli się tam Brytyjczycy. Marszałek Pétain przekonywał, że postawa koalicjantów powinna skłonić Reynauda do rewizji porozumienia zawartego w marcu, na mocy którego ani Francja, ani Wielka Brytania miały nie zawierać pokoju bez zgody drugiego alianta.

Dwudziestego ósmego maja w godzinach popołudniowych Gabinet Wojenny obradował ponownie, ale tym razem, na żądanie premiera, w Izbie Gmin. Spór między Halifaxem a Churchillem rozgorzał na nowo, a Churchill jeszcze ostrzej przeciwstawił się wszelkim pomysłom podejmowania rokowań z Niemcami. Jeśli Brytyjczykom przyszłoby zerwać takie negocjacje, argumentował, to „przekonamy się, że cała stanowczość [ludności kraju], na którą teraz możemy liczyć, zniknie bezpowrotnie"[32].

Po zakończeniu posiedzenia Gabinetu Wojennego Churchill zwołał naradę całego rządu. Oznajmił ministrom, że rozważał kwestię podjęcia negocjacji z Hitlerem, ale nabrał przekonania, iż narzucone przez Führera warunki rozejmu sprowadzą Wielką Brytanię do poziomu „państwa niewolniczego"[33], rządzonego przez marionetkowe władze. Członkowie rządu stanowczo go poparli. Halifax poniósł w tej konfrontacji zdecydowaną porażkę. Wielka Brytania miała walczyć do końca.

Hitler, nie chcąc osłabiać swoich formacji pancernych, powstrzymywał je w ich marszu na Dunkierkę. Dywizje pancerne miały się zatrzymać, gdy tylko port w Dunkierce znajdzie się w zasięgu dział ich pułków artylerii. Rozpoczęło się intensywne ostrzeliwanie i bombardowanie miasta, które jednak nie przerwało operacji „Dynamo", czyli akcji ewakuacyjnej. Bombowcom

[31] Cyt. za: R. de Margerie, *Journal, 1939–1940, op. cit.*, s. 253.
[32] TNA CAB 65/13.
[33] *Ibidem.*

Luftwaffe, które nadal musiały najczęściej startować z baz w Niemczech, brakowało efektywnej eskorty myśliwskiej i często bywały przechwytywane przez dywizjony spitfire'ów, operujące ze znajdujących się znacznie bliżej Dunkierki lotnisk w hrabstwie Kent.

Bezradni brytyjscy żołnierze tłoczyli się na piaszczystych wydmach i w samym mieście, oczekując na swoją kolej do wejścia na pokłady statków i okrętów; przeklinali RAF, nie zdając sobie sprawy, że brytyjskie myśliwce walczą z niemieckimi bombowcami nad lądem. Luftwaffe, mimo chełpliwych zapewnień Göringa o tym, że sam pokona Brytyjczyków, zadawała przeciwnikowi stosunkowo nieznaczne straty. Sypkie piaski na wydmach redukowały zabójcze skutki eksplozji bomb i pocisków artyleryjskich. Na plażach więcej alianckich żołnierzy zginęło od ostrzału z broni maszynowej niż w wyniku bombardowań.

Do czasu kiedy Niemcy podjęli natarcie z udziałem piechoty, silna obrona, złożona z oddziałów zarówno brytyjskich, jak i francuskich, powstrzymała przeciwnika. Nieliczni z alianckich żołnierzy, którzy wycofali się z bronionych wsi, byli wyczerpani, głodni, spragnieni i nierzadko kontuzjowani. Ciężej rannych trzeba było pozostawić. W warunkach niemieckiego okrążenia odwrót miał nerwowy przebieg, a żołnierze nie wiedzieli, czy i kiedy natkną się na nieprzyjacielskie oddziały.

Ewakuacja rozpoczęła się już 19 maja, gdy wywieziono rannych i jednostki tyłowe, ale początek głównej akcji ewakuacyjnej przypadł na noc 26 maja. Po ogłoszonym przez rozgłośnię BBC apelu Admiralicja skontaktowała się z ochotnikami posiadającymi małe jednostki pływające, takie jak jachty, rzeczne barki i łodzie motorowe z kabinami. Polecono im zebrać się na morzu, najpierw w pobliżu Sheerness, a potem opodal Ramsgate. Około sześciuset takich jednostek wzięło udział w operacji „Dynamo", a ich załogi składały się niemal całkowicie z „niedzielnych żeglarzy"; wspomogły one w akcji ewakuacyjnej ponad dwieście okrętów Royal Navy.

Dunkierka była dobrze widoczna z daleka, zarówno z morza, jak i od strony lądu. Słupy dymu wzbijały się w niebo z tego płonącego miasta, atakowanego przez niemieckie bombowce. Nad palącymi się zbiornikami z ropą unosiły się czarne, skłębione dymy. Wszystkie drogi prowadzące do Dunkierki były zablokowane przez porzucone lub zniszczone wojskowe pojazdy.

Relacje między wyższymi oficerami brytyjskimi i francuskimi, zwłaszcza tymi ze sztabu admirała Jeana Abriala, dowódcy północnego zgrupowania francuskich sił morskich, stawały się coraz gorsze. Sytuację pogarszało to, że niektórzy żołnierze brytyjscy i francuscy dopuszczali się w Dunkierce rabunków, obwiniając o to siebie nawzajem. Nie brakowało pijanych, po próbach ugaszenia pragnienia winem, piwem i mocnymi trunkami, gdy ujęcia wody pitnej uległy zniszczeniu.

Plaże i port zapchane były żołnierzami, oczekującymi w kolejkach na wejście na pokłady statków i okrętów. Podczas każdego nalotu Luftwaffe syreny stukasów wyły w trakcie lotu nurkowego „jak stado wielkich piekielnych mew"[34], a ludzie rozbiegali się w poszukiwaniu schronienia. Panował ogłuszający hałas, gdyż strzelały wszystkie działa przeciwlotnicze na niszczycielach zakotwiczonych opodal falochronu. Kiedy tylko nalot się kończył, żołnierze pędzili z powrotem, bojąc się stracić swoje miejsce w kolejce. Niektórzy załamywali się psychicznie pod wpływem nerwowego napięcia. Niewiele można było pomóc ofiarom wyczerpania walkami.

Po nocach żołnierze czekali w wodzie po szyję, a szalupy i małe łodzie podpływały, aby zabierać ich na pokłady. Większość oczekujących była tak strudzona i bezsilna w nasiąkniętych wodą mundurach polowych i butach, że marynarze, przeklinając, musieli wciągać nieszczęśników przez nadburcia, chwytając ich za parciane pasy.

Załogi Royal Navy narażały się tak samo jak żołnierze podczas akcji ratunkowej. Dwudziestego dziewiątego maja, kiedy naciskany przez Hitlera Göring zintensyfikował działania lotnicze mające udaremnić operację ewakuacyjną, samoloty Luftwaffe zatopiły lub ciężko uszkodziły dziesięć brytyjskich niszczycieli, a także wiele innych jednostek pływających. Straty te skłoniły Admiralicję do chwilowego wycofania z akcji większych, pełnomorskich niszczycieli, niezbędnych do obrony południowych wybrzeży Anglii. Te jednak wróciły do Dunkierki już dzień później, gdyż tempo ewakuacji natychmiast spadło, a każdy z dużych niszczycieli mógł każdorazowo zabrać na pokład do tysiąca żołnierzy.

Tego dnia trwały również zażarte walki na wewnętrznym kręgu obrony, toczone przez grenadierów Gwardii, Królewski Pułk Gwardii Pieszej (Coldstream Guards) i Królewski Pułk z Berkshire z 3. Dywizji Piechoty. Jednostki te z wielkim trudem powstrzymywały niemieckie ataki, które w razie powodzenia położyłyby kres dalszej ewakuacji. Oddziały francuskiej 68. Dywizji Piechoty nadal trzymały się na zachodnich i południowo-zachodnich rubieżach Dunkierki, jednak napięcia w relacjach między Francuzami i Brytyjczykami coraz ostrzej dochodziły do głosu.

Francuzi byli przekonani, że Brytyjczycy ewakuują w pierwszej kolejności swoich ludzi, choć w tym czasie nadchodziły z Londynu instrukcje, aby postępować wręcz przeciwnie. Francuskich żołnierzy w brytyjskich punktach załadunkowych często nie wpuszczano na okręty, co rzecz jasna prowadziło do wściekłych waśni. Z kolei żołnierze brytyjscy, zirytowani, że Francuzi wnoszą plecaki mimo polecenia pozostawienia wszystkich rzeczy osobistych, spychali ich z nabrzeża do wody. Zdarzało się i tak, że Brytyj-

---

[34] Porucznik P.D. Elliman, cyt. za: H. Sebag-Montefiore, *Dunkierka, op. cit.*, s. 398.

czycy pchali się na okręt przeznaczony dla Francuzów, a wielu francuskich żołnierzy, usiłujących dostać się na pokład brytyjskiego statku, zrzucano do morza[35].

Nawet słynący z uroku osobistego generał major Harold Alexander, dowódca brytyjskiej 1. Dywizji Piechoty, nie był w stanie załagodzić gniewu dowódcy francuskiego XVI Korpusu generała Roberta Fagalde'a oraz admirała Abriala, kiedy wspomniał im o otrzymanych rozkazach zaokrętowania maksymalnej liczby żołnierzy brytyjskich. Obaj Francuzi przedstawili list od lorda Gorta, zapewniający, że trzy brytyjskie dywizje pozostaną na lądzie do obrony miasta. Admirał Abrial zagroził nawet zamknięciem portu w Dunkierce dla brytyjskich oddziałów.

O sporze tym powiadomiono Londyn i Paryż, gdzie Churchill spotkał się z Reynaudem, Weygandem i admirałem François Darlanem, dowódcą francuskiej floty wojennej. Weygand przyjął do wiadomości, że Dunkierki nie da się utrzymywać w nieskończoność. Churchill nalegał, aby ewakuacja odbywała się na równych zasadach, ale jego nadziei na podtrzymanie sojuszniczego ducha nie podzielano w Londynie. Tam po cichu zakładano, że skoro Francja najprawdopodobniej zaniecha walki, to Brytyjczycy powinni zadbać przede wszystkim o własne interesy. Sojusze nastręczają dostatecznie wiele komplikacji, gdy sojusznicy odnoszą zwycięstwa; w warunkach klęski są źródłem najgorszych wzajemnych oskarżeń.

Trzydziestego maja wyglądało na to, że połowa Brytyjskiego Korpusu Ekspedycyjnego będzie musiała pozostać na kontynencie. Nazajutrz jednak u wybrzeży Francji pojawiła się masa okrętów Royal Navy i różnych „stateczków": niszczycieli, stawiaczy min, jachtów, parostatków, holowników, łodzi ratunkowych, kutrów rybackich i statków wycieczkowych. Wiele z tych mniejszych jednostek przewoziło żołnierzy z plaż na większe okręty. Właścicielem jednego z jachtów, „Sundownera", był komandor Charles H. Lightoller, najstarszy z oficerów ocalałych z katastrofy Titanica. „Cudowi" Dunkierki sprzyjało spokojne na ogół morze w trakcie dni i nocy, gdy ewakuacja szła pełną parą[36].

Na pokładach niszczycieli marynarze Royal Navy wydawali wyczerpanym i wygłodzonym żołnierzom kubki z kakao, konserwy wołowe oraz chleb. Jednakże w sytuacji gdy formacje Luftwaffe nasilały naloty, kiedy tylko odlatywała myśliwska osłona RAF-u, wejście na okręt nie zawsze oznaczało jeszcze oddalenia niebezpieczeństwa. Opisy straszliwych obrażeń, doznawanych w rezultacie niemieckich ataków z powietrza, dramatu tych, którzy tonęli na zatapianych statkach i okrętach, bezsilnych nawoływań

---

[35] Na temat napięć między Brytyjczykami a Francuzami pod Dunkierką zob. *ibidem*, s. 410–421.
[36] *GSWW*, t. II, s. 293 i 295; H. Sebag-Montefiore, *Dunkierka, op. cit.*, s. 530 i n.

o pomoc wryły się w pamięć. Sytuacja rannych pozostawionych w Dunkier-ce była jeszcze gorsza, a sanitariusze i lekarze nie mogli zbytnio ulżyć umie-rającym w cierpieniach.

Nawet ewakuowani nie zaznawali zbytniej ulgi po dotarciu do Dover. Masowa ewakuacja przeciążyła system transportu i opieki medycznej. Po-ciągi szpitalne rozwoziły rannych po całym kraju. Pewien ranny żołnierz, wydostawszy się z piekła Dunkierki, wprost nie mógł uwierzyć własnym oczom, kiedy z okna pociągu zobaczył mecz krykieta rozgrywany przez za-wodników w białych strojach, zupełnie jakby w Wielkiej Brytanii nadal pa-nował pokój. W doraźnie opatrzonych na polu walki zranieniach u wielu poszkodowanych lęgły się czerwie albo rozwijała się gangrena, wymagają-ca amputacji kończyny.

Rankiem 1 czerwca straż tylna pod Dunkierką, w której skład wchodzi-ła 1. Brygada Gwardii, została pobita w trakcie silnego niemieckiego ude-rzenia, przeprowadzonego wzdłuż kanału Bergues-Veurne. Niektórzy bry-tyjscy żołnierze, a nawet całe plutony ustępowały pola, ale inni walczyli dzielnie i tego dnia przyznano Krzyż Wiktorii i kilka innych odznaczeń. Ewakuację za dnia trzeba było przerwać ze względu na ciężkie straty Royal Navy, w tym utratę dwóch okrętów szpitalnych, jednego zatopionego, a dru-giego uszkodzonego. Ostatnie alianckie jednostki dopłynęły do plaż opodal Dunkierki w nocy 3 czerwca. Generał major Alexander opłynął motorów-ką plaże i port, nawołując żołnierzy, którzy pozostali, żeby wyszli na brzeg. Na krótko przed północą towarzyszący mu oficer floty, komandor William Tennant uznał, że może zadepeszować do admirała Ramsaya w Dover, iż za-danie zostało wykonane.

Początkowo Admiralicja liczyła, że uda się ocalić 45 tysięcy żołnierzy; w istocie okręty Royal Navy i cywilne jednostki pływające wywiozły ich 338 tysięcy, z czego 193 tysiące Brytyjczyków. Około 80 tysięcy żołnierzy, głów-nie francuskich, pozostało na miejscu, przede wszystkim wskutek panują-cego zamieszania i opieszałości ich dowódców. W trakcie kampanii w Belgii i północno-wschodniej Francji armia brytyjska straciła 68 tysięcy ludzi. Za-szła konieczność zniszczenia na brzegu niemal wszystkich ocalałych z bitew czołgów i całego taboru motorowego BEF, większości dział i prawie całych zapasów. Także część polskiego wojska we Francji przedostała się do Wiel-kiej Brytanii, co skłoniło Goebbelsa do określenia ich pogardliwym mia-nem „turystów Sikorskiego"[37].

Reakcje na Wyspach Brytyjskich były dziwnie mieszane; panowały nieco przesadne obawy, lecz i odczuwano ulgę z powodu uratowania BEF. Ministerstwo Informacji martwiło się tym, że nastroje ludności są „niemal

---

[37] SHD-DAT 1 K 543 1.

za dobre"[38]. A jednak naprawdę zaczęto sobie uzmysławiać groźbę niemieckiej inwazji. Krążyły pogłoski o niemieckich spadochroniarzach przebranych za zakonnice. Niektórzy najwyraźniej uwierzyli w to, że w Niemczech „upośledzonych umysłowo rodziców wcielano do korpusu samobójców [tj. kierowano do samobójczych zadań]" i że „Niemcy zrobili podkop pod Szwajcarią i wyłonili się w Tuluzie". Zagrożenie inwazją nieuchronnie wywoływało bezładną szpiegomanię. Organizacja Mass Observation odnotowała także tuż po ewakuacji z Dunkierki, że brytyjska ludność serdecznie witała francuskich żołnierzy, zarazem trzymając się z daleka od holenderskich i belgijskich uchodźców.

Niemcy prawie od razu przeszli do następnej fazy działań zbrojnych. Szóstego czerwca zaatakowali alianckie linie obronne wzdłuż Sommy i Aisne, mając znaczną przewagę liczebną i panując w powietrzu. Dywizje francuskie, otrząsnąwszy się nieco po pierwszych katastrofach, walczyły teraz bardzo dzielnie, ale było już za późno. Churchill, uprzedzony przez Dowdinga o braku dostatecznej liczby myśliwców do obrony Wielkiej Brytanii, odrzucił francuskie żądania przerzucenia przez kanał La Manche następnych dywizjonów. Na południe od Sommy wciąż znajdowało się ponad sto tysięcy brytyjskich żołnierzy, w tym 51. Dywizja Piechoty (Highland), która niebawem miała zostać odcięta pod Saint-Valéry wraz z francuską 41. Dywizją Piechoty.

Starając się podtrzymać działania wojenne we Francji, Churchill wysłał za kanał La Manche następny korpus sił ekspedycyjnych pod dowództwem generała Alana Brooke'a. Przed opuszczeniem Anglii Brooke uprzedził Edena, że choć sam pojmuje dyplomatyczny aspekt swojej misji, to rząd powinien zrozumieć, iż w wymiarze militarnym nie ma ona najmniejszych szans na powodzenie. Mimo że niektóre francuskie oddziały walczyły dobrze, wiele innych zaczęło porzucać linię frontu i dołączać do kolumn uchodźców, ciągnących na południowy zachód Francji. Paniczne nastroje rozprzestrzeniały się wraz z pogłoskami o zastosowaniu gazów bojowych i o niemieckich zbrodniach.

Na czele tych kolumn jechały samochody wiozące bogatszych Francuzów, którzy wydawali się zawczasu dobrze przysposobieni do ucieczki. Wyruszyli wcześnie i mogli po drodze korzystać z kurczących się zapasów benzyny. Przedstawiciele klas średnich podążali za nimi w skromniejszych pojazdach, z materacami przypasanymi do dachów aut, których wnętrze wypełniał najcenniejszy osobisty dobytek, czasem także pies albo kot lub kanarek w klatce. Uboższe rodziny wyruszały pieszo, przewożąc swoje rzeczy

---

[38] *Listening to Britain, op. cit.*, s. 53, 71.

rowerami, wózkami dziecięcymi i wozami zaprzężonymi w konie. Szosy bywały zablokowane na odcinkach liczących nawet setki kilometrów, wobec czego samochody, z silnikami rozgrzanymi w upale, toczyły się naprzód wcale nie szybciej od pieszych uciekinierów, posuwając się co chwila o kilka metrów.

Gdy te tłumy przerażonych ludzi, na które składało się około ośmiu milionów uchodźców, przemieszczały się na południowy zachód, uciekinierzy szybko się zorientowali, że nie sposób zdobyć nie tylko benzynę, ale i prowiant. Masa mieszkańców miast, wykupująca całe pieczywo i wszelkie jarzyny i owoce, rychło przestała wzbudzać współczucie i zaczęto ją kojarzyć z plagą szarańczy – i to pomimo wielu rannych, którzy padali ofiarami niemieckich lotników, bezkarnie ostrzeliwujących i bombardujących zatłoczone drogi. I znowu to kobiety najdotkliwiej odczuwały skutki militarnej katastrofy, a jednak znosiły to dzielnie, z poświęceniem i opanowaniem. Mężczyźni częściej ronili łzy rozpaczy.

Dziesiątego czerwca Mussolini wypowiedział wojnę Francji i Wielkiej Brytanii, choć był świadom wojskowej i gospodarczej słabości swojego kraju. Jednakże nie miał zamiaru nie wykorzystać okazji do zdobyczy terytorialnych, zanim nastanie pokój. Włoska ofensywa w Alpach, o której rozpoczęciu Mussolini nie powiadomił Niemców, okazała się jednak dla Włochów katastrofalna. Francuzi stracili zaledwie nieco ponad dwustu żołnierzy, natomiast Włosi – ponad sześć tysięcy, z czego powyżej dwóch tysięcy doznało poważnych odmrożeń[39].

Podejmując decyzję, która tylko pogłębiła panujące zamieszanie, francuskie władze przemieściły się do doliny Loary, a różne ministerstwa i sztaby zakwaterowały się w tamtejszych zamkach. Jedenastego czerwca Churchill udał się samolotem do Briare nad Loarą na spotkanie z francuskimi przywódcami. Eskortowany przez dywizjon hurricane'ów, wraz z towarzyszącą mu ekipą wylądował na opuszczonym pobliskim lotnisku. Churchill zabrał z sobą nowego szefa brytyjskiego Imperialnego Sztabu Generalnego generała Johna Dilla, sekretarza Gabinetu Wojennego generała majora Hastingsa Ismaya oraz generała majora Edwarda Spearsa, swego osobistego przedstawiciela przy francuskim rządzie. Zawieziono ich do château du Muguet, gdzie generał Weygand założył swoją tymczasową kwaterę główną.

W mrocznym salonie czekał na przybyszów Paul Reynaud, drobnej budowy człowiek z charakterystycznymi łukowatymi brwiami i twarzą „obrzmiałą ze zmęczenia"[40]. Reynaud znajdował się w stanie bliskim nerwo-

---

[39] *GSWW*, t. III, s. 247.
[40] G. Cox, *Countdown to War. A Personal Memoir of Europe, 1938–1940*, London 1988, s. 236.

wego wyczerpania. Towarzyszyli mu rozdrażnieni Weygand i marszałek Pétain. Nieco z tyłu stał generał brygady Charles de Gaulle, nowy wiceminister wojny w rządzie Reynauda, protegowany Pétaina aż do czasu, gdy tuż przed wojną obaj się poróżnili. Spears zwrócił uwagę, że choć Reynaud grzecznie powitał brytyjską delegację, to jej członkowie czuli się jak „ubodzy krewni na stypie"[41].

Weygand przedstawił sytuację w najbardziej pesymistycznym ujęciu. Churchill, pomimo upalnego dnia ubrany w czarny garnitur z grubego materiału, starał się ze wszelkich sił ożywić zebranych poczuciem humoru i entuzjazmem, posługując się oryginalną mieszaniną angielszczyzny i języka francuskiego. Nie wiedząc, że Weygand już wydał dyspozycję oddania Paryża bez walki Niemcom, Churchill zalecał prowadzenie w stolicy walki o każdy dom i działania partyzanckie. Takie pomysły zatrwożyły Weyganda, a także Pétaina, który odezwał się po długim milczeniu: „Oznaczałoby to zniszczenie tego kraju!"[42]. Główną troską Francuzów było zachowanie dostatecznie silnych oddziałów wojskowych do zgniecenia rewolucyjnych zamieszek. Ulegali obsesyjnym myślom, że w opuszczonym Paryżu mogą przejąć władzę komuniści.

Weygand, usiłując zrzucić na innych odpowiedzialność za załamywanie się francuskiego oporu, zażądał kolejnych dywizjonów myśliwskich RAF-u, wiedząc, że Brytyjczycy nie zgodzą się na ich przysłanie. Ledwie kilka dni wcześniej obwiniał za klęskę Francji nie dowódców, ale Front Ludowy i szkolnych nauczycieli, „którzy nie rozbudzili w dzieciach patriotyzmu i ofiarnego ducha"[43]. Pétain prezentował podobne nastawienie. „Ten kraj – powiedział do Spearsa – przegnił do cna przez politykę"[44]. Być może miał nieco słuszności, gdyż już przed wojną we Francji zarysowały się takie podziały, że musiały padać wzajemne oskarżenia o zdradę.

Churchill i towarzyszące mu osoby odlecieli do Londynu, wyzbywszy się resztek złudzeń, aczkolwiek zdołali wymusić na Francuzach obietnicę porozumienia się z Brytyjczykami przed ewentualnym podjęciem rokowań rozejmowych. Z brytyjskiej perspektywy zasadnicze znaczenie miała przyszłość francuskiej floty wojennej oraz to, czy rząd Reynauda będzie kontynuował wojnę we francuskich posiadłościach w północnej Afryce. Jednak Weygand i Pétain byli stanowczo temu przeciwni, ponieważ żywili przekonanie, że bez naczelnych władz Francja pogrąży się w chaosie. Następnego

---

[41] E. Spears, *Assignment to Catastrophe*, t. 2: *The Fall of France, June 1940*, London 1954, s. 138.
[42] Cyt. za: C. Quétel, *L'impardonnable défaite, op. cit.*, s. 330.
[43] Cyt. za: P. Baudouin, *Private Diaries. March 1940–January 1941*, London 1948, w: J. Jackson, *The Fall of France. The Nazi Invasion of 1940*, Oxford – New York 2003, s. 135.
[44] E. Spears, *Assignment to Catastrophe*, t. 2, *op. cit.*, s. 171.

wieczoru, 12 czerwca, Weygand otwarcie domagał się zawieszenia broni podczas posiedzenia rady ministrów, w której skład oficjalnie nie wchodził. Reynaud próbował mu wytłumaczyć, że Hitler to nie staroświecki dżentelmen w rodzaju Wilhelma I w 1871 roku, tylko nowy Czyngis-chan. Jak się jednak okazało, była to ostatnia podjęta przez Reynauda próba okiełznania zapędów francuskiego głównodowodzącego.

Paryż niemalże opustoszał. Wielki słup czarnego dymu wznosił się nad rafinerią koncernu Standard Oil, podpaloną na żądanie francuskiego sztabu generalnego i amerykańskiej ambasady, aby zapasy paliwa nie dostały się w ręce Niemców. Stosunki francusko-amerykańskie były w roku 1940 nadzwyczaj kordialne. Ambasador Stanów Zjednoczonych William Bullitt cieszył się takim zaufaniem francuskiej administracji, że ta wyznaczyła go na tymczasowego mera stolicy i poprosiła o porozumienie się z Niemcami w sprawie kapitulacji Paryża. Po tym jak niemieccy oficerowie z białą flagą zostali ostrzelani w pobliżu stacji metra Porte Saint-Denis na północnych obrzeżach miasta, generał artylerii Georg von Küchler, dowódca 18. Armii, nakazał zbombardowanie francuskiej stolicy. Bullitt interweniował i zdołał uchronić miasto przed zniszczeniami.

Trzynastego czerwca, kiedy Niemcy szykowali się do wkroczenia do Paryża, Churchill poleciał do Tours na następne spotkanie z Francuzami. Tam utwierdził się w swoich najgorszych obawach. Za namową Weyganda Reynaud zapytał, czy Wielka Brytania wyraziłaby zgodę na zawarcie przez Francję odrębnego pokoju z Rzeszą. Tylko nieliczni, w tym minister spraw wewnętrznych Georges Mandel i najniższy rangą generał de Gaulle, byli zdecydowani kontynuować walkę za wszelką cenę. Reynaud, mimo że pozornie się z nimi zgadzał, to wyglądał, by przytoczyć słowa Spearsa, jak mumia skrępowana bandażami przez defetystów[45].

W obliczu francuskich dążeń do przerwania walk Churchill stwierdził, że rozumie stanowisko sojuszników. Stronnicy zawieszenia broni próbowali przeinaczyć jego słowa, uznając je za zgodę, na co Churchill energicznie zaprotestował. Nie był wcale gotów zwolnić Francuzów z ich sojuszniczych zobowiązań, dopóki Brytyjczycy nie zyskaliby pewności, że Niemcy nie przejmą francuskiej floty. Gdyby wpadła w ręce nieprzyjaciela, to prawdopodobieństwo udanej niemieckiej inwazji na Wielką Brytanię wzrosłoby niepomiernie. Zażądał, aby Reynaud porozumiał się z prezydentem Rooseveltem w celu ustalenia, czy Stany Zjednoczone byłyby skłonne udzielić wsparcia Francji in extremis, bez oficjalnego angażowania się w wojnę. Każdy kolejny dzień zbrojnego oporu stawianego przez

---

45 Kapitulacja Paryża zob. Ch. Glass, *Americans in Paris. Life and Death under Nazi Occupation, 1940–1944*, London 2009, s. 11–22.

Francję sprzyjał lepszemu przygotowaniu się Wielkiej Brytanii do odparcia nazistowskiej agresji.

Owego wieczoru posiedzenie francuskiej rady ministrów odbyło się w château de Cangé. Weygand, nalegając na przerwanie walk, twierdził, że komuniści przejmują władzę w Paryżu, a ich przywódca Maurice Thorez obrał sobie za siedzibę Pałac Elizejski. Było to czczym wymysłem. Mandel niezwłocznie zatelefonował do prefekta policji w stolicy, który powiedział, że to nieprawda. Choć Weygand zamilkł, marszałek Pétain wyjął z kieszeni jakiś dokument i zaczął go odczytywać. Pétain nie dość, że obstawał przy zawieszeniu broni, to jeszcze odrzucał wszelkie myśli o opuszczeniu kraju przez rząd. „Pozostanę z narodem francuskim, aby wspólnie z nim znosić ból i cierpienia"[46]. Powracając na scenę polityczną, ujawnił zamiar przewodzenia zniewolonej Francji. Reynaud, choć miał poparcie większości ministrów, a także przewodniczących Izby Deputowanych oraz senatu, nie odważył się na zdymisjonowanie Pétaina. Uzgodniono fatalny kompromis. Francuzi postanowili poczekać na odpowiedź prezydenta Roosevelta przed podjęciem ostatecznej decyzji o zawieszeniu broni. Nazajutrz rząd wyjechał do Bordeaux, gdzie miał się rozegrać ostatni akt tragedii.

Najgorsze obawy generała Brooke'a znalazły potwierdzenie zaraz po jego wylądowaniu w Cherbourgu. Dotarł do kwatery głównej Weyganda w pobliżu Briare wieczorem 13 czerwca, ale Weygand przebywał w tym czasie w zamku de Cangé na posiedzeniu rady ministrów. Brooke spotkał się z nim następnego dnia. Weyganda mniej dręczyła kwestia klęski francuskiej armii, bardziej zaś to, że jego kariery wojskowej nie zwieńczyła triumfalna nuta[47].

Brooke zatelefonował do Londynu, żeby zakomunikować, iż nie zgadza się na to, by drugi kontyngent BEF bronił reduty w Bretanii, który to pomysł przypadł do gustu de Gaulle'owi i Churchillowi. Generał Dill zrozumiał to od razu. Przerwał zatem kierowanie do Francji nowych brytyjskich jednostek. Obydwaj generałowie uzgodnili również, że trzeba wycofać wszystkie brytyjskie oddziały, pozostające jeszcze w północno-zachodniej Francji, do portów w Normandii i Bretanii i stamtąd je ewakuować.

Churchill po powrocie do Londynu był zaszokowany takimi nowinami. Poirytowany Brooke musiał przez pół godziny objaśniać mu przez telefon zaistniałą sytuację. Premier upierał się, że Brooke został posłany do Francji po to, aby Francuzi mieli wrażenie, iż Brytyjczycy nadal ich wspierają. Brooke odparł na to, że „nie sposób ożywić nieboszczyka i wszystko

---

[46] Ph. Pétain, *Actes et écrits*, Paris 1974, s. 365.
[47] A. Brooke (lord Alanbrooke), *War Diaries, 1939–1945, op. cit.*, s. 80.

wskazuje na to, iż armia francuska jest już martwa"[48]. Dalsze wspomaganie jej „przyniosłoby tylko w rezultacie niepotrzebne marnowanie dobrego wojska". Brooke'a rozdrażniła sugestia, że się „wystraszył" i nie chciał ustąpić. Ostatecznie Churchill przyznał, że propozycje Brooke'a to jedyne rozsądne wyjście.

Niemcy nadal byli rozbawieni zapałem, z jakim poddawała się większość francuskich oddziałów. „Weszliśmy jako pierwsi do pewnego miasta – pisał żołnierz 62. Dywizji Piechoty – a francuscy żołnierze siedzieli tam w barach od dwóch dni, oczekując na wzięcie ich do niewoli. I wydarzyło się to we Francji, wychwalanej jako »*Grande nation*« [wielki naród]"[49].

Szesnastego czerwca marszałek Pétain oświadczył, że poda się do dymisji, jeśli rząd nie podejmie niezwłocznie rokowań rozejmowych. Przekonano go, aby zaczekał z tym do momentu, aż przyjdzie odpowiedź z Londynu. Prezydent Roosevelt odniósł się do wcześniejszego apelu Reynauda z pełną sympatią, ale wstrzymał się z jakimikolwiek obietnicami. Z Londynu generał de Gaulle przedstawił przez telefon pewną propozycję, przypuszczalnie wysuniętą po raz pierwszy przez Jeana Monneta, później uznawanego za pomysłodawcę i architekta powojennej wspólnoty europejskiej, a podówczas obarczonego zadaniem zakupu uzbrojenia dla Francji. Zgodnie z tym pomysłem Wielka Brytania i Francja miały utworzyć zjednoczone państwo ze wspólnym rządem wojennym. Churchill odniósł się do tego planu entuzjastycznie, aby podtrzymać działania zbrojne we Francji, a i w Reynaudzie wzbudził on nadzieję. Ale kiedy przedstawił tę propozycję swoim ministrom, większość z nich potraktowała ją wyjątkowo wzgardliwie. Pétain określił ją mianem „zaślubin z trupem", natomiast inni bali się, że „perfidny Albion" usiłuje w ten sposób zająć ich kraj i kolonie w chwili największej słabości Francji.

Zupełnie przybity Reynaud udał się do prezydenta Lebruna i złożył swoją rezygnację. Znajdował się na skraju załamania nerwowego. Lebrun starał się go przekonać do pozostania na stanowisku, lecz Reynaud utracił wszelkie nadzieje na dalsze skuteczne opieranie się żądaniom przerwania walk. Zasugerował nawet, żeby to marszałek Pétain został powołany do utworzenia nowego rządu, który zawrze rozejm. Lebrun, choć zasadniczo trzymał stronę Reynauda, uznał, że powinien tak właśnie postąpić. Już o godzinie 23.00 Pétain przewodniczył posiedzeniu nowej rady ministrów. Oznaczało to w praktyce kres Trzeciej Republiki. Niektórzy historycy utrzymują, nie bez dozy słuszności, że w istocie Trzecia Republika upadła nieco wcześniej, w wyniku wewnętrznego wojskowego puczu, przeprowadzone-

---

[48] *Ibidem*, s. 81.
[49] Szeregowy Paul Lehmann, 62. Dywizja Piechoty, 28 czerwca 1940 r., BfZ-SS.

go przez Pétaina, Weyganda i admirała Darlana 11 czerwca w Briare. Rola Darlana polegała na zapewnieniu, aby francuska flota nie posłużyła do ewakuacji rządu i wojsk do północnej Afryki i kontynuowania stamtąd wojny. Tej nocy de Gaulle przyleciał do Bordeaux samolotem dostarczonym mu na polecenie Churchilla. Na miejscu przekonał się, że jego patron złożył dymisję, a on sam nie wchodzi już w skład rządu. W każdej chwili mógł dostać rozkazy od Weyganda, któremu, jako że sam był żołnierzem, trudno byłoby mu się przeciwstawić. Starając się zatem nie rzucać w oczy (co nie było takie łatwe, zważywszy na jego wzrost i charakterystyczną twarz), udał się na spotkanie z Reynaudem i powiedział mu, że zamierza wrócić do Anglii i tam podjąć na nowo walkę z Niemcami. Reynaud wydał mu sto tysięcy franków z rządowych funduszy. Spears próbował nakłonić do wyjazdu razem z de Gaulle'em Georges'a Mandela, ten jednak nie zgodził się na opuszczenie kraju. Będąc Żydem, nie chciał zostać uznany za dezertera, ale zlekceważył antysemityzm, który znów miał dojść do głosu we Francji. Ostatecznie Mandel przypłacił to życiem.

De Gaulle wraz ze swoim adiutantem oraz Spearsem wystartowali z lotniska, na którym stały zniszczone samoloty. Gdy przylecieli do Londynu trasą przez Wyspy Normandzkie, Pétain obwieścił przez radio o swoich dążeniach do zawieszenia broni. Francja straciła pięćdziesiąt dziewięć tysięcy zabitych i sto dwadzieścia trzy tysiące rannych. Prawie dwa miliony żołnierzy trafiło do niewoli. Armia francuska, podzielona wewnętrznie, częściowo za sprawą komunistów, a częściowo na skutek skrajnie prawicowej propagandy, oddała Niemcom łatwe zwycięstwo, nie wspominając już nawet o wielkim parku motorowym, który rok później miał zostać użyty podczas niemieckiej ofensywy na Związek Radziecki.

Ludność Wielkiej Brytanii oniemiała na wieść o kapitulacji Francji. Skutki tego wydarzenia pobrzmiewały w obwieszczeniu władz, że odtąd kościelne dzwony w całym kraju zamilkną i zaczną bić tylko w razie rozpoczęcia wrogiej inwazji. Oficjalne broszury, rozdawane przez listonoszy wszystkim mieszkańcom, ostrzegały, że na wypadek niemieckiego desantu ludzie powinni pozostać w domach. Jeśli zaczną uciekać i blokować drogi, to padną ofiarą broni maszynowej, ostrzeliwani przez lotników Luftwaffe.

Generał Brooke bezzwłocznie rozpoczął organizowanie ewakuacji resztek brytyjskich oddziałów z Francji. To była słuszna decyzja, gdyż obwieszczenie Pétaina postawiło żołnierzy Brooke'a w nieszczególnej sytuacji. Do rana 17 czerwca pięćdziesiąt siedem tysięcy ludzi ze studwudziestoczterotysięcznego kontyngentu wojsk lądowych, z personelem RAF-u włącznie, wydostało się z Francji. Przystąpiono do wielkiej operacji morskiej, mającej na celu zabranie możliwie największej liczby pozostałych Brytyjczyków z Saint- -Nazaire w Bretanii. Szacuje się, że tego dnia na pokładzie liniowca „Lancastria", należącego do przedsiębiorstwa żeglugowego Cunard, znalazło się ponad sześć tysięcy brytyjskich żołnierzy i cywilów. Niemieckie lotnictwo zbombardowało ten statek, a ponad trzy i pół tysiąca osób, w tym wiele uwięzionych pod pokładem, utonęło. Była to największa katastrofa morska w całej brytyjskiej historii. Pomimo tej przerażającej tragedii podczas drugiej fazy ewakuacji ściągnięto z powrotem do Anglii sto dziewięćdziesiąt jeden tysięcy alianckich żołnierzy[50].

Churchill powitał de Gaulle'a w Londynie, skrywając rozczarowanie z powodu tego, że nie przylecieli wraz z nim ani Reynaud, ani Mandel. Osiemnastego czerwca, dzień po swoim przybyciu do Wielkiej Brytanii, de Gaulle wygłosił za pośrednictwem rozgłośni BBC przemówienie do Francuzów – a datę tę miano świętować w nadchodzących latach. (Zdaje się, że de Gaulle nie był świadom tego, iż zbiegło się to ze 125. rocznicą bitwy pod Waterloo). Duff Cooper, minister informacji i frankofil, stwierdził, że w brytyjskim Ministerstwie Spraw Zagranicznych zdecydowanie przeciwstawiano się wystąpieniu de Gaulle'a. Obawiano się prowokowania władz Pétaina w momencie, gdy przyszłość francuskiej floty wojennej pozostawała niejasna. Jednak Cooper, popierany przez Churchilla i gabinet rządowy, polecił BBC emisję tego przemówienia.

W owej słynnej mowie, choć wysłuchało jej na żywo względnie niewiele osób, de Gaulle posłużył się falami radiowymi do „wzniesienia sztandaru" Wolnej Francji, czy też *la France combattante* (Francji walczącej). Mimo niemożności bezpośredniego zaatakowania administracji Pétaina było to poruszające wezwanie do broni, nieco poprawione w jego późniejszej wersji: *„La France a perdu une bataille! Mais la France n'a pas perdu la guerre!"* („Francja przegrała bitwę, ale nie przegrała wojny!"). W każdym razie mówca nadzwyczaj trafnie przewidywał dalszy przebieg działań wojennych. Uznając, że Francja została pobita w nowym rodzaju zmagań z użyciem wojsk zmechanizowanych, de Gaulle przewidział, iż przemysłowa potęga Stanów Zjednoczonych zadecyduje o ostatecznym wyniku tego konfliktu zbrojnego, który stopniowo nabierał światowego charakteru. Tym samym zaprzeczał twierdzeniom francuskich kapitulantów, że Wielka Brytania poniesie klęskę w ciągu następnych trzech tygodni, a Hitler podyktuje warunki pokoju w Europie.

Churchill w swoim przemówieniu, w którym wspominał o tym, że wybiła „najświetniejsza godzina", wygłoszonym tegoż dnia w Izbie Gmin, także napomknął o konieczności przystąpienia Stanów Zjednoczonych do wojny w obronie wolności. Bitwa o Francję dobiegła końca, a wkrótce zacząć się miała bitwa o Anglię.

---

[50] H. Sebag-Montefiore, *Dunkierka, op. cit.*, s. 489–510.

ROZDZIAŁ 8

Operacja „Lew Morski" i bitwa o Anglię

czerwiec–listopad 1940

Osiemnastego czerwca 1940 roku Hitler spotkał się w Monachium z Mussolinim, aby poinformować go o warunkach rozejmu z Francją. Nie chciał, aby warunki te były zbyt surowe, więc nie dopuścił do tego, by Włochy przejęły francuską flotę lub którąś z francuskich kolonii, wbrew nadziejom Mussoliniego. Nie przewidywano nawet uczestnictwa Włochów w ceremonii podpisania zawieszenia broni. Tymczasem Japonia szybko postanowiła wykorzystać klęskę Francji. Rząd tokijski ostrzegł administrację Pétaina, że dostawy kierowane do wojsk nacjonalistycznych Chin przez Indochiny mają zostać niezwłocznie przerwane. W każdej chwili spodziewano się zbrojnej inwazji na tę francuską kolonię. Francuski gubernator generalny Indochin ugiął się pod naciskiem Japończyków i zezwolił, aby japońskie oddziały i samoloty bojowe stacjonowały w Tonkinie.

Dwudziestego pierwszego czerwca zakończono przygotowania do zawarcia porozumienia kończącego konflikt niemiecko-francuski. Hitler, który od dawna marzył o tej chwili, rozkazał, aby ściągnięto z muzeum do lasku Compiègne wagon kolejowy marszałka Focha, w którym przedstawiciele Niemiec podpisali w 1918 roku zawieszenie broni. Führer miał się w ten sposób odegrać za upokorzenie kładące się cieniem na całym jego dotychczasowym życiu. Zajął miejsce w tym wagonie, wraz z Ribbentropem, swoim zastępcą Rudolfem Hessem, Göringiem, Raederem, Brauchitschem i szefem OKW generałem pułkownikiem Wilhelmem Keitlem, oczekując na przybycie francuskiej delegacji na czele z generałem Huntzigerem. Adiutant Hitlera z SS Otto Günsche miał przy sobie pistolet, na wypadek gdyby francuscy delegaci próbowali zgładzić lub zranić niemieckiego wodza. Podczas gdy Keitel odczytywał warunki zawieszenia broni, Hitler zachowywał milczenie. Potem wyszedł i zatelefonował do Goebbelsa. „Hańba została zmyta – zanotował Goebbels w swoim dzienniku. – Czuję się jak nowo narodzony"[1].

Huntzigera poinformowano, że Wehrmacht będzie okupował północną część Francji oraz wybrzeże atlantyckie. Administracji marszałka Pétaina pozostawiono pozostałe dwie trzecie kraju, zezwalając na zachowanie stutysięcznej armii. Francja musiała płacić koszty niemieckiej okupacji, a przelicznik marki do franka ustalono na groteskowym poziomie. Jednakże Niemcy nie tknęli francuskiej floty ani kolonii. Hitler domyślał się, że w tych dwóch kwestiach Pétain i Weygand nie pójdą na ustępstwa. Chciał też na dobre poróżnić Francuzów z Brytyjczykami i mieć pewność, że ci pierwsi nie przekażą floty wojennej swoim niedawnym sojusznikom – mimo że dowództwu Kriegsmarine zależało na przejęciu francuskiej marynarki wojennej, „by kontynuować wojnę z Wielką Brytanią"[2].

Po podpisaniu, zgodnie z instrukcjami Weyganda, porozumienia o zawieszeniu broni generał Huntziger czuł się bardzo nieswojo. „Jeśli Wielka Brytania nie zostanie rzucona na kolana w ciągu trzech miesięcy – rzekomo miał powiedzieć – to wyjdziemy na największych zbrodniarzy w historii"[3]. Układ rozjemczy oficjalnie zaczął obowiązywać od wczesnych godzin porannych 25 czerwca. Hitler wydał orędzie wysławiające „najwspanialsze zwycięstwo wszech czasów"[4]. Codziennie przez tydzień w całych Niemczech miały bić dzwony, a przez dziesięć dni powiewać wciągnięte na maszty flagi. Następnie, wczesnym rankiem 28 czerwca, Hitler objechał Paryż w towarzystwie rzeźbiarza Arno Brekera oraz architektów Alberta Speera i Hermanna Gieslera. Jak na ironię eskortował ich generał major Hans Speidel, który cztery lata później należał do grona głównych antyhitlerowskich konspiratorów w okupowanej Francji. Paryż nie zrobił na Hitlerze większego wrażenia. Führer twierdził, że jego nowa stolica Rzeszy, Germania, będzie nieporównywalnie świetniejsza. Potem wyjechał do Niemiec, gdzie zaplanował swój triumfalny powrót do Berlina, i rozważał zaproponowanie Wielkiej Brytanii układu, którą to ofertę miał oficjalnie złożyć podczas wystąpienia w Reichstagu.

Jednakże Hitlera głęboko zaniepokoiło zagarnięcie 28 czerwca przez Związek Radziecki rumuńskiej Besarabii i północnej Bukowiny. Ambicje Stalina w owym regionie mogły stanowić zagrożenie dla okolic delty Duna-

---

[1] *TBJG*, cz. I, t. VIII, s. 186.
[2] BA-MA RM 7/255, cyt. za: *GSWW*, t. III, s. 131.
[3] Cyt. za: C. Quétel, *L'impardonnable défaite, 1918–1940*, Paris 2010, s. 384.
[4] *Hitler. Reden und Proklamationen, 1932–1945*, t. 2, red. M. Domarus, Wiesbaden 1973, s. 1533, cyt. za: I. Kershaw, *Hitler, 1936–1945. Nemezis*, tłum. P. Bandel, Poznań 2002, s. 304.

ju i pól naftowych koło Ploeszti, niezwykle ważnych dla niemieckiej gospodarki. Trzy dni później rumuńskie władze wypowiedziały brytyjsko-francuskie gwarancje i wysłały emisariuszy do Berlina. Oś miała zyskać kolejnego sojusznika.

Churchill, nadal nieugięty w postanowieniu kontynuowania walki, podjął tymczasem bardzo trudną decyzję. Najwyraźniej pożałował telegramu wysłanego Rooseveltowi 21 maja, w którym wspomniał o ewentualności brytyjskiej klęski i utraty Royal Navy. Teraz potrzebny mu był jakiś spektakularny gest, za sprawą którego dowiódłby Stanom Zjednoczonym i całemu światu swego niewzruszonego zamiaru zbrojnego opierania się Niemcom. Ponieważ zaś ryzyko przejęcia francuskiej floty przez Niemcy nadal bardzo go zajmowało, zdecydował się na siłowe rozwiązanie tego problemu. Jego kierowane do nowych francuskich władz apele, aby przeniosły swoje okręty wojenne do brytyjskich portów, pozostawały bez odzewu. Wcześniejsze zapewnienia admirała Darlana już nie przekonywały Churchilla, zwłaszcza że Darlan skrycie przystąpił do grona kapitulantów. Składane przez Hitlera gwarancje warunków rozejmowych były natomiast warte tyle co wszystkie jego wcześniejsze obietnice. Francuska flota wojenna nadzwyczaj przydałaby się Niemcom w inwazji na Wielką Brytanię, tym bardziej że Kriegsmarine poniosła dotkliwe straty u wybrzeży Norwegii. Wraz z przystąpieniem do wojny Włoch można było rzucić wyzwanie dominacji Royal Navy na Morzu Śródziemnym.

Neutralizacja potężnych francuskich sił morskich wydawała się niemal niewykonalna. „Powierzamy panu jedno z najbardziej niewdzięcznych i trudnych zadań, jakie kiedykolwiek postawiono przed brytyjskim admirałem"[5], depeszował Churchill do admirała Jamesa Somerville'a, dowodzącego eskadrą H, która poprzedniej nocy wyszła w morze z Gibraltaru. Somerville, podobnie jak większość oficerów Royal Navy, był przeciwny użyciu siły przeciwko sojuszniczej flocie, z którą jeszcze do niedawna ściśle i bez zadrażnień współdziałał. Podał w wątpliwość celowość przeprowadzenia operacji „Catapult" w depeszy do Admiralicji, otrzymując w odpowiedzi bardzo konkretne polecenia. Francuzom miano dać do wyboru: połączenie sił z Brytyjczykami w celu dalszego prowadzenia wojny z Niemcami i Włochami; przejście do któregoś z brytyjskich portów; przepłynięcie do jednego z portów francuskich na Antylach, na przykład na Martynice, albo do Stanów Zjednoczonych; wreszcie zatopienie swoich okrętów w ciągu najbliższych sześciu godzin. Gdyby nie zgodzili się na żadne z tych rozwiązań, wówczas Somerville miał „na rozkaz rządu Jego Królewskiej Mości użyć

---

[5] Cyt. za: C. Smith, *England's Last War against France. Fighting Vichy 1940–1942*, London 2009, s. 62.

koniecznej siły, by zapobiec dostaniu się [francuskich] okrętów w ręce niemieckie lub włoskie"[6].

Na krótko przed świtem we środę 3 lipca Brytyjczycy przystąpili do działania. Oddziały szturmowe opanowały francuskie okręty wojenne, skoncentrowane w portach na południu Wielkiej Brytanii, przy czym obyło się bez większych strat podczas tej akcji. W Aleksandrii admirał Andrew Cunningham zorganizował bardziej „dżentelmeńską" operację, polegającą na zablokowaniu francuskiej eskadry w tamtejszej zatoce. Największa tragedia miała się wydarzyć w Afryce Północnej we francuskim porcie Mers el-Kébir (Al-Marsa al-Kabir) koło Oranu, dawnej bazie piratów z wybrzeża berberyjskiego. Tam, opodal zatoki, pojawił się o świcie niszczyciel HMS „Foxhound", a kiedy tylko podniosła się poranna mgła, emisariusz Somerville'a komandor Cedric Holland nadał sygnał, iż chciałby się rozmówić. Francuski admirał Marcel Gensoul dowodził zespołem złożonym z flagowego okrętu „Dunkerque", a także starych pancerników „Bretagne" i „Provence", nowocześniejszego krążownika liniowego „Strasbourg" oraz niewielkiej flotylli szybkich pełnomorskich niszczycieli. Gensoul nie chciał przyjąć Hollanda, wobec czego ten ostatni dość nieudolnie starał się nawiązać rokowania za pośrednictwem pewnego oficera z pokładu „Dunkerque", którego bardzo dobrze znał.

Gensoul twierdził stanowczo, że francuska flota nigdy nie dopuści, aby jej okręty zostały przejęte przez Niemców czy Włochów. Jeśli zaś Brytyjczycy nadal będą grozili, to jego eskadra podejmie z nimi walkę. Mijał czas, Gensoul nadal odmawiał przyjęcia Hollanda, więc ten przekazał mu pisemne ultimatum z wyszczególnieniem rozwiązań akceptowanych przez stronę brytyjską. O możliwości odpłynięcia na Martynikę lub do Stanów Zjednoczonych, co rozważał nawet admirał Darlan, rzadko się wspomina we francuskich relacjach na temat przebiegu tego incydentu. Być może dlatego, że Gensoul wcale o niej nie wspomniał w swoim meldunku przesłanym Darlanowi.

Dzień robił się coraz bardziej upalny, Holland nie ustawał w próbach porozumienia, lecz Gensoul wciąż nie chciał zmienić swej odpowiedzi. Gdy zbliżał się termin upływu ultimatum, wyznaczony na piętnastą, Somerville polecił załogom samolotów typu Swordfish z lotniskowca „Ark Royal" zrzucenie min magnetycznych u wejścia do zatoki. Liczył, iż przekona w ten sposób Gensoula, że nie blefuje. Ostatecznie Gensoul przystał na osobiste spotkanie z Hollandem, a Brytyjczycy zgodzili się poczekać do 17.30. Francuzi grali na zwłokę, lecz Somerville, wypełniający powierzone mu zadanie z najwyższą niechęcią, brał to pod uwagę. Gdy Holland wszedł na pokład „Dunkerque", bez wątpienia zastanawiając się nad zbieżnością nazwy tego okrętu

---

[6]   TNA ADM 399/192.

(„Dunkierka") z miejscem niedawnej akcji ewakuacyjnej, zwrócił uwagę, że na francuskich jednostkach zarządzono stan gotowości bojowej, a holowniki szykowały się do odciągnięcia czterech okrętów liniowych od przystani.

Gensoul ostrzegł Hollanda, że otwarcie ognia przez Brytyjczyków będzie „równoznaczne z wypowiedzeniem wojny"[7]. Miał zamiar zatopić swoje okręty tylko na wypadek, gdyby Niemcy usiłowali je przejąć. Ale Admiralicja wywierała naciski na Somverille'a, aby szybko załatwił sprawę, ponieważ nasłuch radiowy przechwycił meldunki o wyruszeniu z Algieru eskadry francuskich krążowników. Somerville powiadomił więc Gensoula, że jeśli natychmiast nie wybierze jednej z przedstawionych mu opcji, to brytyjskie okręty zgodnie z ostrzeżeniem o 17.30 rozpoczną atak. Holland musiał szybko wracać. Somerville odczekał jeszcze prawie kolejne pół godziny w nadziei, że francuski dowódca jednak zmieni zdanie.

O 17.54 krążownik liniowy HMS „Hood" oraz pancerniki „Valiant" i „Resolution" otworzyły ogień z głównych dział kalibru 381 mm. Szybko wstrzeliły się w cele. „Dunkerque" i „Provence" doznały poważnych uszkodzeń, natomiast „Bretagne" eksplodował i wywrócił się do góry dnem. Pozostałe francuskie okręty niemal cudem uniknęły zniszczenia, a Somerville przejściowo wstrzymał ogień, aby dać Gensoulowi jeszcze jedną szansę. Nie zauważył przy tym, że „Strasbourg" i dwa z trzech dużych niszczycieli pod osłoną gęstej zasłony dymnej zdołały wydostać się na otwarte morze. Kiedy załoga samolotu obserwacyjnego uprzedziła brytyjską jednostkę flagową o ich ucieczce, Somerville początkowo nie chciał w to uwierzyć, gdyż przypuszczał, że zapobiegła temu postawiona zapora minowa. W końcu „Hood" ruszył w pościg, a samoloty Fairey Swordfish i Skua wystartowały z pokładu „Ark Royal", ale przeprowadzone przez nie ataki się nie powiodły, ponieważ brytyjskie samoloty zostały przechwycone przez francuskie myśliwce, poderwane w powietrze z lotniska w Oranie. Wkrótce potem nad afrykańskim wybrzeżem zapadł zmrok.

Los załóg trafionych okrętów w Mers el-Kébir, zwłaszcza tych marynarzy, którzy nie mogli się wydostać z maszynowni pod pokładem, był straszny. Wielu udusiło się dymem. Ogółem zginęło 1297 Francuzów, a dalszych 350 odniosło rany. Większość ofiar śmiertelnych to skutek wybuchu na „Bretagne". W Royal Navy słusznie uznano operację „Catapult" za najbardziej haniebne zadanie, jakie przyszło kiedykolwiek wykonać brytyjskiej flocie wojennej. Jednakże to nierówne starcie wywołało niezwykłe wrażenie na całym świecie, demonstrując, że Wielka Brytania jest gotowa w razie konieczności wykazywać w walce wielką bezwzględność. W szczególności Roosevelt nabrał przekonania, że Brytyjczycy nie skapitulują. A w Izbie Gmin zgotowano

---

[7] TNA ADM 199/391.

Churchillowi owację i bynajmniej nie z powodu głębokiej niechęci do Francuzów za to, iż skapitulowali przed Niemcami.

Po Mers el-Kébir anglofobia szerząca się we władzach Pétaina, która zresztą wywołała wstrząs wśród amerykańskich dyplomatów, przeobraziła się w gwałtowną nienawiść. Ale nawet Pétain i Weygand zdawali sobie sprawę, że wypowiedzenie wojny Brytyjczykom nie przyniosłoby żadnych korzyści. Ograniczyli się więc po prostu do zerwania stosunków dyplomatycznych z Londynem. Dla Charles'a de Gaulle'a był to rzecz jasna nadzwyczaj trudny okres. Bardzo nieliczni francuscy marynarze i żołnierze, którzy znaleźli się w Wielkiej Brytanii, zgłosili akces do organizowanych przezeń wojsk, które początkowo liczyły zaledwie kilkuset ludzi. Tęskniąca za krajem większość ewakuowanych domagała się repatriacji.

Także Hitlerowi wypadki te musiały dać do myślenia w trakcie przygotowań do jego triumfalnego wjazdu do Berlina. Miał zamiar złożyć Wielkiej Brytanii „ofertę pokojową" tuż po powrocie do stolicy, ale teraz jakby się zawahał.

Większość Niemców, lękając się wcześniej kolejnej krwawej łaźni we Flandrii i w Szampanii, nie posiadała się z radości po zdumiewająco szybkim zwycięstwie nad Francuzami. Tym razem nabrali już pewności, że wojna niebawem się skończy. Podobnie jak francuscy kapitulanci byli przeświadczeni, że Wielka Brytania samotnie się nie obroni. Uważano, że Churchill zostanie obalony przez frakcję dążącą do zawarcia pokoju. W sobotę 6 lipca dziewczęta w uniformach Bund Deutscher Mädel (BDM), żeńskiego odpowiednika Hitlerjugend, usłały kwiatami ulice wiodące od Anhalter Bahnhof, dworca kolejowego, na którym oczekiwano przyjazdu Hitlera, aż do samej Kancelarii Rzeszy. Niezliczone tłumy zebrały się już na sześć godzin przed jego przybyciem. Panowało niezwykłe podniecenie, zwłaszcza wobec osobliwie stonowanych reakcji w Berlinie na wieść o zajęciu Paryża przez niemieckie wojska. Radość znacznie przewyższała ferwor, jaki zapanował w Niemczech po anszlusie, czyli przyłączeniu Austrii do Rzeszy. Nawet przeciwników nazistowskiego reżimu ogarnęła powszechna radość ze zwycięstwa. Tym razem podgrzewała ją nienawiść do Wielkiej Brytanii, jedynej przeszkody pozostałej na drodze do zaprowadzenia w całej Europie *Pax Germanica*.

W iście antycznorzymskim pochodzie triumfalnym Hitlera zabrakło tylko jeńców skutych łańcuchami i niewolnika podszeptującego wodzowi na ucho, że też jest śmiertelny[8]. Przybywał w słoneczne popołudnie, co znów zdawało się potwierdzać cud „pogody Führera", dopisującej w Trzeciej Rze-

---

[8]   Na temat powrotu Hitlera do Berlina zob. I. Kershaw, *Hitler, 1936–1945, op. cit.*, s. 305–311; por. także R. Moorhouse, *Stolica Hitlera. Życie i śmierć w wojennym Berlinie*, tłum. J. Wąsiński, Kraków 2011, s. 89–91.

szy na wyjątkowe okazje. Pod drodze mijał „wiwatujące tysięczne tłumy, które krzyczały i płakały w rozgorączkowanej histerii"[9]. Po tym jak kawalkada z sześciokołowym mercedesem Hitlera dojechała do Kancelarii Rzeszy, ogłuszające, wyrażające podziw okrzyki dziewcząt z BDM wymieszały się z owacją zgromadzonych, wzywających Führera do pokazania się na balkonie gmachu.

Kilka dni później Hitler ostatecznie się zdecydował. Roztrząsając możliwe strategie przeciwko Wielkiej Brytanii i po omówieniu planów działań z dowództwem Wehrmachtu, wydał „dyrektywę nr 16 dotyczącą przygotowań do operacji desantowej w Anglii". Wstępne założenia planu inwazji na Wielką Brytanię, znane pod nazwą „Studie Nordwest", opracowano już w grudniu 1939 roku[10]. Jednak jeszcze przed tym jak Kriegsmarine opłaciła dotkliwymi stratami kampanię norweską, admirał Raeder uzależniał przeprowadzenie operacji inwazyjnej od uprzedniego wywalczenia przez Luftwaffe panowania w powietrzu. Halder, wypowiadając się w imieniu wojsk lądowych, przekonywał, że inwazja na Anglię to ostateczność.

Kriegsmarine stanęła w obliczu niemal niewykonalnego zadania zgromadzenia wystarczającej liczby okrętów i barek do przerzutu za kanał La Manche pierwszej fali stu tysięcy żołnierzy z czołgami, transportem motorowym i sprzętem wojskowym. Należało też uwzględnić zdecydowaną przewagę sił nawodnych Royal Navy. Początkowo OKH wyznaczyło do składu wojsk inwazyjnych 6., 9. i 16. Armię, rozmieszczone wzdłuż wybrzeży La Manche od Cherbourga na półwyspie Cotentin do Ostendy. Później zredukowano te siły do 9. i 16. Armii, które miały wylądować w Anglii na odcinku pomiędzy Worthing a Folkestone.

Spory dzielące poszczególne rodzaje niemieckich sił zbrojnych, a dotyczące problemów nie do przezwyciężenia, czyniły przeprowadzenie desantu na Anglię coraz mniej prawdopodobnym przed nastaniem niesprzyjającej jesiennej pogody. Jedynym członem nazistowskiej administracji, który wydawał się poważnie traktować plany inwazji na Wyspy Brytyjskie, był Główny Urząd Bezpieczeństwa Rzeszy (Reichssicherheitshauptamt, RSHA) dowodzony przez Himmlera, w którego skład wchodziły Gestapo i Służba Bezpieczeństwa (Sicherheitsdienst, SD). Wydział kontrwywiadowczy tej organizacji kierowany przez Waltera Schellenberga sporządził nadzwyczaj szczegółowe (miejscami wręcz groteskowo drobiazgowe) dossier na temat Wielkiej Brytanii, wraz z „listą specjalną poszukiwanych"[11] 2820 osób, które Gestapo zamierzało aresztować od razu po zakończeniu inwazji.

---

[9] „The New York Times", 7 lipca 1940.
[10] Studium ukończone 13 grudnia 1940 r.; BA-MA RM 7/894, cyt. za: *GSWW*, t. IX/1, s. 525, przyp. 11.
[11] Na temat tej *Sonderfahndungsliste* zob. W. Schellenberg, *Invasion 1940. The Nazi Invasion Plan for Britain*, London 2000.

Hitlera skłaniały do ostrożności inne powody. Martwił się, że rozpad brytyjskiego imperium mógłby ułatwić Stanom Zjednoczonym, Japonii i Związkowi Radzieckiemu zagarnięcie brytyjskich kolonii. Postanowił, że do operacji „Lew Morski" (Seelöwe) dojdzie tylko wtedy, jeśli Göring, niedawno awansowany do nowej rangi marszałka Rzeszy, zdoła rzucić Brytyjczyków na kolana za pomocą swojej Luftwaffe. W rezultacie inwazji na Wielką Brytanię nigdy nie traktowano na najwyższych szczeblach Trzeciej Rzeszy pierwszoplanowo.

Luftwaffe nie była jeszcze w pełni gotowa do walki. Göring przypuszczał, że Brytyjczycy zgodzą się na porozumienie pokojowe po klęsce Francji, a jego *Luftflotten* (floty powietrzne) potrzebowały czasu na uzupełnienia sprzętu. Niemieckie straty w Holandii, Belgii i we Francji były znacznie wyższe od oczekiwanych. Łącznie Luftwaffe straciła 1284 maszyny, natomiast RAF 931 samolotów. Także przemieszczenie jednostek myśliwskich i bombowych na lotniska w północnej Francji potrwało dłużej, niż zakładano. Na początku lipca Luftwaffe koncentrowała się więc na atakowaniu żeglugi na kanale La Manche, u ujścia Tamizy i na Morzu Północnym. Działania te Niemcy określali mianem *Kanalkampf* („walki o kanał La Manche"). Działania zaczepne, przeprowadzane głównie przez bombowce nurkujące Stuka oraz Schnellbooty (szybkie kutry torpedowe, nazywane przez Brytyjczyków *E-boats*), w praktyce uniemożliwiły brytyjskim konwojom korzystanie z kanału La Manche.

Dziewiętnastego lipca Hitler wygłosił długie przemówienie do deputowanych Reichstagu oraz czołowych dowódców wojskowych podczas zorganizowanego z wielką pompą zlotu w gmachu opery Krolla. Wychwalał nazistowską generalicję i niemieckie osiągnięcia militarne, po czym zajął się kwestią Anglii, atakując Churchilla jako podżegacza wojennego i „apelując do rozsądku"[12], który to apel został niezwłocznie odrzucony przez brytyjski rząd. Hitler zupełnie nie rozumiał, że Churchill zapewnił sobie w Wielkiej Brytanii pozycję niepodważalnego przywódcy, gdyż uosabiał niewzruszoną determinację całej ludności brytyjskiej.

Frustracja Hitlera była tym silniejsza, że działo się to wkrótce po kapitulacji Francuzów podpisanej w wagonie kolejowym w lasku Compiègne i w warunkach wielkiego wzrostu niemieckiej potęgi. Okupowanie przez Wehrmacht północnej i zachodniej Francji zapewniło Niemcom ułatwiony dostęp do hiszpańskich surowców oraz bazy morskie na wybrzeżach Atlantyku. Alzacja, Lotaryngia, Wielkie Księstwo Luksemburga oraz region Eupen i Malmedy we wschodniej Belgii zostały wcielone do Rzeszy. Włosi kontrolowali część południowo-wschodniej Francji, a resztę południowo-

---

[12] *Hitler. Reden und Proklamationen, 1932–1945*, t. 2, *op. cit.*, s. 1558.

-środkowej części tego kraju, tak zwaną strefę nieokupowaną, pozostawiono „państwu francuskiemu" marszałka Pétaina, ze stolicą w uzdrowisku Vichy.

Dziesiątego lipca, tydzień po wydarzeniach w Mers el-Kébir, francuskie Zgromadzenie Narodowe zebrało się w gmachu Grand Casino w Vichy. Deputowani oddali pełnię władzy Pétainowi, przy sprzeciwie zaledwie osiemdziesięciu z sześciuset czterdziestu dziewięciu głosujących. Trzecia Republika ostatecznie przestała istnieć. Państwo Francuskie (L'État Français), rzekomo odradzające tradycyjne cnoty pod hasłami „pracy, rodziny i ojczyzny", w istocie wytworzyło atmosferę moralnej i politycznej duszności, ksenofobiczną i represyjną. Nigdy nie przyznano oficjalnie, że rząd Vichy pomagał nazistowskim Niemcom, sprawując władzę policyjną w nieokupowanej Francji w zgodzie z niemieckimi interesami.

Francja nie tylko musiała finansować okupację własnego kraju przez Niemców, ale również spłacić piątą część kosztów prowadzonej do tej pory wojny. Sporządzane w Berlinie szacunki i kalkulacje oraz sztucznie zawyżony kurs marki w stosunku do franka nie podlegały żadnym dyskusjom. Stawiało to w wielce uprzywilejowanej sytuacji okupacyjną armię. „Można tu teraz kupić mnóstwo za nasze pieniądze – pisał pewien niemiecki żołnierz – i wydajemy sporo grosza. Stacjonujemy w dużej wsi, a w tutejszym sklepie prawie wszystko zostało wykupione"[13]. W sklepach w Paryżu znikał z półek cały towar, głównie za sprawą niemieckich oficerów na urlopach. Ponadto władze nazistowskie mogły korzystać ze wszelkich zapasów surowców niezbędnych dla przemysłu wojennego Rzeszy. Z kolei łupy militarne, w postaci broni, pojazdów i koni, zaspokoiły znaczną część potrzeb Wehrmachtu przed inwazją na Związek Radziecki, która rozpoczęła się rok później.

Tymczasem przemysł francuski przeorganizował się stosownie do wymagań zwycięzców, a dzięki francuskiemu rolnictwu ludności Niemiec zaczęło się żyć dostatniej niż w którymkolwiek okresie od czasu pierwszej wojny światowej. Przydziały mięsa, tłuszczów i cukru dla Francuzów były mniej więcej o połowę mniejsze od tych, które przysługiwały ich okupantom. Niemcy uznawali taki stan rzeczy za odpłatę za głodne lata po poprzedniej wojnie. Z kolei Francuzów pocieszano, że kiedy tylko Wielka Brytania zgodzi się na zawarcie ostatecznego porozumienia pokojowego, wówczas warunki życia wszędzie ulegną poprawie.

Po Dunkierce i kapitulacji Francji Brytyjczycy byli w stanie szoku podobnym do tego, jakiego doznaje raniony żołnierz, który chwilowo nie odczuwa bólu. Wiedzieli, że sytuacja jest rozpaczliwa lub wręcz katastrofalna, a armia brytyjska porzuciła niemal całe uzbrojenie i wszystkie pojazdy

---

[13] Szeregowy Paul Lehmann, 62. Dywizja Pancerna, 28 czerwca 1940 r., BfZ-SS.

za kanałem La Manche. A jednak podniesieni na duchu przez słowa Churchilla prawie godzili się z surowymi realiami. Dawała pewną pociechę wiara, że choć Brytyjczykom zawsze źle szło na początku każdej wojny, to „wygrają ostatnią bitwę" – jeśli nawet nikt nie miał pojęcia, jakim cudem. Wielu, w tym król, odczuwało ulgę, że Francuzi nie są już brytyjskimi sojusznikami. Dowódca RAF-u Dowding stwierdził później, że na wieść o poddaniu się Francji uklęknął i dziękował Bogu, iż nie trzeba już wystawiać na ryzyko zniszczenia za kanałem La Manche kolejnych brytyjskich myśliwców[14].

Brytyjczycy spodziewali się, że Niemcy dokonają inwazji zaraz po podboju Francji. Generał Alan Brooke, obarczony odpowiedzialnością za obronę południowego wybrzeża Anglii, nadzwyczaj niepokoił się brakiem broni, wozów opancerzonych i wyszkolonych oddziałów. Brytyjskich szefów sztabów jeszcze bardziej dręczyło widmo zagrożenia wytwórni lotniczych, produkujących dla RAF-u samoloty na miejsce tych utraconych we Francji. Jednak okres, jaki Luftwaffe przeznaczyła na szykowanie uderzenia na Wielką Brytanię, umożliwił poczynienie niezbędnych przygotowań także stronie brytyjskiej.

W owym czasie Brytyjczycy mieli prawdopodobnie zaledwie około siedmiuset myśliwców, niemniej jednak Niemcy nie docenili faktu, że ich przeciwnik jest w stanie produkować czterysta siedemdziesiąt samolotów myśliwskich miesięcznie, czyli dwukrotnie więcej, niż wytwarzał przemysł zbrojeniowy Rzeszy. Poza tym dowództwo Luftwaffe było przekonane o zdecydowanej wyższości swoich pilotów i maszyn. RAF stracił stu trzydziestu sześciu pilotów, zabitych lub wziętych do niewoli we Francji. Nawet wzmocnione lotnikami innych narodowości brytyjskie lotnictwo odczuwało dotkliwe braki kadrowe. Do szkół pilotażu kierowano maksymalnie wielu ludzi, lecz w istocie niedoświadczeni piloci pierwsi padali ofiarą nieprzyjacielskich lotników.

Najliczniejszy zagraniczny kontyngent stanowili Polacy: do Wielkiej Brytanii przybył liczący osiem tysięcy osób personel polskich sił powietrznych. Wprawdzie polscy lotnicy mieli doświadczenie bojowe, ale wprowadzanie ich w składy RAF-u przebiegało powoli. Toczyły się trudne negocjacje z generałem Sikorskim, który domagał się zorganizowania niezależnego polskiego lotnictwa wojskowego. Jednakże kiedy pierwsze grupy polskich pilotów znalazły się już w składzie Ochotniczej Rezerwy RAF-u (Royal Air Force Volunteer Reserve, RAFVR), szybko dowiodły swej wartości. Brytyjscy piloci często wspominali o „szalonych Polakach", ze względu na odwagę i niesubordynację tych ostatnich. Polacy nie skrywali poirytowania z powodu biurokracji w RAF-ie, lecz zarazem przyznawali też, że w brytyjskim

---

[14]   Cyt. za: M. Hastings, *Finest Years. Churchill as Warlord, 1940–45*, London 2009, s. 67.

lotnictwie wojskowym panują dużo lepsze porządki niż we francuskich siłach powietrznych[15].

Dyscyplina nierzadko nastręczała problemy, częściowo dlatego, że polscy piloci nadal krytykowali swoich dowódców za fatalny stan polskiego lotnictwa w czasie niemieckiej agresji we wrześniu poprzedniego roku. Palili się wtedy do walki z Luftwaffe przeświadczeni, że choć ich myśliwce typu PZL P.11 są powolne i słabo uzbrojone, to braki te można było nadrobić umiejętnościami i osobistą odwagą. Jednak w 1939 roku polskie lotnictwo musiało ulec liczebnej i technicznej przewadze niemieckich flot powietrznych. To gorzkie doświadczenie, nie wspominając już o okrutnym potraktowaniu ich kraju przez Hitlera i Stalina, wzbudziło w Polakach gorące pragnienie odwetu, kiedy w Wielkiej Brytanii otrzymali nowoczesne myśliwce. Wyżsi rangą oficerowie RAF-u mylili się wielce, arogancko zakładając, że na Polaków wpłynęła „demoralizująco" poniesiona przez nich klęska; w dowództwie RAF-u chciano przeszkolić polskich pilotów myśliwskich i skierować ich do dywizjonów bombowych.

Dla Polaków poważnym wstrząsem okazały się postawa i sposób bycia, a także kuchnia Brytyjczyków. Ledwie mogli przełknąć kanapki z pastą rybną, którymi ich poczęstowano, gdy znaleźli się w Anglii, a jeszcze bardziej przeraziły ich takie typowo brytyjskie specjały kulinarne jak rozgotowana baranina z kapustą czy wszechobecne puddingi (które odstręczały też żołnierzy Wolnej Francji). Ale Polaków ujęło i zdumiało gorące przyjęcie zgotowane im przez brytyjską ludność, wznoszącą okrzyki: „Niech żyje Polska!". Polscy piloci, uważani za atrakcyjnych, pełnych werwy i dzielnych, wzbudzali wielkie zainteresowanie młodych Brytyjek, które w warunkach wojny korzystały po raz pierwszy z pewnej obyczajowej swobody. Bariera językowa stwarzała mniej kłopotów na parkietach tanecznych niż w powietrzu.

Opinie o polskich pilotach jako o odważnych ryzykantach były nieco mylące. W rzeczywistości Polacy ponosili mniejsze straty niż inni lotnicy RAF-u, częściowo ze względu na swoje doświadczenie, a po części dlatego, że mieli zwyczaj nieustannego rozglądania się w powietrzu, unikając pułapek zastawianych przez niemieckie myśliwce. Z pewnością byli indywidualistami i odnosili się bardzo niechętnie do przestarzałej taktyki RAF-u operowania w przestrzeni powietrznej w ciasnych szykach trójkowych, na kształt litery V. Musiało upłynąć sporo czasu, okupionego wieloma niepotrzebnymi stratami, zanim w RAF-ie zaczęto kopiować niemiecki system, wypracowany

---

[15] Więcej na temat polskich lotników w Wielkiej Brytanii zob. np. A. Zamoyski, *Orły nad Europą. Losy polskich lotników w czasie drugiej wojny światowej*, tłum. T. Kubikowski, Kraków 2004.

podczas hiszpańskiej wojny domowej, który polegał na operowaniu w podwójnych parach, znanych jako formacja czterech palców (*finger four*).

Do 10 lipca w dywizjonach myśliwskich RAF-u znalazło się czterdziestu polskich pilotów, a liczba ta stale wzrastała, gdyż z przeszkolenia napływali do jednostek kolejni, którzy przybywali z Francji. W szczytowym okresie powietrznej bitwy o Anglię ponad dziesięć procent pilotów myśliwskich dywizjonów w południowo-wschodniej części Wielkiej Brytanii stanowili Polacy. Trzynastego lipca sformowano pierwszy polski dywizjon. W ciągu kolejnego miesiąca brytyjskie władze zgodziły się na to, by Sikorski utworzył osobne dywizjony myśliwskie i bombowe w składzie polskich sił powietrznych, tyle że podległe dowództwu RAF-u.

Trzydziestego pierwszego lipca Hitler wezwał dowódców Wehrmachtu do Berghofu koło Berchtesgaden. Wciąż był zdumiony tym, że Wielka Brytania odrzuciła jego pokojowe propozycje. Skoro perspektywy przystąpienia Stanów Zjednoczonych do wojny w najbliższej przyszłości były małe, Hitler domyślał się, że Churchill liczy na Związek Radziecki. To właśnie w znacznym stopniu skłoniło Führera do przystąpienia do realizacji najambitniejszego projektu – zniszczenia „żydobolszewizmu" na wschodzie. Tylko rozbicie sowieckiego kolosa za pomocą wielkiej inwazji zmusiłoby Wielką Brytanię do ugody z Niemcami, rozumował. A zatem determinacja, wykazana pod koniec maja przez Churchilla, który dążył do tego, aby Brytyjczycy samotnie kontynuowali walkę, miała znacznie poważniejsze skutki od przesądzenia o losie Wysp Brytyjskich.

„Wraz ze zgnieceniem Rosji – mówił Hitler dowódcom swoich wojsk – ostatnia nadzieja Wielkiej Brytanii legnie w gruzach. Niemcy zapanują wtedy w Europie i na Bałkanach"[16]. Tym razem niemiecka generalicja, która wcześniej, przed uderzeniem na Francję, okazywała nerwowość, zaprezentowała jednomyślną postawę wobec perspektyw ataku na Związek Radziecki. Nie czekając nawet na bezpośrednie rozkazy Hitlera, Halder polecił swoim sztabowcom opracowanie wstępnych planów takiej operacji.

W atmosferze euforii po zwycięstwie nad Francją i pełnego rewanżu za upokorzenie w Wersalu dowództwo Wehrmachtu wychwalało Führera jako „pierwszego żołnierza Rzeszy"[17], który miał na wieczność zapewnić bezpieczeństwo Niemcom. Dwa tygodnie później Hitler, po cichu podkpiwając z tego, jak łatwo przychodzi mu zjednywanie sobie czołowych dowódców

---

[16] Cyt. za: F. Halder, *Dziennik wojenny. Codzienne zapisy szefa Sztabu Generalnego Wojsk Lądowych 1939–1942*, t. 2: *Od planów inwazji na Anglię do początku kampanii na Wschodzie (1.7.1940–21.6.1941)*, tłum. W. Kozaczuk, Warszawa 1973, s. 53.

[17] BA-MA RH 191/50, cyt. za: *GSWW*, t. IX/1, s. 529.

zaszczytami, orderami i pieniędzmi, wręczył buławy marszałków polowych dwunastu generałom, którzy podbili Francję. Zanim jednak wystąpił przeciwko Związkowi Radzieckiemu, co po podbiciu Francji wydawało mu się „dziecięcą zabawą"[18], wciąż czuł się zobowiązany do zawarcia porozumienia z Wielką Brytanią, by uniknąć wojny na dwóch frontach. Dyrektywa OKW polecała Luftwaffe rozpoczęcie przygotowań do zniszczenia RAF-u wraz z „ich naziemnymi strukturami i brytyjskim przemysłem lotniczym"[19], a także do ataku na porty i okręty wojenne przeciwnika. Göring przewidywał, że ta kampania powietrzna potrwa niecały miesiąc. Morale jego pilotów było wysokie wobec zwycięstwa nad Francją i posiadanej przewagi liczebnej. Formacje Luftwaffe w okupowanej Francji miały 656 myśliwców Messerschmitt Bf 109, 168 dwusilnikowych myśliwskich Bf 110, 769 bombowców Dornier Do 17, Heinkel He 111 i Junkers Ju 88 oraz 316 bombowców nurkujących Ju 87 Stuka. Dowding mógł im przeciwstawić tylko 504 hurricane'y i spitfire'y.

Zanim doszło do zasadniczej konfrontacji na początku sierpnia, dwa Fliegerkorps z północnej Francji skupiły się na lokalizowaniu lotnisk RAF-u. Niemcy przeprowadzali wstępne naloty, aby zmusić do podjęcia walk powietrznych brytyjskie myśliwce i osłabić ich formacje jeszcze przed rozpoczęciem walnej bitwy, ponadto atakowali stacje radarowe na wybrzeżu. Dzięki radarom, a także służbie Korpusu Obserwacyjnego i dobrej łączności z centrami dowodzenia, samoloty RAF-u nie musiały trwonić czasu na loty patrolowe nad kanałem La Manche. Przynajmniej teoretycznie brytyjskie dywizjony myśliwskie po alarmowym starcie miały dostatecznie dużo czasu na osiągnięcie odpowiedniego pułapu, w dodatku mogły zjawiać się w rejonie walk z zapasem paliwa umożliwiającym względnie długotrwałe loty bojowe. Na szczęście dla Brytyjczyków wieże radarowe okazały się celami dość trudnymi do zniszczenia, jeśli zaś nawet były uszkadzane, to szybko przywracano je znowu do stanu używalności.

Dowding zatrzymał w Anglii dywizjony wyposażone w nowocześniejsze spitfire'y w czasie walk nad Francją, wprowadzając je do walki dopiero dla osłony ewakuacji z Dunkierki. Później też oszczędzał siły RAF-u, domyślając się celów niemieckiej taktyki. Dowding mógł sprawiać wrażenie człowieka wyniosłego i zgorzkniałego po śmierci żony w 1920 roku, niemniej jednak w istocie bardzo się troszczył o swoich „drogich chłopców z dywizjonów myśliwskich"[20], ci zaś odwzajemniali tę lojalność. Dobrze wiedział, co

---

[18] A. Speer, *Wspomnienia*, tłum. M. Fijałkowski *et al.*, Warszawa 1973, s. 203.
[19] BA-MA RL 2/v. 3021, cyt. za: *GSWW*, t. II, s. 378.
[20] P. Bishop, *Fighter Boys. The Battle of Britain, 1940*, London 2003, s. 239.

się szykuje. Dołożył również wszelkich starań, ażeby odpowiedni człowiek objął dowodzenie 11. Grupą Myśliwską, broniącą Londynu i południowo--wschodniej Anglii. Był nim *Air Marshal* (generał dywizji) Keith Park, Nowozelandczyk, który w poprzedniej wojnie światowej osobiście zestrzelił dwadzieścia niemieckich samolotów. Podobnie jak Dowding Park umiał słuchać swoich pilotów i pozwalał im na odrzucanie przestarzałej przedwojennej taktyki prowadzenia walk powietrznych oraz rozwijanie własnej, skuteczniejszej.

Tamtego przełomowego lata brytyjskie lotnictwo myśliwskie przeobraziło się w wielonarodowe siły powietrzne. Z 2917 lotników, którzy walczyli w bitwie o Anglię, tylko 2334 było Brytyjczykami. Pozostała część to: stu czterdziestu pięciu Polaków, stu dwudziestu sześciu Nowozelandczyków, dziewięćdziesięciu ośmiu Kanadyjczyków, osiemdziesięciu ośmiu Czechów, trzydziestu trzech Australijczyków, dwudziestu dziewięciu Belgów, dwudziestu pięciu Południowoafrykańczyków, trzynastu Francuzów, jedenastu Amerykanów, dziesięciu Irlandczyków oraz przedstawiciele kilku innych nacji.

Do pierwszego większego starcia doszło jeszcze przed oficjalnym rozpoczęciem niemieckiej ofensywy powietrznej. Dwudziestego czwartego lipca Adolf Galland poprowadził formację czterdziestu Bf 109 i osiemnastu bombowców Dornier Do 17 do ataku na konwój koło ujścia Tamizy. Do walki z tym zgrupowaniem wystartowały spitfire'y z trzech dywizjonów myśliwskich. Choć faktycznie zestrzeliły tylko dwa niemieckie samoloty – zgłaszając strącenie szesnastu – to Galland był wstrząśnięty determinacją ustępujących liczebnie Niemcom brytyjskich pilotów. Zbeształ swoich lotników po powrocie do bazy za niechęć do wdawania się w bój ze spitfire'ami i zaczął podejrzewać, że nadchodząca batalia nie będzie wcale taka łatwa, wbrew przewidywaniom marszałka Rzeszy Göringa.

Niemiecka ofensywa powietrzna otrzymała typowy dla nazistów szumny kryptonim „Adlerangriff" (Atak Orła), a datę jej rozpoczęcia, czyli „Adlertag" (Dzień Orła), wyznaczono na 13 sierpnia, wcześniej kilkakrotnie odraczając ten termin. Po okresie niepewności, wywołanej niejasnymi prognozami pogody, formacje niemieckich bombowców i myśliwców poderwano w powietrze. Największe zgrupowanie miało uderzyć na bazę floty wojennej w Portsmouth, a pozostałe zaatakować lotniska RAF-u. Pomimo rozpoznania powietrznego Luftwaffe dysponowała nieścisłymi danymi wywiadowczymi. Większość niemieckich samolotów przeprowadziła naloty na pomniejsze lotniska i bazy, które nie podlegały Fighter Command. Gdy tego popołudnia pogoda się poprawiła, radary na południowym wybrzeżu Anglii pokazały około trzystu nieprzyjacielskich samolotów kierujących się ku Southampton. Rzucono przeciwko nim osiemdziesiąt myśliwców – liczbę niewyobrażalną w poprzednich tygodniach. Sześćset dziewiąty Dywizjon RAF-u zdołał dopaść grupę stukasów i zestrzelić sześć z nich.

Ogółem myśliwce RAF-u strąciły tego dnia czterdzieści siedem niemieckich samolotów, tracąc trzynaście własnych i trzech poległych pilotów. Ale niemieckie straty w ludziach były znacznie dotkliwsze i wynosiły osiemdziesięciu dziewięciu zabitych lub wziętych do niewoli lotników. Teraz kanał La Manche stanowił czynnik korzystny dla RAF-u. Podczas kampanii francuskiej powracający do bazy piloci uszkodzonych w walce brytyjskich samolotów bali się przymusowego wodowania na wodach La Manche. Obecnie to Niemcy stanęli w obliczu takiego niebezpieczeństwa, mając także pewność, że trafią do niewoli, jeśli przyjdzie im skakać ze spadochronem nad Anglią.

Göring, któremu dopiekły do żywego rozczarowujące rezultaty operacji „Adlertag", postanowił przeprowadzić jeszcze większy nalot 15 sierpnia, z udziałem 1790 myśliwców i bombowców, atakujących z lotnisk w Norwegii i Danii oraz w północnej Francji. Jednostki 5. Floty Powietrznej z baz w Skandynawii straciły prawie dwadzieścia procent swego stanu i w praktyce wypadły z uczestnictwa w bitwie o Anglię. W Luftwaffe określono ów dzień mianem „czarnego czwartku", ale i w RAF-ie miano niewiele powodów do świętowania. Brytyjskie straty również były znaczne, a dzięki utrzymanej przewadze ilościowej niemieckie lotnictwo nadal przedzierało się przez defensywę przeciwnika. W rezultacie nieustannych nalotów na lotniska ginęli także monterzy, mechanicy, ordynansi, a nawet kierowcy oraz personel Pomocniczej Lotniczej Służby Kobiet (Women's Auxiliary Air Force, WAAF). Osiemnastego sierpnia 43. Dywizjon RAF-u odegrał się częściowo na przeciwniku, kiedy myśliwce tej jednostki dopadły grupę bombowców nurkujących typu Stuka atakujących stację radarową. Zestrzeliły osiemnaście tych stosunkowo powolnych samolotów, zanim weszła do walki eskorta złożona z myśliwskich Bf 109.

Świeżo przeszkoleni piloci, którymi uzupełniano skład osobowy jednostek, gorączkowo wypytywali o wszystko tych, którzy brali już udział w walkach. Wpadali w rodzaj kieratu. Budzeni przed świtem na filiżankę herbaty przez ordynansów, jechali następnie do punktu zbornego, gdzie jedli śniadanie, a potem wyczekiwali na wschód słońca. Na nieszczęście dla Fighter Command w trakcie tamtego sierpnia i września pogoda nad Anglią zdecydowanie sprzyjała Luftwaffe – niebo było czyste i bezchmurne.

To oczekiwanie było najgorsze. Właśnie wtedy pilotom zasychało w ustach i czuli metaliczny posmak strachu. Wtedy nagle rozlegał się budzący postrach dzwonek polowego telefonu i okrzyk: „Alarm dla dywizjonu!". Piloci biegli do swoich samolotów, a spadochrony ciążyły im na plecach. Personel naziemny pomagał lotnikom wgramolić się do kabin, gdzie sprawdzano, czy wszystko jest w należytym porządku. Kiedy silniki typu Merlin zaczynały huczeć, zabierano klocki blokujące podwozie, a maszyny kołowały na pozycję do startu; przynajmniej w owej chwili mieli za dużo na głowie, żeby się bać.

Już w powietrzu, gdy silniki pracowały na pełnych obrotach, a samoloty nabierały wysokości, nowicjusze w gronie pilotów musieli pamiętać o tym, aby pilnie rozglądać się wokoło. Rychło zaczynali rozumieć, że ich bardziej doświadczeni koledzy nie nosili jedwabnych szalików tylko dla ozdoby. Od nieustannego kręcenia głową przepisowe kołnierzyki i krawaty ocierały szyje. Nowym pilotom myśliwskim powtarzano ciągle, żeby „bez przerwy mieli oczy szeroko otwarte". Jeśli przeżywali pierwszy lot bojowy – a wielu nie przeżywało – wracali do baz, by tam znowu czekać na start, posilając się kanapkami z wołowiną konserwową popijaną kubkami herbaty, podczas gdy w ich samolotach uzupełniano paliwo i amunicję. Większość natychmiast zasypiała z wyczerpania na ziemi albo na leżakach[21].

Po pewnym czasie znowu byli w powietrzu, a kontrola lotów w danym sektorze naprowadzała ich na formację „bandytów" (samolotów nieprzyjaciela). Okrzyk „*Tally-ho!*"[22] na falach radiowych oznaczał wypatrzenie grupy czarnych punkcików na niebie. Piloci włączali celowniki, a napięcie narastało. Najważniejsze było zdyscyplinowanie i okiełznanie strachu, w przeciwnym razie szybko się ginęło.

Główne zadanie polegało na rozbiciu formacji bombowców, zanim Bf 109 z ich osłony zdążyły zainterweniować. Jeśli kilka dywizjonów myśliwskich naprowadzano na zgrupowanie przeciwnika, wtedy nieco szybsze spitfire'y atakowały myśliwce wroga, a hurricane'y starały się poradzić sobie z bombowcami. W jednej chwili wycinek nieba stawał się sceną chaosu, a piloci nurkujących samolotów dążyli to zajęcia pozycji umożliwiającej oddanie krótkiej serii z broni maszynowej, jednocześnie uważając na to, co się dzieje za nimi. Przesadne koncentrowanie się na celu ataku dawało nieprzyjacielskim myśliwcom sposobność do wejścia lotnikowi „na ogon". Niektórzy z niedoświadczonych pilotów czuli się sparaliżowani, gdy przyszło im strzelać po raz pierwszy. Jeżeli nie potrafili się otrząsnąć z takiego paraliżu, już było po nich.

---

[21] Życie codzienne pilotów dywizjonów myśliwskich RAF-u zob.: P. Bishop, *Fighter Boys*, *op. cit.*; J. Holland, *The Battle of Britain*, London 2010; L. Forrester, *Fly for Your Life. The Story of Bob Stanford Tuck*, London 1956.
[22] W żargonie myśliwych „Hejże!", czy też „Bywaj!" (przyp. tłum.).

W momencie gdy trafiony został silnik, tryskały glikol lub olej i zalewały owiewkę. Najbardziej obawiano się pożaru samolotu. Żar mógł spowodować zacięcie się osłony kabiny, lecz nawet jeśli pilotowi udawało się ją odrzucić i porozpinać pasy, musiał obrócić maszynę grzbietem w dół, aby z niej wypaść. Wielu było tak zdezorientowanych oszałamiającymi wydarzeniami, że musiało przypominać sobie o konieczności pociągnięcia linki otwierającej spadochron. Jeśli mieli okazję rozejrzeć się wokół podczas opadania ze spadochronem, nierzadko przekonywali się, że niebo, na którym dopiero co roiło się od samolotów, jest już zupełnie opustoszałe.

O ile walka nie toczyła się nad wodami kanału La Manche, to zestrzeleni piloci RAF-u wiedzieli przynajmniej, że spadają na własne terytorium. Polacy i Czesi pojmowali jednak, iż pomimo mundurów, jakie mieli na sobie, mogą zostać uznani za Niemców przez nadgorliwą miejscową ludność czy też członków Home Guard. Zdarzyło się tak, że spadochron jednego z polskich pilotów, Czesława Tarkowskiego, zaplątał się w koronie dębu. „Nadbiegli ludzie z widłami i sztachetami – wspominał. – Jeden z nich, uzbrojony w strzelbę, wrzeszczał: »*Hände hoch!*« (Ręce do góry!). Odpowiedziałem mu w swojej najlepszej angielszczyźnie: »*Fuck off*« (Odpieprz się). Ponure twarze natychmiast się rozweseliły. »To jeden z naszych!« – zakrzyknęli chórem"[23]. Inny Polak wylądował pewnego popołudnia na kortach bardzo szacownego klubu tenisowego. Został wpisany na listę gości, wręczono mu rakietę, wypożyczono biały strój i zaproponowano rozegranie meczu. Rozgromił swoich przeciwników na korcie, zanim przyjechał wóz RAF-u, żeby zabrać go do bazy.

Szczerzy piloci przyznawali się do odczuwania „dzikiego, prymitywnego uniesienia"[24] na widok spadającego samolotu wroga, którego zestrzelili. Polacy, którym Brytyjczycy surowo zabronili ostrzeliwania niemieckich lotników wyskakujących ze strąconych maszyn, przelatywali czasem tuż ponad czaszą spadochronu, aby ten rozerwał się w strumieniu zaśmigłowym, a nieprzyjaciel zginął. Inni cofali się przed taką zemstą, gdy przypominali sobie, że zabijają lub okaleczają człowieka już po zniszczeniu wrogiego samolotu[25].

Połączenie wyczerpania i strachu podnosiło poziom stresu do niebezpiecznego poziomu. Wielu pilotom śniły się po nocach koszmary. Niektórzy nieuchronnie załamywali się pod wpływem napięcia. Niemal każdy miewał, prędzej czy później, „napady nerwowych drgawek" i opanowywał się z najwyższym trudem. Jednakże liczni unikali walki, tłumacząc to rzekomymi

---

[23] A. Zamoyski, *Orły nad Europą*, *op. cit.*, s. 118.
[24] Cyt. za: P. Bishop, *Fighter Boys*, *op. cit.*, s. 204.
[25] A. Zamoyski, *Orły nad Europą*, *op. cit.*, s. 78.

awariami silników. Po kilku takich incydentach zwrócono na to uwagę. W oficjalnym żargonie RAF-u przypisywano to „brakowi kręgosłupa moralnego", a winnego pilota kierowano do mniej ważnych zadań.

Zdecydowana większość brytyjskich pilotów myśliwskich nie przekroczyła dwudziestego drugiego roku życia. W wojennej rzeczywistości musieli szybko dojrzeć, choć nadal zwracali się do siebie po przezwisku i zachowywali w mesie hałaśliwie niczym w szkole publicznej, ku zdumieniu pilotów z innych krajów. Kiedy jednak nasiliły się naloty Luftwaffe na Wielką Brytanię i ginęło coraz więcej cywilów, w gronie lotników Fighter Command zapanował nastrój zaciętej wściekłości.

Niemieckim pilotom myśliwskim także dawały się we znaki stres i wyczerpanie. Operując z zaimprowizowanych i nie najlepszych lotnisk w okolicach Pas-de-Calais, narażali się na liczne wypadki. Bf 109 były doskonałymi samolotami w rękach doświadczonych pilotów, ale dla tych, których pospiesznie kierowano do jednostek ze szkół lotniczych, okazywały się trudnymi do okiełznania bestiami. W odróżnieniu od Dowdinga, który stosował system rotacji dywizjonów, aby piloci mogli odpoczywać w spokojniejszej strefie, Göring bezlitośnie eksploatował załogi Luftwaffe, a rosnące straty podkopywały morale niemieckich lotników. Eskadry bombowe uskarżały się, że Bf 109 za wcześnie zawracają do baz, pozostawiając bombowce bez osłony, ale działo się tak po prostu dlatego, że niemieckim myśliwcom zapas paliwa nie pozwalał na pozostawanie nad Anglią dłużej niż przez pół godziny, a nawet krócej w przypadku wywiązania się zaciekłej walki powietrznej.

Z kolei załogi dwusilnikowych ciężkich myśliwców Bf 110 były zgnębione faktem, jak łatwo maszyny tego typu padały łupem jednostek pościgowych RAF-u, i domagały się eskorty złożonej z Bf 109. Ci z brytyjskich pilotów, którzy mieli szczególnie mocne nerwy, przekonali się, że czołowy atak to najskuteczniejszy sposób zwalczania Bf 110. Rozwścieczony Göring był zmuszony wycofać z działań przeciwko Anglii bombowce nurkujące Stuka po masakrze z 18 sierpnia. Mimo to marszałek Rzeszy, pod wpływem przesadnie optymistycznych ocen oficerów wywiadu Luftwaffe, nadal był przekonany, że RAF znajduje się na krawędzi załamania. Rozkazał zintensyfikowanie nalotów na lotniska. Jednakże niemieckim lotnikom znudziło się nieustanne słuchanie o tym, że Królewskie Siły Powietrzne walczą resztkami sił, gdy sami podczas każdej akcji bojowej napotykali zaciekły opór przeciwnika.

Dowding zawczasu przewidział, że zmagania nabiorą charakteru walk na wyczerpanie przeciwnika, a nasilające się niemieckie ataki na lotniska spędzały mu sen z powiek. Choć myśliwce RAF-u niemal codziennie zestrzeliwały więcej niemieckich samolotów, niż same traciły, to mogły korzystać z coraz bardziej kurczącej się liczby baz. Imponujące przyspieszenie produkcji myśliwców rozwiało tylko jedną z trosk; największym utrapieniem Dowdinga pozostały straty wśród pilotów. Jego lotnicy byli tak zmęczeni, że zasypiali przy posiłkach, a nawet w trakcie rozmowy. W celu ograniczenia ponoszonych strat dywizjonom myśliwskim RAF-u polecono nie ścigać niemieckich wypraw bombowych nad kanałem La Manche, aby nie prowokować groźnych kontrataków, przeprowadzanych przez małe grupy messerschmittów.

W dowództwie Fighter Command rozgorzał też spór wokół stosowanej taktyki. Generał RAF-u Trafford Leigh-Mallory, dowódca 10. Grupy Myśliwskiej stacjonującej na północ od Londynu, opowiadał się za operowaniem formacjami „skrzydeł lotniczych", złożonych z kilku dywizjonów. Po raz pierwszy tę opcję zaproponował podpułkownik Douglas Bader, dzielny, acz zawzięty oficer, który zasłynął z tego, że powrócił w skład lotnictwa myśliwskiego mimo utraty obu nóg przed wojną wskutek wypadku. Ale zarówno Keith Park, jak i Dowding byli zdecydowanie niechętni takiej innowacji. Do czasu kiedy 10. Grupa utworzyła w powietrzu formację skrzydła bojowego, niemieccy napastnicy na ogół uciekali już znad Anglii.

Nocą 24 sierpnia zgrupowanie złożone z ponad stu niemieckich bombowców przeleciało nad wyznaczonymi celami i pomyłkowo zrzuciło bomby na wschodnie dzielnice i centrum Londynu. To skłoniło Churchilla do wydania rozkazu przeprowadzenia serii odwetowych nalotów na Niemcy. Konsekwencje takiej decyzji miały się okazać zgubne dla londyńczyków, niemniej jednak przyczyniła się ona również do późniejszej, fatalnej dla Niemców zmiany strategii przez Göringa, czyli osłabienia nalotów na lotniska RAF-u. To z kolei ocaliło brytyjskie lotnictwo myśliwskie w przełomowej fazie bitwy o Anglię.

Pod naciskiem Göringa Luftwaffe jeszcze bardziej nasiliła ataki z końcem sierpnia i w pierwszym tygodniu września. Tylko jednego dnia w tym okresie Fighter Command straciło czterdzieści samolotów, dziewięciu pilotów zostało zabitych, a osiemnastu poważnie rannych. Wszyscy znajdowali się u kresu sił, ale świadomość, że bitwa będzie się toczyła do samego końca, a brytyjskie lotnictwo myśliwskie zada jeszcze większe straty Luftwaffe, wzmagała determinację pilotów RAF-u.

Popołudniem 7 września Göring obserwował z klifów pod Calais, jak tysiąc maszyn Luftwaffe grupuje się w powietrzu w celu przeprowadzenia zmasowanego nalotu. Fighter Command poderwało w powietrze jedenaście dywizjonów myśliwskich. Na całym obszarze Kentu robotnicy rolni, zmobilizowane i zatrudnione do pracy na roli kobiety (tak zwane *Land Girls*) oraz wieśniacy wpatrywali się w niebo, obserwując smugi kondensacyjne w trakcie toczącej się w powietrzu walki. Z ziemi nie sposób było rozpoznać sylwetki niemieckich i brytyjskich myśliwców, jednak ilekroć spadał bombowiec ciągnący za sobą smugę dymu, wznoszono radosne okrzyki. Większość eskadr bombowych Luftwaffe zmierzała ku londyńskim dokom. Był to odwet Hitlera za ataki Bomber Command na Niemcy. Dymy rozległych pożarów wywołanych przez ładunki zapalające naprowadzały kolejne fale bombowców nad wyznaczony cel. Na Londyn, gdzie zginęło około trzystu cywilów, a tysiąc trzystu odniosło rany, spadł pierwszy ciężki cios. Ale wiara Göringa w to, że Fighter Command zostało pokonane, i jego decyzja o nalotach, zwłaszcza nocnych, na wielkie miasta oznaczała w praktyce, że Luftwaffe nie udało się odnieść zwycięstwa w powietrznej batalii.

Jednakże Brytyjczycy nadal spodziewali się lada chwila usłyszeć bicie kościelnych dzwonów oznaczające inwazję na ich kraj. Lotnictwo bombowe RAF-u kontynuowało ataki na niemieckie barki desantowe, skoncentrowane w portach po przeciwnej stronie kanału La Manche. Nikt nie znał wątpliwości, które dręczyły w tym czasie Hitlera. Jeśli nie udałoby się zniszczyć RAF-u do połowy września, wówczas należało odłożyć na późniejszy termin przeprowadzenie operacji „Lew Morski". Göring, dobrze wiedząc o tym, że to na niego spadnie wina za fiasko w pokonaniu Królewskich Sił Powietrznych, przeczące jego wcześniejszym chełpliwym zapewnieniom, rozkazał przeprowadzenie kolejnego wielkiego szturmu w niedzielę 15 września.

Na ów dzień Churchill zaplanował wizytę w kwaterze głównej 11. Grupy w Uxbridge, gdzie zajął miejsce na stanowisku dowodzenia u boku Parka. Patrzył zafrapowany, jak informacje napływające ze stacji radarowych i z posterunków Korpusu Obserwacyjnego są nanoszone na ustawioną poniżej wielką poziomą tablicę demonstracyjną, pokazującą ruchy niemieckiego zgrupowania. Do południa Park, wiedziony przeczuciem, że Niemcy rzucili do walki prawie wszystkie siły, poderwał w powietrze dwadzieścia trzy dywizjony myśliwców. Tym razem spitfire'y i hurricane'y miały wystarczająco dużo czasu na nabranie wysokości. Kiedy zaś eskortowe Bf 109 musiały zawrócić ze względu na brak paliwa, niemieckie bombowce znalazły się na łasce samolotów myśliwskich sił powietrznych przeciwnika, które jak im mówiono, zostały już pokonane.

Wszystko to powtórzyło się w godzinach popołudniowych, a Park wezwał na pomoc samoloty 10. i 12. Grupy Myśliwskiej z zachodniej Anglii. Do końca tego dnia RAF zestrzelił pięćdziesiąt sześć niemieckich samolotów, tracąc przy tym dwadzieścia dziewięć myśliwców i dwunastu pilotów. Kilka dni później miały miejsce ponowne naloty, ale już nie na taką skalę. Mimo to 16 września optymistycznie nastawiony szef wywiadu Luftwaffe przekonywał Göringa, że Fighter Command pozostało zaledwie sto siedemdziesiąt siedem sprawnych maszyn.

Obawa przed inwazją nie ustępowała, niemniej w istocie 19 września Hitler zadecydował o odłożeniu operacji „Lew Morski" na czas nieokreślony. Dowództwa Kriegsmarine i OKH jeszcze mniej paliły się do przeprowadzania inwazji na Anglię po tym, jak stało się jasne, że Luftwaffe nie udało się zgnieść Fighter Command. Gdy w działaniach zbrojnych na zachodzie nastąpił impas, zaczęły się wyłaniać oznaki, iż wojna nabiera światowego charakteru. Nieco wcześniej Japończyków w północnych Chinach zaskoczyła seria kontrataków przeprowadzonych przez chińskich komunistów. Konflikt chińsko-japoński rozgorzał z nową mocą i rozpoczęła się tam kolejna faza brutalnych walk. Dwudziestego siódmego września Japończycy sygnowali w Berlinie tak zwany pakt trzech, w oczywisty sposób wymierzony przeciwko Stanom Zjednoczonym. Prezydent Roosevelt niezwłocznie wezwał swoich doradców wojskowych, by przedyskutować ewentualne konsekwencje tego wydarzenia, a dwa dni później Wielka Brytania otwarła na nowo Drogę Birmańską – szlak, którym zaopatrywano w sprzęt wojenny chińskich nacjonalistów.

Uznaje się, że powietrzna bitwa o Anglię zakończyła się w ostatnich dniach października, kiedy Luftwaffe skupiła się na nocnych nalotach na Londyn i cele przemysłowe w środkowej Anglii. Zgodnie z zestawieniami liczbowymi z sierpnia i września, to jest z okresu szczytowego nasilenia zmagań nad Wielką Brytanią, RAF stracił 723 samoloty, a Luftwaffe ponad dwa tysiące. Bardzo znaczny odsetek tych strat wynikał nie z „działań nieprzyjaciela", tylko z „innych przyczyn" – najczęściej wypadków. W październiku samoloty RAF-u zestrzeliły 206 niemieckich myśliwców i bombowców, jednak łącznie straty Luftwaffe wyniosły owego miesiąca 375 maszyn[26].

Tak zwany *Blitz*, czyli naloty na Londyn i inne wielkie miasta w Anglii, potrwał przez całą następną zimę. Trzynastego listopada bombowce RAF-u na rozkaz Churchilla przeprowadziły nalot na Berlin. Powodem było to, że dzień wcześniej przybył tam na rozmowy z nazistami radziecki minister spraw zagranicznych Wiaczesław Mołotow. Stalina niepokoiła obecność niemieckich wojsk w Finlandii oraz nazistowskie wpływy na Bałkanach. Chciał także od Niemców gwarancji, że sowieckie transporty będą mogły przepływać przez Dardanele z Morza Czarnego na Morze Śródziemne. Wielu świadkom wydał się osobliwy widok orkiestry Wehrmachtu odgrywającej *Międzynarodówkę* na cześć Mołotowa przybywającego pociągiem na Anhalter Bahnhof, przystrojony czerwonymi radzieckimi flagami.

Spotkanie to nie zakończyło się sukcesem i rozdrażniło tylko obydwie strony. Mołotow domagał się wyjaśnienia konkretnych kwestii. Dopytywał

---

[26] Straty z sierpnia i września zob. *GSWW*, t. II, s. 388; z października: *ibidem*, s. 403.

się, czy sowiecko-nazistowski pakt sprzed roku nadal obowiązuje. Gdy Hitler odpowiedział twierdząco, Mołotow wskazał, że Niemcy zacieśniają stosunki z wrogiem ZSRR, Finlandią. Ribbentrop namawiał Sowietów na przeprowadzenie ofensywy na południu, ku Indiom i Zatoce Perskiej, gdzie mogli się wzbogacić kosztem brytyjskiego imperium. Mołotow nie potraktował poważnie propozycji, aby w tym celu Związek Radziecki przystąpił do paktu trzech z Włochami i Japonią. Poza tym nie zgadzał się z Hitlerem, gdy ów, snując charakterystyczny dla siebie monolog, tłumaczył mu na spółkę z Ribbentropem, że Wielka Brytania została już praktycznie pobita. Kiedy zawyły syreny alarmu lotniczego, a Mołotowa zaprowadzono do bunkra pod Wilhelmstrasse, nie powstrzymał się przed wypowiedzeniem do nazistowskiego ministra spraw zagranicznych kąśliwej uwagi: „Mówi pan, że Anglia pokonana. W takim razie dlaczego siedzimy teraz tu, w schronie przeciwlotniczym?"[27].

Samoloty Luftwaffe zaatakowały następnej nocy Coventry, a nalot ten zaplanowano już wcześniej i nie w odwecie za zbombardowanie Berlina. Na jego skutek zniszczeniu uległo dwanaście zakładów zbrojeniowych i zabytkowa katedra oraz zginęło trzystu osiemdziesięciu cywilów. Jednakże kampania nocnych bombardowań nie złamała ducha brytyjskiego narodu, choć w jej trakcie do końca roku miało stracić życie dwadzieścia trzy tysiące cywilów, a trzydzieści dwa tysiące odniosło poważne rany. Wielu uskarżało się na alarmowe syreny, których „przeciągłe upiorne wycie"[28], by zacytować słowa Churchilla, niebawem skrócono, aby ludzie mogli sypiać. „Syreny odzywały się co wieczór mniej więcej w tym samym czasie, a w uboższych dzielnicach kolejki ludzi z kocami, termosami i niemowlętami ustawiały się dość wcześnie przed schronami przeciwlotniczymi"[29]. Na zabitych deskami sklepowych wystawach, porozbijanych przez podmuchy bomb, wisiały kartki z napisem „Czynne jak zwykle", a mieszkańcy zniszczonych budynków we wschodniej części Londynu wywieszali brytyjskie flagi na gruzach tego, co wcześniej było ich domami.

„Gorsza od uciążliwości naszych dni – pisał Peter Quennell zatrudniony w Ministerstwie Informacji – była udręka niespokojnych nocy. Bardzo często musieliśmy pracować na zmiany – spędzając tak wiele godzin w przenikliwie zimnych podziemnych noclegowniach pod kosmatymi, zużytymi kocami; tymczasem wielu ponad powierzchnią ziemi gnieździło się przy biurkach albo, w chwilach przerwy, zasypiało na podłodze, budzeni przez starszego biurowego posłańca, który przynosił okropne nowiny – na przy-

---

[27] W.N. Pawłow, *Awtobiograficzeskije zamietki*, „Nowaja i Nowiejszaja Istorija" 2000, s. 105.
[28] Cyt. za: M. Panter-Downes, *London War Notes, 1939–1945*, London 1971, s. 97–98.
[29] *Ibidem*.

kład o tym, że bomba trafiła wprost w jakiś zatłoczony schron – a my musieliśmy jakoś łagodzić ich sens. A jednak to dziwne, jak szybko wyrabiają się nawyki, jak łatwo przystosować się do nieznanego trybu życia i jak często rzeczy rzekomo nieodzowne okazują się czymś zbytecznym"[30].

Choć londyńczycy znacznie lepiej, niż się tego spodziewano, znosili trudności, prezentując „ducha Blitzu" na podziemnych stacjach metra, to nadal utrzymywał się strach przed niemieckimi spadochroniarzami, żywiony zwłaszcza przez kobiety na obrzeżach Londynu. Pogłoski o inwazji rozchodziły się z tygodnia na tydzień. W istocie 2 października operacja „Lew Morski" została przełożona na następną wiosnę. Jej groźba odegrała podwójną rolę. Niebezpieczeństwo niemieckiej inwazji dopomogło Churchillowi w zjednoczeniu ludności kraju i nastawieniu jej na długotrwałą wojnę. Ale Hitler przebiegle nie ustawał w psychologicznych naciskach na Brytyjczyków jeszcze długo po tym, jak ostatecznie zarzucił pomysł desantu na Anglię. W związku z tym Brytyjczycy utrzymywali w Zjednoczonym Królestwie znacznie liczniejsze, niż dyktowała to konieczność, siły do obrony kraju.

W Berlinie nazistowscy przywódcy pogodzili się z faktem, że nawet kampania bombardowań raczej nie rzuci Wielkiej Brytanii na kolana. „Obecnie przeważa przekonanie – zapisał 17 listopada w swoim dzienniku Ernst von Weizsäcker, sekretarz stanu w niemieckim Ministerstwie Spraw Zagranicznych – że to głód wywołany przez [morską] blokadę jest najważniejszą bronią przeciwko Wielkiej Brytanii, a nie próby wykurzenia Brytyjczyków"[31]. Samo słowo „blokada" w Niemczech kojarzyło się z odwetem, gdyż przetrwały tam wspomnienia pierwszej wojny światowej i blokady kontynentalnej, utrzymywanej przez Royal Navy. Strategię tę miano teraz zastosować przeciwko Wyspom Brytyjskim przy użyciu broni podwodnej.

---

[30] P. Quennell, *The Wanton Chase. An Autobiography from 1939*, London 1980, s. 15.
[31] E. von Weizsäcker, *Die Weizsäcker-Papiere, 1933–1950*, Berlin 1974, s. 225.

ROZDZIAŁ 9

Reperkusje

czerwiec 1940–luty 1941

Upadek Francji latem 1940 roku wywołał głośne reperkusje, bezpośrednie i pośrednie, na całym świecie. Stalin był mocno zaniepokojony. Jego rachuby, że potęga Hitlera ulegnie bardzo poważnemu osłabieniu podczas długotrwałej wojny pozycyjnej z Francją i Wielką Brytanią, okazały się całkowicie błędne. Niemcy wyszły z tego starcia jeszcze silniejsze, zdobywając mnóstwo francuskich pojazdów i innego nienaruszonego sprzętu wojennego.

Na Dalekim Wschodzie klęska Francuzów stanowiła szczególnie dotkliwy cios dla Chiang Kai-sheka i chińskich nacjonalistów. Po utracie Nankinu musieli oni przemieścić swoją przemysłową bazę do południowo-zachodnich prowincji Junnan i Kuangsi, w pobliżu granicy z Indochinami Francuskimi, uważając, że to względnie najbezpieczniejszy obszar, mający połączenie ze światem zewnętrznym. Ale nowy reżim Vichy pod kierownictwem marszałka Pétaina zaczął już w lipcu uginać się pod japońskimi żądaniami i zgodził się na przyjęcie japońskiej misji wojskowej w Hanoi. Tym samym został przecięty szlak zaopatrzeniowy chińskich nacjonalistów przebiegający przez Indochiny.

Ofensywa japońskiej 11. Armii, przeprowadzona latem 1940 roku ku dolinie Jangcy, rozbiła nacjonalistyczne armie na dwa ugrupowania i zadała Chińczykom kolosalne straty. Dwunastego czerwca utracili oni rzeczny port Yichang, co stanowiło dla nich straszliwy cios. Odcięło bowiem stolicę nacjonalistów w Chongqingu i umożliwiło japońskiemu lotnictwu morskiemu przeprowadzanie nieustannych nalotów na to miasto[1]. O tej porze roku

---

[1] Na temat operacji w Chongqingu zob. R. Tobe, *The Japanese Eleventh Army in Central China, 1938–1941*, w: M. Peattie, E. Drea, H. van de Ven *The Battle for China*.

rzeczne mgły nie utrudniały cesarskim lotnikom widoczności. Poza bombardowaniem miast i wiosek nad Jangcy japońskie samoloty atakowały też parowce i dżonki, pełne rannych i uchodźców, uciekających rzeką płynącą przez malownicze wąwozy.

Agnes Smedley spytała o to, jak przedstawiała się sytuacja pewnego lekarza z Czerwonej Krzyża. Przyznał, że ze stu pięćdziesięciu polowych lazaretów na centralnym froncie przetrwało zaledwie pięć. „A co z rannymi? – zainteresowała się Smedley. – Nie odpowiedział i zrozumiałam to milczenie". Śmierć była wszędzie wokół. „Codziennie widzieliśmy opuchnięte ludzkie zwłoki powoli spływające rzeką, dryfujące obok dżonek i odpychane przez przewoźników na łodziach długimi, zaostrzonymi tyczkami"[2].

Kiedy Smedley dotarła do Chongqingu, miasta położonego wysoko na skałach u zbiegu rzek Jangcy i Jialing Jiang, przeraziły ją odgłosy eksplozji, choć nie były skutkiem wybuchu bomb. To chińscy saperzy drążyli w klifach tunele, mające posłużyć za schrony przeciwlotnicze. Przekonała się, że w czasie jej nieobecności wiele się tam zmieniło, zarówno na dobre, jak i na złe. W stolicy prowincji, liczącej normalnie dwieście tysięcy mieszkańców, przebywało ponad milion ludzi. Wprawdzie rozwój przemysłowych spółdzielni był zjawiskiem pozytywnym, lecz coraz bardziej wpływowy prawicowy odłam Kuomintangu uważał je za tajne komunistyczne komórki. Poczyniono postępy w rozwoju wojskowych służb medycznych, a na terenach, gdzie rządzili nacjonaliści, zorganizowano ogólnodostępne kliniki, niemniej jednak szefowie Kuomintangu chcieli roztoczyć nadzór nad służbą zdrowia, głównie po to, aby się wzbogacić.

Najbardziej niepokojące było wzrośnięcie w siłę szefa służb bezpieczeństwa, generała Dai Li, który ponoć miał już pod swoją komendą trzysta tysięcy ludzi, umundurowanych i tajniaków. Roztaczał wpływy tak znaczne, że podejrzewano wręcz, iż ma w ręku samego generalissimusa Chiang Kai-sheka. Generał Dai zwalczał nie tylko dysydentów, ale wszelką wolność słowa. Chińscy intelektualiści zaczęli uciekać do Hongkongu. W kryzysowej atmosferze, jaka zapanowała, zamykano nawet tak apolityczne organizacje jak chińska filia YWCA (Związek Dziewcząt i Kobiet Chrześcijańskich).

Według Smedley obcokrajowcy przebywający w Chongqingu traktowali chińskie wojska z lekceważeniem. „Chiny, powiadają, nie potrafią walczyć; ich dowódcy są skorumpowani; ich żołnierze to niepiśmienni kulisi albo młodociani; lud jest ciemny, a z rannymi obchodzą się tu okropnie. Niektóre z tych zarzutów są słuszne, inne nie, ale prawie wszystkie wynikają

Essays on the Military History of the Sino-Japanese War of 1937–1945, Stanford 2011, s. 207–229.
[2] A. Smedley, *Battle Hymn of China*, London 1944, s. 343–344.

z braku zrozumienia dla strasznego brzemienia, pod którym uginają się Chiny"[3]. Europejczycy i Amerykanie zupełnie nie pojmowali, o co toczy się walka, i czynili niewiele, by udzielić w niej wsparcia. Jedyna poważniejsza pomoc medyczna nadchodziła od Chińczyków z innych krajów – z Malajów, Jawy czy ze Stanów Zjednoczonych. Chińscy emigranci wspomagali szczodrze swoich pobratymców, a w 1941 roku japońscy zdobywcy poddali ich za to krwawym prześladowaniom.

Chiang Kai-shek kontynuował bezowocne negocjacje pokojowe w nadziei na wywarcie nacisku na Stalina, ażeby ten zwiększył swoją pomoc militarną do dawnego poziomu. Jednak w lipcu 1940 roku doszło w Tokio do zmiany rządu, a w nowym gabinecie rządowym tekę ministra wojny objął generał Hideki Tōjō. Przyniosło to zerwanie potajemnych rokowań z Chińczykami. Tōjō chciał zagłodzić nacjonalistów poprzez poprawę japońskich stosunków ze Związkiem Radzieckim i odcięcie Chińczyków od innych źródeł zaopatrzenia. W Tokio dowódcy wojskowi zerkali łasym wzrokiem na południe, ku Oceanii, oraz na południowy zachód, w stronę brytyjskich, francuskich i holenderskich zamorskich posiadłości w regionie Morza Południowochińskiego. Zdobycie ich zapewniłoby Japończykom ryż i zarazem pozbawiłoby możliwości importu żywności chińskich nacjonalistów, przede wszystkim jednak Japonii zależało na złożach ropy naftowej Holenderskich Indii Wschodnich. Wszelki kompromis ze Stanami Zjednoczonymi, związany z wymogiem wycofania japońskich wojsk z Chin, był dla reżimu tokijskiego nie do przyjęcia – po tym jak w rezultacie „incydentu chińskiego" zginęły do tej pory sześćdziesiąt dwa tysiące japońskich żołnierzy[4].

W drugiej połowie 1940 roku Chińska Partia Komunistyczna, działając wedle wytycznych Moskwy, przeprowadziła na północy kraju tak zwaną kampanię tysiąca pułków z udziałem prawie czterystu tysięcy żołnierzy[5]. Cel polegał na podkopaniu tajnych rokowań Chiang Kai-sheka z Japończykami: komuniści nie wiedzieli, że negocjacje te już zostały zerwane, a poza tym nigdy nie były zbyt poważne. W wielu miejscach chińscy komuniści zdołali odrzucić Japończyków, opanowując odcinek linii kolejowej z Pekinu do Hankou, niszcząc kopalnie węgla, a nawet dokonując zbrojnych wypadów do Mandżurii. Ta duża operacja militarna o bardziej konwencjonalnym od wcześniejszych działań partyzanckich charakterze została okupiona stratami dwudziestu dwóch tysięcy ludzi, które trudno było uzupełnić.

---

[3] *Ibidem*, s. 348.
[4] I. Kershaw, *Punkty zwrotne*, tłum. M. Romanek, Kraków 2009, s. 143.
[5] J.W. Garver, *Chinese-Soviet Relations, 1937–1945. The Diplomacy of Chinese Nationalism*, Oxford 1988, s. 140–141.

W Europie Hitler demonstrował zdumiewającą lojalność wobec Mussoliniego, nierzadko ku rozgoryczeniu niemieckiej generalicji. Ale Duce, jego niegdysiejszy mentor, uciekał się do wszelkich sztuczek, aby tylko nie znaleźć się w cieniu Führera. Faszystowski przywódca zapragnął prowadzenia „równoległej wojny"[6], niezależnie od nazistowskich Niemiec. Nie uprzedził Hitlera o swoich planach zajęcia Albanii w kwietniu 1939 roku i usiłował wywierać wrażenie, że była to akcja równorzędna z wchłonięciem Czechosłowacji przez Rzeszę. Z kolei nazistowscy przywódcy niechętnie dopuszczali Włochów do swoich sekretów. Mimo to Niemcy zaledwie miesiąc później ponownie wyrazili chęć podpisania paktu stalowego.

Niczym nieszczerzy kochankowie, liczący na osobiste korzyści ze wspólnego związku, obaj liderzy w równym stopniu oszukiwali kontrpartnera, jak i sami czuli się przezeń oszukani. Hitler nie uprzedził Mussoliniego o zamiarze zgniecenia Polski, oczekiwał jednak, że Duce poprze go w konflikcie z Francją i Wielką Brytanią, podczas gdy włoski przywódca uważał, że w Europie nie dojdzie do wielkiego konfliktu zbrojnego jeszcze przez co najmniej dwa lata. Niechęć Mussoliniego do przystąpienia do wojny we wrześniu 1939 roku po niemieckiej stronie głęboko rozczarowała Hitlera. Duce wiedział, że jego kraj po prostu nie jest gotowy do konfliktu zbrojnego, a jako jedyną wymówką posłużył się skierowanym do Niemiec żądaniem wielkich dostaw sprzętu wojskowego.

Jednakże w istocie Mussolini był zdecydowany w stosownym momencie podjąć zbrojne działania, aby zdobyć więcej kolonii i wprowadzić Włochy do grona mocarstw. Wobec tego nie chciał zaprzepaścić okazji, powiązanej z klęską dwóch potęg kolonialnych – Wielkiej Brytanii i Francji, wczesnym latem 1940 roku[7]. Szokujące tempo niemieckich sukcesów militarnych we Francji i rozpowszechnione przeświadczenie, że Wielka Brytania wkrótce ułoży się z Hitlerem, wprowadziły Mussoliniego w stan gorączkowej niepewności. To Niemcy miały nakreślić kształt przyszłych granic w Europie, niemal na pewno stając się dominującym czynnikiem na Bałkanach, natomiast Włochom zagrażało zepchnięcie na boczny tor. Już tylko z tego powodu Duce rozpaczliwie dążył do uzyskania prawa do udziału w negocjacjach pokojowych. Wykalkulował, że kilka tysięcy poległych włoskich żołnierzy zapewni mu miejsce przy stole rokowań.

Nazistowski reżim z pewnością nie miał nic przeciwko przystąpieniu Włoch do wojny, nawet w ostatniej chwili. Hitler znacznie jednak przeceniał siłę militarną swojego sprzymierzeńca. Mussolini chwalił się wcześniej „ośmioma milionami bagnetów", podczas gdy faktycznie jego armia liczyła

---

[6] *GSWW*, t. III, s. 2.
[7] Włoskie siły zbrojne w 1940 roku: *ibidem*, s. 68.

niespełna 1,7 miliona ludzi, a wielu z nich nie miało nawet karabinu, na który można byłoby osadzić bagnet. Włochom rozpaczliwie brakowało zasobów finansowych, surowców i transportu motorowego. Aby zwiększyć liczbę dywizji, Mussolini zmniejszył w każdej z nich liczbę pułków – z trzech do dwóch. Z siedemdziesięciu trzech włoskich dywizji tylko dziewiętnaście było w pełni wyekwipowanych. W rzeczy samej włoskie wojska były słabsze i gorzej uzbrojonej niż wówczas, gdy w 1915 roku przystąpiły do pierwszej wojny światowej.

Hitler nierozsądnie przyjął na wiarę głoszone przez Mussoliniego słowa o włoskiej sile. W jego bardzo ograniczonej wyobraźni militarnej, uwarunkowanej oznakowanymi mapami w kwaterze głównej, dywizja oznaczała dywizję, nawet jeśli chodziło o jednostkę niepełną kadrowo, źle wyposażoną czy niedostatecznie wyszkoloną. Mussolini fatalnie się przeliczył, wierząc latem 1940 roku, że wojna dobiega końca, podczas gdy w istocie ledwie się zaczęła. Nie przypuszczał też, że dawniejsza retoryka Führera o „przestrzeni życiowej" na wschodzie przeobrazi się w konkretne plany. Dziesiątego czerwca włoski przywódca wypowiedział wojnę Wielkiej Brytanii i Francji. Podczas bombastycznego przemówienia, wygłoszonego z balkonu Pałacu Weneckiego w Rzymie, wyprężał pierś i twierdził, że „młode i płodne narody" zmiażdżą zmęczone demokracje. Wywołało to owację tłumu lojalnych „czarnych koszul", ale większość Włochów bynajmniej się nie radowała.

Na Niemcach nie zrobiła wrażenia podjęta przez Mussoliniego próba pławienia się w blasku sławy Wehrmachtu. Sekretarz stanu na Wilhelmstrasse postrzegał włoskiego partnera w osi jako „cyrkowego klauna, który zwija dywan po popisie akrobaty i dziękuje za oklaski, jakby były przeznaczone dla niego"[8]. Wiele innych osób przyrównywało wypowiedzenie przez Duce wojny pokonanej już Francji do akcji „szakala", starającego się uszczknąć kawałek zwierzyny upolowanej przez lwa. Mussolini istotnie wykazał się bezwstydnym oportunizmem, lecz pod nim skrywał coś znacznie gorszego – uczynił swój kraj niewolnikiem i ofiarą własnych wybujałych ambicji. Zdawał sobie sprawę, że nie może uniknąć aliansu z odnoszącym zwycięstwa Hitlerem, ale obstawał przy pobożnych życzeniach prowadzenia przez Włochy niezależnej polityki ekspansji kolonialnej, podczas gdy reszta Europy pozostawała uwikłana w śmiertelnych zapasach. Słabość Włoch miała przynieść im samym katastrofę i nastręczyć bardzo poważnych problemów Niemcom.

---

[8]   E. von Weizsäcker, *Die Weizsäcker-Papiere, 1933–1950*, Berlin 1974, s. 206.

Dwudziestego siódmego września 1940 roku Niemcy podpisały pakt trzech z Włochami i Japonią. Zamysł sprowadzał się częściowo do odstręczenia Stanów Zjednoczonych od angażowania się w wojnę, która weszła w fazę impasu po tym, jak nie udało się zmusić Wielkiej Brytanii do kapitulacji. Kiedy 4 października Hitler spotkał się z Mussolinim na przełęczy Brenner, zapewniał go, że ani Moskwa, ani Waszyngton nie zareagowały wrogo na wiadomość o zawartym pakcie. Führerowi zależało na europejskim sojuszu przeciwko Brytyjczykom.

Hitler zamierzał pozostawić basen śródziemnomorski we włoskiej strefie wpływów, ale po upadku Francji przekonał się, że kwestia wcale nie jest taka prosta. Musiał próbować równoważyć ścierające się ambicje Włoch, rządu Vichy i frankistowskiej Hiszpanii. Franco chciał Gibraltaru, a także dążył do przejęcia francuskiego Maroka i innych afrykańskich terytoriów. Hitler nie zamierzał jednak prowokować Pétaina i wiernych marszałkowi wojsk we francuskich posiadłościach kolonialnych. Z jego punktu widzenia znacznie lepiej by było, gdyby sam reżim Vichy utrzymywał porządek na swoich obszarach i w północnoafrykańskich koloniach, strzegąc tam interesów Niemiec, dopóki trwała wojna. Dopiero po odniesieniu w niej ostatecznego zwycięstwa mógł przekazać francuskie kolonie Włochom albo Hiszpanii. Jednak Hitler, mimo z pozoru bezgranicznej potęgi, jaką dysponował po pobiciu Francji w 1940 roku, w październiku nie był w stanie nakłonić swojego dłużnika Franco, swego wasala Pétaina i swojego sojusznika Mussoliniego do aktywnego poparcia strategii utworzenia kontynentalnego antybrytyjskiego bloku.

Dwudziestego drugiego października opancerzony pociąg specjalny Hitlera, „Amerika", z dwiema lokomotywami i dwoma wagonami przeciwlotniczymi, zatrzymał się na stacji Montoire-sur-le-Loir. Tam nazistowski przywódca rozmawiał z zastępcą Pétaina Pierre'em Lavalem, który usiłował uzyskać gwarancje utrzymania dotychczasowego statusu reżimu Vichy. Hitler uchylał się od jakichkolwiek rękojmi, równocześnie starając się wciągnąć Vichy do koalicji przeciwko Wielkiej Brytanii.

Lśniące wagony „Ameriki" ruszyły dalej ku hiszpańskiej granicy w Hendaye, gdzie nazajutrz Hitler spotkał się z Franco[9]. Pociąg tego ostatniego okazał się opóźniony z powodu rozpaczliwego stanu hiszpańskich kolei, a długie oczekiwanie na *caudillo* nie wprawiło Hitlera w dobry humor. Obaj dyktatorzy przeprowadzili inspekcję kompanii honorowej osobistej ochrony

---

[9] Franco i Hitler w Hendaye zob. S.G. Payne, *Franco and Hitler. Spain, Germany and World War II*, New Haven 2008, s. 90–94; oraz J. Tusell, *Franco, España y la II Guerra Mundial. Entre el eje y la neutralidad*, Madrid 1995, s. 83–201.

wodza Rzeszy, Führerbegleitkommando, ustawionej na peronie. Niemieccy żołnierze w czarnych mundurach górowali wzrostem nad brzuchatym hiszpańskim przywódcą, z którego twarzy nie schodził uśmiech, wyrażający zarówno samozadowolenie, jak i pochlebczość.

Gdy Hitler i Franco rozpoczęli dyskusję, potok słów z ust *caudillo* nie dopuszczał jego gościa do głosu, do czego Führer raczej nie przywykł. Franco mówił o braterstwie broni w czasie hiszpańskiej wojny domowej i o wdzięczności za wszystko, co Hitler uczynił, powołując się na „alianza espiritual" („sojusznictwo duchowe") łączące oba kraje[10]. Następnie wyraził głęboki żal z powodu tego, że nie może od razu przystąpić do wojny po stronie Niemiec, a to ze względu na niedostatek, z jakim borykała się Hiszpania. Przez prawie trzy godziny Franco rozprawiał o swoim życiu i doświadczeniach, a Hitler miał później przyznać, że wolałby, aby wyrwano mu ze trzy albo cztery zęby, niż odbyć następną rozmowę z hiszpańskim dyktatorem.

Hitler w końcu zabrał głos i stwierdził, że Niemcy już wygrały wojnę. Wielka Brytania trzymała się jedynie nadziei, że ocalą ją Związek Radziecki albo Stany Zjednoczone, a Amerykanie potrzebowaliby półtora roku do dwóch lat na przygotowania do działań wojennych. Jedyne zagrożenie wiązało się z tym, że Brytyjczycy mogli zająć wyspy na Atlantyku albo też, z pomocą de Gaulle'a, wzniecić zamieszki we francuskich koloniach. Dlatego właśnie Führer chciał utworzenia „szerokiego frontu" przeciw Wielkiej Brytanii.

Hitlerowi zależało na Gibraltarze, podobnie jak Franco i hiszpańskim generałom, lecz ci ostatni nie byli zachwyceni pomysłem przeprowadzenia operacji zdobycia Gibraltaru pod dowództwem Niemców. Franco obawiał się również, że Brytyjczycy w odwecie za taką akcję zajmą Wyspy Kanaryjskie. Szczególnie jednak odstręczyły go nachalne niemieckie żądania przekazania Rzeszy jednej z tych wysp, a także baz w hiszpańskim Maroku. Hitler interesował się też portugalskimi Azorami oraz Wyspami Zielonego Przylądka. Azory nie tylko mogły stanowić dogodną atlantycką bazę morską dla Kriegsmarine. W dzienniku wojennym OKW zanotowano później: „Führer uznaje, że Azory mają podwójną wartość. Zależy mu na nich celem ataku na Amerykę i zatrzymania ich po wojnie"[11]. Wódz już wtedy snuł marzenia o nowej generacji „bombowców o zasięgu sześciu tysięcy kilometrów" do nalotów na wschodnie wybrzeża Stanów Zjednoczonych.

Oczekiwania Franco, że francuskie Maroko i Oran zostaną mu przyobiecane jeszcze przed wejściem Hiszpanii do wojny, wydały się Führerowi,

---

[10] J. Tusell, *Franco, España y la II Guerra Mundial, op. cit.*, s. 159.
[11] *KTB OKW*, t. I, 15 listopada 1940 r., s. 177.

delikatnie rzecz ujmując, bezczelne. Podobno Hitler przy innej okazji miał stwierdzić, że postawa Franco sprawiła, iż poczuł się niemal „jak Żyd, targujący się o najcenniejsze z posiadanych rzeczy"[12]. Nieco później, w przypływie szczerości podczas rozmów ze świtą po powrocie do Niemiec, określił Franco mianem „jezuickiej świni"[13]. Choć ideologicznie Hiszpanii blisko było do Niemiec, a nowy hiszpański pronazistowski minister spraw zagranicznych Ramón Serrano Súñer chciał przystąpienia swego kraju do wojny, to rząd Franco bał się prowokowania Brytyjczyków. Przetrwanie Hiszpanii było uzależnione od importu, także z Wielkiej Brytanii, ale przede wszystkim od amerykańskiego zboża i ropy naftowej. Hiszpania znajdowała się w opłakanym stanie, spustoszona przez wojnę domową. Widywało się tam ludzi mdlejących na ulicach z niedożywienia. Brytyjczycy, a potem także Amerykanie nadzwyczaj zręcznie stosowali metody nacisku ekonomicznego na Hiszpanię, wiedząc, że Niemcy nie mogli jej dostarczać niezbędnych surowców. Kiedy zatem stawało się coraz bardziej oczywiste, że Wielka Brytania nie ma zamiaru zawierać ugody z Rzeszą, władze frankistowskie, które w owym czasie zmagały się z dotkliwymi brakami żywności i paliw, nie mogły zrobić wiele ponad zgłaszaniem werbalnego poparcia dla osi i obietnic wejścia do wojny europejskiej w późniejszym, bliżej niesprecyzowanym terminie. Nie powstrzymało to Franco od snucia planów własnej „wojny równoległej" – inwazji na tradycyjnego sojusznika Wielkiej Brytanii, czyli Portugalię. Na szczęście pomysł ten pozostał w sferze teoretycznych rozważań.

Po spotkaniu w Hendaye pociąg specjalny wyruszył w drogę powrotną do Montoire, gdzie na Hitlera oczekiwał Pétain. Ów powitał Führera jak równego sobie, co oczywiście nie spodobało się wcale niemieckiemu dyktatorowi. Sędziwy marszałek wyraził nadzieję, że relacje z Berlinem będą przebiegały pod znakiem współpracy, ale jego żądanie zagwarantowania nienaruszalności francuskich posiadłości kolonialnych zostało bezceremonialnie odrzucone. To przecież Francja rozpoczęła wojnę z Niemcami, przypomniał Hitler, więc teraz przyjdzie jej za to zapłacić „terytorialnie i materialnie"[14]. Jednak Hitler, wyraźnie mniej zirytowany rozmową z Pétainem aniżeli wcześniejszymi negocjacjami z Franco, ostatecznie pozostawił tę kwestię otwartą. Nadal chciał przyłączenia się rządu Vichy do antybrytyjskiego

---

[12] *Ibidem*, s. 144 („*como un judío que quiere traficar con las más sagradas posesiones*").

[13] F. Halder, *Dziennik wojenny. Codzienne zapisy szefa Sztabu Generalnego Wojsk Lądowych 1939–1942*, t. 1: *Od kampanii polskiej do zakończenia ofensywy na Zachodzie (14.8.1939–30.6.1940)*, tłum. B. Woźniecki, Warszawa 1971, s. 671.

[14] *GSWW*, t. III, s. 194.

aliansu, ale w końcu nabrał przekonania, że nie może liczyć na kraje „łacińskie" przy montowaniu europejskiego bloku militarnego.

Hitler żywił dość mieszane odczucia dotyczące strategii kontynuowania zmagań z Wielką Brytanią na peryferyjnym teatrze wojny, którym był basen Morza Śródziemnego, w okresie gdy w Niemczech uważano, że inwazja na południową Anglię raczej się nie powiedzie. Przemyśliwał głównie uderzenie na Związek Radziecki, choć nadal się wahał i rozważał odroczenie tej operacji. Mimo wszystko na początku listopada w OKW opracowano zarysy awaryjnego planu, opatrzonego kryptonimem „Felix", zajęcia Gibraltaru i wysp na Oceanie Atlantyckim.

Jesienią 1940 roku Hitler liczył na blokadę Wielkiej Brytanii i wyparcie Royal Navy z Morza Śródziemnego do czasu podjęcia nadrzędnej operacji, czyli ataku na Związek Radziecki. Potem doszedł do przekonania, że najprostszym sposobem zmuszenia Brytyjczyków do uległości jest pokonanie ZSRR. Dla Kriegsmarine było to niekorzystne, gdyż oznaczało, że priorytet w dostawach uzbrojenia będą miały wojska lądowe oraz Luftwaffe.

Hitler z pewnością był gotów wspomóc Włochów w realizacji ich planów przeprowadzenia z ich kolonii w Libii ataku na wojska brytyjskie w Egipcie i w strefie Kanału Sueskiego, gdyż to związałoby siły Brytyjczyków i zagroziło przecięciem ich szlaków komunikacyjnych, wiodących do Indii i Australazji. Jednakże Włosi, choć chętnie przyjęli wsparcie lotnicze, nie palili się do wprowadzania wojsk lądowych Wehrmachtu w rejon swoich operacji. Wiedzieli, że Niemcy chcieliby wszystkim pokierować.

Hitlera szczególnie interesowały Bałkany, ponieważ stanowiły oparcie dla jego południowej flanki w planowanej inwazji na Związek Radziecki. Po tym jak Sowieci zajęli Besarabię i północną część Bukowiny, Hitler, na razie jeszcze nieskory do zrywania paktu radziecko-nazistowskiego, doradził rumuńskim władzom „tymczasowe pogodzenie się ze wszystkim"[15]. Postanowił skierować misję wojskową oraz oddziały do Rumunii w celu ochrony pól naftowych koło Ploeszti. Jeśli czegoś nie chciał, to tego, aby Mussolini zakłócił sytuację na Bałkanach atakiem na Jugosławię bądź Grecję z okupowanej przez Włochów Albanii. Nieroztropnie liczył na włoską opieszałość.

Początkowo rzeczywiście wydawało się, że Mussolini nie zrobi wiele. Włoska flota wojenna, pomimo wcześniejszych zapewnień o swojej agresywnej strategii, nie wychodziła w morze, poza eskortowaniem konwojów płynących do Libii. Nie chcąc konfrontacji z Royal Navy, Włosi pozostawili lotnictwu bombardowanie Malty. W Libii tamtejszy gubernator generalny,

---

[15] „The Times", 2 lipca 1940 r.

marszałek Italo Balbo, wstrzymywał działania zbrojne, twierdząc stanowczo, że uderzy na Brytyjczyków w Egipcie dopiero wówczas, gdy Niemcy rozpoczną inwazję na Anglię.

Tymczasem w Egipcie wojska brytyjskie, nie zwlekając, postanowiły się rozprawić z nowym przeciwnikiem. Wieczorem 11 czerwca, zaraz po wypowiedzeniu wojny przez Mussoliniego, 11. Pułk Huzarów w starych samochodach pancernych typu Rolls-Royce wyruszył na zachód i wkrótce po zmierzchu przekroczył granicę libijską. Kierowali się ku fortom Maddalena i Capuzzo, dwóm głównym włoskim granicznym twierdzom. Zorganizowawszy zasadzkę, Brytyjczycy wzięli siedemdziesięciu jeńców.

To nadzwyczaj rozdrażniło Włochów. Nikt nie zadał sobie trudu powiadomienia libijskiego garnizonu, że włoski rząd wypowiedział wojnę. Trzynastego czerwca obydwa forty zostały zdobyte i zniszczone. W trakcie następnego wypadu wzdłuż drogi między Bardiją a Tobrukiem Brytyjczycy z 11. Pułku Huzarów pojmali kolejnych stu włoskich żołnierzy. Wśród wziętych do niewoli znajdował się pewien otyły włoski generał, któremu w sztabowej lancii towarzyszyła niezamężna „przyjaciółka"[16] w zaawansowanej ciąży. Incydent ten wywołał skandal we Włoszech. Dla Brytyjczyków ważniejsze było to, że wspomniany generał miał przy sobie plany całych włoskich umocnień w okolicach Bardiji.

Marszałek Balbo dowodził w Libii dość krótko. Dwudziestego ósmego czerwca otwierające ogień do każdego zauważonego samolotu włoskie baterie przeciwlotnicze w Tobruku pomyłkowo zestrzeliły jego maszynę. W niecały tydzień później jego następca marszałek Rodolfo Graziani z przerażeniem odebrał rozkaz Mussoliniego, aby 15 lipca rozpocząć natarcie na Egipt. Duce uważał ten marsz na Aleksandrię za operację o „z góry przesądzonym wyniku"[17]. Jak łatwo się domyślić, Graziani robił wszystko, aby odwlec w czasie jej podjęcie, najpierw twierdząc, że nie może atakować w najgorętszym okresie lata, a potem, że brakuje mu sprzętu.

W sierpniu książę Aosty, zarazem wicekról Włoskiej Afryki Wschodniej (Africa Orientale Italiana, AOI), uzyskał łatwe zwycięstwo, wkraczając z Abisynii do Somali Brytyjskiego i zmuszając nielicznych obrońców do wycofania się nad Zatokę Adeńską. Ale Aosta wiedział, że jego sytuacja stanie się beznadziejna, o ile marszałek Graziani nie podbije Egiptu. Mając od zachodniej strony angielsko-egipski Sudan i brytyjską Kenię, a na wschodzie kontrolowane przez Royal Navy Morze Czerwone i Ocean Indyjski, nie mógł spodziewać się zaopatrzenia do czasu zdobycia Egiptu przez Włochów.

---

[16] D. Clarke, *The Eleventh at War*, London 1952, s. 95; oraz M. Carver, *Out of Step*, London 1989, s. 54–55.
[17] G. Ciano, *Ciano's Diplomatic Papers*, London 1948, s. 273.

Mussolini tracił cierpliwość, gdy Graziani nadal odkładał w czasie rozpoczęcie działań zaczepnych. Wreszcie 13 września Włosi podjęli natarcie. Mieli wyraźną przewagę liczebną, dysponując pięcioma dywizjami przeciwko trzem niepełnym dywizjom krajów Wspólnoty Brytyjskiej. Brytyjska 7. Dywizja Pancerna, której żołnierzy nazywano „pustynnymi szczurami", posiadała zaledwie siedemdziesiąt sprawnych czołgów.

Włosi zdołali się pogubić jeszcze przed dotarciem do egipskiej granicy. Brytyjskie oddziały wycofywały się, prowadząc walki obronne, i nawet oddały Sidi Barrani, gdzie Graziani zatrzymał natarcie. Mussolini naciskał, aby włoskie wojska atakowały dalej po przebiegającej wzdłuż wybrzeża drodze w kierunku Marsa Matruh. Ale tak samo jak podczas rozpoczętego niebawem uderzenia na Grecję oddziały Grazianiego nie otrzymały zaopatrzenia umożliwiającego kontynuowanie ofensywy.

Niemcy kilkukrotnie starali się wyperswadować Mussoliniemu atakowanie Grecji. Dziewiętnastego września Duce zapewniał Ribbentropa, że zdobędzie Egipt, zanim uderzy na Grecję lub Jugosławię. Włosi z pozoru przyznawali rację, że wpierw należy uporać się z Brytyjczykami. Nieco później, 8 października, Mussoliniego wzburzyła jednak wieść o tym, że Niemcy wysłali swoje oddziały do Rumunii. Jego minister spraw zagranicznych, hrabia Ciano, zapomniał mu przekazać, że Ribbentrop wspomniał mu o tym wcześniej. „Hitler ciągle stawia mnie w obliczu faktów dokonanych – rzekł Duce do Ciano 12 października. – Tym razem odpłacę mu jego własną monetą"[18].

Nazajutrz Mussolini rozkazał Comando Supremo (naczelnemu dowództwu włoskich sił zbrojnych) pilne zaplanowanie inwazji na Grecję z obszaru okupowanej przez Włochów Albanii. Żaden z jego wyższych rangą oficerów, a zwłaszcza komendant wojsk w Albanii generał Sebastiano Visconti Prasca, nie miał odwagi przestrzec Duce przed wielkimi problemami związanymi z transportem i zaopatrzeniem podczas zimowej kampanii w górzystym Epirze. Przygotowania przebiegały nieskładnie. Znaczną część armii włoskiej demobilizowano, głównie z przyczyn ekonomicznych. Jednostki, w których brakowało żołnierzy, należało zreorganizować. Plan przewidywał użycie dwudziestu dywizji, ale przerzut większości z nich przez Adriatyk miał zająć trzy miesiące. Mussolini tymczasem chciał zaatakować już 26 października, czyli przed upływem dwóch tygodni.

Niemcy wiedzieli o tych przygotowaniach, ale zakładali, że uderzenie na Grecję nie nastąpi, zanim Włosi nie wkroczą do Egiptu i zdobędą Marsa Matruh. Hitler znajdował się akurat w swoim opancerzonym pociągu,

---

[18] *Ibidem*, s. 297 (12 maja 1940 r.).

powracając ze spotkań z Franco i Pétainem, kiedy dowiedział się, że szykowany jest atak na Grecję. *Sonderzug*, który zmierzał do Berlina, zawrócono na południe. Hitler udał się nim do Florencji, gdzie niemiecki minister spraw zagranicznych pilnie domagał się od Mussoliniego, aby ów spotkał się z Führerem.

Wczesnym rankiem 28 października, na krótko przed rozmową z Mussolinim, powiadomiono Hitlera, że właśnie rozpoczęła się inwazja na Grecję. Wódz wpadł w szał. Domyślał się, że Mussolini z zawiścią odnosi się do niemieckich wpływów na Bałkanach, i przewidywał, iż Włochów może tam oczekiwać bardzo przykra niespodzianka. Przede wszystkim jednak żywił obawy, że takie posunięcie ściągnie brytyjskie wojska do Grecji, skąd bombowce RAF-u będą mogły atakować rumuńskie pola naftowe koło Ploeszti. Nieprzemyślany krok Mussoliniego mógł nawet narazić na ryzyko operację „Barbarossa". Jednakże Hitler opanował wściekłość, nim jego pociąg specjalny zajechał na peron we Florencji, gdzie czekał nań Mussolini. W rezultacie w dyskusji, którą obydwaj przywódcy przeprowadzili w Palazzo Vecchio, ledwie poruszono temat ataku na Grecję, a Hitler zaoferował wsparcie w postaci dywizji powietrznodesantowej i spadochronowej, które miały uchronić Kretę przed zajęciem jej przez Brytyjczyków.

O trzeciej tego samego poranka włoski ambasador w Atenach przedstawił greckiemu dyktatorowi generałowi Joanisowi Metaksasowi ultimatum, którego termin upływał za trzy godziny. Metaksas odpowiedział lakonicznym „nie", lecz włoskiego reżimu faszystowskiego w istocie nie interesowała jego odmowa lub zgoda. Dwie i pół godziny później sto czterdzieści tysięcy włoskich żołnierzy wkroczyło do Grecji.

Włoskie oddziały maszerowały w ulewnym deszczu. Nie zaszły daleko. Deszcz padał już od dwóch dni. Wezbrana woda w strumieniach i rzekach zerwała niektóre mosty, a Grecy, spodziewając się agresji, która w Rzymie była tajemnicą poliszynela, wysadzili w powietrze pozostałe. Niewybrukowane drogi zamieniły się w grząskie i nieprzejezdne błota.

Grecy, nie mając pewności, czy z północnego wschodu nie zaatakują ich także Bułgarzy, musieli pozostawić cztery dywizje we wschodniej Macedonii i Tracji. Przeciwko włoskiemu uderzeniu bronili się na linii przebiegającej od jeziora Prespa koło jugosłowiańskiej granicy przez góry Gramos i dalej wzdłuż szybko płynącej rzeki Kalamas (Thyamis),wpadającej do morza na wysokości południowego skraju wyspy Korfu (Kerkyry). Grekom brakowało czołgów i armat przeciwpancernych. Mieli niewiele względnie nowoczesnych samolotów. Ich największą siłą był powszechny wśród żołnierzy zapał i zdecydowanie, by odeprzeć napaść pogardzanych *macaronides* („makaroniarzy"), jak nazywali

Włochów[19]. Nawet grecka społeczność w Aleksandrii dała się ponieść patriotycznemu ferworowi. Około czternastu tysięcy tamtejszych Greków udało się do kraju przez morze, aby wziąć udział w walkach, a fundusze zebrane przez nich na rzecz wysiłku wojennego przewyższyły cały egipski budżet na obronę[20].

Włosi wznowili ofensywę 5 listopada, lecz zdołali poczynić postępy tylko na wybrzeżu i na północ od Konitsy, ale tam Dywizja Alpejska „Julia", jedna z doborowych włoskich formacji, nie doczekała się wsparcia i już niebawem znalazła się w okrążeniu. Tylko jej część uniknęła rozbicia, a generał Prasca rozkazał swoim oddziałom przejść do defensywy na stuczterdziestokilometrowym froncie. Comando Supremo w Rzymie musiało przełożyć termin ofensywy w Egipcie i przerzucić wojska do wzmocnienia armii w Albanii. Chełpliwe zapewnienia Mussoliniego, że podbije Grecję w ciągu piętnastu dni, okazały się pustosłowiem, niemniej Duce nadal wmawiał sobie, iż odniesie zwycięstwo w tej kampanii. Hitlera nie zaskoczyła ta kompromitacja sojusznika, gdyż już wcześniej przewidywał, że Grecy wykażą, iż są lepszymi żołnierzami od Włochów. Generał Aleksandros Papagos, szef greckiego sztabu głównego, koncentrował już odwody, szykując się do kontruderzenia.

Kolejny cios spadł na Włochów w nocy 11 listopada, kiedy Royal Navy zaatakowała bazę morską w Tarencie, a w operacji tej wzięły udział samoloty Fairey Swordfish z lotniskowca HMS „Illustrious" oraz eskadra złożona z czterech krążowników i czterech niszczycieli. Trzy włoskie pancerniki – „Littorio", „Cavour" i „Duilio" – zostały trafione torpedami, a Brytyjczycy stracili dwa swordfishe. „Cavour" osiadł na dnie. Admirał Andrew Cunningham, brytyjski głównodowodzący na śródziemnomorskim teatrze działań wojennych, mógł się przekonać, że włoska flota w istocie nie stanowi poważniejszego zagrożenia.

Czternastego listopada generał Papagos przystąpił do kontrofensywy, świadom greckiej przewagi na froncie albańskim aż do czasu wzmocnienia wojsk włoskich. Jego żołnierze zaatakowali, wykazując się wielką dzielnością i hartem. Do końca roku Grecy wyparli najeźdźców z powrotem do Albanii, odrzucając ich o pięćdziesiąt do siedemdziesięciu kilometrów od granicy. Podniesienie liczebności włoskiego kontyngentu w Albanii do czterystu dziewięćdziesięciu tysięcy ludzi niewiele zmieniło. Do czasu gdy w kwietniu 1941 roku Hitler uderzył na Grecję, Włosi mieli prawie czterdzieści tysięcy zabitych oraz sto czternaście tysięcy rannych,

---

[19] M. Mazower, *Inside Hitler's Greece. The Experience of Occupation 1941–44*, New Haven 1993.
[20] O Grekach w Egipcie zob. A. Cooper, *Cairo in the War, 1939–1945*, London 1989, s. 59.

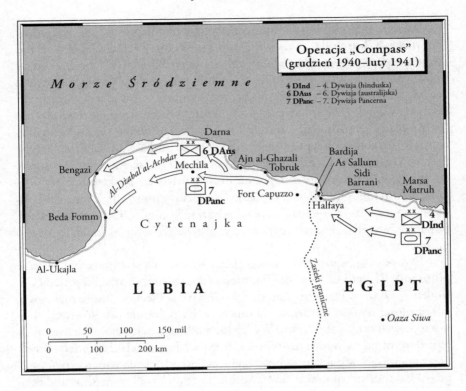

chorych i ofiar odmrożeń[21]. Włoskie pretensje do statusu supermocarstwa
legły w gruzach. Wszelkie pomysły prowadzenia „wojny równoległej" okazały
się mrzonką. Mussolini nie był już sojusznikiem Hitlera, a tylko jego pomoc-
nikiem.

Beznadziejna słabość militarna Włoch niebawem ujawniła się też w Egipcie.
Na generale Archibaldzie Wavellu, głównodowodzącym na Bliskim Wschodzie, spoczywała wielka odpowiedzialność za wojska brytyjskie w północnej
i wschodniej Afryce oraz nad Zatoką Perską. Z początku dysponował zaledwie trzydziestoma sześcioma tysiącami żołnierzy w Egipcie, mającymi bronić
tego kraju przed dwustu piętnastoma tysiącami Włochów z armii w Libii.
Dalej na południu książę Aosty komenderował ćwierćmilionowymi włoskimi siłami, złożonymi częściowo z miejscowej ludności. Wkrótce jednak
do Egiptu zaczęły napływać świeże oddziały z Wielkiej Brytanii i z krajów
Wspólnoty Brytyjskiej, wzmacniając wojska Wavella.

---

[21] Straty włoskie w Grecji i Albanii zob. *GSWW*, t. III, s. 448.

Wavell, małomówny i inteligentny wielbiciel poezji, nie wzbudzał zaufania u Churchilla. Wojowniczy brytyjski premier chciał powierzyć swoje wojska „połykaczom ognia", zwłaszcza na Bliskim Wschodzie, gdzie przeciwnikami byli słabi Włosi. Nadto Churchilla cechowała niecierpliwość. Nie w pełni rozumiał „kwatermistrzowską zmorę" prowadzenia wojny na pustyni. Wavell, który obawiał się, że premier będzie się wtrącał w jego militarne plany, nie zdradził Churchillowi, iż przygotowuje się do kontruderzenia opatrzonego kryptonimem operacja „Compass". Oznajmił o tym jedynie Anthony'emu Edenowi, podówczas wizytującemu Egipt, i dopiero wtedy, gdy polecono mu posłać broń bardzo jej potrzebującym Grekom. Churchill, gdy usłyszał o planie Wavella po powrocie Edena do Londynu, ponoć z zadowolenia „mruczał jak sześć kotów"[22]. Od razu też zaczął ponaglać Wavella, by atak rozpocząć możliwie najszybciej, najdalej w ciągu miesiąca.

Dowódcą zgrupowania znanego jako Western Desert Force był generał porucznik Richard O'Connor. Ten niewysoki, szczupły i krzepki generał dowodził 7. Dywizją Pancerną i hinduską 4. Dywizją Piechoty, które rozmieścił w odległości około czterdziestu kilometrów na południe od głównych włoskich pozycji pod Sidi Barrani. Wydzielony oddział, Selby Force, nacierał na Sidi Barrani od zachodu, nadmorską drogą z Marsa Matruh. Okręty Royal Navy operowały w pobliżu wybrzeża, gotowe do udzielenia wsparcia ogniowego. O'Connor przygotował zawczasu blisko rejonu walk zamaskowane składy zaopatrzenia.

Ponieważ wiedziano o tym, że w Kairze roiło się od włoskich agentów, których nie brakło nawet w świcie egipskiego króla Faruka, trudno było utrzymać całkowitą tajemnicę. W tej sytuacji, aby stworzyć wrażenie, iż nic się nie szykuje, generał Wavell w towarzystwie żony i córek tuż przed bitwą wybrał się na tor wyścigów konnych do Geziry. Tego samego wieczoru wydał przyjęcie w Turf Club.

Kiedy operacja „Compass" rozpoczęła się wcześnie rano 9 grudnia, Brytyjczycy stwierdzili, że udało im się zupełnie zaskoczyć przeciwnika. Dywizja hinduska, którą poprzedzały czołgi Matilda z 7. Królewskiego Pułku Czołgów, przechwyciła główne włoskie pozycje na samym skraju Sidi Barrani w ciągu niespełna trzydziestu sześciu godzin. Oddział 7. Dywizji Pancernej, atakujący na północny zachód, przeciął przebiegającą wzdłuż wybrzeża drogę z Sidi Barrani do Buqbuq, a zasadnicze siły tejże dywizji uderzyły na włoską Dywizję „Catanzaro" na podejściach do Buqbuq. Do wieczora 10 grudnia hinduska 4. Dywizja zdobyła Sidi Barrani, a cztery włoskie

---

[22] W.S. Churchill, *Druga wojska światowa*, t. 2: *Ich najwspanialsza chwila*, tłum. K. Mostowska, Gdańsk 1995, s. 212.

dywizje operujące w okolicy poddały się następnego dnia. Zajęto także Buqbuq, niszcząc Dywizję „Catanzaro". Tylko Dywizja „Cirene", znajdująca się o czterdzieści kilometrów dalej na południe, zdołała uniknąć rozbicia, wycofując się pospiesznie ku przełęczy Halfaja.

Wojska O'Connora odniosły błyskotliwe zwycięstwo. Tracąc zaledwie 624 ludzi, wzięły do niewoli 38 300 jeńców, zdobyły 237 dział i 73 czołgi. O'Connor chciał niezwłocznie kontynuować działania ofensywne, ale musiał z tym zaczekać. Większość 4. Dywizji hinduskiej przerzucono bowiem do Sudanu, aby tam stawiła czoło siłom księcia Aosty w Abisynii. W zamian O'Connorowi przydzielono australijską 16. Brygadę Piechoty ze składu australijskiej 6. Dywizji Piechoty.

Bardija (Al-Bardi), port tuż nad granicą libijską, stanowiła główny cel działań obu stron. Na rozkaz Mussoliniego marszałek Graziani skoncentrował w okolicy sześć dywizji. Piechota O'Connora zaatakowała 3 stycznia 1941 roku, wspierana przez pozostałe matildy. Po trzech dniach walk Włosi poddali się australijskiej 6. Dywizji Piechoty, która wzięła do niewoli czterdzieści pięć tysięcy ludzi, zdobyła czterysta sześćdziesiąt dwa działa polowe i sto dwadzieścia dziewięć czołgów. Dowódca włoskiego zgrupowania generał Annibale Bergonzoli, przezywany „Naelektryzowanym Wąsem" ze względu na sterczący zarost, zdołał umknąć na zachód. Atakujący stracili zaledwie stu trzydziestu zabitych i trzystu dwudziestu sześciu rannych.

Tymczasem 7. Dywizja Pancerna podjęła natarcie, aby odciąć Tobruk. Dwie australijskie brygady pospieszyły z Bardiji, by zamknąć pierścień okrążenia. Wkrótce i Tobruk skapitulował, a w rękach brytyjskich znalazło się dwadzieścia pięć tysięcy jeńców, dwieście osiem dział, osiemdziesiąt siedem wozów opancerzonych oraz czternaście świadczących usługi włoskim żołnierzom prostytutek, które odesłano do klasztoru w Aleksandrii, gdzie nudziły się żałośnie do końca wojny. O'Connor z przerażeniem dowiedział się o tym, że Churchill zaproponował Grecji pomoc w postaci wojsk lądowych i lotnictwa, co wystawiało na ryzyko oddziały prowadzące ofensywę w Libii. Na szczęście Metaksas odrzucił tę ofertę, uważając, że wsparcie słabsze od co najmniej dziewięciu dywizji sprowokuje tylko Niemców, nie dając żadnych nadziei na ich powstrzymanie.

Równocześnie trwał rozpad włoskiego imperium we wschodniej Afryce. Dziewiętnastego stycznia wojska generała majora Williama Platta w Sudanie, wzmocnione gotową do walki hinduską 4. Dywizją, uderzyły na izolowaną i nieruchawą armię księcia Aosty w Abisynii. Dwa dni później cesarz Hajle Sellasje powrócił w towarzystwie majora Orde'a Wingate'a z wygnania, aby uczestniczyć w wyzwalaniu swojego kraju. Na południu z kolei zgrupowanie pod dowództwem generała majora Alana Cunninghama, młodszego brata admirała Cunninghama, zaatakowało z obszaru Kenii. Armia Aosty, sparaliżowana przez brak zapasów, nie była w stanie bronić się zbyt długo.

W Libii O'Connor postanowił przejść do zdecydowanej ofensywy i zamknąć w potrzasku większość włoskich wojsk nad wybrzuszeniem wybrzeża w Cyrenajce, kierując 7. Dywizję Pancerną przez ten obszar ku Wielkiej Syrcie na południe od Bengazi. Ale wiele czołgów było niesprawnych, a sytuacja zaopatrzeniowa przedstawiała się rozpaczliwie – linie komunikacyjne rozciągały się na dystansie ponad tysiąca trzystu kilometrów aż do Kairu. O'Connor rozkazał dywizji zatrzymać się chwilowo przed silnymi włoskimi pozycjami pod Mechili, na południe od masywu Al-Dżabal al-Achdar. Jednak właśnie wtedy patrole w samochodach pancernych i samoloty RAF-u dostrzegły oznaki tego, że Włosi przystąpili do generalnego odwrotu. Marszałek Graziani ewakuował wszystkie swoje wojska z Cyrenajki.

Czwartego lutego rozpoczął się, jak to określali żołnierze brytyjskich pułków kawalerii, „wyścig do Bengazi". Poprzedzana przez 11. Pułk Huzarów 7. Dywizja Pancerna nacierała przez niegościnne tereny, aby odciąć drogę ucieczki niedobitkom włoskiej 10. Armii. Australijska 6. Dywizja Piechoty ścigała umykającego nieprzyjaciela na wybrzeżu i 6 lutego wkroczyła do Bengazi.

Na wieść o tym, że Włosi zaczęli się wycofywać z Bengazi, dowodzący 7. Dywizją Pancerną generał major Michael Creagh posłał naprzód lotną kolumnę, żeby odciąć przeciwnikowi drogę koło Beda Fomm. W skład tego zgrupowania weszły 11. Pułk Huzarów, 2. batalion Brygady Strzeleckiej oraz trzy baterie Królewskiej Artylerii Konnej; owa zaimprowizowana formacja dotarła na czas do wyznaczonej drogi. Mając przed sobą dwadzieścia tysięcy Włochów rozpaczliwie próbujących wyrwać się z okrążenia, Brytyjczycy obawiali się, że ulegną tak wielkiej przewadze liczebnej przeciwnika. Ale w chwili gdy spodziewali się kontrataku od strony lądu, pokazały się lekkie czołgi brytyjskiego 7. Pułku Huzarów. Uderzyły na lewe skrzydło zmasowanych w ugrupowaniu liniowym włoskich oddziałów, wywołując panikę i wielkie zamieszanie. Walki ustały dopiero po zachodzie słońca.

Bitwa rozgorzała na nowo o świcie, gdy przybyło więcej włoskich czołgów. Ale także do brytyjskiej lotnej kolumny zaczęły docierać wzmocnienia, gdy nadciągały kolejne szwadrony kawalerii zmotoryzowanej z 7. Dywizji Pancernej. W trakcie prób przełamania frontu zniszczeniu uległo ponad osiemdziesiąt włoskich czołgów. Tymczasem Australijczycy prowadzący natarcie z Bengazi wzmogli nacisk na nieprzyjaciela od drugiej strony. Po tym jak zakończyła się fiaskiem ostatnia próba uniknięcia okrążenia podjęta rankiem 7 lutego, generał Bergonzoli skapitulował przed podpułkownikiem Johnem Combe'em z 11. Pułku Huzarów. „Naelektryzowany Wąs" był jedynym ocalałym starszym rangą oficerem włoskiej 10. Armii.

Zmęczeni i wymizerowani włoscy żołnierze siedzieli na ziemi jak okiem sięgnąć, kuląc się przed deszczem. Jeden z podwładnych Combe'a, zapytany przez radio, ilu jeńców wziął 11. Pułk Huzarów, ponoć odparł z typowo kawaleryjską niefrasobliwością: „Cóż, powiedziałbym, że kilka akrów". Pięć dni później w Trypolisie wylądował generał porucznik Erwin Rommel, a niebawem znalazły się tam też pierwsze jednostki formacji, która wkrótce zasłynęła pod nazwą Afrikakorps.

ROZDZIAŁ 10

Bałkańska wojna Hitlera

marzec–maj 1941

Kiedy Hitler nabrał przekonania, że próby pokonania Wielkiej Brytanii nie powiodły się, skupił uwagę na najważniejszym dlań celu. Ale zanim uderzył na Związek Radziecki, postanowił zabezpieczyć się na obydwu flankach. Podjął negocjacje z Finlandią, lecz znacznie ważniejsza była sytuacja na południu, na Bałkanach. Pola naftowe koło Ploeszti miały dostarczyć paliwa dla jego dywizji pancernych, natomiast rumuńska armia marszałka Iona Antonescu była zasobem rezerw ludzkich. Ponieważ Związek Radziecki także uważał południowo-wschodnie regiony Europy za swoją strefę wpływów, Hitler miał świadomość, że powinien postępować ostrożnie i unikać prowokowania Stalina, nim sam nie będzie gotów do inwazji.

Kompletnie nieudany atak Mussoliniego na Grecję doprowadził do tego, czego Hitler się obawiał – mianowicie do brytyjskiej obecności militarnej na południowym wschodzie Europy. W kwietniu 1939 roku Wielka Brytania udzieliła Grecji gwarancji pomocy wojskowej, wobec czego generał Metaksas zwrócił się o takie wsparcie. Brytyjczycy zaproponowali przysłanie myśliwców – pierwsze dywizjony RAF-u przyleciały do Grecji w drugim tygodniu listopada 1940 roku – a brytyjskie wojska lądowe wylądowały na Krecie, aby umożliwić tamtejszemu greckiemu garnizonowi udział w walkach na froncie albańskim. Hitler, coraz bardziej zaniepokojony tym, że Brytyjczycy wykorzystają greckie lotniska do nalotów na złoża ropy naftowej wokół Ploeszti, poprosił rząd bułgarski o zorganizowanie na granicy posterunków obserwacyjno-ostrzegawczych. Jednak Metaksas zabronił brytyjskiemu lotnictwu atakowania rumuńskich pól naftowych z terytorium greckiego z obawy przed sprowokowaniem odwetu nazistowskich Niemiec. Jego kraj mógł oprzeć się Włochom, ale nie Wehrmachtowi.

Jednakże Führer sam zaczął w tym czasie myśleć o uderzeniu na Grecję, częściowo po to, by wybawić z kompromitujących opresji Włochów, których niepowodzenia stawiały w niekorzystnym świetle całe przymierze państw osi, ale przede wszystkim ażeby ustrzec Rumunię. Dwunastego listopada nakazał OKW opracowanie planów uderzenia przez obszar Bułgarii i przechwycenia północnych wybrzeży Morza Egejskiego. Operacji tej nadano kryptonim „Marita". Dowództwa Luftwaffe i Kriegsmarine rychło przekonały go o potrzebie zajęcia całego obszaru kontynentalnej Grecji.

„Marita" miała dopełnić operację „Felix", czyli atak na Gibraltar, zamierzony na wiosnę 1941 roku, wraz z opanowaniem północno-zachodniej Afryki siłami dwóch dywizji. Z obawy, że francuskie kolonie mogą się zbuntować przeciwko władzom Vichy, Hitler wydał też rozkaz awaryjnego zaplanowania operacji „Attila", to jest zajęcia francuskich posiadłości w Afryce i francuskiej floty wojennej. Akcja ta, w razie konieczności, winna była mieć bardzo stanowczy charakter.

Wobec tego, że Gibraltar stanowił klucz do brytyjskiej obecności na Morzu Śródziemnym, Hitler zadecydował, iż pośle na rozmowy z generałem Franco admirała Canarisa, szefa Abwehry. Canaris miał uzyskać zgodę na przerzut w lutym niemieckich wojsk drogą biegnącą wzdłuż hiszpańskiego śródziemnomorskiego wybrzeża. Ale przeświadczenie Hitlera, że Franco ostatecznie przystąpi do wojny, okazało się przesadnie optymistyczne. *Caudillo* dał „jasno do zrozumienia, że może wziąć udział w konflikcie tylko w obliczu rychłego załamania się Wielkiej Brytanii"[1]. Hitler nie chciał rezygnować ze wspomnianych planów, lecz skoro chwilowo pokrzyżowano mu zamiary dotyczące zachodniej części basenu śródziemnomorskiego, skupił uwagę na południowej flance przed rozpoczęciem operacji „Barbarossa".

Piątego grudnia 1940 roku Hitler potwierdził, że skieruje tylko dwa pułki Luftwaffe na Sycylię i do południowych Włoch, aby atakowały brytyjskie siły morskie we wschodniej części Morza Śródziemnego. W owej fazie wojny przeciwstawiał się jeszcze pomysłowi wysłania wojsk lądowych do Libii, na pomoc Włochom. W drugim tygodniu stycznia 1941 roku błyskotliwy sukces operacji zaczepnej O'Connora sprawił jednak, że Führer się rozmyślił. Libia mało go obchodziła, ale jeśli pod wpływem klęski Mussolini miałby zostać obalony, stanowiłoby to silny cios dla osi i uskrzydliło przeciwników nazistowsko-faszystowskiego przymierza.

Siły Luftwaffe na Sycylii zostały wzmocnione jednostkami całego X Korpusu Lotniczego, a jednostki Wehrmachtu otrzymały rozkaz przygotowania się do przerzutu do Afryki Północnej. Tymczasem do 3 lutego stało się

---

[1] *KTB OKW*, t. I, 10 grudnia 1940 r., s. 222.

jasne, że w wyniku spektakularnego zwycięstwa generała Richarda O'Connora zagrożona okazała się także Trypolitania. Hitler polecił wysłanie do Afryki korpusów pod dowództwem generała porucznika Rommla, które dobrze znał z kampanii w Polsce i we Francji. Jego wojskom nadano nazwę Deutsches Afrikakorps (DAK), a całą operację opatrzono kryptonimem „Sonnenblume" (Słonecznik).

Mussolini nie miał wyboru i zgodził się na przekazanie Rommlowi komendy nad włoskim wojskami w Afryce. Po spotkaniu w Rzymie 10 lutego Rommel dwa dni później poleciał do Trypolisu. Od razu odrzucił włoskie plany obrony tego miasta. Front należało utrzymać znacznie dalej, nad Wielką Syrtą, do czasu wyokrętowania niemieckich oddziałów, co jednak, o czym Rommel rychło się przekonał, miało trochę potrwać. Piąta Dywizja Lekka uzyskała gotowość bojową dopiero na początku kwietnia.

Tymczasem X Korpus Lotniczy, operujący z baz na Sycylii, bombardował Maltę, zwłaszcza tamtejsze lotniska i bazę morską w Valletcie, oraz atakował brytyjskie konwoje na Morzu Śródziemnym. Dowództwo Kriegsmarine usiłowało skłonić włoską marynarkę wojenną do zaatakowania brytyjskiej Floty Śródziemnomorskiej, ale argumenty Niemców nie znalazły posłuchu aż do końca marca.

Przygotowania do operacji „Marita", czyli inwazji na Grecję, potrwały przez trzy pierwsze miesiące 1941 roku. Formacje 12. Armii pod komendą feldmarszałka Wilhelma Lista przemaszerowały przez Węgry do Rumunii. W obu tych krajach rządziły antykomunistyczne reżimy, które sprzymierzyły się z państwami osi pod wpływem niemieckich energicznych zabiegów dyplomatycznych. Bułgarię także należało przeciągnąć na stronę Rzeszy, ażeby niemieckie wojska mogły przejść przez terytorium tego kraju. Stalin z wielką podejrzliwością obserwował taki rozwój wydarzeń. Nie przekonywały go zapewnienia Niemców, że obecność Wehrmachtu na Bałkanach jest wymierzona wyłącznie przeciwko Brytyjczykom, ale niewiele mógł na to poradzić.

Brytyjczycy, aż za dobrze zdając sobie sprawę z koncentracji niemieckich wojsk nad dolnym Dunajem, postanowili działać. Churchill, mając na względzie kwestię brytyjskiej wiarygodności i w nadziei wywarcia odpowiedniego wrażenia na Amerykanach, rozkazał Wavellowi zrezygnować z wszelkich planów natarcia w Trypolitanii i zamiast tego skierować trzy dywizje do Grecji. Zmarł Metaksas, a nowy grecki premier, Aleksandros Korizis, w obliczu realnej groźby niemieckiego uderzenia był teraz gotów do przyjęcia wszelkiej pomocy, choćby i niewielkiej. Ani przygnębiony Wavell, ani admirał Cunningham nie wierzyli, że tak nieznaczne siły ekspedycyjne mają jakąś szansę powstrzymania Niemców, lecz Churchill uważał, iż chodzi o brytyjski honor, a w pełni popierał go w tym Eden, więc 8 marca obaj

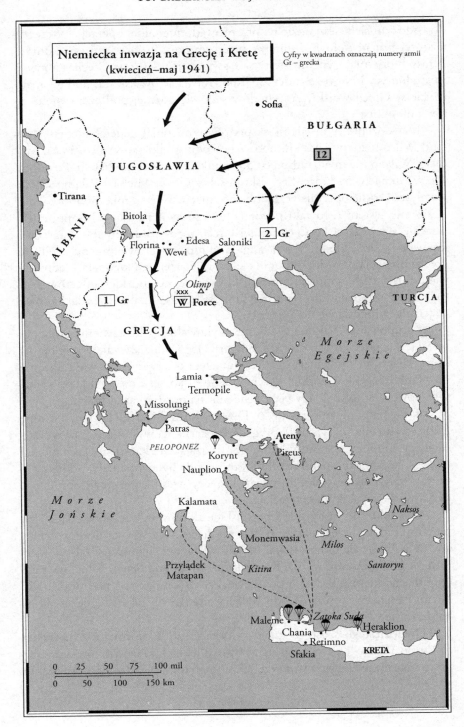

Niemiecka inwazja na Grecję i Kretę
(kwiecień–maj 1941)

Cyfry w kwadratach oznaczają numery armii
Gr – grecka

• Sofia

BUŁGARIA

JUGOSŁAWIA

12

• Tirana

Bitola •

Florina •• • Edesa   Saloniki
      • Wewi

2 Gr

Olimp

1 Gr   xxx
          W Force

GRECJA

ALBANIA

TURCJA

Morze
Egejskie

Lamia •
  Termopile

Missolungi
  • Patras

PELOPONEZ

Korynt
  Nauplion •

Kalamata •

Ateny •
Pireus

Morze
Jońskie

Naksos

Monemwasia •

Milos

Santoryn

Przylądek
Matapan   Kitira

Maleme •
  Chania •
    • Rerimno
  Sfakia

Zatoka Suda
      Heraklion

KRETA

0   25   50   75   100 mil

0   50   100   150 km

dowódcy musieli się zgodzić na przeprowadzenie takiej operacji. W rzeczywistości ponad połowę żołnierzy pięćdziesięcioośmiotysięcznego kontyngentu, który miał wypełnić brytyjskie gwarancje udzielone Grecji, stanowili Australijczycy i Nowozelandczycy. Takie formacje były akurat pod ręką, ale użycie w Grecji wojsk z Antypodów stało się później podłożem wielu żalów i niesnasek.

Dowodzenie tymi siłami ekspedycyjnymi objął generał Henry Maitland Wilson, znany jako „Jumbo" z powodu wielkiego wzrostu i znacznej tuszy. Wilson nie miał złudzeń co do wyniku czekającej go batalii. Po odprawie w Atenach, na której brytyjski poseł w Grecji Michael Palairet odmalował przesadnie optymistyczny obraz sytuacji, Wilson miał podobno rzec: „Cóż, nie jestem tego taki pewien. Już zamówiłem mapy Peloponezu"[2]. Właśnie z tej części kontynentalnej Grecji jego wojska miały zostać ewakuowane w razie klęski. Wyżsi rangą brytyjscy oficerowie przypuszczali, że grecka operacja prawdopodobnie okaże się „następną Norwegią". Jednakże wielu młodszych stopniem australijskich i nowozelandzkich oficerów z entuzjazmem zapoznawało się z mapami Bałkanów, analizując szlaki prowadzące przez Jugosławię do Wiednia.

Zgrupowanie Wilsona, W Force, szykowało się do stawienia czoła niemieckiemu uderzeniu z obszaru Bułgarii. Jego oddziały zajęły pozycję na linii „Aliakmon", przebiegającej wzdłuż rzeki o tej samej nazwie i ukośnie od granicy jugosłowiańskiej ku egejskiemu wybrzeżu na północ od Olimpu. Nowozelandzka 2. Dywizja generała majora Bernarda Freyberga znajdowała się na prawym skrzydle, 6. Dywizja australijska na lewym, a osłonę frontu stanowiła brytyjska 1. Brygada Pancerna na wysuniętych pozycjach. Alianccy żołnierze wspominali dni poprzedzające tę kampanię jako niemal idyllę. Choć nocami panował chłód, to pogoda była wspaniała, polne kwiaty porastały górskie stoki, a przyjaźni greccy wieśniacy umilali obrońcom oczekiwanie na atak nieprzyjaciela.

Gdy oddziały brytyjskie i brytyjskich dominiów czekały w Grecji na niemiecki atak, Kriegsmarine wywierała naciski na włoską flotę wojenną, aby ta zaatakowała okręty Royal Navy i odciągnęła ich uwagę od transportowców przewożących wojska Rommla do Afryki Północnej. Włochów miał wspomagać niemiecki X Korpus Lotniczy stacjonujący na południu Italii; Niemcy zachęcali sojusznika do wzięcia odwetu na Royal Navy za zbombardowanie Genui.

Dwudziestego szóstego marca włoska eskadra, złożona z pancernika „Vittorio Veneto", sześciu ciężkich i dwóch lekkich krążowników oraz trzynastu niszczycieli, wyszła w morze. Cunningham, uprzedzony o zagrożeniu

---

[2] F. de Guingand, *Generals at War*, London 1964, s. 33.

dzięki przechwyceniu i rozszyfrowaniu meldunków Luftwaffe, posłał do walki okręty, którymi dysponował: Force A – zespół, którym osobiście dowodził, złożony z pancerników HMS „Warspite", „Valiant" i „Barham", lotniskowca HMS „Formidable" i dziewięciu niszczycieli, oraz Force B – cztery lekkie krążowniki i cztery niszczyciele.

Dwudziestego ósmego marca załoga włoskiego wodnosamolotu z okrętu liniowego „Vittorio Veneto" dostrzegła krążowniki Force B. Eskadra morska admirała Angela Iachina przystąpiła do pościgu. Iachino nie miał pojęcia o tym, że na wschód od Krety i na południe od przylądka Matapan (Tenaron) znajdował się znacznie silniejszy zespół Cunninghama. Samoloty torpedowe z pokładu HMS „Formidable" uszkodziły „Vittorio Veneto", lecz pancernik ten zdołał uciec. Druga fala samolotów uszkodziła ciężki krążownik „Pola", zmuszając go do zatrzymania się. Pozostałe włoskie okręty dostały rozkaz przyjścia tej jednostce z pomocą, co dało szansę Brytyjczykom. W wyniku niszczycielskiego ostrzału artyleryjskiego zostały zatopione trzy włoskie ciężkie krążowniki, w tym „Pola", oraz dwa niszczyciele. Mimo że Cunningham był poważnie sfrustrowany ucieczką „Vittorio Veneto", to bitwa morska koło przylądka Matapan stanowiła ważne pod względem psychologicznym zwycięstwo Royal Navy.

Niemieckie uderzenie na Grecję miało się rozpocząć na początku kwietnia, ale tymczasem doszło do nieoczekiwanego kryzysu w Jugosławii. Wcześniej Hitler starał się przeciągnąć ten kraj na swoją stronę, a zwłaszcza tamtejszego regenta księcia Pawła, w ramach swojej dyplomatycznej ofensywy, chcąc zapewnić sobie spokój na Bałkanach przed podjęciem operacji „Barbarossa". Jednak wśród samych Jugosłowian narastała niechęć wobec Niemców, głównie pod wpływem bezceremonialnych usiłowań Rzeszy zawładnięcia wszystkimi jugosłowiańskimi surowcami. Hitler nakłaniał rząd w Belgradzie do przystąpienia do paktu trzech, a 4 marca wraz z Ribbentropem wywarł w tej sprawie silną presję na księcia Pawła.

Jugosłowiańskie władze grały na zwłokę, świadome wzmagającego się w ich kraju nieprzychylnego nastawienia do Niemiec, ale napływające z Berlina żądania stawały się coraz bardziej natarczywe. Wreszcie książę Paweł i przedstawiciele belgradzkiego rządu podpisali 25 marca w Wiedniu akt przystąpienia do paktu trzech. Dwa dni później serbscy oficerowie dokonali w Belgradzie zamachu stanu. Księcia Pawła obalono, a tron objął młody król Piotr II. W Belgradzie doszło do antyniemieckich demonstracji; tłum zaatakował między innymi samochód niemieckiego posła. Hitler, jeśli wierzyć jego tłumaczowi, „pałał żądzą zemsty"[3]. Nabrał przekonania, że Brytyjczycy

---

[3] P. Schmidt, *Statysta na dyplomatycznej scenie*, tłum. H. Kurnatowski, Kraków 1965, s. 223.

maczali palce w tym przewrocie. Ribbentropa niezwłocznie wezwano ze spotkania z japońskim ministrem spraw zagranicznych, któremu tłumaczył, że cesarskie wojska powinny opanować Singapur. Następnie Hitler polecił OKH rozpoczęcie przygotowań do agresji na Jugosławię. Miało się obejść bez ultimatum czy wypowiedzenia wojny. Luftwaffe winna była zbombardować Belgrad tak szybko, jak się da. Całej operacji nadano kryptonim „Strafgericht".

Hitler uznał belgradzki zamach stanu z 27 marca za „ostateczny dowód" na istnienie „spisku żydowskich anglosaskich podżegaczy wojennych oraz Żydów u władzy w moskiewskiej bolszewickiej centrali"[4]. Zdołał nawet wmówić sobie, że doszło do perfidnego złamania niemiecko-radzieckiego paktu o przyjaźni – którego przecież sam nie zamierzał przestrzegać.

Choć rząd jugosłowiański ogłosił Belgrad miastem otwartym, operacja „Strafgericht" rozpoczęła się w Niedzielę Palmową 6 kwietnia. W ciągu dwóch dni 4. Flota Powietrzna zniszczyła większość miasta. Liczby ofiar wśród ludności cywilnej nie sposób oszacować; waha się ona od tysiąca pięciuset do trzydziestu tysięcy zabitych – przypuszczalnie wynosiła kilkanaście tysięcy ludzi[5]. Jugosłowiańskie władze pospiesznie podpisały układ ze Związkiem Radzieckim, ale Stalin nie uczynił nic poza tym, gdyż obawiał się sprowokowania Hitlera.

Gdy niedzielnego poranka pięćset samolotów bombardowało Belgrad, niemiecki poseł w Atenach poinformował greckiego premiera, że wojska Wehrmachtu niebawem wkroczą do Grecji z powodu obecności oddziałów brytyjskich na terytorium tego kraju. Korizis odpowiedział, że Grecja będzie się broniła. Tuż przed brzaskiem 6 kwietnia 12. Armia Lista rozpoczęła równoczesną ofensywę na kierunku południowym, przeciwko Grecji, i zachodnim, atakując Jugosławię. „O godzinie 5.30 zaczęło się uderzenie na Jugosławię – zapisał w swoim dzienniku pewien starszy szeregowy z 11. Dywizji Pancernej. – Ruszyły czołgi. Lekkie działa otworzyły ogień, ciężka artyleria weszła do akcji. Pojawił się samolot rozpoznawczy, potem czterdzieści stukasów zbombardowało pozycje [przeciwnika], koszary zaczęły się palić. (...) Piękny to widok o poranku"[6].

Wcześnie tego samego ranka słynący z arogancji generał lotnictwa Wolfram von Richthofen, dowódca VII Korpusu Lotniczego, wybrał się, aby popatrzeć na natarcie 5. Dywizji Górskiej na przełęcz Rupel na granicy jugosłowiańskiej i obejrzeć swoje stukasy w akcji. „Na stanowisku dowodze-

---

[4] *Hitler. Reden und Proklamationen, 1932–1945*, t. 2, red. M. Domarus, Wiesbaden 1973, s. 1726 (przypisy).
[5] Na temat ofiar wśród ludności cywilnej w Jugosławii zob. *GSWW*, t. III, s. 498.
[6] Starszy szeregowy G., 119. Pułk Artylerii, 11. Dywizja Pancerna, BfZ-SS 13/517A.

nia o 4.00 – napisał w dzienniku. – Gdy się przejaśniało, zaczęła strzelać artyleria. Wspaniałe fajerwerki. Potem bomby. Przemyka myśl, czy przypadkiem nie przykładamy się za bardzo do Greków"[7]. Ale niemiecką 5. Dywizję Górską spotkała przykra niespodzianka, kiedy samoloty Richthofena pomyłkowo zbombardowały własne oddziały. Grecy stawili znacznie twardszy opór, niż się spodziewano.

Pospiesznie zmobilizowana armia jugosłowiańska, której brakowało samolotów i armat przeciwpancernych, nie miała żadnych szans w walce z potęgą Luftwaffe i niemieckich dywizji pancernych. Niemcy zwrócili uwagę, że jednostki serbskie broniły się z większą zaciętością niż chorwackie czy macedońskie, które poddawały się przy pierwszej sposobności. Jedna z kolumn, złożona z tysiąca pięciuset jeńców, została przez pomyłkę zaatakowana przez stukasy, które zabiły „przerażającą liczbę" wziętych do niewoli. „Cóż, tak to już jest na wojnie!" – skonstatował Richthofen[8].

Inwazja na Jugosławię nieoczekiwanie zagroziła linii „Aliakmon" w Grecji. Gdyby Niemcy ruszyli na południe i przedarli się przez lukę w ugrupowaniu obronnym koło Bitoli i Floriny, co z pewnością zaplanowali, wówczas alianckie pozycje zostałyby natychmiast oskrzydlone. Należało wycofać oddziały z linii „Aliakmon", aby zaradzić takiemu zagrożeniu.

Hitler chciał odciąć od morza alianckie siły ekspedycyjne w Grecji i zniszczyć je. Nie wiedział, że generał Wilson miał pewien tajny atut. Otóż po raz pierwszy niemieckie meldunki, zakodowane przy użyciu Ultry[9] i rozszyfrowane w ośrodku Bletchley Park, umożliwiły zawczasu uprzedzenie alianckiego dowódcy o zamiarach Wehrmachtu. Zarówno brytyjskich, jak i greckich dowódców wprawiło w konsternację szybkie załamanie się armii jugosłowiańskiej, której żołnierze w trakcie całej kampanii zdołali zabić zaledwie stu pięćdziesięciu jeden Niemców.

Greckie wojska broniące Linii Metaksasa przebiegającej w pobliżu granicy bułgarskiej walczyły bardzo dzielnie, ale ostatecznie jednostki niemieckiego XVIII Korpusu Górskiego przedarły się przez południowo-wschodni skraj terytorium jugosłowiańskiego i otwarły sobie drogę do Salonik. Rano 9 kwietnia do Richthofena dotarły „zdumiewające nowiny" o tym, że 2. Dywizja Pancerna znalazła się na rogatkach tego miasta[10]. A jednak Grecy przeprowadzili kontratak w pobliżu przełęczy Rupel, co zmusiło Richthofena, który tymczasem nabrał już nieco szacunku do przeciwnika, do rzucenia tam bombowców w celu rozbicia greckiego przeciwuderzenia.

---

[7] Richthofen KTB, 6 kwietnia 1941 r., BA-MA N671/2/7/9, s. 53.
[8] Richthofen KTB, 10 kwietnia 1941 r., *ibidem*, s. 59.
[9] Brytyjskie określenie na przechwycone meldunki niemieckie, kodowane m.in. za pomocą maszyny Enigma (przyp. tłum.).
[10] Richthofen KTB, 9 kwietnia 1941 r., BA-MA N671/2/7/9, s. 58.

Jedenastego kwietnia brytyjska 1. Brygada Pancerna, operująca na południe od Wewi, starła się z jednostką SS, podówczas w sile brygady, Leibstandarte Adolf Hitler. Major Gerry de Winton, dowódca szwadronu łączności, wspominał, że dolina w wieczornym świetle była „akurat jak na obrazie lady Butler, ze słońcem zachodzącym z lewej strony, Niemcami atakującymi od czoła i działami ustawionymi na stanowiskach"[11] po prawej. Przechwycony i rozszyfrowany meldunek niemiecki wskazywał, że Brytyjczycy bronili się skutecznie: „Koło Wewi jednostka Schutzstaffel [SS] Adolf Hitler napotkała zdecydowany opór"[12]. Ale do takich starć dochodziło tylko sporadycznie. Rozpoczął się odwrót przez kolejne górskie przełęcze, a alianckie formacje nie dawały się dopędzić Niemcom. Jednostkom greckim brakowało transportu motorowego, więc nie były w stanie dotrzymać kroku sojusznikom, zaś między zgrupowaniem Wilsona a grecką armią Epiru wytworzyła się na albańskim froncie wielka luka.

Czołgi i inne pojazdy, uszkodzone na kamienistych drogach, trzeba było pozostawić i zniszczyć, a wycofujące się kolumny były nieustannie nękane z powietrza. Nieliczne dywizjony myśliwskie RAF-u, wyposażone w hurricane'y, zdecydowanie ustępujące liczebnie messerschmittom Richthofena, niewiele mogły zdziałać. W trakcie odwrotu, polegającego na ciągłych przelotach z jednych zaimprowizowanych lotnisk na inne, brytyjskim pilotom musiała się przypominać przegrana kampania francuska. Zestrzeleni niemieccy lotnicy bywali okrutnie traktowani przez żądnych zemsty greckich wieśniaków.

Siedemnastego kwietnia Jugosławia skapitulowała. Jej rozproszone wojska, zaatakowane od północy z terytorium austriackiego, a także z obszaru Węgier, Rumunii oraz przez armię Lista z Bułgarii, nie miały większych szans. Żołnierze niemieckiej 11. Dywizji Pancernej byli z siebie bardzo zadowoleni. „W ciągu niecałych pięciu dni rozbiliśmy siedem dywizji nieprzyjaciela – zanotował w swoim dzienniku pewien starszy szeregowiec – zdobyliśmy wielką ilość sprzętu wojskowego, wzięliśmy do niewoli trzydzieści tysięcy jeńców, a Belgrad musiał się poddać. Straty własne – bardzo małe"[13]. Jeden z żołnierzy Dywizji SS „Das Reich" nie mógł się nadziwić: „Czyżby [Serbowie] wierzyli, że ze swoją niepełną, staroświecką i źle wyszkoloną armią mogliby przeciwstawić się niemieckiemu Wehrmachtowi? To zupełnie tak, jakby dżdżownica chciała połknąć boa dusiciela!"[14].

Pomimo łatwego zwycięstwa Hitler, z pochodzenia Austriak, pałał żądzą zemsty na ludności serbskiej, którą uważał za terrorystów odpowiedzial-

---

[11]   Cyt. za: A. Beevor, *Kreta. Podbój i opór*, tłum. M. Bielewicz, Kraków 2011, s. 56.
[12]   OL 2042, TNA DEFE 3/891.
[13]   Starszy szeregowy G., BfZ-SS 13/517A.
[14]   Szeregowy Erich N., 8. kompania Pułku Zmotoryzowanego Dywizji SS „Das Reich", 10 maja 1941 r., BfZ-SS 11 707 E.

nych za pierwszą wojnę światową i wszystkie jej nieszczęścia. Jugosławia miała ulec rozczłonkowaniu, a skrawki jej terytorium oddano węgierskim, bułgarskim i włoskim sojusznikom Rzeszy. Chorwacja, pod faszystowskimi rządami, została włoskim protektoratem, a Niemcy okupowali Serbię. Brutalne traktowanie Serbów przez nazistów przyniosło skutki odwrotne do zamierzonych, gdyż doprowadziło do wybuchu okrutnej wojny partyzanckiej i przeszkodziło Niemcom w eksploatacji tamtejszych surowców.

W czasie odwrotu w Grecji, gdzie uciekający Jugosłowianie mieszali się z wojskami alianckimi i greckimi, zdarzały się obłędne sceny. W jednej z wojskowych kolumn na zatłoczonej drodze zauważono w luksusowym dwumiejscowym buicku z opuszczonym dachem jakiegoś belgradzkiego playboya w golfowych butach wraz z kochanką. Pewien brytyjski oficer myślał, że śni na jawie, kiedy ujrzał „w świetle księżyca szwadron serbskich ułanów w długich pelerynach przejeżdżających niczym duchy żołnierzy pokonanych w dawno minionych wojnach"[15].

Gdy doszło do zerwania wszelkiej łączności między armią grecką na lewym skrzydle a W Force, generał Wilson wydał rozkaz wycofania się na linię Termopil. Było to możliwe wyłącznie dzięki dzielnej obronie doliny Tempi, w której nowozelandzka 5. Brygada zdołała powstrzymywać przez trzy dni niemiecką 2. Dywizję Pancerną i 6. Dywizję Górską. Ale przechwycone i rozszyfrowane depesze nazistowskie wskazywały, że Niemcy przedzierali się ku wybrzeżom adriatyckim w kierunku Zatoki Korynckiej.

Alianccy żołnierze w Grecji czuli się głęboko zażenowani koniecznością niszczenia mostów i linii kolejowych podczas odwrotu, mimo to miejscowa ludność nadal traktowała ich nader przyjaźnie i wyrozumiale. Prawosławni popi błogosławili brytyjskie pojazdy, a wieśniaczki wręczały wojsku kwiaty oraz chleb na dalszą drogę, choć im samym perspektywa wrogiej okupacji musiała wydawać się bardzo przygnębiająca. Jednak Grecy nie zdawali sobie jeszcze w pełni sprawy z tego, jak straszny będzie ich los. Już kilka miesięcy później bochenek chleba miał kosztować dwa miliony drachm, a w pierwszym roku okupacji ponad czterdzieści tysięcy mieszkańców Grecji zmarło z wygłodzenia[16].

Dziewiętnastego kwietnia, dzień po tym jak grecki premier odebrał sobie życie, generał Wavell poleciał do Aten na konsultacje. Ze względu na niepewną sytuację w Grecji jego sztabowcy nie rozstawali się ze służbowymi rewolwerami. Decyzja o ewakuowaniu wszystkich wojsk Wilsona zapadła nazajutrz rano. Owego dnia nad Atenami ostatnich piętnaście hurricane'ów

---

[15] A. Beevor, *Kreta, op. cit.*, s. 59.
[16] M. Mazower, *Inside Hitler's Greece. The Experience of Occupation 1941–44*, New Haven 1993, s. xiii.

podjęło walkę ze stu dwudziestoma niemieckimi samolotami. Personel brytyjskiego poselstwa i misji wojskowej w hotelu Grande Bretagne zaczął palić dokumenty, w tym najważniejsze rozszyfrowane niemieckie meldunki.

Mimo rozejścia się wieści o ewakuacji alianckich żołnierzy nadal pozdrawiano na drogach. „Wracajcie szczęśliwie! – wołali Grecy. – Powróćcie jako zwycięzcy!" Wielu oficerom i żołnierzom łzy cisnęły się do oczu na myśl o pozostawieniu Greków ich losowi. Tylko pośpiech podczas chaotycznego odjazdu sprawiał, że nie skupiano się na takich refleksjach. Gdy silna straż tylna, złożona z Australijczyków i Nowozelandczyków, wstrzymywała atakujących Niemców, reszta zgrupowania Wilsona zmierzała ku punktom zaokrętowania w Rafina na południe od Aten i w Porto Rafti na południowym wybrzeżu Peloponezu. Tym razem Niemcy byli zdecydowani nie dopuścić do nowego *„Dünkirschen-Wunder"*, czyli „cudu Dunkierki"[17].

Chociaż generał Papagos i król Grecji Jerzy II chcieli walczyć dalej, póki alianckie siły ekspedycyjne pozostawały w kontynentalnej części kraju, to dowództwo armii Epiru, zmagające się z Włochami, postanowiło poddać się Niemcom. Dwudziestego kwietnia generał Jeorios Tsolakoglu podjął rokowania z feldmarszałkiem Listem, pod warunkiem że greckie wojska nie będą zmuszone układać się z Włochami. List zgodził się na to. Dowiedziawszy się o tym, oburzony Mussolini poskarżył się Hitlerowi, który znowu nie chciał dopuścić do upokorzenia swojego sojusznika. Posłał do Grecji generała porucznika Alfreda Jodla z OKW, aby to on, a nie rozwścieczony List, przyjął kapitulację Greków w obecności włoskich oficerów.

Podniecenie z powodu łatwego zwycięstwa znalazło wyraz w słowach pewnego niemieckiego oficera artylerii z 11. Dywizji Pancernej, który 22 kwietnia napisał do żony: „Kiedy tylko widziałem nieprzyjaciela, strzelałem do niego, a walka zawsze dostarczała mi dzikiej, prawdziwej przyjemności. To była radosna wojna. (...) Jesteśmy opaleni i pewni zwycięstwa. Jakie to wspaniałe należeć do takiej dywizji"[18]. *Hauptmann* (kapitan) z 73. Dywizji Piechoty przypuszczał, że wraz z nastaniem nowego europejskiego ładu pokój zapanuje nawet na Bałkanach, „aby nasze dzieci nie zaznały więcej wojen"[19]. Zaraz po tym jak 26 kwietnia pierwsze niemieckie oddziały wjechały do Aten, wielka czerwona flaga ze swastyką zawisła nad Akropolem.

Tegoż dnia o świcie niemieckie formacje powietrznodesantowe wylądowały po południowej stronie Kanału Korynckiego, próbując odciąć aliantom drogę odwrotu. Rozgorzały chaotyczne walki, a Niemcy ponieśli ciężkie straty z rąk Nowozelandczyków z baterii dział przeciwlotniczych Boforsa

---

[17]   Richthofen KTB, 10 kwietnia 1941 r., BA-MA N671/2/7/9, s. 60.
[18]   Cyt. za: *GSWW*, t. IX/1, s. 536.
[19]   Kapitan Friedrich M., 73. Dywizja Pancerna, BfZ-SS 20 305.

i nielicznych lekkich czołgów 4. Pułku Huzarów. Spadochroniarze nie wypełnili głównego zadania, polegającego na uchwyceniu tamtejszego mostu. Dwaj oficerowie saperzy, którzy wcześniej założyli ładunki wybuchowe, podeszli w pobliże mostu i wysadzili go w powietrze.

Gdy Niemcy świętowali zwycięstwo w Attyce, trwała przeprowadzona w szaleńczym tempie ewakuacja wojsk Wilsona. Korzystano ze wszelkich dostępnych środków. Lekkie bombowce typu Blenheim oraz łodzie latające Short Sunderland brały na pokład żołnierzy, stłoczonych w lukach bombowych i wieżyczkach strzeleckich. Kaiki, stare parowce i wszelkie inne jednostki pływające wyruszały na południe, w kierunku Krety. Royal Navy skierowała sześć krążowników i dziewiętnaście niszczycieli, które raz jeszcze wzięły na pokłady pobitą armię. Drogi wiodące do portów załadunkowych na południu Peloponezu były zatarasowane przez pospiesznie unieruchamiane pojazdy wojskowe. Ostatecznie do niemieckiej niewoli trafiło zaledwie czternaście tysięcy z pięćdziesięciu ośmiu tysięcy alianckich żołnierzy przerzuconych do Grecji. Kolejne dwa tysiące poległo lub odniosło rany podczas walk. Pod względem strat w ludziach klęska nie była jeszcze taka dotkliwa, jednak utrata opancerzonych pojazdów, ciężarówek, broni i innego sprzętu okazała się katastrofalna w okresie, gdy Rommel podjął natarcie na Egipt.

Hitler odetchnął z ulgą, zabezpieczywszy swą południową flankę, jednak pod sam koniec drugiej wojny światowej przypisał zwłokę w rozpoczęciu operacji „Barbarossa" kampanii bałkańskiej. Powojenni historycy prowadzili i nadal prowadzą spory na temat wpływu operacji „Marita" na inwazję na Związek Radziecki. Większość uznaje, że był on stosunkowo nieznaczny. Przesunięcie „Barbarossy" z maja na czerwiec zazwyczaj przypisuje się innym czynnikom, takim jak opóźnienia w przydzielaniu transportu motorowego, zwłaszcza pojazdów zdobytych na armii francuskiej w 1940 roku, problemy z dystrybucją paliwa czy też trudności z organizowaniem lotnisk polowych dla Luftwaffe w związku z ulewnymi deszczami, padającymi późną wiosną 1941 roku[20]. Jednakże nie ma najmniejszych wątpliwości, że operacja „Marita" przekonała Stalina, iż niemieckie uderzenie na południu to wstęp do planowanego przez nich opanowania rejonu Kanału Sueskiego, a nie inwazji na Związek Radziecki.

---

[20] W kwestii sporów dotyczących przyczyn opóźnienia rozpoczęcia operacji „Barbarossa" zob.: M. van Creveld, *Hitler's Strategy, 1940–1941. The Balkan Clue*, London 1973; stenogram sympozjum w Salonikach, maj 1991 r.; *GSWW*, t. III, s. 525; B. Müller-Hillebrand, *Die Improvisierung einer Operation (Dargestellt an der Vorbereitung der deutschen Operation gegen Jugoslawien 1941)*, Studien des Historical Division Headquarters, United States Army Europe, Foreign Military Branch, 78, MGFA-P 030; A. Hillgruber, *Hitlers Strategie. Politik und Kriegführung 1940–1941*, Frankfurt am Main 1965, s. 504 (przypisy); A.L. Zapantis, *Greek-Soviet Relations, 1917–1941*, New York 1983, s. 498 (przypisy).

Płynąc po Morzu Egejskim, przeładowane okręty i statki przewożące niedobitki W Force usiłowały, z ograniczonym powodzeniem, unikać ataków stukasów, junkersów Ju 88 i messerschmittów Richthofena. Dwadzieścia sześć jednostek zostało zatopionych, w tym dwa okręty szpitalne, a na morzu zginęło ponad dwa tysiące ludzi – w tym około siedmiuset, kiedy dwa niszczyciele Royal Navy, HMS „Diamond" i HMS „Wryneck", próbowały ratować rozbitków z tonącego holenderskiego statku. Oba wspomniane okręty poszły na dno, zatopione po ponawianych przez niemieckie lotnictwo atakach.

Większość ewakuowanych żołnierzy, około dwudziestu ośmiu tysięcy, wysadzono na brzeg w wielkiej naturalnej zatoce Suda na północnym wybrzeżu Krety w ostatnich dniach kwietnia. Wyczerpani ludzie schronili się w gajach oliwnych, gdzie zaopatrzono ich w suchary i konserwy z wołowiną. Maruderzy, mechanicy, żołnierze pododdziałów bez dowódców i brytyjscy cywile – wszyscy oni zbili się w chaotyczną gromadę, nie wiedząc, dokąd się udać. Nowozelandzka dywizja generała Bernarda Freyberga zeszła na ląd w należytym porządku, podobnie jak kilka australijskich batalionów. Wszyscy ci żołnierze spodziewali się, że trafią z powrotem do Egiptu, aby kontynuować zmagania z Rommlem.

Plany desantu na Maltę studiowano w OKW już na początku lutego. Zarówno dowództwo niemieckich wojsk lądowych, jak i Kriegsmarine popierały plan zabezpieczenia szlaków konwojowych do Libii. Jednak Hitler uznał, że należy z tym zaczekać na późniejszą porę roku, już po pokonaniu Związku Radzieckiego. Brytyjczycy na Malcie mogli utrudniać zaopatrywanie wojsk osi w Libii, ale alianckie bazy na Krecie stwarzały większe zagrożenie, gdyż, w odczuciu Führera, z wyspy tej można było korzystać, by przeprowadzać naloty bombowe na pola naftowe koło Ploeszti. Z podobnych powodów Hitler nakłaniał Włochów, aby za wszelką cenę utrzymali się na wyspach Dodekanezu. Ponadto zajęcie Krety przez Niemców zapewniłoby im wymierne korzyści. Otóż po zorganizowaniu baz na tej wyspie Luftwaffe mogła przystąpić do bombardowań portu w Aleksandrii oraz Kanału Sueskiego.

Jeszcze przed upadkiem Aten szefostwo Luftwaffe analizowało możliwość powietrznego desantu na Kretę. Generał lotnictwa Kurt Student, współtwórca niemieckich wojsk powietrznodesantowych, gorąco optował za taką operacją. Uważano, że podreperuje ona prestiż Luftwaffe, nadszarpnięty porażką w walkach z RAF-em w bitwie o Anglię. Göring poparł ten plan i zabrał Studenta na spotkanie z Hitlerem 21 kwietnia. Student nakreślił plan użycia XI Korpusu Lotniczego do opanowania Krety i późniejszego zrzutu na Egipt, po wkroczeniu Afrikakorps Rommla do tego kraju. Führer odniósł się do tego pomysłu trochę sceptycznie i przewidywał ciężkie straty. Od razu odrzucił drugą, „egipską" część planu Studenta, ale zaaprobował desant na Kretę, pod warunkiem że akcja ta nie opóźni operacji „Barbarossa". Operacji nadano kryptonim „Merkur" (Merkury).

Kreta, o czym dobrze wiedzieli zarówno Wavell, jak i admirał Cunningham, była wyspą trudną do obrony. Wszystkie tamtejsze zatoki i funkcjonujące lotniska znajdowały się niemal bez wyjątku na północnym wybrzeżu, dlatego były nadzwyczaj narażone na ataki z lotnisk wojsk osi na wyspach Dodekanezu, a to samo dotyczyło również statków zaopatrujących wyspę. Pod koniec marca na podstawie przechwyconych i rozszyfrowanych niemieckich meldunków Brytyjczycy dowiedzieli się o obecności w Bułgarii XI Korpusu Lotniczego, w którego skład wchodziła 7. Dywizja Lotnicza. W połowie kwietnia kolejna przejęta informacja ujawniła, że Niemcy przerzucili do tego kraju także dwieście pięćdziesiąt samolotów transportowych. Najwyraźniej zaplanowali poważną operację powietrznodesantową, której celem najprawdopodobniej była Kreta, o ile Niemcy zamierzali wykorzystać ją do późniejszego zaatakowania strefy Kanału Sueskiego. Następne odszyfrowane meldunki z pierwszego tygodnia maja potwierdziły, że faktycznie chodziło o Kretę.

Już od czasu zajęcia tej wyspy przez Brytyjczyków w listopadzie 1940 roku dla brytyjskich strategów jasne było, że Niemcy mogli zdobyć Kretę wyłącznie za sprawą desantu powietrznego. Silne zgrupowanie Royal Navy we wschodniej części Morza Śródziemnego i brak poważniejszych sił nawodnych państw osi na tamtych akwenach wykluczały desant morski. Brygadier Ord Henderson Tidbury, pierwszy komendant garnizonu kreteńskiego, przeprowadził staranne rozpoznanie i określił wszystkie prawdopodobne strefy zrzutu: były to lotniska w Heraklionie, Retimnie i Maleme oraz dolina na południowy zachód od Chanii. Szóstego maja brytyjski wywiad potwierdził, że koło Maleme i Heraklionu nastąpi „lądowanie pozostałych jednostek XI Korpusu Lotniczego, w tym sztabu i podporządkowanych [korpusowi] formacji wojsk lądowych"[21], oraz próba utworzenia polowych lotnisk dla bombowców nurkujących i myśliwców.

Brytyjskie wojska znajdowały się na Krecie już od sześciu miesięcy, lecz wbrew żądaniom Churchilla niewiele zrobiono, by przekształcić tę wyspę w fortecę. Wynikało to po części z pewnej inercji, niejasno nakreślonych planów oraz faktu, że Kreta zajmowała dość odległą pozycję na liście priorytetowych zadań Wavella. Dopiero rozpoczęto budowę drogi z mniej narażonego na atak południowego wybrzeża, a przygotowywanie nowego lotniska

---

21 OL 2167, TNA DEFE 3/891.

było znacznie opóźnione. Nawet w zatoce Suda, którą Churchill uznawał za „drugie Scapa Flow" dla floty wojennej, brakowało odpowiednich urządzeń.

Generał major Bernard Freyberg, dowódca nowozelandzkiej dywizji, dotarł na Kretę na pokładzie HMS „Ajax" dopiero 29 kwietnia. Znamienne, że pozostawał w kontynentalnej Grecji niemal do ostatniej chwili, nadzorując ewakuację swoich żołnierzy. Potężnie zbudowany Freyberg już od dawna cieszył się wielkim uznaniem Churchilla, pamiętającego jego odwagę wykazaną w czasie niefortunnej kampanii w Gallipoli podczas pierwszej wojny światowej. Churchill nazywał Freyberga „wielkim bernardynem". Dzień po swoim przybyciu Freyberg został wezwany na naradę przez Wavella, który tego samego przedpołudnia poleciał na Kretę bombowcem Blenheim. Generałowie spotkali się w nadmorskiej willi. Ku konsternacji Freyberga Wavell poprosił go, aby pozostał ze swoimi Nowozelandczykami na Krecie i objął dowodzenie obroną wyspy. Przedstawił mu uzyskane informacje wywiadowcze na temat spodziewanego niemieckiego ataku, który jak podówczas oceniano, miał zostać dokonany siłami „pięciu do sześciu tysięcy spadochroniarzy, wspartymi przez ewentualne uderzenie z morza"[22].

Freyberga jeszcze bardziej przygnębiło odkrycie, że wyspa nie może liczyć na osłonę powietrzną, a do tego obawiał się, iż Royal Navy nie będzie w stanie zapewnić mu ochrony przed „desantem z morza"[23]. Wydaje się, że od samego początku uczepił się błędnych założeń. Nie potrafił sobie wyobrazić, iż Kretę można zdobyć, przeprowadzając desant powietrzny, więc coraz bardziej skupiał się na zagrożeniu ze strony desantu morskiego. Z kolei sam Wavell doskonale wiedział (o czym świadczyły jego meldunki wysyłane do Londynu), że państwa osi nie dysponują na Morzu Śródziemnym dostatecznymi siłami nawodnymi, aby w miarę bezpiecznie wysadzić desant na plażach Krety. Fundamentalny błąd w rachubach Freyberga miał wpłynąć zarówno na początkowe rozmieszczenie jego wojsk, jak i na prowadzenie bitwy w jej przełomowej fazie.

Dowodzone przez Freyberga alianckie siły na wyspie określono nieoficjalnym mianem „Creforce". Lotniska pod Heraklionem we wschodniej części Krety broniły brytyjska 14. Brygada Piechoty i australijski batalion. Lotnisko w Retimnie znajdowało się pod osłoną dwóch batalionów Australijczyków i dwóch pułków greckich. Z kolei na lotnisku w Maleme w pobliżu zachodniego skraju wyspy, stanowiącym główny cel niemieckiego desantu, pozostawiono tylko jeden batalion nowozelandzki. Wynikało to z faktu, że Freyberg uważał, iż desant morski wyląduje na brzegu nieco na zachód

---

[22]   TNA PREM 3/109.
[23]   Freyberg do Wavella, cyt. za: W.S. Churchill, *Druga wojna światowa*, t. 3: *Wielka Koalicja*, tłum. K.F. Rudolf, Gdańsk 1995, s. 265.

od Chanii. W rezultacie tam właśnie skoncentrował większość swej dywizji, wraz z pułkiem walijskim i jeszcze jednym batalionem nowozelandzkim w odwodzie. Po drugiej stronie Maleme nie było żadnych oddziałów.

Szóstego maja ustalono na podstawie rozszyfrowanych meldunków, że Niemcy planują desant powietrzny siłami dwóch dywizji – dwukrotnie większymi od tych początkowo przewidywanych przez Wavella. Następnie udało się przechwycić dalsze potwierdzenie i szczegóły niemieckiego planu, co rozwiało wszelkie wątpliwości: nieprzyjaciel szykował operację powietrznodesantową. Niestety Dyrektoriat Wywiadu Wojskowego (Directorate of Military Intelligence, DMI) w Londynie pomyłkowo zawyżył liczebność niemieckich rezerw, które miały być przetransportowane morzem w drugim dniu akcji. Freyberg bynajmniej nie poprzestał na przyjęciu takich wiadomości; wyobrażał sobie możliwość „lądowania z użyciem czołgów na plażach"[24], o której nikt nie wspominał. Już po bitwie przyznał: „Najbardziej zajmowała nas kwestia desantu morskiego, a nie zagrożenie ze strony desantu powietrznego"[25]. Z kolei Churchill radował się z powodu szczegółowych danych o nieprzyjacielskim lądowaniu, uzyskanych dzięki złamaniu niemieckich kodów. Wynikła nieczęsta na wojnie sposobność dokładnego poznania terminu i głównych celów ataku wroga. „Powinna nadarzyć się świetna okazja do pozabijania tych [niemieckich] spadochroniarzy"[26], oznajmił Wavellowi w depeszy.

O ile alianckim obrońcom przejęte informacje teoretycznie zapewniały wielką przewagę, o tyle niemiecki wywiad wojskowy wykazał się w danym wypadku nadzwyczajną niezdarnością, być może pod wpływem przesadnej wiary w siły Wehrmachtu po serii łatwych niemieckich zwycięstw. W podsumowującym raporcie z 19 maja, to jest w przeddzień ataku, oceniono, że na wyspie znajdowało się tylko pięć tysięcy alianckich żołnierzy, przy czym zaledwie czterystu w okolicach Heraklionu. Na podstawie zdjęć lotniczych, wykonanych przez rozpoznawcze dorniery, nie udało się dostrzec dobrze zamaskowanych pozycji oddziałów z Wielkiej Brytanii i brytyjskich dominiów. Najbardziej zdumiewające w rzeczonym raporcie było to, iż zgodnie z jego treścią Kreteńczycy mieli witać chlebem i solą niemieckich najeźdźców.

Z powodu opóźnień w dostawach paliwa lotniczego termin operacji przełożono z 17 na 20 maja. W trakcie ostatnich dni przed atakiem naloty stukasów i messerschmittów Richthofena bardzo się nasiliły. Ich głównym

---

[24] Sformułowanie Freyberga, cyt. za: J. Connell, *Wavell. Scholar and Soldier*, London 1964, s. 454.

[25] Cyt. za: I. Stewart, *The Struggle for Crete, 20 May – 1 June 1941. A Story of Lost Opportunity*, Oxford 1955, s. 108.

[26] W.S. Churchill, *Druga wojna światowa*, t. 3, *op. cit.*, s. 266.

celem były stanowiska alianckich baterii przeciwlotniczych. Artylerzyści z obsługi przeciwlotniczych boforsów przeżywali ciężkie chwile, z wyjątkiem tych wokół lotniska w Heraklionie, którym polecono pozostawić działa i upozorować ich zniszczenie. Postępując niezwykle roztropnie, 14. Brygada Piechoty chciała mieć je w gotowości, gdy nadlecą niemieckie samoloty transportowe ze spadochroniarzami. Jednakże Freyberg, dając nowe świadectwo swego braku rozeznania w sytuacji, pomimo ostrzeżeń wywiadowczych, że Niemcy nie zamierzają bombardować lotnisk, gdyż chcą od razu je wykorzystać, nie wydał rozkazu zniszczenia pasów startowych.

*

Po świcie 20 maja niebo nad Kretą było bezchmurne. Zapowiadał się kolejny piękny i upalny dzień. Jak zwykle naloty rozpoczęły się o szóstej rano i trwały przez półtorej godziny. Po ich zakończeniu żołnierze wypełzli z okopów i zajęli się pichceniem śniadania. Wielu z nich sądziło, że desant powietrzny, do którego miało dojść 17 maja, może wcale nie nastąpi. Choć Freyberg wiedział, że przeciwnik zaplanował atak na poranek owego dnia, postanowił nie przekazywać tej informacji oddziałom.

Tuż przed ósmą usłyszano odgłosy silników lotniczych odmiennych od brytyjskich, gdy transportowe junkersy Ju 52 zbliżały się do wyspy. Żołnierze chwycili za karabiny i pobiegli na wyznaczone stanowiska. Pod Maleme i na półwyspie Akrotiri, w pobliżu kwatery głównej Freyberga, bezgłośnie przemknęły w powietrzu samoloty o osobliwym kształcie, z długimi, zwężającymi się skrzydłami. Rozległy się okrzyki: „Szybowce!". Karabiny, kaemy typu Bren i ciężkie karabiny maszynowe otworzyły ogień. W Maleme czterdzieści szybowców przeleciało nad lotniskiem i wylądowało za zachodnim skrajem tamtejszego lądowiska, w wyschniętym korycie rzeki Tawronitis i na jej przeciwległym brzegu. Wiele z tych maszyn się rozbiło, a kilka z nich zostało strąconych dzięki ostrzałowi z ziemi. Błąd Freyberga, który nie rozmieścił swoich oddziałów na zachód od Maleme, od razu wyszedł na jaw. Szybowce transportowały 1. batalion Pułku Szturmowego Strzelców Spadochronowych pod dowództwem majora Kocha – tego samego, który rok wcześniej poprowadził atak na belgijską twierdzę Eben-Emael. Zaraz potem jeszcze donośniejszy warkot lotniczych silników zwiastował pojawienie się głównego kontyngentu spadochroniarzy.

Ku zdumieniu młodszych oficerów w sztabie Creforce generał Freyberg, słysząc te odgłosy, nie przerwał śniadania. Spojrzał w górę i rzucił tylko: „Zjawili się bardzo punktualnie"[27]. Jego niewzruszona postawa wydała

---

[27] Woodhouse, cyt. za: C. Hadjipateras, M. Fafalios, *Crete 1941*, Athens 1989, s. 13.

się obecnym zarówno imponująca, jak i niepokojąca. Sztabowcy Freyberga obserwowali przez lornetki, jak fale nadlatujących transportowych junkersów zrzucają spadochroniarzy, a na pasie wybrzeża wybuchają walki. Kilku młodszych rangą oficerów przyłączyło się do polowania na załogi szybowców, które rozbiły się nieco na północ od kamieniołomów, gdzie mieściła się kwatera polowa Creforce.

Nowozelandczycy z zapałem strzelali do opadających powoli spadochroniarzy. Oficerowie rozkazywali żołnierzom celować w buty, gdy Niemcy usiłowali przyspieszyć lądowanie. Pod Maleme dwa kolejne niemieckie bataliony wylądowały za Tawronitis. Nowozelandzki 22. batalion, obarczony zadaniem strzeżenia lokalnego lotniska, rozmieścił wokół lądowiska tylko jedną kompanię i pojedynczy pluton w najsłabszym punkcie, po jego zachodniej stronie. Nieco na południe od lotniska znajdowało się skaliste Wzgórze 107, na którym podpułkownik Leslie W. Andrew zorganizował swoje stanowisko dowodzenia. Dowódca kompanii po zachodniej stronie tego wzniesienia bardzo dobrze kierował ogniem swoich żołnierzy, lecz kiedy zasugerował wprowadzenie do walki dwóch dział przybrzeżnych, otrzymał odpowiedź, że można ich użyć wyłącznie przeciwko celom na morzu. Obsesja Freyberga na punkcie „desantu morskiego" sprawiła, że nie wprowadził w porę do bitwy artylerii i odwodów – było to ciężkim błędem, gdyż najrozsądniejsza taktyka polegała na niezwłocznym przeprowadzeniu kontruderzenia, zanim nieprzyjacielscy spadochroniarze zdołają zebrać szyki.

Wielu Niemców zrzuconych na południowy zachód od Chanii wprost w tak zwaną Dolinę Więzienną, na dobrze zamaskowane pozycje alianckie, zginęło w trakcie prawdziwej masakry. Jedną z drużyn zrzucono na kwaterę główną 23. batalionu, którego dowódca osobiście zastrzelił pięciu niemieckich skoczków, natomiast jego adiutant – dwóch kolejnych. Zewsząd dobiegały okrzyki: „Trafiłem drania!". W ogniu walk prawie nie dawano pardonu.

Nikt nie był bardziej bezlitosny w swej determinacji bronienia wyspy od samych Kreteńczyków. Starcy, kobiety i podrostki, uzbrojeni w strzelby, stare karabiny, łopaty i kuchenne noże, podjęli bój z niemieckimi spadochroniarzami na otwartych polach i z tymi, którzy zaplątali się w linki spadochronów w gajach oliwnych. Wielebny Stylianos Frantzeskakis, usłyszawszy o desancie, pobiegł do świątyni, aby zaalarmować mieszkańców biciem w dzwon. Sam wziął do ręki karabin i poprowadził parafian z okolic na północ od Paleochory do walki z wrogiem. W późniejszym czasie Niemcy, znani z pruskiej nienawiści do partyzantki, zrywali koszule i suknie z pleców kreteńskich cywilów. Jeśli zauważali na ciele ślady spowodowane przez odrzut broni palnej albo ukryty nóż, zabijali winnych na miejscu, bez względu na ich wiek czy płeć.

Działania Creforce utrudniały problemy z łącznością, spowodowane niedostatkiem radionadajników, których nie dostarczono z Egiptu w ciągu trzech tygodni przed niemieckim atakiem. W rezultacie Australijczycy pod Retimnem i żołnierze brytyjskiej 14. Brygady Piechoty w Heraklionie dowiedzieli się o desancie na zachodniej części wyspy dopiero o 14.30.

Na szczęście dla Brytyjczyków problemy z zatankowaniem paliwa na lotniskach w Grecji opóźniły start 1. Pułku Strzelców Spadochronowych pułkownika Brunona Bräuera. Wskutek tego nalot stukasów i messerschmittów nastąpił znacznie wcześniej, nim nad Kretę dotarła fala transportowych junkersów Ju 52. Trębacze sygnaliści zagrali na alarm tuż przed 17.30. Żołnierze skierowali się biegiem na swoje dobrze zamaskowane pozycje. Obsługa dział przeciwlotniczych Bofors, które wcześniej nie strzelały podczas nalotu, teraz nakierowała lufy armat na ociężałe i powolne samoloty transportowe. W trakcie następnych dwóch godzin zestrzelono piętnaście Ju 52.

Bräuer, pod wpływem nieścisłych danych wywiadowczych, postanowił rozproszyć zrzut; spadochroniarze 3. batalionu skakali na południowy zachód od Heraklionu, 2. batalion wylądował na lotnisku na wschód od tego miasta, a 1. batalion w okolicach wioski Gurnes jeszcze dalej na wschodzie. Drugi batalion kapitana Burckhardta dosłownie zmasakrowano. Górale ze szkockiego Pułku „Black Watch" otworzyli morderczy ogień. Nieliczne ocalałe niemieckie pododdziały zostały następnie rozbite przez jednostkę z 3. Pułku Huzarów wspartą przez przestarzałe brytyjskie czołgi Whippet, ostrzeliwujące wszystkich, którzy próbowali uciec.

Trzeci batalion majora Schulza, zrzucony na pola kukurydzy i winnice, przebił się do Heraklionu pomimo zażartej obrony na starych weneckich murach miejskich, jaką podjęli żołnierze greccy i cywilni uzbrojeni Kreteńczycy. Burmistrz poddał miasto, ale wtedy przypuścili kontratak Brytyjczycy z Pułku York and Lancaster oraz Pułku z Leicestershire, zmuszając niemieckich spadochroniarzy do wycofania się. Zanim zapadł zmrok, pułkownik Bräuer zdał sobie sprawę, że prowadzona przez niego operacja przybrała bardzo niepomyślny obrót.

W Retimnie, mieście między Heraklionem a Chanią, część 2. Szturmowego Pułku Strzelców Spadochronowych pułkownika Alfreda Sturma także wpadła w pułapkę. Podpułkownik Ian Campbell rozmieścił swoje dwa australijskie bataliony na wzniesieniu, górującym nad pobliską nadbrzeżną drogą i lotniskiem, a pomiędzy nimi znalazły się słabo uzbrojone pododdziały greckie. Gdy junkersy nadlatywały wzdłuż linii brzegowej, obrońcy otworzyli niszczycielski ogień. Zestrzelono siedem samolotów. Inne, usiłując uciec, zrzuciły spadochroniarzy w morze, a wielu skoczków potonęło, zaplątując się w czasze spadochronów. Niektórzy wylądowali na skalistym podłożu i doznali kontuzji, a kilku spotkała straszna śmierć, gdy nadziewali się na zaostrzone bambusowe tyczki. Oba australijskie bataliony przeszły do kontruderzenia. Niedobitki niemieckich oddziałów usiłowały uciec na wschód i zajęły pozycje obronne w tłoczni oliwy. Inna grupa, zrzucona bliżej Retimna, wycofała się do wsi Periwolia, broniąc się tam przed atakami kreteńskiej żandarmerii i uzbrojonych cywilów ze wspomnianego miasta.

Na Krecie szybko zapadła noc, a żołnierze obu walczących stron dosłownie padali z wyczerpania. Strzelanina ustała. Niemieckich spadochroniarzy męczyło straszliwe pragnienie. W mundurach przystosowanych do walki w chłodniejszych strefach klimatycznych wielu z nich doznało poważnego odwodnienia. Kreteńczycy zastawiali pułapki w pobliżu studni i nękali ich przez całą noc. Zginęło wielu niemieckich oficerów, w tym sam dowódca 7. Dywizji Lotniczej.

W Atenach rozeszły się wieści o katastrofie na Krecie. Generał Student wpatrywał się w wielką mapę wyspy, rozwieszoną na ścianie sali balowej hotelu Grande Bretagne. Chociaż jego sztab nie znał dokładnych danych, to wiedziano, że straty były ciężkie i że nie udało się opanować żadnego z trzech lotnisk. Jedynie zdobycie Maleme nadal wydawało się możliwe, ale Pułkowi Szturmowemu w dolinie Tawronitis niemal wyczerpała się amunicja. W kwaterach głównych 12. Armii feldmarszałka Lista i VIII Korpusu Lotniczego Richthofena zapanowało przekonanie, że operację „Marita" należy przerwać, nawet gdyby miało to oznaczać pozostawienie niemieckich spadochroniarzy na Krecie. Jeden z wziętych do niewoli oficerów oznajmił wprost dowódcy australijskiego batalionu: „My nie przysyłamy wojskowych posiłków straceńcom"[28].

Tymczasem generał Freyberg zameldował o 22.00 do Kairu, że z tego, co mu wiadomo, jego wojska wciąż trzymają się na trzech lotniskach i w dwóch portach. Jednakże miał zupełnie błędne pojęcie o sytuacji pod Maleme. Zdziesiątkowany batalion pułkownika Andrew walczył tam bardzo dzielnie, ale jego prośby o przeprowadzenie kontrataku na lokalne lotnisko ignorowano. Przełożony Andrew, brygadier James Hargest, zapewne pod wpływem Freyberga, który obawiał się desantu morskiego, nie wysłał mu pomocy. Kiedy Andrew ostrzegł go, że będzie zmuszony się wycofać, jeżeli nie dostanie wsparcia, Hargest odparł: „Jak trzeba, to trzeba". Wobec tego Maleme i Wzgórze 107 opuszczono w ciągu nocy.

---

[28] Brygadier Ray Sandover w rozmowie z autorem przeprowadzonej 12 października 1990 roku.

Generał Student, zdecydowany nie poddawać się, podjął pewną decyzję, nie konsultując jej z feldmarszałkiem Listem. Wezwał kapitana Tilmanna Kleyego, najbardziej doświadczonego pilota pod jego komendą, i polecił mu dokonać próbnego lądowania na lotnisku w Maleme o świcie. Kleye powrócił i zameldował, że nie dostał się tam pod bezpośredni ostrzał. Załodze innego junkersa rozkazano dostarczenie amunicji Pułkowi Szturmowemu na Krecie i ewakuowanie niektórych rannych. Ponadto Student niezwłocznie polecił 5. Dywizji Górskiej, którą dowodził generał major Julius Ringel, przygotować się do wylotu, ale wpierw wydał rozkaz przeprowadzenia zrzutu wszystkich pozostałych oddziałów 7. Dywizji Lotniczej pod dowództwem pułkownika Hermanna-Bernharda Ramckego pod Maleme. Po opanowaniu tamtejszego lotniska pierwsze transportowce z żołnierzami 100. Pułku Górskiego zaczęły lądować o siedemnastej.

Freyberg, nadal wypatrując nieprzyjacielskiej floty inwazyjnej, nie chciał rzucać do przeciwataku swoich rezerw, z wyjątkiem nowozelandzkiego 20. batalionu. Pułk Walijski, najsilniejsza i najlepiej wyekwipowana jednostka, miał pozostać w odwodzie, ponieważ Freyberg w dalszym ciągu lękał się „morskiego desantu w rejonie Canea [Chanii]"[29]. Jeden z jego oficerów sztabowych oznajmił mu na podstawie zdobytych niemieckich planów, że Grupa Lekkich Jednostek Morskich, z wojskiem i zaopatrzeniem, kieruje się ku miejscu na zachód od Maleme, to jest odległemu o jakieś dwadzieścia kilometrów od Chanii[30]. Freyberg nie chciał też słuchać zapewnień starszego rangą oficera marynarki wojennej na Krecie, że Royal Navy może z łatwością poradzić sobie z niewielkimi jednostkami nawodnymi płynącymi ku wyspie.

O zmierzchu, zaraz po tym jak samoloty Luftwaffe odleciały znad Morza Egejskiego, trzy zespoły okrętów Royal Navy wyruszyły pełną parą ku obu krańcom Krety. Dzięki przechwyconym meldunkom Ultry znały kurs, którym płynęły ich ofiary. Force D, zespół złożony z trzech krążowników i czterech niszczycieli z radarami, dopadł flotyllę kaików, eskortowanych przez mały włoski niszczyciel. Rozbłysły reflektory i rozpoczęła się rzeź. Tylko jeden kaik wyrwał się z matni i dobił do brzegu.

Obserwując to morskie starcie na północnym horyzoncie, Freyberg dał się ponieść podekscytowaniu. Któryś z jego sztabowców wspominał, że generał aż podskakiwał pod wpływem chłopięcego entuzjazmu. Po tej bitwie Freyberg dawał do zrozumienia, że wyspie już nic nie zagraża. Odczuwając ulgę, poszedł spać, nie zapytawszy nawet o to, jak rozwija się kontratak pod Maleme.

---

[29] Z dziennika wojennego Dywizji Nowozelandzkiej, cyt. za: I. Stewart, *The Struggle for Crete*, *op. cit.*, s. 278.

[30] „*Einsatz* Kreta", BA-MA RL 33/98.

To przeciwuderzenie miało się rozpocząć o pierwszej w nocy 22 maja, ale Freyberg uparł się, aby 20. batalion nie wkraczał do akcji, zanim nie zostanie zastąpiony przez batalion Australijczyków z Jeorjupoli. Australijczycy, którym brakowało środków transportu, spóźniali się, a w rezultacie 20. batalion mógł dołączyć do nacierającego 28. batalionu (Maorysów) dopiero o 3.30. Zaprzepaszczono cenne godziny, podczas których panowała ciemność. Pomimo wielkiej odwagi atakujących – porucznik Charles Upham zdobył w czasie tej bitwy pierwszy ze swoich dwóch Krzyży Wiktorii – nie mieli oni większych szans ze wzmocnionymi oddziałami spadochroniarzy i niemieckimi batalionami górskimi, nie wspominając nawet o nieustannym ostrzeliwaniu przez messerschmitty po wschodzie słońca. Popołudniem wyczerpani Nowozelandczycy musieli się wycofać. Mogli tylko przyglądać się z bezsilną wściekłością, jak transportowe junkersy Ju 52 lądują z zatrważającą regularnością – po dwadzieścia samolotów co godzinę. Teraz już Brytyjczycy na wyspie byli skazani na porażkę.

Owego dnia katastrofa oczekiwała ich również na morzu. Cunningham, zdecydowany dopaść wysłaną w rejs z opóźnieniem drugą Grupę Lekkich Jednostek Morskich przeciwnika, posłał za dnia na Morze Egejskie dwa zgrupowania nawodne, Force C i Force A1. W końcu udało im się wypatrzyć wspomnianą grupę i zadać jej pewne straty, jednak intensywne niemieckie naloty powietrzne skutkowały narastającymi stratami własnymi. Brytyjska Flota Śródziemnomorska utraciła dwa zatopione krążowniki i niszczyciel. Dwa pancerniki, dwa inne krążowniki i kilka niszczycieli doznały poważnych uszkodzeń. Marynarka wojenna jeszcze nie pogodziła się z myślą, że era okrętów liniowych odeszła w przeszłość. Kolejne dwa niszczyciele, HMS „Kelly" i HMS „Kashmir", zostały zatopione następnego dnia.

Wieczorem 22 maja Freyberg nie zdecydował się na przeprowadzenie ostatecznego kontrataku siłami trzech pozostających w odwodzie batalionów. Najwyraźniej nie chciał zostać zapamiętany jako dowódca, który doprowadził Dywizję Nowozelandzką do zguby. Można sobie wyobrazić rozgoryczenie Australijczyków pod Retimnem i żołnierzy brytyjskiej 14. Brygady Piechoty w Heraklionie, ci bowiem sądzili, że udało się wygrać bitwę o Kretę. Rozpoczął się straszny odwrót po kamienistych ścieżkach wśród gór Lefka Ori, gdy spragnieni i zmęczeni ludzie z Creforce podążali do portu w Sfakii, gdzie okręty Royal Navy ponownie szykowały się do ewakuacji pokonanego wojska. Brygada komandosów pod dowództwem brygadiera Roberta Laycocka, mając wzmocnić garnizon na Krecie, wylądowała w zatoce Suda, już na miejscu dowiadując się o rozkazie opuszczenia wyspy. Jej żołnierze patrzyli z niedowierzaniem na palenie zapasów na nabrzeżu. Sfrustrowanemu Laycockowi oznajmiono, że jego ludzie mają walczyć jako straż tylna z górskimi formacjami Ringla.

Royal Navy honorowo wypełniła zadanie mimo dotkliwych strat poniesionych na wodach wokół Krety. Czternastą Brygadę Piechoty ewakuowano na pokładzie dwóch krążowników i sześciu niszczycieli, po świetnie przeprowadzonym odwrocie do portu w Heraklionie nocą 28 maja. Oficerowie rozmyślali o *Pogrzebie sir Johna Moore'a w La Coruña* – angielskim wierszu o najsławniejszej ewakuacji z okresu wojen napoleońskich, którego niegdyś musieli się uczyć na pamięć w szkołach[31]. Jednak wszystko szło bardzo dobrze tylko do czasu. Okręty zespołu nawodnego, spowalniane przez uszkodzony niszczyciel, nie wyszły z kanału przy wschodnim krańcu wyspy na pełne morze przed wschodem słońca. Po świcie zaatakowały stukasy. Dwa niszczyciele poszły na dno, a dwa krążowniki zostały poważnie uszkodzone. Eskadra powlokła się ku portowi w Aleksandrii, mając na pokładach wielu zabitych. Jedna piąta żołnierzy 14. Brygady zginęła podczas tego rejsu – był to znacznie wyższy odsetek, niż poległo w walkach z niemieckimi spadochroniarzami. Dudziarz Pułku „Black Watch" przy blasku reflektora odegrał żałobny hymn. Wielu żołnierzy nie wstydziło się łez. Niemcy uznali cios zadany Royal Navy podczas kampanii kreteńskiej za rewanż za zatopienie Bismarcka[32]. Richthofen i jego gość, generał Ferdinand Schörner, uczcili w Atenach zwycięstwo szampanem.

Ewakuacja z południowego wybrzeża Krety również rozpoczęła się nocą 28 maja, lecz do Australijczyków w Retimnie nie dotarł rozkaz odwrotu. „Nieprzyjaciel nadal się ostrzeliwuje", raportowali swemu dowództwu w Grecji niemieccy spadochroniarze[33]. Ostatecznie zaledwie pięćdziesięciu Australijczykom udało się wydostać z Krety po przebyciu gór, choć zostali zabrani przez okręt podwodny dopiero kilka miesięcy później.

W Sfakii zapanowały chaos i zamieszanie, wywołane przede wszystkim przez tłumy pozbawionych dowództwa żołnierzy z baz, którzy tłoczyli się w porcie. Nowozelandczycy, Australijczycy i żołnierze brytyjskiej piechoty morskiej, którzy wycofali się w należytym porządku, utworzyli kordon, aby zapobiec bezładnemu wchodzeniu na pokłady jednostek. Ostatni okręt odpłynął we wczesnych godzinach porannych 1 czerwca, gdy zbliżały się już niemieckie oddziały piechoty górskiej. Royal Navy zdołała ewakuować z Krety osiemnaście tysięcy żołnierzy, w tym niemal całą Dywizję Nowozelandzką. Dziewięć tysięcy ludzi pozostało na wyspie i trafiło do niewoli.

Nietrudno sobie wyobrazić ich rozgoryczenie. Tylko pierwszego dnia walk na Krecie alianckie wojska zabiły 1856 niemieckich spadochroniarzy. Ogółem Student stracił około sześciu tysięcy zabitych i rannych oraz

---

[31] Wiersz Charlesa Wolfe'a (przyp. tłum.).
[32] Zob. następny rozdział.
[33] Richthofen KTB, 28 maja 1941 r., BA-MA N671/2/7/9, s. 115.

sto czterdzieści sześć zniszczonych i sto sześćdziesiąt pięć poważnie uszkodzonych samolotów transportowych. Tych junkersów Ju 52 bardzo brakowało Wehrmachtowi później tego lata – podczas inwazji na Związek Radziecki. Ósmy Korpus Lotniczy Richthofena utracił kolejnych sześćdziesiąt maszyn[34]. Bitwa o Kretę okazała się najcięższym ciosem zainkasowanym przez Wehrmacht od chwili wybuchu wojny. Jednak mimo zaciekłej alianckiej obrony batalia ta ostatecznie przyniosła Wielkiej Brytanii niepotrzebną i dotkliwą porażkę. O dziwo, obie strony wyciągnęły zupełnie odmienne wnioski z przebiegu kreteńskiej operacji powietrznodesantowej. Hitler już nigdy więcej nie zdecydował się na przeprowadzenie podobnej wielkiej akcji z użyciem zrzutu spadochronowego, natomiast alianci przystąpili do tworzenia własnych formacji powietrznodesantowych, które miały zostać wykorzystane, z bardzo niejednoznacznymi skutkami, w późniejszym okresie wojny.

---

[34] BA-MA ZA 3/19 i RL2 III/95.

ROZDZIAŁ 11

W Afryce i na Atlantyku

luty–czerwiec 1941

Pory na przerzut części wojsk Wavella do Grecji na wiosnę 1941 roku nie można było wybrać gorzej. Operacja ta była kolejnym typowym dla Brytyjczyków przykładem zbytniego rozpraszania niedostatecznych sił na zbyt wielu frontach. Brytyjscy dowódcy, a w głównej mierze Churchill, wydawali się niezdolni do ścisłego szeregowania spraw priorytetowych i konsekwentnego ich realizowania.

Okazja szybkiego wygrania wojny w północnej Afryce, jaka nadarzyła się Brytyjczykom w 1941 roku, została zaprzepaszczona wraz z tym, jak część sił przerzucono z Afryki do Grecji, a Rommel wylądował w Trypolisie razem z pierwszymi formacjami Afrika Korps (DAK). Fakt, że Hitler wybrał właśnie Rommla na dowódcę tego kontyngentu, nie spotkał się z uznaniem wyższych rangą oficerów OKH. Woleli widzieć tam generała majora Hansa von Funcka, wysłanego do Afryki w celu przedstawienia raportu o sytuacji w Libii. Ale Hitler nie znosił Funcka[1], głównie dlatego, że ów niegdyś ściśle współpracował z generałem pułkownikiem Wernerem von Fritschem, którego Führer zdymisjonował ze stanowiska dowódcy wojsk lądowych w 1938 roku.

Hitlerowi odpowiadało, że Rommel nie wywodzi się z arystokracji. Rommel mówił z wyraźnym szwabskim akcentem i miał w sobie coś z ryzykanta. Jego zwierzchnicy w siłach lądowych i wielu współczesnych uważali go za aroganta szukającego poklasku. Nie wzbudził ich entuzjazmu także

---

[1] Na temat niechęci Hitlera do generała porucznika von Funcka zob. generał Walter Warlimont, ETHINT 1.

sposób, w jaki Rommel wykorzystywał przychylność Hitlera i Goebbelsa do zapewnienia sobie szybkich awansów. Rozgrywająca się w pewnym odizolowaniu od innych frontów kampania afrykańska, jak szybko zorientował się Rommel, stwarzała doskonałą sposobność ignorowania poleceń wydawanych mu przez OKH. Ponadto już zdążył narobić sobie wrogów, przekonując, że Niemcy, zamiast uderzać na Grecję, powinny były użyć wydzielonych do kampanii greckiej wojsk w północnej Afryce, by zawładnąć Bliskim Wschodem i ropą w tym regionie.

Hitler, który długo nie mógł wyrobić sobie ostatecznej opinii o znaczeniu Libii i potrzebie przerzutu wojska do Afryki Północnej, teraz uznał to za konieczne, aby zapobiec upadkowi reżimu Mussoliniego. Obawiał się również, że Brytyjczycy mogą się połączyć z północnoafrykańskimi wojskami Francuzów, i że armia Vichy, pod wpływem generała Maxime'a Weyganda, ponownie przejdzie na stronę brytyjską. Nawet po fatalnie przeprowadzonej ekspedycji dakarskiej z września poprzedniego roku, kiedy oddziały Wolnej Francji i brytyjska eskadra morska zostały pokonane przez wojska lojalne wobec reżimu Vichy, Hitler znacznie przeceniał ówczesne wpływy generała Charles'a de Gaulle'a.

Kiedy Rommel znalazł się 12 lutego 1941 roku w Trypolisie, towarzyszył mu pułkownik Rudolf Schmundt, główny adiutant Führera. Podnosiło to znacznie autorytet Rommla w oczach Włochów oraz starszych oficerów niemieckich. Dzień wcześniej obydwaj zdumieli się na wiadomość od dowódcy X Korpusu Lotniczego na Sycylii, że włoscy generałowie zaklinali go, aby nie bombardował Bengazi, gdyż wielu z nich ma tam posesje. Rommel polecił Schmundtowi natychmiastowe telefoniczne połączenie się z Hitlerem. Już kilka godzin później niemieckie bombowce wystartowały do nalotu na Bengazi[2].

Niemiecki oficer łącznikowy przedstawił Rommlowi aktualną sytuację w Trypolitanii. Większość wycofujących się Włochów porzucała broń i rekwirowała ciężarówki, aby nimi uciekać. Następca Grazianiego, generał Italo Gariboldi, odmówił zorganizowania obrony w pobliżu obszarów zajmowanych przez Brytyjczyków, a następnie i pod Al-Ukajlą. Wtedy Rommel wziął sprawy w swoje ręce. Dwie włoskie dywizje skierowano na wysunięte pozycje, a 15 lutego Rommel wysłał w ślad za nimi pierwsze niemieckie jednostki, które wylądowały w Afryce – oddział rozpoznania i batalion dział szturmowych. Terenowe łaziki Kübelwagen upozorowano na czołgi w próbie odstraszenia Brytyjczyków przed kontynuowaniem natarcia.

---

[2] W kwestii bombardowania Bengazi zob. A. von Taysen, *Tobruk 1941. Der Kampf in Nordafrika*, Freiburg 1976, cyt. za: M. Kitchen, *Rommel's Desert War. Waging World War II in North Africa, 1941–1943*, Cambridge 2009, s. 54.

Z końcem miesiąca przybycie kolejnych jednostek 5. Dywizji Lekkiej zachęciło Rommla do podjęcia pierwszych potyczek z Brytyjczykami. Dopiero pod koniec marca, gdy miał już na afrykańskiej ziemi dwadzieścia pięć tysięcy żołnierzy, uznał, że może rozpocząć działania ofensywne. W trakcie kolejnych sześciu tygodni jego siły zostały wzmocnione przez resztę 5. Dywizji Lekkiej i 15. Dywizję Pancerną, ale linia frontu przebiegała siedemset kilometrów na wschód od Trypolisu. Rommel stał przed gigantycznymi problemami logistycznymi, które usiłował zlekceważyć. Kiedy sytuacja stawała się trudna, instynktownie obwiniał zawistne szefostwo Wehrmachtu za skąpienie mu rezerw i zapasów. W rzeczywistości do kryzysów na froncie zazwyczaj dochodziło wówczas, gdy RAF i Royal Navy zatapiały transportowce państw osi na Morzu Libijskim.

Rommel nie zdawał sobie też sprawy z tego, że przygotowania do operacji „Barbarossa" czyniły z kampanii afrykańskiej drugoplanowy teatr działań wojennych. Innego rodzaju problemy wynikały z konieczności zdawania się na pomoc Włochów. Armia włoska odczuwała dotkliwe braki transportu motorowego. Włoskie paliwo było tak marnej jakości, że często nie nadawało się do niemieckich silników, a racje żywnościowe tamtejszego wojska cieszyły się złą sławą. Zwykle składały się na nie mięsne konserwy, opatrzone skrótową nazwą AM oznaczającą Amministrazione Militare (Administracja Wojskowa). Włoscy żołnierze drwili, że wspomniany napis w istocie oznacza *„Arabo morte"* („Martwy Arab"), natomiast Niemcy przezywali te konserwy *„Alter Mann"* (Starowina) albo „zad Mussoliniego"[3].

Rommel miał szczęście, że w tym okresie alianckie Western Desert Force były takie słabe. Brytyjska 7. Dywizja Pancerna została wycofana do Kairu w celu przeprowadzenia uzupełnień, a na pierwszej linii zastąpiła ją niepełna i niegotowa jeszcze do walki 2. Dywizja Pancerna, podczas gdy nowo przybyła australijska 9. Dywizja Piechoty zajęła miejsce australijskiej 6. Dywizji Piechoty wysłanej do Grecji. Jednak żądania Rommla, by wzmocniono jego siły przed uderzeniem na Egipt, odrzucono. Został poinformowany, że otrzyma dodatkowy korpus pancerny w zimie, zaraz po pokonaniu Związku Radzieckiego. Do tego czasu powinien wstrzymać się z przeprowadzeniem walnej ofensywy.

Rommel wkrótce zignorował te rozkazy. Ku przerażeniu generała Gariboldiego uderzył siłami 5. Dywizji Lekkiej na Cyrenajkę, wykorzystując osłabienie przeciwnika. Jednym z największych błędów Wavella było zastąpienie O'Connora niedoświadczonym generałem porucznikiem Philipem Neame'em. Wavell nie docenił także determinacji Rommla, któremu spieszyło się z podjęciem akcji zaczepnych. Wavell zakładał, że niemiecki dowódca nie zaatakuje

---

[3] M. Kitchen, *Rommel's Desert War*, op. cit., s. 17.

aż do pierwszych dni maja. W południe temperatura na pustyni już dochodziła do pięćdziesięciu stopni Celsjusza. Żołnierze w stalowych hełmach cierpieli na ostre bóle głowy, spowodowane przede wszystkim przez znaczne odwodnienie organizmu.

Trzeciego kwietnia Rommel postanowił zaatakować alianckie wojska z występu w linii frontu w Cyrenajce. Gdy włoska Dywizja „Brescia" została rzucona na Bengazi, skąd Neame w pośpiechu się wycofał, niemiecka 5. Dywizja Lekka dostała rozkaz przecięcia nadbrzeżnej drogi w pobliżu Tobruku. Alianckie oddziały szybko zostały pobite, a Tobruk znalazł się w okrążeniu. Słaba brytyjska 2. Dywizja Pancerna straciła w czasie odwrotu wszystkie czołgi, z powodu usterek mechanicznych i braku paliwa. Ósmego kwietnia pod El-Mechili jej dowódca, generał major Michael Gambier-Parry, trafił do niewoli wraz z całym sztabem i większością hinduskiej 3. Brygady Zmotoryzowanej. Tego samego dnia generał Neame i towarzyszący mu generał O'Connor, który znalazł się na froncie, aby doradzać Neame'owi, także wpadli w ręce wroga, gdy ich szofer skręcił w niewłaściwą drogę.

Niemców uradowała mnogość łupów, które znaleźli w El-Mechili. Rommel wybrał dla siebie parę brytyjskich gogli czołgowych, które od tej pory niemal zawsze nosił na czapce. Zdecydował się na zajęcie Tobruku, nabrawszy przeświadczenia, że Brytyjczycy szykują się do opuszczenia tego miasta, ale wkrótce się przekonał, iż australijska 9. Dywizja Piechoty nie zamierza rezygnować z walki. Tobruk zaopatrywano od strony morza, a dowódca tej twierdzy generał major Leslie Morshead miał łącznie cztery brygady, silną artylerię i jednostki armat przeciwpancernych. Morshead, znany z twardego charakteru i przezywany przez swoich żołnierzy „Bezlitosnym Mingiem", pospiesznie wzmacniał obronę Tobruku. Australijska 9. Dywizja Piechoty, choć niedoświadczona i niezdyscyplinowana do tego stopnia, że brytyjskich oficerów czasami niemal aż zatykało ze wściekłości, miała się okazać wielce waleczną jednostką.

W nocy 13 kwietnia Rommel przystąpił do szturmu na Tobruk. Nie do końca zdawał sobie sprawę z tego, jak silna jest brytyjska obrona. Pomimo ciężkich strat i odparcia ataku ponawiał kilkakrotnie próby zdobycia miasta, ku konsternacji podkomendnych oficerów, którzy rychło uznali go za bezwzględnego dowódcę. Aliantom nadarzyła się wyborna okazja do kontrataku, ale Brytyjczycy i Australijczycy dali się zwieść przebiegłemu podstępowi, ulegając złudzeniu, że Rommel dysponuje znacznie większymi siłami, niż to było w rzeczywistości.

Natarczywe dopominanie się Rommla o przysłanie mu świeżych oddziałów i silniejszego wsparcia lotniczego irytowało generała Haldera i całe OKH, tym bardziej że Rommel wcześniej lekceważył napomnienia, aby nie podejmował zbyt ambitnych operacji. Nawet w tym czasie skierował niektóre ze swoich wyczerpanych formacji nad granicę egipską, której Wavell strzegł siłami 22. Brygady Gwardii i innych jednostek przerzuconych z Kairu. Rommel zdymisjonował generała majora Johannesa Streicha, dowodzącego 5. Dywizją Lekką, za to, że ów zbytnio się troskał o swoich żołnierzy. Generał major Heinrich Kirchheim, który zastąpił Streicha, również nie był zachwycony stylem dowodzenia uprawianym przez Rommla. Później tego miesiąca napisał do generała Haldera: „[Rommel] ugania się przez cały dzień po rozrzuconych na szerokim froncie oddziałach, nakazuje wypady i rozpoznanie walką, rozczłonkowuje swe wojska"[4].

Halder, do którego docierały takie sprzeczne raporty na temat tego, co się dzieje w północnej Afryce, postanowił wysłać tam generała porucznika Friedricha Paulusa, podczas pierwszej wojny światowej służącego razem z Rommlem w tym samym pułku piechoty. Halder uważał, że Paulus „jest, być może, jedynym człowiekiem, który będzie mógł przez osobisty wpływ utemperować tego zwariowanego wojaka"[5]. Paulus, typ skrupulatnego sztabowca, stanowił całkowite przeciwieństwo Rommla, agresywnego frontowca. Obydwu łączyło jedynie względnie skromne pochodzenie. Zadanie Paulusa polegało na przekonaniu Rommla, że nie może liczyć na poważne wzmocnienia, i zbadaniu, co tamten planuje.

Okazało się, że Rommel nie zgadza się na wycofanie wysuniętych jednostek znad granicy z Egiptem, a siłami nowo przybyłej 15. Dywizji Pancernej zamierza ponownie uderzyć na Tobruk. Doszło do tego 30 kwietnia i znowu szturm został odparty, a Niemcy ponieśli ciężkie straty, zwłaszcza w liczbie czołgów. Nadto wojskom Rommla zaczynało brakować amunicji. Paulus, powołując się na pełnomocnictwa udzielone mu przez OKH, 2 maja wydał Rommlowi pisemny rozkaz zabraniający ponawiania ataków na Tobruk, o ile nieprzyjaciel nie przystąpi do ewakuacji miasta. Po powrocie do Rzeszy zameldował natomiast Halderowi, że „istotą problemu w Afryce Północnej"[6] jest nie tyle Tobruk, ile trudności z zaopatrywaniem Afrikakorps, a także charakter Rommla. Rommel zwyczajnie nie przyjmował do wiadomości niezmiernych kłopotów z przewozem zaopatrzenia przez Morze Śródziemne i wyładunkiem w Trypolisie.

Po stratach poniesionych w Grecji i Cyrenajce Wavella poważnie niepokoił niedostatek czołgów, które można by przeciwstawić niemieckiej 15. Dywizji Pancernej. Churchill zarządził operację „Tiger", nakazując na początku maja przetransportowanie konwojami śródziemnomorskimi nie-

---

[4] F. Halder, *Dziennik wojenny. Codzienne zapisy szefa Sztabu Generalnego Wojsk Lądowych 1939–1942*, t. 2: *Od planów inwazji na Anglię do początku kampanii na Wschodzie (1.7.1940–21.6.1941)*, tłum. W. Kozaczuk, Warszawa 1973, s. 451–452.

[5] *Ibidem*, s. 452 (23 kwietnia 1941 r.).

[6] *Ibidem*.

mal trzystu czołgów w tym wiele nowej konstrukcji typu Crusader, i ponad pięćdziesięciu myśliwskich hurricane'ów. W sytuacji gdy część X Korpusu Lotniczego Luftwaffe nadal stacjonowała na Sycylii, wiązało się to ze
znacznym ryzykiem, ale dzięki złej widoczności nad morzem stracono tylko jeden transportowiec.

Niecierpliwy Churchill naciskał Wavella na podjęcie ofensywy na granicy libijsko-egipskiej jeszcze przed dostarczeniem nowych czołgów. Jednak
choć rozpoczęta 15 maja pod dowództwem brygadiera Williama „Strafera"
Gotta operacja „Brevity" rozwijała się początkowo pomyślnie, to sprowo-
kowała Rommla do szybkiego oskrzydlającego kontrataku. Oddziały hinduskie i brytyjskie musiały się wycofać, a Niemcy ostatecznie odzyskali
przełęcz Halfaja. Gdy tylko w Afryce znalazły się nowe czołgi Crusader,
Churchill znów domagał się energicznych działań – nowej ofensywy pod
kryptonimem operacja „Battleaxe". Nie chciał słyszeć o tym, że wiele z do-
starczonych czołgów wymaga napraw i że czołgiści 7. Dywizji Pancernej potrzebują czasu na zapoznanie się z nowym sprzętem.

Wavell ponownie stanął w obliczu sprzecznych żądań napływających
z Londynu. Na początku kwietnia w Iraku przejęła władzę lokalna frakcja
proniemiecka, pod wpływem osłabienia Brytyjczyków na Bliskim Wschodzie. Szefowie sztabów w Londynie zalecili zbrojną interwencję. Churchill niezwłocznie na to przystał i wojska z Indii wylądowały w Basrze.
Raszid Ali al-Gajlani, przywódca nowego irackiego rządu, zwrócił się
o pomoc do Niemiec, lecz nie uzyskał odpowiedzi z powodu zamieszania
panującego w Berlinie. Drugiego maja wybuchły walki po tym, jak iracka
armia obległa bazę brytyjskiego lotnictwa w Al-Habbaniji koło Al-Fallu-
dży. Cztery dni później OKW postanowiło wysłać messerschmitty Bf 110
i bombowce Heinkel He 111 przez Syrię do Mosulu i Kirkuku w północnym Iraku, lecz te niebawem okazały się niezdolne do użycia. Tymczasem brytyjskie oddziały zamorskie z Indii i Jordanii podjęły marsz na
Bagdad. Władze al-Gajlaniego musiały 31 maja zgodzić się na brytyjskie
żądanie stałej możliwości przemarszu alianckich oddziałów przez irackie
terytorium.

Choć iracki kryzys nie osłabił wojsk Wavella, to Churchill wydał mu
rozkaz uderzenia na Liban i Syrię, gdzie jednostki Francji Vichy pomaga-
ły Luftwaffe w niepomyślnym przerzucie samolotów do Mosulu i Kirkuku. Churchill żywił nieuzasadnione obawy, że Niemcy wykorzystają Syrię
jako bazę do ataków na Palestynę i Egipt. Admirał François Darlan, zastępca Pétaina i wiceminister obrony Vichy, zwrócił się do Niemców z prośbą
o powstrzymanie się od zaczepnych działań w tym regionie, a sam wysłał
francuskie oddziały do bliskowschodnich kolonii, aby przeciwstawiły się
Brytyjczykom. Dwudziestego pierwszego maja, dzień po desancie na Kretę,

grupa myśliwców Państwa Francuskiego wylądowała w Grecji w trakcie lotu do Syrii. „Ta wojna staje się coraz dziwaczniejsza – zanotował Richthofen w swoim dzienniku. – Mamy ich [tj. Francuzów] zaopatrzyć i zapewnić im r o z r y w k ę"[7].

Operacja „Exporter", czyli alianckie uderzenie na należące do Vichy Liban i Syrię, przeprowadzone z udziałem sił Wolnej Francji, zaczęła się 8 czerwca od natarcia na północ z obszaru Palestyny wzdłuż rzeki Litani. Zwierzchnik lokalnego garnizonu wojsk Vichy, generał Henri Dentz, poprosił Luftwaffe o wsparcie, a także o przekazanie pod jego komendę innych wiernych reżimowi Vichy oddziałów z północnej Afryki i Francji. Niemcy stwierdzili, że nie mogą zapewnić osłony powietrznej, ale zezwolili francuskim oddziałom z działami przeciwpancernymi na przejazd koleją przez okupowane Bałkany do Salonik, a stamtąd na rejs morzem do Syrii. Jednak brytyjskie siły nawodne były w tamtym rejonie zbyt znaczne, a Turcja, unikając wplątania się w europejski konflikt zbrojny, odmówiła Francuzom prawa tranzytu. Francuska Armia Lewantu wkrótce się zorientowała, że jest skazana na porażkę, ale pozostała zdecydowana stawić twardy opór. Walki trwały do 12 czerwca. Po podpisaniu porozumienia rozejmowego w Akce Syrię przekazano pod zarząd Wolnej Francji.

Brak entuzjazmu Wavella dla kampanii syryjskiej i jego pesymizm co do widoków na powodzenie operacji „Battleaxe" stanowiły źródło konfliktu z brytyjskim premierem. Zniecierpliwienie Churchilla i jego zupełny brak zrozumienia skali problemów, związanych z jednoczesnym przeprowadzeniem dwóch ofensyw, doprowadzały Wavella na skraj rozpaczy. Premier, usposobiony nadto optymistycznie po dostarczeniu czołgów w wyniku operacji „Tiger", zbył ostrzeżenia Wavella o wielkiej skuteczności niemieckich dział przeciwpancernych. To właśnie te armaty, a nie niemieckie czołgi, niszczyły większość brytyjskich wozów bojowych w Afryce. Tymczasem królewska armia niewybaczalnie opieszale opracowywała broń porównywalną z siejącym postrach niemieckim działem kalibru 88 mm. Stosowane dotychczas lekkie armatki dwufuntowe były prawie bezużyteczne. Konserwatyzm panujący w brytyjskim wojsku utrudniał dodatkowo zaadaptowanie armaty przeciwlotniczej 37 mm na broń przeciwpancerną.

Piętnastego czerwca operacja „Battleaxe" rozpoczęła się w podobny sposób jak operacja „Brevity". Choć Brytyjczycy odzyskali przełęcz Halfaja i odnieśli inne sukcesy o charakterze lokalnym, to niebawem zostali odtrąceni, gdy Rommel rzucił do walki wszystkie swoje czołgi uczestniczące w ob-

---

[7] Richthofen KTB, 19 maja 1941 r., BA-MA N671/2/7/9, s. 100.

lężeniu Tobruku. Po trzech dniach zaciętych zmagań Brytyjczycy ponownie zostali oskrzydleni i znów musieli się wycofać na równinę na wybrzeżu, ledwie unikając okrążenia. Wprawdzie Afrikakorps poniósł ogólnie większe straty, niemniej jednak Brytyjczycy utracili dziewięćdziesiąt jeden czołgów, głównie wskutek ognia dział przeciwpancernych, a Niemcy zaledwie tuzin. Także RAF stracił w tej batalii o wiele więcej samolotów w porównaniu z jednostkami Luftwaffe. Niemieccy żołnierze znacznie przesadzali, twierdząc, że zniszczyli dwieście brytyjskich czołgów i zwyciężyli w „największej bitwie pancernej wszech czasów"[8].

Dwudziestego pierwszego czerwca Churchill zastąpił Wavella generałem Claude'em Auchinleckiem, znanym powszechnie jako „Auk". Wavell objął opuszczone przez Auchinlecka stanowisko głównodowodzącego w Indiach. Wkrótce potem Hitler awansował Rommla do rangi generała wojsk pancernych (General der Panzertruppe), tym samym, ku konsternacji i głębokiej niechęci Haldera, zapewniając mu jeszcze większą swobodę militarnych poczynań w Afryce.

Na irytację, jaką w Churchillu wzbudzał Wavell, i przygnębienie dominujące w dowództwie brytyjskich wojsk wpływały dwa ważkie czynniki. Jednym z nich była potrzeba agresywnych działań w celu podtrzymania morale ludności w kraju i zapobieżenia, by w Wielkiej Brytanii zapanowały nastroje ponurego zniechęcenia, drugim zaś – zamiar wywarcia odpowiedniego wrażenia na Stanach Zjednoczonych i prezydencie Roosevelcie. Przede wszystkim jednak Churchill musiał rozwiać częściowo uzasadnione domysły, że Brytyjczycy czekają na przystąpienie USA do wojny i przybycie im z ratunkiem w trudnej sytuacji.

Ku wielkiej uldze Churchilla w listopadzie 1940 roku Roosevelt ponownie został prezydentem Stanów Zjednoczonych. Brytyjskiego premiera dodatkowo podniosła na duchu informacja o planie strategicznym, przygotowanym w tym samym miesiącu przez szefa operacji morskich amerykańskiej floty. Plan „Dog", jak go nazwano, doprowadził do amerykańsko-brytyjskich rozmów sztabowych, rozpoczętych pod koniec stycznia 1941 roku. Te konsultacje, odbywające się w Waszyngtonie pod kryptonimem ABC-1, potrwały do marca i stworzyły podstawy alianckiej strategii w chwili przystąpienia Stanów Zjednoczonych do wojny. Jako główną zasadę uzgodniono dążenie do pokonania w pierwszym rzędzie Niemiec. Oznaczało to, że nawet w razie wybuchu walk z Japonią na Pacyfiku USA miały wpierw skupić się na pobiciu nazistowskiej Rzeszy, ponieważ bez poważnego zaangażowania amerykańskich sił na europejskim teatrze wojny Brytyjczycy sami

---

[8] Starszy szeregowy Wolfgang H., 15. Dywizja Pancerna, 21 czerwca 1941 r., BfZ-SS 17 338.

nie będą mogli odnieść zwycięstwa. Brytyjska klęska zaś oznaczałaby zagrożenie dla Ameryki i jej światowego handlu.

Roosevelt dostrzegał zagrożenie stwarzane przez hitlerowskie Niemcy jeszcze przed porozumieniem monachijskim z 1938 roku. Przewidując znaczenie lotnictwa w nadchodzącej wojnie, szybko zainicjował program budowy piętnastu tysięcy samolotów rocznie dla sił powietrznych Stanów Zjednoczonych (United States Army Air Force, USAAF). Zastępca szefa sztabu armii amerykańskiej, generał George C. Marshall, uczestniczył w naradzie, na której omawiano to zagadnienie. Marshall, choć zasadniczo popierał ten plan, zwrócił prezydentowi uwagę na potrzebę rozbudowy także żałośnie niewielkich amerykańskich wojsk lądowych. Armia Stanów Zjednoczonych liczyła przed wojną tylko nieco ponad dwieście tysięcy żołnierzy i składała się z zaledwie dziewięciu niepełnych dywizji – Niemcy miały ich aż dziesięciokrotnie więcej. Na Roosevelcie zrobiło to wrażenie. Niecały rok później poparł kandydaturę Marshalla na stanowisko szefa Sztabu Sił Lądowych, objęte przez tego ostatniego w dniu niemieckiego uderzenia na Polskę.

Marshall był człowiekiem skrupulatnym, wyróżniającym się wielką prawością oraz znakomitym organizatorem. Pod jego zwierzchnictwem armia lądowa USA miała się rozrosnąć w trakcie wojny z dwustu tysięcy do ośmiu milionów żołnierzy. Zawsze mówił Rooseveltowi to, co myślał, i nie poddawał się tak łatwo urokowi osobistemu prezydenta. Największe problemy nastręczało mu to, że Roosevelt często nie informował go o przebiegu rozmów i o decyzjach podejmowanych wraz z innymi mężami stanu, zwłaszcza z Winstonem Churchillem[9].

Dla Churchilla relacje z Rooseveltem były zdecydowanie najważniejszym elementem brytyjskiej polityki zagranicznej. Wkładał mnóstwo energii, wyobraźni, a czasem też uciekał się do bezwstydnych pochlebstw, aby tylko przeciągnąć Roosevelta na swoją stronę i dostać od Stanów Zjednoczonych to, czego jego własny kraj, stojący na skraju bankructwa, potrzebował najbardziej. W bardzo długim i szczegółowym liście, opatrzonym datą 8 grudnia 1940 roku, Churchill wzywał USA do „decydującego aktu konstruktywnej pomocy bez oficjalnego przystępowania do wojny"[10], aby wzmocnić opór stawiany przez Brytyjczyków. Miało to się wiązać z użyciem amerykańskich okrętów wojennych do walki z zagrożeniem ze strony U-Bootów, a także statków handlowych o łącznej wyporności trzech milionów ton w celu utrzymania życiodajnego dla Wielkiej Brytanii szlaku

---

[9] Więcej na temat Roosevelta i Marshalla zob. A. Roberts, *Masters and Commanders. How Roosevelt, Churchill, Marshall and Alanbrooke Won the War in the West*, London 2008, s. 24–34.

[10] Churchill do Roosevelta, cyt. za: W.S. Churchill, *Druga wojna światowa*, t. 2: *Ich najwspanialsza chwila*, tłum. K. Mostowska, Gdańsk 1995, s. 512.

transatlantyckiego i zrekompensowania strat we flocie transportowej – sięgających dwóch milionów BRT – poniesionych przez Brytyjczyków do tej pory. Prosił również o dostawy dwóch tysięcy samolotów miesięcznie. „Na koniec pozostawiam kwestię Francji", pisał Churchill. Zaciągnięty przez Wielką Brytanię kredyt dolarowy miał się wkrótce wyczerpać; w istocie zamówienia już złożone lub jeszcze negocjowane „wielokrotnie przekraczały środki pozostające w dyspozycji Wielkiej Brytanii". Nigdy wcześniej nikt nie napisał tak ważnego i utrzymanego w tak dostojnym tonie listu błagalnego. Miał upłynąć prawie dokładnie rok, nim Stany Zjednoczone oficjalnie przystąpiły do wojny.

Roosevelt otrzymał ten list, kiedy znajdował się na pokładzie USS „Tuscaloosa" na Morzu Karaibskim. Przemyśliwał treść tego posłania, a dzień po powrocie do USA zwołał konferencję prasową. Siedemnastego grudnia wygłosił swoją sławną, choć nader upraszczającą całą sprawę przypowiastkę o człowieku, którego dom płonie i który prosi sąsiada o wypożyczenie sprzętu gaśniczego. W taki sposób Roosevelt nastawiał amerykańską opinię publiczną jeszcze przed zaprezentowaniem Kongresowi projektu ustawy Lend-Lease. W Izbie Gmin Churchill wychwalał to jako „najszlachetniejszy akt w dziejach wszystkich narodów"[11]. Ale tak naprawdę rząd brytyjski był wstrząśnięty surowymi warunkami układu Lend-Lease. Oto Amerykanie zażądali kontroli nad wszystkimi brytyjskimi aktywami i uparli się, że nie przystąpią do subsydiowania Wielkiej Brytanii, dopóki kraj ten nie zużyje całych swoich rezerw obcych walut i złotego kruszcu. Jeden z okrętów amerykańskiej floty wojennej został wysłany do Kapsztadu, aby zabrać stamtąd ostatnie zapasy brytyjskiego złota. Brytyjskie przedsiębiorstwa w Stanach Zjednoczonych, przede wszystkim Courtaulds, Shell i Lever, miały zostać odstąpione władzom USA po bardzo niskich cenach, a następnie odsprzedane z wielkim zyskiem. Churchill wspaniałomyślnie przypisywał te wszystkie zabiegi konieczności uciszenia przez Roosevelta wszelkich antybrytyjsko nastawionych krytyków układu Lend-Lease, z których wielu wspominało o tym, że Brytyjczycy i Francuzi nie spłacili wszystkich długów zaciągniętych podczas pierwszej wojny światowej. Generalnie Brytyjczycy nie do końca zdawali sobie sprawę z tego, jak wielu Amerykanów odnosi się do nich z niechęcią, uważając ich za imperialistów, snobów i specjalistów w sztuce wciągania innych państw w swoje wojny.

Jednakże Wielka Brytania była przyparta do muru, a protesty na nic by się nie zdały. Rozżalenie z powodu takich warunków udzielenia pomocy ciągnęło się jeszcze w latach powojennych, choćby tylko z tego powodu, że zapłata czterech i pół miliarda dolarów w gotówce, uiszczona przez Brytyjczyków

[11] *Ibidem*, s. 519.

w zamian za dostawy broni zamówionej w 1940 roku, dopomogła w wyciągnięciu gospodarki Stanów Zjednoczonych z kryzysu i rozkręceniu ekonomicznego boomu okresu wojennego. W odróżnieniu od sprzętu wojskowego dostarczanego później, wyposażenie nabyte od Amerykanów w rozpaczliwych dniach roku 1940 pozostawiało wiele do życzenia, ani też nie przyczyniło się w większym stopniu do poprawy sytuacji militarnej Brytyjczyków. Pięćdziesiąt niszczycieli z okresu pierwszej wojny światowej, przekazanych we wrześniu 1940 roku w zamian za Brytyjskie Wyspy Dziewicze, wymagało wielu napraw przed skierowaniem ich do służby na morzu.

Trzydziestego grudnia Roosevelt przemówił do narodu amerykańskiego przez radio w cyklu popularnych „rozważań przy kominku", argumentując na rzecz zawartego porozumienia. „Musimy być wielkim arsenałem demokracji", oświadczył. I tak też miało się stać. Późnym wieczorem 8 marca 1941 roku ustawa Lend-Lease została przegłosowana w amerykańskim Senacie. Nowa, asertywna polityka Roosevelta obejmowała wprowadzenie panamerykańskiej strefy bezpieczeństwa na zachodnim Atlantyku, zorganizowanie baz na Grenlandii i plan zastąpienia brytyjskich oddziałów na Islandii, do czego doszło ostatecznie na początku lipca. Brytyjskie okręty, poczynając od uszkodzonego lotniskowca HMS „Illustrious", mogły odtąd przechodzić naprawy w amerykańskich portach, a pilotów RAF-u szkolono w bazach USAAF. Do najważniejszych zmian należało to, że US Navy podjęła się eskortowania brytyjskich konwojów atlantyckich aż po Islandię[12].

Niemiecka dyplomacja zareagowała na te wydarzenia, wyrażając nadzieję, że Wielka Brytania zostanie pokonana, zanim amerykańskie uzbrojenie zacznie odgrywać poważniejszą rolę, czyli, jak oceniano, w 1942 roku[13]. Ale Hitler był zanadto zajęty przygotowaniami do operacji „Barbarossa", żeby poświęcać większą uwagę zacieśnianiu stosunków amerykańsko-brytyjskich. W tej fazie wojny obchodziło go głównie to, aby nie prowokować Amerykanów, zanim Niemcy nie pokonają Związku Radzieckiego. Odrzucił zatem żądania admirała Raedera, by zezwolić U-Bootom na operowanie na zachodnim Atlantyku aż po trzymilową strefę amerykańskich akwenów przybrzeżnych.

Churchill stwierdził później, że zagrożenie stwarzane przez U-Booty było jedyną rzeczą, która tak naprawdę przerażała go podczas wojny. W pewnym jej okresie rozważał nawet zajęcie portów na południu neutralnej Irlandii –

---

[12] Amerykańskie warunki pomocy sojusznikom w ramach układu Lend-Lease zob. M. Hastings, *Finest Years. Churchill as Warlord, 1940–45*, London 2009, s. 171–174.

[13] O niemieckiej reakcji na zawarcie układu Lend-Lease: *DGFP*, seria D, t. XII, nr 146, 10 marca 1941 r., s. 258–259.

w razie konieczności przy użyciu siły. Royal Navy rozpaczliwie brakowało okrętów eskortowych do osłony konwojów. Brytyjska flota wojenna poniosła dotkliwe straty w trakcie niefortunnej interwencji w Norwegii, a potem niszczyciele należało trzymać w pogotowiu, aby odeprzeć niemiecką inwazję. W czasie „masakry u wschodnich wybrzeży" U-Booty atakowały przybrzeżne transporty morskie na Morzu Północnym. Stawiano też miny, tak więc o każdej jednostce kraju neutralnego można było w razie potrzeby powiedzieć, że wcale nie została storpedowana, lecz weszła na minę.

Od jesieni 1940 roku niemiecka flota U-Bootów zaczęła zadawać bardzo ciężkie straty alianckim konwojom. Nastąpiło to po zajęciu baz na francuskim wybrzeżu Atlantyku i uporaniu się z problemem wadliwych zapalników w torpedach, który krzyżował działania nazistowskim okrętom podwodnym w początkowym okresie wojny. W jednym tylko tygodniu września U-Booty zatopiły dwadzieścia siedem brytyjskich statków o łącznej wyporności ponad stu sześćdziesięciu tysięcy ton. Były to spektakularne sukcesy, zważywszy, jak niewiele okrętów podwodnych mieli wówczas Niemcy na morzu. W lutym 1941 roku *Grossadmiral* Raeder nadal dysponował zaledwie dwudziestoma dwoma U-Bootami przystosowanymi do działań oceanicznych[14]. Pomimo licznych próśb, jakie kierował pod adresem Hitlera, program budowy nowych okrętów podwodnych ustępował pod względem znaczenia przygotowaniom do inwazji na Związek Radziecki.

Dowództwo niemieckiej marynarki wojennej początkowo spodziewało się wiele po swoich pancernikach kieszonkowych i krążownikach pomocniczych. Ku radości Brytyjczyków „Admiral Graf Spee" został zatopiony opodal Montevideo, lecz najbardziej udany dla Niemców okazał się rajd pancernika kieszonkowego „Admiral Scheer". Podczas trwającego sto sześćdziesiąt jeden dni rejsu po Atlantyku i Oceanie Indyjskim jednostka ta zniszczyła siedemnaście alianckich statków. Jednak niebawem stało się jasne, że U-Booty są dużo tańsze i skuteczniejsze od pancerników i innych nawodnych jednostek, które zatopiły statki przeciwnika o łącznej wyporności zaledwie pięćdziesiąt siedem tysięcy ton. Najlepszy z dowódców U-Bootów, Otto Kretschmer, posłał na dno trzydzieści siedem alianckich okrętów o tonażu dwukrotnie przekraczającym ogólny tonaż ofiar „Admirala Scheera"[15]. Siły eskortowe Royal Navy zwiększyły się dopiero po zmodernizowaniu pięćdziesięciu starych niszczycieli przekazanych przez Amerykanów i po wodowaniu w brytyjskich stoczniach pierwszych korwet.

Admirał Karl Dönitz, dowódca flotylli U-Bootów w składzie Kriegsmarine, upatrywał swą misję w „wojnie z tonażem": jego okręty podwodne musiały

---

[14] *GSWW*, t. II, s. 343.
[15] *Ibidem*, s. 353.

zatapiać więcej statków, aniżeli Brytyjczycy mogli zwodować. W połowie października 1940 roku Dönitz wprowadził taktykę „wilczych stad", polegającą na koncentrowaniu zgrupowania kilkunastu U-Bootów w pobliżu wypatrzonego konwoju i atakowaniu go nocą. Łuny ognia na płonących storpedowanych statkach oświetlały sylwetki pozostałych. Pierwsze z takich „wilczych stad" zaatakowało konwój SC-7 i zatopiło siedem jednostek. Zaraz potem Günther Prien, ten sam kapitan U-Boota, który posłał na dno HMS „Royal Oak" w Scapa Flow, poprowadził grupę okrętów podwodnych do ataku na konwój HX-79, płynący z Halifaxu w Kanadzie. Cztery U-Booty zatopiły wtedy dwanaście z czterdziestu dziewięciu statków. W lutym 1941 roku straty alianckiej floty handlowej znowu bardzo wzrosły. Dopiero w marcu okręty eskortowe Royal Navy odegrały się nieco na nieprzyjacielu, zatapiając trzy U-Booty, w tym U-47 pod dowództwem Priena, i biorąc do niewoli załogę U-99 wraz z jej kapitanem Ottonem Kretschmerem.

Wprowadzenie dalekomorskich okrętów podwodnych typu IX wkrótce sprawiło, że alianckie straty zaczęły ponownie wzrastać aż do lata, kiedy Brytyjczykom udało się odczytywać niemieckie meldunki szyfrowane za pomocą Enigmy, a we wrześniu eskortowce US Navy rozpoczęły osłanianie konwojów na zachodnim Atlantyku. Dekodowanie przechwyconych meldunków nieprzyjaciela przez ośrodek w Bletchley Park w tym stadium działań wojennych często jeszcze nie skutkowało bezpośrednio zatapianiem U-Bootów, niemniej jednak wielce pomagało planistom w wytyczaniu „unikowych szlaków", co oznaczało kierowanie konwojów z dala od koncentrujących się „wilczych stad". Ponadto dzięki swoim kryptologom brytyjski wywiad morski i dowództwo lotnictwa morskiego uzyskały jasny wgląd w procedury zaopatrywania okrętów podwodnych na morzu i działania bojowe Kriegsmarine.

Bitwa o Atlantyk sprowadzała się do długich okresów monotonii, podszytych nieustannym strachem. Na miano najdzielniejszych z dzielnych zasłużyły załogi tankowców, marynarze ci wiedzieli bowiem, że płyną na wielkich bombach zapalających. Wszyscy na tych statkach, od kapitanów po majtków, pewnie stale się zastanawiali, czy nie zostali wytropieni przez U-Booty i czy nie zostaną wyrwani ze snu na kojach przez wstrząs spowodowany wybuchem torpedy. Tylko bardzo zła pogoda i wzburzone morze zdawały się nieco zmniejszać zagrożenie.

Przemoczeni i zmarznięci w kurtkach i kapeluszach przeciwdeszczowych rzadko mieli okazję przesuszyć ubrania. Wachtowych piekły oczy od wpatrywania się w szare wody w beznadziejnych próbach dostrzeżenia peryskopu. Pokrzepiali się tylko kubkami gorącego kakao i kanapkami z wołowiną konserwową. Na okrętach eskortowych, głównie niszczycielach i korwetach, poświata monitorów radarów, grzechot azdyku[16] czy echo sonaru wzbudzały hipnotyzującą, ale i siejącą grozę fascynację. Psychologiczne napięcie odczuwane przez marynarzy statków handlowych było jeszcze silniejsze, gdyż ci nie mogli się czynnie bronić. Każdy wiedział, że jeśli konwój zostanie zaatakowany przez grupę U-Bootów, to po storpedowaniu statku trzeba skakać do oleistej wody, a szanse na wyłowienie z morza będą bardzo niewielkie. Okręt czy statek, który zatrzymywał się, by zabrać rozbitków, stanowił łakomy cel dla innych U-Bootów. Ulga związana z dotarciem do ujścia Mersey czy Clyde w Wielkiej Brytanii po rejsie powrotnym od razu zmieniała atmosferę panującą na pokładzie.

Załogi U-Bootów znosiły jeszcze większe niewygody. W ciasnych przegrodach było duszno i wilgotno od skraplającej się pary, a powietrze na okręcie zatruwał odór mokrej odzieży i niemytych ciał. Ale w tej fazie wojny morale niemieckich marynarzy było na ogół dobre, gdyż osiągali znaczne sukcesy, a Brytyjczycy dopiero wprowadzali skuteczne środki defensywne. Przez większość czasu U-Booty płynęły w wynurzeniu, co umożliwiało rozwijanie większej prędkości i redukowało zużycie paliwa. Największe zagrożenie stwarzały alianckie łodzie latające. Natychmiast po zauważeniu samolotu rozlegał się ostrzegawczy dźwięk klaksonu, a U-Boot przystępował do przećwiczonego alarmowego zanurzenia. Jednak dopóki na samolotach nie zainstalowano radarów, szanse dostrzeżenia U-Boota przez lotników były dość nikłe.

W kwietniu 1941 roku straty alianckiej floty handlowej sięgnęły sześciuset osiemdziesięciu ośmiu tysięcy ton, niemniej zachodziły pewne pocieszające zmiany. Zwiększyła się strefa objęta osłoną lotniczą, choć „grenlandzka luka", czyli znaczne akweny środkowej części północnego Atlantyku, nadal pozostawała poza zasięgiem kanadyjskich sił powietrznych i lotnictwa morskiego RAF-u. Opodal wybrzeży Norwegii zdobyto uzbrojony niemiecki trałowiec wraz z księgą kodów i dwiema maszynami szyfrującymi Enigma z ustawieniami z poprzedniego miesiąca. Z kolei 9 maja HMS „Bulldog" zmusił do wynurzenia U-110. Na pokładzie tego okrętu podwodnego uzbrojonemu oddziałowi marynarzy udało się zdobyć księgi kodów i Enigmę, zanim Niemcy zdołali je zniszczyć. Na innych opanowanych jednostkach niemieckich – statku meteorologicznym i transportowcu – także znaleziono cenne łupy. Ale kiedy alianckie konwoje zaczęły się wymykać U-Bootom, a następnie gdy trzy niemieckie okręty podwodne wpadły w zastawioną na nie pułapkę w pobliżu Wysp Zielonego Przylądka, Dönitz nabrał podejrzeń, że doszło do złamania szyfrów Kriegsmarine. Enigmę poddano dodatkowym zabezpieczeniom.

---

[16] Rodzaj hydrolokatora do wykrywania okrętów podwodnych; prototyp sonaru. Jego nazwa wywodzi się od angielskiego akronimu ASDIC (przyp. tłum.).

W sumie ów rok okazał się bardzo trudny dla Royal Navy. Gdy na Morzu Śródziemnym narastały straty podczas bitwy o Kretę, wielki krążownik liniowy HMS „Hood" uległ zniszczeniu w wyniku eksplozji, trafiony pociskiem wystrzelonym 24 maja z pokładu „Bismarcka" w trakcie starcia w Cieśninie Duńskiej między Grenlandią a Islandią. Admirał Günther Lütjens wypłynął wcześniej na pokładzie „Bismarcka" z Bałtyku w towarzystwie ciężkiego krążownika „Prinz Eugen". Utrata „Hooda" wywołała w Londynie wstrząs. Brytyjczycy zapałali żądzą odwetu. Ponad sto okrętów wojennych wzięło udział w pościgu za „Bismarckiem", w tym pancerniki HMS „King George V" i „Rodney" oraz lotniskowiec „Ark Royal".

Tropiący niemieckiego giganta krążownik HMS „Suffolk" przejściowo zgubił „Bismarcka", ale 26 maja, kiedy brytyjskiej eskadrze nawodnej kończyło się paliwo, pancernik ten został dostrzeżony przez załogę łodzi latającej „Catalina". Nazajutrz, przy złej pogodzie, wystartowały z pokładu lotniskowca „Ark Royal" samoloty torpedowe typu Swordfish. Dwie torpedy uszkodziły ster „Bismarcka", gdy pancernik wziął kurs powrotny do Brestu; od tej chwili ten wielki niemiecki okręt liniowy mógł tylko pływać w kółko. Dzięki temu „King George V" i „Rodney", eskortowane przez 4. flotyllę niszczycieli, miały czas na wstrzelanie się w ów ruchomy cel z potężnych dział artylerii głównej. Ostatni meldunek admirała Lütjensa brzmiał: „Okręt utracił zdolność manewrową. Podejmujemy walkę do ostatniego pocisku. *Heil Hitler!*". Krążownik HMS „Dorsetshire" otrzymał zadanie dobicia pancernika torpedami. Lütjens, który nakazał zatopienie swojego okrętu, zginął wraz z 2200 niemieckimi marynarzami. Z morza wyłowiono tylko stu piętnastu ocalałych Niemców.

ROZDZIAŁ 12

„Barbarossa"

kwiecień–wrzesień 1941

Wiosną 1941 roku, gdy inwazja wojsk Hitlera na Jugosławię zakończyła się szybkim zwycięstwem Wehrmachtu, Stalin postanowił działać ostrożnie. Trzynastego kwietnia Związek Radziecki podpisał na pięć lat „porozumienie o neutralności" z Japonią, uznając marionetkowe państwo Mandżukuo. Urzeczywistniły się obawy, żywione przez Chiang Kai-sheka już od chwili sygnowania paktu Ribbentrop-Mołotow. W roku 1940 Chiang starał się prowadzić podwójną grę, sondując możliwość zawarcia pokoju z Japonią. Liczył, że skłoni w ten sposób Związek Radziecki do zwiększenia znacznie zredukowanej pomocy dla Chin, a tym samym pokrzyżuje pojednanie Moskwy z Tokio. Ale Chiang wiedział również, że faktyczne porozumienie z Japończykami oznaczałoby oddanie przywództwa nad chińskimi masami w ręce Mao i komunistów, ponieważ zostałoby uznane za straszliwą, tchórzliwą zdradę.

Po podpisaniu przez Japonię paktu trójstronnego we wrześniu 1940 roku Chiang, podobnie jak Stalin, pojął, że wzrosło prawdopodobieństwo wojny Japończyków z Ameryką, a taka perspektywa dodawała mu otuchy. Ocalenie Chin zależało teraz od Stanów Zjednoczonych, mimo iż Chiang wyczuwał, że ZSRR także ostatecznie znajdzie się w antyfaszystowskiej koalicji. Świat, jak przewidywał, miał się niebawem podzielić na wyraźne obozy. Trwające zawiłe rozgrywki winny się wreszcie przeobrazić w walkę dwóch wrogich sojuszy[1].

---

[1] Chiang Kai-shek a Stalin zob. J.W. Garver, *Chinese-Soviet Relations, 1937–1945. The Diplomacy of Chinese Nationalism*, Oxford 1988, s. 112–118.

Władze radzieckie i japońskie nienawidziły się wzajemnie, ale chciały zapewnić sobie bezpieczeństwo na zapleczu. W kwietniu 1941 roku, po podpisaniu sowiecko-japońskiego paktu o neutralności, Stalin zjawił się na kolejowym Dworcu Jarosławskim w Moskwie, żeby osobiście pożegnać japońskiego ministra spraw zagranicznych Yōsukego Matsuokę, który jeszcze nie wytrzeźwiał po gościnnym i suto zakrapianym przyjęciu, zgotowanym mu przez radzieckiego przywódcę[2]. W tłumie na peronie Stalin nagle zauważył pułkownika Hansa Krebsa, niemieckiego attaché wojskowego (który w 1945 roku miał zostać ostatnim szefem Sztabu Generalnego wojsk lądowych Rzeszy). Ku zdumieniu Niemca Stalin poklepał go po plecach i powiedział: „Musimy pozostać przyjaciółmi, cokolwiek się wydarzy"[3]. Do tych dobrodusznych słów sowieckiego dyktatora jakoś nie pasowały jego podenerwowanie i niezdrowy wygląd. „Jestem o tym przekonany" – odparł Krebs, otrząsnąwszy się z zaskoczenia. Najwyraźniej nie mógł uwierzyć, że Stalin jeszcze nie odgadł, iż Niemcy szykują się do uderzenia na ZSRR.

Hitler był w tym czasie bardzo pewny siebie. Postanowił zlekceważyć dawne ostrzeżenia Bismarcka, odradzającego najeżdżanie Rosji, oraz znane niebezpieczeństwa wojny na dwa fronty. Uznawał swoją żywioną od dawna ambicję zniszczenia „żydobolszewizmu" za najpewniejszą metodę narzucenia Wielkiej Brytanii warunków pokojowych. Po rozbiciu Związku Radzieckiego przez Niemcy Japonia będzie mogła związać militarnie Stany Zjednoczone na Oceanii, z dala od Europy. A jednak głównym celem nazistowskich przywódców było zapewnienie Rzeszy sowieckiej ropy naftowej i żywności, co, ich zdaniem, uczyniłoby z Niemiec potęgę nie do pokonania. Opracowany przez sekretarza stanu Herberta Backego „plan głodowy" przewidywał, że zawładnięcie przez Wehrmacht sowiecką produkcją spożywczą doprowadzi na wschodzie do śmierci trzydziestu milionów ludzi, głównie w dużych miastach[4].

Hitler, Göring i Himmler z entuzjazmem podchwycili nieludzkie plany Backego. Wydawały się zarówno radykalnym rozwiązaniem narastających w Niemczech problemów aprowizacyjnych, jak i ważną bronią w ideologicznej wojnie ze Słowianami i „żydobolszewizmem". Wehrmacht też nie oponował. Dzięki wyżywieniu trzech milionów żołnierzy i sześciuset tysięcy koni zasobami z podbitych ziem wschodnich odpadłoby mnóstwo trud-

---

[2]   V.M. Berezhkov, *At Stalin's Side. His Interpreter's Memoirs from the October Revolution to the Fall of the Dictator's Empire*, New York 1994, s. 205.

[3]   List Krebsa z 15 kwietnia 1941 r., BA-MA MSg1/1207.

[4]   Na temat Backego i jego planów zagłodzenia ludności podbitych obszarów ZSRR zob.: L. Collingham, *The Taste of War. World War II and the Battle for Food*, London 2011, s. 32–38; A. Tooze, *The Wages of Destruction. The Making and the Breaking of the Nazi Economy*, London 2006, s. 173–175, 476–480.

ności z zaopatrywaniem wojsk na rozległych terenach, gdzie nie było rozwiniętej sieci kolejowej. Najwyraźniej zgodnie ze wspomnianymi wytycznymi przewidywano też systematyczne zagłodzenie wziętych do niewoli radzieckich żołnierzy. Tym samym Wehrmacht jeszcze przed inwazją na ZSRR przystąpił do realizacji ludobójczych planów wojennych.

Czwartego maja 1941 roku Hitler, ze swoim zastępcą w partii Rudolfem Hessem i marszałkiem Rzeszy Göringiem u boku, wygłosił przemówienie w Reichstagu. Oświadczył, że państwo narodowosocjalistyczne „przetrwa tysiąc lat". Sześć dni później Hess, nie uprzedzając nikogo w Berlinie, wyleciał samolotem typu Messerschmitt Bf 110. Podczas księżycowej nocy przeleciał do Szkocji, nad którą wyskoczył ze spadochronem, przy lądowaniu łamiąc sobie nogę w kostce. Uległ podszeptom astrologów, ci bowiem przekonali go wcześniej, że uda mu się doprowadzić do zawarcia pokoju z Wielką Brytanią. Choć Hess był nieco nienormalny, to jednak podobnie jak Ribbentrop wyczuwał, że inwazja na Związek Radziecki może się zakończyć katastrofą. Jego podjęta na własną rękę misja pokojowa była jednak z góry skazana na niesławne fiasko.

Lot Hessa zbiegł się w czasie z jednym z najcięższych niemieckich nalotów bombowych na Anglię. Luftwaffe, także korzystając owej nocy z blasku księżyca w pełni, zaatakowała Hull i Londyn, uszkadzając opactwo westminsterskie, siedzibę Izby Gmin, Muzeum Brytyjskie, liczne szpitale, londyńskie City, Tower oraz doki. Bomby zapalające wywołały ponad dwa tysiące rozległych pożarów. Po tym nalocie łączna liczba zabitych w czasie *Blitzu* cywilów w Wielkiej Brytanii wzrosła do czterdziestu tysięcy, a liczba ciężko rannych – do czterdziestu sześciu tysięcy.

Dziwaczna eskapada Hessa wzbudziła zakłopotanie w Londynie, konsternację w Niemczech i głębokie, podszyte nieufnością zaniepokojenie w Moskwie. Brytyjskie władze postępowały dość nieudolnie w trakcie tego epizodu. Należało od razu ogłosić, że Hitler wystąpił z propozycjami pokojowymi, i niezwłocznie je odrzucić. Tymczasem Stalin nabrał przeświadczenia, że samolot Hessa ściągnęły do Szkocji brytyjskie tajne służby (SIS). Stalin od dawna podejrzewał, że Churchill próbuje skłonić Hitlera do zaatakowania Związku Radzieckiego. W tym czasie głowił się, czy znany z antybolszewizmu Churchill nie spiskuje przypadkiem z Niemcami. Stalin już wcześniej zbywał wszelkie nadchodzące z Wielkiej Brytanii ostrzeżenia o niemieckich przygotowaniach do uderzenia na ZSRR jako „angielską prowokację". Z irytacją odrzucał nawet szczegółowe informacje tego rodzaju otrzymywane od własnych służb wywiadowczych, nierzadko argumentując, że radzieccy agenci za granicą ulegają obcym wpływom.

Stalin wciąż wierzył w zapewnienia Hitlera, złożone w liście na początku roku, że niemieckie wojska są przerzucane na wschód wyłącznie po to, aby wyprowadzić je poza zasięg brytyjskich bombowców. Generał porucznik Filip Golikow, niedoświadczony szef Głównego Zarządu Wywiadowczego (Gławnoje Razwiedywatielnoje Uprawlenije, GRU), także był przekonany, iż Hitler nie zaatakuje Związku Radzieckiego, zanim nie pobije Wielkiej Brytanii. Golikow nie przekazywał żadnych informacji o niemieckich zamierzeniach, uzyskiwanych przez GRU, Żukowowi, szefowi sowieckiego Sztabu Generalnego, ani Timoszence, który zastąpił Woroszyłowa na stanowisku komisarza obrony. A jednak obaj wiedzieli o koncentracji sił Wehrmachtu i opracowali doraźny plan, opatrzony datą 15 maja, dotyczący uprzedzającego uderzenia w celu pokrzyżowania niemieckich przygotowań. Ponadto Stalin na wszelki wypadek wyraził zgodę na częściową mobilizację, w ramach której powołano pod broń osiemset tysięcy rezerwistów i rozmieszczono na zachodnich granicach Związku Radzieckiego prawie trzydzieści dywizji[5].

Niektórzy historycy rewizjoniści usiłują przekonywać, że wszystko to wiązało się z realnym planem zaatakowania Niemiec, w ten sposób próbując poniekąd uzasadnić inwazję Hitlera na ZSRR. Ale latem 1941 roku Armia Czerwona po prostu nie była w stanie przeprowadzić wielkiej ofensywy, a w każdym razie Hitler podjął decyzję o uderzeniu na wschodzie znacznie wcześniej. Z drugiej strony nie można wykluczyć, że Stalin, bardzo zaniepokojony szybką klęską Francji, rozważał dokonanie prewencyjnego uderzenia zimą 1941 roku lub, co bardziej prawdopodobne, w roku 1942, po należytym przeszkoleniu i wyekwipowaniu Armii Czerwonej.

Nadchodziły coraz to nowe dane potwierdzające niebezpieczeństwo niemieckiej inwazji. Stalin odrzucał raporty Richarda Sorgego z niemieckiej ambasady w Tokio – swojego najlepszego agenta. W Berlinie radziecki attaché wojskowy ustalił, że wzdłuż granicy z ZSRR rozmieszczono sto czterdzieści niemieckich dywizji. Sowiecka ambasada w Rzeszy weszła nawet w posiadanie próbnego wydania słowniczka języka rosyjskiego, który

---

5 Pełniejsza analiza wspomnianego dokumentu z 15 maja zob. Ch. Bellamy, *Wojna absolutna. Związek Sowiecki w II wojnie światowej*, tłum. M. Antosiewicz, M. Habura, P. Laskowicz, Warszawa 2010, s. 100–129; a także: K. Pleszakow, *Szaleństwo Stalina. Pierwsze 10 dni wojny na froncie wschodnim*, tłum. M. Antosiewicz, Warszawa 2005, s. 76–91; oraz *Präventivkrieg? Der deutsche Angriff auf die Sowjetunion*, red. B. Pietrow-Ennker, Frankfurt am Main 2000, a ponadto prace zwolenników teorii spiskowej dziejów: W. Suworow, *Lodołamacz*, tłum. A. Mietkowski, P. Halbersztat, Warszawa 1992; H. Magenheimer, *Hitler's War. Germany's Key Strategic Decisions 1940–1945*, London 2002, s. 51–64. Cała ta kwestia została poddana drobiazgowym analizom przez rosyjskie Stowarzyszenie Historyków Drugiej Wojny Światowej 28 grudnia 1997 roku („Biuletyn Informacyjny" 1998, nr 4), które doszło do słusznego wniosku, że Armia Czerwona w tym okresie po prostu nie była w stanie przeprowadzić poważnej ofensywy przeciwko Niemcom. Chciałbym wyrazić wdzięczność przewodniczącemu wspomnianej organizacji profesorowi O.A. Rżeszewskiemu za przysłanie mi stenogramu obrad rzeczonego stowarzyszenia.

miał zostać wydany żołnierzom, aby ci umieli wypowiedzieć po rosyjsku następujące zwroty: „Ręce do góry!", „Jesteś komunistą?", „Stój, bo strzelam!" albo „Gdzie naczelnik kołchozu?".

Najbardziej zdumiewające, że Sowietów ostrzegł niemiecki ambasador w Moskwie, graf Friedrich von der Schulenburg, antynazista, później stracony za współudział w spisku i zamachu na Hitlera dokonanym 20 lipca 1944 roku. Stalin, kiedy mu o tym doniesiono, z niedowierzaniem wykrzyknął: „Dezinformacja osiągnęła teraz szczebel ambasad!"[6]. Wbrew oczywistym faktom radziecki przywódca wmawiał sobie, że Niemcy po prostu wywierają nań presję, chcąc go zmusić do podpisania nowego paktu.

Paradoksalnie szczerość Schulenburga była w istocie odstępstwem od przebiegłej, zwodniczej gry niemieckiej dyplomacji. Nawet pogardzany Ribbentrop chytrze wykorzystywał podejrzliwość Stalina w stosunku do Churchilla, wobec czego brytyjskie ostrzeżenia o zbliżającej się agresji na ZSRR wywołały u radzieckiego dyktatora reakcję przeciwną do zamierzonej. Wcześniej Stalina poinformowano także o alianckich planach zbombardowania pól naftowych w Baku podczas wojny z Finlandią. Z kolei sowiecka okupacja Besarabii w czerwcu 1940 roku, uznana przez króla Karola pod wpływem perswazji Ribbentropa, w istocie pchnęła Rumunię wprost w cyniczne objęcia Hitlera.

Stalin kontynuował ugłaskiwanie Hitlera, znacznie zwiększając dostawy zboża, paliw, bawełny, rud metali oraz nabywanego w Azji Południowo-Wschodniej kauczuku ze Związku Radzieckiego do Niemiec, które to surowce napędzały gospodarkę Rzeszy pomimo brytyjskiej blokady. W okresie obowiązywania paktu Ribbentrop-Mołotow Związek Radziecki zaopatrzył Niemcy w dwadzieścia sześć tysięcy ton chromu, sto czterdzieści tysięcy ton manganu i ponad dwa miliony ton ropy naftowej. I to pomimo otrzymania ponad osiemdziesięciu – a przypuszczalnie nawet ponad setki – jasnych przestróg o zbliżającym się terminie niemieckiej inwazji, Stalin sprawiał wrażenie bardziej zatroskanego „problemem bezpieczeństwa na naszych północno-zachodnich granicach", to jest w krajach bałtyckich. Nocą 14 czerwca, na tydzień przed niemiecką agresją, sześćdziesiąt tysięcy Estończyków, trzydzieści cztery tysiące Łotyszy i trzydzieści osiem tysięcy Litwinów zapędzono do bydlęcych wagonów i wywieziono do obozów w głębi Związku Radzieckiego[7]. Stalin nie dał się przekonać, nawet gdy w trakcie ostatniego tygodnia przed inwazją niemieckie statki pospiesznie wypłynęły z radzieckich portów i ewakuowano personel ambasady Rzeszy.

---

6   „Prawda", 22 czerwca 1989 r.
7   Ch. Andrew, O. Gordievsky, *KGB. The Inside Story of Its Foreign Operations from Lenin to Gorbachev*, London 1990, s. 203.

„To wojna na wyniszczenie – oznajmił Hitler szefostwu Wehrmachtu 30 marca. – Dowódcy muszą wymagać od siebie ofiarności, aby móc przezwyciężać wahania"[8]. Wyższych rangą oficerów niemieckich niepokoił jedynie wpływ takich zarządzeń na dyscyplinę w wojsku. Ich własne instynktowne nastawienie – antysłowiańskie, antykomunistyczne i antysemickie – szło w parze z nazistowską ideologią, mimo że wielu z nich nie przepadało za NSDAP i jej funkcjonariuszami. Głód, jak oświadczono kadrze oficerskiej Wehrmachtu, będzie bronią w tej wojnie i dojdzie do zagłodzenia na śmierć około trzydziestu milionów radzieckich obywateli. To doprowadzi do zdziesiątkowania populacji na wschodzie, a pozostawi przy życiu tylko niewolników w skolonizowanych przez Niemcy „rajskich ogrodach". Hitlerowskie marzenia o *Lebensraum* wreszcie wydawały się bliski spełnienia.

Szóstego czerwca Wehrmachtowi wydano niesławny „rozkaz o komisarzach", oznaczający jawne złamanie międzynarodowych zasad prowadzenia wojny. Zgodnie z nim i z innymi instrukcjami wymagano, aby radzieckich *politruków* (komisarzy politycznych), osobników z legitymacjami partyjnymi, sabotażystów i Żydów płci męskiej likwidować jako partyzantów.

W nocy 20 czerwca OKW rozesłało hasło „Dortmund". W dzienniku wojennym OKW zapisano: „Tak więc rozpoczęcie ataku zostało nieodwołalnie ustalone na 22 czerwca. Rozkaz ten należy przekazać do wszystkich grup armii"[9]. Hitler, szykując się na tę wielką chwilę, czynił przygotowania do wyjazdu do swej nowej kwatery głównej pod Kętrzynem, znanej jako „Wolfsschanze", czyli „Wilczy Szaniec". Był przekonany o tym, że Armia Czerwona zostanie szybko pokonana, a cały radziecki system się zawali. „Musimy tylko kopnąć w drzwi, a cała ta zmurszała budowla legnie w gruzach", powiedział dowództwu swoich wojsk.

Bardziej dalekowzroczni oficerowie niemieccy na wschodniej granicy żywili po cichu wątpliwości co do tego. Niektórzy czytali na nowo spisaną przez generała Armanda de Caulaincourta relację z marszu wojsk Napoleona na Moskwę i ze straszliwego odwrotu. Starsi oficerowie i żołnierze, którzy walczyli na obszarach rosyjskich w latach pierwszej wojny światowej, również odczuwali niepokój. Jednakże seria triumfalnych podbojów dokonanych przez Wehrmacht – w Polsce, Skandynawii, Niderlandach, we Francji i na Bałkanach – upewniła większość Niemców, że ich armia jest niepokonana. Oficerowie mówili podwładnym, iż są „w przededniu największej

---

[8] F. Halder, *Dziennik wojenny. Codzienne zapisy szefa Sztabu Generalnego Wojsk Lądowych 1939–1942*, t. 2: *Od planów inwazji na Anglię do początku kampanii na Wschodzie (1.7.1940–21.6.1941)*, tłum. W. Kozaczuk, Warszawa 1973, s. 402–405 (30 marca 1941 r.).
[9] *KTB OKW*, t. I, s. 417.

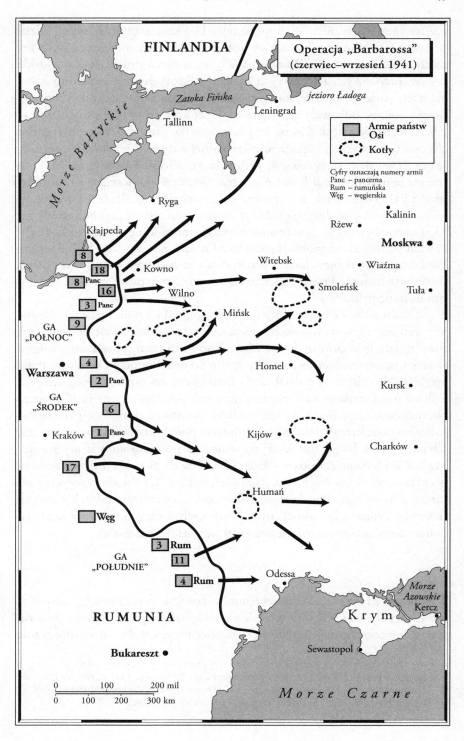

FINLANDIA

Operacja „Barbarossa"
(czerwiec–wrzesień 1941)

Zatoka Fińska

jezioro Ładoga

Tallinn   Leningrad

Morze Bałtyckie

Ryga

Armie państw
Osi

Kotły

Cyfry oznaczają numery armii
Panc – pancerna
Rum – rumuńska
Węg – węgierska

Kalinin

Rżew •

Moskwa •

Kłajpeda

8

18   Kowno   Witebsk   • Wiaźma

8 Panc

16   Wilno   Smoleńsk   Tuła •

3 Panc

GA   9   Mińsk
„PÓŁNOC"

4   Homel •   Kursk •

Warszawa •

2 Panc

GA
„ŚRODEK"   6

• Kraków   1 Panc   Kijów •   Charków •

17

Humań

Węg

GA   3 Rum
„POŁUDNIE"   11
4 Rum   Odessa   Morze
Azowskie
Kercz

RUMUNIA   K r y m

Bukareszt •   Sewastopol •

0   100   200 mil

0   100   200   300 km   Morze Czarne

ofensywy w dziejach"[10]. W antybolszewickiej krucjacie miały wziąć udział prawie trzy miliony niemieckich żołnierzy, których niebawem wesprzeć miały wojska Finlandii, Rumunii i Węgier, a nieco później także włoskie.

W brzozowych i jodłowych lasach, w których rozmieszczono zamaskowane parki motorowe, namioty sztabów i oddziałów łączności oraz jednostki bojowe odbywały się odprawy. Liczni oficerowie zapewniali żołnierzy, że rozbicie Armii Czerwonej zajmie tylko trzy do czterech tygodni. „Wczesnym rankiem – pisał żołnierz jednej z dywizji górskich – wyruszyliśmy, Bogu dzięki, na naszego śmiertelnego wroga, bolszewizm. Mnie samemu naprawdę spadł kamień z serca. Wreszcie skończyła się ta niepewność i każdy wie, gdzie jest. Jestem pełen dobrych myśli. (...) I wierzę, że jeśli uda nam się zdobyć wszystkie te ziemie i surowce aż po Ural, wtedy Europa sama się wyżywi, a wojna na morzach może sobie trwać bez końca"[11]. Pewien podoficer oddziałów łączności z Dywizji SS „Das Reich" był jeszcze bardziej pewny siebie: „Jestem przekonany, że zniszczenie Rosji nie potrwa dłużej niż rozbicie Francji, i sprawdzi się moje przypuszczenie, że w sierpniu dostanę urlop"[12].

Około północy w przeddzień najdłuższego dnia roku pierwsze jednostki przemieściły się na wysunięte pozycje, a ostatnie radzieckie pociągi towarowe mijały je w drodze do Niemiec. Nad ciemnymi sylwetkami czołgów w szyku bojowym unosiły się kłęby spalin po uruchomieniu silników. Pułki artyleryjskie odrzuciły z dział siatki maskujące, zaś armaty i haubice przeholowano na stanowiska w pobliżu ukrytych składów amunicji. Wzdłuż zachodniego brzegu Bugu ciężkie gumowe pontony szturmowe przeciągnięto na bagniste brzegi, a niemieccy żołnierze porozumiewali się szeptem, aby ich głosy nie dobiegły nad wodą do stanowisk pododdziałów straży granicznej NKWD. Naprzeciwko wielkiej twierdzy w Brześciu na drogach rozsypano piasek, tłumiący odgłosy wojskowych butów. Był chłodny, pogodny poranek, a na łąkach zalegała rosa. Żołnierze instynktownie myśleli o swoich dzieciach i żonach lub ukochanych i rodzicach, śpiących w Niemczech i zupełnie nieświadomych rozpoczynającej się wielkiej kampanii.

*

Wieczorem 21 czerwca Stalin na Kremlu stawał się coraz bardziej niespokojny. Zastępca szefa NKWD właśnie zameldował, że poprzedniego dnia odnotowano co najmniej „trzydzieści dziewięć przypadków naruszenia granic

---

[10] Szeregowy Paul B., 13. baon artylerii przeciwlotniczej, 22 czerwca 1941 r., BfZ-SS L 46 281.
[11] Szeregowy Kurt U., 1. kompania 91. baonu 6. Dywizji Górskiej, 21 czerwca 1941 r., BfZ-SS.
[12] Sierżant Herbert E., 2. kompania łączności Dywizji SS „Das Reich", BfZ-SS.

ZSRR przez [niemieckie] samoloty"[13]. Dowiedziawszy się o pewnym niemieckim dezerterze, byłym komuniście, który przeszedł przez granicę, aby ostrzec Sowietów przed atakiem, Stalin bezzwłocznie polecił rozstrzelać go za sianie dezinformacji. Ustąpił coraz poważniej zdesperowanym dowódcom Armii Czerwonej tylko w kwestii ogłoszenia stanu alarmowego w bateriach przeciwlotniczych wokół Moskwy i wydania rozkazu dowódcom okręgów nadgranicznych, by mieli się na baczności, ale nie odpowiadali ogniem na ostrzał przeciwnika. Stalin uczepił się myśli, że szykowany atak to nie sprawka Hitlera, tylko prowokacja niemieckiej generalicji.

Tej nocy dyktator wyjątkowo wcześniej położył się spać w swojej podmoskiewskiej daczy. Żukow zatelefonował tam o 4.45 i nalegał, aby obudzić Stalina. Napływały meldunki o niemieckim nalocie bombowym na radziecką bazę morską w Sewastopolu i o innych atakach. Stalin milczał dłuższy czas, dysząc tylko ciężko do słuchawki, a potem polecił Żukowowi, aby sowiecka artyleria nie odpowiadała ogniem. Niebawem miał zwołać posiedzenie biura politycznego.

Kiedy członkowie biura politycznego zebrali się na Kremlu o 5.45, Stalin nadal nie chciał uwierzyć, że Hitler wie cokolwiek o tej napaści. Kazał Mołotowowi wezwać Schulenburga, a ów poinformował go o tym, że Niemcy znajdują się w stanie wojny ze Związkiem Radzieckim. Schulenburg ostrzegał wcześniej radzieckie kierownictwo, więc teraz był zaskoczony zdumieniem wywołanym przez to oświadczenie. Wstrząśnięty Mołotow przekazał tę wieść Stalinowi. Na posiedzeniu politbiura zapadła przytłaczająca cisza.

We wczesnych godzinach porannych 22 czerwca wzdłuż całego pasa granicznego we wschodniej Europie dziesiątki tysięcy niemieckich oficerów sprawdzało godzinę na tarczach zsynchronizowanych zegarków, podświetlając je przesłoniętymi latarkami. O ustalonej porze posłyszeli za sobą odgłosy silników lotniczych. Wyczekujący żołnierze spojrzeli na nocne niebo na przelatujące ponad nimi zmasowane eskadry Luftwaffe, lecące w stronę przebłysków świtu na rozległym wschodzie horyzontu.

O 3.15 czasu środkowoeuropejskiego (różniącego się od czasu moskiewskiego o godzinę) rozpoczęło się intensywne przygotowanie artyleryjskie. Zaraz po nim tego pierwszego dnia wojny niemiecko-radzieckiej formacje Wehrmachtu bez trudu przełamały umocnienia nadgraniczne na tysiącośmiusetkilometrowym froncie. Zabijano członków sowieckiej straży granicznej, zaskoczonych w bieliźnie, a rodziny wartowników ginęły w koszarach ostrzeliwanych przez artylerię. „W trakcie tego poranka – zapisano w dzienniku wojennym OKW – nasila się wrażenie, że udało się zaskoczyć nieprzyjaciela we

---

[13] Maslennikow, RGWA 38652/1/58.

wszystkich sektorach"[14]. Sztaby kolejnych niemieckich armii donosiły o przechwyceniu nienaruszonych mostów na poszczególnych odcinkach frontu. Już po kilku godzinach pancerne czołówki zajęły radzieckie składy z zaopatrzeniem.

Armia Czerwona była niemal zupełnie nieprzygotowana do stawienia oporu. W miesiącach poprzedzających niemiecką inwazję radzieckie przywództwo przesunęło jednostki z Linii Stalina za starą granicą z Polską na wysunięte pozycje wzdłuż nowej granicy, wytyczonej na mocy układu Ribbentrop-Mołotow. Pomimo energicznych starań Żukowa nie uczyniono wiele, by umocnić te pozycje. Mniej niż połowa bunkrów została zaopatrzona w broń ciężką. Pułkom artyleryjskim brakowało ciągników, odesłanych do pomocy przy żniwach. Z kolei zaskoczone na ziemi radzieckie lotnictwo, którego samoloty stały ustawione w rzędach, stanowiło łatwy cel dla Luftwaffe, przeprowadzającej uprzedzające uderzenie na sześćdziesiąt sześć lotnisk. Pierwszego dnia agresji zniszczeniu uległo około tysiąca ośmiuset sowieckich myśliwców i bombowców, z tego większość na ziemi. Luftwaffe straciła zaledwie trzydzieści pięć maszyn.

Nawet po błyskawicznych kampaniach Hitlera w Polsce i we Francji radziecki plan obrony przewidywał, że Niemcy będą potrzebowali dziesięciu do piętnastu dni na wprowadzenie do walki swoich głównych sił. Tymczasem inercja Stalina i bezwzględność Wehrmachtu nie dały Sowietom czasu na przegrupowanie. Żołnierze ze specjalnego z 800. Pułku Szkolnego „Brandenburg" przeniknęli na tyły radzieckich pozycji jeszcze przed atakiem albo zrzuceni ze spadochronami opanowywali mosty i przecinali połączenia telefoniczne. Na południu ukraińscy nacjonaliści wywoływali chaos i nakłaniali ludność do zbrojnego powstania przeciw władzy radzieckiej. W rezultacie sowieccy dowódcy nie mieli pojęcia, co się dzieje, nie mogąc samodzielnie wydawać rozkazów ani porozumieć się ze zwierzchnikami.

Znad granicy Prus Wschodnich Grupa Armii „Północ" feldmarszałka Wilhelma von Leeba wkroczyła do krajów nadbałtyckich i maszerowała na Leningrad. Szybkim postępom w trakcie tego natarcia bardzo dopomogli komandosi z jednostki „Brandenburg" w oliwkowych radzieckich mundurach, którzy 26 czerwca uchwycili przeprawy, w tym mosty kolejowe, na Dźwinie. Pięćdziesiąty szósty Korpus Pancerny generała porucznika von Mansteina, posuwający się naprzód w tempie prawie osiemdziesięciu kilometrów na dobę, znalazł się w połowie drogi do wyznaczonego celu już po pięciu dniach. To „brawurowe natarcie – napisał później – było spełnieniem marzeń dowódcy wojsk pancernych"[15].

---

[14] *KTB OKW*, t. I, s. 417.
[15] E. von Manstein, *Stracone zwycięstwa. Wspomnienia 1939–1944*, tłum. J. Bańbor, Warszawa 2001, s. 21.

Na północ od bagien Prypeci Grupa Armii „Środek" dowodzona przez feldmarszałka Fedora von Bocka wkroczyła szybko na Białoruś, już wkrótce tocząc wielką bitwę z okrążonymi wojskami radzieckimi pod Mińskiem, w której główną rolę odegrały grupy (armie) pancerne Guderiana i generała pułkownika Hermanna Hotha. Niemcy natrafili na zażarty opór jedynie w wielkiej granicznej twierdzy brzeskiej. Austriacka 45. Dywizja Piechoty poniosła tam ciężkie straty, znacznie większe niż w całej kampanii francuskiej, gdy jej oddziały szturmowe próbowały wykurzyć zawziętych obrońców za pomocą miotaczy ognia, gazów łzawiących i granatów. Załoga fortecy w Brześciu, niemal pozbawiona wody pitnej, bandaży i lekarstw, walczyła przez trzy tygodnie, aż do wyczerpania amunicji. Jednak po powrocie ocalałych obrońców twierdzy z niemieckiej niewoli w 1945 roku wykazana przez nich niewiarygodna odwaga nie uchroniła przed zesłaniem do obozów Gułagu. Zgodnie z rozkazem Stalina poddanie się przeciwnikowi oznaczało zdradę ojczyzny.

Podległe NKWD oddziały straży granicznej też walczyły rozpaczliwie tam, gdzie nie zostały zaskoczone. Ale wcale nierzadko oficerowie Armii Czerwonej pozostawiali podkomendnych i uciekali w popłochu. W warunkach gdy łączność prawie nie działała, radzieckich dowódców paraliżował albo brak jasnych instrukcji, albo otrzymywane rozkazy przejścia do kontrataku, które miały się nijak do faktycznej sytuacji na froncie. Czystka przeprowadzona w Armii Czerwonej spowodowała, że dowodzenie całymi dywizjami i korpusami armijnymi przypadło oficerom bez doświadczenia bojowego, a lęk przed denuncjacjami i aresztowaniem przez NKWD odstraszał przed wykazaniem jakiejkolwiek inicjatywy. Nawet najdzielniejsi sowieccy dowódcy drżeli i oblewali się potem ze strachu, gdy enkawudziści z zielonymi wyłogami i wstęgami na czapkach zjawiali się w ich kwaterach. Z kolei w wojsku niemieckim obowiązywała *Auftragstaktik*, zgodnie z którą dowódcom frontowym niższego szczebla pozostawiano maksymalną swobodę w wypełnianiu powierzonych im zadań.

Grupa Armii „Południe" pod dowództwem feldmarszałka von Rundstedta wkroczyła na Ukrainę. Wojska Rundstedta niebawem uzyskały wsparcie ze strony dwóch armii rumuńskich dążących do odebrania Sowietom Besarabii. Rumuński dyktator i naczelny wódz, marszałek Ion Antonescu, zapewniał Hitlera dziesięć dni wcześniej: „Oczywiście, przyłączymy się [do inwazji] od samego początku. Kiedy chodzi o działania przeciwko Słowianom, zawsze można liczyć na Rumunię"[16].

---

[16] P. Schmidt, *Statysta na dyplomatycznej scenie*, tłum. H. Kurnatowski, Kraków 1965, s. 233.

Stalin, przygotowawszy szkic przemówienia obwieszczającego niemiecką agresję, polecił w południe odczytać je w radzieckim radiu Mołotowowi. Słuchały go przez głośniki tłumy na ulicach. Wygłoszone wyzutym z emocji tonem wystąpienie ministra spraw zagranicznych kończyło się słowami: „Walczymy o słuszną sprawę, wróg zostanie rozbity, odniesiemy zwycięstwo". Mołotowowi może i brakowało talentów oratorskich, ale naród rosyjski był wzburzony z powodu napaści na jego ojczyznę. Przed punktami rekrutacyjnymi od razu ustawiły się gigantyczne kolejki ochotników. Pojawiły się także i inne, mniej uporządkowane kolejki, gdy owładnięci paniką ludzie wykupywali konserwy i suchy prowiant oraz wypłacali oszczędności z banków.

Odczuwano też osobliwą ulgę z powodu tego, że ta zdradziecka napaść uwolniła Związek Radziecki od nienaturalnego sojuszu z nazistowskimi Niemcami. Młody fizyk Andriej Sacharow napotkał nieco później swoją ciotkę w schronie przeciwlotniczym podczas jednego z nalotów Luftwaffe na Moskwę. „Po raz pierwszy od lat – powiedziała – znowu czuję się Rosjanką!"[17]. Podobne odczucia wyrażano również w Berlinie; uważano tam, że oto w końcu rozpoczęła się walka z „prawdziwym wrogiem".

Pułki myśliwskie radzieckich sił powietrznych, złożone z niedoświadczonych pilotów i przestarzałych samolotów, nie miały większych szans w zmaganiach z Luftwaffe. Asy niemieckiego lotnictwa myśliwskiego wkrótce zaczęły zapisywać na swoich kontach mnóstwo zestrzeleń, określając z przekąsem te łatwe zwycięstwa mianem „dzieciobójstwa". Ich sowieccy przeciwnicy czuli się skazani na porażkę jeszcze przed podjęciem powietrznej walki. Ale choć wielu radzieckich pilotów unikało walki, to zaczynało się też wzmagać pragnienie zemsty. Nieliczni najodważniejsi lotnicy po prostu taranowali niemieckie maszyny, kiedy tylko nadarzała się sposobność, wiedząc, jak niewielkie mają szanse na zestrzelenie samolotu nieprzyjaciela w typowej walce powietrznej.

Prozaik i korespondent wojenny Wasilij Grossman opisał oczekiwanie na powrót samolotów pułku myśliwskiego na lotnisko koło Homla na Białorusi. „Wreszcie, po udanym ataku na niemiecką kolumnę, myśliwce wróciły i wylądowały. W chłodnicy samolotu dowódcy [pułku] utkwiły ludzkie szczątki. Znalazły się tam dlatego, że jego skrzydłowy trafił ciężarówkę z amunicją, która rozerwała się dokładnie w chwili, gdy prowadzący nad nią przelatywał. Poppe, dowódca, wyciąga je pilnikiem. Przywołują lekarza, który uważnie przygląda się krwawej masie i nazywa ją »aryjskim mięsem«! Wszyscy wybuchają śmiechem. Tak, nadeszły bezlitosne, okrutne czasy!"[18].

---

[17] Cyt. za: R. Lourie, *Sakharov. A Biography*, Hanover, NH 2002, s. 52.
[18] RGALI 1710/3/43.

„Rusek to twardy przeciwnik – napisał pewien niemiecki żołnierz. – Prawie nie bierzemy jeńców, zamiast tego rozstrzeliwujemy schwytanych"[19]. W czasie przemarszu niektórzy strzelali dla zabawy do tłumów wziętych do niewoli czerwonoarmistów, stłoczonych w prowizorycznych obozach, gdzie pozostawiano ich pod gołym niebem bez pożywienia. Wielu niemieckich oficerów to przerażało, najczęściej jednak niepokoili się rozluźnieniem dyscypliny w swoim wojsku.

Po radzieckiej stronie NKWD Berii masakrowało ludzi zamkniętych w więzieniach w pobliżu zbliżającego się frontu, ażeby nie odzyskali wolności za sprawą Niemców. Wymordowano prawie dziesięć tysięcy polskich jeńców. W samym Lwowie NKWD zabiło około czterech tysięcy osób. Odór zwłok rozkładających się w upale pod koniec czerwca unosił się nad całym miastem. Rzezie urządzane przez NKWD sprowokowały ukraińskich nacjonalistów do rozpoczęcia wojny partyzanckiej z radzieckimi okupantami. Pod wpływem gorączkowego strachu i nienawiści enkawudziści zmasakrowali kolejnych dziesięć tysięcy więźniów w Besarabii i w krajach bałtyckich, to jest na obszarach zajętych przez ZSRR rok wcześniej. Innych uwięzionych zmuszano do przemarszu na wschód, a enkawudziści zabijali każdego, kto nie wytrzymywał tej wędrówki[20].

Dwudziestego trzeciego czerwca Stalin powołał do istnienia naczelne dowództwo, nadając mu carską nazwę – Stawka. Kilka dni później w towarzystwie Berii i Mołotowa udał się do siedziby Komisariatu Obrony. Zastali tam Timoszenkę i Żukowa, usiłujących bezskutecznie uporządkować sytuację na rozległym froncie. Padł Mińsk. Stalin wpatrywał się w mapę z naniesionym aktualnym położeniem i przeczytał kilka meldunków. Wyraźnie wstrząśnięty przekonał się, że sytuacja jest znacznie bardziej katastrofalna, niż się tego obawiał. Sklął Timoszenkę i Żukowa, którzy odpłacili mu tą samą monetą. „Lenin założył nasze państwo – miał podobno powiedzieć Stalin – a myśmy je przesrali"[21].

Sowiecki przywódca zaszył się w swojej daczy w Kuncewie, wprawiając tym w zdumienie i konsternację pozostałych członków biura politycznego. Szeptano, że Mołotow powinien przejąć władzę, ale przywódcy partii bali się wystąpienia przeciwko dyktatorowi. Trzydziestego czerwca uzgodnili, że należy zorganizować Państwowy Komitet Obrony ZSRR i przekazać temu

---

[19] Szeregowy Rudolf B., kompania sztabowa 553. baonu łączności, 27 lipca 1941 r., BfZ-SS.

[20] A. Applebaum, *Gułag*, tłum. J. Urbański, Warszawa 2005, s. 389–412; na temat polskich jeńców zob. T. Snyder, *Skrwawione ziemie. Europa między Hitlerem a Stalinem*, tłum. B. Pietrzyk, Warszawa 2011, s. 199–219.

[21] Cyt. za: R. Overy, *Russia's War. A History of the Soviet Effort, 1941–1945*, London 1999, s. 78.

organowi władzę absolutną. Pojechali do Kuncewa zobaczyć się ze Stalinem. Powitał ich wymizerowany i niespokojny, najwyraźniej uważając, że przybyli go aresztować. Zapytał, co ich sprowadza. Kiedy wyjaśnili, że musi stanąć na czele wojennych władz, wydawał się zaskoczony, ale zgodził się na podjęcie tej roli. Krążyły pogłoski, że wyjazd Stalina z Kremla był podstępem w stylu Iwana Groźnego, że Stalin chciał w ten sposób zdemaskować swoich oponentów w składzie politbiura, aby następnie ich zniszczyć – ale to tylko czyste spekulacje.

Stalin wrócił na Kreml nazajutrz, 1 lipca. Dwa dni później sam wygłosił przemówienie radiowe do radzieckiej ludności. Instynkt polityczny nie zawiódł go. Zdumiał słuchających, zwracając się do nich: „Towarzysze, obywatele, bracia i siostry...". Żaden władca na Kremlu nie odezwał się jeszcze do Rosjan w tak bezpośredni sposób. Stalin wezwał lud do obrony ojczyzny, do zastosowania strategii spalonej ziemi i powstania do wojny totalnej, przywołując echa niegdysiejszej wojny ojczyźnianej z Napoleonem. Rozumiał, że ludność państwa radzieckiego chętniej odda życie za swój kraj niż w obronie komunistycznej ideologii. Mając świadomość, że wojna rozbudza nastroje patriotyczne, Stalin liczył na ożywienie ich pod wpływem niemieckiej agresji. Nie skrywał też, iż sytuacja jest bardzo poważna, choć w niczym nie dał do zrozumienia, że sam po części odpowiada za tę katastrofę. Rozkazał też zorganizować pospolite ruszenie – *narodnoje opołczenije*. Te źle uzbrojone bataliony milicyjne miały zatrzymać niemieckie dywizje pancerne, choćby rzucając się pod gąsienice czołgów.

Stalina nie obeszły straszliwe cierpienia ludności cywilnej, która znalazła się w wirze walk. Uciekinierzy, pędząc przed sobą kołchozowe bydło, usiłowali na próżno umknąć przed dywizjami pancernymi wroga. Dwudziestego szóstego czerwca pisarz Aleksandr Twardowski ujrzał z okna wagonu niecodzienny widok, kiedy jego pociąg zatrzymał się na jednej z bocznic na Ukrainie. „Całe pole było zasłane ludźmi, którzy leżeli, siedzieli, tłoczyli się – zapisał w swoim diariuszu. – Mieli z sobą tobołki, plecaki, walizki, dzieci i ręczne wózki. Nigdy jeszcze nie widziałem takiego mnóstwa podręcznych rzeczy, które ci ludzie wzięli z sobą, opuszczając w pośpiechu domostwa. Na tym polu były pewnie dziesiątki tysięcy osób. (...) Całe to mrowie powstało, zaczęło się poruszać, skierowało ku torom kolejowym, ku pociągowi, i zaczęło łomotać w ściany i okna wagonów. Zdawało się, że może zepchnąć pociąg z torów. I wtedy pociąg ruszył..."[22].

Setki, o ile nie tysiące ludzi zginęły w zbombardowanych miastach Białorusi. Ocalałym z nalotów nie wiodło się dużo lepiej w trakcie prób ucieczki na wschód. „Po tym jak Mińsk zaczął płonąć – zanotował pewien

---

[22] A. Twardowski, *Dniewniki i pisma, 1941–1945*, Moskwa 2005, s. 32.

dziennikarz – ślepcy z zakładu dla inwalidów szli szosą długim rzędem, powiązani wzajemnie ręcznikami"[23]. Było też bardzo wiele wojennych sierot, dzieci, których rodzice zginęli lub zaginęli w panującym chaosie. Podejrzewając, że niektóre z nich szpiegują dla Niemców, enkawudziści nie okazywali im specjalnego współczucia.

*

Po zdumiewających sukcesach odniesionych we Francji niemieckie formacje pancerne pędziły naprzód w idealnych letnich warunkach, pozostawiając z tyłu dywizje piechoty, które robiły, co mogły, aby je dogonić. Czasami, kiedy pancernym czołówkom brakowało amunicji, bombowce Heinkel He 111 zrzucały im zaopatrzenie na spadochronach. Linię walk toczonych w panującym upale wyznaczały płonące wsie, tumany kurzu wzbijane przez gąsienicowe pojazdy i miarowy odgłos kroków maszerującej piechoty i konnej artylerii. Kanonierzy na lawetach dział byli pokryci warstwą jasnego kurzu, który upodabniał ich do terakotowych figur, a ociężałe i spragnione zwierzęta pociągowe rżały i parskały co chwila. Ponad sześćset tysięcy koni, zebranych z całej Europy, jak niegdyś dla *Grande Armée* Napoleona, stanowiło główną siłę pociągową Wehrmachtu w tej kampanii. Dostawy racji żywnościowych, amunicji, a nawet polowe ambulanse korzystały z konnych zaprzęgów. Gdyby nie wielka liczba pojazdów motorowych, których francuska armia nie zniszczyła przed zawieszeniem broni – co wzbudziło wielkie rozgoryczenie Stalina – mechanizacja wojsk niemieckich ograniczyłaby się niemal wyłącznie do czterech grup, czyli armii pancernych.

Do tego czasu dwie z tych wielkich formacji pancernych, wchodzące w skład Grupy Armii „Środek", zamknęły pierwsze z gigantycznych okrążeń, schwytawszy w pułapkę liczące czterysta siedemnaście tysięcy żołnierzy cztery radzieckie armie na zachód od Mińska, w kotle białostockim. Trzecia Grupa Pancerna Hotha stanowiąca północne ramię tych kleszczy i 2. Grupa Pancerna Guderiana zamykająca pierścień okrążenia od południa spotkały się 28 czerwca. Wówczas bombowce i nurkujące stukasy z 2. Floty Powietrznej zaatakowały otoczone wojska Armii Czerwonej. Sukces ten oznaczał, że Grupa Armii „Środek" otworzyła sobie drogę ku rozległym obszarom między wpływającą do Bałtyku Dźwiną a Dnieprem, który wpadał do Morza Czarnego.

Generał Dymitr Pawłow, zwierzchnik radzieckich oddziałów pancernych podczas hiszpańskiej wojny domowej, a w 1941 roku bezradny dowódca Frontu Zachodniego, został zastąpiony przez marszałka Siemiona

---

[23] Dokumentacja W. Grossmana, RGALI 1710/3/43.

Timoszenkę (w Armii Czerwonej front był zgrupowaniem operacyjnym, które odpowiadało grupie armii). Wkrótce Pawłow został aresztowany wraz z grupą jego wyższych rangą podkomendnych, następnie osądzony w trybie doraźnym i stracony przez NKWD. Kilku czołowych radzieckich oficerów popełniło samobójstwo, a jeden z nich wpakował sobie kulę w łeb w obecności Nikity Chruszczowa, komisarza ludowego odpowiedzialnego za Ukrainę.

Na północy wojska grupy armii Leeba powszechnie witano w krajach nadbałtyckich jako wyzwolicieli po falach sowieckich prześladowań i deportacji, które trwały jeszcze na tydzień przed niemiecką inwazją. Grupy nacjonalistów atakowały wycofujące się oddziały radzieckie i opanowywały niektóre miasta. Piąty Zmotoryzowany Pułk Strzelecki NKWD posłano do Rygi w celu przywrócenia tam porządku, co oznaczało natychmiastowy odwet na łotewskiej ludności. „Nad ciałami naszych poległych towarzyszy żołnierze naszego pułku złożyli przysięgę, że bez litości zmiażdżą faszystowskie gady i jeszcze tego samego dnia burżuje z Rygi odczuli na swojej skórze smak naszej zemsty"[24]. Ale i te formacje zostały niebawem zmuszone do odwrotu znad bałtyckich wybrzeży.

Na północy od Kowna na Litwie radziecki korpus zmechanizowany zaskoczył nacierających Niemców kontratakiem z użyciem ciężkich czołgów KW. Pociski wystrzeliwane przez niemieckie wozy pancerne odbijały się od pancerzy tych sowieckich tanków, którym dawały radę tylko pospiesznie ściągnięte na miejsce przeciwlotnicze działa kalibru 88 mm. Wojska radzieckiego Frontu Północno-Zachodniego wycofały się do Estonii, nękane przez zaimprowizowane formacje nacjonalistów, których działań nie przewidzieli ani czerwonoarmiści, ani też Niemcy. Jeszcze przed wkroczeniem oddziałów niemieckich rozpoczęły się krwawe pogromy Żydów, oskarżanych o sprzyjanie bolszewikom.

Grupie Armii „Południe" Rundstedta powodziło się nieco gorzej. Generał pułkownik Michaił Kirponos, który dowodził Frontem Południowo-Zachodnim, został zawczasu ostrzeżony przez enkawudzistów ze straży granicznej o niemieckim ataku. Dysponował też większymi siłami, gdyż Timoszenko i Żukow oczekiwali głównego uderzenia właśnie na odcinku powierzonym Kirponosowi, któremu wydano rozkaz przeprowadzenia potężnego przeciwnatarcia przy pomocy pięciu zmechanizowanych korpusów. Najsilniejszym z nich, wyposażonym w ciężkie czołgi KW i nowe T-34, dowodził generał major Andriej Własow. Jednakże Kirponos nie zdołał skutecznie pokierować swymi wojskami z powodu przerwanej łączności, utrzy-

---

[24] RGWA 32904/1/81, s. 28, cyt. za: A. Reid, *Leningrad. Tragedia oblężonego miasta 1941–1944*, tłum. W. Tyszka, Kraków 2012, s. 49.

mywanej przez naziemne linie telefoniczne, i znacznego rozproszenia jego formacji.

Dwudziestego szóstego czerwca 1. Grupa Pancerna generała kawalerii von Kleista podjęła natarcie na Równe, a główny cel tej operacji stanowiła stolica Ukrainy Kijów. Kirponos wprowadził do walki pięć swoich korpusów zmechanizowanych, które spisały się bardzo różnie. Niemcami wstrząsnęło odkrycie, że czołgi T-34 oraz ciężkie KW okazały się lepsze od wszystkich typów wozów pancernych Wehrmachtu, ale nawet radziecki Ludowy Komisariat Obrony przyznawał, iż wyszkolenie strzeleckie sowieckich czołgistów było „w przededniu wojny niedostateczne"[25], a z czternastu tysięcy radzieckich czołgów „tylko 3800 było gotowych do walki" 22 czerwca 1941 roku[26]. Pod względem wyszkolenia, taktyki, łączności radiowej i szybkości reagowania załogi niemieckich czołgów zazwyczaj zdecydowanie przewyższały przeciwników. Ponadto mogły liczyć na bardzo skuteczne wsparcie eskadr stukasów. Czasami Niemców wystawiało na niebezpieczeństwo zbytnie zadufanie. Generałowi majorowi Konstantemu Rokossowskiemu, byłemu oficerowi kawalerii i Polakowi z pochodzenia, który później miał zyskać sławę jednego z najwybitniejszych dowódców tej wojny, udało się wciągnąć niemiecką 13. Dywizję Pancerną w zastawioną przez artylerię pułapkę dzień po tym, jak jego przestarzałe czołgi zostały zniszczone przez nieprzyjaciela.

Wobec nieopanowanej paniki, jaka owładnęła wojska, i masowych dezercji Kirponos wprowadził „oddziały zaporowe", które zmuszały formacje radzieckie do podejmowania walki. Niestworzone pogłoski wywoływały chaos, tak jak wcześniej we Francji. Jednak sowieckie kontrataki, choć okupione znacznymi stratami i zakończone niepowodzeniem, doprowadziły przynajmniej do spowolnienia niemieckiego natarcia. Na rozkaz Stalina Nikita Chruszczow już rozpoczął masowy wywóz maszynerii z ukraińskich fabryk i warsztatów. Akcja ta, przeprowadzona z całą bezwzględnością, doprowadziła do ewakuowania koleją większości zakładów przemysłowych tej republiki za Ural. Na mniejszą skalę podobne ewakuacje miały miejsce na Białorusi i w innych regionach. Ogółem w trakcie roku przemieszczono 2593 zakłady przemysłowe. Miało to umożliwić Związkowi Radzieckiemu podjęcie produkcji uzbrojenia na obszarach znajdujących się poza zasięgiem niemieckich bombowców.

Biuro polityczne zadecydowało również o przewiezieniu, w największej tajemnicy, zmumifikowanego ciała Lenina oraz rezerw złota i carskiego skarbca z Moskwy do Tiumenia w zachodniej Syberii. Specjalny pociąg

---

[25] CAMO 35/107559/5, s. 364.
[26] *Ibidem*.

z niezbędnymi chemikaliami oraz z zespołem naukowców, który miał zapobiec rozkładowi zwłok wodza rewolucji, wyruszył ze stolicy na wschód w pierwszych dniach lipca pod strażą NKWD[27].

Trzeciego lipca generał Halder zapisał w swoim dzienniku: „chyba nie przesadzam, jeśli twierdzę, że kampania przeciwko Rosji została wygrana w ciągu czternastu dni". Halder pojmował jednak, że sam ogrom podbitych ziem i nadal stawiany tam zbrojny opór zawiążą siły inwazyjne na wschodzie „na jeszcze wiele tygodni"[28]. W Niemczech raporty SS na temat panujących nastrojów informowały, że ludność Rzeszy zakłada się o to, jak szybko skończy się ta wojna. Niektórzy Niemcy przekonywali, że ich wojska znalazły się już w odległości stu kilometrów od Moskwy, ale Goebbels starał się rozwiewać takie spekulacje. Nie chciał pomniejszania zwycięskiej chwały przez wrażenie, że triumfalna kampania potrwała dłużej, niż oczekiwano.

Pobyt na niezmierzonych ziemiach opanowanych przez Wehrmacht, bezkresach na wschodzie, zaczął odciskać piętno na *Landserze* – typowym niemieckim piechurze. Ci, którzy wywodzili się z regionów podalpejskich, odczuwali przygnębienie na widok równin, które wydawały się nieskończonym lądowym oceanem. Polowe formacje wkrótce się przekonały, że w odróżnieniu od tego, co było we Francji, sowieccy żołnierze kontynuowali walkę w okrążeniu na tyłach linii frontu. Sowieci nagle otwierali ogień z kryjówek na rozległych polach uprawnych i atakowali transporty z zaopatrzeniem albo przemieszczające się sztaby. Czerwonoarmistów schwytanych na zapleczu rozstrzeliwano na miejscu jako partyzantów.

Wielu radzieckich obywateli także prezentowało przesadny optymizm. Niektórzy powiadali sobie, że niemiecki proletariat powstanie przeciwko swoim nazistowskim panom, którzy teraz zaatakowali „ojczyznę uciskanych" z całego świata. A ci, którzy rozwieszali mapy, aby zaznaczać na nich sukcesy Armii Czerwonej, rychło musieli je zdejmować, gdy stało się jasne, jak głęboko Wehrmacht wdarł się na radzieckie terytorium.

Jednakże i triumfalne nastroje w niemieckim wojsku niebawem zaczęły słabnąć. Wielkie bitwy z okrążonymi armiami wroga, zwłaszcza ta pod Smoleńskiem, były coraz bardziej wyczerpujące. Wprawdzie formacje pancerne bez większych trudności dokonywały głębokich zagonów, ale brakowało im dostatecznej liczby oddziałów grenadierów pancernych, czyli zmotoryzowanej piechoty, do utrzymania pierścieni okrążenia, kontrata-

---

[27] I. Zbarski, *W cieniu mauzoleum. Wstrząsające wspomnienia konserwatora zwłok Lenina*, tłum. A. Kuć, Katowice – Chorzów 2007, s. 111–127.

[28] F. Halder, *Dziennik wojenny. Codzienne zapisy szefa Sztabu Generalnego Wojsk Lądowych 1939–1942*, t. 3: *Od kampanii rosyjskiej do marszu na Stalingrad (22.6.1941–24.9.1942)*, tłum. B. Woźniecki, Warszawa 1974, s. 68 (3 lipca 1941 r.).

kowanych z wewnątrz i z zewnątrz. Wiele radzieckich oddziałów wymykało się z potrzasku przed nadejściem stale popędzanej niemieckiej piechoty, wyczerpanej i strudzonej forsownymi marszami, przemierzającej w pełnym rynsztunku do pięćdziesięciu kilometrów dziennie. Jednak nawet ci czerwonoarmiści, którzy znaleźli się w pułapce okrążenia, nie składali broni. Walczyli, prezentując desperacką odwagę, nawet jeśli nierzadko zmuszani byli do tego przez komisarzy i oficerów. Po wyczerpaniu amunicji wielkie zastępy sowieckich żołnierzy z wrzaskiem rzucały się na wroga, licząc na przerwanie kordonu. Niektórzy z nich biegli, trzymając się za ręce, a niemieckie karabiny maszynowe, które nieustannie się przegrzewały, kosiły ich seriami. Krzyki rannych rozlegały się całymi godzinami, szarpiąc nerwy przemęczonych niemieckich żołnierzy.

Dziewiątego lipca padł Witebsk. Podobnie jak Mińsk, Smoleńsk, a później też Homel i Czernihów miasto to przeobraziło się w piekło płonących drewnianych domów, na które samoloty Luftwaffe zrzucały bomby zapalające. Pożary były tak rozległe, że wielu niemieckich żołnierzy musiało zawrócić swoje pojazdy. Łącznie trzydzieści dwie niemieckie dywizje uczestniczyły w likwidacji smoleńskiego *Kessel*, czyli kotła, jak określano okrążenie. Owa *Kesselschlacht* potrwała do 11 sierpnia. „Nieodwracalne straty" radzieckie wynosiły trzysta tysięcy ludzi zabitych lub wziętych do niewoli, a także 3200 czołgów i 3100 dział. Ale sowiecki kontratak ze wschodu dopomógł wyrwaniu się z tego okrążenia ponad stu tysiącom żołnierzy, a spowolnienie niemieckiej ofensywy okazało się mieć decydujące znaczenie.

Pisarz i korespondent wojenny Wasilij Grossman odwiedził w tym okresie jeden ze szpitali polowych. „Było tam około dziewięciuset rannych na polance wśród młodych osik. Okrwawione szmaty, kawałki ciał, jęki, zduszone zawodzenie, setki oszołomionych, przepełnionych cierpieniem oczu. Młoda rudowłosa »doktorka« straciła głos – operowała przez całą noc. Na twarzy była tak blada, jakby miała zemdleć lada chwila". Opowiedziała Grossmanowi z uśmiechem, jak zoperowała jego przyjaciela, poetę Josifa Utkina. „»Kiedy robiłam nacięcie, recytował mi poezję«. Ledwie się słyszało jej głos, pomagała sobie gestami. Ciągle napływali ranni. Byli cali mokrzy od krwi i deszczu"[29].

Pomimo gigantycznych postępów i ustawiania znaków wskazujących drogę do Moskwy niemieckie wojska *Ostfrontu* (frontu wschodniego) nagle zaczęły się lękać, że w 1941 roku może się nie udać osiągnąć ostatecznego zwycięstwa. Trzy grupy armii utraciły łącznie dwieście trzynaście tysięcy żołnierzy. Choć równało się to zaledwie jednej dziesiątej strat radzieckich, to

---

[29] Dokumentacja W. Grossmana, RGALI 1710/3/43.

wyczerpujące zmagania znacznie się przedłużały, a Wehrmacht miał trudności z obroną swoich wydłużonych linii zaopatrzeniowych i pokonaniem pozostałych sowieckich sił. Perspektywa wojowania w warunkach rosyjskiej zimy była bardzo niepokojąca. Niemcy nie zdołali rozbić Armii Czerwonej w zachodniej części Związku Radzieckiego, a teraz rozciągały się przed nimi bezkresne obszary Eurazji. Tysiącosiemsetkilometrowy front wydłużył się do dwóch i pół tysiąca kilometrów.

Przedstawione przez wydział wywiadowczy armii niemieckiej szacunki dotyczące radzieckich sił wydawały się nadzwyczaj zaniżone. „Na początku wojny – zapisał 11 sierpnia generał Halder – liczyliśmy się z około dwustoma dywizjami nieprzyjaciela. Obecnie zakładamy już trzysta sześćdziesiąt". Ponadto niezbyt podnosił go na duchu fakt, że radziecka dywizja prezentowała wyraźnie mniejszą wartość bojową od niemieckiej. „I jeśli tuzin dywizji zostanie rozbitych, Rosjanie wystawią nowy tuzin"[30].

Dla Rosjan myśl, że Niemcy maszerują na Moskwę szlakiem Napoleona, była wstrząsająca. A jednak rozkaz Stalina, aby przeprowadzić zmasowane kontruderzenia w kierunku zachodnim, pod Smoleńskiem, wywarł pewien skutek, choć okupiony stratą mnóstwa żołnierzy i wielkich ilości sprzętu. Przyczynił się do podjętej przez Hitlera decyzji o tym, że Grupa Armii „Środek" powinna przejść do defensywy, podczas gdy GA „Północ" winna kontynuować natarcie na Leningrad, a GA „Południe" maszerować na Kijów. Trzecią Grupę Pancerną przerzucono na północny, leningradzki odcinek frontu. Hitler, zdaniem generała porucznika Alfreda Jodla ze sztabu OKW, chciał się ustrzec powtórzenia błędów Napoleona.

Feldmarszałek von Bock był zatrwożony tą radykalną korektą planu strategicznego, podobnie jak inni czołowi niemieccy dowódcy polowi, którzy zakładali, że Moskwa, główny radziecki ośrodek, pozostanie najważniejszym celem ofensywy. Ale wielu generałów uważało też, że przed podjęciem natarcia na Moskwę należy wyeliminować z walki potężne sowieckie zgrupowania pod Kijowem, które mogły przeprowadzić kontruderzenie z południowej flanki.

Dwudziestego dziewiątego lipca Żukow przestrzegł Stalina, że Kijowowi grozi okrążenie, i nakłaniał do wycofania wojsk z ukraińskiej stolicy. *Wożd* (wódz), jak zwano Stalina, odparł, że Żukow wygaduje brednie. Wtedy Żukow zażądał zwolnienia go ze stanowiska szefa Sztabu Generalnego. Stalin powierzył mu dowództwo Frontu Rezerwowego, ale przy tym zatrzymał Żukowa w składzie Stawki.

Niemieckiej 2. Grupie Pancernej Guderiana powierzono zadanie przeprowadzenia nagłego zwrotu w prawo z występu w linii frontu pod Jarosławiem i czterystukilometrowy marsz na południe ku Łochwicy. Tam, dwie-

---

[30] F. Halder, *Dziennik wojenny*, t. 3, *op. cit.*, s. 221.

ście kilometrów na wschód od Kijowa, wojska Guderiana miały się spotkać
z 1. Grupą Pancerną von Kleista, która rozpoczęła obejście stolicy Ukrainy
od południa. Błyskawiczne natarcie przeprowadzone przez Guderiana wywołało zamęt po radzieckiej stronie. Sowieci musieli w pośpiechu opuścić
Homel, ostatnie większe miasto na Białorusi. Ale wojska Frontu Południowo-Zachodniego, na rozkaz Stalina wzmocnione przez odwody, nadal nie
otrzymywały zezwolenia na wycofanie się z Kijowa.

Wasilij Grossman, towarzyszący wojskom radzieckim w ich ucieczce
z Ukrainy, ledwie uniknął wzięcia do niewoli przez oddziały dywizji pancernych Guderiana napierających ku południu. W zamieszaniu w początkowej
fazie niemieckiej inwazji niektórzy z Rosjan sądzili, że Guderian to dowódca radziecki, ze względu na jego nazwisko o ormiańskim brzmieniu. Grossman, w odróżnieniu od większości sowieckich korespondentów wojennych,
był głęboko poruszony cierpieniami ludności cywilnej. „Czy to jadąc gdzieś,
czy też stojąc przy ogrodzeniach, wybuchają płaczem, kiedy tylko się ode-
zwą, a wtedy ma się ochotę zapłakać samemu. Ileż rozpaczy!" Odnosił się ze
wzgardą do powtarzania propagandowych sloganów przez innych dziennikarzy, którzy na froncie kręcili się tylko w pobliżu kwater dowództw i szer-
mowali spreparowanymi i groteskowymi zwrotami w rodzaju: „Pobity wróg
kontynuuje swoje tchórzliwe natarcie"[31].

Grupa Armii „Południe" Rundstedta już wzięła sto siedem tysięcy jeńców 10 sierpnia w okolicach Humania na Ukrainie. Stalin wydał rozkaz
skazujący na śmierć dowódców Armii Czerwonej, którzy się tam poddali.
Lekceważąc zagrożenie związane z przeprowadzonym przez Guderiana uderzeniem na południe, Stalin nadal nie pozwalał Kirponosowi na wycofanie
się z linii Dniepru. Ogromną zaporę wodną i hydroelektrownię w Zaporożu, owe wielkie symbole sowieckiego postępu, wysadzono w powietrze w ramach strategii spalonej ziemi.

Nadal trwała pilna ewakuacja ludności cywilnej, bydła i różnych urządzeń, którą opisywał Grossman. „Nocą niebo czerwieniło się od kilkunastu odległych pożarów, a szara ściana dymu wisiała nad całym horyzontem
za dnia. Kobiety z dziećmi na rękach, starcy, stada owiec, krów i kołchozo-
wych koni zapadające się w piachu podążały na wschód wiejskimi drogami,
na wozach i pieszo. Traktorzyści kierowali swoimi maszynami, które hucza-
ły ogłuszająco. Pociągi z wyposażeniem fabryk, silnikami i bojlerami jechały
na wschód co dzień i co noc"[32].

Szesnastego września grupy pancerne Guderiana i von Kleista spotkały
się pod Łochwicą, zamykając w okrążeniu ponad siedemset tysięcy żołnierzy

---

[31] RGALI 1710/3/43.
[32] Dokumentacja W. Grossmana, RGALI 1710/3/49.

nieprzyjaciela. Operująca w okolicy 3. Dywizja Pancerna rozbiła sztab Kirponosa, chroniony przez oddział około dwóch tysięcy czerwonoarmistów. Szósta Armia feldmarszałka von Reichenaua wkroczyła do ruin zbombardowanego Kijowa. Ludności cywilnej, która pozostała w mieście, groziło zagłodzenie. Żydzi ginęli od razu, rozstrzeliwani przez plutony egzekucyjne. Dalej na południe niemiecka 11. Armia i rumuńska 4. Armia zaatakowały Odessę. Następnym celem ofensywy Grupy Armii „Południe" miał być Krym, z wielką radziecką bazą morską w Sewastopolu, oraz Rostów nad Donem, stanowiący wrota na Kaukaz.

Kijowski *Kessel* był największym kotłem w historii wojen. Zwycięstwo to ponownie uskrzydliło Niemców. Zdobycie Moskwy znów wydawało się realne. Halder stwierdził z ulgą, że Hitler dał się o tym przekonać. Szóstego września Führer podpisał dyrektywę nr 35, autoryzując natarcie na Moskwę. Szesnastego września, czyli w tym samym dniu, w którym dwie niemieckie grupy pancerne zamknęły pierścień okrążenia koło Łochwicy, feldmarszałek von Bock wydał rozkaz wstępnych przygotowań do operacji „Tajfun".

Tymczasem grupa armii dowodzona przez Leeba, po szybkim przemarszu przez kraje bałtyckie, napotykała coraz twardszy opór na drodze do Leningradu. W połowie lipca kontratak przeprowadzony przez wojska generała lejtnanta Nikołaja Watutina zaskoczył Niemców nad jeziorem Ilmen. Nawet pomimo wsparcia udzielonego przez 3. Grupę Pancerną Hotha ofensywę Leeba spowalniał trudny teren – brzeziny, jeziora i rojące się od komarów bagna. Pół miliona mężczyzn i kobiet z zagrożonego Leningradu zmobilizowano do kopania tysiąca kilometrów transzei i sześciuset czterdziestu pięciu kilometrów rowów przeciwczołgowych. Ósmego sierpnia Hitler rozkazał Leebowi przystąpić do oblężenia miasta, podczas gdy Finowie odebrali Sowietom terytoria wokół jeziora Ładoga, utracone wcześniej w wyniku wojny zimowej. Sowieci rzucili do morderczych kontrataków niewyszkolone i bardzo słabo uzbrojone oddziały pospolitego ruszenia, traktując je dosłownie jak mięso armatnie. Ogółem ponad sto trzydzieści pięć tysięcy leningradczyków, robotników i naukowców, zmuszono do „ochotniczego" wstąpienia do tych formacji. Owe oddziały nie przechodziły przeszkolenia wojskowego, nie mogły liczyć na pomoc medyczną, nie miały umundurowania, środków transportu ani systemu zaopatrzenia. Ponad połowie tych żołnierzy nie wydano nawet karabinów, a jednak rozkazano im atakować niemieckie dywizje pancerne. Większość uciekała w popłochu na widok czołgów, przeciwko którym nie mieli się czym bronić. Ta gigantyczna ofiara – pod Leningradem zginęło około siedemdziesięciu tysięcy członków radzieckiego pospolitego ruszenia – nie zdała się na nic i nie ma nawet dowodów, że śmierć tych ludzi opóźniła wyjście Niemców nad rzekę Ługę.

Sowiecka 34. Armia została rozbita. Jej żołnierze rzucili się do ucieczki, cztery tysiące z nich aresztowano pod zarzutem dezercji, a połowa rannych, jak podejrzewano, okaleczyła się sama. Tylko w jednym ze szpitali czterystu sześćdziesięciu spośród tysiąca pacjentów miało rany postrzałowe lewej dłoni lub lewego przedramienia[33].

Stolica Estonii Tallinn została odcięta wskutek niemieckiego natarcia, ale Stalin zabronił ewakuacji jej radzieckich obrońców drogą morską przez Zatokę Fińską do Kronsztadu. Po pewnym czasie zmienił zdanie, lecz wtedy było już za późno na uporządkowany odwrót. Dwudziestego ósmego sierpnia statki i okręty Czerwonej Floty Bałtyckiej w Tallinnie zabrały na pokłady dwadzieścia trzy tysiące sowieckich obywateli, gdy niemieckie wojska wdzierały się już do miasta[34]. Pozbawiona osłony lotniczej ta zaimprowizowana flotylla ewakuacyjna wyszła w morze. Łącznie na skutek wpłynięcia na niemieckie miny, ataków fińskich kutrów torpedowych i nalotów Luftwaffe zatonęło sześćdziesiąt pięć z tych jednostek, a liczba ofiar śmiertelnych sięgała czternastu tysięcy ludzi. Była to największa katastrofa morska w rosyjskiej i radzieckiej historii, gorsza nawet od klęski pod Cuszimą w 1905 roku.

Na południe od Leningradu Niemcy opanowali główną linię kolejową wiodącą do Moskwy. Pierwszego września Leningrad znalazł się w zasięgu dział niemieckiej ciężkiej artylerii i rozpoczął się ostrzał miasta. Sowieckie ciężarówki wojskowe zapchane rannymi i ostatnie grupy uchodźców dotarły do Leningradu; wśród tych ostatnich znaleźli się chłopi z obładowanymi wozami i dźwigający na plecach zawiniątka z dobytkiem, a nawet chłopiec ciągnący na sznurku oporną kozę – uciekinierzy pozostawili za sobą płonące wioski[35].

Stalin rugał Andrieja Żdanowa, zwierzchnika partii komunistycznej w Leningradzie, i Woroszyłowa, dowodzącego obroną tego miasta, kiedy dowiadywał się, że kolejne miejscowości wpadały w ręce Niemców, gdy ci otaczali Leningrad od południa. Dawał do zrozumienia, że to musi być sprawką zdrajców. „Nie wydaje się wam, że ktoś umyślnie otwiera drogę Niemcom? – depeszował do Mołotowa, który wizytował miasto w celu ustalenia faktów. – Nieporadność dowództwa Leningradu jest zupełnie niezrozumiała"[36]. Ale zamiast „postawienia przed trybunałem" Woroszyłowa czy Żdanowa w mieście nastała fala terroru, a NKWD wyłapywało podejrzanych, w tym nierzadko osoby o obco brzmiących nazwiskach.

---

[33] O klęsce radzieckiej 34. Armii i samookaleczeniach sowieckich żołnierzy zob. RGASPI 558/11/49, s. 1, cyt. za: A. Reid, *Leningrad, op. cit.*, s. 69–76.

[34] O ewakuacji Tallinna: D.M. Glantz, *The Battle for Leningrad, 1941–1944*, Lawrence, KS 2002, s. 46.

[35] Opis Wasilija Czekrizowa, zob. A. Reid, *Leningrad, op. cit.*, s. 119–136.

[36] RGASPI 558/11/492, s. 27.

Siódmego września niemiecka 20. Dywizja Zmotoryzowana przypuściła uderzenie na północ od Mgy, aby zająć wzgórza Siniawino. Następnego dnia, wzmocniona częścią 12. Dywizji Pancernej, dotarła do Szlisselburga, carskiej twierdzy na południowo-zachodnim skraju Ładogi, w miejscu, gdzie do jeziora wpływa Newa. Leningrad został całkowicie odcięty od strony lądu. Otwarty pozostawał jedynie szlak wodny przez wielkie jezioro Ładoga. Woroszyłowowi i Żdanowowi zajęło cały dzień zebranie się na odwagę, aby powiadomić Stalina, że Niemcy zdobyli Szlisselburg. Rozpoczęło się oblężenie Leningradu, najdłuższe i najbardziej okrutne we współczesnej historii.

W mieście tym, oprócz pół miliona żołnierzy, znajdowało się ponad dwa i pół miliona cywilów, w tym czterysta tysięcy dzieci. W kwaterze głównej Führera postanowiono, że niemieckie wojska nie będą okupowały Leningradu. Niemcy mieli bombardować miasto i odciąć je od reszty kraju, aby jego ludność wymarła z głodu i chorób. Potem zamierzali je zburzyć, a okoliczne obszary przekazać Finom.

Stalin tymczasem doszedł do wniosku, że powinien wprowadzić zmiany w zarządzie Leningradu. Powierzył tamtejszą komendę Żukowowi, ufny w jego bezwzględność. Żukow wyleciał samolotem z Moskwy natychmiast po otrzymaniu rozkazów. Na miejscu pojechał od razu do siedziby rady wojskowej w Instytucie Smolnym, gdzie jak stwierdził, zastał defetyzm i pijaństwo. Wkrótce posunął się nawet dalej niż Stalin, zagroziwszy surowymi karami rodzinom tych żołnierzy, którzy poddali się nieprzyjacielowi. Rozkazał dowódcom na froncie pod Leningradem: „Wyjaśnijcie wszystkim żołnierzom, że całe rodziny tych, którzy skapitulują przed wrogiem, zostaną rozstrzelane, a i oni sami będą straceni po powrocie z niewoli"[37].

Najwyraźniej Żukow nie zdawał sobie sprawy z tego, że gdyby rozkaz potraktować dosłownie, oznaczałoby to konieczność egzekucji członka rodziny samego Stalina. Oto bowiem do niewoli dostał się wraz z jednym z okrążonych oddziałów syn radzieckiego dyktatora porucznik Jakow Dżugaszwili. Stalin miał prywatnie powiedzieć, iż byłoby lepiej, gdyby Jakow w ogóle się nie urodził. Nazistowska służba propagandowa wkrótce poczyniła użytek z tak cennego jeńca. „Nadleciał niemiecki samolot – zapisał w swoim dzienniku czerwonoarmista Wasilij Czurkin. – Dzień był słoneczny i zobaczyliśmy wielką stertę ulotek wypadających z tego samolotu. Widniało na nich zdjęcie syna Stalina z dwoma uśmiechniętymi niemieckimi oficerami u boku. Coś takiego zostało spreparowane przez Goebbelsa i nie odniosło skutku"[38]. Stalin zmienił nieco nastawie-

---

[37] RGASPI 83/1/18, s. 18.
[38] WCD, 21 sierpnia 1941 r.

nie do syna dopiero w 1945 roku, kiedy wyszło na jaw, że Jakow rzucił się na druty kolczaste w obozie, gdzie przebywał, a strażnicy musieli go zastrzelić.

Stalina nie obchodził los ludności cywilnej. Usłyszawszy, że Niemcy pędzą przed swoimi oddziałami „starców i kobiety, matki i dzieci" jako żywe tarcze albo w roli emisariuszy domagających się złożenia broni przez czerwonoarmistów, rozesłał rozkazy, aby otwierać ogień do tych ludzi. „Moja odpowiedź brzmi: Ż a d n y c h s e n t y m e n t ó w. Zamiast tego należy bić wroga i jego wspólników, chorych czy zdrowych, prosto w gębę. Wojna jest bezlitosna, a ci, którzy okazują słabość i chwiejność, pierwsi ponoszą klęski"[39]. Pewien Gefreiter z 269. Dywizji Piechoty napisał 21 września: „Tłumy cywilów uciekają z oblężenia i trzeba zamykać oczy, żeby nie widzieć ich nieszczęścia. Nawet na froncie, gdzie w tej chwili dochodzi do ostrej wymiany ognia, jest wiele dzieci i kobiet. Kiedy tylko gdzieś blisko zawyje pocisk, szukają schronienia. To wygląda komicznie i śmiejemy się z tego, ale tak naprawdę jest przygnębiające"[40].

Gdy ostatni ranni i maruderzy ściągnęli do miasta, leningradzkie władze próbowały zaprowadzić rządy żelaznej ręki przy pomocy enkawudzistów, zawsze gotowych do rozstrzeliwania na miejscu dezerterów i „defetystów". Stalinowska paranoja narastała, a NKWD wydano rozkazy aresztowania dwudziestu dziewięciu kategorii potencjalnych wrogów. Pod wpływem fantastycznych pogłosek w mieście zapanowała gorączkowa szpiegomania, głównie dlatego, że sowieckie władze skąpiły oficjalnych informacji. Ale choć mniejszość leningradczyków po cichu liczyła na to, że reżim Stalina może upaść, to nic nie wskazuje na to, by w mieście faktycznie działała niemiecka czy fińska agentura.

Żukow wydał rozkazy, aby działa Czerwonej Floty Bałtyckiej w Kronsztadzie zostały wykorzystane w roli pływających baterii artyleryjskich albo zdemontowane i ustawione na wzniesieniach Pułkowa pod Leningradem w celu ostrzeliwania pozycji nieprzyjacielskiej artylerii. Ich ogniem kierował z kopuły soboru Świętego Izaaka generał artylerii Nikołaj Woronow. Tę lśniącą kopułę, widoczną aż z wybrzeża Finlandii, wkrótce pomalowano szarą maskującą farbą.

Ósmego września, w dniu zdobycia Szlisselburga przez Niemców, bombowce Luftwaffe zaatakowały magazyny żywności w południowej części miasta. „Słupy gęstego dymu wznoszą się wysoko – zapisał Czurkin w dzienniku, zatrwożony przyszłymi skutkami tego nalotu. – To płoną badajewskije magazyny. Ogień trawi półroczne zapasy żywności dla całej ludności

---

[39] 20 września 1941 r., RGALI 1817/2/185.
[40] Starszy szeregowy Hans B., 269. Dywizja Pancerna, BfZ-SS.

Leningradu"[41]. Zaniedbanie rozlokowania prowiantu w różnych miejscach okazało się poważnym niedopatrzeniem. Trzeba było radykalnie zmniejszyć przydziały produktów spożywczych. Poza tym uczyniono niewiele, by zgromadzić zimowe zapasy drewna na opał. Ale największym błędem było to, że nie ewakuowano większej liczby mieszkańców. Jeśli nie liczyć uciekinierów, tylko niespełna pół miliona leningradczyków odesłano na wschód, zanim połączenie kolejowe z Moskwą zostało odcięte na skutek niemieckiego natarcia. Ponad dwa i pół miliona cywilów pozostało w oblężonym mieście.

W drugiej połowie września Niemcy podjęli zaciekłe szturmy, wspomagane przez intensywne naloty. Sowieccy piloci w przestarzałych samolotach znowu musieli taranować niemieckie bombowce. Jednakże obrońcy miasta, przede wszystkim dzięki wsparciu artylerii, zdołali odeprzeć ataki. Zasłużyła się w tym najbardziej piechota morska Floty Bałtyckiej. Żołnierzy tej formacji rozpoznawano po ciemnogranatowych marynarskich czapkach zawadiacko noszonych na bakier, spod których wystawały na czoło kosmyki włosów.

Dwudziestego czwartego września feldmarszałek von Leeb przyznał, że brakuje mu dostatecznie silnych wojsk do przełamania obrony Leningradu. Zbiegło się to w czasie z naciskami wywieranymi przez innych niemieckich dowódców, ażeby wznowić ofensywę na Moskwę. Grupa pancerna Hotha znalazła się ponownie w składzie Grupy Armii „Środek". Wraz ze zbliżaniem się zimy obie strony przeszły do defensywy, a gdy nocami zapanowały silne przymrozki, walki nabrały pozycyjnego, okopowego charakteru. Z końcem miesiąca zacięte zmagania na froncie leningradzkim w zasadzie ustały i ograniczały się tylko do sporadycznych pojedynków artyleryjskich.

Sowieci ponieśli na północy kolosalne straty „nie do uzupełnienia" – 214 078 zabitych i ciężko rannych. Równało się to od jednej trzeciej do połowy wojsk skierowanych tam do walki. Lecz straty te okażą się znikome w porównaniu z liczbą ofiar masowego głodu, jaki miał zapanować w Leningradzie. Nawet gdyby miasto skapitulowało, Hitler nie miał zamiaru go zajmować, a tym bardziej żywić jego mieszkańców. Chciał sprawić, by i Leningrad, i leningradczycy zniknęli z powierzchni ziemi.

---

[41] WCD, 4 września 1941 r.

ROZDZIAŁ 13

Rassenkrieg

czerwiec–wrzesień 1941

Niemieccy żołnierze, przerażeni nędzą polskich wsi w 1939 roku, nie kryli jeszcze większej odrazy na widok tego, co napotykali na sowieckich terytoriach. Od masakr dokonywanych na więźniach przez NKWD po prymitywne warunki panujące w kołchozach – wszystko w „sowieckim raju", jak Goebbels ze zjadliwym sarkazmem określał ZSRR, umacniało ich w uprzedzeniach. Nazistowski minister propagandy, wykazując się diabolicznym geniuszem, przewidział, że pogarda i odraza do wroga to za mało. Połączenie nienawiści i strachu stanowiło najskuteczniejszy sposób na rozbudzenie ludobójczej mentalności. Służyły temu wszelkie wymyślane przez Goebbelsa epitety, takie jak „podstępni Azjaci", „Żydobolszewicy", „bestie" czy „podludzie". Większość niemieckich żołnierzy wierzyła w zapewnienia Hitlera, że to Żydzi rozpętali tę wojnę.

Atawistyczna i podszyta lękiem fascynacja, jaką wielu Niemców, o ile nie prawie wszyscy, odczuwało wobec wschodnich Słowian, była oczywiście wzmacniana doniesieniami o niewiarygodnych okrucieństwach dokonywanych w czasie bolszewickiej rewolucji i wojny domowej w Rosji. Nazistowska propaganda starała się prezentować obraz kulturowego zderzenia między niemieckim porządkiem a bolszewickim chaosem, ubóstwem i ateizmem. Pomimo powierzchownych podobieństw obu reżimów ideologiczne i kulturowe podziały między Niemcami a Rosją przebiegały głęboko i rzucały się w oczy różnice zarówno o zasadniczym, jak i trywialnym charakterze.

Podczas upalnego lata niemieccy motocykliści jeździli po podbitych obszarach wschodnich, mając na sobie tylko spodenki i gogle. Na Białorusi i Ukrainie starsze kobiety szokował widok ich obnażonych torsów. Były jeszcze bardziej wstrząśnięte, kiedy niemieccy żołnierze spacerowali nago po ich izbach i napastowali dziewczęta. Choć wydaje się, że we wsiach w pobliżu linii frontu Niemcy stosunkowo rzadko gwałcili kobiety, to znacznie częściej dopuszczali się gwałtów na zapleczu, zwłaszcza na młodych Żydówkach.

Najcięższe zbrodnie popełniano przy oficjalnej aprobacie władz. Wyłapywano młode Ukrainki, Białorusinki i Rosjanki i zmuszano je do nierządu w burdelach dla wojska. Tam, zniewolone, były ciągle gwałcone przez niemieckich żołnierzy na przepustkach. Jeśli się opierały, karano je surowo, a nawet zabijano. Mimo tego, że kontakty płciowe z *Untermenschen* ("podludźmi") stanowiły przestępstwo w świetle nazistowskiego prawa, kierownictwo Wehrmachtu uważało przyfrontowe domy publiczne za pragmatyczne rozwiązanie, pomocne w utrzymaniu dyscypliny i korzystne dla zdrowia niemieckich żołnierzy. Lekarze wojskowi mogli przynajmniej okresowo badać "zatrudnione" w nich młode kobiety i sprawdzać, czy nie są zarażone zakaźnymi chorobami wenerycznymi.

Jednak niemieccy żołnierze czasami litowali się też nad radzieckimi kobietami, które pozostały na zajętych przez Wehrmacht obszarach i musiały sobie radzić bez mężczyzn, zwierząt pociągowych i maszyn rolniczych. "Widuje się nawet kobiety ciągnące sklecona sochę, którą kieruje inna [kobieta] – pisał kapral z oddziału łączności w liście do domu. – Cała masa kobiet reperuje drogę pod nadzorem człowieka z Organizacji Todt. Trzeba posługiwać się knutem, żeby wymusić posłuszeństwo! Prawie nie ma tu rodziny, w której pozostałby jakiś mężczyzna. W dziewięćdziesięciu procentach przypadków odpowiedź na takie pytanie brzmi zawsze: »Mąż zginął na wojnie!«. Przerażające. Rosjanie stracili straszliwe mnóstwo ludzi"[1].

Wielu radzieckich obywateli, zwłaszcza Ukraińców, nie spodziewano się, że niemiecka okupacja będzie miała tak okrutny charakter. Na Ukrainie liczni wieśniacy początkowo witali wrogich żołnierzy tradycyjnym chlebem i solą. Po przeprowadzonej przez Stalina przymusowej kolektywizacji i strasznym głodzie w latach 1932–1933, w którego trakcie zginęło co najmniej trzy i pół miliona ludzi, nienawiść do komunistów była w tym kraju powszechna[2]. Starszych, bardziej religijnych Ukraińców podnosił na duchu widok krzyży na niemieckich pojazdach opancerzonych; uważali, że Niemcy podjęli krucjatę przeciwko bezbożnemu bolszewizmowi.

Oficerowie Abwehry mieli wrażenie, że wobec ogromu zajętych obszarów optymalną strategią będzie zorganizowanie milionowej armii ukraińskiej. Hitler odrzucił jednak tę sugestię, nie chcąc wydawać broni

---

[1]   Kapral Hans W., 387. Dywizja Pancerna, 31 maja 1942 r., BfZ-SS 45 842.
[2]   Zob. T. Snyder, *Skrwawione ziemie. Europa między Hitlerem a Stalinem*, tłum. B. Pietrzyk, Warszawa 2011, s. 55–60.

słowiańskim *Untermenschen*, ale zakaz ten rychło zaczęto po cichu łamać w regularnych wojskach lądowych i Waffen-SS – obie te organizacje rozpoczęły rekrutację na terenach wschodnich. Z kolei działalność Organizacji Ukraińskich Nacjonalistów (OUN), której członkowie pomagali Niemcom tuż przed inwazją i na samym jej początku, tępiono. W Berlinie chciano rozwiać nadzieję OUN na uzyskanie niepodległości przez Ukrainę.

Po latach sowieckiej propagandy, sławiącej przemysłowy postęp w ZSRR, Ukraińcy i przedstawiciele innych radzieckich nacji byli zdumieni jakością i różnorodnością niemieckiego wyposażenia. Wasilij Grossman opisał tłum wieśniaków, przypatrujący się schwytanemu austriackiemu motocykliście: „Każdy podziwia jego długi, miękki, szarobury skórzany płaszcz. Wszyscy go dotykają i kręcą głowami. A to oznacza: jak, u licha, mamy walczyć z narodem, który nosi takie płaszcze? Ich samoloty pewnie muszą być tak dobre jak ich skórzane kapoty"[3].

W listach do domów niemieccy żołnierze użalali się, że w Związku Radzieckim prawie nie ma czego rabować poza żywnością. Lekceważąc podarki otrzymane w pierwszych dniach kampanii, uganiali się za gęśmi, kurczętami i prosiętami. Rozbijali ule, aby dobrać się do miodu, i nie zważali na błagania ograbianych, którym nie pozostawiali nic na przetrwanie zimy. Niemiecki *Landser* (piechur) tęsknie wspominał walki we Francji i bogate tamtejsze łupy. I – w odróżnieniu od kampanii francuskiej – czerwonoarmiści nadal stawiali opór, nie chcąc przyjąć do wiadomości, że zostali pobici.

Każdy niemiecki żołnierz, który okazywał współczucie dla cierpień radzieckich jeńców, narażał się na drwiny kolegów. Zdecydowana większość uznawała setki tysięcy wziętych do niewoli Sowietów za zgraję ludzkich szkodników. Żałosny stan jeńców, brud wynikający z braku środków higienicznych, umacniał tylko Niemców w uprzedzeniach, wpojonych im przez nazistowską propagandę w trakcie poprzednich ośmiu lat. Ofiary wojny były dehumanizowane w ramach samospełniającej się przepowiedni. Żołnierz pilnujący kolumny radzieckich jeńców pisał do domu, że „żarli trawę niczym bydło". A kiedy mijali pole, na którym rosły ziemniaki, „rzucali się na ziemię, którą rozgrzebywali palcami, i jedli surowe kartofle"[4]. Pomimo tego, że istotą planu operacji „Barbarossa" było zamknięcie w okrążeniach głównych sił przeciwnika, niemieckie władze wojskowe celowo poczyniły niewiele przygotowań związanych z przewidywanym wzięciem do niewoli mas jeńców. Im więcej ich miało umrzeć z powodu takich zaniedbań, tym mniej miało pozostać do wyżywienia.

---

[3] Dokumentacja W. Grossmana, RGALI 1710/3/49.
[4] Szeregowy Josef Z., 3. kompania, 619. baon rezerwowy, 12 września 1941 r., BfZ-SS 20 355 D.

Pewien francuski jeniec wojenny opisał przybycie grupy sowieckich brańców do obozu Wehrmachtu w Generalnym Gubernatorstwie: „Rosjanie szli piątkami po pięciu w szeregu, trzymając się za ręce, jakby żaden z nich nie był w stanie iść o własnych siłach – określenie »idące szkielety« było tu rzeczywiście odpowiednie. (...) Ich twarze nie były nawet żółte, były zielone. Prawie wszyscy mrużyli oczy, jak gdyby nie mieli dość siły, by skupić na czymś wzrok. Padali rzędami, po pięciu. Niemcy rzucali się na nich i bili kolbami karabinów i batami"[5].

Niemieccy oficerowie starali się później usprawiedliwiać nieludzkie traktowanie trzech milionów jeńców wojennych wziętych do niewoli do października 1941 roku brakiem żołnierzy do ich strzeżenia i środków transportu do dowozu żywności. W istocie tysiące czerwonoarmistów w niewoli zmarło podczas przymusowych, forsownych marszów, ponieważ dowództwo Wehrmachtu nie życzyło sobie, by wojskowe pociągi czy pojazdy zostały „zainfekowane" przez te „cuchnące masy". Nie przygotowano obozów, więc jeńcy przebywali tysiącami stłoczeni pod gołym niebem, na polach ogrodzonych drutem kolczastym. Dawano im mało jedzenia i wody. Było to zgodne z nazistowskim planem zagłodzenia trzydziestu milionów radzieckich obywateli, by w ten sposób rozwiązać problem „przeludnienia" na okupowanych terytoriach. Ranni pozostawali pod opieką pojmanych lekarzy Armii Czerwonej, tym jednak brakowało jakichkolwiek środków medycznych. Kiedy niemieccy strażnicy rzucali za ogrodzenie z drutu zupełnie niewystarczające ilości chleba, znajdowali rozrywkę w przypatrywaniu się, jak jeńcy walczą z sobą o bochenki. Tylko w 1941 roku ponad dwa miliony sowieckich jeńców zmarło z głodu, chorób i zimna.

Radzieccy żołnierze postępowali nie lepiej, rozstrzeliwując i dźgając bagnetami jeńców pod wpływem gniewu wywołanego przez niemiecką inwazję i okrucieństwa nieprzyjaciela. W każdym razie graniczące z niemożliwością zadanie wykarmienia i upilnowania wziętych do niewoli w warunkach chaotycznego odwrotu oznaczało, że niewielu z nich oszczędzono. Starszych stopniem dowódców irytował brak „języka" – jeńców, których można by było przesłuchać w celu rozeznania się w sytuacji przeciwnika na froncie.

*

Wspomniane połączenie strachu i nienawiści odgrywało także ważną rolę w okrutnych zmaganiach z partyzantką. Tradycyjna niemiecka doktryna wojenna od dawna odnosiła się bardzo wrogo do wszelkich form walk pod-

---

[5] Zeznanie Paula Rosera, IMT VI, s. 291, cyt. za: P. Padfield, *Himmler, Reichsführer-SS*, t. 2, tłum. S. Baranowski, Warszawa 1997, s. 280.

jazdowych – jeszcze na długo przed tym jak OKW wydało instrukcje zabijania radzieckich komisarzy i partyzantów. Zanim Stalin wezwał do zbrojnego powstania na niemieckim zapleczu w przemówieniu z 3 lipca 1941 roku, ominięte przez nacierającego nieprzyjaciela grupy czerwonoarmistów przystąpiły do samorzutnego organizowania ruchu oporu. W lasach i na bagnach zaczęły się tworzyć partyzanckie bandy, do których napływali cywile uciekający przed prześladowaniami i ludność ze zniszczonych wiosek.

Wykorzystujący znajomość terenu i umiejętność maskowania się, naturalną dla mieszkańców wsi i lasów, sowieccy partyzanci już wkrótce zaczęli stanowić znacznie większe zagrożenie, aniżeli wyobrażali to sobie stratedzy, którzy opracowali plany operacji „Barbarossa". Na początku września 1941 roku tylko na Ukrainie operowały na niemieckich tyłach sześćdziesiąt trzy partyzanckie oddziały, liczące łącznie prawie pięć tysięcy mężczyzn i kobiet. NKWD planowało również przerzucenie na zaplecze wroga czterystu trzydziestu czterech kolejnych pododdziałów przeszkolonych w działaniach partyzanckich. Ogółem w tym czasie ponad dwadzieścia tysięcy partyzantów już walczyło lub szykowało się do udziału w zmaganiach z Niemcami[6]. Wśród nich znajdowali się specjalnie wyszkoleni zabójcy w umundurowaniu niemieckich oficerów. Celem ataków były linie kolejowe, wagony i lokomotywy, niemieckie jednostki zaopatrzeniowe, kurierzy na motocyklach, mosty, składy paliw, amunicji i żywności, linie telefoniczne, stacje telegraficzne oraz lotniska. Używając zrzucanych na spadochronach radionadajników, oddziały partyzanckie, dowodzone na ogół przez oficerów NKWD z formacji ochrony pogranicza, przekazywały do Moskwy dane wywiadowcze i odbierały instrukcje.

Nic dziwnego, że ta partyzancka kampania uczyniła z hitlerowskiej idei kolonizacji Wschodu i przeobrażenia go w „rajskie ogrody" niezbyt kuszącą perspektywę dla potencjalnych niemieckich osadników i folksdojczów, którym obiecano tam farmy. Cały plan zdobycia przestrzeni życiowej na obszarach wschodnich wymagał „oczyszczenia" wybranych regionów i sprowadzenia miejscowego chłopstwa do roli poddańczej. Nazistowskie represje stawały się zatem coraz bardziej okrutne. Wioski w okolicach, gdzie atakowali partyzanci, puszczano z dymem. Zakładników zabijano. Wymierzane bez opamiętania kary obejmowały publiczne wieszanie młodych kobiet i dziewcząt oskarżonych o pomaganie partyzantom. Ale im ostrzejsza była reakcja okupantów, tym wzmagała się determinacja okupowanych. Nierzadko dowódcy radzieckich zgrupowań partyzanckich świadomie prowokowali

---

6 Zob. Ch. Bellamy, *Wojna absolutna. Związek Sowiecki w II wojnie światowej*, tłum. M. Antosiewicz, M. Habura, P. Laskowicz, Warszawa 2010, s. 271–285.

niemieckie represje, aby rozbudzić nienawiść do najeźdźców. Zaiste nadeszły „czasy żelaza"[7]. Życie ludzkie straciło na znaczeniu po obu stronach frontu, a zwłaszcza dotyczyło to – z perspektywy Niemców – życia osób pochodzenia żydowskiego.

Holokaust rozegrał się zasadniczo w dwóch stadiach – które zostały określone później przez Wasilija Grossmana jako „zagłada z użyciem kul i zagłada z użyciem gazu"[8] – a proces, który miał ostatecznie doprowadzić do masowego mordowania ludzi w obozach śmierci, przebiegał, by tak rzec, nierównomiernie. Do września 1939 roku naziści liczyli na zmuszenie niemieckich, austriackich i czeskich Żydów do emigracji, uciekając się do ucisku, upokarzania i rekwirowania żydowskiej własności. Wraz z wybuchem wojny stało się to coraz trudniejsze. Podbój Polski doprowadził zaś do tego, że pod niemiecką jurysdykcją znalazło się 1,7 miliona polskich Żydów.

W maju 1940 roku, w trakcie inwazji na Francję, Himmler przygotował dla Hitlera dokument zatytułowany „Kilka przemyśleń na temat traktowania obcej ludności na wschodzie"[9]. Zaproponował „przesianie" polskiej ludności, aby osoby „wartościowe rasowo" poddać germanizacji, natomiast pozostałe przekształcić w niewolniczą siłę roboczą. W kwestii Żydów napisał: „Liczę na całkowite wyeliminowanie kwestii żydowskiej za sprawą możliwości wielkiej emigracji [Żydów] do kolonii w Afryce lub gdzie indziej". W owym okresie Himmler uznawał ludobójstwo – „bolszewicką metodę fizycznej eksterminacji" – za „nieniemieckie i niewykonalne".

Himmlerowski zamysł wywozu europejskich Żydów wiązał się ze szczególnym zainteresowaniem francuskim Madagaskarem[10]. (Adolf Eichmann, wówczas jeszcze niższy funkcjonariusz SS, myślał raczej o Palestynie, będącej brytyjskim terytorium mandatowym). Reinhard Heydrich, zastępca Himmlera, także przekonywał, że problem 3,75 miliona Żydów na okupowanych w tym czasie przez Niemcy obszarach można rozwiązać poprzez przymusową emigrację, a więc pojawiła się potrzeba „terytorialnego rozwiązania"[11]. Rzecz w tym, że nawet gdyby Państwo Francuskie zgodziło się na „projekt madagaskarski", to był on nie do przeprowadzenia ze względu na brytyjską

---

[7] Dokumentacja W. Grossmana, RGALI 1710/3/43.

[8] W. Grossman, *Życie i losy*, tłum. I. Piotrowska, S. Pollak, Warszawa 1959, s. 509.

[9] Ch.R. Browning, *Nazi Resettlement Policy and the Search for a Solution to the Jewish Question, 1939–1941*, w: *idem, The Path to Genocide. Essays on Launching the Final Solution*, Cambridge 1992, s. 16–17, cyt. za: M. Mazower, *Dark Continent. Europe's Twentieth Century*, London 1998, s. 170.

[10] Ch.R. Browning, *Geneza „ostatecznego rozwiązania". Ewolucja nazistowskiej polityki wobec Żydów, wrzesień 1939–marzec 1942*, tłum. B. Gutowska-Nowak, Kraków 2012, s. 80–87.

[11] Cyt. za: I. Kershaw, *The Nazi Dictatorship. Problems and Perspectives of Interpretation*, London 2000, s. 112.

przewagę na morzach. Mimo to idea deportowania Żydów do jakiegoś „rezerwatu" pozostawała preferowaną opcją.

W marcu 1941 roku, gdy warszawskie getto dosłownie pękało w szwach, rozważano pomysł masowej sterylizacji ludności żydowskiej. Następnie kiedy Hitler zaczął snuć plany operacji „Barbarossa", czołowi naziści podchwycili ideę przesiedlenia europejskich Żydów oraz trzydziestu jeden milionów Słowian gdzieś w głąb obszarów Związku Radzieckiego po osiągnięciu zwycięstwa na wschodzie. Oznaczało to dotarcie przez niemieckie armie do linii od Archangielska do Astrachania, skąd samoloty Luftwaffe mogły bombardować działające jeszcze radzieckie fabryki broni i ośrodki komunikacyjne za Uralem i na Syberii. Dla Hansa Franka, zarządcy Generalnego Gubernatorstwa, inwazja na ZSRR stwarzała możliwość wywozu wszystkich Żydów spędzonych wcześniej na podlegające mu obszary.

Innych, w tym Heydricha, bardziej zajmowały pilniejsze sprawy, a szczególnie „pacyfikacja" podbitych ziem. Dla Hitlera określenie to było dość jednoznaczne. „Najlepiej to osiągnąć – oznajmił Alfredowi Rosenbergowi, ministrowi do spraw terytoriów wschodnich – poprzez zastrzelenie każdego, kto choćby patrzy na nas z ukosa"[12]. Żołnierzy miano nie karać za zbrodnie na ludności cywilnej, chyba że wiązały się one z rażącym złamaniem dyscypliny.

Dowódcy Wehrmachtu całkowicie podporządkowujący się wizjom Hitlera po niemieckim triumfie we Francji, w który wcześniej otwarcie powątpiewali, nie wyrazili sprzeciwu. Niektórzy z nich wręcz entuzjastycznie podchwycili ideę wojny wyniszczającej – *Vernichtungskrieg*. Ucichły wszelkie wyrazy oburzenia z powodu mordów SS dokonanych w Polsce. Feldmarszałek von Brauchitsch, głównodowodzący wojsk lądowych, współpracował ściśle z Heydrichem w kwestii współdziałania wojska z SS w trakcie operacji „Barbarossa". Niemiecka armia miała zaopatrywać Einsatzgruppen (eksterminacyjne oddziały specjalne) i utrzymywać z nimi łączność za pośrednictwem wyższego rangą oficera wywiadu w dowództwie każdej armii polowej. Wobec tego nikt w tychże dowództwach i wyższych sztabach nie mógł utrzymywać, że nic nie wie o poczynaniach wspomnianych oddziałów.

„Zagładę z użyciem kul" zazwyczaj kojarzy się z działalnością trzech tysięcy członków esesowskich Einsatzgruppen[13]. Wskutek tego często zostają przeoczone masakry dokonane przez jedenaście tysięcy ludzi z dwudziestu jeden batalionów Ordnungspolizei (policji porządkowej), wchodzących w skład drugiego rzutu sił okupacyjnych, daleko za frontowymi armiami. Poza tym do pomocy owym jednostkom skierowano brygadę kawalerii SS

---

[12] *Ibidem*, s. 266.
[13] *Ibidem*, s. 224–243.

i dwie inne brygady Waffen-SS. Dowódcą 1. Pułku Kawalerii SS był Hermann Fegelein, który w 1944 roku poślubił siostrę Evy Braun i w ten sposób znalazł się w bezpośrednim otoczeniu Führera. Himmler polecił swoim kawalerzystom z SS likwidację wszystkich napotkanych Żydów płci męskiej i zapędzanie Żydówek na bagna nad Prypecią. Do połowy sierpnia 1941 roku owa brygada zabiła w walce dwustu Rosjan i rozstrzelała 13 788 cywilów, w większości Żydów, określonych mianem „rabusiów".

W ślad za każdą z grup armii niemieckich wojsk inwazyjnych podążała jedna Einsatzgruppe. Czwartą przerzucono nieco później na południe, nad wybrzeże Morza Czarnego, gdzie działała na zapleczu wojsk rumuńskich oraz 11. Armii. Personel Einsatzgruppe rekrutowano z wszystkich organizacji składających się na imperium Himmlera, w tym z Waffen-SS, ze służby bezpieczeństwa (Sicherheitsdienst, SD), policji bezpieczeństwa (Sicherheitspolizei, Sipo), policji kryminalnej (Kriminalpolizei, Kripo) oraz policji porządkowej. Każda Einsatzgruppe liczyła około ośmiuset ludzi i była złożona z dwóch Sonderkommando, operujących w pobliżu frontu, oraz dwóch Einsatzkommando, działających trochę dalej na tyłach.

Heydrich poinstruował dowódców Einsatzgruppen, którzy wywodzili się z intelektualnej elity SS – większość z nich miała doktoraty – aby zachęcali lokalne ugrupowania antysemickie do zabijania Żydów i komunistów. Określono to mianem „samooczyszczania" (*Selbstreinigungsbestrebungen*)[14]. Jednocześnie mieli nie udzielać takim poczynaniom oficjalnej aprobaty i nie dawać do zrozumienia, że tego rodzaju akcje mogą zapewnić miejscowym społecznościom jakąkolwiek formę politycznej niezależności. Same Einsatzgruppen miały likwidować funkcjonariuszy partii komunistycznej, komisarzy, partyzantów i sabotażystów oraz „Żydów na stanowiskach partyjnych i państwowych"[15]. Przypuszczalnie Heydrich zasugerował, że nie powinny się ograniczać do wymienionych kategorii osób i wykazywać inicjatywę w wypełnianiu swoich obowiązków z „bezprecedensową surowością", na przykład zabijając Żydów w wieku poborowym. Jednakże wydaje się, że w tej fazie nie było oficjalnego nakłaniania do mordowania żydowskich kobiet i dzieci.

Zabijanie Żydów płci męskiej zaczęło się, kiedy tylko niemieckie wojska przekroczyły 22 czerwca radziecką granicę. Wielu z tych pierwszych masakr dopuścili się, zgodnie z przewidywaniami Heydricha, litewscy i ukraińscy antysemici. W zachodniej części Ukrainy nacjonaliści pozabijali dwadzieścia cztery tysiące Żydów. W Kownie doszło do rzezi 3800 żydowskich ofiar. Żydzi byli wyłapywani i dręczeni, czasami na oczach

[14] *Ibidem*, s. 228.
[15] *Ibidem*, s. 219.

niemieckich żołnierzy; rabinów szarpano za brody albo podpalano je. Radosne okrzyki motłochu towarzyszyły katowaniu nieszczęśników na śmierć. Niemcy rozpuszczali wieści, że zabójstwa te to zemsta za masakry dokonane przez NKWD tuż przed ucieczką Sowietów. Einsatzgruppen i bataliony policyjne też włączały się w łapanki i rozstrzeliwanie setek, a nawet tysięcy Żydów.

Ofiary same musiały kopać sobie masowe groby. Ci, którzy nie kopali dostatecznie szybko, byli natychmiast rozstrzeliwani. Wcześniej jednak rozbierali się do naga, ponieważ ich odzież była rozdawana przez oprawców, a dodatkowo w ten sposób zapobiegano ukrywaniu przy sobie kosztowności bądź pieniędzy. Potem zmuszano ich do klęczenia na skraju dołu, po czym strzelano im w tył głowy, a zwłoki bezwładnie same toczyły się do wykopanej w ziemi jamy. Niektóre oddziały SS i policji uznawały za „czystszą" metodę egzekucji polegającą na przymuszaniu ofiar do układania się na dnie długiego wykopu, a potem rozstrzeliwaniu ich *in situ* z pistoletów maszynowych. Następna grupa kładła się na zwłokach pierwszych ofiar, tyle że w przeciwną stronę, i także ginęła od kul. Zwano to metodą „sardynkową"[16]. Sporadycznie Żydzi byli zapędzani do pobliskiej synagogi, którą podpalano, strzelając do tych, którzy usiłowali uciec.

Himmler co rusz wizytował swoje oddziały, udzielając ludziom niesprecyzowanej zachęty do działania, a sam ten morderczy proces stale nabierał rozmachu. Pierwotnie określoną kategorię ofiar – „Żydów z partyjnych i państwowych stanowisk" – szybko rozszerzono na wszystkich mężczyzn pochodzenia żydowskiego w wieku poborowym, a potem również młodszych i starszych. Pod koniec czerwca i na początku lipca żydowskie kobiety i dzieci były zabijane głównie przez lokalne grupy antysemitów, lecz z końcem lipca proceder ten uprawiały systematycznie także Einsatzgruppen, podległe Himmlerowi brygady Waffen-SS i bataliony policyjne. Wspomniane formacje, i to wbrew instrukcjom Hitlera, aby nie uzbrajać Słowian, były wspomagane przez około dwadzieścia sześć batalionów organizowanej na miejscu milicji, do której wstępowali przeważnie osobnicy skuszeni perspektywą okradania ofiar.

Żołnierze Wehrmachtu, a nawet członkowie personelu Luftwaffe również brali udział w zabijaniu, o czym później dowiedzieli się śledczy z VII wydziału NKWD przesłuchujący niemieckich jeńców. „Pewien pilot z trzeciej eskadry lotniczej zeznał, że uczestniczył w egzekucji grupy Żydów w jednej ze wsi koło Berdyczowa na początku wojny. Stracono ich za karę, że wydali czerwonoarmistom innego niemieckiego pilota. Starszy szeregowy o nazwisku Traxler z 765. batalionu saperów był świadkiem egzekucji Żydów

---

[16] R. Hilberg, *The Destruction of the European Jews*, New York 1985, s. 146.

przez esesmanów koło Równego i Dubna. Kiedy jeden z nich stwierdził, że to straszny widok, podoficer z tej samej jednostki, niejaki Graff, powiedział, że »Żydzi to świnie i likwidujemy ich, aby wykazać, że jesteśmy cywilizowani«"[17].

Któregoś dnia pewien niemiecki starszy szeregowy z oddziału transportowego, któremu towarzyszył kompanijny buchalter, natknął się na „mężczyzn, kobiety i dzieci z rękami powiązanymi drutem, prowadzonych drogą przez esesmanów". Obaj wspomniani żołnierze poszli popatrzeć, co się wydarzy. Za wsią ujrzeli wykopany rów stupięćdziesięciometrowej długości i głęboki na około trzy metry. Spędzono tam setki Żydów. Ofiary zostały zmuszone do ułożenia się w tym rowie rzędami, aby esesmani na obu skrajach wykopu mogli, idąc wzdłuż rowu, rozstrzeliwać je ze zdobycznych radzieckich pistoletów maszynowych. „Wtedy popędzono następnych ludzi, którzy musieli zejść do rowu i położyć się na zabitych. W tamtej chwili jakaś dziewczynka – mogła mieć ze dwanaście lat – krzyknęła donośnym, żałosnym, drżącym głosem: »Darujcie mi życie, jestem jeszcze dzieckiem!«. Dziecko to pochwycono, wrzucono do rowu i zastrzelono"[18].

Nielicznym udawało się ocaleć z tych masakr. Nic dziwnego, że byli do głębi wstrząśnięci tym, co przeżyli. Na północno-wschodnich rubieżach Ukrainy Wasilij Grossman spotkał jedną z takich osób. „Dziewczyna – żydowska piękność, która zdołała uciec od Niemców – z jasnymi, zupełnie szalonymi oczami"[19], zapisał w swoim dzienniku.

Młodsi oficerowie Wehrmachtu zdawali się akceptować zabijanie żydowskich dzieci łatwiej od przedstawicieli starszej generacji wojskowych, głównie pod wpływem przeświadczenia, że oszczędzone, niedoszłe ofiary zemszczą się w przyszłości. We wrześniu 1944 roku potajemnie nagrano rozmowę generała wojsk pancernych Heinricha Eberbacha z jego synem, służącym wcześniej w Kriegsmarine, gdy obaj znaleźli się w brytyjskiej niewoli. „Moim zdaniem – powiedział generał Eberbach – można posunąć się do stwierdzenia, że zabicie tych milionów Żydów, czy ilu ich tam zlikwidowano, leżało w żywotnym interesie naszego narodu. Ale nie było potrzeby zabijać kobiet i dzieci. To już przesada". Na co jego syn odparł: „Cóż, jak chce się wytłuc Żydów, to trzeba pozabijać i kobiety z dziećmi, a przynajmniej dzieci. Nie ma potrzeby robić tego publicznie, ale co da likwidowanie starców?"[20].

---

[17] CAFSB 14/4/326, s. 264–267.
[18] Starszy szeregowy Hans R., zapis przesłuchania opatrzony tytułem *Die Deutschen im Zweiten Weltkrieg*, SWF TV, 1985, cyt. za: R. Kershaw, *War without Garlands. Operation Barbarossa, 1941–1942*, London 2009, s. 285–286.
[19] RGALI 1710/3/49.
[20] TNA WO 208/4363.

Generalnie frontowe formacje nie brały udziału w takich masakrach, ale były i znane wyjątki od tej reguły: zbrodnie popełniała na Ukrainie 5. Dywizja Pancerna SS „Wiking", a także niektóre dywizje piechoty, uczestniczące między innymi w rzeziach w Brześciu. Chociaż nie pozostawia wątpliwości ścisła współpraca między SS a dowództwami grup armii, to zarazem wyżsi rangą oficerowie wojsk lądowych starali się dystansować od owych makabrycznych czynów. Wydawano rozkazy zakazujące personelowi Wehrmachtu udziału, nawet biernego, w masowym zabijaniu, lecz mimo to coraz liczniejsi żołnierze na przepustkach przyglądali się popełnianym okrucieństwom i fotografowali je. Niektórzy nawet zastępowali oprawców, gdy ci chcieli odpocząć.

Poza Litwą, Łotwą i Białorusią masowe mordowanie trwało na całej Ukrainie, często przy asyście miejscowej ludności rekrutowanej do jednostek pomocniczych. Antysemityzm wzmógł się tam niezwykle w okresie wielkiego głodu, ponieważ sowieccy agenci rozgłaszali wtedy, iż to Żydzi są najbardziej winni, próbując w taki sposób zdjąć odpowiedzialność ze stalinowskiej polityki kolektywizacji i „rozkułaczania". Ponadto ukraińscy ochotnicy pilnowali wziętych do niewoli czerwonoarmistów. „Ochoczo pomagają i są [wobec nas] dobrze usposobieni – pisał pewien niemiecki starszy szeregowy. – Bardzo nam ułatwiają zadanie"[21].

Po masakrach we Lwowie i w innych miastach Ukraińcy denuncjowali i uczestniczyli w łapankach na ofiary Einsatzgruppe C w Berdyczowie, jednym z największych skupisk ukraińskich Żydów. Kiedy niemieckie wojska wkraczały do tego miasta, „żołnierze krzyczeli z ciężarówek »*Jude kaputt!*« i wymachiwali bronią", jak dowiedział się w późniejszym okresie wojny Wasilij Grossman[22]. Ponad dwadzieścia tysięcy Żydów zabijano partiami opodal tamtejszego lotniska. Wśród ofiar była też matka Grossmana, a ów wyrzucał sobie przez resztę życia, że nie ściągnął jej do Moskwy w czasie, gdy rozpoczęła się niemiecka inwazja na ZSRR.

Żydówka Ida Biełozowskaja opisała, jak Niemcy weszli 19 września do jej miasteczka pod Kijowem. „Ludzie z przymilnymi, radosnymi, usłużnymi minami stali po obu stronach drogi, witając »wyzwolicieli«. Tamtego dnia wiedziałam już, że nasze życie dobiega końca, że rozpoczyna się nasza gehenna. Wszyscy wpadliśmy jak myszy w pułapkę. Dokąd iść? Nie było gdzie uciec"[23]. Żydów denuncjowano władzom niemieckim nie tylko pod wpływem antysemityzmu, ale także ze strachu, jak zaświadczała Biełozowskaja. Niemcy zabijali całe rodziny udzielające schronienia Żydom, więc

---

[21] Starszy szeregowy Ludwig B., 563. baon zaopatrzeniowy, 27 lipca 1942 r., BfZ-SS 28 743.
[22] Dokumentacja W. Grossmana, RGALI 1710/1/123.
[23] I.S. Biełozowskaja, GARF 8114/1/965, s. 68–75.

nawet ci, którzy współczuli prześladowanym i byli gotowi dawać im jedzenie, nie odważyli się ukrywać ich u siebie.

Choć armia węgierska przydzielona do składu Grupy Armii „Południe" Rundstedta nie uczestniczyła w masowym zabijaniu, to Rumuni atakujący Odessę, miasto z bardzo liczną populacją Żydów, dopuszczali się koszmarnych okrucieństw. Już latem 1941 roku rumuńscy żołnierze podobno wymordowali około dziesięciu tysięcy Żydów na wcześniej okupowanych przez Sowietów ziemiach Besarabii i Bukowiny. Nawet niemieccy oficerowie uważali ich poczynania za chaotyczne i niepotrzebnie sadystyczne. W Odessie Rumunii zamordowali trzydzieści pięć tysięcy ludzi.

Niemiecka 6. Armia pod komendą feldmarszałka von Reichenaua, najbardziej przekonanego nazisty w gronie czołowych dowódców Wehrmachtu, miała w swym składzie 1. Brygadę SS. Żandarmeria polowa i inne jednostki tej armii też popełniały masowe zbrodnie w czasie prowadzonej ofensywy. Dwudziestego siódmego września, wkrótce po zdobyciu Kijowa, Reichenau wziął udział w spotkaniu z komendantem tego miasta oraz z oficerami SS z Sonderkommando 4a. Uzgodniono, że kijowska komendantura wywiesi afisze nakazujące Żydom stawienie się w celu „ewakuacji" i zabranie z sobą dokumentów tożsamości, pieniędzy, kosztowności oraz ciepłej odzieży.

Morderczym zamierzeniom nazistów nieoczekiwanie sprzyjał pewien osobliwy skutek uboczny paktu Ribbentrop-Mołotow. Stalinowska cenzura usuwała po jego zawarciu wszelkie wzmianki na temat zaciekłego antysemityzmu Hitlera. W rezultacie kiedy Żydom z Kijowa polecono zebranie się w celu „przesiedlenia", usłuchało tego wezwania aż 33 771 osób. Dowództwo 6. Armii, które dostarczyło środki transportu, nie spodziewało się przybycia więcej niż siedmiu tysięcy. Sonderkommando SS zajęło trzy dni wymordowanie wszystkich tych ofiar w Babim Jarze pod Kijowem[24].

Ida Biełozowskaja, która wyszła za mąż za goja, opisała ten spęd kijowskich Żydów, wśród których nie zabrakło jej krewnych. „Dwudziestego ósmego września mój mąż i jego siostra, Rosjanka, odprowadzili moich nieszczęsnych bliskich w ich ostatnią drogę. Wydawało im się, a wszyscy chcieliśmy w to wierzyć, że ci niemieccy barbarzyńcy po prostu wywiozą ich gdzieś, dlatego też przez kilka dni ludzie zmierzali wielkimi grupami ku swemu »ocaleniu«. Ponieważ zabrakło czasu na zabranie wszystkich zgromadzonych, kazano im powrócić na miejsce zbiórki nazajutrz (Niemcy woleli nie przeciążać się pracą). I ludzie napływali dzień po dniu, aż wreszcie przyszła kolej na nich"[25].

---

[24] Na temat niemieckiej 6. Armii i zbrodni w Babim Jarze zob. *Vernichtungskrieg. Verbrechen der Wehrmacht 1941 bis 1944*, red. H. Heer, Hamburg 1996.

[25] I.S. Biełozowskaja, GARF 8114/1/965, s. 68–75.

Rosyjski małżonek Biełozowskiej pojechał za jednym z tych transportów do Babiego Jaru, aby się przekonać, co się tam dzieje. „Oto, co ujrzał przez szczelinkę w wysokim ogrodzeniu. Ludzi rozdzielano: mężczyznom kazano iść w jedną stronę, a kobietom i dzieciom w drugą. Byli nadzy (musieli zostawić swoje rzeczy w innym miejscu), a wtedy rozstrzeliwano ich seriami z automatów i karabinów maszynowych, odgłosy zaś strzelaniny tłumiły ich krzyki i wycie".

Szacuje się, że ponad półtora miliona radzieckich Żydów uniknęło plutonów egzekucyjnych. Jednak to, że główne skupiska ludności żydowskiej znajdowały się w zachodnich regionach Związku Radzieckiego, zwłaszcza w dużych miejscowościach, znacznie uprościło zadanie Einsatzgruppen. Dowódcy tych formacji byli także mile zaskoczeni pomocą, często nader gorliwą, udzielaną im przez oddziały wojska. Do końca roku 1942 łączna liczba sowieckich Żydów zabitych przez Einsatzgruppen SS, policję porządkową, jednostki do walki z partyzantami i regularne formacje niemieckiej armii przekroczyła, wedle szacunkowych ocen, 1,35 miliona.

„Zagłada przez zagazowanie" również była cokolwiek chaotycznym przedsięwzięciem. Już w 1935 roku Hitler dał do zrozumienia, że kiedy dojdzie do wojny, wprowadzi program eutanazji. Chorzy psychicznie przestępcy, „słabi na umyśle", upośledzeni i dzieci z wadami wrodzonymi – wszyscy ci ludzie byli, w ujęciu nazistów, „niewarci życia". Pierwszej eutanazji dokonał 25 lipca 1939 roku osobisty lekarz Hitlera dr Karl Brandt, któremu Führer polecił zorganizowanie komitetu doradczego. Na niespełna dwa tygodnie przed agresją na Polskę Ministerstwo Spraw Wewnętrznych Rzeszy rozkazało szpitalom informowanie władz o wszystkich przypadkach „zdeformowanych noworodków"[26]. Mniej więcej w tym samym czasie zarządzenie to rozszerzono na upośledzonych dorosłych.

Jednakże pierwsi pacjenci zakładu dla umysłowo chorych mieli zginąć w Polsce trzy tygodnie po rozpoczęciu inwazji na ten kraj. Zastrzelono ich w pobliskim lesie. Wkrótce potem miały miejsce rzezie w innych szpitalach dla obłąkanych; w ramach tej akcji zamordowano ponad dwadzieścia tysięcy osób. Następnie przyszła kolej na upośledzonych umysłowo pacjentów niemieckich placówek na Pomorzu, których także rozstrzelano. Opróżnione w ten sposób dwa szpitale przekształcono w koszary Waffen-SS. Pod koniec listopada uruchomiono komory gazowe, do których włączano tlenek węgla, a w grudniu Himmler obserwował jedną z takich egzekucji. Na

---

[26] H. Friedlander, *The Origins of Nazi Genocide. From Euthanasia to the Final Solution*, Chapel Hill 1995, s. 43. Wspomniana praca Friedlandera stanowi główne źródło przedstawionych w niniejszym rozdziale informacji na temat programu eutanazji.

początku 1940 roku przeprowadzono eksperymenty z użyciem szczelnie zamkniętych mobilnych komór zamontowanych na ciężarówkach. Zostały ocenione pozytywnie, gdyż zmniejszały komplikacje związane z transportem przewidzianych do likwidacji pacjentów. Organizatorowi tej akcji obiecano po dziesięć marek „od głowy".

Kierowana z Berlina akcja eksterminacyjna w Rzeszy nosiła oznaczenie T4. Rodziców przekonywano, że niepełnosprawne dzieci, z których część miała po prostu trudności z nauką, znajdą się pod lepszą opieką w specjalnych instytucjach. Po pewnym czasie rodzice dowiadywali się, że ich dziecko rzekomo zmarło na zapalenie płuc. W komorach gazowych do sierpnia 1941 roku zamordowano około siedemdziesięciu tysięcy dorosłych i nieletnich obywateli Niemiec, w tym niemieckich Żydów, którzy od dłuższego czasu przebywali w szpitalach.

Ta wielka liczba ofiar i nieporadnie prokurowane świadectwa ich zgonu spowodowały, że program eutanazji nie został utrzymany w tajemnicy. Hitler polecił przerwanie jego realizacji w sierpniu wspomnianego roku po tym, jak duchowni pod przewodnictwem biskupa Clemensa Augusta von Galena zaczęli mówić o tym z ambon. Jednak eutanazja, w ograniczonym zakresie, nadal trwała, do końca wojny przynosząc śmierć kolejnym dwudziestu tysiącom ofiar. Personel uczestniczący w programie eutanazyjnym zwerbowano do kierowania obozami zagłady w okupowanej wschodniej Polsce w 1942 roku. Kilku historyków zwróciło uwagę na to, że nazistowski program eutanazji nie tylko stanowił punkt wyjścia do „ostatecznego rozwiązania" (*Endlösung*), ale i podstawowy element ideologii stworzenia czystego rasowo i genetycznie społeczeństwa.

Ze względu na niechęć Hitlera do potwierdzania kontrowersyjnych dyrektyw na papierze historycy rozmaicie interpretują niejasny i często eufemistyczny język zachowanych drugorzędnych dokumentów nazistowskich, próbując ustalić dokładną datę wydania decyzji o przystąpieniu do „ostatecznego rozwiązania kwestii żydowskiej". Okazało się to niewykonalne, zwłaszcza że do podjęcia ludobójczej polityki przyczyniły się ustne zalecenia odgórne, a nadto nieskoordynowane, doraźne mordercze działania i eksperymenty, przeprowadzane *ad hoc* przez różne „szwadrony śmierci". W osobliwy sposób odzwierciedlało to zasadę *Auftragstaktik* (wykazywania osobistej inicjatywy) obowiązującą w niemieckim wojsku, gdzie ogólnikowe instrukcje były wprowadzane w czyn przez niższe szarże na linii frontu.

Niektórzy z historyków dość przekonująco argumentują, że zasadnicza decyzja o przejściu do urzeczywistniania ludobójczych planów została podjęta w lipcu lub sierpniu 1941 roku, gdy osiągnięcie szybkiego zwycięstwa przez Wehrmacht na wschodzie nadal wydawało się realne. Inni z kolei sądzą, iż nastąpiło to dopiero jesienią, kiedy tempo niemieckiej ofensywy przeciwko Związkowi Radzieckiemu uległo widocznemu spowolnieniu, a „rozwiązanie terytorialne" (to jest masowe przesiedlenie ludności żydowskiej) stawało się coraz mniej realne. Jeszcze inni uważają, że miało to miejsce później, około drugiego tygodnia grudnia, gdy wojska niemieckie zostały zatrzymane pod Moskwą, a Hitler wypowiedział wojnę Stanom Zjednoczonym.

Fakt, że poszczególne Einsatzgruppen nieco inaczej pojmowały swoją misję, wskazuje, iż nie działały one na podstawie ujednoliconej, odgórnej instrukcji. Dopiero poczynając od sierpnia, nieskrępowane ludobójstwo stało się na froncie wschodnim czymś powszednim i zaczęto masowo mordować również żydowskie kobiety i dzieci. Ponadto 15 sierpnia Himmler obserwował po raz pierwszy egzekucje setek Żydów koło Mińska – makabryczny spektakl urządzony na jego życzenie przez Einsatzgruppe B. Nie mógł znieść tego widoku. Później Obergruppenführer Erich von dem Bach-Zelewski podkreślał, że przy owej okazji rozstrzelano zaledwie setkę ofiar. „Proszę spojrzeć w oczy ludziom z tego komanda – powiedział Bach-Zelewski do Himmlera. – Jakże są wstrząśnięci! Ci ludzie są już skończeni, do niczego przez resztę życia. Jakich następców tu szkolimy? Neurotyków albo dzikusów!"[27] Sam Bach-Zelewski, dręczony koszmarami i skurczami żołądka, został potem odesłany do szpitala, gdzie z rozkazu Himmlera zajmował się nim naczelny lekarz SS.

Następnie Himmler wygłosił przemówienie do esesmanów, uzasadniając ich czyny i zaznaczając, że Hitler wydał rozkaz likwidacji wszystkich Żydów na wschodnich obszarach. Przyrównał ich krwawe dzieło do odpluskwiania i deratyzacji. Tego samego popołudnia omawiał z dowódcą Einsatzgruppe B Arthurem Nebe oraz Bachem-Zelewskim alternatywy dla rozstrzeliwań. Nebe zaproponował eksperymentalne wykorzystanie materiałów wybuchowych, co Himmler zaaprobował. Skończyło się to makabrycznym, krwawym fiaskiem. Potem padł pomysł wykorzystania komór gazowych zamontowanych na ciężarówkach, w których truto ofiary tlenkiem węgla zawartym w spalinach. Himmler chciał wynalezienia metody bardziej „humanitarnej" dla katów. Zatroskany stanem ich dusz nakłaniał dowódców Einsatzgruppen do organizowania wieczornic połączonych ze śpiewaniem pieśni. Jednakże większość zabójców wolała poszukać zapomnienia w wódce.

Intensyfikacja rzezi Żydów zbiegła się też w czasie z coraz brutalniejszym traktowaniem przez Wehrmacht radzieckich jeńców wojennych i ich jawnym zabijaniem. Trzeciego września po raz pierwszy wypróbowano na sowieckich i polskich więźniach w Auschwitz (Oświęcim) cyklon B,

---

[27] Cyt. za: R. Hilberg, *The Destruction of the European Jews*, op. cit., s. 137.

środek owadobójczy produkowany przez koncern chemiczny IG Farben. W tym samym okresie Żydzi z Niemiec i podbitych krajów zachodnioeuropejskich wywożeni na wschodnie terytoria bywali mordowani po przybyciu na miejsce przez wyższych niemieckich urzędników policji, którzy twierdzili, że tylko tak mogą sobie poradzić z masami narzuconych im przesiedleńców. Wyżsi rangą oficjele na okupowanych przez Niemcy ziemiach wschodnich, z Komisariatu Rzeszy (Reichskommissariat) „Ostland" (obejmującego państwa nadbałtyckie i Białoruś) oraz Komisariatu Rzeszy „Ukraina", nie mieli pojęcia, jaka obowiązuje oficjalna polityka w stosunku do ludności żydowskiej. Miało się to wyjaśnić dopiero na konferencji w Wannsee w styczniu następnego roku.

ROZDZIAŁ 14

„Wielka Koalicja"

czerwiec–grudzień 1941

Churchill słynął z niepohamowanej fali pomysłów dotyczących prowadzenia wojny. Jeden z jego kolegów zauważył, że cały problem w tym, iż Churchill nie wie, które z nich są dobre. A jednak brytyjski premier nie był tylko, by powołać się na określenie wprowadzone przez Isaiaha Berlina, „lisem". Okazał się także „jeżem", który wiedział jedno i najważniejsze od samego początku. Rozumiał, że Wielka Brytania w pojedynkę nie ma szans w walce z nazistowskimi Niemcami. Pojmował, że musi wciągnąć Amerykanów do udziału w tej wojnie, tak jak powiedział swemu synowi Randolphowi w maju 1940 roku.

Nie zbaczając z drogi wiodącej ku głównemu celowi, Churchill bezzwłocznie zawiązał sojusz z reżimem bolszewickim, do którego zawsze odnosił się z odrazą. „Nie cofnę żadnego słowa, które wypowiedziałem na jego temat – oświadczył w przemówieniu radiowym wygłoszonym 22 czerwca 1941 roku, po nadejściu wieści o niemieckim ataku na Związek Radziecki. – Ale wszystko to traci znaczenie wobec spektaklu, jaki się teraz rozgrywa". I jak rzekł nieco później do swojego prywatnego sekretarza Johna Colville'a, „gdyby Hitler najechał piekło, to w Izbie Gmin przynajmniej napomknąłbym w ciepłych słowach o diable". Jego wystąpienie z owego wieczoru, przygotowane wespół z amerykańskim ambasadorem Johnem G. Winantem, obiecywało Związkowi Radzieckiemu „wszelką techniczną bądź ekonomiczną pomoc, na jaką nas stać"[1]. Mowa ta zrobiła znakomite wrażenie w Wielkiej Brytanii, Stanach Zjednoczonych i w Moskwie, choć Stalin

---

[1] Tekst wystąpień Winanta i Churchilla z 22 czerwca 1941 r., cyt. za: V.M. Berezhkov, *History in the Making. Memoirs of World War II Diplomacy*, Moscow 1983, s. 123.

i Mołotow pozostali przeświadczeni, że Brytyjczycy nadal skrywają rzeczywisty charakter misji Rudolfa Hessa.

Dwa dni później Churchill poinstruował Stewarta Menziesa, szefa brytyjskiej tajnej służby wywiadowczej (SIS), aby ten przesłał Kremlowi rozszyfrowane przez Ultrę niemieckie meldunki i depesze. Menzies ostrzegał, że może to mieć „fatalne" skutki[2]. Armia Czerwona nie korzystała z dobrych szyfrów, wobec czego Niemcy szybko wyśledzą źródło zdobytych u Sowietów informacji wywiadowczych. Churchill przyznał mu rację, niemniej jednak dane wywiadowcze i tak zaczęto przesyłać niebawem do ZSRR, tyle że odpowiednio zakamuflowane. Porozumienie o współpracy wojskowej między obydwoma krajami wynegocjowano wkrótce potem, choć w owej fazie kampanii wschodniej brytyjski rząd nie przypuszczał, by Armia Czerwona przetrwała nazistowską agresję.

Churchilla napawały optymizmem wydarzenia za Atlantykiem. Siódmego lipca Roosevelt poinformował Kongres, że amerykańskie wojska wylądowały w Islandii, gdzie zluzowały oddziały brytyjskie i kanadyjskie. Dwudziestego szóstego lipca Stany Zjednoczone wespół z Wielką Brytanią zamroziły japońskie aktywa bankowe w odpowiedzi na zajęcie przez Japonię Indochin Francuskich. Japończycy dążyli do założenia tam baz lotniczych, by atakować z nich Drogę Birmańską – szlak, którym dostarczano wojskom chińskich nacjonalistów broń i inne zaopatrzenie. Rooseveltowi zależało na wspieraniu Kuomintangu Chiang Kai-sheka, a w USA sformowano ochotniczą jednostkę lotniczą „Latających Tygrysów", której piloci mieli bronić Drogi Birmańskiej na odcinku z Mandalaju oraz podążających nią transportów. Ale kiedy Stany Zjednoczone i Wielka Brytania nałożyły embargo na sprzedaż Japonii ropy naftowej i innych surowców, stawka bardzo poszła w górę. Japończycy zagrażali wtedy uderzeniem na Malaje, Syjam i zasobne w złoża ropy Holenderskie Indie Wschodnie (późniejszą Indonezję), które wydawały się następnym celem ich agresji. Nic dziwnego, że również Australijczycy poczuli się zagrożeni.

Nikt nie przygotowałby się staranniej od Churchilla do pierwszego wojennego spotkania z amerykańskim prezydentem na początku sierpnia. Obie strony utrzymywały te przygotowania w ścisłej tajemnicy. Churchill i ludzie z jego otoczenia, z których wielu nie wiedziało, co się szykuje, weszli na pokład pancernika HMS „Prince of Wales". Premier zabrał z sobą jako prezent dla prezydenta USA nieco upolowanych jeszcze przed sezonem łowieckim kuraków, a także „złote jaja" – rozszyfrowane przez Ultrę niemieckie meldunki, aby zaimponować Rooseveltowi. Konsultował się z Harrym

---

[2] TNA HW 1/6, C/6863, cyt. za: D. Stafford, *Roosevelt and Churchill. Men of Secrets*, London 2000, s. 65.

Hopkinsem, bliskim przyjacielem Roosevelta i jego doradcą, który mu towarzyszył, i starał się dowiedzieć od niego możliwie najwięcej o amerykańskim przywódcy. Churchill nie pamiętał swojego pierwszego zetknięcia się z Rooseveltem w 1918 roku, kiedy to nie zrobił najlepszego wrażenia na przyszłym prezydencie.

Także Roosevelt, wraz ze swoimi sztabowcami, popracował solidnie przed tym spotkaniem. Przechytrzył reporterów i przesiadł się z prezydenckiego jachtu „Potomac" na pokład ciężkiego krążownika USS „Augusta". Następnie okręt ten, pod silną eskortą niszczycieli, wypłynął 6 sierpnia ku zatoce Placentia opodal Nowej Fundlandii. Tam obaj przywódcy rychło nawiązali serdeczne relacje, a wspólna msza na pokładzie rufowym okrętu „Prince of Wales", starannie zaaranżowana przez Churchilla, rozbudziła podniosłe emocje. Mimo wszystko Roosevelt, choć oczarowany przez brytyjskiego premiera, pozostawał grzecznie obojętny. Miał, jak zauważył jeden z jego biografów, „dar traktowania każdej nowej znajomości tak, jak gdyby obaj znali się od zawsze, talent do pozorowania zażyłości, który bezwzględnie wykorzystywał"[3]. W interesie utrzymania przyjaznych stosunków unikano drażliwych kwestii, zwłaszcza dotyczących brytyjskiego imperium, do którego Roosevelt odnosił się z dezaprobatą. Wspólny dokument, znany jako Karta atlantycka, podpisany 12 sierpnia, głosił zasadę samostanowienia w powojennym świecie, która wszak najwyraźniej nie dotyczyła zamorskich posiadłości brytyjskich i – bez wątpienia – Związku Radzieckiego.

W dyskusjach, które trwały kilka dni, poruszono mnóstwo tematów, od niebezpieczeństwa związanego z przystąpieniem Hiszpanii do obozu państw osi po japońskie zagrożenie na Oceanii. Dla Churchilla do najważniejszych rezultatów należała amerykańska zgoda na zapewnienie eskorty konwojom transatlantyckim na zachód od Islandii, dostarczenie Wielkiej Brytanii bombowców oraz na udzielenie kolosalnej pomocy ZSRR, aby kraj ten nie uległ niemieckiemu naporowi. Jednakże w samych Stanach Zjednoczonych Roosevelt stał w obliczu powszechnej niechęci wobec przystępowania do wojny przeciwko nazistowskim Niemcom. W trakcie powrotu z Nowej Fundlandii prezydent dowiedział się, że Izba Reprezentantów uchwaliła *Selective Service Bill*, pierwszy w okresie pokojowym przymusowy pobór do wojska, większością zaledwie jednego głosu.

Amerykańscy izolacjoniści nie przyjmowali do wiadomości, że nazistowska inwazja na Związek Radziecki oznacza rozszerzenie skali toczącej się wojny poza Europę. Dwudziestego piątego sierpnia wojska Armii Czerwonej i oddziały brytyjskie z Iraku wkroczyły do neutralnego Iranu, aby opanować tamtejsze złoża ropy i zabezpieczyć szlak zaopatrzeniowy biegnący

---

[3] K.S. Davis, *FDR. The War President, 1940–1943*, New York 2000, s. 212.

znad Zatoki Perskiej na Kaukaz i do Kazachstanu. W trakcie lata 1941 roku nasiliły się obawy Brytyjczyków związane z perspektywą japońskiego natarcia na ich kolonie. Idąc za radą Roosevelta, Churchill wstrzymał zaplanowany przez Kierownictwo Operacji Specjalnych (Special Operations Executive, SOE) atak na japoński frachtowiec „Asaku Maru", przewożący z Europy zaopatrzenie nieodzowne dla japońskiej machiny wojennej. Wielka Brytania nie mogła ryzykować samotnej wojny z Japonią na Pacyfiku. Ówcześnie jej główne zadanie sprowadzało się do umocnienia swojej pozycji w północnej Afryce i w basenie Morza Śródziemnego. Do momentu przystąpienia Stanów Zjednoczonych do działań wojennych Churchill i jego sztabowcy musieli skupić się na przetrwaniu własnego kraju, tworzeniu sił bombowych do nalotów strategicznych na Rzeszę i wspieraniu Związku Radzieckiego walczącego z Niemcami.

Ofensywa bombowa przeciwko Niemcom odpowiadała jednej z głównych nadziei Stalina na aliancką pomoc w czasie, gdy Wehrmacht latem 1941 roku zadawał dotkliwe ciosy Armii Czerwonej. Stalin domagał się także desantu na północną Francję w najbliższym możliwym terminie, by w pewnym stopniu odciążyć front wschodni. Podczas spotkania ze Staffordem Crippsem, odbytego pięć dni po rozpoczęciu agresji niemieckiej na ZSRR, Mołotow próbował zmusić brytyjskiego ambasadora do skonkretyzowania zakresu pomocy oferowanej przez Churchilla. Jednak Cripps nie został do tego upoważniony. Sowiecki minister spraw zagranicznych naciskał go znowu dwa dni później, po rozmowie, którą w Londynie przeprowadzili lord Beaverbrook, brytyjski minister zaopatrzenia, i radziecki ambasador Iwan Majski. Wydaje się, że Beaverbrook omawiał wtedy z Majskim możliwość inwazji na Francję, nie konsultując tego z brytyjskim dowództwem. Od owej pory jednym z głównych celów radzieckiej polityki zagranicznej było nakłanianie Brytyjczyków do wywiązania się ze złożonej obietnicy. Rosjanie nie bez powodów podejrzewali, iż brytyjska powściągliwość w tej mierze brała się z przekonania, że Związek Radziecki nie wytrwa w walce „dłużej niż pięć lub sześć tygodni"[4].

Inne, jeszcze bardziej nierealne wyobrażenia sowieckiej strony zatruwały alianckie relacje aż do początków 1944 roku. Stalin, oceniając sprzymierzonych własną miarą, oczekiwał przeprowadzenia operacji desantowej nad kanałem La Manche bez względu na straty i trudności. Niechęć Churchilla wobec akcji inwazyjnej w północno-zachodniej Europie budziła w Stalinie podejrzenia, że Wielka Brytania chce przerzucić na Armię Czerwoną brzemię prowadzenia głównych działań wojennych. Oczywiście było w tym

---

[4] V.M. Berezhkov, *History in the Making, op. cit.*, s. 126.

sporo prawdy, lecz i duża dawka hipokryzji ze strony radzieckiej, gdyż sam Stalin wcześniej liczył na to, iż zachodni kapitaliści i Niemcy śmiertelnie wykrwawią się nawzajem w 1940 roku. Jednakże sowiecki dyktator zupełnie nie rozumiał presji wywieranej na demokratyczne rządy. Błędnie zakładał, że Churchill i Roosevelt dysponują w swoich krajach władzą absolutną. Fakt, że odpowiadali przed Izbą Gmin czy Kongresem i że musieli liczyć się z prasą, stanowił w jego oczach żałosną wymówkę. Nie był w stanie pogodzić się z myślą, że Churchill może zostać zmuszony do ustąpienia, jeżeli przeprowadzi operację wojskową, która zaowocuje katastrofalnymi stratami.

Nawet po kilkudziesięciu latach namiętnego pochłaniania różnych publikacji Stalin nie pojmował też tradycyjnej brytyjskiej strategii prowadzenia wojen na peryferiach imperium, o czym była mowa wcześniej. Wielka Brytania nie była mocarstwem kontynentalnym. Jej pozycja w świecie nadal opierała się na potędze morskiej i polityce sojuszy dla utrzymania równowagi sił w Europie. Poza znamiennym wyjątkiem pierwszej wojny światowej Brytyjczycy unikali poważniejszego angażowania się w wielkie zmagania lądowe, o ile nie rokowały one rychłego zakończenia wojny. Churchill był zdecydowany kontynuować tę strategię, nawet jeśli zarówno jego amerykańscy, jak i radzieccy sojusznicy uznawali diametralnie odmienną doktrynę militarną, zgodnie z którą należało możliwie najszybciej doprowadzić do decydującego starcia.

Dwudziestego ósmego lipca, zaledwie dwa tygodnie od podpisania brytyjsko-radzieckiego porozumienia, Harry Hopkins na życzenie Roosevelta udał się do Moskwy z misją mającą na celu ustalenie pewnych faktów. Hopkins miał się przekonać, czego potrzeba Związkowi Radzieckiemu do kontynuowania wojny w bliższej i dalszej perspektywie. Od razu przypadł do gustu sowieckim przywódcom, gdyż podważył niezmiennie pesymistyczne raporty amerykańskiego attaché wojskowego w Moskwie, wedle których Armia Czerwona miała wkrótce pójść w rozsypkę. Sam też niebawem nabrał przekonania, że Związek Radziecki przetrzyma niemiecką ofensywę.

Podjęta przez Roosevelta decyzja udzielenia pomocy ZSRR była szczerze altruistyczna i szczodra. Uruchomienie dostaw dla Sowietów w ramach programu Lend-Lease zabrało trochę czasu, ku poważnej irytacji amerykańskiego prezydenta, ale ich rozmiary i zakres miały odegrać ważną rolę w radzieckim zwycięstwie (a z faktem tym większość rosyjskich historyków nie chce się pogodzić). Poza wysokogatunkową stalą, działami przeciwlotniczymi, samolotami oraz dowozem wielkich partii żywności, które ocaliły Związek Radziecki przed głodem zimą 1942/1943 roku, Amerykanie w największym stopniu przyczynili się do zapewniania Armii Czerwonej mobilności. Jej spektakularne ofensywy w późniejszym okresie wojny były możliwe tylko dzięki amerykańskim jeepom i ciężarówkom.

Z kolei głoszone przez Churchilla deklaracje maksymalnego wspierania Sowietów nie doczekały się pełnej realizacji, w znacznej mierze z powodu niedostatków w samej Wielkiej Brytanii oraz jej własnych potrzeb. Większość sprzętu wojennego dostarczonego przez Brytyjczyków do ZSRR była przestarzała lub nie nadawała się do użytku w tamtejszych warunkach. Brytyjskie wojskowe szynele były nieprzydatne podczas rosyjskiej zimy, podkute stalowymi ćwiekami buty powodowały odmrożenia, czołgi typu Matilda zdecydowanie ustępowały radzieckim T-34, a w sowieckim lotnictwie krytykowano zużyte hurricane'y, dopytując się, dlaczego Brytyjczycy nie przysyłali zamiast nich spitfire'ów.

Pierwsza większa konferencja zachodnich aliantów z władzami radzieckimi rozpoczęła się w Moskwie pod koniec września, po tym jak lord Beaverbrook i wysłannik Roosevelta Averell Harriman dotarli do Archangielska na pokładzie krążownika HMS „London". Stalin przyjął ich na Kremlu i zaczął od odczytania spisu całego sprzętu wojskowego i pojazdów, jakie były potrzebne Związkowi Radzieckiemu. „Kraj, który zdoła wyprodukować najwięcej silników, odniesie ostateczne zwycięstwo", stwierdził[5]. Następnie powiedział Beaverbrookowi, że Wielka Brytania powinna przysłać wojska do pomocy w obronie Ukrainy, a pomysł ten wyraźnie odstręczył bliskiego współpracownika Churchilla.

Stalin, wciąż czepiając się sprawy Hessa, wypytywał Beaverbrooka o zastępcę Hitlera i o to, co ów mówił, kiedy znalazł się w Anglii. Sowiecki przywódca wywołał też zaskoczenie sugestią, że należy przedyskutować powojenny ład. Stalin chciał uznania radzieckich granic z 1941 roku, czyli wchłonięcia przez ZSRR państw bałtyckich, wschodniej Polski oraz Besarabii. Beaverbrook uchylił się od omawiania tego tematu, gdyż wydało mu się to zdecydowanie przedwczesne, skoro niemieckie armie podeszły na niespełna sto kilometrów od Kremla. I choć o tym nie wiedział, to 2. Armia Pancerna Guderiana dzień wcześniej przystąpiła do pierwszej fazy operacji „Tajfun", czyli uderzenia na Moskwę.

Brytyjskich dyplomatów irytowały docinki Stalina, że ich kraj „odmawia podjęcia aktywnych działań militarnych przeciwko hitlerowskim Niemcom", podczas gdy wojska imperium i krajów Wspólnoty Brytyjskiej walczą w Afryce Północnej. Jednak w oczach Sowietów, w sytuacji gdy trzy niemieckie grupy armii wdarły się w głąb ich kraju, zmagania pod Tobrukiem i na granicy libijskiej musiały wydawać się marginalne.

Wkrótce po niemieckim uderzeniu na Związek Radziecki Rommel zajął się planowaniem nowego ataku na oblężony port w Tobruku, który na-

---

[5] Cyt. za: *ibidem*, s. 141.

brał kluczowego znaczenia w walkach w Afryce Północnej. Tobruk był mu potrzebny do zaopatrywania wojsk, a jego zdobycie eliminowało zagrożenie dla niemieckich tyłów. Miasta broniła w owym czasie brytyjska 70. Dywizja Piechoty, wzmocniona przez Samodzielną Brygadę Strzelców Karpackich i czeski batalion piechoty.

Podczas pustynnego lata, gdy fatamorgana drżała nad ziemią pod rozpalonym niebem, nastał okres swoistej „dziwnej wojny", ograniczonej zasadniczo do sporadycznych potyczek wzdłuż zasieków na granicy libijskiej. Brytyjskie i niemieckie patrole zwiadowcze rozmawiały z sobą przez radio, pewnego razu uskarżając się nawet, kiedy nowo przybyły niemiecki oficer zmusił swoich żołnierzy do otwarcia ognia pomimo uzgodnionego po cichu rozejmu. Dla piechoty obydwu walczących stron bytowanie w takich warunkach było nader trudne, gdy każdemu z żołnierzy wydawano dziennie po litrze wody do picia i mycia. W okopach musieli radzić sobie ze skorpionami, pchłami piaskowymi i natarczywymi pustynnymi muchami, które roiły się nad każdym kawałkiem jedzenia i każdym fragmentem odsłoniętego ciała. Dyzenteria stawała się poważnym problemem, zwłaszcza wśród Niemców. Również obrońcom Tobruku brakowało wody, gdy stukasy zrównały z ziemią zakłady jej odsalania. Miasto było znacznie zniszczone wskutek ostrzału artyleryjskiego i bombardowań, a zatoka pełna podtopionych statków i okrętów. Zaopatrzenie docierało tylko dzięki determinacji załóg Royal Navy. Żołnierze australijskiej brygady przystępowali do wymiany łupów wojennych na piwo u marynarzy zaraz po przybyciu kolejnego statku.

Rommel miał o wiele większe problemy z zaopatrywaniem swoich wojsk przez Morze Śródziemne. Między styczniem a końcem sierpnia 1941 roku Brytyjczycy zniszczyli pięćdziesiąt dwa transportowce państw osi i uszkodzili trzydzieści osiem jednostek[6]. We wrześniu okręt podwodny HMS „Upholder" zatopił dwa wielkie statki pasażerskie ze świeżymi oddziałami. (Weterani Afrikakorps zaczęli nazywać Morze Śródziemne „niemieckim basenem"[7]). To, że siły osi nie opanowały Malty w 1940 roku, okazało się teraz poważnym błędem. Zwłaszcza dowództwo Kriegsmarine było skonsternowane wcześniejszym uporem Hitlera, by użyć wojsk powietrznodesantowych do desantu na Kretę, a nie na Maltę, ponieważ Führer obawiał się alianckich nalotów na pola naftowe pod Ploeszti. Od tamtej pory nieustanne bombardowania lotnisk na Malcie i wielkiego portu w Valletcie okazywało się nieefektywnym substytutem zaniechanej akcji inwazyjnej.

Zdobycie przez Brytyjczyków szyfrów włoskiej marynarki wojennej okazało się nadzwyczaj cenne. Dziewiątego listopada zespół nawodny

6 GSWW, t. III, s. 712.
7 W. Heckmann, *Rommel's War in Africa*, New York 1981, s. 157.

K Force, który wypłynął z Malty, mając w swoim składzie dwa lekkie krążowniki „Aurora" i „Penelope" oraz dwa niszczyciele, zaatakował konwój zmierzający do Trypolisu. I choć transport ten był eskortowany przez dwa ciężkie krążowniki i dziesięć niszczycieli, brytyjskie zgrupowanie przeprowadziło atak nocny, korzystając z radaru. W ciągu niespełna trzydziestu minut trzy okręty Royal Navy zatopiły siedem frachtowców i niszczyciel, bez strat własnych. Dowództwo Kriegsmarine wpadło we wściekłość, grożąc Włochom odebraniem nadzoru nad działaniami morskimi. Żołnierze Afrikakorps także traktowali swoich sojuszników z pobłażaniem. „Do Włochów trzeba się odnosić jak do dzieci – pisał pewien porucznik z 15. Dywizji Pancernej w liście do domu. – Nie są dobrymi żołnierzami, ale za to najlepszymi kompanami. Można od nich uzyskać wszystko"[8].

Po okresie zwlekania i wyczekiwania na zaopatrzenie, które nie dotarło, Rommel zaplanował szturm na Tobruk na 21 listopada. Nie dowierzał włoskim ostrzeżeniom, że Brytyjczycy szykują się do dużej ofensywy, ale uznał, iż musi na wszelki wypadek pozostawić 21. Dywizję Pancerną pomiędzy Tobrukiem a Bardią. To przypuszczalnie sprawiło, że zostało mu nie dość sił do skutecznego ataku na Tobruk. Tak czy owak 18 listopada, trzy dni przed planowanym niemieckim uderzeniem na port, nowa brytyjska 8. Armia pod dowództwem generała porucznika Alana Cunninghama przekroczyła granicę libijską i rozpoczęła operację „Crusader". Po zajęciu nocą wyjściowych pozycji, utrzymując ścisłą ciszę radiową, a w ciągu dnia skrywając się przed wzrokiem przeciwnika dzięki burzom, w tym piaskowym, 8. Armii udało się całkowicie zaskoczyć nieprzyjaciela.

Afrikakorps składał się w tym czasie z 15. i 21. Dywizji Pancernej oraz dywizji mieszanej, przemianowanej później na 90. Dywizję Lekką. Do wspomnianej formacji należał między innymi pułk piechoty złożony głównie z Niemców, którzy wcześniej służyli we francuskiej Legii Cudzoziemskiej. Jednakże wskutek niedożywienia i chorób liczącemu nominalnie czterdzieści pięć tysięcy ludzi Afrikakorps w istocie brakowało w jednostkach pierwszej linii aż jedenastu tysięcy żołnierzy. Katastrofalna sytuacja zaopatrzeniowa oznaczała także, iż dywizje pancerne korpusu, z dwustu czterdziestu dziewięcioma czołgami, wymagają pilnego wzmocnienia. Włosi wprowadzili do walki Dywizję Pancerną „Ariete" oraz trzy połowicznie zmotoryzowane dywizje.

Z kolei Brytyjczykom tym razem nie brakowało rezerw i zapasów; dysponowali na froncie afrykańskim trzystoma czołgami szybkimi (cruiser tank) oraz trzystoma amerykańskimi lekkimi czołgami typu Stuart, które nazywali „*Honeys*" (Skarbeńka), a także ponad setką matild i valentine'ów. Ich pustynne siły powietrzne miały pięćset pięćdziesiąt zdolnych do walki samolotów, pod-

---

[8] Podporucznik André F., 15. Dywizja Pancerna, 28 maja 1941 r., BfZ-SS 37 007.

czas gdy jednostki Luftwaffe mogły im przeciwstawić zaledwie siedemdziesiąt sześć maszyn. Wobec takiej przewagi Churchill spodziewał się od dawna wyczekiwanego zwycięstwa, zwłaszcza że pilnie musiał wykazać się jakimś sukcesem przed Stalinem. Choć Brytyjczycy byli wreszcie w pełni wyposażeni, to jednak ich broń zdecydowanie ustępowała niemieckiej pod względem jakości. Nowe stuarty i czołgi szybkie z dwufuntowymi działami nie miały szans w pojedynkach z niemieckimi armatami 88 mm, owym „długim ramieniem" Afrikakorps, które z łatwością eliminowały z walki wozy bojowe wspomnianych typów, nim te podeszły na odległość umożliwiającą prowadzenie skutecznego ostrzału. Jedynie brytyjskie dwudziestopięciofuntowe haubico-armaty polowe (kalibru 87,6 mm) wykazały swą wielką przydatność, a alianccy dowódcy w końcu nauczyli się używać ich na otwartych przestrzeniach do odpierania ataków niemieckich czołgów. Niemcy zwali je „Ratsch-bum"[9].

Brytyjski plan przewidywał skoncentrowanie XXX Korpusu, z większością broni pancernej, do uderzenia w kierunku północno-zachodnim znad libijskiej granicy. Siły te miały pokonać niemieckie dywizje pancerne, a następnie uderzyć na Tobruk i przełamać oblężenie tego miasta. Siódma Brygada Pancerna winna poprowadzić natarcie 7. Dywizji Pancernej ku Sidi Rezegh na skarpie na południowo-wschodnim skraju pierścienia obrony wokół Tobruku. Na prawym skrzydle XIII Korpus dostał zadanie zaatakowania niemieckich pozycji nad wybrzeżem, w pobliżu przełęczy Halfaja i As-Sallum. W zasadzie byłoby najlepiej, gdyby brytyjska 8. Armia odczekała, aż Rommel sam rozpocznie atak na Tobruk, lecz Churchill nie pozwolił generałowi Claude'owi Auchinleckowi na dalsze zwlekanie.

Siódma Brygada Pancerna dotarła do Sidi Rezegh, zajęła tamtejsze lotnisko i zdobyła na ziemi dziewiętnaście samolotów, nim Niemcy zdążyli zareagować. Ale na 22. Brygadę Pancerną na jej lewej flance spadło niespodziewane uderzenie włoskiej Dywizji „Ariete", natomiast na prawym skrzydle brytyjska 4. Brygada Pancerna natknęła się na oddziały niemieckich 15. i 21. Dywizji Pancernych, nacierających na południe z nadmorskiej drogi via Balba. Na szczęście dla Brytyjczyków Niemcom brakowało oleju napędowego. W trudnym terenie wozy bojowe zużywały dużo paliwa. Pewien nowozelandzki oficer określił libijską pustynię jako „jałową, płaską równinę z kępkami dzikich cierni, rozległymi akrami nagich skalistych piargów i płytkimi, krętymi wadi [korytami sezonowych rzek]"[10]. Zalegało też na niej coraz więcej wojskowych odpadów, począwszy od porzuconych

---

[9] Ze względu na dźwięk wystrzału spowodowany bardzo dużą prędkością początkową pocisku (przyp. tłum.).

[10] G. Cox, *A Tale of Two Battles. A Personal Memoir of Crete and the Western Desert, 1941*, London 1987, s. 134.

puszek po konserwach, przez puste beczki po nafcie, skończywszy na spalonych pojazdach.

Dwudziestego pierwszego listopada generał Cunningham optymistycznie zdecydował się na próbę przełamania oblężenia Tobruku, mimo że nie doszło jeszcze do rozbicia niemieckich sił pancernych. Przyniosło to ciężkie straty zarówno wśród obleganych, jak i w oddziałach brytyjskiej 7. Brygady Pancernej – jeden z jej pułków utracił trzy czwarte swoich czołgów, zniszczonych ogniem dział 88 mm przydzielonych do niemieckiego batalionu rozpoznawczego. Dwie niemieckie dywizje pancerne niebawem zagroziły tyłom 7. Brygady, której o zmierzchu pozostało zaledwie dwadzieścia osiem wozów bojowych.

Nieświadomy tych strat Cunningham przystąpił do następnej fazy operacji, związanej z natarciem XIII Korpusu na północ i wyjściem na tyły włoskich pozycji wzdłuż granicy. Atak ten został energicznie poprowadzony przez Dywizję nowozelandzką generała Freyberga, wspieraną przez brygadę czołgów typu Matilda. Cunningham rozkazał także ponowić próbę przełamania okrążenia od strony Tobruku, jednak 7. Brygadzie Pancernej, atakowanej z dwóch stron pod Sidi Rezegh, zostało w tym czasie tylko dziesięć czołgów, a 22. Brygada Pancerna, która przyszła jej w sukurs, miała ich zaledwie trzydzieści cztery. Musiały one wycofać się na południe i połączyć się z południowoafrykańską 5. Brygadą Piechoty zajmującą pozycje obronne. Rommel chciał je zgnieść pomiędzy swoimi dywizjami pancernymi z jednej strony i Dywizją „Ariete" z drugiej.

Dwudziestego trzeciego listopada, kiedy wypadał *Totensonntag*, czyli niedziela, gdy w Niemczech upamiętniano zmarłych i poległych, zaczęła się na południe od Sidi Rezegh batalia z południowoafrykańską 5. Brygadą Piechoty i resztkami dwóch brytyjskich brygad pancernych. Przyniosła ona Niemcom pyrrusowe zwycięstwo. Z brygady południowoafrykańskiej nie pozostało prawie nic, ale wcześniej zdołała wespół z 7. Brygadą zadać bardzo ciężkie straty atakującym. Niemcy utracili siedemdziesiąt dwa czołgi, które trudno było zastąpić, a także nadzwyczaj znaczny odsetek oficerów i podoficerów. Hinduska 4. Dywizja Piechoty i Nowozelandczycy nieco dalej na wschodzie również skutecznie związali walką wojska przeciwnika, a nowozelandzkie oddziały Freyberga wzięły do niewoli część sztabu Afrikakorps.

Dowiedziawszy się o stracie mnóstwa brytyjskich czołgów, Cunningham chciał się wycofać, ale Auchinleck zabronił mu tego. Polecił Cunninghamowi kontynuowanie operacji zaczepnej za wszelką cenę. Była to śmiała i jak się miało okazać słuszna decyzja. Następnego ranka Rommel, dążąc do całkowitego zniszczenia brytyjskiej 7. Dywizji Pancernej i zmuszenia nieprzyjaciela do generalnego odwrotu, dał się ponieść przedwczesnej wierze w zwycięstwo. Osobiście poprowadził 21. Dywizję Pancerną w trakcie pościgu za przeciwnikiem ku granicy, sądząc, że uda mu się okrążyć większość 8. Armii. Jednakże przywiodło to do chaosu, spowodowanego przez sprzeczne rozkazy i kłopoty z łącznością. W pewnym momencie zepsuł się wóz, z którego Rommel dowodził, i niemiecki generał, pozbawiony łączności radiowej, znalazł się w pułapce po egipskiej stronie umocnionej gęstymi zasiekami granicy. Jego upór, aby kierować walką na pierwszej linii, ponownie wywołał poważne trudności w ogólnym bitewnym zamieszaniu.

Dwudziestego szóstego listopada Rommel dowiedział się od sztabu Afrikakorps, że dywizja nowozelandzka, wspierana przez kolejną brygadę czołgów Valentine, odzyskała lotnisko pod Sidi Rezegh na szlaku do Tobruku. Nowozelandzka 4. Brygada również opanowała lotnisko w Kambut, co oznaczało, że samolotom Luftwaffe zabrakło lądowisk w bezpośrednim pobliżu frontu. Później tego samego dnia oddziały garnizonu Tobruku połączyły się z wojskami Freyberga.

Podjęty przez Rommla pościg ku granicy okazał się katastrofalnym błędem. Brytyjska 7. Dywizja Pancerna została uzupełniona większością z dwustu rezerwowych czołgów, natomiast niemieccy żołnierze byli wyczerpani. Kiedy zaś 27 listopada przerwali bezowocną pogoń i przeszli do odwrotu, nękały ich brytyjskie hurricane'y, które w tym czasie uzyskały panowanie w powietrzu.

Auchinleck postanowił pozbawić dowództwa Cunninghama, którego uważał za nie dość agresywnego i który zresztą znalazł się na skraju załamania nerwowego. Jego następcą został generał major Neil Ritchie. Wznowił on natarcie na zachód, korzystając z kryzysu zaopatrzeniowego w wojskach Rommla. Włosi zawczasu uprzedzali Rommla, że nie może liczyć na więcej aniżeli minimalne dostawy amunicji, paliwa i prowiantu, jednak dowództwo włoskiej floty odzyskało nieco pewności, gdy do Bengazi przeprowadzono więcej transportowców z zaopatrzeniem. Włoskie okręty podwodne wykorzystano do przewozu najpilniej potrzebnej amunicji do Darny, a lekki krążownik „Cardona" przerobiono na tankowiec. Szefostwo Kriegsmarine było wreszcie pod wrażeniem starań swoich sojuszników.

Drugiego grudnia Hitler przerzucił II Korpus Lotniczy z frontu wschodniego na Sycylię i do Afryki Północnej. Zdecydowany wspomóc Rommla z trwogą wysłuchał raportów o bardzo złej sytuacji Afrikakorps, spowodowanej przez brytyjskie ataki na śródziemnomorskie konwoje państw osi. Rozkazał admirałowi Raederowi skierowanie dwudziestu czterech U-Bootów na Morze Śródziemne. Raeder użalał się, że „Führer jest gotów praktycznie zaniechać wojny podwodnej na Atlantyku, żeby rozwiązać nasze problemy w basenie śródziemnomorskim"[11]. Hitler zignorował argumenty

---

[11]. BA-MA RM 7/29.

Raedera, który dowodził, że większość statków transportowych należących do państw osi zatonęła po nalotach alianckich samolotów i od torped okrętów podwodnych, zatem U-Booty nie są dobrym środkiem do ochrony konwojów z dostawami dla Rommla. Ostatecznie jednak niemieckie okręty podwodne zadały Royal Navy spore straty na Morzu Śródziemnym. W listopadzie U-Booty zatopiły tam zarówno lotniskowiec HMS „Ark Royal", jak i pancernik HMS „Barham". Potem nastąpiły dalsze straty, a nocą 18 grudnia zespół włoskich „żywych torped" pod dowództwem księcia Borghesego przeniknął do portu w Aleksandrii, gdzie zatopił pancerniki HMS „Queen Elizabeth" i „Valiant" oraz norweski tankowiec. Admirał Cunning-ham pozostał bez okrętów liniowych na wodach śródziemnomorskich. Nie mogło do tego dojść w gorszym dla Brytyjczyków okresie, gdyż zaledwie osiem dni wcześniej japońskie samoloty zniszczyły pancernik HMS „Prince of Wales" i krążownik linowy „Repulse" opodal wybrzeży Malajów.

Pomimo poprawy sytuacji państw osi na Morzu Śródziemnym wystosowana 6 grudnia przez Rommla prośba do OKW i OKH o przysłanie mu uzupełnień – pojazdów, broni i żołnierzy – nie mogła zostać spełniona ze względu na krytyczną sytuację na froncie wschodnim. Ósmego grudnia Rommel zakończył oblężenie Tobruku i rozpoczął odwrót na linię Ajn al-Ghazali, przebiegającą ponad sześćdziesiąt kilometrów dalej na zachodzie. Potem, w trakcie pozostałych tygodni grudnia i na początku stycznia, w ogóle wycofał się z Cyrenajki i powrócił na linię, z której podjął działania zaczepne rok wcześniej.

Brytyjczycy świętowali zwycięską operację „Crusader", ale był to tylko przejściowy sukces, odniesiony głównie dzięki przewadze liczebnej i materiałowej, nie zaś lepszej taktyce. Największym błędem było rozproszenie brygad pancernych. Alianci stracili ponad osiemset czołgów i trzysta samolotów. W czasie kiedy 8. Armia dotarła do granic Trypolitanii, rok po zwycięstwie nad Włochami, była poważnie osłabiona, korzystając z nader wydłużonych linii zaopatrzeniowych. Wobec zmiennego przebiegu kampanii w Afryce Północnej oraz wynikłej nagle, pilnej potrzeby wzmocnienia garnizonów dalekowschodnich wojska Wielkiej Brytanii i jej dominiów stanęły w roku 1942 w obliczu nowej klęski.

Jeszcze przed wybuchem wojny na Dalekim Wschodzie rząd brytyjski wyczuwał, że imperium nie podoła ogromowi militarnych zadań. W dodatku 9 grudnia Stalin zaczął wywierać naciski, aby Wielka Brytania wypowiedziała wojnę Finlandii, Węgrom i Rumunii, czyli sprzymierzeńcom Niemiec na froncie wschodnim. Dążenia Stalina, by zmusić zachodnich sojuszników ZSRR do ustalenia powojennych granic nawet przed rozpoczęciem bitwy o Moskwę, wynikały częściowo z prób zatuszowania pewnej wielce draźliwej sprawy. W sowieckich więzieniach i łagrach nadal przebywało ponad dwieście tysięcy polskich żołnierzy, wziętych do niewoli w 1939 roku po agresji dokonanej przez ZSRR wspólnie z nazistowskimi Niemcami. Tymczasem Polacy nagle znaleźli się po stronie sowieckich sojuszników, a polskie władze emigracyjne były oficjalnie uznawane w Waszyngtonie i Londynie. Energiczne interwencje generała Sikorskiego, mającego poparcie rządu Churchilla, przekonały bardzo niechętnie nastawiony do tej kwestii radziecki reżim, że NKWD powinno wypuścić polskich jeńców z niewoli i sformować z nich nową armię.

Mimo trudności stwarzanych nieustannie przez sowieckich oficjeli uwolnieni Polacy zaczęli się gromadzić i organizować jednostki pod dowództwem generała Władysława Andersa, więzionego na Łubiance przez poprzednie dwadzieścia miesięcy. Na początku grudnia w Saratowie nad Wołgą zorganizowano przegląd armii Andersa. Było to wydarzenie pełne gorzkich paradoksów, którego świadkiem był między innymi pisarz Ilja Erenburg. Generał Sikorski przybył w towarzystwie Andrieja Wyszynskiego; tego ostatniego, niesławnego prokuratora w procesach pokazowych w okresie wielkiego terroru, najwyraźniej wysłano ze względu na jego polskie pochodzenie. „Trącił się kieliszkiem z Sikorskim, uśmiechając bardzo przymilnie – zauważył Erenburg. – Wśród Polaków wielu patrzyło ponuro, rozżaleni z powodu tego, co przeszli; niektórzy nie mogli się powstrzymać, by nie przyznać, że nas nienawidzą. (...) Sikorski i Wyszynski nazywali się wzajemnie »sojusznikami«, ale wyczuwało się wrogość w tych serdecznych słowach"[12]. Późniejsze wydarzenia miały wykazać, że Stalin tylko skrywał swoją głęboką niechęć i nieufność wobec Polaków.

---

[12] I. Erenburg, *Ludzie, lata, życie*, cz. 5, tłum. W. Komarnicka, Warszawa 1984, s. 21.

ROZDZIAŁ 15

Bitwa o Moskwę

wrzesień–grudzień 1941

Dwudziestego pierwszego lipca 1941 roku samoloty Luftwaffe po raz pierwszy zbombardowały radziecką stolicę. Młody fizyk Andriej Sacharow, odbywający służbę w straży pożarnej stołecznego uniwersytetu, spędził większość tej nocy „na dachu, przyglądając się, jak światła reflektorów przeciwlotniczych i pocisków smugowych przecinają się niespokojnie na niebie nad Moskwą"[1]. Jednak po bitwie o Anglię niemieckie formacje bombowe wciąż były znacznie osłabione. Niezdolne do spowodowania poważniejszych zniszczeń w Moskwie powróciły wkrótce do wspierania działań wojsk lądowych.

Po zatrzymaniu Grupy Armii „Środek", aby skupić się na uderzeniach na Leningrad i Kijów, Hitler ostatecznie zdecydował się na wielką ofensywę na Moskwę. Członkowie niemieckiej generalicji przyjęli to z mieszanymi uczuciami. Wprawdzie likwidacja wielkiego kotła na wschód od Kijowa przywróciła im wiarę w zwycięstwo, to jednak równinne bezkresy, ciągle wydłużające się linie komunikacyjne i nieoczekiwanie wielka liczebność wojsk Armii Czerwonej wprawiały ich w zaniepokojenie. Już tylko niewielu uważało, że zwycięstwo uda się osiągnąć do końca roku. Bali się nadchodzącej rosyjskiej zimy, do której Niemcy byli zupełnie nieprzygotowani. Po przemaszerowaniu setek kilometrów żołnierzom ich dywizji piechoty brakowało butów, nie zrobiono też zbyt wiele, by zapewnić wojsku ciepłą odzież, ponieważ Hitler zabronił poruszania tego tematu. Jednostkom pancernym brakło zapasowych czołgów i silników, które ulegały uszkodzeniom pod wpływem gęstego kurzu. A jednak, ku konsternacji dowództwa Wehr-

---

[1] Cyt. za: R. Lourie, *Sakharov. A Biography*, Hanover, NH 2002, s. 53.

machtu, Führer wahał się z wprowadzeniem do walki odwodów i rezerw. Przygotowania do wielkiej ofensywy na Moskwę, czyli do operacji „Tajfun", potrwały aż do końca września. Opóźnienia były spowodowane między innymi tym, że 4. Grupa Pancerna generała pułkownika Ericha Höppnera uwikłała się w walki pozycyjne pod Leningradem. Grupa Armii „Środek" feldmarszałka von Bocka w tym czasie liczyła około półtora miliona żołnierzy i miała w swoim składzie trzy mocno osłabione grupy (armie) pancerne. Naprzeciwko niej stały wojska Frontu Rezerwowego marszałka Siemiona Budionnego i Frontu Briańskiego generała pułkownika Andrieja Jeriomienki. Oddziały Frontu Zachodniego pod dowództwem generała pułkownika Iwana Koniewa tworzyły drugą linię obrony za armiami Budionnego. Dwanaście dywizji tego frontu składało się z beznadziejnie uzbrojonych i niewyszkolonych zmobilizowanych cywilów, w tym studentów i wykładowców Uniwersytetu Moskiewskiego. „Większość tych niby-żołnierzy nosiła cywilne płaszcze i czapki", napisał jeden z nich[2]. Kiedy maszerowali ulicami, gapie myśleli, że to partyzanci, których miano przerzucić na niemieckie tyły.

Trzydziestego września, we wczesnoporannej jesiennej mgle rozpoczęła się wstępna faza operacji „Tajfun", gdy 2. Armia Pancerna Guderiana uderzyła na północny wschód ku miastu Orzeł, leżącemu ponad trzysta kilometrów na południe od Moskwy. Wkrótce pogoda się poprawiła, a samoloty Luftwaffe mogły udzielić taktycznego wsparcia pancernym czołówkom. Ten nagły atak wywołał paniczny popłoch w okolicy.

„Sądziłem, że już widywałem odwroty – zapisał Wasilij Grossman w swoim dzienniku – ale nigdy nie widziałem czegoś takiego jak teraz. (...) Exodus! Biblijny exodus! Pojazdy jadą w rzędach po osiem, słychać huk silników dziesiątków ciężarówek, które równocześnie próbują wydostać się z błota. Wielkie stada owiec i krów są przepędzane przez pola. Za nimi jadą tabory ciągnionych przez konie wozów; tysiące drabiniastych wozów przesłoniętych kolorowymi workowatymi tkaninami. Nie brak i zastępów pieszych z workami, zawiniątkami, walizami. (...) Dziecięce główki, płowe i ciemnowłose, wyglądają spod prowizorycznych namiotów zasłaniających wozy; są i brody żydowskiej starszyzny, i czarne głowy żydowskich dziewcząt i kobiet. Jakże nieme te oczy, jakiż w nich mądry smutek, to poczucie nieuchronnego losu, powszechnej katastrofy! Wieczorem słońce wyziera spoza wielu warstw granatowych, czarnych i szarych chmur. Jego szerokie promienie rozciągają się od nieba do ziemi, jak na obrazach Dorégo przedstawiających te straszliwe biblijne sceny, na których niebiosa chłoszczą ziemię"[3].

---

[2] J. Władimirow, *Wojna sołdata-zienitczika, 1941–1942*, Moskwa 2009, s. 118.
[3] Dokumentacja W. Grossmana, RGALI 1710/3/49.

Trzeciego października rozeszły się pogłoski o tym, że błyskawiczne niemieckie natarcie doszło już do Orła, ale miejscy urzędnicy nie uwierzyli w te doniesienia i w dalszym ciągu pili na umór. Wstrząśnięty taką karygodną beztroską Grossman wyruszył wraz ze swoimi towarzyszami drogą do Briańska, spodziewając się, że lada chwila ujrzy niemieckie czołgi. Lecz te były już dalej. Czołówki wojsk Guderiana wkroczyły do Orła o osiemnastej, a pierwsze niemieckie wozy pancerne mijały się z tramwajami na tamtejszych ulicach.

Dzień wcześniej, 2 października, nieco dalej na północy Niemcy przystąpili do głównego etapu operacji „Tajfun". Po krótkim przygotowaniu artyleryjskim i postawieniu zasłony dymnej 3. i 4. Grupy Pancerne przełamały na obu skrzydłach obronę Frontu Rezerwowego, którym dowodził marszałek Budionny. Budionny, kolejny kawalerzysta i kompan Stalina z okresu wojny domowej, był wąsatym bufonem i pijakiem, który nie potrafił nawet odnaleźć swojej kwatery głównej. Szef sztabu Koniewa otrzymał w takiej sytuacji zadanie przeprowadzenia przeciwuderzenia siłami trzech dywizji i dwóch brygad czołgów Frontu Zachodniego, lecz jednostki te zostały odparte przez Niemców. Po stronie radzieckiej załamała się łączność, a w ciągu sześciu dni dwie niemieckie grupy pancerne otoczyły pięć armii Budionnego, zamykając kleszcze okrążenia pod Wiaźmą. Załogi niemieckich czołgów ścigały czerwonoarmistów, starając się miażdżyć ich gąsienicami wozów bojowych. Przerodziło się to w makabryczną formę rozrywki[4].

Na Kreml docierało niewiele informacji o chaosie i klęsce na zachód od Moskwy. Dopiero 5 października Stawka otrzymała meldunek pilota myśliwskiego, który dostrzegł dwudziestokilometrową kolumnę niemieckich pojazdów opancerzonych nacierających na Juchnow. Nikt nie chciał w to uwierzyć. Wysłano tam dwa następne samoloty rozpoznawcze, których załogi potwierdziły, że to prawda, lecz mimo to Beria nadal groził dowódcom jednostek lotniczych na froncie postawienie ich przed trybunałem NKWD jako „panikarzy"[5]. W końcu jednak Stalin pojął skalę zagrożenia. Zwołał posiedzenie Państwowego Komitetu Obrony ZSRR i wysłał do Żukowa w Leningradzie depeszę, nakazując mu powrót do Moskwy.

Żukow przybył do stolicy 7 października. Twierdził później, że kiedy wszedł do gabinetu Stalina, dosłyszał, jak ten mówi Berii, aby za pośrednictwem swoich agentów nawiązał kontakt z Niemcami w celu wysondowania możliwości nawiązania rokowań pokojowych. Stalin rozkazał Żuko-

---

[4] Władimir Wojciechowicz w: *Swiaszczennaja wojna. Ja pomniu*, red. A. Drabkin, Moskwa 2010, s. 12.
[5] J. Erickson, *The Road to Stalingrad. Stalin's War with Germany*, London 1975, s. 217.

wowi udać się niezwłocznie do kwatery dowództwa Frontu Zachodniego i zameldować stamtąd, jak przedstawia się rzeczywista sytuacja. Żukow dotarł na miejsce już po zmroku i zastał Koniewa i jego sztabowców pochylonych nad mapą przy blasku świec. Zatelefonował potem do Stalina i oznajmił mu, że Niemcy zamknęli w okrążeniu pięć armii Budionnego na zachód od Wiaźmy. Wczesnym rankiem 8 października dowiedział się w dowództwie Frontu Rezerwowego, że nie widziano tam Budionnego od ponad dwóch dni.

W kotłach pod Wiaźmą i Briańskiem panowały warunki nie do opisania. Stukasy, a także myśliwce i bombowce atakowały wszelkie zauważone grupki radzieckich żołnierzy, a niemieckie czołgi i działa nieustannie ostrzeliwały zamknięte w pułapce oddziały nieprzyjaciela. Przybywało rozkładających się zwłok, brudni i wygłodniali czerwonoarmiści zarzynali konie na mięso, a ranni, którymi w ogólnym zamieszaniu nikt się nie zajmował, konali. Łącznie w obydwu kotłach znalazło się niemal siedemset pięćdziesiąt tysięcy sowieckich żołnierzy. Tym, którzy przeżyli, Niemcy nakazywali rzucać broń i maszerować – bez pożywienia – na zachód. „Rosjanie to bestie – pisał pewien niemiecki major. – Przypominają karykaturalne wyobrażenia Murzynów z kampanii francuskiej. Co za hołota"[6].

Kiedy Grossman uciekł 3 października z Orła, ledwie uniknąwszy Niemców, skierował się do kwatery polowej sztabu Jeriomienki w lesie koło Briańska. Przez całą noc 5 października Jeriomienko wyczekiwał odpowiedzi na swoją prośbę o zezwolenie na odwrót, ale Stalin nie udzielił zgody. We wczesnych godzinach porannych 6 października Grossmanowi i innym korespondentom wojennym powiedziano, że nawet kwatera główna frontu jest już zagrożona. Musieli wyjechać możliwie najszybciej do Tuły, zanim Niemcy odetną im drogę. Jeriomienko był ranny w nogę i o mało nie trafił do niewoli, gdy wojska Frontu Briańskiego znalazły się w niemieckim okrążeniu. Ewakuowany samolotem miał więcej szczęścia od generała majora Michaiła Pietrowa, dowódcy 50. Armii, który zmarł w chacie leśnika na skutek zakażenia rany.

Grossman był oszołomiony chaosem i strachem panującymi na tyłach frontu. W Biełowie, w drodze do Tuły, zanotował: „Krąży mnóstwo obłędnych plotek, niedorzecznych i podszytych panicznym lękiem. Nagle rozpętuje się dzika strzelanina. Okazuje się, że ktoś włączył uliczne oświetlenie, a żołnierze i oficerowie otworzyli ogień z karabinów i pistoletów do latarni, żeby je zgasić. Gdyby tylko strzelali tak do Niemców"[7].

---

[6] Major Hans Sch., sztab 652. batalionu piechoty, BfZ-SS 33 691.
[7] *Ibidem.*

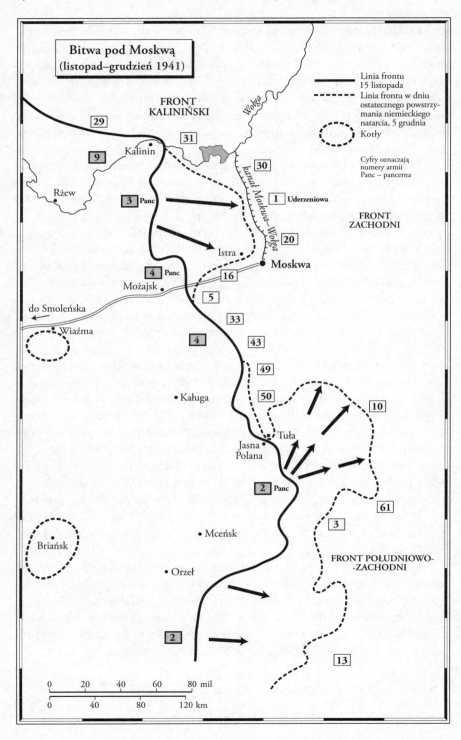

Bitwa pod Moskwą
(listopad–grudzień 1941)

FRONT
KALINIŃSKI

29

31

9   Kalinin

Rżew

30

3   Panc

1   Uderzeniowa

FRONT
ZACHODNI

20

Istra

4   Panc

Moskwa

Możajsk

16

5

do Smoleńska

33

Wiaźma

4

43

49

50

Kaługa

10

Tuła

Jasna
Polana

2   Panc

61

3

Mceńsk

FRONT POŁUDNIOWO-
-ZACHODNI

Briańsk

Orzeł

2

13

Linia frontu
15 listopada

Linia frontu w dniu
ostatecznego powstrzy-
mania niemieckiego
natarcia, 5 grudnia

Kotły

Cyfry oznaczają
numery armii
Panc – pancerna

0   20   40   60   80 mil

0   40   80   120 km

Jednakże nie wszystkie radzieckie formacje walczyły źle. Szóstego października 1. Samodzielny Korpus Strzelecki Gwardii pod dowództwem generała majora Dmitrija Leluszenki, wspierany przez dwie brygady spadochronowe i 4. Brygadę Czołgów pułkownika Michaiła Katukowa, przeprowadził kontruderzenie na 4. Dywizję Pancerną z grupy Guderiana, zastawiając sprytną pułapkę pod Mceńskiem. Katukow ukrył swoje T-34 w lesie, przepuszczając czołowy niemiecki pułk pancerny. Następnie gdy piechota Leluszenki zatrzymała Niemców, radzieckie czołgi wyłoniły się zza drzew i zaatakowały. Odpowiednio dowodzone T-34 były lepsze od niemieckich PzKpfw IV i 4. Dywizja Pancerna poniosła duże straty. Guderian był wyraźnie wstrząśnięty odkryciem, że Armia Czerwona zaczyna uczyć się na własnych błędach i skutecznie kopiować niemiecką taktykę.

Tej samej nocy spadł śnieg, który szybko stopniał. Jesienna pora deszczów i błot nadeszła w samą porę dla Sowietów, spowalniając niemiecką ofensywę. „Nie sądzę, by ktokolwiek widział takie błota – zauważył Grossman. – Deszcz, śnieg, grad, lepkie, bezdenne mokradła, czarna breja wymieszane przez wiele tysięcy butów, kół i gąsienic. I wszyscy znowu się cieszą. Niemcy muszą ugrzęznąć w naszej piekielnej jesieni"[8]. Jednak natarcie, choć wolniej, nadal posuwało się ku Moskwie.

W drodze z Orła do Tuły Grossman nie mógł się oprzeć pokusie odwiedzenia majątku Lwa Tołstoja w Jasnej Polanie. Zastał tam wnuczkę Tołstoja, pakującą domowe sprzęty i muzealne eksponaty, aby wywieźć je przed nadejściem Niemców. Od razu wspomniał fragment *Wojny i pokoju*, opisujący, jak to stary książę Bołkoński musiał opuścić swój dom w Łysych Górach wobec nadciągającej armii Napoleona. „Grób Tołstoja – zapisał Grossman w dzienniku. – Huk myśliwców w powietrzu, pogłos wybuchów i ten majestatyczny jesienny spokój. Jakże ciężko. Rzadko kiedy odczuwałem taki ból"[9]. Następnym gościem w Jasnej Polanie, już po ucieczce Rosjan, był generał Guderian, który miał tam zorganizować swoją kwaterę przed ostatecznym uderzeniem na Moskwę.

Tylko kilka radzieckich dywizji wyrwało się z okrążenia pod Wiaźmą trochę dalej na północy. Nieco mniejszy kocioł briański miał się okazać największą z dotychczasowych katastrof militarnych Armii Czerwonej, która straciła tam ponad siedemset tysięcy żołnierzy – zabitych lub wziętych do niewoli. Niemcy uważali się już za zwycięzców i zapanowała wśród nich euforia. Droga do Moskwy niemal stanęła otworem. Niebawem w niemieckiej prasie pisano o całkowitym triumfie, choć nawet nader ambitny feldmarszałek von Bock uznał to za cokolwiek przedwczesne.

---

[8] Dokumentacja W. Grossmana, RGALI 1710/3/49.
[9] *Ibidem.*

Dziesiątego października Stalin rozkazał Żukowowi przejęcie z rąk Koniewa dowodzenie Frontem Zachodnim oraz niedobitkami Frontu Rezerwowego. Żukow zdołał przekonać dyktatora, że Koniewa (który z czasem wyrósł na wielkiego rywala Żukowa) należy oszczędzić, a nie czynić z niego kozła ofiarnego. Stalin wydał Żukowowi polecenie utrzymania linii obronnej pod Możajskiem, na szosie smoleńskiej, zaledwie sto kilometrów od Moskwy. Pojąwszy rozmiary katastrofy, kierownictwo kremlowskie rozkazało budowę nowej linii defensywnej przez ćwierć miliona cywilów, głównie kobiet, zapędzonych do kopania transzei i rowów przeciwczołgowych. Wiele z nich zginęło w trakcie tych robót od kul z broni maszynowej niemieckich myśliwców.

Zaprowadzono jeszcze surowszą dyscyplinę, a oddziały zaporowe NKWD strzelały do tych sowieckich żołnierzy, którzy bez rozkazu porzucali pozycje na froncie. „Wywołują strach, by przełamać strach", wyjaśniał pewien oficer NKWD[10]. Wydział Specjalny NKWD (w 1943 roku przemianowany na Smiersz) już zajmował się przesłuchiwaniem tych radzieckich wojskowych, którzy wyrwali się z okrążeń. Każdego uznanego za tchórza albo podejrzanego o kontakty z wrogiem rozstrzeliwano lub kierowano do *sztrafrot* – kompanii karnych. Oddziałom tym przydzielano najgorsze zadania, takie jak atakowanie przez pola minowe. Do wojska powoływano także przestępców z obozów Gułagu (*sztrafników*), a ci nie wyzbyli się swoich kryminalnych nawyków. Nawet egzekucja herszta bandy przez enkawudzistę, który strzelił skazańcowi w skroń, wywierała ledwie chwilowy wpływ na pozostałych[11].

Inne jednostki NKWD skierowano do polowych lazaretów, gdzie zajmowały się przypadkami samookaleczeń. Tak zwani „leworęczni" – żołnierze, którzy strzelali sobie w lewą rękę w naiwnej próbie uniknięcia udziału w walkach – byli likwidowani na miejscu. Pewien polski chirurg w Armii Czerwonej przyznał się później do amputowania rąk młodocianym, którzy sami się postrzelili, ażeby uchronić ich przed plutonem egzekucyjnym. Oczywiście więźniów NKWD spotykał jeszcze gorszy los. Beria nakazał zlikwidowanie stu pięćdziesięciu siedmiu prominentnych aresztantów, w tym siostry Trockiego. Innych zabijali wartownicy, wrzucając granaty do celi. Dopiero pod koniec owego miesiąca, gdy Stalin oznajmił Berii, że teorie spiskowe to „bzdury"[12], ta „maszynka do mielenia mięsa" zwolniła nieco obroty.

Deportacje trzystu siedemdziesięciu pięciu tysięcy Niemców nadwołżańskich na Syberię i do Kazachstanu, rozpoczęte we wrześniu, nabrały tem-

---

[10] Słowa Władimira Ogryzki, cyt. za: L. Rees, *World War II behind Closed Doors. Stalin, the Nazis and the West*, London 2009, s. 112.

[11] W. Wojciechowicz w: *Swiaszczennaja wojna, op. cit.*, s. 15.

[12] D. Wołkogonow, *Stalin*, t. 2, tłum. M. Antosiewicz, Warszawa 1999, s. 133.

pa i objęto nimi wszystkie osoby niemieckiego pochodzenia zamieszkujące w Moskwie. Rozpoczęły się przygotowania do wysadzenia w powietrze metra i najważniejszych gmachów w stolicy. Zaminowano nawet daczę Stalina. Pododdziały sabotażystów i skrytobójców z NKWD rozlokowano w specjalnych kryjówkach w mieście, aby prowadziły podziemną walkę z niemieckimi okupantami. Przedstawiciele korpusu dyplomatycznego otrzymali polecenie wyjazdu do Kujbyszewa nad Wołgą, miasta przewidzianego na tymczasową siedzibę radzieckich władz. Również najbardziej znane teatry moskiewskie, ów symbol sowieckiej kultury, miały opuścić stolicę. Sam Stalin nie mógł się długo zdecydować, czy powinien wyjechać, czy też pozostać na Kremlu.

Czternastego października, gdy część 2. Armii Pancernej Guderiana operującej na południe od Moskwy obeszła zażarcie bronioną Tułę, 1. Dywizja Pancerna zdobyła Kalinin (dzisiejszy Twer) na północ od stolicy, po uchwyceniu mostu w górnym biegu Wołgi i przecięciu linii kolejowej Moskwa–Leningrad. Na centralnym odcinku Dywizja SS „Das Reich" oraz 10. Dywizja Pancerna dotarły na dawne napoleońskie pole bitewne pod Borodino, zaledwie sto dziesięć kilometrów od rosyjskiej stolicy. Tam natrafiły na twardy opór radzieckich wojsk, wzmocnionych nowymi wyrzutniami pocisków rakietowych typu Katiusza oraz dwoma pułkami strzelców syberyjskich, pierwszymi z wielu dalekowschodnich sowieckich formacji, których pojawienie się pod Moskwą zaskoczyło Niemców.

Richard Sorge, najważniejszy radziecki agent w Tokio, ustalił, że Japończycy zaplanowali ofensywę na południe, ku Oceanii, przeciwko Amerykanom. Stalin nie do końca dowierzał Sorgemu, mimo że ten uprzedził go też o operacji „Barbarossa", niemniej jednak nową informację potwierdzały i inne przechwycone meldunki. Mniejsze zagrożenie na wschodnich obszarach Związku Radzieckiego umożliwiło Stalinowi przerzut kolejnych dywizji na zachód koleją transsyberyjską. Wcześniejsze zwycięstwo Żukowa nad Chalchyn gol odegrało istotną rolę w tej poważnej zmianie japońskiej strategii.

Niemcy nie docenili zawczasu, z czym wiązało się atakowanie w deszczu i śniegu, które zamieniły rosyjskie drogi w bajora lepkiego, czarnego błota. Transporty paliwa, amunicji i żywności nie były w stanie przez nie przejechać, a tempo ofensywy spadło. Przyczynił się do tego także zaciekły opór radzieckich żołnierzy walczących w okrążeniu i wiążących część wojsk najeźdźcy, które można było wykorzystać w natarciu na Moskwę. Generał lotnictwa Wolfram von Richthofen przeleciał na niskim pułapie nad resztkami kotła pod Wiaźmą i zauważył tam stosy zwłok oraz zniszczone pojazdy i działa.

Armii Czerwonej dopomogły też ingerencje Hitlera w przebieg walk. Niemiecka 1. Dywizja Pancerna pod Kalininem, przegrupowana do ataku na południe, ku Moskwie, nagle dostała rozkaz wyruszenia w przeciwnym kierunku, w składzie 9. Armii, by wziąć udział w planowanym okrążeniu innego zgrupowania wojsk przeciwnika w sektorze Grupy Armii „Północ". Hitler i OKW nie mieli pojęcia o warunkach, w jakich walczyli ich żołnierzy, a *Siegeseuphorie* – radość z przewidywanego triumfu, która zapanowała w kwaterze głównej Führera – przyczyniła się do rozproszenia niemieckich sił koncentrowanych do uderzenia na Moskwę.

Stalin i członkowie Państwowego Komitetu Obrony zadecydowali 15 października o ewakuacji władz do Kujbyszewa. Urzędnikom polecono pozostawienie swoich stanowisk i ustawienie się w kolejkach do ciężarówek, by te odwiozły ich na Dworzec Kazański. Inni sami wpadli na podobny pomysł. „Dyrektorzy wielu zakładów pakowali swoje rodziny do ciężarówek i wynosili się ze stolicy, i wtedy się zaczęło. Ludność cywilna zajęła się grabieżą w sklepach. Gdy szło się ulicą, wszędzie widywało się zaczerwienione, zadowolone, pijane twarze ludzi, wynoszących pod pachą pęta kiełbasy i zwoje tkanin. Działy się rzeczy nie do pomyślenia jeszcze nawet dwa dni wcześniej. Słyszało się na ulicach, że Stalin i władze uciekli z Moskwy"[13].

Panice i plądrowaniu sprzyjały pogłoski, że Niemcy stoją już u bram miasta. Przerażeni działacze niszczyli swe legitymacje partyjne, czego wielu z nich miało wkrótce pożałować, gdy tylko NKWD przywróciło porządek, gdyż zostali oskarżeni o zbrodniczy defetyzm. Rankiem 16 października Aleksiej Kosygin wszedł do gmachu siedziby Rady Komisarzy Ludowych (Sowiet Narodnych Komissarow, Sownarkom), której był wiceprzewodniczącym. Zastał to miejsce opustoszałe, z pootwieranymi wszędzie drzwiami i tajnymi dokumentami walającymi się na podłodze. Telefony dzwoniły w pustych gabinetach. Domyślając się, że ludzie usiłują się dowiedzieć, czy władze już uciekły, odebrał jeden z nich. Jakiś oficjel pytał, czy Moskwa skapituluje.

Z ulic poznikali milicjanci. Tak jak na zachodzie Europy rok wcześniej Moskwa cierpiała na psychotyczny lęk przed nieprzyjacielskimi spadochroniarzami. Natalię Gesse, wspierającą się na kulach po przebytej operacji, „otoczył tłum, który podejrzewał, że połamałam nogi, skacząc ze spadochronem z samolotu"[14]. Wielu rabusiów było pijanych i usprawiedliwiało swoje poczynania, twierdząc, że lepiej wziąć, co się da, zanim zagarną to Niemcy. Zdjęte panicznym lękiem tłumy na dworcach, usiłujące wedrzeć się do odjeżdżających pociągów, określano mianem „ludzkich wirów"[15], w których wyrywano dzieci z rąk matek. „Tego, co się działo na Dworcu Kazań-

---

[13] J.A. Golbrajch, w: *Swiaszczennaja wojna, op. cit.*, s. 79.
[14] Cyt. za: R. Lourie, *Sakharov, op. cit.*, s. 55.
[15] *Ibidem.*

skim, nie sposób opisać – wspominał Ilja Erenburg[16]. Niewiele lepiej przedstawiała się sytuacja na dworcach kolejowych w zachodnich dzielnicach Moskwy, gdzie pozostawiono na peronach na noszach setki rannych żołnierzy, którymi nikt się nie zajmował. Kobiety rozpaczliwie poszukiwały pośród nich swoich synów, mężów i narzeczonych.

Stalina, który wyłonił się z kremlowskiej twierdzy, zaszokowało to, co ujrzał. W mieście ogłoszono stan oblężenia, a pułki strzeleckie NKWD wyszły z koszar, aby zaprowadzić porządek na ulicach, rozstrzeliwując na miejscu rabusiów i dezerterów. Brutalnymi metodami przywrócono ład. Wtedy Stalin zdecydował, że pozostanie w stolicy, a wiadomość tę obwieszczono przez radio. Był to przełomowy moment, którego wpływ był znaczny. Nastroje przeobraziły się z powszechnej paniki w masową determinację, by obronić miasto za wszelką cenę. Coś podobnego wydarzyło się podczas obrony Madrytu pięć lat wcześniej.

Podkreślając potrzebę zachowania tajemnicy, Stalin oznajmił Państwowemu Komitetowi Obrony, że mimo wszystko odbędą się obchody rocznicy bolszewickiej rewolucji. Kilku członków radzieckich władz było przerażonych tym pomysłem, niemniej jednak zrozumieli, że pewnie warto zaryzykować zademonstrowanie całemu krajowi i światu, iż Moskwa nie podda się bez walki. W „przededniu rocznicy rewolucji" Stalin wygłosił przemówienie, transmitowane z ozdobnej, przestronnej stacji metra Majakowskaja. Przywołał wspomnienie wielkich – choć i nie proletariackich – bohaterów rosyjskiej historii: Aleksandra Newskiego, Dymitra Dońskiego, Suworowa i Kutuzowa. „Niemieccy najeźdźcy chcą wojny na wyniszczenie. Dobrze zatem – będą ją mieli!"[17]

W ten spektakularny sposób Stalin powrócił do sowieckiej świadomości po kilku miesiącach unikania publicznych wystąpień, aby nie kojarzono go z odwrotem i klęskami. „Przejrzałem pliki starych gazet od lipca do listopada 1941 roku – napisał Ilja Erenburg wiele lat później. – Prawie w nich nie wspominano o Stalinie"[18].

Teraz radziecki przywódca był nierozerwalnie związany z bohaterską obroną stolicy. Nazajutrz, 7 listopada, salutował z opróżnionego mauzoleum Lenina na placu Czerwonym, gdy kolejne szeregi odwodowych oddziałów przemaszerowały w padającym śniegu, gotowe zwrócić się następnie na północny zachód i udać prosto na front. Przebiegły Stalin przewidział, jaki skutek wywrze ten efektowny spektakl, i postarał się o to, aby sfilmowano go na potrzeby sowieckich i zagranicznych kronik filmowych.

---

[16] I. Erenburg, *Ludzie, lata, życie*, cz. 5, tłum. W. Komarnicka, Warszawa 1984, s. 21.
[17] A. Werth, *Russia at War, 1941–1945*, London 1964, s. 246.
[18] I. Erenburg, *Ludzie, lata, życie*, cz. 5, *op. cit.*, s. 15.

W trakcie następnego tygodnia chwycił tęgi mróz, a 15 listopada Niemcy wznowili natarcie. Wkrótce dla Żukowa stało się jasne, że nieprzyjaciel przeprowadzi główny atak w okolicach Wołokołamska, gdzie 16. Armia Rokossowskiego musiała się cofać, nie przerywając walki. Znajdujący się pod silną presją Żukow obrzucił Rokossowskiego obelgami. Kontrast między tymi dwoma dowódcami nie mógł być większy, choć obaj byli kawalerzystami. Żukow był człowiekiem dość korpulentnym, bardzo energicznym i bezwzględnym, natomiast wysoki, elegancki Rokossowski odznaczał się spokojem i pragmatyzmem. Rokossowskiego, który miał polskie korzenie, aresztowano w początkowym okresie czystek w Armii Czerwonej. Miał dziewięć stalowych zębów, którymi zastąpiono te powybijane w trakcie „konwejera" nieustannych przesłuchań. Stalin nakazał jego uwolnienie, ale od czasu do czasu dawał mu do zrozumienia, że to warunkowa dyspensa. Jakikolwiek błąd i Rokossowski miał powrócić w łapy oprychów Berii.

Siedemnastego listopada Stalin podpisał rozkaz, wydany wszystkim radzieckim oddziałom wojskowym i partyzanckim, aby „niszczyły i paliły na proch" wszelkie zabudowania w strefie walk i za nią, uniemożliwiając w ten sposób Niemcom schronienie przed nadchodzącymi mrozami[19]. Chwilowo nie brano pod uwagę losu rosyjskiej ludności cywilnej. Cierpienia sowieckich żołnierzy, zwłaszcza rannych pozostawionych na peronach dworców kolejowych, także były straszne. „Dworce są pełne ludzkich odchodów i rannych żołnierzy w zakrwawionych bandażach", zapisał jeden z oficerów Armii Czerwonej[20].

Z końcem listopada niemiecka 3. Armia Pancerna podeszła do Moskwy od północnego zachodu na odległość czterdziestu kilometrów. Jedna z czołowych formacji przechwyciła nawet przyczółek na kanale Moskwa–Wołga. Tymczasem 4. Armia Pancerna dotarła do miejsca oddalonego o szesnaście kilometrów od zachodnich rogatek moskiewskich, spychając 16. Armię Rokossowskiego. Podobno w gęstej mgle pewien motocyklista z Pułku SS „Deutschland" wjechał nawet do Moskwy, gdzie został zastrzelony przez patrol NKWD w pobliżu Dworca Białoruskiego[21]. Żołnierze innych niemieckich oddziałów widzieli przez mocniejsze lornetki obłe kopuły Kremla. Niemcy walczyli rozpaczliwie, mając świadomość, że niebawem odczują skutki surowej rosyjskiej zimy. Ale formacje Wehrmachtu były wyczerpane, a wielu niemieckich żołnierzy już ucierpiało z powodu odmrożeń.

Na przedmieściach Moskwy trwały gorączkowe przygotowania obronne. Stalowe „jeże" z zespawanych dźwigarów, przypominające gigantycz-

---

[19] Cyt. za: D. Wołkogonow, *Stalin*, t. 2, *op. cit.*, s. 158.
[20] J. Władimirow, *Wojna sołdata-zenitczika*, *op. cit.*, s. 119.
[21] Ch. Bellamy, *Wojna absolutna. Związek Sowiecki w II wojnie światowej*, tłum. M. Antosiewicz, M. Habura, P. Laskowicz, Warszawa 2010, s. 331.

ne kotewki, posłużyły za zapory przeciwczołgowe. NKWD zorganizowało „niszczycielskie bataliony" do walki ze spadochroniarzami i sabotażystami w największych zakładach przemysłowych; miały one stanowić ostatnią linię obrony[22]. Każdemu z ludzi w tych oddziałach wydano karabin, dziesięć nabojów i kilka granatów. Stalin, obawiając się, że Moskwa może zostać okrążona od północy, rozkazał Żukowowi przygotowanie serii przeciwuderzeń. Najpierw jednak musiał wzmocnić swoje wojska na północny zachód od Moskwy, poturbowane przez niemiecką 3. i 4. Armię Pancerną.

Sytuacja wydawała się krytyczna także na południu kraju. Grupa armii Rundstedta opanowała w połowie października przemysłowo-wydobywczy region Donbasu, w tym samym czasie kiedy Rumuni ostatecznie zdobyli Odessę. Jedenasta Armia Mansteina na Krymie oblegała wielką bazę morską w Sewastopolu. Pierwsza Armia Pancerna nacierała szybko naprzód, ku Kaukazowi, zostawiając w tyle piechotę. Dwudziestego pierwszego listopada „Leibstandarte SS Adolf Hitler" pod dowództwem Brigadeführera „Seppa" Dietricha, którego Richthofen nazywał „dobrym starym wiarusem"[23], wkroczyła do Rostowa u podnóży Kaukazu i uchwyciła przyczółek na Donie. Hitler nie posiadał się z radości. Pola naftowe nieco dalej na wschód wydawały się w jego zasięgu. Jednak czołówki pancerne von Kleista wysforowały się za daleko, pozostawiając lewą flankę pod osłoną słabo uzbrojonych wojsk węgierskich. Marszałek Timoszenko wykorzystał to i przeprowadził kontratak przez skuty lodem Don.

Rundstedt, świadom tego, że wielka ofensywa na Kaukaz jest niemożliwa aż do wiosny, wycofał swoje siły na linię rzeki Mius, wpadającej do Morza Azowskiego na zachód od Taganrogu. Hitler zareagował na ów pierwszy odwrót niemieckiej armii podczas tej wojny podszytym wściekłością niedowierzaniem. Rozkazał, aby wycofywanie się natychmiast wstrzymano. Rundstedt złożył dymisję, która została niezwłocznie przyjęta. Trzeciego grudnia Hitler poleciał do kwatery polowej Grupy Armii „Południe" w Połtawie, gdzie wieki wcześniej poniósł decydującą klęskę inny najeźdźca na Rosję, król szwedzki Karol XII. Następnego dnia Führer wyznaczył na nowego dowódcę GA „Południe" feldmarszałka von Reichenaua, zdeklarowanego nazistę, którego Rundstedt lekceważąco określał mianem nieokrzesańca „paradującego półnago w czasie wykonywania ćwiczeń fizycznych"[24].

---

[22] W. Wojciechowicz, w: *Swiaszczennaja wojna, op. cit.*
[23] Richthofen KTB, 10 kwietnia 1941 r., BA-MA N671/2/7/9, s. 59.
[24] Cyt. za: Ch. Messenger, *The Last Prussian. A Biography of Field Marshal Gerd von Rundstedt, 1875–1953*, London 1991, s. 61.

Zaszokowany Hitler stwierdził jednak, że „Sepp" Dietrich, dowodzący Leibstandarte SS, popiera decyzję Rundstedta. Zaś Reichenau, zapewniwszy wodza, że się nie wycofa, w istocie szybko przeprowadził odwrót, stawiając Führera przed faktem dokonanym. Hitler, który znalazł się w niezręcznej sytuacji, powetował Rundstedtowi zwolnienie ze służby frontowej urodzinowym prezentem w postaci dwustu siedemdziesięciu pięciu tysięcy marek. Wódz Rzeszy podkpiwał sobie często, jak łatwo przekupywać członków niemieckiej generalicji pieniędzmi, majątkami ziemskimi i odznaczeniami.

Leningrad ocalał przed całkowitym zniszczeniem częściowo za sprawą bezwzględności dowodzącego Żukowa i determinacji radzieckich żołnierzy, jednakże głównie dlatego, że Niemcy postanowili skupić się na Moskwie. Od tej pory niemiecka Grupa Armii „Północ" działała właściwie w oderwaniu od reszty frontu wschodniego, rzadko otrzymując uzupełnienia, za to często była uszczuplana jednostkami przerzucanymi na centralne i południowe obszary ZSRR. Strona radziecka również postępowała w ten sposób, a Stalin kilkukrotnie chciał ogołocić Leningrad z wojsk, aby przeznaczyć je do obrony Moskwy. Radziecki dyktator nie lubił Leningradu, miasta, które uważał za ośrodek intelektualistów, pogardzających moskwianami i podejrzanie zapatrzonych w Europę Zachodnią. Trudno stwierdzić, na ile poważnie rozważał oddanie Leningradu, ale niewątpliwie owej jesieni i zimy o wiele bardziej troskał się o stan Frontu Leningradzkiego niż o samo to miasto, nie mówiąc już o jego ludności.

Sowieckie próby przebicia pierścienia okrążenia od zewnątrz siłami 54. Armii nie doprowadziły do wyparcia Niemców znad południowego skraju jeziora Ładoga. Jednakże obrońcy przynajmniej utrzymali się na przesmyku między miastem a jeziorem, choć po części w rezultacie ostrożności Finów, którzy niezbyt się palili do zajmowania radzieckich terytoriów sprzed 1939 roku.

Oblężenie Leningradu nabrało poniekąd monotonnego charakteru, a Niemcy ostrzeliwali miasto o określonych porach dnia. Straty wśród ludności cywilnej narastały, jednak większość mieszkańców umierała z głodu. Leningrad stał się czymś w rodzaju wyspy. Jedyne czynne połączenia z „lądem" utrzymywano przez jezioro Ładoga lub dzięki mostowi powietrznemu. Około 2,8 miliona cywilów znalazło się w pułapce, a jeśli doliczyć pół miliona żołnierzy, leningradzkie władze musiały wyżywić 3,3 miliona ludzi. Dystrybucja żywności była szokująco nierówna jak na rzekomo egalitarne radzieckie warunki. Partyjni funkcjonariusze dokładali starań, aby ich rodziny i bliscy krewni nie ucierpieli z głodu, a ci, którzy nadzorowali dostawy prowiantu, w tym kierownicy piekarni i stołówek, bezwstydnie nabijali sobie kiesy. Łapownictwo bywało nierzadko jedynym sposobem na zdobycie podstawowych artykułów żywnościowych.

Dostęp do prowiantu w istocie oznaczał władzę, co odnosiło się zarówno do skorumpowanych osobników, jak i do władz radzieckich, które od dawna wymuszały groźbą głodu posłuszeństwo lub mściły się na tępionych grupach społecznych. Robotnicy fabryczni, dzieci i żołnierze otrzymywali pełne racje żywności, natomiast inni, choćby niepracujące żony i nastolatki, dostawały tylko racje przysługujące „osobom na utrzymaniu". Kartki żywnościowe tych ostatnich były nazywane nieoficjalnie *smiertnikami* – „świadectwami zgonu"[25]. Niepracujących uważano, co typowe dla radzieckich stosunków, za „bezużyteczne gęby [do wykarmienia]", natomiast partyjnym bonzom przydzielano dodatkowe jedzenie, aby łatwiej im było podejmować decyzje dla wspólnego dobra.

„Nasza sytuacja żywnościowa jest bardzo zła – zanotował Wasilij Czurkin pod koniec października, kiedy znajdował się w oddziałach broniących linii przebiegającej koło Szlisselburga nad jeziorem Ładoga. – Dostajemy po trzysta gramów chleba, czarnego jak ziemia, i wodnistą zupę. Karmimy konie gałązkami wierzbowymi, na których nie ma liści, więc padają jeden po drugim. Miejscowi z Bieriezowki i nasi żołnierze zostawiają z tych koni, co padły, tylko kości. Odcinają kawałki mięsa i gotują je"[26].

Żołnierzom „powodziło się" znacznie lepiej niż cywilom, a ci, którzy mieli rodziny w Leningradzie, wyczekiwali nadchodzącej zimy z coraz większym niepokojem. Zaczynały krążyć przerażające opowieści o przypadkach kanibalizmu. Czurkin pisał o tym, jak „nasz kapral Andronow, wysoki, barczysty człek, pełen energii, popełnił błąd, który przypłacił życiem. Szef służby zaopatrzeniowej posłał go do Leningradu pod jakimś pretekstem. W tamtym czasie w Leningradzie głodowali bardziej niż my, a większość z nas miała tam rodziny. Wóz Andronowa zatrzymano po drodze. W wozie znaleźli konserwy, mięso i zboże, które wykroiliśmy z naszych nędznych racji [aby zawieźć je rodzinom]. Trybunał skazał Andronowa i jego przełożonego na śmierć. W Leningradzie została jego żona z małym dzieckiem. Powiadają, że sąsiad zjadł to dziecko, a żona [Andronowa] postradała rozum"[27].

Głodującemu miastu potrzebny był silny mróz, który skułby wody jeziora Ładoga na tyle, by „lodowym szlakiem" przejeżdżały ciężarówki z zaopatrzeniem. Te wielce ryzykowne transporty zaczęły się w pierwszym tygodniu grudnia. „Widziałem pewną *półtorkę* [półtoratonową ciężarówkę] – pisał Czurkin. – Jej tylne koła zapadły się w lód. Były na niej worki z mąką, suche. (...) Szoferka stercząca w górę, przednie koła stały na lodzie.

25 A. Reid, *Leningrad. Tragedia oblężonego miasta 1941–1944*, tłum. W. Tyszka, Kraków 2012, s. 67.
26 WCD, 28 października 1941 r.
27 *Ibidem*, 20 listopada 1941 r.

Mijałem może z tuzin takich ciężarówek z mąką, które przymarzły do lodu. Jako pierwsze wjechały na »drogę życia«. Nikogo przy nich nie było"[28]. Mieszkańcy Leningradu musieli jeszcze trochę poczekać na przeznaczone dla nich zapasy. W osadzie Kabona nad jeziorem Czurkin widział, jak „wzdłuż całego brzegu, ciągnąc się na wiele kilometrów, bez końca, leżało mnóstwo worków z mąką i skrzyń z żywnością przygotowanych do przewozu po lodzie do głodującego Leningradu"[29].

Na początku grudnia wielu starszych rangą dowódców Grupy Armii „Środek" uświadomiło sobie, że ich przemęczeni i przemarznięci żołnierze nie zdołają w najbliższym czasie zdobyć Moskwy. Chcieli wycofać swoje zdziesiątkowane wojska na linię możliwą do obrony aż do wiosny, ale wszelkie argumenty na rzecz takiego rozwiązania już wcześniej zostały odrzucone przez generała Haldera, kierującego się wytycznymi kwatery głównej Führera. Niektórzy zaczęli rozmyślać o roku 1812 i straszliwym odwrocie armii Napoleona. I choć mrozy skuły teraz błota, to niemiecka sytuacja zaopatrzeniowa się nie poprawiła. Temperatura spadła poniżej minus dwudziestu stopni Celsjusza, a z powodu bardzo ograniczonej widoczności samoloty Luftwaffe prawie nie startowały. Podobnie jak załogi mechaników na lotniskach, żołnierze oddziałów zmotoryzowanych rozpalały ogniska pod pojazdami w nadziei na uruchomienie w ten sposób silników. Karabiny i broń maszynowa zamarzały, gdyż Wehrmacht nie miał odpowiednich smarów do prowadzenia wojny w warunkach zimowych, a sprzęt radiowy zawodził w skrajnie niskich temperaturach.

Konie pociągowe w jednostkach artylerii i taborach, sprowadzone z krajów zachodnioeuropejskich, nie nawykły do zimna i brakło dla nich paszy. Chleb docierał zamarznięty na kamień. Żołnierze musieli rozbijać go toporami na kawałki i topić, nosząc w kieszeniach spodni, zanim mogli go zjeść. Wycieńczony *Landser* nie był w stanie okopać się w twardej jak skała ziemi, nie stopiwszy wcześniej lodu poprzez rozpalenie wielkich ognisk. Dowożono niewiele wojskowych butów, a stare rozpadały się na skutek dalekich przemarszów. Brakowało również odpowiednich rękawic. W tym okresie ofiar odmrożeń było więcej niż rannych w walkach. Niemieccy oficerowie uskarżali się, że ich żołnierze zaczęli wyglądać jak rosyjscy chłopi, gdyż kradli zimową odzież miejscowym cywilom, czasami nawet zmuszając ich groźbą użycia broni do oddawania walonek.

Kobiety, dzieci i starców wypędzano na mróz i śnieg z izb w drewnianych chatach, gdzie żołnierze Wehrmachtu zrywali podłogi w poszukiwa-

---

[28] *Ibidem*, 8 grudnia 1941 r.
[29] *Ibidem*, 8–9 grudnia 1941 r.

niu schowanych ziemniaków. Być może mniej okrutne było zabijanie ofiar na miejscu niż skazywanie ich na powolną śmierć z głodu i zimna, pozbawiwszy je wcześniej ciepłej odzieży w trakcie najsurowszej, jak się okazało, zimy od wielu lat. W najgorszych warunkach bytowali sowieccy jeńcy. Ginęli tysiącami z wyczerpania w trakcie forsownych marszów na zachód, brnąc przez śniegi, mrąc z wygłodzenia i od chorób, przede wszystkim tyfusu (duru plamistego). Niektórzy z nich, doznając nieludzkich cierpień, posuwali się do kanibalizmu. Co rano strażnicy zmuszali ich do kilkusetmetrowego biegu, bijąc ich w tym czasie. Każdy, kto upadł, był od razu zabijany. Okrucieństwo wchodziło w krew tym, którzy byli panami życia i śmierci istot ludzkich, pogardzanych i znienawidzonych.

Do 1 grudnia Moskwa znalazła się w zasięgu niemieckiej ciężkiej artylerii. Owego dnia 4. Armia feldmarszałka von Klugego rozpoczęła ostateczne uderzenie na miasto od zachodu. Lodowaty wiatr tworzył głębokie zaspy śniegu, a żołnierze szybko się męczyli, brnąc przez nie. Jednak dzięki będącej zaskoczeniem dla Sowietów kanonadzie artyleryjskiej i pewnemu wsparciu ze strony Luftwaffe niemiecki XX Korpus zdołał przebić się przez pozycje 33. Armii ku szosie z Mińska do Moskwy. Oznaczało to też zagrożenie dla tyłów sąsiedniej radzieckiej 5. Armii. Żukow zareagował błyskawicznie i rzucił do walki wszystkie rezerwy, jakie udało mu się zebrać, w tym syberyjską 32. Dywizję Strzelecką.

Wieczorem 4 grudnia Armia Czerwona odzyskała utracone pozycje. Niemiecka piechota padała z wycieńczenia i mrozu. Temperatura zeszła poniżej minus trzydziestu stopni Celsjusza. „Nie potrafię wam opisać, co to znaczy – napisał tego dnia w liście do domu pewien Gefreiter z 23. Dywizji Piechoty. – Najpierw potworne zimno, zadymka, całkiem przemoczone stopy – nasze buty nie wysychają i nie wolno nam ich zzuwać – a potem nacisk Rosjan"[30]. Kluge i Bock wiedzieli, że ofensywa się nie powiodła. Próbowali pocieszać się myślą, że Armia Czerwona także musi już gonić resztkami sił, jak często powtarzał Hitler. Bardzo się mylili. W trakcie minionych sześciu dni Żukow wraz ze Stawką szykowali kontruderzenie.

Gdy doszli do głosu tacy dowódcy jak Żukow, Rokossowski, Leluszenko czy Koniew, zaczęło się to przekładać na skuteczność działań Armii Czerwonej. Nie była to już zwapniała organizacja z czerwca, której dowódcy, przerażeni perspektywą aresztowania przez NKWD, nie ośmielali się przejawiać jakiejkolwiek inicjatywy. Rozwiązano też ociężałe związki operacyjne z tamtego okresu. Typowa radziecka armia polowa składała się w miesiącach

---

[30] Starszy szeregowy Hans-Joachim C., 6. kompania 67. Pułku Piechoty, 23. Dywizja Pancerna, 4 grudnia 1941 r., BfZ-SS.

zimowych z zaledwie czterech dywizji. Przejściowo zrezygnowano ze szczebla korpusu, aby ułatwić kierowanie wojskami.

Na tyłach sformowano jedenaście nowych armii. W niektórych z nich znalazły się bataliony narciarzy i dobrze wyszkolone dywizje syberyjskie, odpowiednio wyekwipowane na wojnę zimową; ich żołnierze mieli waciaki i białe peleryny. Nowy czołg T-34, z szerokimi gąsienicami, znacznie lepiej radził sobie na śniegu i lodzie od niemieckich wozów pancernych. I w przeciwieństwie do niemieckich smary do radzieckich pojazdów i broni były przystosowane do użycia w niskich temperaturach. Sowieckie pułki lotnicze zostały skoncentrowane na lotniskach wokół Moskwy. Wyposażone w nowe myśliwce typu Jak oraz „szturmowiki"[31] miały po raz pierwszy w tej kampanii zapewnić Sowietom panowanie w powietrzu, gdyż większość maszyn Luftwaffe na froncie wschodnim przymarzła do ziemi.

Plan Żukowa, zaakceptowany przez Stalina, zmierzał do likwidacji wysuniętych niemieckich występów w linii frontu pod obu stronach Moskwy. Główne zgrupowanie, na północny zachód od stolicy, tworzyły niemiecka 4. Armia oraz bardzo osłabione 3. i 4. Armia Pancerna. Na południe od Moskwy i nieco na wschód od Tuły znajdowała się 2. Armia Pancerna Guderiana. Jednak Guderian zwietrzył niebezpieczeństwo i przystąpił do wycofywania niektórych swoich wysuniętych jednostek.

O trzeciej w piątek 5 grudnia nowo utworzony Front Kaliniński Koniewa przemieścił się ku północnemu skrajowi głównego wybrzuszenia w linii frontu, a 29. i 31. Armia zaatakowały przez zamarzniętą Wołgę. Następnego poranka 1. Armia Uderzeniowa i 30. Armia ruszyły na zachód. Wtedy Żukow wprowadził do boju od strony południowej kolejne trzy armie, w tym wzmocnioną 16. Armię Rokossowskiego oraz 20. Armię Własowa. Zamierzał odciąć odwrót 3. i 4. Armii Pancernej. Zaraz po dokonaniu wyłomu w ugrupowaniu przeciwnika 2. Korpus Kawaleryjski Gwardii generała majora Lwa Dowatora przeszedł do natarcia, aby zasiać zamęt na niemieckich tyłach. Wytrzymałe kozackie koniki pokonywały metrowe zaspy śniegu i rychło dogoniły uciekającą niemiecką piechotę, z trudem przedzierającą się przez śnieg.

Na południowym odcinku sektora radziecka 50. Armia uderzyła z okolic Tuły na północne skrzydło 2. Armii Pancernej Guderiana, natomiast 10. Armia natarła z północnego wschodu. Pierwszy Korpus Kawaleryjski Gwardii pod dowództwem Pawła Biełowa, wspierany przez czołgi, zaatakował niemieckie tyły. Guderian działał energicznie i zdołał wyprowadzić z potrzasku większość swoich wojsk, ale nie udało mu się odtworzyć linii obrony, na co liczył, ponieważ wtedy właśnie dowództwo Frontu Południowo-Zachodniego skierowało 13. Armię i samodzielną grupę operacyjną przeciw-

---

[31] Samoloty szturmowe Ił-2 (przyp. tłum.).

ko 2. Armii na południowej flance Guderiana, który musiał oddać kolejne osiemdziesiąt kilometrów terenu. Wskutek tego wytworzyła się wielka luka pomiędzy jego wojskami a 4. Armią na lewo od nich.

Armii Czerwonej wciąż brakowało czołgów i dział, jednak po przybyciu nowych armii Sowieci niemal dorównali Niemcom w liczbie żołnierzy na froncie moskiewskim. Głównym atutem wojsk radzieckich był czynnik zaskoczenia. Niemcy zupełnie nie wzięli pod uwagę meldunków pilotów Luftwaffe o dużych formacjach przemieszczających się za nieprzyjacielskimi liniami. Ponadto nie mieli już odwodów. Wobec zaciętych zmagań na południowy wschód od Leningradu i po odwrocie Grupy Armii „Południe" nad rzekę Mius dowodzący Grupą Armii „Środek" Bock nie mógł liczyć na wsparcie ze skrzydeł. Poczucie zagrożenia udzieliło się nawet pewnemu Obergefreiterowi ze służby zaopatrzenia 31. Dywizji Piechoty. „Nie wiem, co się dzieje – pisał w liście do domu. – Po prostu ma się złe przeczucie, że ta wielka Rosja jest zbyt rozległa na nasze siły"[32].

Do 7 grudnia bitwa mająca na celu zlikwidowanie głównego wybrzuszenia w linii frontu układała się pomyślnie dla Sowietów. Wydawało się, że radziecki zamysł zamknięcia w pułapce 3. Armii Pancernej i części 4. Armii może się powieść. Ale natarcie rozwijało się za wolno, ku niezmiernej frustracji Żukowa. Atakujące armie spowalniały próby likwidacji wszystkich napotykanych punktów umocnionych wroga, bronionych przez zaimprowizowane niemieckie *Kampfgruppen*, czyli zgrupowania bojowe. Dwa dni później Żukow rozkazał podległym mu dowódcom zaprzestania frontalnych ataków i obchodzenia punktów oporu, ażeby wyjść na głębokie niemieckie zaplecze.

Ósmego grudnia jeden z niemieckich żołnierzy zanotował w swoim dzienniku: „Czy musimy się wycofać? Jeśli tak, to niech Bóg się nad nami zmiłuje"[33]. Niemcy wiedzieli już, co oznacza odwrót przez otwarte zaśnieżone pola. O odwrocie na całym froncie świadczyły płonące wsie, podpalane przez wojska niemieckie usiłujące wycofywać się przez głębokie śniegi. Zostawiali po sobie wraki pojazdów, porzuconych z powodu braku paliwa, truchło koni, które padły z wyczerpania, a nawet rannych zagrzebanych w śniegu. Wygłodniali niemieccy żołnierze odcinali kawały zamarzniętego mięsa z końskich zadów.

Syberyjskie bataliony narciarzy wyłaniały się z mroźnej mgły i nękały Niemców atakami. Sowieci z ponurą satysfakcją zwracali uwagę na zupełnie nieodpowiednie wyekwipowanie nieprzyjacielskich żołnierzy, którzy grzali ręce w mufkach i owijali się pledami, zrabowanymi we wsiach albo zdartymi z pleców staruszek. „Mrozy były wyjątkowo siarczyste – pisał Ilja

---

[32] Starszy szeregowy (Obergefreiter) Herbert B., 6 grudnia 1941 r., BfZ-SS.
[33] Starszy karabinier (Oberschütze) Helmut G., 8 grudnia 1941 r., BfZ-SS.

Erenburg – ale czerwonoarmiści-Sybiracy gderali: »Gdyby nadszedł prawdziwy mróz, to pozabijałby ich [Niemców] od razu«"[34].

Brali okrutny odwet, dowiedziawszy się, jak Niemcy traktowali radzieckich jeńców i cywilów. Zupełnie nie niepokojeni przez Luftwaffe sowieccy piloci myśliwscy i lotnicy z pułków szturmowych ostrzeliwali długie kolumny rejterujących wojsk, wyraźnie widocznych na tle śniegu. Zagony jazdy z gwardyjskich korpusów kawalerii Biełowa i Dowatora zapuszczały się daleko na niemieckie tyły, atakując szablami magazyny i baterie artylerii. Partyzanci napadali na linie zaopatrzeniowe, czasami współdziałając z kawalerią. Żukow natomiast zdecydował się na przeprowadzenie przez 4. Korpus Powietrznodesantowy zrzutu spadochronowego na niemieckim zapleczu linii frontu. Sowieccy żołnierze nie odczuwali litości dla przemarzniętych i zawszonych niemieckich piechurów.

W szpitalach polowych Wehrmachtu dokonywano coraz więcej amputacji kończyn, gdyż nieleczone odmrożenia prowadziły do powstania zgorzeli. W temperaturze poniżej minus trzydziestu stopni Celsjusza krew natychmiast zamarzała w ranach, a wielu żołnierzy cierpiało na dolegliwości jelitowe na skutek sypiania na skutej lodem ziemi. Niemal każdemu dokuczała biegunka, szczególnie uciążliwa w tak trudnych warunkach bytowych. Ci, którzy nie byli w stanie samodzielnie iść, nie mogli liczyć na ocalenie. „Wielu rannych strzela do siebie", zapisał jeden z żołnierzy w diariuszu[35].

Zamarznięta broń często odmawiała posłuszeństwa. Czołgi należało porzucać z powodu braku paliwa. Narastał lęk przed okrążeniem przez wroga. Coraz liczniejsi niemieccy oficerowie i żołnierze pożałowali nieludzkiego traktowania radzieckich jeńców wojennych. A jednak, mimo nieustannych myśli o 1812 roku i poczucia, że na Wehrmacht spadła klątwa, która niegdyś zniszczyła Wielką Armię Napoleona, odwrót nie przeobraził się w paniczną ucieczkę. Wojska niemieckie, zwłaszcza w obliczu katastrofy, często zaskakiwały przeciwników walecznością. Zaimprowizowane *Kampfgruppen*, organizowane z użyciem przymusu przez żandarmerię polową, wyłapującą w czasie odwrotu maruderów, i dowodzone przez stanowczych oficerów i podoficerów, stawiały twardy opór; tworzono je ze zbieraniny pododdziałów piechoty i saperów, wzmacniając armatami przeciwlotniczymi i nielicznymi działami samobieżnymi. Szesnastego grudnia jedna z takich grup, która przebiła się z okrążenia, dotarła ostatecznie do niemieckich linii. „Mnóstwo ludzi przechodzi załamanie nerwowe – zapisał jeden z żołnierzy tej grupy. – Nasz oficer płacze"[36].

---

[34] I. Erenburg, *Ludzie, lata, życie*, cz. 5, *op. cit.*, s. 39.
[35] Starszy karabinier Helmut G., 8 grudnia 1941 r., BfZ-SS.
[36] *Ibidem*.

Hitler początkowo nie chciał uwierzyć w radziecką kontrofensywę, wmówiwszy sobie, że raporty o nowych sowieckich armiach to blef. Nie mógł pojąć, skąd się wzięły. Upokorzony przez ten całkiem nieoczekiwany zwrot w losach wojny po wszystkich niedawnych zwycięstwach nad słowiańskimi *Untermenschen* („podludźmi"), czuł się rozwścieczony i skonsternowany. Instynktownie odwoływał się do swej wiary w to, że ostatecznie „wola" zatriumfuje. To, że jego żołnierzom brakowało odpowiedniej odzieży, amunicji, racji żywnościowych i paliwa do wozów opancerzonych, było dlań niemalże nieistotne. Owładnięty obsesyjnymi myślami o odwrocie Napoleona w 1812 roku postanowił nie dopuścić, by historia się powtórzyła. Rozkazał swoim wojskom wytrwać na miejscu, choć ci nie byli nawet w stanie okopać się w przemarzniętej na kamień ziemi.

Wobec skupienia całej uwagi na Moskwie i wielkich zmaganiach na zachód od radzieckiej stolicy nowiny o japońskim ataku na Pearl Harbor nie wywarły zrazu większego wrażenia. Jednakże żywo zareagowano na nie w Kujbyszewie, gdzie przebywali zagraniczni korespondenci (nadal surowo instruowani przez sowieckich cenzorów, by opatrywali swoje artykuły czasem moskiewskim). Ilja Erenburg obserwował z rozbawieniem, jak „Amerykanie w Grand Hotelu pobili się z japońskimi dziennikarzami"[37]. Gdzie indziej Amerykanie i Japończycy starli się w śmiertelnej walce.

---

[37] I. Erenburg, *Ludzie, lata, życie*, cz. 5, *op. cit.*, s. 20.

ROZDZIAŁ 16

Pearl Harbor

wrzesień 1941–kwiecień 1942

Szóstego grudnia 1941 roku, tuż po rozpoczęciu radzieckiego kontrude-rzenia pod Moskwą, kryptolodzy US Navy rozszyfrowali treść depeszy wysłanej z Tokio japońskiemu ambasadorowi w Waszyngtonie. Choć bra-kowało w niej ostatniego fragmentu, to jasne było jej doniosłe znaczenie. „To oznacza wojnę", powiedział Roosevelt Harry'emu Hopkinsowi, który był akurat w Gabinecie Owalnym w Białym Domu, gdy dostarczono prze-chwycony telegram[1]. Prezydent Stanów Zjednoczonych dopiero co skiero-wał do cesarza Hirohito osobiste przesłanie, w którym apelował, aby Japo-nia nie podejmowała konfliktu zbrojnego.

W Departamencie Wojny szef służby wywiadowczej przekazał przejęte depesze generałowi brygady Leonardowi Gerowowi z Departamentu Pla-nowania (War Plans Division), nakazując mu ostrzec amerykańskie bazy na Pacyfiku. Ale Gerow postanowił tego nie robić. „Sądzę, że już wielokrotnie powiadamiano ich o tym", miał podobno stwierdzić[2]. Rzeczywiście, 27 lis-topada poinformowano dowództwa amerykańskiej floty i wojsk lądowych USA na Pacyfiku, że zbliża się wojna. Przypuszczenia te opierano także na treści rozszyfrowanych z wykorzystaniem MAGIC[3] japońskich depesz dy-plomatycznych.

Co dziwne (a może właśnie znamienne), żadne ostrzeżenia nie nadeszły z Kremla pomimo szczerego pragnienia Roosevelta, by pomagać Związkowi

---

[1] R.E. Sherwood, *The White House Papers of Harry L. Hopkins*, t. 1, New York 1948, s. 430.
[2] D.K.R. Crosswell, *Beetle. The Life of General Walter Bedell Smith*, Lexington 2010, s. 227–228.
[3] Kryptonim amerykańskiego urządzenia dekodującego (przyp. tłum.).

Radzieckiemu. Można tylko snuć domysły, jakimi motywami kierował się Stalin, w każdym razie nie przekazał on Amerykanom zdobytych przez Richarda Sorgego jeszcze przed bitwą pod Moskwą tajnych informacji, zgodnie z którymi Japończycy zaplanowali przeprowadzenie z zaskoczenia ataku na amerykańskie siły zbrojne na Pacyfiku. Do najbardziej uderzających zbiegów okoliczności z okresu drugiej wojny światowej należało to, że właśnie 6 grudnia 1941 roku, czyli w przeddzień japońskiego nalotu, prezydent Roosevelt zadecydował o wydaniu zgody na podjęcie prac badawczych nad bronią atomową[4].

W pierwszym tygodniu września japońscy militaryści zmusili cesarza Hirohito do zaakceptowania ich wojennych planów. Wcześniej cesarz zdobył się na słaby protest, odczytując im ułożony przez swojego dziadka poemat na cześć pokoju. Jednakże stanowisko prezentowane przez Hirohito, naczelnika japońskich sił zbrojnych, było w istocie skrajnie ambiwalentne. Wprawdzie przeciwstawiał się wojnie, lecz nie z pobudek moralnych, a po prostu dlatego, że lękiem napawała go ewentualność klęski. Skrajni militaryści, głównie oficerowie niższych i średnich szarż, uważali, że ich kraj ma do spełnienia boską misję stworzenia imperium pod eufemistyczną nazwą Strefa Wspólnego Dobrobytu Wielkiej Azji Wschodniej (*Dai-tōa-kyōeiken*), czy też, przed czym przestrzegał już w 1934 roku dalekowzroczny ambasador amerykański – *pax iaponica*. W listopadzie 1941 roku tenże dyplomata obawiał się, że japońskie kręgi wojskowe wiodą swój kraj ku „narodowemu harakiri"[5].

Ów japoński pęd ku rozbudowie imperium zaowocował kolidującymi z sobą priorytetami: wojną w Chinach, lękiem przed Związkiem Radzieckim i nienawiścią do Sowietów na północy, wreszcie chęcią wykorzystania okazji do opanowania francuskich, holenderskich i brytyjskich kolonii na południu. Minister spraw zagranicznych Yōsuke Matsuoka doprowadził do zawarcia japońsko-radzieckiego paktu o neutralności w kwietniu 1941 roku, na krótko przed atakiem Hitlera na ZSRR. Kiedy niemieckie armie szybko posuwały się na wschód, Matsuoka dokonał wolty i zaczął się opowiadać za uderzeniem na północ, na sowieckie azjatyckie zaplecze. Wyżsi oficerowie Cesarskiej Armii Japońskiej przeciwstawili się jednak temu planowi. Pamiętali klęskę, jaką Żukow zadał im w sierpniu 1939 roku, i większość z nich wolała najpierw zakończyć wojnę w Chinach.

Zajęcie Indochin Francuskich w 1940 roku miało na celu przede wszystkim przerwanie dostaw dla wojsk chińskich nacjonalistów Chiang

---

[4] I. Kershaw, *Punkty zwrotne. Decyzje, które zmieniły bieg drugiej wojny światowej*, tłum. M. Romanek, Kraków 2009, s. 28.
[5] J.C. Grew, *Ten Years in Japan*, New York 1944, s. 468.

Kai-sheka, niemniej okazało się decydującym krokiem w stronę przyjęcia strategii „uderzenia na południe", forsowanej głównie przez Cesarską Marynarkę Wojenną. Indochiny były idealną bazą wypadową do inwazji na zasobne w złoża ropy naftowej Holenderskie Indie Wschodnie. Po nałożeniu na Japonię embarga przez Amerykanów i Brytyjczyków, w rewanżu za japońską okupację Indochin, dowódcę cesarskiej floty admirała Isoroku Yamamotę uprzedzono, że zapasy paliwa dla jego okrętów wyczerpią się przed upływem roku. Japońscy militaryści uważali, że muszą podjąć działania zaczepne, aby zdobyć to, co potrzebne ich krajowi. Odstąpienie oznaczałoby dla nich nieznośną hańbę.

Minister wojny generał Hideki Tōjō pojmował, że rzucenie rękawicy potędze przemysłowej Stanów Zjednoczonych to nadzwyczaj ryzykowne posunięcie. Yamamoto, który także obawiał się konsekwencji przedłużającej się wojny z USA, uznał, że jedyna szansa tkwi w przeprowadzeniu zmasowanego wyprzedzającego uderzenia. „W ciągu pierwszych sześciu do dwunastu miesięcy wojny ze Stanami Zjednoczonymi i Wielką Brytanią będę miał swobodę poczynań i odnosił zwycięstwo za zwycięstwem – przewidywał z zadziwiającą trafnością. – Potem (...) nie spodziewam się już sukcesów"[6].

Kierownictwo japońskich kręgów wojskowych pozornie akceptowało wolę cesarza, a także premiera księcia Fumimara Konoe, by dążyć do dyplomatycznego rozwiązania konfliktu ze Stanami Zjednoczonymi, ale faktycznie wcale nie miało zamiaru godzić się na układ związany z poważniejszymi ustępstwami. Cesarska armia stanowczo przeciwstawiała się wszelkiemu oddawaniu terenów zajętych w Chinach. Chociaż w wielu przypadkach japońscy dowódcy mieli fatalistyczny pogląd na swoje perspektywy zwycięstwa, zwłaszcza wobec przeciągania się działań wojennych, to woleli zagładę własnego kraju niż utratę twarzy.

Roosevelt już wcześniej żywił przekonanie, że najlepszą polityką jest prezentowanie twardego stanowiska, mimo iż w tym okresie nie chciał przystępować do wojny. Zarówno generał George Marshall, jak i admirał Harold R. Stark – szefowie sztabów wojsk lądowych i marynarki wojennej – ostrzegali go wyraźnie, że Stany Zjednoczone nie są jeszcze odpowiednio przygotowane do walki. Jednak sekretarz stanu Cordell Hull w trakcie negocjacji z japońskim posłem dowiedział się 25 listopada o wielkim konwoju okrętów wojennych i transportowców z wojskiem płynącym po Morzu Południowochińskim, a wieść ta wprawiła go we wzburzenie. Zareagował na to serią żądań, które w Tokio uznano za równoznaczne z ultimatum.

We wspomnianym „dziesięciopunktowym" dokumencie Hulla zażądano od Japończyków wycofania się z Indochin i Chin oraz wypowiedzenia

---

[6] A. Zich, *The Rising Sun*, Alexandria, VA 1977, s. 19.

Paktu Trzech, do którego należały Niemcy. Amerykanów zachęcali to takiej ostrej reakcji chińscy nacjonaliści oraz Brytyjczycy. Na tym etapie już tylko całkowite i natychmiastowe ustępstwo ze strony Stanów Zjednoczonych i Wielkiej Brytanii mogło zapobiec zbrojnemu konfliktowi. Z drugiej strony jawne oznaki słabości Zachodu prawdopodobnie sprowokowałyby Japończyków do jeszcze agresywniejszych poczynań.

Nieprzejednana postawa Hulla przekonała japońskich dowódców, że czynione przez nich przygotowania wojenne okazały się uzasadnione. Zwlekanie mogło tylko osłabić ich pozycję, a odroczenie działań zaczepnych sprawiłoby, że Japonia, jak to ujął Tōjō na mającej przełomowe znaczenie naradzie 5 listopada, "stanie się trzeciorzędnym krajem"[7]. Tak czy owak flota lotniskowców pod dowództwem Yamamoty wypłynęła z Wysp Kurylskich na południowym Pacyfiku, a jej celem było Pearl Harbor. "Godzinę zero" ustalono już na ósmą rano 8 grudnia (czasu tokijskiego).

Japoński plan przewidywał opanowanie zachodniej części Oceanu Spokojnego oraz Morza Południowochińskiego. Pięć armii miało zająć pięć wyznaczonych głównych celów. Dwudziesta piąta Armia miała zaatakować Półwysep Malajski i zdobyć brytyjską bazę morską w Singapurze. Dwudziesta trzecia Armia w południowych Chinach dostała rozkaz opanowania Hongkongu. Czternasta Armia miała wylądować na Filipinach, gdzie znajdowała się kwatera główna generała Douglasa MacArthura, amerykańskiego dowódcy i prokonsula. Piętnasta Armia winna uderzyć na Syjam i południową Birmę, natomiast 16. Armia opanować Holenderskie Indie Wschodnie (dzisiejszą Indonezję) wraz ich polami naftowymi, jakże ważnymi dla japońskiej machiny wojennej. Wbrew poważnym wątpliwościom wyrażanym przez innych dowódców japońskiej floty cesarskiej admirał Yamamoto twierdził, że niektóre z tych operacji, zwłaszcza atak na Filipiny, mogą być związane ze znacznym ryzykiem, o ile wcześniej jego zgrupowanie lotniskowców nie zniszczy głównych sił US Navy.

Piloci lotnictwa pokładowego floty Yamamoty już od kilku miesięcy ćwiczyli się pilnie w przeprowadzaniu ataków torpedowych i nalotów bombowych. Danych na temat ich celów dostarczał japoński konsul generalny w Honolulu, który obserwował ruchy amerykańskich okrętów wojennych. Ustalił on, że zawsze wracają na weekend do tamtejszej zatoki. Wyprzedzające uderzenie planowano więc przeprowadzić tuż po świcie w poniedziałek 8 grudnia, czyli 7 grudnia czasu waszyngtońskiego. O brzasku 26 listopada zespół japońskich lotniskowców, z okrętem flagowym "Akagi" na czele,

---

[7] *Japan's Decision for War. Records of the 1941 Policy Conferences*, red. I. Nobutaka, Stanford 1967, s. 208–239, cyt. za: I. Kershaw, *Punkty zwrotne, op. cit.*, s. 508.

wypłynął z Wysp Kurylskich i zachowując całkowitą ciszę radiową, skierował się ku północnemu Pacyfikowi.

Na Hawajach admirał Husband E. Kimmel, głównodowodzący amerykańskiej Floty Pacyfiku, już od pewnego czasu zdradzał głębokie zaniepokojenie tym, że jego wywiad nie potrafi ustalić miejsca pobytu lotniskowców japońskiej 1. i 2. Floty. „Czy chcecie powiedzieć – odparł 2 grudnia, kiedy mu doniesiono, iż nie wiadomo, gdzie okręty te się znajdują – że mogą opłynąć Diamond Head [w pobliżu wejścia do portu w Pearl Harbor], a wy nie będziecie o tym wiedzieli?"[8] A jednak nawet Kimmel nie potrafił sobie wyobrazić niespodziewanego ataku na Hawaje leżące pośrodku Pacyfiku. Tak jak sztabowcy amerykańskiej floty i wojsk lądowych w Waszyngtonie uważał, że japońskie uderzenie nastąpi gdzieś w rejonie Morza Południowochińskiego, na Malajach, w Syjamie bądź na Filipinach. Wobec tego w Pearl Harbor nie ogłoszono pogotowia wojennego, oficerowie paradowali w białych mundurach tropikalnych, a marynarze wypatrywali weekendu, aby móc raczyć się piwem i wylegiwać na plaży Waikiki z miejscowymi dziewczętami. Na wielu okrętach pozostawiono na te dni tylko minimalne załogi.

W niedzielę 8 grudnia o 6.05 na pokładzie startowym lotniskowca „Akagi" zapaliło się zielone światło. Piloci w samolotach poprawili na głowach *hachimaki* – białe przepaski z czerwonym symbolem wschodzącego słońca na czole, które oznaczały, że gotowi są zginąć za cesarza. Obsługa wznosiła radosne okrzyki *„Banzai!"* po starcie każdego kolejnego samolotu. Pomimo dość wzburzonego morza z sześciu lotniskowców japońskich sił uderzeniowych wystartowała pierwsza fala 183 maszyn, w tym myśliwce Zero, bombowce Nakajima, samoloty torpedowe i bombowce nurkujące Aichi. Wyspa Oahu oddalona była o trzysta siedemdziesiąt kilometrów na południe.

Samoloty te zatoczyły krąg nad flotyllą lotniskowców, a następnie utworzyły w powietrzu szyk i wyruszyły nad cel. Ponieważ w trakcie lotu ponad chmurami o świcie trudno było korygować dryf bez schodzenia z wyznaczonej trasy, dowódca zgrupowania bombowców komandor porucznik lotnictwa Mitsuo Fuchida kierował się sygnałami amerykańskiej radiostacji w Honolulu, która nadawała akurat muzykę taneczną. Następnie uruchomił swój radionamiernik. Skorygował kurs o pięć stopni. Muzyka ucichła i nadano prognozę pogody. Fuchida z ulgą usłyszał, że pogoda nad wyspą się poprawia, a przez chmury zaczyna przebijać słońce.

Półtorej godziny po starcie japońscy piloci dostrzegli północny skraj wyspy. Załoga samolotu rozpoznawczego, który doleciał tam pierwszy, za-

---

[8]   A. Zich, *The Rising Sun, op. cit.*, s. 51.

meldowała, że Amerykanie najwyraźniej nie są świadomi obecności japońskiego lotnictwa. Fuchida wystrzelił z kabiny racę „czarnego smoka", aby zasygnalizować, że nadal można przeprowadzić atak z zaskoczenia. Potem z maszyny zwiadowczej zameldowano o zauważeniu dziesięciu pancerników, ciężkiego krążownika i dziesięciu lekkich krążowników. Gdy Pearl Harbor znalazło się w zasięgu wzroku, Fuchida przypatrzył się kotwicowisku przez lornetkę. O 7.49 wydał rozkaz do ataku, by następnie przesłać japońskiej flotylli lotniskowców sygnał *„Tora, tora, tora!"* („Tygrys, tygrys, tygrys!"). Hasło to oznaczało, że udało się całkowicie zaskoczyć przeciwnika.

Dwie grupy bombowców nurkujących złożone z pięćdziesięciu trzech samolotów skręciły gwałtownie, żeby przeprowadzić nalot na trzy pobliskie lotniska. Samoloty torpedowe zeszły od razu na niski pułap do ataku na siedem okrętów liniowych w tak zwanej alei pancerników. Radio Honolulu nadal nadawało muzykę. Fuchida widział już fontanny wody po wybuchach w pobliżu pancerników. Rozkazał swojemu pilotowi położyć maszynę na skrzydło w celu zasygnalizowania dziesięciu eskadrom, by przeprowadziły kolejno nalot bombowy na stojące okręty. „Zachwycająca formacja", zauważył[9]. Ale gdy japońskie maszyny podchodziły nad cele, amerykańskie działa przeciwlotnicze otworzyły ogień. Pociski rozrywały się wokół, tworząc ciemnoszare chmurki, a ich podmuchy wstrząsały samolotami. Pierwsze torpedy trafiły pancernik USS „Oklahoma", który powoli wywrócił się dnem do góry. Zginęło na nim ponad czterystu ludzi, nie zdoławszy wydostać się z kadłuba okrętu.

Fuchida był wstrząśnięty szybkością amerykańskiej reakcji, kiedy jego samolot kierował się ku USS „Nevada", atakując okręt z trzech tysięcy metrów. Teraz pożałował decyzji atakowania w linii. Maszyną rzuciło pod wpływem potężnej eksplozji na USS „Arizona"; na pokładzie tego okrętu zginęło ponad tysiąc marynarzy. Czarny dym z płonącej ropy był tak gęsty, że wiele załóg niecelnie zrzuciło pierwsze bomby i musiało zawrócić do następnego podejścia.

Część zgrupowania myśliwców i bombowców nurkujących Fuchidy odeszła do ataku na bazy Korpusu Powietrznego Armii Stanów Zjednoczonych (USAAC) w Wheeler Field i Hickham Field oraz na bazę lotnictwa morskiego na Fort Island. Obsługa naziemna i piloci jedli właśnie śniadanie, kiedy nastąpiło uderzenie. Pierwszym człowiekiem, który podjął walkę w Wheeler Field, był kapelan wojskowy, szykujący akurat ołtarz do mszy pod gołym niebem. Schwycił stojący w pobliżu karabin maszynowy, wsparł

---

[9] M. Fuchida, *Pearl Harbor. The View from the Japanese Cockpit*, w: *Bombs Away! True Stories of Strategic Airpower from World War I to the Present*, red. S.M. Ulanoff, New York 1971, cyt. za: J.E. Lewis, *Eyewitness World War II*, Philadelphia 2008, s. 260–261.

go na ołtarzu i zaczął ostrzeliwać nurkujące maszyny wroga. Jednak na obu lotniskach amerykańskie samoloty stojące w równych rzędach stanowiły łatwy cel dla japońskich pilotów.

Niemal równo godzinę od chwili gdy załoga pierwszego samolotu wypatrzyła cele ataku, nadleciała następna fala japońskich maszyn, lecz ich zadanie było znacznie trudniejsze wobec gęstego dymu i silnego ognia, jakim je powitano. Do nadlatujących bombowców strzelano nawet ze studwudziestosiedmiomilimetrowych dział artylerii okrętowej. Podobno niektóre pociski spadły na Honolulu, zabijając cywilów.

Nagle na niebie zrobiło się pusto. Japońscy piloci zawrócili na północ, by dogonić swoje lotniskowce, które już odpływały pełną parą do bazy. Poza pancernikami „Arizona" i „Oklahoma" amerykańska flota straciła w Pearl Harbor dwa niszczyciele. Trzy inne okręty liniowe osiadły na dnie lub na mieliźnie, jednak później zostały ściągnięte i wyremontowane, a jeszcze trzy doznały uszkodzeń. USAAC i lotnictwo marynarki wojennej USA straciły sto osiemdziesiąt osiem zniszczonych i sto pięćdziesiąt dziewięć uszkodzonych samolotów. Łącznie zginęło 2335 amerykańskich marynarzy, żołnierzy i lotników, a 1143 odniosło rany. Udało się zestrzelić zaledwie dwadzieścia dziewięć japońskich samolotów, lecz cesarska flota utraciła również duży okręt podwodny i pięć miniaturowych okrętów podwodnych, które miały przeprowadzić działania dywersyjne.

Pomimo szoku wywołanego nalotem wielu amerykańskich marynarzy i robotników z hawajskich stoczni bez wahania skakało do wody na ratunek rozbitkom z trafionych bombami i torpedami okrętów. Większość wyłowionych z basenu portowego lepiła się od ropy naftowej i trzeba było przecierać im skórę pakułami. Niewielkie grupy ludzi z palnikami acetylenowo-tlenowymi przystąpiły do rozcinania grodzi na okrętach, a nawet poszycia kadłubów, aby przyjść na pomoc uwięzionym na wrakach towarzyszom broni. Wszędzie wokół widać było uszkodzone jednostki spowite kłębami czarnego dymu, powyginane i poskręcane dźwigi portowe, podziurawione zabudowania nabrzeżne. Ostatnie pożary ugaszono dopiero po dwóch tygodniach. Rozwścieczeni Amerykanie przystąpili do energicznego przywracania potęgi swojej Floty Pacyfiku. Pocieszała ich przynajmniej jedna ważna sprawa. W zaatakowanym porcie nie było żadnego z lotniskowców. A tylko te okręty miały się okazać skuteczną siłą uderzeniową w wojnie morskiej, która na zawsze zmieniła swoje oblicze.

Pearl Harbor bynajmniej nie było jedynym celem napaści. Bombowce Cesarskiej Floty Powietrznej czekały na sygnał do startu z Formozy (Tajwanu), by uderzyć na amerykańskie lotniska na Filipinach, jednakże gęsta mgła zatrzymała je na ziemi.

Generała MacArthura obudzono w jego apartamencie w jednym z hoteli w Manili, informując go o nalocie na Pearl Harbor. Bezzwłocznie zwołał naradę sztabu w swojej kwaterze głównej. Generał major Lewis H. Brereton, szef amerykańskich Dalekowschodnich Sił Powietrznych, poprosił o zezwolenie na użycie „Latających Fortec" B-17 do zbombardowania lotnisk na Formozie. Ale MacArthur się wahał. Poinformowano go wcześniej, że japońskie bombowce stacjonujące na tej wyspie nie mają zasięgu dostatecznego do ataku na Filipiny. Brereton nie był o tym przekonany. Rozkazał załogom swoich B-17 wystartować i zapewnił im osłonę myśliwską, aby nie zostały zaskoczone na ziemi. Ostatecznie MacArthur zgodził się na przeprowadzenie zwiadu lotniczego nad Formozą, po którym następnego dnia miał nastąpić nalot bombowy. W tej sytuacji Brereton nakazał bombowcom powrót do Clark Field, na lotnisko oddalone około dziewięćdziesięciu kilometrów od Manili, w celu uzupełnienia paliwa, a myśliwce miały wylądować w swojej bazie koło Iba, nieco dalej na północny zachód[10].

O 12.20 czasu lokalnego, kiedy amerykańskie załogi jadły południowy posiłek, nadleciały japońskie samoloty. Japończycy niemal nie mogli uwierzyć swemu szczęściu, widząc stojące w rzędach maszyny nieprzyjaciela. Ogółem zniszczeniu uległo osiemnaście bombowców B-17 i pięćdziesiąt trzy myśliwce Curtiss P-40 Warhawk. Owego pierwszego dnia walk amerykańskie Dalekowschodnie Siły Powietrzne straciły połowę swoich maszyn. Nie ostrzeżono ich przed nalotem, gdyż radary dopiero miały zostać zainstalowane w pobliżu baz. Inne japońskie bombowce zaatakowały filipińską stolicę Manilę. Filipińczycy zupełnie nie wiedzieli, co robić. Pewien żołnierz amerykańskiej piechoty morskiej widział „kobiety zbite w gromadki pod akacjami w parku. Kilka z nich dla dodatkowej osłony rozłożyło parasolki"[11].

Ponadto 8 grudnia japońskie lotnictwo zaatakowało atol Wake, leżący w połowie drogi między Hawajami a Marianami, ale tam Amerykanie byli gotowi do walki. Major James Devereux, dowódca 1. batalionu 427. Pułku Piechoty Morskiej, rozkazał swojemu trębaczowi dać sygnał do alarmu, kiedy tylko sam usłyszał o ataku na Pearl Harbor. Czterech pilotów lotnictwa piechoty morskiej za sterami samolotów typu Grumman Wildcat zdołało zestrzelić sześć japońskich myśliwców Zero po tym, jak osiem innych wildcatów uległo zniszczeniu lub uszkodzeniu na ziemi. Jedenastego grudnia japońskie okręty pojawiły się u brzegów Wake, aby wysadzić desant, ale stutrzydziestomilimetrowe działa amerykańskich *marines* zatopiły dwa niszczyciele i uszkodziły lekki krążownik „Yūbari". Japończycy wycofali się, nie podejmując nawet próby desantowania.

---

[10] *Philippine Islands*, USACMH, Washington, DC 1992, s. 4–9.
[11] Carlos P. Romula, USMC, cyt. za: J.E. Lewis, *Eyewitness World War II, op. cit.*, s. 268.

Choć żołnierze amerykańskiej piechoty morskiej na Wake radowali się z powodu tego niezwykłego sukcesu, to jednak wiedzieli, że Japończycy powrócą większymi siłami. Dwudziestego trzeciego grudnia nadciągnęło dużo potężniejsze zgrupowanie uderzeniowe, tym razem wsparte dwoma lotniskowcami i sześcioma niszczycielami. *Marines* walczyli dzielnie mimo pięciokrotnej przewagi przeciwnika, wspomaganego przez bardzo silny ostrzał artylerii okrętowej i ataki z powietrza. Amerykanie zadali nieprzyjacielowi dotkliwe straty, ale ostatecznie musieli skapitulować, by nie narażać cywilnej ludności atolu.

Dziesiątego grudnia 5400 żołnierzy japońskiej piechoty morskiej wylądowało na Guam na Marianach, około dwóch i pół tysiąca kilometrów na wschód od Manili. Niewielki i słabo uzbrojony tamtejszy garnizon amerykańskich *marines* nie miał najmniejszych szans.

Brytyjczycy w Hongkongu i na Malajach spodziewali się japońskiej inwazji już od końca listopada. Malaje, z ich kopalniami cyny i wielkimi plantacjami kauczuku, były dla Japończyków łakomym kąskiem. Ich gubernator Shenton Thomas określił ten kraj mianem „dolarowego arsenału imperium [brytyjskiego]"[12]. W związku z tym zdobycie Malajów było dla Japonii niemal równie ważne jak zawładnięcie polami naftowymi Holenderskich Indii Wschodnich. Wprawdzie 1 grudnia ogłoszono w Singapurze stan wyjątkowy, ale tamtejsi Brytyjczycy byli nadal rozpaczliwie nieprzygotowani do walki. Władze kolonialne żywiły obawy, że zbyt radykalne posunięcia mogą doprowadzić do rozruchów z udziałem miejscowej ludności.

Takie zatrważające samozadowolenie, prezentowane przez Brytyjczyków w dalekowschodnich koloniach, pociągnęło za sobą stan oderwania od rzeczywistości, wynikający głównie z arogancji. Zdecydowanie lekceważono siły agresora, uważając między innymi, że japońscy żołnierze cierpią na krótkowzroczność i w znacznym stopniu ustępują walecznością wojskom państw zachodnich. W rzeczywistości ci pierwsi okazali się o wiele twardsi, a w dodatku wpojono im wiarę, że nie ma większej chwały od oddania życia za ich cesarza. Japońscy dowódcy, przepojeni poczuciem rasowej wyższości i przeświadczeni o prawie Japonii do władania dalekowschodnią Azją, nie głowili się nad pewną zasadniczą sprzecznością – oto wojna, którą prowadzili, miała wyzwolić ten region spod tyranii Zachodu.

Royal Navy posiadała wielką i nowoczesną bazę morską na północno-wschodnim skraju wyspy Singapur. Potężne baterie dział nadbrzeżnych osłaniały podejścia do niej, zdolne do rozbicia wszelkiego ataku od strony

---

[12] Cyt. za: P. Thompson, *The Battle for Singapore. The True Story of the Greatest Catastrophe of World War II*, London 2005, s. 16.

morza, ale cały ten wspaniały kompleks militarny, który pochłonął znaczną część budżetu brytyjskiej marynarki wojennej, stał niemal pusty. Pierwotny plan przewidywał, że w razie wybuchu wojny można będzie wysłać tam flotę z Wielkiej Brytanii, jednak z powodu zaangażowania sił Royal Navy na Atlantyku i Morzu Śródziemnym oraz wobec konieczności osłaniania konwojów płynących do Murmańska z dostawami dla Rosjan Brytyjczycy nie mieli silnego zgrupowania morskiego na Dalekim Wschodzie. Złożone przez Churchilla obietnice pomocy Związkowi Radzieckiemu wiązały się też z tym, że brytyjskiemu dowództwu dalekowschodniemu brakowało nowoczesnych samolotów i czołgów, a także różnorakiego innego sprzętu wojskowego. Jedyne dostępne myśliwce – typu Brewster Buffalo, znane jako „latające beczki z piwem" ze względu na ich pękate kadłuby i nie najlepszą sterowność – nie miały szans w walce z japońskimi samolotami typu Zero.

Dowódcą brytyjskiego garnizonu malajskiego był generał porucznik Arthur Percival, bardzo wysoki, szczupły mężczyzna z wojskowym wąsikiem, który nie maskował wystających zębów i za małego podbródka. Mimo że Percival, być może niezasłużenie, zyskał reputację człowieka bezwzględnego, surowo obchodząc się z należącymi do IRA więźniami w czasie rozruchów w Irlandii, cechowały go upór i bojaźliwość w kontaktach z podkomendnymi. Generał porucznik Lewis Heath, dowódca hinduskiego III Korpusu, nie darzył Percivala respektem i czuł się głęboko urażony, że wyznaczono mu takiego zwierzchnika na Malajach. Także relacje między różnymi dowódcami wojsk lądowych i RAF-u oraz stosunki tychże z porywczym i paranoicznym dowódcą sił australijskich generałem majorem Henrym Gordonem Bennettem bynajmniej nie były serdeczne. Teoretycznie Percival miał pod swoją komendą prawie dziewięćdziesiąt tysięcy żołnierzy, lecz tylko niespełna sześćdziesiąt tysięcy z nich znajdowało się w oddziałach frontowych. Właściwie nie mieli doświadczenia w prowadzeniu walk w dżungli, a bataliony złożone z Hindusów i miejscowych ochotników były zupełnie niewyszkolone. O bardzo złym stanie brytyjskich sił obronnych dobrze wiedziano w Tokio. Trzytysięczna społeczność Japończyków na Malajach przekazywała szczegółowe informacje wywiadowcze za pośrednictwem japońskiego konsulatu generalnego w Singapurze.

Drugiego grudnia eskadra okrętów Royal Navy pod dowództwem filigranowego admirała Thomasa Phillipsa dopłynęła do Singapuru. Składała się z nowoczesnego pancernika HMS „Prince of Wales", starego krążownika liniowego „Repulse" i czterech niszczycieli. Niestety brakowało jej osłony myśliwskiej, ponieważ lotniskowiec HMS „Indomitable" z czterdziestoma pięcioma hurricane'ami na pokładzie pozostawiono w kraju w celu przeprowadzenia napraw. Ale to najwyraźniej nie niepokoiło Brytyjczyków w Singapurze. Nie sądzili, że Japończycy poważą się na atak na Malaje, bronione teraz przez tak potężne okręty. Tymczasem generał Percival nie chciał przystąpić do tworzenia umocnionych linii obronnych, argumentując, że osłabiłoby to ducha bojowego jego żołnierzy.

W sobotę 6 grudnia załoga bombowca należącego do Królewskich Australijskich Sił Powietrznych z bazy w Kota Bharu na odległym północno-wschodnim skraju Malajów dostrzegła japońskie transportowce eskortowane przez okręty wojenne. Wypłynęły one z wyspy Hajnan leżącej w pobliżu południowych wybrzeży kontynentalnych Chin i miały się połączył z dwoma konwojami z Indochin. Zgrupowanie to, które po pewnym czasie miało się ponownie rozdzielić, kierowało się do portów Pattani i Songkhla na przesmyku Kra w południowym Syjamie i ku bazie lotniczej w Kota Bharu. Z przesmyku Kra 25. Armia generała Tomoyukiego Yamashity miała uderzyć na północ – na południe Birmy, oraz na południe – na Malaje.

Brytyjczycy stopniowo opracowali plan operacji „Matador", przewidujący wkroczenie do południowego Syjamu i opóźnianie marszu Japończyków na tym obszarze. Jednak władze syjamskie, godząc się z nieuniknionym i licząc na odzyskanie terytoriów w północno-zachodniej Kambodży, właściwie zawczasu pogodziły się z japońskim panowaniem. Generał RAF-u Robert Brooke-Popham, podstarzały dowódca brytyjskiego kontyngentu dalekowschodniego, nie mógł się zdecydować, czy przystąpić do realizacji operacji „Matador", czy też nie. Brooke'a-Pophama przezywano „Pop-off" („Umrzyk") ze względu na jego skłonność do przysypiania w trakcie narad i spotkań. Generała Heatha bardzo irytowało niezdecydowanie Brooke'a-Pophama, gdyż hinduskie oddziały już postawiono w stan gotowości z zamiarem wprowadzenia ich do Syjamu, gdzie powinny były pomaszerować na północny zachód do Jitry i tam przygotować pozycje obronne. Morale hinduskich żołnierzy, przemokniętych do suchej nitki w trakcie monsunowych deszczów, przedstawiało się coraz gorzej.

Wreszcie wczesnym rankiem 8 grudnia do Singapuru dotarły wieści o japońskim desancie i zamiarze ataku na Kota Bharu. O 4.30, w trakcie narady brytyjskiego dowództwa z gubernatorem, japońskie bombowce przeprowadziły pierwszy nalot na Singapur. W mieście tym nadal nie wprowadzono zaciemnienia. Admirał Phillips, choć wiedział o tym, że jego okrętom brakuje osłony lotniczej, postanowił posłać swoją eskadrę nawodną w rejs bojowy wzdłuż wschodniego wybrzeża malajskiego i zaatakować japońską flotę inwazyjną.

W Kota Bharu wcześniej zdarzało się słyszeć eksplozje min na plażach, gdy wchodziły na nie bezpańskie psy lub spadały kokosy. Nieco dalej w głąb lądu hinduska 8. Brygada Piechoty postawiła w stan alarmu jeden z batalionów wokół lotniska, ale plaż strzegły zaledwie dwa bataliony, rozciągnięte na odcinku ponad pięćdziesięciu kilometrów.

Japońska operacja rozpoczęła się około północy 7 grudnia – w istocie mniej więcej na godzinę przed uderzeniem na Pearl Harbor, mimo że obie te akcje planowano przeprowadzić jednocześnie. Morze w porze monsunu było wzburzone, lecz to nie powstrzymało Japończyków przed desantem. Plutony hinduskiej piechoty pozabijały wielu atakujących, ale były rozrzucone na znacznej przestrzeni, a widoczność w ulewnym deszczu była marna.

Australijscy piloci na pobliskim lądowisku wzlecieli w powietrze dziesięcioma sprawnymi bombowcami typu Hudson i zaatakowali transportowce opodal brzegu, niszcząc jeden z nich, uszkadzając inny oraz zatapiając wiele barek desantowych. Jednakże po świcie lotnisko w Kota Bharu oraz inne wzdłuż wybrzeża ucierpiały od nieustannych nalotów przeprowadzanych przez japońskie samoloty Zero, startujące z Indochin Francuskich. Pod koniec dnia brytyjskim i australijskim dywizjonom na Malajach pozostało zaledwie pięćdziesiąt maszyn. Decyzja Percivala o powierzeniu wojskom obrony lotnisk jako głównego zadania okazała się ciężkim błędem. Z kolei wahania Brooke'a-Pophama dotyczące realizacji operacji „Matador" przyniosły taki skutek, że japońskie siły powietrzne nadal operowały z baz w południowym Syjamie. Generał Heath, ku wzburzeniu Percivala, nazajutrz rozpoczął odwrót na północny wschód.

*

Prezydent Roosevelt po swoim sławnym stwierdzeniu, że 7 grudnia 1941 roku to „data, która okryje się niesławą", zadepeszował do Churchilla w Londynie, aby poinformować go, że Senat i Izba Reprezentantów przegłosowały przystąpienie USA do wojny. „Dziś wszyscy znaleźliśmy się w tej samej łodzi, wraz z panem i ludnością imperium [brytyjskiego], a okręt nasz nie może zatonąć i nie zatonie"[13]. Była to dosyć niefortunna metafora, gdyż w tym samym czasie HMS „Prince of Wales" i HMS „Repulse" wypływały z portu pod eskortą niszczycieli. Kiedy admirał Phillips wychodził w morze, został uprzedzony, że nie powinien liczyć na osłonę myśliwską, a japońskie bombowce znalazły się w bazach na południu Syjamu. Phillips uważał jednak, że w zgodzie z najlepszymi tradycjami floty nie wolno mu odstępować od walki.

Zgrupowanie nawodne Phillipsa, Force Z, zostało dostrzeżone przez załogi japońskich wodnosamolotów dopiero popołudniem 9 grudnia. Nie napotkawszy transportowców i okrętów wojennych nieprzyjaciela, Phillips

---

[13] TNA PREM 3/469/13.

postanowił tej samej nocy zawrócić i skierować się z powrotem do Singapuru. Ale we wczesnych godzinach porannych 10 grudnia na jego okręcie flagowym odebrano meldunek o następnym japońskim desancie pod Kuantan, czyli niemal na trasie rejsu jego eskadry.

Na okrętach Force Z ogłoszono alarm bojowy zaraz po pospiesznie spożytym śniadaniu, na które składały się kanapki z szynką i marmoladą. Artylerzyści w chroniących przed rozbłyskami hełmach, goglach i azbestowych rękawicach zajęli miejsca na stanowiskach dział przeciwlotniczych. „»Prince of Wales« wyglądał wspaniale – zapisał pewien obserwator na pokładzie okrętu »Repulse«. – Jego dziób pruł fale zwieńczone białymi grzywami. Fale te okalały kadłub wodnistymi koronkami, potem wznosiły się wysoko i znowu opadały. Okręt kołysał się na nich z taką regularnością, że patrzenie na to miało hipnotyczny efekt. Ożywcza bryza dęła w białą banderę [brytyjskiej floty wojennej], która wyglądała jak zesztywniała. Poczułem, jak wzrasta we mnie przypływ podekscytowanego oczekiwania perspektywą napotkania przez tę jednostkę i resztę zespołu nieprzyjacielskich oddziałów desantowych i osłaniających je okrętów"[14].

W rzeczywistości meldunek o lądowaniu pod Kuantan okazał się fałszywy. Przejściowe zejście z kursu i związana z tym zwłoka odegrały fatalną rolę. Później tego samego przedpołudnia zauważono japoński samolot rozpoznawczy. O 11.15 „Prince of Wales" otworzył ogień do małej grupy nieprzyjacielskich maszyn. Kilka minut później pojawiło się następne zgrupowanie samolotów torpedowych. Na obu brytyjskich okrętach liniowych zaczęły do nich strzelać liczne armaty przeciwlotnicze – ich obsługa nazywała je „pianinami z Chicago". Lśniące pociski smugowe mknęły masą po łukowatych torach ku celom na niebie. Lecz gdy kanonierzy koncentrowali się na ostrzeliwaniu samolotów torpedowych, nikt nie dostrzegł bombowców nadlatujących na dużo mniejszej wysokości. „Repulse" został trafiony bombą, która przebiła pokład katapultowy na śródokręciu. Z dziury w pokładzie zaczął wydobywać się dym, ale uwaga pozostała skupiona na atakujących samolotach. Gdy obsługa dział przeciwlotniczych strąciła jeden z nich, nadlatujący na małym pułapie, wszyscy wiwatowali: „Kaczka ustrzelona!". Jednak zaraz potem, aby zwrócić uwagę na poważniejsze niebezpieczeństwo, trębacz zagrał budzący trwogę sygnał, oznaczający „pożar na pokładzie". Woda z gaśniczych węży lała się strumieniami w dziurę, z której buchał skłębiony czarny dym, lecz niewiele to dało.

Kolejna fala nadlatujących samolotów zajęła się atakowaniem okrętu „Prince of Wales". Jedna z torped trafiła w rufę, wznosząc „podobny do

---

[14]   O.D. Gallagher, *The Loss of the "Repulse" and the "Prince of Wales"*, „Daily Express", 12 grudnia 1941 r.

drzewa słup" wody i dymu. Wielki okręt zaczął się przechylać na lewą burtę. „Nie wydawało się możliwe, żeby te nieduże samolociki mogły go tak uszkodzić", zanotował cytowany już obserwator z „Repulse", który wciąż ledwie mógł uwierzyć, iż era pancerników na dobre odeszła w przeszłość. Nawet gdyby w bitwie tej wziął udział lotniskowiec HMS „Indomitable", to bynajmniej nie jest pewne, że samoloty z jego pokładu wystarczyłyby do odparcia zaciekłych japońskich ataków.

Z unieruchomionymi sterami i silnikami HMS „Prince of Wales" był skazany na zagładę, gdyż nadciągnęła jeszcze jedna fala samolotów torpedowych. Artylerzyści z „Repulse" robili, co mogli, aby odeprzeć ten nalot, ale trzy kolejne torpedy doszły celu. Przechył pancernika zwiększył się dramatycznie. Było oczywiste, że okręt musi zatonąć. Wtedy także „Repulse" został trafiony dwiema torpedami, jedną po drugiej. Wydano rozkaz opuszczenia okrętu. Na pokładzie nie wybuchła panika; niektórzy marynarze zapalali nawet papierosy, ustawiając się w rzędach na burcie. Kiedy nadeszła ich kolej, brali głęboki wdech i skakali do czarnego, pokrytego olejem morza.

Churchillem, który chlubił się z powodu wielkich okrętów Royal Navy już od czasów, gdy był pierwszym lordem Admiralicji, wstrząsnęła ta katastrofa. Odebrał tę tragedię jeszcze bardziej osobiście wobec faktu, że nieco wcześniej, w sierpniu, odbył na pokładzie „Prince of Wales" rejs do Nowej Fundlandii (na spotkanie z Rooseveltem). Cesarska Marynarka Wojenna zapanowała niepodzielnie na Pacyfiku. Hitlera uradowały te wieści. Opowiedział się zdecydowanie za wypowiedzeniem wojny Stanom Zjednoczonym, co Niemcy uczyniły 11 grudnia.

Hitler zawsze zakładał, że prędzej czy później będzie musiał podjąć walkę z Ameryką, a w tym czasie kalkulował, iż z powodu posiadania niewielkiej armii oraz kryzysowej sytuacji na Oceanie Spokojnym USA nie będą w stanie odegrać rozstrzygającej roli w konflikcie europejskim jeszcze przez prawie dwa lata. Szczególnie energicznie namawiał go do rzucenia rękawicy Amerykanom admirał Dönitz, który chciał wysłać „wilcze stada" swoich U-Bootów przeciwko amerykańskim transportom morskim. Totalna wojna podwodna nadal mogła rzucić Wielką Brytanię na kolana.

Obwieszczone przez Führera w Reichstagu wypowiedzenie wojny Stanom Zjednoczonym skłoniło nazistowskich deputowanych do zgotowania mu owacji na stojąco. Uważali oni USA za wielkie żydowskie mocarstwo Zachodu. Jednakże niemieccy oficerowie, nadal prowadzący rozpaczliwe walki odwrotowe na froncie wschodnim, nie wiedzieli, co myśleć o tych nowinach. Bardziej dalekowzroczni przeczuwali, że tej wojny światowej, przeciwko koalicji złożonej ze Stanów Zjednoczonych, krajów brytyjskiego imperium oraz Związku Radzieckiego, Niemcy zwyciężyć nie mogą. Niepowodzenia pod Moskwą, w połączeniu z przystąpieniem Ameryki do wojny, uczyniły z grudnia 1941 roku geopolityczny punkt zwrotny konfliktu. Od tego momentu Niemcy nie były już w stanie szybko rozstrzygnąć drugiej wojny światowej na swoją korzyść, choć siły zbrojne tego kraju wciąż mogły czynić przerażające zniszczenia i siać śmierć.

Szesnastego grudnia feldmarszałek von Bock, który zapadł na jakiś rodzaj choroby psychosomatycznej, poinformował Hitlera, że musi zadecydować, czy wojska Grupy Armii „Środek" mają zatrzymać się i podjąć walkę, czy też się wycofać. Obie opcje groziły ich zniszczeniem. Bock wyraźnie chciał zostać pozbawiony dowództwa i rzeczywiście, kilka dni później komendę GA „Środek" objął po nim Kluge, który początkowo zgadzał się z Hitlerem, że odwrót nie wchodzi w grę. Za prezentację pesymistycznego nastawienia zdymisjonowano również Brauchitscha, naczelnego dowódcę niemieckich wojsk lądowych. Wraz z nim utraciło swoje stanowiska kilku innych czołowych dowódców, a niemieckich oficerów najbardziej przygnębiła dymisja Guderiana, kojarzonego z błyskawicznymi ofensywami. Guderian, co charakterystyczne, odmawiał utrzymywania wyznaczonych pozycji za wszelką cenę. Od dawna decyzja Hitlera, by wytrwać pod Moskwą, stanowi przedmiot zaciekłych sporów; nie wiadomo, czy była mądra, czy raczej szalona, czy zapobiegła klęsce podobnej do tej z roku 1812, czy też przyniosła olbrzymie i niepotrzebne straty.

Dwudziestego czwartego grudnia niemieccy żołnierze, przebywający tak daleko od domów, poczuli potrzebę świętowania Bożego Narodzenia, nawet w najbardziej niesprzyjających warunkach. Nie było trudno o choinkę, którą przystroili gwiazdkami z posrebrzanego papieru z paczek po papierosach. Czasami zapalali nawet świeczki, podarowane im przez rosyjskich chłopów. Zbici w gromadki we wsiach, które jeszcze nie spłonęły, wymieniali się żałosnymi prezentami i śpiewali kolędę *Stille Nacht, heilige Nacht*. I choć mieli szczęście, że wciąż żyją, gdy tak wielu ich towarzyszy broni poległo, odczuwali też przytłaczające osamotnienie, myśląc o rodzinach pozostawionych w ojczystym kraju.

Tylko nieliczni zwrócili uwagę na to, jak paradoksalny był ów niemiecki sentymentalizm w czasie okrutnej wojny, którą sami rozpętali. W dzień Bożego Narodzenia jeńców wojennych spod Kaługi ewakuowano w temperaturze poniżej minus trzydziestu stopni Celsjusza. Wielu sowieckich jeńców, którzy z głodu posuwali się do kanibalizmu, padało w śniegu i ginęło od kul. Zapewne nie powinno dziwić, że radzieccy żołnierze mścili się, zabijając rannych Niemców pozostawionych w trakcie odwrotu, w co najmniej jednym przypadku oblewając ich benzyną ze zdobycznych składów paliwa i podpalając.

Nikt nie pojmował lepiej od Stalina konsekwencji dramatycznej zmiany w światowym układzie sił. Jego dążenie do natychmiastowego odwetu na Niemcach i wykorzystania sposobności, która powstała podczas ich odwrotu, skłoniło go jednak do żądania przejścia do generalnej ofensywy na całym froncie, choć do przeprowadzenia takich operacji Armii Czerwonej brakowało niezbędnych pojazdów, artylerii, zapasów, a przede wszystkim należytego wyszkolenia. Żukow był przerażony tym pomysłem, mimo że działania frontowe przebiegały dla Sowietów lepiej, niż się tego spodziewał. Zdecydowanie zbyt optymistyczne plany Stawki przewidywały zniszczenie dwóch niemieckich grup armii – „Środek" i „Północ" – oraz potężne kontruderzenie na Ukrainie.

Po wielu miesiącach cierpień także wśród sowieckiej ludności zapanowały nastroje przesadnego optymizmu. „Skończymy z tym na wiosnę", powiadało wielu. Jednak radzieckie społeczeństwo, tak jak jego przywódcę, czekało jeszcze wiele wstrząsów.

*

Brytyjska kolonia w Hongkongu, która zachowywała pewną formę neutralności w czasie poprzednich czterech lat wojny chińsko-japońskiej, toczącej się dalej na północy, stanowiła dla agresorów oczywisty i kuszący cel. Hongkong słynął z bogactw, a poza tym prowadził przezeń jeden z głównych szlaków zaopatrywania wojsk Kuomintangu. Tak jak w Singapurze, lokalna japońska społeczność przesyłała do Tokio szczegółowe dane na temat przygotowań obronnych oraz słabych pod względem militarnym punktów w Hongkongu. Japończycy snuli plany zdobycia tej enklawy już od dwóch lat. Do działań szykowano także piątą kolumnę, w której skład wchodzili głównie przekupni członkowie gangów przestępczej chińskiej triady.

Z kolei przedstawiciele lokalnej społeczności brytyjskiej, po tak wielu latach oszałamiającej supremacji, nie mieli pojęcia, czy Chińczycy z Hongkongu, uciekinierzy z prowincji Guangdong leżącej nieco dalej na północy, miejscowi Hindusi lub nawet Euroazjaci pozostaną wobec nich lojalni. W rezultacie prawie nie informowali ich o rzeczywistej sytuacji i wzdragali się przed pomysłem wydania im broni do walki z Japończykami. Zamiast tego postanowiono zdać się na dwanaście tysięcy żołnierzy z Wielkiej Brytanii i jej dominiów oraz na Ochotniczy Korpus Obronny, złożony niemal w całości z Europejczyków. Chińscy nacjonaliści Chiang Kai-sheka zaoferowali pomoc w obronie Hongkongu, ale Brytyjczycy ze skrajną niechęcią odnieśli się do jej przyjęcia. Wiedzieli, że Chiang pragnie odzyskania tej kolonii przez Chiny. Jak na ironię, brytyjscy oficerowie mieli dużo lepsze układy z komunistami z chińskiej partyzantki, w późniejszym czasie dostarczając im broni i materiałów wybuchowych, ku oburzeniu Kuomintangu. Zarówno chińscy komuniści, jak i nacjonaliści podejrzewali, że Brytyjczycy woleliby utracić Hongkong na rzecz Japończyków niż Chińczyków.

Churchill nie miał złudzeń co do militarnego wyniku zbliżającego się starcia. Uważał, że gdyby Japończycy zaatakowali, to nie byłoby „najmniejszej szansy utrzymania Hongkongu albo przybycia mu z odsieczą"[15]. Pod presją Amerykanów zgodził się jednak na wzmocnienie garnizonu tej kolonii w geście solidarności z równie zagrożonymi Filipinami. Piętnastego listopada przybyło do Hongkongu dwa tysiące kanadyjskich żołnierzy. Choć brakło im doświadczenia, domyślali się swego losu na wypadek ataku przeprowadzonego przez japońską armię. Nie byli przekonani do alianckiego planu bronienia kolonii przez dziewięćdziesiąt dni, czyli do czasu, aż okręty US Navy z bazy w Pearl Harbor przybędą im na pomoc.

Ósmego grudnia, gdy japońskie wojska wyruszyły na Szanghaj, japońskie lotnictwo przeprowadziło uderzenie na lotnisko Kai Tak w Hongkongu, niszcząc wszystkie pięć samolotów bojowych mających bronić nieba nad tą kolonią. Jedna z dywizji 23. Armii generała Takashiego Sakaiego przekroczyła rzekę Shenzhen, wyznaczającą granicę Nowych Terytoriów[16]. Brytyjski dowódca generał major Christopher M. Maltby i jego podkomendni zostali zaskoczeni. Zamiast wysadzić w powietrze nieliczne mosty, jego wojska wycofały się pospiesznie na tak zwaną linię wielbicieli dżinu, przebiegającą przez przesmyk na Nowych Terytoriach. Nieprzeciążeni nadmiarem sprzętu i zamaskowani Japończycy przemieszczali się szybko i po cichu w swoim obuwiu na gumowych podeszwach, podczas gdy obrońcy stąpali ciężko w podkutych wojskowych butach i w pełnym rynsztunku wokół skalistych wzgórz. Członkowie triady i stronnicy przywódcy marionetkowych chińskich władz na kontynencie Wang Jingweia przeprowadzili oddziały japońskie na tyły linii obrony. Maltby rozmieścił na Nowych Terytoriach zaledwie jedną czwartą swoich wojsk. Większość trzymał w odwodzie na wyspie Hongkong, gotowy do odparcia ataku z morza, do którego wcale nie doszło.

Chińska ludność Hongkongu uważała, że to nie jej wojna. Władze kolonialne zorganizowały racjonowanie żywności i schrony przeciwlotnicze – całkowicie niewystarczające w stosunku do potrzeb. Ci, których zmobilizowano jako kierowców, uciekali, porzucając pojazdy. Chińscy policjanci i personel straży cywilnej po prostu zrzucali mundury i wracali do domów. Znikała także obsługa hoteli oraz służący z prywatnych domów. Członkowie piątej kolumny wywoływali zamieszki w obozach dla uchodźców, przepełnionych uciekinierami z ogarniętych wojną Chin, wykradając cały przydział ryżu. Niebawem rozpoczęły się rozruchy i plądrowanie, w czym prym

---

[15] Cyt. za: Ph. Snow, *The Fall of Hong Kong. Britain, China and the Japanese Occupation*, New Haven – London 2003, s. 41.
[16] Zob.: *ibidem*, s. 53–57.

wiodły gangi triady. Ktoś wywiesił wielką japońską flagę na wysokim hotelu Peninsula koło nadbrzeża w dzielnicy Koulun. To wywołało panikę wśród niektórych kanadyjskich żołnierzy, którzy sądzili, że zostali oskrzydleni. W południe 11 grudnia generał Maltby uznał, że nie ma wyjścia, i wycofał wszystkie odziały przez wody zatoki na wyspę Hongkong. Doprowadziło to do chaosu, a tłumy ludzi usiłowały dostać się na odpływające łodzie.

Wiadomości o zatopieniu okrętów „Prince of Wales" i „Repulse" umocniły Brytyjczyków w przekonaniu, że rozwiały się wszelkie nadzieje na odsiecz, z którą miała nadejść eskadra Royal Navy. Sama wyspa Hongkong znajdowała się w stanie wzburzenia wobec nieprzerwanego ostrzału artyleryjskiego i nalotów bombowych przeprowadzanych przez japońskie lotnictwo. Sabotażyści rozbudzali atmosferę histerii. Brytyjska policja zaaresztowała Japończyków na wyspie oraz sabotażystów, z których wielu niezwłocznie rozstrzelano. Ten kryzys zmusił Brytyjczyków do skontaktowania się z przedstawicielem Chiang Kai-sheka w Hongkongu, jednonogim admirałem Chanem Chakiem. Jego siatka płatnych strażników z Kuomintangu miała pomóc w zaprowadzeniu jako takiego porządku i zwalczeniu triady, która snuła plany wymordowania Europejczyków na wyspie.

Najskuteczniejszą metodą okazało się przekupstwo. Liderzy triady zgodzili się na spotkanie w Cecil Hotel. Wysunęli oburzające żądania, ale w końcu dobito targu. Strażnicy admirała Chana Chaka byli zorganizowani w tak zwanym Stowarzyszeniu Lojalnej i Słusznej Dobroczynności, które wkrótce rozrosło się do piętnastu tysięcy członków, a tysiąc z nich współpracowało z brytyjskimi tajnymi służbami. Wtedy wybuchła podjazdowa wojna z partyzantami Wang Jingweia. Większość schwytanych likwidowano w ulicznych zaułkach. Brytyjczykom przypadł do gustu pragmatyczny chiński admirał, który opanował sytuację na wyspie, i ostatecznie zgodzili się na skorzystanie z pomocy wojsk Kuomintangu.

Wobec pogłosek o odsieczy i wraz z przywróceniem porządku publicznego poprawiło się morale na obleżonej wyspie. Ale Maltby, niepewny tego, gdzie ma skoncentrować oddziały, aby odeprzeć desant, nie wzmocnił dostatecznie swoich sił na północno-wschodnim skraju wyspy. Grupa czterech Japończyków przepłynęła nocą, by rozpoznać sytuację na tym odcinku, a następnej nocy, 18 grudnia, przeprawiło się siedem i pół tysiąca japońskich żołnierzy, zarekwirowawszy w tym celu każdy napotkany stateczek i łódkę. Trzydziesta Ósma Dywizja Piechoty, po umocnieniu się na wyspie, wbrew przewidywaniom Maltby'ego, nie próbowała nacierać wzdłuż wybrzeża ku Victorii. Zamiast tego przedarła się przez pagórkowaty interior wyspy, spychając dwa kanadyjskie bataliony i rozdzielając zgrupowanie jej obrońców na dwie części. Niebawem miejscowości Stanley i Victoria zostały bez elektryczności i wody, a większość ich chińskiej ludności głodowała.

Generał Maltby już zdążył przekonać gubernatora Hongkongu Marka Younga, że nie ma widoków na utrzymanie się. Dwudziestego pierwszego grudnia Young nadał depeszę do Londynu, w której domagał się zgody na podjęcie rokowań z japońskim dowódcą. Churchill odpowiedział za pośrednictwem Admiralicji, że „nie wolno myśleć o kapitulacji. O każdą część wyspy trzeba walczyć i stawiać nieprzyjacielowi opór z najwyższą zaciekłością. Każdego dnia, w którym stawiacie opór, pomagacie alianckiej sprawie na całym świecie"[17]. Young, najwyraźniej nie chcąc zostać zapamiętany jako „pierwszy człowiek, który poddał brytyjską kolonię od czasu Cornwallisa pod Yorktown"[18], zgodził się kontynuować walkę.

Pomimo wykazania się tu i ówdzie dzielnością skazani na porażkę obrońcy tracili morale. Z żołnierzami hinduskimi, zwłaszcza radźputami[19], którzy ponieśli dotkliwe straty, było bardzo źle. Ich ducha bojowego osłabiała dodatkowo nieustanna japońska propaganda, nawołująca do rzucenia broni i dająca do zrozumienia, że klęska brytyjskiego imperium przyniesie wolność Indiom. Zdezerterowali niemal wszyscy sikhijscy policjanci. Ich głęboką niechęć do Brytyjczyków podsycały wspomnienia masakry w Amritsarze z 1919 roku.

Gdy szalały pożary, a źródła wody uległy odcięciu, co powodowało również poważne problemy sanitarne, brytyjska społeczność Hongkongu, zwłaszcza kobiety, zaczęła wywierać presję na Maltby'ego i gubernatora, aby przerwali walkę. Young pozostawał nieprzejednany, ale w bożonarodzeniowe popołudnie, po tym jak Japończycy nasilili ostrzał artyleryjski, Maltby począł go przekonywać, że dalszy opór jest niemożliwy. Tego samego wieczoru japońscy oficerowie przewieźli obu, Maltby'ego i Younga, motorówką przez zatokę w celu podpisania kapitulacji przy blasku świec w hotelu Peninsula. Admirał Chan Chak i kilku brytyjskich oficerów uciekli owej nocy kutrem torpedowym i dołączyli do wojsk chińskich nacjonalistów na stałym lądzie.

W ciągu następnej doby triada rabowała do woli, zwłaszcza w brytyjskich domach na Victoria Peak. Mimo że generał Sakai wydał swoim żołnierzom rozkaz dobrego traktowania jeńców, to zacięte zmagania na wyspie rozdrażniły Japończyków. Nie brakło przypadków dźgania bagnetami, wieszania i ścinania członków służby medycznej i rannych. Jednakże stosunkowo rzadko zdarzały się gwałty na Europejkach, a ci, którzy się tego dopuścili, byli surowo karani; stanowiło to zaskakujący kontrast z przerażającymi poczynaniami japońskiej armii cesarskiej podczas walk w kontynentalnych Chinach. W istocie Europejczycy na ogół byli traktowani dość

---

[17] *Ibidem*, s. 66–67.
[18] *Ibidem*, s. 67.
[19] Potomkowie dawnych wojowników z Radżastanu (przyp. tłum.).

przyzwoicie, jak gdyby dla wykazania, że Japończycy są równie cywilizowani. Z kolei, i całkiem wbrew zapewnieniom japońskiej propagandy, która głosiła, że wojna ta została rozpoczęta w celu wyzwolenia Azji spod panowania białych, oficerowie czynili niewiele, by powstrzymać swoich podwładnych przed gwałceniem Chinek z Hongkongu. Ocenia się, że ofiarami zbiorowych gwałtów padło ponad dziesięć tysięcy z nich[20], a kilkuset cywilów zabito w trakcie „urlopu" po walkach.

Armia generała Yamashity z powodzeniem umocniła się na Półwyspie Malajskim; choć była słabsza liczebnie, to miała wsparcie dywizji pancernej oraz panującego w powietrzu japońskiego lotnictwa. Żołnierze hinduscy, z których większość nie widziała dotąd czołgu, odczuwali przesadny lęk przed nieprzyjacielem. Przerażały ich także dżungle i posępny mrok panujący na plantacjach kauczukowców. Ale najskuteczniejsza japońska taktyka polegała na prowadzeniu natarcia po biegnących na wschód i zachód drogach na wybrzeżu, w ślad za jadącymi na czele czołgami, a po dotarciu do punktu umocnionego obchodzenia go przez oddziały piechoty, wychodzące na tyły obrońców poprzez poletka ryżowe lub dżunglę. Tempo japońskiej ofensywy znacznie podnosiły formacje cyklistów, które często wyprzedzały wycofujące się jednostki przeciwnika.

Napierając wzdłuż zachodniego i wschodniego wybrzeża Półwyspu Malajskiego, zaprawione w boju oddziały Yamashity zepchnęły grupę brytyjskich, hinduskich, australijskich i malajskich oddziałów w kierunku południowego krańca stanu Johor. W toku kilku operacji niektóre oddziały walczyły dobrze i zadały duże straty w ludziach, lecz ciągłe odwroty były w równym stopniu całkowicie wyczerpujące, jak i demoralizujące w konfrontacji z japońskimi czołgami i nieustannie ostrzeliwującymi myśliwcami typu Zero.

Generał Percival nadal odmawiał zorganizowania linii obronnej w stanie Johor, ponieważ sądził, że odbije się to źle na bitności jego żołnierzy. Brak przygotowanych zawczasu umocnień miał się okazać katastrofalny dla obrońców Singapuru. Mimo to wyróżniła się zwłaszcza australijska 8. Dywizja, która zdołała zatrzymać japońską Dywizję Gwardii Cesarskiej i pokrzyżować jej szyki w serii zasadzek.

Przybyło też zgrupowanie myśliwskich hurricane'ów, wzmacniając obronę powietrzną Singapuru, ale samoloty tego typu okazały się gorsze od japońskich myśliwców Zero. Po dwóch tygodniach walk w Johorze niedobitki wojsk alianckich wycofały się na wyspę Singapur. Droga na grobli

---

[20] *Ibidem*, s. 81–82; por. także zeznanie Connie Sully, w: L. Rees, *Their Darkest Hour. People Tested to the Extreme in WWII*, London 2007, s. 129–135.

w cieśninie Johor została wysadzona w powietrze 31 stycznia 1942 roku zaraz po tym, jak żołnierze z jednostki Argyll and Sutherland Highlanders, z 5. batalionu Królewskiego Pułku Szkockiego, przeszli nią przy dźwiękach dud. Podobno Japończycy ścięli głowy dwustu pozostawionym australijskim i hinduskim żołnierzom, zbyt ciężko rannym, by można ich było ewakuować.

W hotelu Raffles nadal podczas większości wieczorów wyprawiano kolacje połączone z tańcami, zgodnie z założeniem, że normalny tok życia podtrzymuje morale. Jednakże oficerom będącym weteranami walk na Półwyspie Malajskim kojarzyło się to bardziej z orkiestrą grającą na pokładzie tonącego „Titanica". Po ciągłych japońskich bombardowaniach większość miasta leżała w gruzach. Wiele europejskich rodzin zaczęło wyjeżdżać – albo latającymi łodziami na Jawę, albo na Cejlon na pokładach odpływających tam transportowców wojskowych, które dowoziły do Singapuru świeże oddziały. Większość mężczyzn zaciągnęła się do formacji ochotniczych. Niektóre z kobiet, wykazując się odwagą, pozostały w charakterze pielęgniarek, pomimo obaw o swój los w razie zdobycia miasta przez Japończyków.

Słabym punktem w obronie Singapuru był odcinek nad cieśniną Johor, a sytuację pogarszało dodatkowo przeświadczenie Percivala, że Japończycy przypuszczą atak na wyspę od północnego wschodu. Brało się to z jego osobliwej wiary w to, że singapurska baza morska, już zniszczona, była najważniejszym elementem obrony. Percival zignorował instrukcje, które wydał generał Wavell, podówczas aliancki głównodowodzący w tym regionie, aby wzmocnić defensywę w północno-zachodniej części wyspy, gdyż ta, z jej namorzynowymi bagnami i strumieniami, była sektorem najtrudniejszym do obrony.

Dowództwo australijskiej 8. Dywizji, której powierzono obronę tego odcinka, od razu zrozumiało zagrożenie. Nie było tam przecinek, zapewniających dobre pole do ostrzału, a także min i zasieków z drutu kolczastego, ponieważ większość tych ostatnich została zużyta na umocnienie sektora północno-wschodniego. Wprawdzie bataliony wspomnianej dywizji wzmocniono dowiezionymi nieco wcześniej żołnierzami, ale większość z nich ledwie umiała obchodzić się z bronią. Generał Gordon Bennett, choć pojmował zasadniczy błąd popełniony przez Percivala, nie zgłaszał sprzeciwu i po prostu nie opuszczał kwatery głównej swojego sztabu.

Siódmego lutego japońska artyleria po raz pierwszy ostrzelała Singapur, nad którym zalegała wielka chmura czarnego dymu, wydobywającego się ze zbombardowanego dzień wcześniej, płonącego składu ropy naftowej. Nazajutrz bardzo wyraźnie nasilił się ostrzał północno-wschodniego sektora, co miało odwrócić uwagę obrońców. To ostatecznie przekonało Percivala, że właśnie tam nastąpi atak.

Yamashita obserwował rozwój wypadków z wieży położonego nad wąską cieśniną pałacu, który należał do sułtana Johoru. Postanowił wystrzelać resztę amunicji artyleryjskiej, zanim jego oddziały podczas nadchodzącej nocy nie przystąpią do desantowania w łodziach i na barkach przez bagna namorzynowe na północno-zachodnich brzegach Singapuru. Karabiny maszynowe typu Vickers zadały ciężkie straty atakującym, jednak trzy tysiące Australijczyków broniących tego sektora szybko uległo szesnastu batalionom Yamashity, które wdarły się w głąb wyspy. Wskutek bardzo silnego japońskiego ostrzału uległy zerwaniu wszystkie linie telefonów polowych, więc aliancka artyleria zareagowała z opóźnieniem, a w dowództwie 8. Dywizji nie bardzo wiedziano, co się dzieje. Nie zauważono nawet sygnalizacyjnych świetlnych rac, wystrzeliwanych przez Australijczyków na pierwszej linii walk.

Do świtu 9 lutego prawie dwadzieścia tysięcy japońskich żołnierzy wylądowało na wyspie. Jednak Percival nie dokonał poważniejszych przesunięć w rozmieszczeniu swoich wojsk, jeśli nie liczyć skierowania dwóch wzmocnionych batalionów do utworzenia obronnej linii zaporowej. Zezwolił też na ewakuowanie na Sumatrę ostatniego dywizjonu hurricane'ów. W panującym zamęcie rychło legły w gruzach nadzieje na utrzymanie ostatniej linii obrony na północny zachód od miasta Singapur. Japończycy wysadzili na brzeg czołgi i niebawem przełamali ostatnie zapory. Na polecenie gubernatora przystąpiono do palenia wszystkich banknotów z singapurskiego skarbca. Samochody spychano do wód zatoki, by nie wpadły w ręce Japończyków, lecz większość aut pozostała na ulicach jako wypalone wraki. W zbombardowanym i spalonym mieście unosił się odór rozkładających się zwłok, a szpitale pękały w szwach, pełne rannych i zabitych. Przystąpiono do pospiesznego ewakuowania kobiet, w tym pielęgniarek, ostatnimi odpływającymi statkami, ale wiele z tych jednostek zostało trafionych bombami. Część rozbitków, którym udało się dopłynąć do brzegu, zostało zadźganych bagnetami bądź zastrzelonych przez japońskie patrole. Statki z uciekinierami wpadły wprost na flotyllę japońskich okrętów wojennych.

Na Percivala, któremu Churchill i Wavell rozkazali walczyć do końca, wywierali presję podlegający mu dowódcy oddziałów, żądając od niego, aby się poddał i tym samym zapobiegł dalszemu rozlewowi krwi. Percival skontaktował się z Wavellem, który stanowczo nakazywał mu kontynuowanie walk o każdą ulicę. Ale w mieście brakowało wody na skutek zniszczenia wodociągów podczas bombardowań. Żołnierze japońscy wdarli się do wojskowego lazaretu w singapurskiej Alexandrii i wymordowali bagnetami wszystkich pacjentów i cały personel. Pewien pacjent pod narkozą został zakłuty na śmierć na stole operacyjnym.

Wreszcie w niedzielę 15 lutego generał Percival skapitulował przed generałem Yamashitą. Generał Bennett, rozkazawszy swoim żołnierzom rozładować broń i pozostać na miejscu, sam się wymknął. Wraz z grupą ludzi dopłynął wpław do sampana, a następnie przekupił kapitana chińskiej dżonki i wyruszył nią na Sumatrę. Po dotarciu do Australii utrzymywał, że uciekł, aby przekazać nabyte doświadczenia z walki z Japończykami, ale żołnierze, których opuścił, odczuwali zrozumiałe rozgoryczenie z tego powodu.

Po tej kompromitującej klęsce padało mnóstwo oskarżeń pod adresem Percivala, gubernatora Shentona Thomasa, Bennetta, Brooke'a-Pophama, Wavella i kilku innych osób. „Płacimy teraz słono – zapisał w dzienniku generał Alan Brooke, który zastąpił Johna Dilla na stanowisku szefa Imperialnego Sztabu Generalnego – za zaniedbania w uiszczaniu »składek ubezpieczeniowych«, niezbędnych do utrzymania bezpieczeństwa imperium [brytyjskiego]"[21]. Choć jednak przygotowanie i prowadzenie kampanii malajskiej były godne pożałowania, to Singapur i tak nie mógł się okazać twierdzą nie do zdobycia w warunkach panowania Japończyków w powietrzu i na okolicznych morzach. Oprócz żołnierzy na wyspie tej przebywało ponad milion cywilów, a tych można było w krótkim czasie zamorzyć głodem.

Dziewiętnastego lutego japoński samolot zaatakował port w Darwin na północnym wybrzeżu Australii, zatapiając osiem okrętów i zabijając dwustu czterdziestu cywilów. Władze australijskie były zarówno skrajnie rozdrażnione, jak i silnie zaniepokojone. Kraj ten był narażony na atak, ponieważ jego najlepsze dywizje nadal znajdowały się na Bliskim Wschodzie. Australijczycy zaczęli rozumieć, co im grozi, dopiero od listopada poprzedniego roku, kiedy krążownik HMAS „Sydney" został zatopiony u wybrzeży Australii przez niemiecki krążownik pomocniczy „Kormoran", upozorowany na holenderski frachtowiec. W trakcie długiej i gorącej debaty po tym zdarzeniu – dwa oficjalne, firmowane przez rząd dochodzenia w owej sprawie wszczęto jeszcze nawet w 1998 roku – wiele osób podejrzewało, że niemiecki rajder nie działał w pojedynkę. Istnieją przypuszczenia, iż „Sydney" został storpedowany przez japoński okręt podwodny współdziałający z „Kormoranem" na osiemnaście dni przed atakiem na Pearl Harbor[22].

Wściekłość Australijczyków z powodu brytyjskiego fiaska na Malajach była uzasadniona, lecz pozostaje faktem, że i w Australii wydawano wcześniej niewielkie kwoty na zbrojenia. Jak na ironię, to głównie zaciekłość australijskiej krytyki skłoniła Churchilla do przerzucenia posiłków wojskowych do Singapuru, a niemal wszyscy żołnierze tych oddziałów wpadli ostatecznie w japońskie ręce.

---

[21] A. Brooke (lord Alanbrooke), *War Diaries, 1939–1945*, London 2001, s. 229 (12 lutego 1942 r.).

[22] Pragnę wyrazić wdzięczność Michaelowi Montgomery'emu, synowi nawigatora na krążowniku HMAS „Sydney", za zapoznanie mnie z wynikami oficjalnego dochodzenia, prowadzonego w latach 2008–2009 pod kierownictwem sędziego Terence'a Cole'a.

Sumatrę w Holenderskich Indiach Wschodnich (Indonezji) oddziela od Singapuru wąski przesmyk cieśniny Malakka, więc Japończycy bez zwłoki przystąpili do dalszych podbojów. Czternastego lutego 1942 roku, dzień przed kapitulacją Percivala, japońscy spadochroniarze zostali zrzuceni na Palembang w celu opanowania tamtejszych pól naftowych oraz rafinerii holenderskiego koncernu Shell. Eskortujący transportowce z wojskiem cesarski uderzeniowy zespół nawodny, złożony z lotniskowca, sześciu krążowników i jedenastu niszczycieli, zjawił się u brzegów Sumatry.

Następnym celem była Jawa. Bitwa na Morzu Jawajskim, stoczona 27 lutego, szybko przesądziła o losach tej wyspy. Alianckie siły morskie, w skład których wchodziły holenderskie, amerykańskie, australijskie i brytyjskie krążowniki oraz sześć niszczycieli, zaatakowały dwa japońskie konwoje, osłaniane przez trzy ciężkie krążowniki i czternaście niszczycieli. W trakcie następnych trzydziestu sześciu godzin alianckie okręty uległy przeciwnikowi w serii starć z użyciem artylerii pokładowej i torped. Wprawdzie walczyły mężnie, ale nie mogły wygrać tej batalii. Do 9 marca skapitulowała Batawia (obecna Dżakarta) wraz z całą resztą Holenderskich Indii Wschodnich.

Dowódcy japońskich wojsk w Chinach uważali za swój najważniejszy cel zdobycie Birmy. Sukces taki wiązałby się z odcięciem głównej drogi, którą kierowano zaopatrzenie dla armii chińskich nacjonalistów Chiang Kai-sheka, oraz z zabezpieczeniem całej zachodniej flanki w Azji Południowo-Wschodniej. W Cesarskiej Kwaterze Głównej pierwotnie zaplanowano zajęcie tylko południowej części Birmy, ale wkrótce zakres operacji rozszerzono pod wpływem znacznego tempa prowadzonej ofensywy.

Bitwa o Birmę rozpoczęła się 23 grudnia 1941 roku od nalotu japońskich bombowców na Rangun. Dalsze bombardowania spowodowały masową ucieczkę ludności z tego miasta. Alianci mieli w Birmie tylko jeden dywizjon myśliwski RAF-u, wyposażony w samoloty Brewster Buffalo, oraz dywizjon amerykańskich pilotów ochotników, znanych jako „Latające Tygrysy", z myśliwcami Curtiss P-40 Warhawk. Niebawem przybyły też dywizjony hurricane'ów, odesłane z Malajów.

Osiemnastego stycznia 1942 roku 15. Armia generała Shōjirō Iidy przypuściła atak znad granicy syjamskiej. Generał major John Smyth, który dowodził hinduską 17. Dywizją Piechoty, chciał utworzyć linię obronną wzdłuż rzeki Sittaung stanowiącej ważną naturalną zaporę, ale Wavell rozkazał mu podjęcie przemarszu na południowy wschód, ku granicy z Syjamem, aby opóźniać japońską ofensywę na dalekich przedpolach, ponieważ sam potrzebował więcej czasu na wzmocnienie obrony Rangunu. Okazało się to katastrofalną decyzją; jedna słaba dywizja nie była w stanie obronić całej południowej Birmy.

Dziewiątego lutego japońska strategia uległa nagłej zmianie. Zapanowała „triumfalna gorączka", pod której wpływem sztabowcy z dowództwa wojsk cesarskich doszli do przekonania, że uda się opanować większość Birmy i odciąć szlaki zaopatrywania Chińczyków. Nieco później Smyth musiał, zgodnie ze swoimi przewidywaniami, wycofać się na linię Sittaung, lecz tym razem oznaczało to już przemarsz całej dywizji przez kruchy drewniany most nocą 21 lutego. Utknęła tam jedna z ciężarówek, co zatrzymało całą kolumnę na trzy godziny. Gdy nastał świt, większość dywizji pozostawała na zupełnie odsłoniętej pozycji na wschodnim brzegu wartko płynącej rzeki. Podejmując próbę jej odcięcia, japońskie oddziały zagroziły zdobyciem przeprawy. Zastępca Smytha uznał za konieczne wysadzenie w powietrze jedynego mostu. Z pułapki wydostała się niespełna połowa dywizji. Rozpoczął się chaotyczny odwrót do Rangunu.

Birmańskiej stolicy nadal strzegły „Latające Tygrysy" i dywizjony RAF-u, które zmusiły Japończyków do rezygnacji z nalotów dziennych na rzecz nocnych. W rezultacie w rnaguńskim porcie udało się aliantom wyokrętować posiłki wojskowe, w tym 7. Brygadę Pancerną z lekkimi czołgami Stuart. Ponieważ nie było jednak realnych widoków na utrzymanie Rangunu, przed ostateczną ewakuacją wojsk z miasta przemieszczono na północ wszystkie zapasy. Personel miejscowego ogrodu zoologicznego wypuścił na wolność zwierzęta, między innymi dzikie i niebezpieczne, co wywołało pewien popłoch. W na poły opustoszałym mieście gubernator Reginald Dorman-Smith rozegrał ze swoim adiutantem ostatnią partię bilardu, wypijając kilka pozostawionych w piwnicy butelek wina. Potem, aby w ręce Japończyków nie wpadły nobliwe portrety poprzednich gubernatorów, obaj zniszczyli płótna kulami bilardowymi.

Generał Harold Alexander, mianowany na głównodowodzącego wojsk aliackich w Birmie, przyleciał do Rangunu, gdy Japończycy już tam podchodzili. Siódmego marca polecił zniszczenie zbiorników z paliwem tuż pod miastem i rozkazał pozostałym brytyjskim oddziałom wycofać się na północ. Na szczęście dla Brytyjczyków Japończykom nie udało się następnego dnia zastawić skutecznej pułapki na cofające się jednostki, które zdołały uciec. Zaplanowano utworzenie nowej linii defensywnej na północy kraju, obsadzonej między innymi przez birmańską 1. Dywizję Piechoty, złożoną z miejscowych górali zaciekle nienawidzących Japończyków, oraz pięćdziesiąt tysięcy chińskich nacjonalistów pod komendą amerykańskiego dowódcy w Chinach generała majora Josepha Stilwella. Stilwell, znany pod przezwiskiem „Vinegar Joe" („Uszczypliwy Józek"), był zawziętym anglofobem. Utrzymywał, nie do końca przekonująco, iż Alexander „ze zdumieniem stwierdził, że to j a — tylko ja, cholerny Amerykanin — dowodzę chińskimi wojskami. »Niesamowite!«, [powiedział] i popatrzył na mnie, jak gdybym wypełzł spod skały"[23].

Japończycy po zajęciu Rangunu wraz z tamtejszym portem mogli teraz sprawnie wzmacniać swoją armię. Ich lotnictwo, operujące z lotnisk w Birmie, zdołało zniszczyć prawie wszystkie pozostałe myśliwce RAF-u i „Latających Tygrysów" na lądowiskach na północy kraju.

Pod koniec marca chińskie wojska zostały pobite i odparte, a siły, znane w tym czasie jako Korpus Birmański, dowodzone przez generała porucznika Williama Slima, musiały pospiesznie się wycofać, aby uniknąć okrążenia. Chiang Kai-shek obwinił Brytyjczyków o to, że nie udało im się utrzymać obrony. Na pewno łączność między obiema armiami była nieskuteczna, by nie rzec chaotyczna, częściowo dlatego, że Chińczycy nie mieli swoich map i nie potrafili odczytywać nazw na tych, które dostarczali im Brytyjczycy. Do katastrofy ostatecznie doprowadziły nalegania Stilwella, aby przejść do ofensywy, której chińskie wojska nie były w stanie przeprowadzić.

Stilwell odrzucił przedstawiony przez Chiang Kai-sheka plan obrony Mandalaju jako zbyt pasywny. Nie uprzedzając Brytyjczyków, skierował dwie chińskie dywizje do uderzenia na południe i nie zezwolił 200. Dywizji na odwrót do Taungngu. Japończycy szybko wykorzystali nadmierne rozciągnięcie ugrupowania przeciwnika, omijając je w drodze do Lasho na północny wschód od Mandalaju, tym samym oskrzydlając też Brytyjczyków. Stilwell, nie poczuwając się do odpowiedzialności za tę katastrofę, obwinił chińskie wojska o niechęć do atakowania i zaprzepaszczenie szansy na odniesienie świetnego zwycięstwa. Brytyjczycy bardziej docenili starania Chińczyków i byli, podobnie jak Chiang Kai-shek, wściekli na Stilwella.

Piątego kwietnia potężne japońskie zgrupowanie uderzeniowe wpłynęło do Zatoki Bengalskiej, aby zaatakować brytyjską bazę morską w Kolombo. Admirał James Somerville zdołał w porę ewakuować większość swoich okrętów, ale i tak Brytyjczycy ponieśli bardzo dotkliwe straty. Do początku maja Japończycy zawładnęli miastem Mandalaj, a nawet wdarli się do Chin Drogą Birmańską, zmuszając część sił chińskich nacjonalistów do wycofania się do prowincji Junnan. Jednak najbardziej ucierpiała w trakcie tego odwrotu na północ ludność cywilna z licznych hinduskich skupisk w Birmie, w tym drobni kupcy i ich rodziny, nienawykli do udręk i nieszczęść. Napadali na nich i rabowali ich Birmańczycy, którzy żywili do Hindusów nienawiść. Pozostałe alianckie wojska musiały odejść nad granicę indyjską, straciwszy około trzydziestu tysięcy ludzi. Japońska okupacja południowo-wschodniej części Azji wydawała się faktem.

---

[23] *The Stilwell Papers*, red. T.H. White, New York 1948, s. 60.

ROZDZIAŁ 17

Chiny i Filipiny

listopad 1941–kwiecień 1942

R ok 1941 zaczął się dla chińskich nacjonalistów pomyślniej. Jednostki japońskiej 11. Armii były tak rozproszone, że nie mogły przeprowadzić skutecznej ofensywy. Na południe od Jangcy wojskom Kuomintangu
udało się nawet wpędzić w poważne tarapaty 33. i 34. Dywizję nieprzyjaciela nad rzeką Jin Jiang, gdzie Japończycy stracili około piętnastu tysięcy
żołnierzy. Chiang Kai-shek, podejmując skalkulowane ryzyko, zmusił partyzantów z komunistycznej 4. Armii do odejścia z obszarów na południe od
Jangcy i przemarsz na tereny na północ od Huang He (Rzeki Żółtej). Wydaje się, że choć osiągnięto porozumienie w sprawie tego odwrotu, to Mao
nie zamierzał go dotrzymywać[1]. Rozgorzały zaciekłe walki, kiedy wojska komunistyczne, rozmyślnie pokierowane źle przez Mao, natknęły się po drodze na wojska nacjonalistów. Naturalnie obie strony pozostawiły zupełnie
odmienne relacje z tych wydarzeń. Pewne jest tylko to, że późniejsza wojna domowa w Chinach stała się jeszcze trudniejsza do uniknięcia. Radzieccy doradcy ograniczyli się do wyrażenia zaniepokojenia, że chińscy nacjonaliści i komuniści podjęli walkę z sobą, zamiast atakować Japończyków.
Ale na świecie różne partie komunistyczne spożytkowały ten incydent do
głoszenia propagandowych sloganów o niezmiennie agresywnych poczynaniach nacjonalistów.

Tymczasem generalissimus Chiang Kai-shek był oburzony nasilają-
cą się sowiecką kontrolą nad prowincją Sinkiang na północno-zachodnim skraju Chin, graniczącą z Mongolią, ZSRR i Indiami. Za pośrednictwem miejscowego kacyka Sheng Shicaia Związek Radziecki zakładał tam

---

[1] Zob. J. Chang, J. Halliday, *Mao. The Unknown Story*, London 2007, s. 278–285.

bazy i budował fabryki, zorganizował garnizon wojskowy i zaczął wydobywać cynę oraz ropę naftową. W tajnym obozie szkolono też kadry Chińskiej Partii Komunistycznej, której wpływy w owej prowincji rosły. Nawet Sheng Shih-tsai zgłosił akces do tejże partii. Sprzeciwił się temu Stalin, lecz w zamian zaproponował Shengowi członkostwo w KPZR. A ponieważ przez Sinkiang przebiegała większość szlaków, którymi napływało zaopatrzenie z ZSRR i dzięki którym odbywała się wymiana handlowa z Sowietami, chińscy nacjonaliści musieli się temu biernie przyglądać. Chiang Kai-shek mógł tylko wyczekiwać na korzystniejszy moment do ponownego narzucenia własnego nadzoru nad tymi ziemiami, które w praktyce stały się sowieckim lennem.

Pomimo wynikających z tego napięć Sowieci tymczasowo wznowili zaopatrywanie Chińczyków, głównie z tego powodu, że Stalin wciąż obawiał się japońskiego zagrożenia na Dalekim Wschodzie. W walce o południowe ziemie prowincji Hunan Kuomintang znowu posłużył się taktyką przejściowego odwrotu połączonego z kontruderzeniem. Tylko w południowej części prowincji Shanxi Japończycy wyraźnie posunęli się naprzód i opanowali cenne obszary rolnicze, skąd chińscy nacjonaliści czerpali żywność i rekrutów. Doszło do tego po zdecydowanym japońskim zwycięstwie w bitwie o Zhongyuan [„równiny centralne"], określonym przez Chiang Kai-sheka jako „największa hańba w dziejach wojny przeciwko Japonii"[2].

W owym czasie po Chinach podróżowali Ernest Hemingway i jego żona Martha Gellhorn, a nieszczęścia i nędza, które widywali, przygnębiały nawet nieustraszoną Gellhorn. „Chiny wyleczyły mnie [z zamiłowania do podróży] – już nie chcę więcej podróżować – napisał do swojej matki. – Na prawdziwe życie na Wschodzie nie sposób patrzeć i aż strach o nim opowiadać"[3]. Brud, smród, szczury i pluskwy bardzo dawały się we znaki. W stolicy nacjonalistów, Chongqingu, którą Hemingway opisał jako „szarą, bezkształtną, błotnistą masę burych betonowych budynków i nędznych chat", oboje jedli obiad z małżonką Chiang Kai-sheka i samym generalissimusem, a potem oznajmiono im, że spotkał ich wielki zaszczyt – Chiang przyjął ich bez swoich sztucznych zębów.

Chiński generalissimus nie byłby taki zachwycony, gdyby się dowiedział, że na Gellhorn bardzo dobre wrażenie wywarł komunistyczny przedstawiciel w Chongqingu Zhou Enlai. Z kolei Hemingway nie odnosił się już tak bezkrytycznie do komunistów jak niegdyś w Hiszpanii. Dobrze pojmował

---

[2] Cyt. za: H. Kawano, *Japanese Combat Morale*, w: M. Peattie, E. Drea, H.J. van de Ven, *The Battle for China. Essays on the Military History of the Sino-Japanese War of 1937–1945*, Stanford 2011, s. 331.

[3] C. Moorehead, *Martha Gellhorn. A Life*, London 2003, s. 213.

skuteczność ich propagandy i to, jak ich stronnicy w rodzaju Edgara Snowa potrafili przekonywać czytelników w Stanach Zjednoczonych, że wojska Mao walczą dzielnie, podczas gdy skorumpowani nacjonaliści nie robią prawie nic – choć w istocie było właśnie na odwrót.

Na pewno w nacjonalistycznych Chinach korupcja istniała, lecz jej nasilenie było różne w poszczególnych armiach. Hołdujący starym nawykom sztabowcy z 15. Armii wykorzystywali wojskowe ciężarówki do sprowadzania opium z Syczuanu i sprzedawania go w dolinie Jangcy, ale nie wszyscy oficerowie wojsk Kuomintangu postępowali jak watażkowie. Choć niektórzy wzbogacali się bezwstydnie na kradzieżach i sprzedawaniu żołnierskich racji żywnościowych, to inni, bardziej nowocześni i liberalni, z własnych pieniędzy nabywali leki i opatrunki dla swoich podwładnych. Rychło wyszło na jaw, że komuniści nie są lepsi. Produkcja i handel opium, którymi się zajmowali, miały prowadzić do zgromadzenia funduszy na późniejszą walkę z nacjonalistami. W 1943 roku radziecki ambasador oszacował ich dochody ze sprzedaży 44 760 kilogramów opium na sześćdziesiąt milionów dolarów[4].

Hitlerowska inwazja na Związek Radziecki w czerwcu 1941 roku była, z perspektywy chińskich nacjonalistów, wydarzeniem i korzystnym, i niepomyślnym. Pozytywne było to, że Stalin nie mógł sobie pozwolić na jawne opanowanie prowincji Sinkiang. Przede wszystkim zaś wyodrębniły się dwa wyraźne, przeciwne obozy w drugiej wojnie światowej: Wielka Brytania, Stany Zjednoczone i Związek Radziecki przeciwko Niemcom i Japonii. Z drugiej jednak strony Stalin starał się jeszcze bardziej uniknąć starcia z Japonią. Lękał się koncentracji japońskich sił na północy i domagał się od chińskich komunistów podjęcia energicznej kampanii partyzanckiej, lecz Mao, pozornie zgadzając się na to, nie robił nic w tym kierunku. Jedyna zbrojna ofensywa komunistyczna, zwana operacją „Tysiąca Pułków", miała miejsce poprzedniego lata. Wprawiła zresztą Mao we wściekłość, gdyż dopomogła silnie naciskanym nacjonalistom, i chociaż udało się w jej trakcie uszkodzić wiele linii kolejowych i kopalni, to również komuniści ponieśli przy tym bolesne straty.

Mimo że w trakcie 1941 roku chińskie wojska komunistyczne zachowywały całkowitą neutralność, japoński dowódca generał Yasuji Okamura podjął brutalne działania antypartyzanckie – nakazując „wszystkich zabijać, wszystko palić i wszystko niszczyć"[5] – na obszarach, gdzie znajdowały się bazy komunistów. Młodszych mężczyzn, o ile nie zostali zabici, zapędzano do przymusowych robót. Japończycy używali też specyficznej broni,

---

[4] A.S. Paniuszkin, *Zapiski posła. Kitaj 1939–1944*, Moskwa 1981, s. 278, cyt. za: J. Chang, J. Halliday, *Mao, op. cit.*, s. 3.
[5] E.L. Dreyer, *China at War, 1901–1949*, London 1995, s. 253.

jaką był głód; palili wszelkie płody rolne, których nie byli w stanie zabrać. Ocenia się, że we wspomnianym okresie ludność obszarów w strefie aktywności chińskich komunistów spadła z czterdziestu czterech do dwudziestu pięciu milionów[6].

W Moskwie wywołała furię decyzja Mao o wycofaniu wielu jego oddziałów i rozproszeniu tych, które nadal pozostawały na japońskich tyłach. W oczach Sowietów oznaczało to zdradę „proletariackiego internacjonalizmu"[7], który zmuszał komunistów na całym świecie do wszelkich wyrzeczeń na rzecz „ojczyzny uciskanych", czyli ZSRR. Stalin przekonał się ostatecznie, że Mao jest bardziej zainteresowany odbieraniem terytoriów chińskim nacjonalistom aniżeli walką z Japończykami. Mao rzeczywiście czynił wszystko, co w jego mocy, aby ograniczyć radzieckie wpływy w swojej partii komunistycznej.

Choć Stalin nieco wcześniej, w kwietniu, podpisał pakt o nieagresji z Japonią, a następnie wstrzymał dostawy uzbrojenia dla Kuomintangu, to nadal podsyłał chińskim nacjonalistom swych doradców wojskowych[8]. Głównym spośród nich był w owym czasie generał Wasilij Czujkow, który później dowodził radziecką 62. Armią w obronie Stalingradu. Łącznie w Chinach pełniło służbę około tysiąca pięciuset oficerów Armii Czerwonej, nabywając tam doświadczenia i oceniając przydatność różnych typów broni – podobnie jak wcześniej podczas hiszpańskiej wojny domowej.

Brytyjczycy również oferowali uzbrojenie i przeszkolenie chińskich oddziałów partyzanckich. Wcześniej organizowano to w placówce Kierownictwa Operacji Specjalnych (SOE) w Hongkongu, ale ponieważ oficerowie SOE zaczęli dozbrajać grupy komunistyczne w okolicach Dong Jiang (Rzeki Wschodniej), Chiang zażądał wstrzymania tego programu. Tymczasem z pomocą przybyli Amerykanie. Obejmowała ona między innymi sformowanie Amerykańskiej Grupy Ochotniczej, czyli formacji „Latających Tygrysów", dowodzonej przez oficera USAAC w stanie spoczynku Claire'a Chennaulta, lotniczego doradcę Chiang Kai-sheka, i wyposażonej w setkę curtissów P-40. Stacjonowały one w Birmie, strzegąc połączenia drogowego z południowo-zachodnimi Chinami, jednak P-40 miały niewielkie szanse w pojedynkach z japońskimi myśliwcami Mitsubishi Zero, chyba że amerykańscy piloci uciekali się do specjalnych manewrów taktycznych.

Nad samymi Chinami, a zwłaszcza nad tymczasową stolicą w Chongqingu, lotnicy ze słabych sił powietrznych Kuomintangu dwoili się i troili,

---

[6] Ch.A. Johnson, *Peasant Nationalism and Communist Power. The Emergence of Revolutionary China, 1937–1945*, Stanford 1962, s. 58.

[7] J.W. Garver, *Chinese-Soviet Relations, 1937–1945. The Diplomacy of Chinese Nationalism*, Oxford 1988, s. 239.

[8] *Ibidem*, s. 40; B. Zhang, *China's Quest for Foreign Military Aid*, w: M. Peattie, E. Drea, H.J. van de Ven, *The Battle for China, op. cit.*, s. 288–293.

żeby rozbijać formacje japońskich bombowców. W Cesarskiej Kwaterze Głównej musiano pogodzić się już w grudniu 1938 roku, że taktyka chińskich wojsk nacjonalistycznych rozwiała wszelkie nadzieje na szybkie japońskie zwycięstwo. W tej sytuacji Japończycy zdali się na bombardowania strategiczne, licząc na złamanie w ten sposób chińskiej woli walki. Za cel nalotów wzięto wszelkie zakłady przemysłowe, lecz najwięcej bomb spadało na stolicę nacjonalistów, atakowaną nieustannie ładunkami burzącymi i zapalającymi. Japończycy zastosowali strategię wielu małych nalotów, aby utrzymywać w mieście stan ciągłego alarmu i wyczerpywać środki obrony przeciwlotniczej. Chińscy historycy piszą o „wielkich bombardowaniach Chongqingu", a najintensywniejsza ich faza trwała od stycznia 1939 do grudnia 1941 roku, gdy w nalotach brały udział jednostki japońskiego lotnictwa morskiego, później skierowane na Ocean Spokojny. Zginęło ponad piętnaście tysięcy chińskich cywilów, a dwadzieścia tysięcy odniosło poważne rany[9].

Osiemnastego września 1941 roku japońska 11. Armia podjęła siłami czterech dywizji nową ofensywę przeciwko ważnemu strategicznie miastu Changsha. Walki były zacięte, wreszcie chińskie wojska musiały się wycofać. Jak zawsze w czasie odwrotu najbardziej cierpieli ranni. Chiński lekarz z Trynidadu w Indiach Zachodnich (Karaiby) opisał pewną, niestety typową scenkę. „Ambulans Czerwonego Krzyża stał na drodze, otoczony setkami rannych, którzy stali albo leżeli. Był zapełniony ludźmi, a lżej ranni wdrapali się na jego dach. Niektórzy wcisnęli się nawet do szoferki. Kierowca stał przed nimi ze wzniesionymi rękami, zaklinając ich rozpaczliwie. Nie była to niecodzienna scena. Ranni ludzie kładli się na szosie, żeby ambulans ich nie pozostawił"[10].

Podczas tej ponownej próby okrążenia Changshy Japończycy znów ponieśli większe straty niż przeciwnik. Stosowane przez chińskich nacjonalistów połączenie operacji konwencjonalnych i podjazdowych stawało się coraz skuteczniejsze. Plan działań został nakreślony przez generała Czujkowa. Jeszcze raz Chińczycy przeszli do kontrataku w chwili, kiedy Japończycy wkraczali do miasta. Źródła japońskie podają, że ich wojska wycofały się na rozkaz naczelnego dowództwa, natomiast Chińczycy przypisują sobie wielkie zwycięstwo.

Tymczasem Chińczycy rzucili znaczne siły na Yichang, ważny port rzeczny nad Jangcy, starając się go odzyskać. Dziesiątego października prawie powiodło się rozbicie japońskiej 13. Dywizji broniącej miasta. „Poło-

[9] E. Tow, *The Great Bombing of Chongqing and the Anti-Japanese War, 1937–1945*, w: M. Peattie, E. Drea, H.J. van de Ven, *The Battle for China, op. cit.*, s. 256–282.
[10] A. Smedley, *Battle Hymn of China*, London 1944, s. 158.

żenie dywizji było tak rozpaczliwe, że jej sztab szykował się do spalenia sztandarów pułkowych, zniszczenia tajnych dokumentów i popełnienia samobójstwa"[11]. Jednakże w porę nadeszła z odsieczą 39. Dywizja.

Zarówno armie nacjonalistów, jak i wojska sprzymierzonych z nimi kacyków oraz oddziały chińskich komunistów celowo prowadziły długotrwałą kampanię na bardzo rozległych obszarach, unikając przy tym przeprowadzania wielkich ofensyw. Czasami nacjonaliści, a jeszcze częściej komuniści zawierali lokalne rozejmy z Japończykami. Z kolei Cesarska Armia Japońska wykorzystywała operacje militarne w Chinach do szkolenia nowo sformowanych jednostek. I mimo że opór stawiany nieprzerwanie przez Chiny Japonii nie decydował o rezultatach wojny na Dalekim Wschodzie, to wywierał na nią znaczny, choć niebezpośredni wpływ.

Jeszcze w okresie gdy Japończycy rozpętali wojnę na Pacyfiku w grudniu 1941 roku, ich armia ekspedycyjna w Chinach nadal liczyła sześćset osiemdziesiąt tysięcy ludzi. Było to czterokrotnie więcej niż łączna liczba żołnierzy japońskich wojsk lądowych użytych do ataku na brytyjskie, holenderskie i amerykańskie posiadłości zamorskie. Ponadto, na co zwróciło uwagę kilku historyków, zasoby finansowe i inne przeznaczone przez Tokio na prowadzenie wojny chińsko-japońskiej od 1937 roku można było ze znacznie większym efektem wykorzystać na przygotowania do walk na Oceanii, w szczególności budując więcej lotniskowców. Jednak najistotniejszą konsekwencją chińskiego oporu oraz radzieckiego zwycięstwa nad Chalchyn gol stała się rezygnacja Japończyków z uderzenia na Syberię, gdzie wojska Armii Czerwonej były szczególnie słabe i narażone na atak jesienią i wczesną zimą 1941 roku. Druga wojna światowa mogła potoczyć się zupełnie inaczej, gdyby wtedy Japonia zaatakowała jednak owe obszary.

W lutym 1942 roku generał Marshall mianował generała majora Josepha Stilwella na dowódcę sił amerykańskich w Chinach i Birmie. Stilwell był attaché wojskowym USA w Nankinie przy władzach Kuomintangu, gdy w 1937 roku wybuchła wojna obronna Chin z Japonią. W związku z tym uważano go w Waszyngtonie za starego wyjadacza w sprawach chińskich. Ale „Vinegar Joe" uważał chińskich oficerów za leniwych, dwulicowych, podstępnych, nieprzeniknionych, niezdyscyplinowanych, przekupnych, a nawet głupich. Zasadniczo hołdował dziewiętnastowiecznym opiniom, nakazującym traktowanie Chin jako „chorego państwa azjatyckiego"[12]. Wydawał się nie bardzo rozumieć nader realne trudności, w których obliczu stał reżim Chiang Kai-sheka, zwłaszcza problemy z zaopatrzeniem

---

[11] R. Tobe, *The Japanese Eleventh Army in Central China, 1938–1941*, w: M. Peattie, E. Drea, H.J. van de Ven, *The Battle for China, op. cit.*, s. 227.
[12] H.J. van de Ven, *War and Nationalism in China, 1925–1945*, London – New York 2003, s. 13.

w żywność, co zmusiło wcześniej do wycofania się wielu wojsk na nieco żyźniejsze obszary – po prostu po to, aby zapobiec masowym dezercjom wygłodniałych żołnierzy.

Żywność, czego Stilwell nie przyjmował do wiadomości, musiała nieuchronnie stanowić główną troskę chińskich nacjonalistów, tym bardziej że na tereny pozostające pod ich kontrolą napłynęło ponad pięćdziesiąt milionów uchodźców, pierzchających przed okrucieństwami Japończyków. Po nieudanych zbiorach i utracie żyźniejszych ziem na rzecz nieprzyjaciela ceny żywności zawrotnie rosły. Biedota i uciekinierzy głodowali, nawet drobniejsi urzędnicy ledwie wykarmiali swoje rodziny. Władze zupełnie nie potrafiły sobie poradzić z udaremnianiem spekulantom i urzędnikom blokowania handlu zbożem i ryżem, którzy później sprzedawali te produkty spożywcze z zyskiem, mimo że część takich zapasów gniła. Zwalczanie korupcji, tak potępianej przez Stilwella, okazywało się niezmiernie trudne.

Rozwiązaniem przyjętym przez nacjonalistów było opodatkowanie chłopów, którzy musieli składać daniny w naturze, lecz to tylko przerzuciło brzemię wyżywienia wielkich chińskich armii na barki ludności rolniczej, zresztą masowo zapędzanej do robót przymusowych na rzecz wojska. Wkrótce w wielu regionach zapanował głód. W rezultacie pobór do służby wojskowej stał się trudniejszy, a rekruci uciekali się do stawiania oporu i wymigiwali się od zaciągu wszelkimi sposobami. Racje żywnościowe stale zmniejszano, zaś pod koniec wojny za miesięczny żołd chiński żołnierz nie mógł kupić nawet dwóch głów kapusty[13]. Rozproszone i nieustannie grabione państwo rolnicze, w którym doszło do rozpadu normalnych relacji międzyludzkich, prawie nie było w stanie prowadzić nowoczesnej wojny. Komunistom szło lepiej na słabiej zaludnionych terytoriach, głównie za sprawą tego, że wprowadzali ścisły nadzór nad wszelkimi dziedzinami życia. Wykazywali się też większą dalekowzrocznością, wykorzystując efektywniej siłę roboczą, a nawet kierując swoje oddziały do pomocy w żniwach. Armie komunistów zakładały też własne gospodarstwa rolne, by uniezależnić się od dostaw żywności[14]. W związku z tym wszystkim miały dużo większe poparcie wśród ubogiego chłopstwa niż nacjonaliści. Najważniejsze było wszak to, że nieprzyjaciel pozostawiał je we względnym spokoju – Japończycy koncentrowali główne siły na walce z chińskimi nacjonalistami.

Marshall wybrał Stilwella również z tego powodu, że ten ostatni bezwarunkowo wyznawał amerykańską doktrynę wojskową, która kładła nacisk na działania ofensywne. Jednak nacjonaliści i sprzymierzone z nimi wojska

---

[13] *Ibidem*, s. 253–283.
[14] L. Collingham, *The Taste of War. World War II and the Battle for Food*, London 2011, s. 250–255.

zwyczajnie nie miały możliwości prowadzenia skutecznych operacji zaczepnych. Brakowało im środków transportu do koncentracji oddziałów; zabrakło też wsparcia lotniczego oraz czołgów. Z tego powodu Chiang Kai-shek już wcześniej, jeszcze przed wybuchem tej wojny, uznał, że jedyna szansa na przetrwanie to długotrwałe, na poły partyzanckie walki na wyczerpanie. Chiang, realista, który znał swój kraj i pojmował niedostatki własnych wojsk o wiele lepiej niż Stilwell, musiał wysłuchiwać nieustannych przytyków na temat braku „ducha bojowego"[15]. Stilwell prywatnie określał chińskiego generalissimusa pogardliwym mianem „Orzeszka ziemnego". Z kolei Chiang, nie doceniając oburzenia amerykańskiej opinii publicznej na Japonię, obawiał się niepotrzebnie, że Stany Zjednoczone mogą zawrzeć pokój z władzami tokijskimi i pozostawić go na pastwę losu. Tak więc, wobec faktu, że rozpaczliwie potrzebował pomocy, musiał jakoś znosić tak niegrzecznego przedstawiciela sojusznika, jakim był Stilwell.

Poza tym Stilwell, podobnie zresztą jak Marshall i jego podwładni, podejrzewał, iż Brytyjczyków interesuje wyłącznie odbudowanie swojego imperium i w tym celu są gotowi manipulować Amerykanami. Jednakże stanowczej opinii Stilwella, że Japończykom można zadać decydującą klęskę w Chinach, nie podzielał nikt. Wspomniany pogląd stał w całkowitej sprzeczności z preferowaną w Waszyngtonie strategią nakłaniania Chiang Kai-sheka do wiązania znacznych sił japońskich w Chinach w czasie, gdy Stany Zjednoczone walczyły o zapanowanie na Pacyfiku. Marshall stanowczo odrzucał prośby Stilwella o przerzucenie do Chin amerykańskiego korpusu armijnego, który odegrałby wiodącą rolę w walkach w tym kraju.

A jednak wiara Stilwella w nadrzędne znaczenie wojny w Chinach skłoniła go do skupienia uwagi na Birmie i kwestii zabezpieczenia szlaku zaopatrzeniowego dla wojsk nacjonalistów. Z kolei Brytyjczycy uważali oddziały Chiang Kai-sheka za siły zbrojne przydatne do obrony Indii, a później za armie sojusznicze, z których pomocą mogli odzyskać utracone imperialne posiadłości w Birmie i na Malajach. Hongkong stanowił dużo bardziej złożoną kwestię, gdyż Chiang postanowił odzyskać tę enklawę dla Chin.

Pomimo częściowej odpowiedzialności Stilwella za klęskę w Birmie amerykańska prasa uznawała go za bohatera, nadal wiedząc żałośnie mało o konflikcie w Chinach. W istocie Kuomintang w miarę efektywnie prowadził tę wojnę aż do 1941 roku, jakoś godząc potrzeby chłopskiej gospodarki z corocznym powoływaniem do wojska dwóch milionów ludzi i koniecznością ich wyżywienia. Ale japońska ofensywa na południu prowincji Shanxi, która przyniosła agresorom zdobycie ośrodka komunikacyjnego

---

[15] H.J. van de Ven, *War and Nationalism in China, 1925–1945*, op. cit., s. 10.

Yichang nad Jangcy, odcięła większość nacjonalistycznych armii od zasobów żywności w Syczuanie.

Chiang Kai-shek był niezadowolony z tego, że Stilwell, po długim odwrocie z Birmy, przeszedł w 1942 roku do Indii z dwiema z jego najlepszych dywizji. Żywił poważne podejrzenia, że Stilwell stara się zorganizować własną, niezależną armię, lecz tolerował to, gdyż jeszcze bardziej nie chciał, aby wspomniane formacje znalazły się pod kontrolą Brytyjczyków. Owe dwie dywizje, 22. i 38., wyposażono w zalegający w magazynach, przeznaczony w ramach porozumienia Lend-Lease dla wojsk Chiang Kai-sheka w Chinach sprzęt, którego w tym czasie nie dało się dostarczyć z powodu utraty Drogi Birmańskiej. Tylko samoloty transportowe przelatujące nad szczytami Himalajów mogły przerzucać niewielkie partie dostaw. Jeszcze więcej zapasów przeznaczonych do dostarczenia chińskim nacjonalistom składowano w USA albo przekazano Brytyjczykom. Przejęcie przez Stilwella nadzoru nad dostawami do Chin w ramach Lend-Lease miało doprowadzić do zadrażnień i wzajemnej podejrzliwości w jego relacjach z Chiang Kai-shekiem – choć Stilwell nominalnie był szefem sztabu wojsk chińskiego generalissimusa. Stilwell stanowczo uważał, że jeśli sam przejmie kontrolę nad dystrybucją dostarczanej Chinom pomocy, to w ten sposób uda mu się zmusić Chianga do posłuszeństwa.

Wojna na Oceanii, w której główną rolę odgrywały siły morskie i powietrzne wspierające operacje desantowe, miała bardzo odmienny charakter od działań lądowych w kontynentalnych Chinach. Na Filipinach generał MacArthur wstrzymał się z wprowadzeniem do walki większości swoich wojsk, kiedy 10 grudnia 1941 roku Japończycy wysadzili nieduży desant na północnym skraju największej filipińskiej wyspy Luzon. Słusznie odgadł, że to tylko dywersyjna akcja, mająca na celu rozproszenie jego sił. Dwa dni później doszło do następnego japońskiego lądowania w południowo-wschodniej części Luzonu. Główny desant Japończycy wysadzili na brzeg dopiero 22 grudnia, gdy czterdzieści trzy tysiące żołnierzy 14. Armii wylądowało na plażach dwieście kilometrów na północ od Manili.

Rejon tych dwóch zasadniczych lądowań wskazywał, że japońska armia zamierza wziąć w kleszcze filipińską stolicę. Teoretycznie MacArthur dowodził stu trzydziestoma tysiącami żołnierzy, ale zdecydowaną większość z nich stanowił personel rezerwowych jednostek filipińskich. Uznał, że tak naprawdę może liczyć tylko na trzydzieści jeden tysięcy amerykańskich i filipińskich żołnierzy. Zaprawione w walkach oddziały japońskie, poprzedzone pancernymi czołówkami, niebawem zaczęły spychać jego wojska nad Zatokę Manilską. MacArthur wprowadził w życie opracowany zawczasu, alarmowy plan „Orange". Polegał on na wycofaniu się z wojskami na półwysep

Bataan po zachodniej stronie Zatoki Manilskiej i prowadzeniu tam obrony[16]. Na wysepce Corregidor wejścia do wspomnianej rozległej zatoki strzegły baterie artylerii przybrzeżnej, które osłaniały też południowo-wschodni skraj pięćdziesięciokilometrowego półwyspu.

Wobec braku dostatecznej liczby wojskowych ciężarówek do ewakuacji swoich wojsk z południowej części kraju MacArthur zarekwirował jaskrawo pomalowane manilskie autobusy. Wieczorem 24 grudnia, w towarzystwie filipińskiego prezydenta Manuela Luisa Quezona i jego rządu, MacArthur opuścił stolicę na pokładzie parowca, by założyć swą kwaterę główną na ufortyfikowanym Corregidorze, znanym jako „Skała". Wielkie składy paliw i innych zapasów wokół Manili oraz tamtejszą stocznię marynarki wojennej podpalono, a ku niebu wzbijały się słupy skłębionego, czarnego dymu.

Odwrót piętnastu tysięcy amerykańskich i sześćdziesięciu pięciu tysięcy filipińskich żołnierzy na Bataan, na pierwszą linię obrony nad rzeką Pampanga przebiegał nie bez trudności. Wielu filipińskich rezerwistów dezerterowało i powracało do domów, choć inni poszli w góry, aby prowadzić wojnę partyzancką z najeźdźcami. Po przeciwnej stronie zatoki Japończycy wkroczyli 2 stycznia 1942 roku do Manili. Największym problemem MacArthura było wyżywienie prawie osiemdziesięciu tysięcy żołnierzy i dwudziestu sześciu tysięcy cywilnych uciekinierów na półwyspie w sytuacji, gdy japońska flota zorganizowała skuteczną blokadę, a samoloty agresora panowały w powietrzu.

Japońskie ataki rozpoczęły się 9 stycznia. Wojska MacArthura na skraju półwyspu Bataan przedzielała pośrodku góra Natib. Gęsta dżungla i wąwozy po jest zachodniej stronie, a moczary nad Zatoką Manilską po wschodniej czyniły z tych terenów istne piekło. Malaria i gorączka tropikalna dziesiątkowały oddziały MacArthura, którym brakowało chininy i innych medykamentów. Większość żołnierzy była poważnie osłabiona dyzenterią, którą w amerykańskim Korpusie Piechoty Morskiej nazywano „kaskadami Jangcy". Zasadniczy błąd popełniony przez MacArthura polegał na rozproszeniu zapasów zamiast zebrania ich na Bataanie i Corregidorze.

Po dwóch tygodniach zażartych walk Japończycy 22 stycznia przedarli się przez górzysty środek linii obronnej i zmusili wojska MacArthura do wycofania się na drugą linię, przebiegającą w połowie półwyspu. Jego chorujący żołnierze, w złachmanionych mundurach, na których skórze zaczynała się tworzyć w dżungli i pośród moczarów pleśń, już byli wyczerpani i poważnie osłabieni. Nowe zagrożenie pojawiło się wraz z czterema morskimi desantami Japończyków na południowo-zachodnim skraju półwyspu.

---

[16] *Philippine Islands*, USACMH, 1992.

Z najwyższą trudnością powstrzymano i odparto oddziały desantowe, a obie strony poniosły przy tym ciężkie straty.

Opór stawiany przez wojska amerykańskie i filipińskie był tak skuteczny, a obrońcy zadawali Japończykom tak dotkliwe straty, że w połowie lutego generał porucznik Masaharu Homma wycofał nieco swoje formacje, aby odpoczęły i zaczekały na wzmocnienie. Chociaż dodało to pewnej otuchy obrońcom, którzy skorzystali z okazji do naprawy polowych umocnień, to plaga chorób i świadomość, że nie można oczekiwać na pomoc z zewnątrz, niebawem zrobiły swoje. Wielu spośród „walecznych drani z Bataanu"[17], jak sami się określali, zaczynało odczuwać rozgoryczenie na myśl o tym, że MacArthur zmusza ich do dalszych wyrzeczeń i opuszczenia bezpiecznych betonowych tuneli Corregidoru. Stał się znany jako „Dugout Doug" („Okopany Douglas"). MacArthur chciał pozostać na Filipinach, ale otrzymał rozkaz wydany przez samego Roosevelta, by ewakuował się do Australii i tam szykował do dalszych zmagań. Dwunastego marca MacArthur wraz z rodziną i sztabem odpłynął czterema szybkimi kutrami patrolowymi.

Ci, którzy pozostali pod komendą generała majora Jonathana Wainwrighta, wiedzieli, że sytuacja jest beznadziejna. Wskutek wygłodzenia i chorób mniej niż jedna czwarta żołnierzy mogła kontynuować walkę. Z kolei wojska japońskiego generała Hommy zostały wzmocnione dwudziestoma jeden tysiącami ludzi, bombowcami i artylerią. Trzeciego kwietnia Japończycy przypuścili nowy, potężny atak. Obrona się załamała, a 9 kwietnia oddziały na Bataanie dowodzone przez generała majora Edwarda P. Kinga jr. skapitulowały. Wainwright nadal bronił się na Corregidorze, lecz wyspę tę zryły nieustanne bombardowania oraz ostrzał artyleryjski z morza i lądu. Nocą 5 maja wylądowały tam japońskie oddziały, a nazajutrz załamany Wainwright musiał się poddać wraz z pozostałymi przy życiu trzynastoma tysiącami swoich ludzi. Ale na tym gehenna obrońców Bataanu i Corregidoru bynajmniej się nie zakończyła.

---

[17] *Ibidem.*

ROZDZIAŁ 18

Wojna światowa

grudzień 1941–styczeń 1942

Chociaż wojnę z Niemcami i Japonią alianci prowadzili jako dwa oddzielne konflikty zbrojne, to obydwa wpływały na siebie wzajemnie o wiele bardziej, niż mogłoby się to z pozoru wydawać. Radzieckie zwycięstwo nad Chalchyn goł w sierpniu 1939 roku nie tylko przyczyniło się do podjęcia przez Japończyków decyzji o ataku na południu i wciągnęło Stany Zjednoczone do wojny, ale oznaczało także, iż Stalin mógł przerzucić swoje syberyjskie dywizje na zachód i pobić wojska Hitlera, próbujące zdobyć Moskwę.

Pakt radziecko-nazistowski, który w swoim czasie zaszokował Japończyków, również wywarł wpływ na ich plany strategiczne. Swoją rolę odegrał też zdumiewający brak stałej łączności dyplomatycznej między Niemcami a Japonią, która zawarła ze Stalinem porozumienie o neutralności zaledwie na dwa miesiące przed tym, jak Hitler uderzył na Związek Radziecki. W Tokio dominującą pozycję zdobyła frakcja opowiadająca się za atakiem na południe i wzięła górę nie tylko nad zwolennikami wojny z ZSRR, ale i nad tymi w Cesarskiej Armii Japońskiej, którzy chcieli najpierw zakończenia wojny z Chinami. Tak czy owak sowiecko-japoński układ o neutralności zaowocował tym, że odtąd to Stany Zjednoczone stały się głównym dostawcą broni i zaopatrzenia dla chińskich nacjonalistów. Wprawdzie Chiang Kai-shek nadal starał się nakłonić prezydenta Roosevelta, by ten wywarł na Stalina nacisk i zmusił ZSRR do wypowiedzenia wojny Japonii, lecz Roosevelt odmówił postawienia Sowietom takiego warunku przed uruchomieniem programu Lend-Lease. Stalin twierdził stanowczo, że Armia Czerwona nie może walczyć równocześnie na dwóch frontach.

Znacznie zwiększona przez Roosevelta w 1941 roku pomoc dla Chiang Kai-sheka rozwścieczyła Tokio, ale dopiero decyzję władz waszyngtońskich o nałożeniu embarga na dostawy ropy naftowej Japończycy uznali za akt równoznaczny z wypowiedzeniem wojny. Fakt, że wspomniane embargo było retorsją za japońską okupację Indochin i zarazem ostrzeżeniem, aby Japonia nie ważyła się najeżdżać innych krajów, jakoś nie przemawiał do ich rozumowania, na które w największym stopniu wpływało poczucie narodowej dumy.

Pod wpływem takiego poczucia wyższości japońscy militaryści, podobnie zresztą jak naziści, mylili przyczyny ze skutkami. Jak można było przewidzieć, wzburzyło ich podpisanie Karty atlantyckiej przez Roosevelta i Churchilla, którą uznali za próbę narzucenia światu demokracji w anglosaskim wydaniu. Mogli łatwo zwrócić uwagę na paradoks, że oto brytyjskie imperium głosi zasadę samostanowienia narodów, lecz mimo to ich własna japońska wersja idei „wyzwolenia narodowego" w ramach Strefy Wspólnego Dobrobytu Wielkiej Azji Wschodniej była oparta na znacznie większym ucisku. W istocie wprowadzany przez Japończyków azjatycki nowy ład uderzająco przypominał ten zaprowadzany w Europie przez Niemcy, a traktowanie Chińczyków stanowiło odzwierciedlenie nazistowskiego nastawienia do słowiańskich *Untermenschen*.

Japonia nigdy nie poważyłaby się na zaatakowanie Stanów Zjednoczonych, gdyby Hitler nie rozpętał wojny w Europie i na Atlantyku. Równoczesna wojna na dwóch oceanach stwarzała jedyną szansę przeciwstawienia się potęgom morskim USA i Wielkiej Brytanii. Właśnie z tego powodu Japończycy usilnie dążyli w listopadzie 1941 roku do uzyskania od nazistowskich Niemiec zapewnienia, że wypowiedzą one wojnę Ameryce, kiedy tylko Japonia przeprowadzi atak na Pearl Harbor. Ribbentrop, bez wątpienia nadal urażony tym, że Japończycy nie zareagowali na niemieckie żądanie z lipca, aby uderzyli na Władywostok i Syberię, początkowo udzielał wymijających odpowiedzi. „Roosevelt to fanatyk – stwierdził – więc nie sposób przewidzieć, co zrobi"[1]. Generał Hiroshi Ōshima, japoński ambasador w Rzeszy, dopytywał się wprost, co uczynią Niemcy.

„Jeśli Japonia znajdzie się w stanie wojny ze Stanami Zjednoczonymi – brzmiała odpowiedź Ribbentropa – to Niemcy oczywiście niezwłocznie przystąpią do tej wojny. W takich okolicznościach nie ma absolutnie żadnej możliwości zawarcia przez Niemcy separatystycznego pokoju ze Stanami Zjednoczonymi: Führer jest stanowczy w tym względzie".

Japończycy nie poinformowali Berlina o swoich planach, więc doniesienia o ataku na Pearl Harbor spadły, jak to określił Goebbels, „niczym grom z jasnego nieba"[2]. Hitler zareagował na te nowiny wielką radością. Ja-

---

[1] Cyt. za: V.M. Berezhkov, *History in the Making. Memoirs of World War II Diplomacy*, Moscow 1983, s. 159–160.
[2] *TBJG*, cz. II, t. II, s. 453.

pończycy zwiążą siły zbrojne Amerykanów, rozumował, a wojna na Pacyfiku z pewnością spowoduje ograniczenie amerykańskich dostaw do Związku Radzieckiego i Wielkiej Brytanii. Kalkulował, że USA i tak przystąpiłyby w najbliższej przyszłości do walki z nazistowskimi Niemcami, a jednak w tej sytuacji nie miały możliwości zbrojnego zainterweniowania w Europie przed – najwcześniej – 1943 rokiem. Nie miał pojęcia o strategii pokonania Niemiec w pierwszej kolejności, uzgodnionej przez amerykańskich i brytyjskich dowódców i sztabowców.

Jedenastego grudnia 1941 roku amerykański chargé d'affaires w Berlinie został wezwany na Wilhelmstrasse, gdzie Ribbentrop odczytał mu tekst deklaracji wypowiedzenia wojny Stanom Zjednoczonym przez nazistowskie Niemcy. Później tego samego popołudnia, przy akompaniamencie okrzyków „*Sieg Heil!*", wznoszonych przez członków NSDAP w Reichstagu, Hitler osobiście oświadczył, że Niemcy i Włochy znalazły się w stanie wojny z Ameryką – u boku Japonii, w zgodzie z literą Paktu Trzech. W rzeczywistości wspomniany pakt był porozumieniem defensywnym, przewidującym wzajemną pomoc w razie napaści dokonanej przez inny kraj. Rzesza w najmniejszym stopniu nie była zobligowana do wspomagania Japonii, gdyby ta dopuściła się aktu zbrojnej agresji.

W czasie gdy niemieckie wojska przystąpiły do odwrotu pod Moskwą, wypowiedzenie wojny przez Hitlera Stanom Zjednoczonym wydaje się, mówiąc delikatnie, pochopne. Decyzja ta była podszyta butą, a Ribbentrop (zapewne powołując się na słowa samego Führera) obwieścił z patosem: „Wielkie mocarstwo nie pozwala sobie, by ktoś wypowiadał mu wojnę, ono samo ją wypowiada"[3]. A jednak Hitler nawet nie zasięgnął opinii OKW i czołowych oficerów ze swojego sztabu, takich jak generał Alfred Jodl czy generał Walter Warlimont. Obu zaalarmował brak chłodnego wyrachowania przy podejmowaniu tak doniosłej decyzji przez wodza, zwłaszcza że Hitler utrzymywał jeszcze poprzedniego lata, iż nie chce wojny z Ameryką, dopóki nie rozbije Armii Czerwonej.

Za jednym zamachem cała dotychczasowa strategia Hitlera, który twierdził, że pokonanie przez Niemcy Związku Radzieckiego w końcu zmusi Wielką Brytanię do rezygnacji z wojny, została postawiona na głowie. Teraz Rzesza naprawdę stanęła w obliczu wojny na dwóch frontach. Niemiecka generalicja była skonsternowana rzucającą się w oczy niewiedzą Führera, który nie zdawał sobie sprawy z rozmiarów amerykańskiej potęgi przemysłowej. Z kolei zwyczajni Niemcy zaczęli się obawiać, że trwający konflikt

---

[3] E. von Weizsäcker, *Erinnerungen*, München 1950, s. 280, cyt. za: I. Kershaw, *Punkty zwrotne. Decyzje, które zmieniły bieg drugiej wojny światowej*, tłum. M. Romanek, Kraków 2009, s. 591.

zbrojny potrwa długie lata. (Później uderzające było, jak wielu Niemców wmawiało sobie przed samym końcem wojny, iż to Stany Zjednoczone wypowiedziały wojnę Rzeszy, a nie na odwrót).

Żołnierze na froncie wschodnim słuchali obwieszczenia o stanie wojny z USA, starając się bardzo postrzegać wszystko w korzystnym świetle. „Jedenastego grudnia mogliśmy wysłuchać przemówienia Führera, które było wyjątkowym wydarzeniem – pisał pewien starszy szeregowy z niemieckiej 2. Dywizji Pancernej, dumny z tego, że jego jednostka znalazła się w odległości dwunastu kilometrów od Kremla. – Teraz rozpoczęła się prawdziwa wojna światowa. Musiało do tego dojść"[4].

Wiodącą rolę w myśleniu Hitlera odgrywał przebieg wojny na morzach. Coraz agresywniejsza postawa Roosevelta, który wydał załogom amerykańskich okrętów wojennych rozkaz otwierania ognia do zauważonych U-Bootów, oraz decyzja o zapewnieniu konwojom eskorty na zachód od Islandii zaczęły przechylać szalę bitwy o Atlantyk na stronę aliantów. Admirał Raeder już wcześniej namawiał Hitlera, by ów zezwolił podwodnym „wilczym stadom" na podejmowanie walki z amerykańskimi okrętami. Niemiecki dyktator dusił w sobie poczucie bezsilnej wściekłości, ale dopóki Japończycy nie związali US Navy na Pacyfiku, a on sam zgodził się nie zawierać odrębnego pokoju ze Stanami Zjednoczonymi, nie ośmielił się podejmować rzuconej rękawicy. Teraz zachodnia część Atlantyku i całe północnoamerykańskie wybrzeże mogło przeobrazić się w strefę bezkarnych łowów w tej „wojnie torpedowej". Zdaniem Hitlera otwierało to nową szansę rzucenia Wielkiej Brytanii na kolana, jeszcze nawet przed podbojem Związku Radzieckiego.

Kontradmirał Karl Dönitz, dowódca floty U-Bootów, we wrześniu 1941 roku zawczasu prosił Hitlera, ażeby ten odpowiednio wcześniej uprzedził go o możliwym wypowiedzeniu wojny Stanom Zjednoczonym. Chciał zyskać czas na przysposobienie swoich podwodnych „wilczych stad", by były w stanie bezlitośnie atakować amerykańskie transporty morskie u wschodnich wybrzeży USA, póki Amerykanie nie byli gotowi do ich obrony. Jednakże nagła decyzja Hitlera została podjęta wtedy, gdy U-Booty jeszcze nie dotarły do tamtej strefy oceanu[5].

Ulegając swym antysemickim obsesjom Führer wmówił sobie, że Stany Zjednoczone to zasadniczo państwo nordyckie, zdominowane przez żydowskich podżegaczy wojennych, co stanowiło kolejną przyczynę, dla której musiało dojść do ostatecznej konfrontacji pomiędzy jego europejskim

---

[4] Starszy szeregowy Bisch, 2. kompania, 3. Pułk Pancerny, 2. Dywizja Pancerna, 21 grudnia 1941 r., BfZ-SS.

[5] I. Kershaw, *Punkty zwrotne, op. cit.*, s. 445–448.

nowym ładem a Ameryką. A jednak nie wziął pod uwagę tego, że japoński atak na Pearl Harbor doprowadził do zjednoczenia amerykańskiego społeczeństwa – i to w stopniu wykraczającym nawet poza rachuby Roosevelta. Izolacjonistyczne lobby, głoszące hasło *America First* („Ameryka przede wszystkim"), zupełnie ucichło, a wypowiedzenie wojny przez Hitlera nie mogło się lepiej przysłużyć Rooseveltowi. Wcześniej amerykański prezydent nie mógł oczekiwać, że Kongres zatwierdzi eskalację jego „niewypowiedzianej wojny" na Atlantyku.

Drugi tydzień grudnia 1941 roku był niewątpliwie punktem zwrotnym wojny. Churchill, mimo strasznych wieści napływających z Hongkongu i Malajów, wiedział, że Wielka Brytania nie zostanie pokonana. Po usłyszeniu nowin o Pearl Harbor stwierdził, że „udał się na spoczynek i spał snem ocalonych i wdzięcznych"[6]. Odparcie niemieckich wojsk pod Moskwą również zademonstrowało, że Hitler raczej nie osiągnie zwycięstwa na froncie wschodnim, w walce ze swym głównym przeciwnikiem na lądzie. Ponadto nadchodziły sygnały o przejściowym zmniejszeniu intensywności walk na Atlantyku i nawet z Afryki Północnej wreszcie nadeszły pomyślnie wiadomości o tym, że w trakcie operacji „Crusader" Auchinleck odrzucił wojska Rommla z powrotem do Cyrenajki. Tak więc bardzo optymistycznie usposobiony Churchill wyruszył ponownie drogą morską do Nowego Świata, tym razem na pokładzie pancernika HMS „Duke of York" – bliźniaczej jednostki zatopionego „Prince of Wales". Serię spotkań Churchilla z Rooseveltem i amerykańskimi sztabowcami opatrzono kryptonimem „Arcadia"[7].

W trakcie rejsu przez Ocean Atlantycki Churchill czerpał z zaczynu różnych pomysłów, precyzując własne zapatrywania na temat dalszego prowadzenia tej wojny. Zamysły te, omówione z brytyjskimi dowódcami, stanowiły udoskonaloną wersję brytyjskich planów strategicznych. Zgodnie z nimi desantu w zachodniej i północnej Europie nie należało przeprowadzać aż do czasu częściowego zniszczenia niemieckiego przemysłu, zwłaszcza lotniczego, przez naloty ciężkich bombowców; Brytyjczycy chcieli, aby amerykańskie siły powietrzne przyłączyły się do tej kampanii bombardowań. Wojska amerykańskie i brytyjskie powinny w 1942 roku wylądować w Afryce Północnej, by dopomóc w pokonaniu Rommla i zabezpieczyć strefę śródziemnomorską. Następnie, w roku 1943, można było wysadzić desanty na Sycylii i w kontynentalnych Włoszech lub w wybranych punktach północnoeuropejskich wybrzeży. Churchill uważał też, że Amerykanie winni podjąć walkę z Japończykami siłami floty lotniskowców.

---

[6] Tekst wywiadu z lady Soames, dokumenty Brendona, cyt. za C. D'Este, *Warlord. A Life of Churchill at War, 1874–1945*, London 2008, s. 622.

[7] M. Hastings, *Finest Years. Churchill as Warlord, 1940–45*, London 2009, s. 217–239.

Po niełatwej przeprawie przez wzburzone morza „Duke of York" ostatecznie dopłynął do Stanów Zjednoczonych 22 grudnia. Powitany przez Roosevelta Churchill został zakwaterowany w Białym Domu, gdzie przez następne trzy tygodnie dorobił się opinii uciążliwego gościa. Ale Churchill był w swoim żywiole, a jego wystąpienie w Kongresie nagrodzono burzliwą owacją. Dwaj alianccy przywódcy różnili się od siebie prawie pod każdym względem. Roosevelt był niewątpliwie wybitnym mężem stanu, ale choć czarował urokiem osobistym i skutecznie stwarzał wrażenie bezpośredniości, w gruncie rzeczy odznaczał się próżnością, chłodem i wyrachowaniem.

Z kolei Churchill był porywczy, ekspansywny, sentymentalny i nieprzewidywalny. Znano go z tego, że wpadał w „czarne jamy" głębokiego przygnębienia, zapewne będące oznaką względnie łagodnej postaci psychozy depresyjnej. Obydwaj przywódcy najbardziej się różnili podejściem do kwestii imperializmu. Churchill, jako dumny potomek wielkiego księcia Marlborough, pozostał staromodnym imperialistą. Roosevelt uważał taką postawę nie tylko za przejaw staroświeckości, ale za coś z gruntu niewłaściwego. Lubił też myśleć o sobie jako o przeciwniku *Realpolitik*, choć co rusz ochoczo przejawiał skłonność do podporządkowywania mniejszych państw swojej woli. Anthony Eden, który ponownie znalazł się na stanowisku brytyjskiego ministra spraw zagranicznych, niebawem celnie zaobserwował, że trudności w trójstronnych relacjach ze Związkiem Radzieckim sprowadzały się do tego, iż „polityka Stanów Zjednoczonych jest przesadnie moralna, przynajmniej tam, gdzie nie wchodzą w grę amerykańskie interesy"[8].

Delegacja brytyjska uzyskała zapewnienie od amerykańskiego szefostwa sztabów, że nadal obowiązuje polityka pokonania Niemiec w pierwszej kolejności. Na decyzję tę miały też wpływ problemy z transportem i zaopatrzeniem. Ze względu na wielkie odległości każdy statek czy okręt mógł odbyć zaledwie trzy dalekomorskie rejsy na Oceanię i Pacyfik w ciągu roku. Ale niedostatek transportowców oznaczał również, że koncentracja amerykańskich wojsk w Wielkiej Brytanii przed ich przerzutem przez kanał La Manche na kontynent miała potrwać dłużej, niż to sobie wyobrażano. Problem ten zaczął się rozwiązywać wraz z wdrożeniem programu masowej budowy statków transportowych klasy „Liberty".

Stany Zjednoczone po przystąpieniu do wojny miały się stać czymś więcej niż tylko „wielkim arsenałem demokracji". Zapoczątkowano już re-

---

[8] A. Eden, *Pamiętniki, 1938–1945*, t. 2: *Obrachunki*, tłum. J. Meysztowicz, Warszawa 1972, s. 342.

alizację programu „Victory", zaproponowanego pierwotnie przez Jeana Monneta, jednego z nielicznych Francuzów naprawdę poważanych przez amerykańską administrację. Plan ten przewidywał powiększenie sił zbrojnych USA do ponad ośmiu milionów żołnierzy, a wobec konieczności wyprodukowania mnóstwa broni, samolotów, czołgów, amunicji i okrętów niezbędnych do pokonania Niemiec i Japonii amerykański przemysł rozpoczął pełne przestawianie się na produkcję wojenną. Budżet zwiększono do równowartości stu pięćdziesięciu miliardów funtów. Hojność wydatków na wojsko nie miała granic. Jak zauważył pewien generał: „Armia amerykańska nie rozwiązuje swoich problemów, tylko je przytłacza"[9].

Już w październiku Kongres zaaprobował dostawy do Związku Radzieckiego w ramach układu Lend-Lease. Nadto za pośrednictwem Amerykańskiego Czerwonego Krzyża przekazano ZSRR medykamenty o wartości pięciu milionów dolarów. Roosevelt energicznie nalegał na kontynuację dostaw do Związku Radzieckiego. Z kolei Churchill pogłębiał podejrzliwość Stalina, składając obietnice wielkiej pomocy, a potem nie wywiązując się z nich. Jedenastego marca 1942 roku Roosevelt powiedział do Henry'ego Morgenthaua, amerykańskiego sekretarza skarbu, że „Anglicy nie dotrzymali żadnej z obietnic złożonych Rosjanom. (...) Jedyny powód, dla którego nadal układa się nam [Amerykanom] tak dobrze z Rosjanami, wynika z tego, że jak dotąd dotrzymujemy swoich obietnic"[10]. Pisał do Churchilla: „Wiem, że daruje mi pan brutalną szczerość, gdy stwierdzę, iż sam potrafię dogadać się ze Stalinem lepiej niż pańskie Ministerstwo Spraw Zagranicznych czy mój Departament Stanu. Stalin nie cierpi wszystkich waszych czołowych polityków. Sądzę, że mnie lubi bardziej, i mam nadzieję, że to się nie zmieni"[11]. Cokolwiek aroganckie i przesadne przekonanie Roosevelta o jego wpływie na Stalina miało się stać niebezpiecznym czynnikiem, zwłaszcza pod koniec wojny.

Stalin chciał od Wielkiej Brytanii uznania radzieckich roszczeń do wschodniej Polski oraz państw nadbałtyckich zajętych na mocy paktu Ribbentrop-Mołotow i wywierał już naciski na Anthony'ego Edena w tej sprawie. Początkowo Brytyjczycy nie zgadzali się na omawianie kwestii tak jawnie sprzecznej z ogłoszoną w Karcie atlantyckiej zasadą samostanowienia narodów. Jednak Churchill, z obawy, że Stalin wciąż może dążyć do zawarcia separatystycznego pokoju z Hitlerem, napomknął w rozmowie z Rooseveltem,

---

[9] Cyt. za: J. Ellis, *Brute Force. Allied Strategy and Tactics in the Second World War*, New York 1990, s. 525.

[10] R. Dallek, *Franklin D. Roosevelt and American Foreign Policy, 1932–1945*, New York 1979, s. 338.

[11] *Churchill and Roosevelt. The Complete Correspondence*, t. 1: *Alliance Emerging*, red. W.F. Kimball, Princeton 1984, s. 421.

że być może należałoby na to przystać. I wtedy, paradoksalnie, to Roosevelt wzbudził w Stalinie nieufność, składając mu obietnicę, z której wywiązać się nie mógł. Oto w kwietniu 1942 roku, bez należytego przestudiowania tematu, zaproponował radzieckiemu przywódcy otwarcie drugiego frontu później tegoż samego roku.

Generał Marshall był nader zaniepokojony bezpośrednim dostępem Churchilla do prezydenta w Białym Domu, znając skłonność Roosevelta do uprawiania polityki za plecami amerykańskich strategów. Wpadł w jeszcze większe przerażenie, kiedy po pewnym czasie, w czerwcu 1942 roku, przy okazji kolejnej wizyty Churchilla, dowiedział się, że Roosevelt już wcześniej wyraził zgodę na przedstawiony przez brytyjskiego premiera plan desantu w Afryce Północnej, opatrzony kryptonimem „Gymnast", uznawany przez wielu czołowych amerykańskich oficerów za brytyjski projekt ocalenia imperium.

Churchill powrócił triumfalnie ze Stanów Zjednoczonych, jednak już wkrótce, przemęczony i chory, został przytłoczony nową serią katastrof. W nocy 11 lutego 1942 roku i w trakcie następnego dnia niemieckie okręty liniowe „Scharnhorst" i „Gneisenau" oraz ciężki krążownik „Prinz Eugen" w warunkach słabej widoczności przedarły się przez kanał La Manche z Brestu do Niemiec. Liczne ataki na nie, przeprowadzone w trakcie tego rejsu przez bombowce RAF-u i kutry torpedowe Royal Navy, nie odniosły skutku. W Wielkiej Brytanii zapanowały konsternacja i wzburzenie. Tu i ówdzie doszły do głosu nastroje defetyzmu. Następnie 15 lutego skapitulował garnizon w Singapurze. Oznaczało to dla Brytyjczyków wielkie upokorzenie. Churchilla, szanowanego wojennego przywódcę, krytykowali wszyscy – prasa, parlament i władze australijskie. Co gorsza, na masowych mityngach i wiecach zaczęto się domagać „natychmiastowego otwarcia drugiego frontu" w celu wspomożenia Związku Radzieckiego – akurat tej jedynej operacji zaczepnej, której Churchill nie mógł i nie chciał przeprowadzić.

Jednakże największe ówczesne zagrożenie nie miało nic wspólnego z brytyjskimi niepowodzeniami militarnymi. Kriegsmarine skomplikowała stosowane kody, wyposażając szyfrujące maszyny Enigma w dodatkowy wirnik. W ośrodku Bletchley Park nie potrafiono rozszyfrować ani jednego przechwyconego nieprzyjacielskiego meldunku. Podwodne „wilcze stada" Dönitza, grasujące na północnym Atlantyku i wzdłuż północnoamerykańskiego wybrzeża, zaczęły zadawać flocie sprzymierzonych straty odpowiadające marzeniom Hitlera. Ogółem w 1942 roku zatopiono 1769 alianckich statków oraz dziewięćdziesiąt jednostek państw neutralnych. Po euforycznej radości Churchilla z powodu przystąpienia Ameryki do wojny Wielkiej Brytanii zagroziło widmo głodu i klęski w razie porażki w zmaganiach na Atlantyku. Nic dziwnego, że wobec wszystkich tych problemów i dotkliwych niepowodzeń, jakie się nań zwaliły, przede wszystkim zazdrościł Stalinowi sukcesu w odparciu Niemców spod Moskwy.

*

Owoce wielkiego sukcesu Armii Czerwonej w grudniowej bitwie o Moskwę wkrótce zostały zmarnowane przez samego Stalina. Wieczorem 5 stycznia 1942 roku zwołał on na Kremlu posiedzenie Stawki oraz Państwowego Komitetu Obrony. Sowiecki przywódca pałał żądzą zemsty i wmówił sobie, że nadeszła odpowiednia chwila, by przejść do generalnej kontrofensywy. Po niemieckiej stronie zapanował zamęt. Niemcy nie przygotowali się zawczasu na zimę i nie są w stanie odeprzeć silnego natarcia aż do wiosny, przekonywał Stalin. Przechadzając się po swoim gabinecie i pykając z fajki, obstawał przy swoim planie przeprowadzenia wielkiej operacji okrążającej na centralnym wycinku frontu, na wysokości Moskwy, a także na północy pod Leningradem, aby przełamać oblężenie tego miasta, oraz na południu, przeciwko armii Mansteina na Krymie, w Donbasie, z zamiarem odzyskania Charkowa.

Żukow, którego nie poinformowano o instrukcjach wydanych Stawce przez Stalina, był przerażony takimi pomysłami. Podczas narady z *wożdem* przekonywał, że ofensywę należy ograniczyć do „zachodniej osi" w pobliżu Moskwy. Armii Czerwonej brakowało odpowiednich rezerw i zapasów, a zwłaszcza amunicji niezbędnej do przeprowadzenia wielkiego natarcia. W walkach o Moskwę radzieckie armie poniosły ciężkie straty i były wyczerpane. Stalin wysłuchał tego, ale zbył wszelkie przestrogi Żukowa. „Wykonajcie otrzymane rozkazy!" – stwierdził[12]. Na tym posiedzenie dobiegło końca. Dopiero później Żukow przekonał się, że argumentował na darmo. Bez jego wiedzy dowódcom frontów wydano już szczegółowe polecenia.

Niemieckie wojska faktycznie były w złym stanie i poważnie ucierpiały. Przemarznięci niemieccy żołnierze, w ubraniach zrabowanych miejscowym chłopom, nieogoleni, zakatarzeni i z zaczerwienionymi od mrozu policzkami, zupełnie nie przypominali tych, którzy poprzedniego lata maszerowali na wschód, śpiewając marszowe pieśni. Przejęli lokalny zwyczaj ściągania butów z zabitych, rozpalając w tym celu ogniska, aby trupom odtajały nogi. Nawet owijanie obuwia szmatami nie chroniło przed odmrożeniami podczas służby wartowniczej. W odmrożonych kończynach zaś, o ile interwencja

---

[12] G. Żukow, *Wspomnienia i refleksje*, t. 2, tłum. P. Marciniszyn, F. Czuchrowski, C. Czarnogórski, Warszawa 1976, s. 49.

medyczna nie następowała szybko, rozwijała się zgorzelina i konieczna była amputacja. Chirurdzy wojskowi w polowych lazaretach, przytłoczeni liczbą rannych i kontuzjowanych, po prostu wyrzucali odcięte ręce i nogi na sterty w śniegu.

A jednak przeciwnicy znowu nie docenili zdolności armii niemieckiej do szybkiego pozbierania się po klęsce. Dyscyplina, nieco wcześniej na granicy załamania, została rychło przywrócona. Podczas chaotycznego odwrotu oficerowie naprędce organizowali zaimprowizowane *Kampfgruppen* (grupy bojowe), złożone z piechurów wspartych przez działa szturmowe, saperów i nieliczne czołgi. W pierwszym tygodniu stycznia z rozkazu Hitlera przyfrontowe wsie przekształcono w punkty umocnione. Gdy ziemia była zbyt zmarznięta, by ryć w niej okopy, Niemcy żłobili w niej leje za pomocą materiałów wybuchowych lub pocisków artyleryjskich albo też tworzyli stanowiska dla moździerzy i gniazda strzeleckie za ubitym śniegiem i lodem, wzmocnionym kłodami drewna. Czasami musieli rozkopywać śnieżne zaspy kolbami karabinów. Żołnierze nadal nie otrzymywali zimowej odzieży. Liczyli na zdzieranie waciaków z zabitych Sowietów, zanim te przemarzły, ale w warunkach ostrego mrozu rzadko im się to udawało. Dyzenteria, na którą cierpieli niemal wszyscy, była szczególnym przekleństwem, gdyż wymagała ściągania spodni w takiej temperaturze. Jedzenie śniegu przez odwodnionych żołnierzy zazwyczaj jeszcze pogarszało ich stan.

Szesnasta Armia Rokossowskiego i 20. Armia generała Andrieja Własowa przypuściły atak na północ od Moskwy, a po wybiciu wyłomu w liniach wroga w lukę tę wdarł się 2. Gwardyjski Korpus Kawalerii. Ale jak przestrzegał Żukow, Niemcy zdążyli już uporządkować szyki. Wojska radzieckie wkrótce się przekonały, że zamiast okrążyć Niemców, same zostały odcięte. Niektóre niemieckie formacje udało się wprawdzie obejść, lecz trwały w walce, zaopatrywane z powietrza. W największym kotle znalazło się sześć niemieckich dywizji, otoczonych pod Diemiańskiem w pobliżu szosy łączącej Leningrad z Nowogrodem.

Dalej na północnym zachodzie wojska Frontu Wołchowskiego generała Kiryła Mierieckowa usiłowały ponownie przełamać oblężenie Leningradu siłami 54. Armii oraz 2. Armii Uderzeniowej. Stalin zmusił Mierieckowa do przedwczesnego ataku, do którego rzucono niewyszkolone oddziały i działa bez celowników, zanim dotarł z tymi ostatnimi generał Woronow. Druga Armia Uderzeniowa przeprawiła się przez rzekę Wołchow i szybko wyszła na tyły nieprzyjaciela, zagrażając odcięciem niemieckiej 18. Armii. Ale przeprowadzane przez Niemców przeciwuderzenia oraz zimowe warunki spowalniały radzieckie natarcie. „Żeby przetrzeć drogę w głębokim śniegu, musieli iść w kolumnach w szeregach po piętnastu. Pierwszy szereg szedł naprzód, ubijając śnieg sięgający miejscami po pas. Po dziesięciu minutach pierwszy szereg się cofał i przechodził na koniec kolumny. Posuwanie się do przodu dodatkowo utrudniały na pół zamarznięte bagna i pokryte cienkim lodem strumienie, które napotykali"[13]. Bardzo wielu przemokniętych żołnierzy miało ciężkie odmrożenia nóg. Niedożywione konie były wyczerpane, więc sami żołnierze musieli dźwigać amunicję i zapasy.

Stalin posłał generała Własowa, nieco wcześniej wychwalanego za jego wkład w obronę Moskwy, aby objął dowodzenie. Własowowi obiecano oddziały odwodowe i zaopatrzenie, te jednak dotarły na miejsce za późno. Amunicję zrzucano na spadochronach, ale większość jej wpadła w niemieckie ręce. Niebawem armia Własowa znalazła się w całkowitym okrążeniu wśród zamarzniętych bagnisk i brzezin. Mierieckow przestrzegał Stalina przed katastrofą. Zaraz po nastaniu wiosennych roztopów 2. Armia Uderzeniowa praktycznie przestała istnieć. Straciła około sześćdziesięciu tysięcy żołnierzy; zaledwie trzynaście tysięcy ocalało. Rozgoryczony Własow w lipcu dostał się do niewoli. Niemcy nakłonili go do utworzenia Rosyjskiej Armii Wyzwoleńczej (Russkaja Oswoboditielnaja Armia, ROA). Większość z tych, którzy do niej wstąpili, uczyniła to tylko po to, aby uniknąć zagłodzenia w obozach jenieckich. Reakcja Stalina na zdradę Własowa ujawniała jego obłędne obsesje z czasów wielkiego terroru i czystek w Armii Czerwonej: „Jak to się stało, że nie zdemaskowaliśmy go przed wojną?" – dopytywał się w rozmowie z Berią i Mołotowem.

Stalinowscy emisariusze, wśród nich złowrogi i nieudolny komisarz Lew Mechlis, nie dawali spokoju dowódcom frontów, oskarżając ich o wszelkie braki, choć przecież nie oni ponosili winę za brak zapasów i pojazdów. Nikt nie odważył się powiedzieć Stalinowi, jaki chaos został wywołany przez jego groteskowo ambitny plan, który przewidywał nawet odzyskanie Smoleńska. Ściągnięte z okupowanej Francji niemieckie rezerwy zostały bezzwłocznie rzucone do walki, mimo że i one nie miały zimowego oporządzenia, a wiele z radzieckich dywizji dysponowało zaledwie nieco ponad dwoma tysiącami żołnierzy.

Próby zamknięcia wielkiego kotła pod Wiaźmą skończyły się fiaskiem. Żukow zrzucił nawet na niemieckich tyłach część 4. Korpusu Powietrznodesantowego, ale jednostki Luftwaffe zaatakowały lotniska wokół Kaługi, które Niemcy dobrze znali, gdyż dopiero co je opuścili. Na całym froncie wschodnim, od Leningradu po Morze Czarne, niemieckie umocnione

---

[13] P. Gierasimow, *WIŻ*, nr 7/1967, cyt. za: R. Braithwaite, *Moskwa 1941. Największa bitwa II wojny światowej*, tłum. M. Komorowska, Kraków 2008, s. 363–364.

punkty oporu utrzymały linię obrony. Na Krymie Manstein zdołał powstrzymać i otoczyć radziecki desant morski na Półwyspie Kerczeńskim, który miał doprowadzić do przełamania oblężenia Sewastopola.

Do największego kryzysu doszło pod Rżewem, gdzie niemieckiej 9. Armii poważnie zagrażało okrążenie. Komendę nad nią objął generał Walther Model, który dzięki swej bezwzględności i energii stał się jednym z ulubieńców Hitlera. Model wykazał się odwagą, i to nie tylko na polu walki, ale również przeciwstawiając się Führerowi. Niezwłocznie przeprowadził kontratak, który pomieszał szyki wojskom radzieckim. Przyniosło to odtworzenie linii frontu i zamknięcie w potrzasku sowieckiej 29. Armii. Ale okrążeni czerwonoarmiści, którym powiedziano, jaki los ich czeka, jeśli wojska Modela wezmą ich do niewoli, walczyli do końca.

Inny pupilek Hitlera, feldmarszałek von Reichenau, wyznaczony na dowódcę Grupy Armii „Południe" po dymisji Rundstedta, dołączył do grona ofiar tej wojny. Dwunastego stycznia wybrał się na poranny objazd w okolicach swej kwatery głównej w Połtawie. Podczas obiadu poczuł się źle i zasłabł pod wpływem ataku serca. Hitler natychmiast rozkazał przetransportowanie go samolotem do Niemiec na leczenie, lecz feldmarszałek w drodze zmarł. Na krótko przed śmiercią Reichenau, którego 6. Armia asystowała Sonderkommando SS w masakrach w Babim Jarze, zdążył nakłonić Führera do wyznaczenia na nowego dowódcę tejże armii jej dotychczasowego szefa sztabu, generała porucznika Friedricha Paulusa.

Niemcom udało się zaopatrywać swoje wojska okrążone pod Diemiańskiem, Chołmem i Białym. Nad wielki kocioł diemiański codziennie latała ponad setka transportowych junkersów Ju 52. Sukces tego mostu powietrznego miał przynieść poważne konsekwencje rok później, kiedy Göring zapewnił Hitlera, że zdoła podtrzymać w walce 6. Armię Paulusa, zamkniętą w pułapce pod Stalingradem. Choć niemieckie oddziały wokół Diemiańska dostawały tyle prowiantu, by móc kontynuować bój, to rosyjska ludność cywilna w tym kotle głodowała.

W okolicach Kurska wojskom Timoszenki w wyniku rozpaczliwych zmagań udało się odeprzeć Niemców. Po tych bataliach pozostało skute lodem pobojowisko. Oficer Armii Czerwonej Leonid Rabiczew napotkał „piękną dziewczynę, telefonistkę, która ukrywała się w lasach, odkąd przyszli Niemcy. Chciała wstąpić do wojska. Kazałem jej wsiadać na wóz". Nieco później „ujrzałem straszny widok. Wielka przestrzeń aż po horyzont zapełniona była naszymi i niemieckimi czołgami. Między nimi znajdowało się tysiące siedzących, stojących i czołgających się Rosjan i Niemców zamarzniętych na kamień. Niektórzy podpierali się nawzajem, inni się obejmowali. Niektórzy wspierali się na karabinach, inni trzymali automaty. Wielu z nich miało odcięte nogi. Było to sprawką naszych piechurów, którzy nie mogli ściągnąć butów z zamarzniętych nóg fryców, więc odrąbali je, żeby je rozgrzać w schronach. Griszeczkin [ordynans Rabiczewa] przetrząsnął kieszenie zamarzniętych żołnierzy i znalazł dwie zapalniczki i kilka paczek papierosów. Dziewczyna patrzyła na to wszystko obojętnie. Widywała już takie rzeczy wielokrotnie, ale mnie na to ogarniała trwoga. Były tam czołgi, które próbowały się taranować albo miażdżyć, i wznosiły się po zderzeniu z sobą na tylnych kołach. Strach było myśleć o rannych, naszych i niemieckich, którzy pozamarzali na śmierć. Front się przesunął i zapomnieli pochować tych ludzi"[14].

Cierpienia ludności cywilnej bywały jeszcze gorsze. Znalazła się ona w potrzasku wobec okrucieństwa Niemców z jednej strony i czerwonoarmistów oraz sowieckich partyzantów z drugiej, którym Stalin rozkazał niszczyć wszelkie zabudowania, jakie mogły posłużyć Niemcom za schronienie. Na wyzwolonych terenach oddziały NKWD wyłapywały wieśniaków podejrzewanych o kolaborowanie z wrogiem. Prawie tysiąc czterysta osób aresztowano w styczniu[15], mimo że trudno było odróżnić współpracę z okupantem od prób przeżycia. Maszerujące naprzód radzieckie wojska napotykały szubienice i słyszały od mieszkańców wiosek o innych przykładach nazistowskich zbrodni, choć czasami niemieccy żołnierze bywali miłosierni. Wieśniacy woleli o tym milczeć, aby nie narazić się na oskarżenia o zdradę ojczyzny.

Stalin aż do kwietnia nie wyzbył się zupełnie bezzasadnych nadziei na to, że Wehrmacht podzieli los Wielkiej Armii Napoleona, do tego zaś czasu straty radzieckich wojsk przekroczyły milion żołnierzy, z których połowa poległa bądź zaginęła[16].

*

Ze względu na to, że większość środków transportu przekazano na użytek wojska i zaopatrzenia wojskowego, ludność Moskwy prawie głodowała. Na czarnym rynku coraz częściej wymieniano ubrania i obuwie na ziemniaki. Starszym ludziom przypominało to o latach głodu w czasie wojny domowej. Dzieci cierpiały na krzywicę. Brakowało węgla lub drewna do palenia w piecach, więc zamarzały rury wodne i kanalizacyjne. Sto tysięcy kobiet i nieletnich wysłano do okolicznych lasów po chrust. Elektryczność wyłączano często, nierzadko wprowadzano zaciemnienie. Na gruźlicę zmarło dwukrotnie

---

[14] L. Rabiczew, *Wojna wsio spiszet. Wospominania oficera-swiazista 31-oj armii, 1941–1945*, Moskwa 2009, s. 75.

[15] *Moskwa prifrontowaja, 1941–1942. Archiwnyje dokumienty i materiały*, red. M. Gorinow, Moskwa 2001, s. 415, cyt. za: R. Braithwaite, *Moskwa 1941, op. cit.*, s. 359.

[16] G.F. Krivosheev, *Soviet Casualties and Combat Losses in the Twentieth Century*, London 1997, s. 122–123.

więcej osób niż w poprzednim roku, a wskaźnik ogólnej umieralności wzrósł trzykrotnie. Obawiano się epidemii duru plamistego, ale dzięki nadzwyczajnym staraniom moskiewskiego personelu medycznego udawało się ją powstrzymać[17].

Warunki w oblężonym Leningradzie były nieporównywalnie gorsze. Niemiecka artyleria regularnie, cztery razy dziennie ostrzeliwała miasto. Ale obrona się trzymała, głównie dzięki działom morskim, zarówno zdemontowanym z okrętów, jak i tym, które nadal znajdowały się na pokładach jednostek Floty Bałtyckiej w bazie w Kronsztadzie oraz zacumowanych u ujścia Newy. Kluczem do ocalenia Leningradu była cienka „linia życia", po której nadchodziły dostawy.

Władze radzieckie podejmowały nadludzkie, choć często nieudolne wysiłki, by utrzymać kruche połączenie ze wschodem kraju. Po tym jak Niemcy usadowili się na południowych brzegach jeziora Ładoga, jedynym szlakiem pozostała „lodowa droga". Lód na jeziorze dopiero po trzecim tygodniu listopada zrobił się na tyle gruby, by mogły po nim przejechać ciężarówki i konne zaprzęgi, a w tym okresie w mieście pozostały zapasy na zaledwie dwa dni. Wielkim zagrożeniem było widmo nagłej odwilży.

Na wschód od Leningradu Niemcy 8 listopada 1941 roku zajęli Tichwin. Zmusiło to Sowietów do budowy wyłożonej balami ze ściętych brzóz drogi przez lasy nieco dalej na północy[18]. Kilka tysięcy ludzi zapędzonych do przymusowych robót – chłopów, więźniów łagrów, żołnierzy rezerwowych formacji – zmarło w ich trakcie, a ich zwłoki wrzucano w błoto pod drewnianą nawierzchnią. Okupione takimi poświęceniami starania okazały się próżne, gdyż wojska Mierieckowa, wspomagane przez oddziały partyzanckie na niemieckich tyłach, odzyskały Tichwin 9 grudnia – trzy dni po zakończeniu budowy wspomnianej drogi. Umożliwiło to uruchomienie końcowej stacji kolejowej i znacznie skróciło jazdę na południowo-wschodni skraj Ładogi.

Utrzymanie dwukierunkowego ruchu kołowego na zamarzniętym jeziorze, gdy maszynerię z miejskich fabryk wywożono na wschód, a w przeciwnym kierunku jechało zaopatrzenie, stanowiło niezwykły wyczyn. Drogi przez jezioro broniły przed atakami niemieckich narciarzy gniazda karabinów maszynowych i baterie armat przeciwlotniczych ustawione w umocnionych punktach na lodzie. W ich pobliżu znajdowały się igloo, zapewniające względne schronienie czerwonoarmistom. Sowieci zbudowali również specjalne uzbrojone sanie z silnikami samolotów, zaopatrzone w pchające

---

[17] R. Braithwaite, *Moskwa 1941*, op. cit., s. 371–374.
[18] Ch. Bellamy, *Wojna absolutna. Związek Sowiecki w II wojnie światowej*, tłum. M. Antosiewicz, M. Habura, P. Laskowicz, Warszawa 2010, s. 390–410.

śmigła i będące rodzajem wodolotów. Punkty pomocy lekarskiej i stanowiska, z których kierowano ruchem kołowym, także stały na lodowej tafli jeziora. Ale przebieg ewakuacji ludności z Leningradu często bywał skrajnie nieudolny i pozbawiony wyobraźni. Nawet NKWD narzekało na „nieodpowiedzialne i surowe traktowanie"[19] cywilów oraz na „nieludzkie" warunki w pociągach. Nic też nie uczyniono, by pomóc tym, którzy cało dotarli na „stały ląd". Ich przetrwanie zależało od tego, czy mieli tam rodzinę lub przyjaciół, którzy ich nakarmili i udzielili im schronienia.

Nawet po odzyskaniu Tichwinu leningradczycy byli tak osłabieni głodem, że wielu mdlało na zamarzniętych ulicach w trakcie beznadziejnych poszukiwań opału i pożywienia. Tym, którzy zasłabli, szybko kradziono kartki na żywność. Ludziom wracającym z piekarni wyrywano z rąk chleb. Nic szybciej tak nie tłamsi moralności niż głód. Kiedy ktoś z rodziny umierał, pozostali domownicy nierzadko ukrywali jego zwłoki w wyziębionych mieszkaniach, aby nadal zgłaszać się po przydziały żywności dla zmarłych.

A jednak, pomijając strach przed milicją, rzadko zdarzały się próby wdzierania się do sklepów z chlebem i plądrowania ich. Tylko partyjni bonzowie i ci znajdujący się w pobliżu szczytu tego „łańcucha pokarmowego", ludzie odpowiedzialni za dystrybucję prowiantu i sklepowi sprzedawcy, mieliby siłę na takie rabunki. Z kolei widoki na przerwanie tych na samym dole drabiny społecznej, którzy nie pracowali w fabrykach i nie mieli dostępu do półdarmowych zakładowych stołówek, były marne. Oni wprost starzeli się w oczach, tak prędko, że czasem nie poznawali ich bliscy krewni. Wrony, gołębie i mewy zjadano najpierw, potem przyszła kolej na koty i psy (w Instytucie Fizjologicznym zjedzono nawet psy, na których Pawłow przeprowadzał swoje słynne eksperymenty), wreszcie na szczury.

Prawie każdy, kto starał się iść pieszo do pracy albo do kolejek po żywność, musiał przystawać co kilka metrów z powodu osłabienia wywołanego przez wycieńczenie. Dziecięce sanki służyły do przewożenia chrustu. Wkrótce zaczęto transportować nimi zwłoki, przezywane „mumiami", gdyż zawijano je w papier lub w koce, do zbiorowych grobów. Drewna nie można było zużywać na trumny; było niezbędne na opał, by inni przeżyli.

Z 2 280 000 leningradczyków w grudniu 1941 roku ogółem pięćset czternaście tysięcy ewakuowano do wiosny na „stały ląd", a sześćset dwadzieścia tysięcy zmarło. Dla starszych mieszkańców oblężenie było już drugim okresem wielkiego głodu; pierwszy rozpoczął się w 1918 roku po wybuchu wojny domowej. Wielu zaobserwowało, że oznaki zbliżającej się

---

[19] Cyt. za: A. Reid, *Leningrad. Tragedia oblężonego miasta 1941–1944*, tłum. W. Tyszka, Kraków 2012, s. 278.

nieuchronnie śmierci pojawiają się na mniej więcej dwie doby przed zgonem. Liczni ludzie ostatkiem sił stawiali się w miejscu pracy, aby uprzedzić, że pewnie już więcej się nie zjawią, i błagali swoich przełożonych o zajęcie się ich rodziną.

W Leningradzie, szczycącym się swoim kulturowym dziedzictwem, przekształcono hotel Astoria w szpital dla pisarzy i malarzy. Podawano tam chorym witaminy w postaci gorzkiego napoju z wyciskanych świeżych igieł sosnowych. Podejmowane też były starania, aby zatroszczyć się o sieroty. „Prawie nie przypominały już z wyglądu dzieci – wspominał pewien dyrektor sierocińca. – Były osobliwie ciche, z pewnym rodzajem skupienia w oczach"[20]. Jednak w niektórych instytucjach opiekuńczych personel kuchenny wykradał jedzenie dla swoich rodzin, a dzieci musiały głodować.

Władze miejskie nie zadbały o zgromadzenie zapasów drewna na opał, nim zaczęło się oblężenie, więc większość paliła w pękatych piecach książkami oraz porąbanymi na kawałki meblami i drzwiami. Stare drewniane budynki zostały rozebrane w celu zapewnienia opału gmachom użyteczności publicznej. W styczniu 1942 roku temperatura w Leningradzie spadała czasami poniżej minus czterdziestu stopni Celsjusza. Wiele osób po prostu kładło się do łóżek w poszukiwaniu odrobiny ciepła – by już z nich nie wstać. Śmierć z głodu nadchodziła po cichu i miała anonimowy charakter. Przypominała powolny dryf w niebyt. „Nie macie pojęcia, jak było – wyznała pewna kobieta wkrótce potem brytyjskiemu reporterowi. – Zwyczajnie przechodziło się nad trupami na ulicy i na schodach! Człowiek po prostu w ogóle przestawał zwracać na to uwagę"[21].

Większość umierała z wygłodzenia i wychłodzenia organizmu. Hipotermia i stres, w połączeniu z głodem, tak zaburzały przemianę materii, że ludzie nie byli w stanie przyswoić niewielu kalorii z konsumowanego pożywienia. Teoretycznie żołnierzom zapewniano znacznie większe racje prowiantu aniżeli cywilom, ale nierzadko żywność nie docierała na front. Oficerowie kradli ją dla siebie i swych rodzin[22].

„Ludzie na naszych oczach zamieniają się w zwierzęta", zapisał pewien pamiętnikarz[23]. Niektórzy z głodu popadali w obłęd. Oficjalna radziecka historia usiłowała udawać, że w Leningradzie nie dochodziło do kanibalizmu, ale przeczą temu zarówno ponure anegdoty, jak i archiwalne źródła. Około dwóch tysięcy osób aresztowano za „wykorzystanie ludzkiego mięsa jako

---

[20] A. Werth, *Leningrad*, London 1944, s. 89.
[21] Cyt. za: *ibidem*, s. 22.
[22] O warunkach panujących w Leningradzie w okresie oblężenia zob.: Ch. Bellamy, *Wojna absolutna, op. cit.*, s. 380–400; A. Reid, *Leningrad, op. cit.*; A. Werth, *Leningrad, op. cit.*; D. Glantz, *The Siege of Leningrad, 1941–1944. 900 Days of Terror*, London 2004.
[23] Y. Skrjabina, *Siege and Survival. The Odyssey of a Leningrader*, Carbondale, IL 1971, s. 28.

pożywienia" w czasie oblężenia, z tego osiemset osiemdziesiąt sześć w trakcie pierwszej zimy 1941/1942. „Zwłokożerstwo" oznaczało spożywanie ciał osób zmarłych. Zdarzały się przypadki wykradania martwych ciał z kostnic lub masowych grobów. Także na obrzeżach Leningradu wielu żołnierzy i oficerów pożywiało się zwłokami, a nawet mięsem z amputowanych w polowych lazaretach kończyn.

Mianem „osobożerstwa", do którego dochodziło rzadziej, określano popełnione z premedytacją morderstwo z kanibalistycznych pobudek. Nic dziwnego, że rodzice nie wypuszczali swoich dzieci z mieszkań, lękając się, co może je spotkać. Powiadało się, że najdelikatniejsze jest mięso z ciał dzieci, a w drugiej kolejności z młodych kobiet. Mimo że krążyły historie o bandach handlujących ludzkim mięsem na kotlety, to niemal wszystkie przypadki kanibalizmu miały miejsce w blokach mieszkalnych, w których oszalali rodzice zjadali własne dzieci, a inni polowali na potomstwo sąsiadów[24]. Grupa wygłodniałych żołnierzy z 56. Dywizji Strzeleckiej w 55. Armii zorganizowała zasadzkę na dowożących prowiant, pozabijała ich, zabrała zapas żywności, zagrzebała zwłoki zabitych w śniegu, wracając później na miejsce, aby co rusz pożywiać się nimi[25].

Lecz choć głód skłaniał do najgorszych czynów, to zdarzały się też przykłady pełnego poświęcenia altruizmu w stosunku do ludzi z sąsiedztwa, a nawet zupełnie obcych. Śmiertelność wśród leningradzkich dzieci była niższa niż ich rodziców, zapewne dlatego, że dorośli oddawali swoim pociechom część swoich racji żywnościowych. Kobiety zazwyczaj przeżywały bliskich mężczyzn, często słabnąc z głodu po ich śmierci. Stawały też przed straszliwym dylematem: czy dokarmiać swoje dzieci, czy jeść więcej same, aby mieć siły na opiekowanie się rodziną. Współczynnik urodzeń radykalnie się zmniejszył, co częściowo wynikało ze skrajnego niedożywienia powodującego, że kobiety przestawały miesiączkować, a mężczyźni stawali się bezpłodni – ale także dlatego, iż większość mężczyzn znajdowała się z dala od domów, na froncie.

Czerwonoarmiści i żołnierze piechoty morskiej w Leningradzie nabrali przekonania, że Niemcy nie zdobędą tego miasta. Pozostawali przeświadczeni, iż głównym powodem, dla którego siły niemieckie kontynuowały oblężenie, było utrzymanie Finów w prowadzeniu działań wojennych. Leningradczyków irytowało, że zachodnim aliantom nie spieszy się z uznaniem Finlandii za wrogie państwo. Mieszkańcy oblężonego miasta nie potrafili

---

[24] O aresztowaniach pod zarzutem kanibalizmu zob.: Ch. Bellamy, *Wojna absolutna*, *op. cit.*, s. 380–400; A.R. Dżeniskiewicz, *Banditizm (osobaja ketegorija) w błokirowannom Leningradie*, „Istorija Pietierburga" 2001, nr 1, s. 47–51.

[25] Wasilij Jerszow, maszynopis bez tytułu, Bakhmeteff Archive, Columbia University, cyt. za: A. Reid, *Leningrad*, *op. cit.*, s. 320.

pogodzić się z myślą, że w 1939 roku Stalin napadł na Finlandię jako agresor. Służby propagandowe Armii Czerwonej nieustannie podsycały nienawiść do wroga. Na ówczesnych afiszach widniała postać chłopczyka o oszalałych oczach, stojącego na tle płonącej wsi i wołającego: „Tato, zabij Niemca!"[26].

Stalinowska generalna ofensywa nie była jedyną wielką operacją zaczepną w nowym 1942 roku. Dwudziestego pierwszego stycznia Rommel zaskoczył Brytyjczyków w Afryce Północnej. Odkąd zaopatrzenie jego wojsk zaczęło się nieco poprawiać, ambitny Rommel planował kolejną ofensywę. Poważne wzmocnienie niemieckiego kontyngentu w basenie śródziemnomorskim zależało od szybkiego podboju Związku Radzieckiego, jednak fiasko operacji „Tajfun", czyli ataku na Moskwę, nie zniechęciło Rommla. Kiedy 5 stycznia dotarł do Trypolisu konwój z pięćdziesięcioma pięcioma czołgami, a także samochodami opancerzonymi i działami przeciwpancernymi, wzmogła się determinacja dowódcy Afrikakorps, który zamierzał uderzyć, wykorzystując chwilową przewagę.

Brytyjska 8. Armia znajdowała się wówczas w żałosnym stanie. Siódmą Dywizję Pancerną, w tym czasie uzupełnianą w Kairze, zastąpiono niedoświadczoną 1. Dywizją Pancerną. Inne zaprawione w bojach formacje, w tym Australijczyków, już wcześniej przerzucono na Daleki Wschód. Niemcy dobrze się orientowali w liczebności brytyjskich wojsk dzięki przechwyconym raportom amerykańskiego attaché wojskowego w Kairze, które bez trudu rozszyfrowywali. Ale Rommel, snujący nader ambitne plany przemarszu przez Egipt i Bliski Wschód, nie powiadomił ani włoskiego Comando Supremo, ani też OKW o swoich zamierzeniach. Trzeba przyznać, że większość jego podkomendnych rwała się do ponownej ofensywy. Pewien żołnierz niemieckiej 15. Dywizji Pancernej pisał 23 stycznia w liście do domu: „Znowu r o m m e l u j e m y naprzód!"[27].

Dwudziestego pierwszego stycznia Rommel uderzył ponownie na Cyrenajkę, ignorując wszelkie rozkazy wzywające go do zatrzymania się. Jedna z jego kolumn nacierała przebiegającą wzdłuż wybrzeża drogą na Bengazi, a dwie niemieckie dywizje pancerne zjechały na pustynię. Dla niemieckich czołgistów była to bardzo ciężka przeprawa, niemniej jednak w trakcie pięciodniowych zmagań z Niemcami Brytyjczycy stracili prawie dwieście pięćdziesiąt opancerzonych wozów bojowych. Hitlera niezmiernie to uradowało i awansował Rommla na generała pułkownika. Bezradny i wyniesiony do zbyt wysokiej, jak na jego doświadczenie i umiejętności, rangi

---

[26] Cyt. za: A. Werth, *Leningrad*, *op. cit.*, s. 97.
[27] Szeregowy K.B., 23 stycznia 1942 r., BfZ-SS.

generał Ritchie, który przypuszczał, że to tylko taktyczny wypad, niebawem przekonał się, iż jego 1. Dywizji Pancernej grozi okrążenie. Na szczęście dla Brytyjczyków nazbyt ambitna i powolna akcja ofensywna dwóch niemieckich dywizji pancernych pozwoliła większości sił Ritchiego wyrwać się w porę z potrzasku. Ritchie wycofał je z powrotem na linię Ajn al-Ghazali, opuszczając prawie całą Cyrenajkę. Wyczerpane oddziały Rommla, którym zaczynało brakować paliwa, nie podjęły pościgu. Niemcy wiedzieli, że mogą poradzić sobie z przeciwnikiem później.

Niemieccy żołnierze, wysłani przez Morze Śródziemne na pomoc Rommlowi, byli podekscytowani i dumni z powodu dołączenia do „niewielkiego Afrikakorps" na pustyni[28]. Jeden z podoficerów służb medycznych w niemieckich oddziałach pochlebnie oceniał „kolonizacyjną robotę" Włochów w Trypolisie. „Ponadto włoskie okręty eskortujące nasz konwój prezentowały się świetnie", napisał w liście. Ale wiele z takich początkowych wrażeń miało się nie utrzymać. Już na libijskiej pustyni Niemcy widzieli „monotonny pejzaż, piasek i kamienie". Wojna w Afryce Północnej była „bardzo, bardzo odmienna" od tej w Rosji, podkreślał cytowany wcześniej podoficer. Również Niemcy odczuwali silną tęsknotę za domem, a kiedy pewnego wieczoru ktoś zagrał na ustnej harmonijce pod rozgwieżdżonym niebem, myśleli o wiośnie, która nadchodziła w ich ojczyźnie.

---

[28] Hans-Hermann H., 13 marca 1942 r., BfZ-SS N91.2.

ROZDZIAŁ 19

Konferencja w Wannsee
i obozowy archipelag

lipiec 1941–styczeń 1943

Zastępcą Heinricha Himmlera był energiczny Obergruppenführer SS Reinhard Heydrich, który stał na czele Głównego Urzędu Bezpieczeństwa Rzeszy (RSHA) kierującego rozrastającym się esesowskim imperium. W żyłach Heydricha, wysokiego, grywającego na skrzypcach antysemity o nienagannej prezencji, podobno płynęło wcale niemało żydowskiej krwi – co wyraźnie tylko wzmagało jego nienawiść do Żydów.

Latem 1941 roku Heydrich popadał w coraz większą irytację z powodu chaotycznych, doraźnych metod radzenia sobie z „kwestią żydowską" i braku jednolitego programu oraz odgórnych regulacji w tej sprawie. Poza masakrami Żydów, dokonywanymi przez lokalnych oficjeli nazistowskiej służby bezpieczeństwa na okupowanych wschodnich terytoriach, niektórzy satrapowie z SS zaczęli eksperymentować z eksterminacją na bardziej przemysłową skalę. W Kraju Warty (Reichsgau Wartheland, Warthegau) przeprowadzono niezadowalające próby z zabijaniem za pomocą spalin wtłaczanych do szczelnych komór na ciężarówkach. W Generalnym Gubernatorstwie tamtejszy szef policji i SS Odilo Globocnik rozpoczął budowę obozu zagłady w Bełżcu koło Lublina. Tymczasem Himmler niecierpliwie szukał rozwiązania problemu obciążeń psychicznych, będących udziałem członków Einsatzgruppen w rezultacie ich „pracy".

Heydrich polecił już Adolfowi Eichmannowi przygotowanie szkicu odpowiedniego rozkazu podpisanego 31 lipca przez Göringa. Dokument ten zlecał Heydrichowi „rozwiązanie, poprzez [przymusową] emigrację lub ewakuację, kwestii żydowskiej" i obarczał go zadaniem „podjęcia wszelkich niezbędnych organizacyjnych, czynnościowych i materialnych przygotowań do pełnego rozstrzygnięcia kwestii żydowskiej w niemieckiej strefie wpływów w Europie"[1]. Mniej więcej miesiąc później Eichmann został wezwany do gabinetu Heydricha, gdzie dowiedział się, że Himmler otrzymał od Hitlera polecenie „fizycznej likwidacji Żydów"[2]. Mimo że czołowi nazistowscy funkcjonariusze sporadycznie lubili powoływać się na Führera w próbach przeprowadzania własnych inicjatyw, to trudno sobie wyobrazić, aby Himmler czy Heydrich odważyli się na samowolę w tak istotnej sprawie.

W zapomnienie odeszły wcześniejsze pomysły o całkowitym unicestwieniu Żydów dopiero po osiągnięciu przez Niemcy ostatecznego zwycięstwa w wojnie. Można odnieść wrażenie, iż wtedy właśnie po raz pierwszy doszedł do głosu niewypowiedziany niepokój; oto nadarzała się możliwość wykorzystania niepowtarzalnej okazji stwarzanej przez wojnę na wschodzie. Ponadto w samych Niemczech oraz w krajach okupowanych, w tym w Serbii i we Francji, nasilały się naciski, aby zesłać tamtejszych Żydów gdzieś na wschód. W Paryżu niemiecki gubernator wojskowy, generał Carl-Heinrich von Stülpnagel, wydał francuskiej policji rozkaz obławy na francuskich i zagranicznych Żydów; w wyniku tej akcji, rozpoczętej 20 sierpnia, schwytano 4323 osoby.

Osiemnastego września instrukcje Himmlera ujawniły, że getta mają odtąd posłużyć za rodzaj „przejściowych", czy też „tymczasowych" obozów. Ponad pół miliona Żydów zmarło z głodu i chorób w gettach w Polsce, lecz uznano to za zbyt powolny proces wyniszczania ludności żydowskiej. Dalsze dyskusje wykazały, że istnieje plan umieszczenia wszystkich Żydów w obozach koncentracyjnych. Ale nawet w państwie totalitarnym musiały zaistnieć problemy natury prawnej, na przykład co począć z tymi Żydami, którzy mieli zagraniczne paszporty, i tymi, którzy zawarli małżeństwa z osobami pochodzenia aryjskiego.

Dwudziestego dziewiątego listopada 1941 roku Heydrich wysłał zaproszenie czołowym urzędnikom Ostministerium (Ministerstwa Rzeszy do spraw Okupowanych Terytoriów Wschodnich, Reichsministerium für die besetzten Ostgebiete) oraz innych ministerstw i agencji rządowych, chcąc wraz z nimi i z przedstawicielami RSHA omówić sprawę ujednolicenia polityki wobec Żydów. Spotkanie takie miało się odbyć 9 grudnia. W ostatniej chwili przełożono je na późniejszy termin. Oto bowiem 5 grudnia do wielkiej kontrofensywy przystąpiły na froncie wschodnim wojska Żukowa, zaś dwa dni później Japończycy zaatakowali Pearl Harbor. Trochę czasu wymagała analiza konsekwencji tych doniosłych wydarzeń, a wkrótce potem, 11 grudnia, Hitler ogłosił w Reichstagu wypowiedzenie wojny Stanom Zjednoczonym. Nazajutrz zwołał w Kancelarii Rzeszy naradę kierownictwa

---

[1] R. Hilberg, *The Destruction of the European Jews*, New York 1985, s. 163.
[2] *Ibidem.*

partii nazistowskiej. Przy tej okazji powołał się na swoją "przepowiednię" z 30 stycznia 1939 roku, kiedy to stwierdził, że jeśli dojdzie do wojny, to "podżegacze do tego krwawego konfliktu będą musieli przypłacić" jego wybuch "własnym życiem"[3].

Wraz z wypowiedzeniem wojny USA przez Hitlera i japońskim uderzeniem na Pearl Harbor konflikt zbrojny nabrał prawdziwie globalnego charakteru. Zgodnie z przewrotną logiką Hitlera Żydzi mieli ucierpieć za swoje "winy". "Führer jest zdecydowany na wielkie sprzątanie – zapisał 12 grudnia w swoim dzienniku Goebbels. – Przepowiedział Żydom, że jeśli jeszcze raz wywołają wojnę światową, to jej rezultatem będzie ich własna zagłada. To nie była figura retoryczna. Toczy się wojna światowa, zniszczenie żydostwa musi być jej nieuchronnym skutkiem. Kwestię tę należy potraktować bez sentymentów"[4].

Niespełna tydzień później Hitler spotkał się z Himmlerem w celu omówienia "kwestii żydowskiej". Jednak mimo gorącej, a nawet gorączkowej atmosfery, w jakiej przebiegała ta rozmowa, podczas której Hitler wielokrotnie wspominał o swych przedwojennych przewidywaniach, że Żydzi ściągają na siebie zgubę, najwyraźniej nadal jeszcze nie podjął nieodwołalnej decyzji w sprawie "ostatecznego rozwiązania". Dość uderzające, że pomimo swoich apokaliptycznych diatryb przeciwko Żydom wyraźnie nie chciał poznawać szczegółów historii o masowym zabijaniu, tak jak unikał słuchania o cierpieniach będących efektem bitew czy bombardowań. Dążenie do utrzymywania przemocy w sferze abstrakcji było znamienną cechą jego psychiki, choć przecież Hitler należał do największych okrutników w dziejach.

Ostatecznie zorganizowana przez Heydricha konferencja odbyła się 20 stycznia 1942 roku w należącej do RSHA dużej willi nad jeziorem Wannsee na południowo-zachodnim krańcu Berlina. Przewodniczył jej sam Obergruppenführer SS Heydrich, a Obersturmbannführer SS Eichmann robił notatki. Poza innymi członkami RSHA większość obecnych należała do grona czołowych oficjeli zarządu okupowanych obszarów wschodnich oraz personelu Kancelarii Rzeszy; nie zabrakło także czterech sekretarzy stanu – wiodących urzędników kluczowych ministerstw. Wśród zebranych znalazł się dr Roland Freisler z Ministerstwa Sprawiedliwości, późniejszy okryty niesławą oskarżyciel w procesach zamachowców z lipca 1944 roku. Ministerstwo Spraw Zagranicznych reprezentował podsekretarz stanu Martin Luther – imiennik innego, o wiele bardziej znanego i wpływowego an-

---

[3] *TBJG*, cz. II, t. II, s. 498–499, cyt. za: I. Kershaw, *The Nazi Dictatorship. Problems and Perspectives of Interpretation*, London 2000, s. 124.

[4] *TBJG*, cz. II, t. II, s. 498–499 (13 grudnia 1941 r.).

tysemity z przeszłości – Marcina Lutra[5]. Luther przywiózł z sobą starannie opracowane memorandum zatytułowane „Wnioski i koncepcje Ministerstwa Spraw Zagranicznych Rzeszy w związku z planowanym ostatecznym rozwiązaniem kwestii żydowskiej w Europie". Więcej niż połowa zebranych miała doktoraty; prawnicy należeli do zdecydowanej mniejszości.

Heydrich zaczął od podkreślenia swoich uprawnień w prowadzeniu przygotowań do owego ostatecznego rozwiązania na wszystkich niemieckich obszarach i na wszystkich szczeblach. Zaprezentował statystyki dotyczące żydowskich społeczności w całej Europie, w tym i brytyjskich Żydów, które miały być „ewakuowane na wschód". Ich liczebność – szacowaną ogółem na jedenaście milionów ludzi – zamierzano zredukować za sprawą przymusowych ciężkich robót, a ocalałych miano „stosownie potraktować". Sędziwych Żydów oraz tych, którzy w poprzedniej wojnie walczyli za kajzera, czekało ich zesłanie do pokazowego obozu koncentracyjnego w Terezinie (Theresienstadt) w Protektoracie Czech i Moraw.

Luther, w imieniu MSZ-u, nalegał na ostrożność i pewną zwłokę w łapankach na Żydów w takich krajach jak Dania i Norwegia, gdzie mogło to wywołać nieprzychylną reakcję międzynarodowej opinii. Następnie sporo czasu poświęcono na roztrząsanie skomplikowanej kwestii osób o częściowo żydowskim pochodzeniu – tak zwanych *Mischlinge* („mieszańców") – oraz tych, które zawarły małżeństwa z Aryjczykami. Zgodnie z przewidywaniami przedstawiciel władz Generalnego Gubernatorstwa przekonywał, że z Żydami na jego terenach należy uporać się w pierwszej kolejności. Na koniec, popijając koniak po obiedzie, uczestnicy konferencji omawiali różne możliwe metody osiągnięcia zamierzonego celu. Ale w stenogramie z tej narady widniały typowe eufemizmy, takie jak „ewakuacja" czy „przesiedlenie".

Jedno było wszak jasne dla wszystkich zainteresowanych. Wszelkie pomysły o „terytorialnym rozwiązaniu" spełzły na niczym. Po uwieńczonej połowicznym sukcesem generalnej ofensywie Stalina po bitwie o Moskwę nie było na okupowanych radzieckich ziemiach odpowiedniego miejsca, gdzie można by wywieźć Żydów, aby tam głodowali. Jedynym pewnym wyjściem wydała się teraz rzeź na skalę przemysłową.

Nazistowska administracja w Berlinie, a szczególnie w rządzonym przez Franka lennie, jakim było Generalne Gubernatorstwo, wprost nie mogła się doczekać urzeczywistnienia tych morderczych planów. Gauleiter Arthur Greiser chciał usunąć z Kraju Warty trzydzieści pięć tysięcy Polaków

---

5   Na temat Martina Luthera zob. E. Conze, N. Frei, P. Hayes, M. Zimmermann, *Das Amt und die Vergangenheit. Deutsche Diplomaten im Dritten Reich und in der Bundesrepublik*, München 2010; w kwestii historycznego Marcina Lutra i jego stosunku do Żydów por. R. Hilberg, *The Destruction of the European Jews, op. cit.*, s. 13–15.

cierpiących na gruźlicę. Prawnicy z SS rozważali nawet ewentualność pozabijania wszystkich Niemców i innych więźniów, którzy mieli nieszczęście
wyglądać jak „pomioty piekieł"[6]. W trakcie masowych rozstrzeliwań „zabójcy na okupowanych obszarach ZSRR musieli szukać swoich ofiar", natomiast zagazowywanie wiązało się z „dowożeniem ofiar zabójcom"[7]. Zastosowano je najpierw w praktyce w obozie zagłady w Chełmnie (Kulmhof)
z użyciem mobilnych komór gazowych na ciężarówkach, potem wprowadzono w Bełżcu, Treblince, Sobiborze, a następnie, latem, w Oświęcimiu-
-Brzezince (Auschwitz-Birkenau).

Powstał potężny aparat administracyjny mający zająć się tymi Żydami,
którzy nie zmarli w gettach lub nie zostali rozstrzelani. Eichmann, odpowiedzialny za obławy na całą ludność żydowską poza obszarami polskimi,
współdziałał ściśle z Gruppenführerem Heinrichem Müllerem, szefem Gestapo. Eichmann, kolejny amator skrzypiec, raz w tygodniu grywał z Müllerem, omawiając w trakcie tych partii powierzone im gigantyczne zadanie.
Najważniejszym elementem tej operacji był transport więźniów.

Zaplanowanie i terminarz działań miały kluczowe znaczenie. Niemieckie Koleje Rzeszy, w których pracowało 1,4 miliona ludzi, były największą
organizacją w Niemczech poza Wehrmachtem i przynosiły znaczne dochody. Żydów przewożono w wagonach towarowych i bydlęcych za te same
ceny biletów, których żądano od pasażerów wagonów osobowych. Koszty przewozu strażników z policji porządkowej (Ordnungspolizei, Orpo)
były opłacane z wpływów za bilety powrotne – opłaty pobierane przez Gestapo z żydowskich funduszy. Ale ideologiczne obsesje Hitlera, Himmlera i Heydricha często stały w rażącej sprzeczności z wymogami prowadzenia wojny, którą naziści usiłowali wygrać. Wehrmacht zaczął się uskarżać na
usuwanie fachowej żydowskiej siły roboczej z przemysłu zbrojeniowego oraz
na wielkie zakłócenia w funkcjonowaniu transportu kolejowego, jakże po-
trzebnego do zaopatrywania frontu wschodniego.

Przywódcy żydowskich społeczności dostali polecenie zorganizowania
własnego trybu „przesiedleń", pod groźbą, że jeśli tego nie zrobią, wówczas
zajmie się tym SA lub SS. Na własnej skórze mieli okazję się przekonać, co to
oznacza. Musieli też sporządzać listy osób przewidzianych do „transportów".
Zesłanych do Ostlandu (czyli na okupowane ziemie wschodnie) rozstrzeliwano po ich przyjeździe na miejsce, głównie w Mińsku, Kownie i Rydze. Większość wkrótce trafiła do jednego z obozów zagłady, w zależności od miejsca,
skąd ich wywożono. Starsi i „uprzywilejowani" Żydzi wysłani do Terezina nie
wiedzieli, że oznacza to dla nich tylko czasowe zawieszenie wyroku śmierci.

---

[6] R. Hilberg, *The Destruction of the European Jews, op. cit.*, s. 270.
[7] *Ibidem*, s. 99.

Policjantom z Orpo i gestapowcom zatrudnionym przy „oczyszczaniu" gett z Żydów wydawano przydziały winiaku – których jednak nie dostawali Ukraińcy z formacji pomocniczych. Żydów, którzy próbowali uciekać albo ukrywać się, zabijano od razu. Podobnie postępowano ze starcami, gdy ci bez pomocy nie byli w stanie dojść do pociągów czy ciężarówek. Zdecydowana większość odjeżdżała w wagonach kolejowych, wyraźnie godząc się na swój los. Ale licznym udawało się uciekać z jadących pociągów w okoliczne lasy. Tam niektórym pomagali Polacy, inni natomiast wstępowali do oddziałów partyzanckich.

Nazistowskie obozy koncentracyjne zaczęły powstawać tuż po przejęciu władzy przez Hitlera w 1933 roku. Himmler zorganizował jeden z pierwszych obozów dla więźniów politycznych w Dachau nieco na północ od Monachium, a niebawem przejął zarząd nad wszystkimi takimi lagrami. Ich straże rekrutowano z *Totenkopfverbände* (Oddziałów Trupiej Główki), czyli specjalnych oddziałów SS, których nazwa pochodziła od wizerunku na blaszkach przytwierdzonych do otoków czapek. W roku 1940, kiedy sieć nazistowskich obozów koncentracyjnych wielce się rozrosła po podboju Polski przez Niemcy, Obergruppenführer Oswald Pohl stworzył osobistą domenę w ramach SS, przekształcając obozy pracy w przynoszące dochody przedsiębiorstwa. Odegrał również wiodącą rolę w rozbudowie systemu obozowego.

Choć pierwotne próby z cyklonem B przeprowadzono w obozie w Auschwitz, to obozem zagłady, gdzie pod kierownictwem Pohla zbudowano pierwsze komory gazowe, był Bełżec. Prace rozpoczęto tam w listopadzie 1941 roku, dwa miesiące przed konferencją w Wannsee. W ślad za tym poczyniono pospieszne przygotowania w innych lagrach. Bardzo znaczną rolę w funkcjonowaniu obozów zagłady odegrały doświadczenia osób, które uczestniczyły w realizacji programu eutanazji na podstawie wytycznych Kancelarii Rzeszy.

Niektórzy argumentują, że na „taśmową" mechanizację zabójczej działalności tych obozów silny wpływ wywarły innowacje wprowadzone przez Henry'ego Forda w jego fabrykach, a z kolei Ford zapożyczył je z chicagowskich rzeźni. Ford, zawzięty antysemita już od lat dwudziestych XX wieku, był podziwiany przez Hitlera i innych czołowych nazistów. Być może nawet wspierał finansowo niemiecką partię nazistowską, choć nikomu nie udało się wejść w posiadanie potwierdzających to dokumentów. Tak czy owak jego książka *Międzynarodowy Żyd* (*The International Jew*) została przetłumaczona na język niemiecki i wywarła wielki wpływ na nazistowskie kręgi. Portret Forda wisiał na ścianie monachijskiego gabinetu Hitlera, a w 1938 roku nazistowski dyktator odznaczył amerykańskiego przemysłowca Wielkim

Krzyżem Orderu Orła Niemieckiego za Zasługi. Jednakże nie ma niezbitych świadectw, że w obozach zagłady skopiowano produkcyjne metody Forda[8].

Do końca roku 1942 prawie cztery miliony Żydów z zachodniej i środkowej Europy oraz z obszarów Związku Radzieckiego zginęło w obozach śmierci, a wraz z nimi czterdzieści tysięcy Romów. Czynne współuczestnictwo w tej akcji eksterminacyjnej osób z personelu Wehrmachtu, urzędników z niemal wszystkich ministerstw Rzeszy, bardzo wielu zakładów przemysłowych oraz systemu transportowego rozciągało częściową winę za to na całą ludność Rzeszy, z czym w latach powojennych niemieckie społeczeństwo długo nie chciało się pogodzić.

Nazistowski reżim czynił wszystko, aby utrzymać tę eksterminację w tajemnicy, niemniej jednak zaangażowane w nią było wiele dziesiątków tysięcy osób. Himmler, przemawiając do wyższych rangą oficerów SS w październiku 1943 roku, określił ją jako „niepisaną i taką, która nigdy nie zostanie napisana, chwalebną kartę naszej historii"[9]. Pogłoski rozeszły się błyskawicznie, zwłaszcza po tym jak niemieccy żołnierze zaczęli uwieczniać na zdjęciach zbiorowe egzekucje Żydów w okupowanym Związku Radzieckim. Początkowo większość ludności cywilnej nie mogła uwierzyć w zabijanie Żydów poprzez ich masowe zagazowywanie. Jednak tak wielu Niemców uczestniczyło w różnych przedsięwzięciach związanych z „ostatecznym rozwiązaniem" i tak liczni wzbogacili się na konfiskatach żydowskich majątków – firm i mieszkań – że znaczny odsetek obywateli Rzeszy już wkrótce całkiem dobrze orientował się w sytuacji.

Mimo że wcześniej okazywano Żydom pewne współczucie, gdy zmuszano ich do noszenia żółtej gwiazdy, to po rozpoczęciu deportacji przestali być ludźmi w oczach niemieckiej społeczności. Niemcy woleli nie zastanawiać się nad ich losem. Jak potem sobie wmawiali, miało to wynikać z niewiedzy, podczas gdy w istocie bliższe było psychologicznemu mechanizmowi wyparcia prawdy. Jak stwierdził Ian Kershaw: „drogę do Auschwitz zbudowano na nienawiści, ale wybrukowano obojętnością"[10].

Z drugiej strony niemiecka ludność cywilna faktycznie nie miała większego pojęcia o niesławnych eksperymentach pseudomedycznych, przepro-

---

[8]   Henry Ford a naziści zob. Ch. Patterson, *Wieczna Treblinka*, tłum. R. Rupowski, Opole 2003, s. 79–86. Na temat pomysłów zaczerpniętych przez Forda z amerykańskich rzeźni zob.: H. Ford, *Moje życie i dzieło*, tłum. M. i S. Goryńscy, Warszawa 1924, s. 89–90; D.L. Lewis, *The Public Image of Henry Ford. An American Folk Hero and His Company*, Detroit 1976, s. 135; A. Lee, *Henry Ford and the Jews*, New York 1980.

[9]   IMT 29:145.

[10]   I. Kershaw, *Popular Opinion and Political Dissent in the Third Reich. Bavaria, 1933–1945*, New York 1983, s. 277.

wadzanych w obozie Auschwitz-Birkenau przez doktora Josefa Mengelego i jego współpracowników. Nawet dziś wiadomo stosunkowo niewiele o doświadczeniach, jakich esesowscy lekarze dokonywali na Rosjanach, Polakach, Romach, Czechach, Jugosłowianach, Holendrach oraz niemieckich więźniach politycznych z Dachau. Ponad dwanaście tysięcy ofiar zmarło, najczęściej w męczarniach, wskutek próbnych i ćwiczebnych operacji oraz amputacji. Wśród nich znaleźli się ludzie, którym wszczepiano zarazki chorobowe, ale również, na żądanie Luftwaffe, więźniowie trzymani w skrajnie wysokich i niskich temperaturach, zanurzani w lodowatej wodzie (w celu zbadania wytrzymałości lotników zestrzelonych nad morzem), pojeni słoną wodą i poddawani eksperymentom polegającym na punkcjach wątroby. Ponadto inni więźniowie w pomieszczeniach, gdzie odbywała się autopsja, musieli obdzierać i garbować dobrze zachowaną skórę ze zwłok (choć nie z ofiar narodowości niemieckiej) „do wykorzystania na siodła, bryczesy do konnej jazdy, rękawiczki, kapcie i damskie torebki"[11].

W gdańskim Instytucie Anatomii profesorowi Rudolfowi Spannerowi dostarczano ciała „Polaków, Rosjan i Uzbeków" zabitych w pobliskim obozie koncentracyjnym w Stutthofie (Sztutowie), aby mógł eksperymentować z pozyskiwaniem tłuszczu na mydło i skóry z ich zwłok[12]. Dziś może nie mieścić się w głowie, że coś takiego czynił lekarz, ale jak stwierdził wstrząśnięty Wasilij Grossman, opisując horror Treblinki: „Powinnością pisarza jest przedstawienie tej straszliwej prawdy, a obowiązkiem czytelnika – poznanie jej"[13].

Pomimo postępującej industrializacji „ostatecznego rozwiązania" masowe rozstrzeliwania trwały zarówno na ziemiach podległych Komisariatowi Rzeszy Wschód, jak i tych należących do Komisariatu Rzeszy Ukraina. Wyłapywano i rozstrzeliwano nawet tych Żydów, których wcześniej utrzymano przy życiu jako wykwalifikowanych pracowników. Od wczesnej wiosny przez lato 1942 roku Einsatzgruppen SS i dziewięć pułków Orpo doprowadziły do likwidacji wszystkich Żydów na wyznaczonych obszarach w ramach „Grossaktionen" („Wielkich akcji"). W lipcu pewien niemiecki skarbnik napisał w liście do rodziny: „W Berezie Kartuskiej, gdzie zatrzymałem się w południe, dzień wcześniej zastrzelono tysiąc trzysta Żydów. Zabrali ich nad parów tuż za miastem. Mężczyźni, kobiety i dzieci musieli się rozebrać do naga, a potem załatwiano ich strzałem w tył głowy. Ich ubrania zdezynfekowano w celu ponownego użycia. Jestem pewien, że jeżeli ta wojna potrwa

---

[11] Na temat pseudomedycznych eksperymentów w Dachau i „wykorzystania [skóry] na siodła" zob.: F. Blaha, *Holocaust. Medical Experiments at Dachau*, IMT; NA II RG 238/16.

[12] GARF 9401/2/96; Spanner ostatecznie nie stanął przed sądem, ponieważ nie istniało prawo zabraniające przeprowadzania eksperymentów na ludzkich zwłokach.

[13] Dokumentacja W. Grossmana, RGALI 1710/1/123.

znacznie dłużej, Żydów przemielą na kiełbasę, którą nakarmią rosyjskich jeńców albo wykwalifikowanych żydowskich robotników"[14].

Zbrojne oddziały otaczały kolejne getta. Niektórzy żydowscy przedsiębiorcy szukali ocalenia w dawaniu łapówek. „Żydowskie dziewczęta, które chciały ocalić życie, oddawały się policjantom. Z reguły kobiety te wykorzystywano nocą, a rano zabijano"[15]. Policja i formacje pomocnicze zjawiały się wczesnym rankiem lub tuż przed świtem, w blasku reflektorów bądź rac. Wielu Żydów próbowało chować się w kryjówkach pod podłogami, ale zabójcy wrzucali ręczne granaty do nędznych chat ofiar. Czasami zabudowania podpalano.

Wyłapanych zapędzano nad jamy w ziemi, gdzie ofiary musiały się rozebrać, zanim zostały zastrzelone na skraju wykopu lub zmuszone do ułożenia się w dole „jak sardynki". I znów zabójców zdumiewała bierność i uległość Żydów. Wielu katów upijało się i nie było w stanie dobić ofiar, z których sporo pogrzebano żywcem. Nielicznym udawało się później nawet wygrzebywać spod stosów zwłok.

Ale nie wszyscy byli tacy ulegli. „Leśni Żydzi", którzy uciekli przed obławami, przyłączali się do radzieckich oddziałów partyzanckich albo organizowali własne, zwłaszcza na Białorusi. Antypartyzanckie akcje pod dowództwem Bacha-Zelewskiego odbywały się do wiosny 1944 roku. We Lwowie i na pozostałym obszarze Galicji niemiecka tajna policja i ukraińska policja pomocnicza (Hilfspolizei, Hipo) kontynuowały zabijanie. Próby organizowania ruchu oporu w gettach rzadko się powodziły, aż do desperackiego powstania w getcie warszawskim w styczniu 1943 roku. Usiłowano bronić się w gettach Lwowa i Białegostoku, ale nie na taką skalę i z taką determinacją jak w Warszawie.

Żydzi, którzy początkowo sprzeciwiali się stawianiu zbrojnego oporu, znali już prawdę. Niemcy chcieli ich wszystkich pozabijać. Po deportacji ponad trzystu tysięcy Żydów w ciągu roku 1942 w warszawskim getcie pozostało zaledwie siedemdziesiąt tysięcy ludzi, głównie młodych i stosunkowo silnych. Chorych i starych już wywieziono. Różne żydowskie ugrupowania polityczne, członkowie Bundu (partii żydowskich socjalistów), komuniści i syjoniści uzgodnili podjęcie walki. Zaczęto od likwidacji kolaborantów, a następnie przygotowywano stanowiska obronne połączone kanałami ściekowymi. Broń i materiały wybuchowe nabywano od Armii Krajowej, lojalnej wobec polskich władz emigracyjnych, a także od Gwardii Ludowej, zbrojnej organizacji polskiego podziemia komunistycznego. Kilkaset pistoletów i rewolwerów udało się odkupić od mieszkańców Warszawy, którzy ukrywali broń, mimo że groziła za to kara śmierci. W kwietniu 1943 roku

---

[14] Heinrich K., H.K.P. 610 Brest/Bug, 18 lipca 1942 r., BfZ-SS 37 634.
[15] R. Hilberg, *The Destruction of the European Jews*, op. cit., s. 145.

doszło do pierwszej wymiany ognia w getcie, gdy Niemcy wyłapali sześć i pół tysiąca osób przewidzianych do deportacji[16].

Rozwścieczony Himmler rozkazał zrównanie z ziemią warszawskiego getta. Ale dopiero 19 kwietnia Niemcy przeprowadzili poważny szturm. Oddziały Waffen-SS wkroczyły do getta od strony północnej, gdzie na bocznicy zapędzano pojmanych do bydlęcych wagonów. Atakujący wkrótce musieli się wycofać, unosząc z sobą rannych, dostawszy się pod intensywny ogień i tracąc swój jedyny wóz opancerzony, zniszczony butelką z benzyną. Himmlera wzburzyła wieść o odparciu ataku i wyznaczył nowego dowódcę oddziałów szturmowych. Od tej pory esesmani atakowali niewielkimi grupami w różnych punktach getta.

Po rozpaczliwej obronie „szopów", podpalanych przez Niemców za pomocą miotaczy ognia, żydowscy obrońcy uciekali kanałami, z których wyłaniali się niespodziewanie, by od tyłu ostrzeliwać niemieckie wojska. Esesmani zalewali te kanały wodą, usiłując potopić powstańców, ale żydowscy bojownicy odpowiednio przekierowywali strumienie ścieków. Grupa powstańców opanowała duży budynek pewnej firmy zbrojeniowej i zorganizowała w nim obronę. Brigadeführer Jürgen Stroop rozkazał swoim ludziom podpalić go. Kiedy Żydzi wyskakiwali z górnego piętra, esesmani nazywali ich „spadochroniarzami" i strzelali do spadających na ziemię ofiar.

Po wojnie Stroop nadal sprawiał wrażenie podekscytowanego przebiegiem tych walk, o których opowiadał swemu współwięźniowi w więzieniu mokotowskim: „Rozgardiasz niebywały – wspominał. – Pożary, dymy, płomienie, iskry pędzone wiatrem, kurz, fruwające pierze, zapachy przypalonych materiałów i ciał, huk armat i granatów, łuny (...) Żydzi, Żydówki i żydowskie dzieci, którzy z okien, balkonów i poddaszy domów, płonących od parteru, wyskakiwali na ziemię, na asfalt i bruk"[17]. Przyznał jednakże, iż Żydzi ogromnie zaskoczyli swoją „bojową odwagą" jego samego i jego podwładnych.

Zaciekły opór trwał przez prawie miesiąc, do 16 maja. Tysiące ludzi poległo w walce, a siedem tysięcy z 56 065 schwytanych zlikwidowano na miejscu. Pozostali zostali wywiezieni do Treblinki na zagazowanie albo skierowani do batalionów pracy przymusowej, w których ginęli przy katorżniczych robotach. Warszawskie getto uległo całkowitemu wyburzeniu. Wasilij Grossman, który znalazł się w Warszawie wraz z pierwszymi oddziałami Armii Czerwonej w styczniu 1945 roku, tak opisał zastany widok: „Sterty kamieni, porozbijanych cegieł, morze gruzu. Nie ostała się żadna ściana – wściekłość bestii była straszna"[18].

---

[16] *Ibidem*, s. 204–211.
[17] K. Moczarski, *Rozmowy z katem*, Warszawa 1983, s. 229.
[18] RGALI, 1710/3/21.

ROZDZIAŁ 20

Japońska okupacja i bitwa o Midway

luty–czerwiec 1942

Okupując Hongkong, Japończycy z początku zamierzali traktować tamtejszą ludność stosunkowo łagodnie, ale szybko zaczęło dochodzić do nieopanowanych okrucieństw. Choć Europejczycy w Hongkongu nie ucierpieli zbytnio, to lokalna społeczność stawała się ofiarami gwałtów i mordów, których dopuszczali się pijani japońscy żołnierze, dając w ten sposób świadectwo hipokryzji swojego hasła „Azja dla Azjatów". Japończycy odczuwali pewien respekt dla innych imperialistów, Brytyjczyków, lecz nie wobec przedstawicieli pozostałych azjatyckich nacji, zwłaszcza Chińczyków. Podobno pewien starszy oficer rozkazał stracić dziewięciu żołnierzy winnych gwałtu na brytyjskich pielęgniarkach w Happy Valley. Nie uczyniono natomiast niczego, by ukrócić ten sam proceder dokonywany na Chinkach.

Prawie nic nie krępowało grabieży, jakich dopuszczali się albo japońscy żołnierze, albo członkowie przestępczej triady i stronnicy marionetkowego reżimu Wang Jingweia z Nankinu, którym zlecono zadania milicyjne. W zamian japońskie władze wojskowe zezwoliły triadzie na zorganizowanie hazardowych melin. Pomniejsze gangi przestępcze działały bezkarnie. Japończycy podjęli próbę zjednania hinduskiej społeczności Hongkongu, rozbudzając nienawiść do Brytyjczyków i zapewniając Hindusom większe przydziały żywności. Sikhów i radźputów rekrutowano do policji, wydając im nawet broń. Polityka pod hasłem „dziel i rządź", mająca na celu skłócenie miejscowych Hindusów i Chińczyków, obowiązywała aż do końca 1942 roku, kiedy w wyniku sporów między Japończykami a Indyjską Ligą Niepodległościową w Singapurze Japończycy nagle cofnęli przywileje dla Hindusów, którzy znaleźli się w sytuacji gorszej niż w czasach Brytyjczyków. Wobec bezwzględności tajnej japońskiej żandarmerii, Kempeitai, także Chińczycy z Hongkongu, w tym nawet członkowie triady, rychło zaczęli niemal tęsknić za brytyjskimi rządami.

Nowy japoński gubernator usiłował przeciągnąć na swoją stronę Euroazjatów i znane chińskie rody kupieckie, chcąc, by port w Hongkongu znowu stał się miejscem intensywnej wymiany handlowej. Równocześnie wyżsi rangą japońscy oficerowie, oszołomieni mnogością towaru w lokalnych składach, organizowali bardziej systematyczne grabieże, częściowo aby wzbogacić się samemu, częściowo zaś po to, by wysyłać wojenne łupy do Tokio. Tak jak w wielu innych miejscach okupowanych przez wojska japońskie, zamęt potęgowany był dodatkowo przez rywalizację między flotą a armią lądową. Ta ostatnia zamierzała przekształcić Hongkong w bazę wypadową do dalszej walki z nacjonalistami Chiang Kai-sheka, natomiast japońska marynarka wojenna planowała wykorzystanie portu do wsparcia ekspansji w kierunku południowym[1].

Szanghaj, szybko zajęty przez Japończyków 8 grudnia 1941 roku, formalnie podlegał marionetkowemu rządowi Wang Jingweia w Nankinie. W wielkim ośrodku handlowym i mieście portowym, jakim był Szanghaj, gdzie kwitła korupcja i prosperowały domy publiczne oraz sale taneczne, raptownie pogorszyła się sytuacja pozostałych tam Europejczyków, zwłaszcza społeczności rosyjskich białogwardyjskich emigrantów, a jeszcze bardziej – chińskiej biedoty. Podczas epidemii cholery zmarły tysiące osób, żywność była trudna do zdobycia, zaś czarny rynek gwałtownie się rozwijał.

Wszystko i prawie wszyscy byli tam na sprzedaż. Szanghaj słynął jako główny ośrodek szpiegowski na Dalekim Wschodzie. Agenci Abwehry i Gestapo szpiegowali Japończyków, którzy z kolei śledzili Niemców. Nieufność Japończyków do ich sojuszników wzrosła niepomiernie od chwili aresztowania w październiku 1941 roku niemieckiego komunistycznego szpiega Richarda Sorgego. Jednakże i same japońskie wojska okupacyjne zacięcie z sobą konkurowały. Zaiste „nie zna piekło straszliwszej furii" od bezwzględności rywalizujących agencji wywiadowczych[2].

W Singapurze 17 lutego 1942 roku żandarmeria Kempeitai przeprowadziła obławę na malajskich, indonezyjskich, indochińskich i singapurskich Chińczyków. Mieli ponieść karę za wspieranie nacjonalistycznych Chin w ich zbrojnym oporze. Generał Tomoyuki Yamashita nałożył na całą miejscową ludność kontrybucję w wysokości pięćdziesięciu milionów dolarów, mającą

---

[1] Na temat okupacji Hongkongu zob. Ph. Snow, *The Fall of Hong Kong. Britain, China and the Japanese Occupation*, New Haven – London 2003, s. 77–148.

[2] Więcej o japońskiej okupacji Szanghaju zob. B. Wasserstein, *Secret War in Shanghai. An Untold Story of Espionage, Intrigue, and Treason in World War II*, London 1998, s. 216–239.

być „darem zadośćuczynienia"[3]. Każdej osobie płci męskiej w wieku od dwunastu do pięćdziesięciu lat groziło rozstrzelanie. Wielu z nich powiedziono związanych na plażę Changi, gdzie zostali zabici seriami z broni maszynowej. Kempeitai przyznawała się do stracenia aż sześciu tysięcy ludzi za „antyjapońskość", jednak prawdziwa liczba ofiar była wielokrotnie wyższa, zwłaszcza jeśli doliczyć egzekucje przeprowadzane na pobliskim półwyspie. Ofiary stracone za rzekomą wrogość wobec Japończyków oficjalnie określano jako komunistów albo byłych sługusów Brytyjczyków. Japończycy zabijali także wszystkich z tatuażami, zakładając, iż oznaczały one przynależność do przestępczego półświatka.

Wokół koszar Changi zwoje drutu kolczastego, niewykorzystane wcześniej przez Brytyjczyków do przygotowywania zasieków, posłużyły teraz do trzymania w niewoli alianckich jeńców wojennych. Ludzi tych zmuszono do przemaszerowania ulicami w trakcie parady zwycięstwa na cześć generała Yamashity, który zyskał przydomek „Malajskiego Tygrysa". Hotel Raffles został zamieniony na burdel dla wyższych stopniem oficerów. Kobiety z personelu tego domu publicznego przymusowo przywożono z Korei; były też nimi młode Chinki porywane na ulicach.

Większość cywilów pochodzenia europejskiego, kobiet i mężczyzn, internowano oddzielnie w więzieniu w Changi. Dwa tysiące osób zostało stłoczonych w gmachu przewidzianym na sześciuset więźniów. Jeńcy dostawali dodatkowe racje żywności i medykamenty wyłącznie za łapówki. Biały ryż, jaki otrzymywali do jedzenia, miał niewielką wartość odżywczą i już niebawem wśród coraz bardziej wycieńczonych Brytyjczyków i Australijczyków było wiele przypadków choroby beri-beri (skrajnej awitaminozy). W gronie ich strażników znaleźli się Koreańczycy i nastawieni antybrytyjsko sikhowie, którzy zdezerterowali w czasie walk, a potem zaciągnęli się na służbę japońską. Mając w pamięci wciąż żywe wspomnienia masakry w Amritsarze, teraz z radością upokarzali swoich byłych panów. Niektórzy przejęli japoński zwyczaj policzkowania uwięzionych, jeżeli ci nie kłaniali się wartownikom, a kilku zgłosiło się nawet do plutonów egzekucyjnych. Tymczasem w mieście Singapur zabijano rabusiów i złodziei, a ich ścięte głowy nadziewano na tyczki jak w średniowiecznych czasach. Wyjaśnijmy, że na Dalekim Wschodzie pochówek bez którejś z części ciała uważa się za najgorszy możliwy los.

Wielu Malajów uwierzyło w japońskie hasła propagandowe, że cesarska armia przyniesie im wyzwolenie, i witali wkraczające wojska, powiewając małymi flagami z wizerunkiem wschodzącego słońca. Wkrótce mieli się przekonać, jak bardzo slogany te są dalekie od prawdy. Rychło pojawili

---

[3] P. Thompson, *The Battle for Singapore. The True Story of the Greatest Catastrophe of World War II*, London 2005, s. 380.

się japońscy spekulanci i kombinatorzy, rozkręcając rozmaite podejrzane interesy, organizując tancbudy, handlując narkotykami i zajmując się prostytucją oraz hazardem.

W Holenderskich Indiach Wschodnich japońskie władze wojskowe przekonały się z wściekłością, że większość szybów wydobywczych zniszczono przed kapitulacją. Holendrów i innych Europejczyków czekała straszliwa zemsta. Na Borneo i Jawie niemal wszystkich białych cywilów rozstrzelano lub ścięto, a na wielu ich żonach i córkach dopuszczano się zbiorowych gwałtów. Holenderki i Jawajki zmuszano do pracy w domach publicznych, wyznaczając im dzienną normę obsłużenia „dwudziestu żołnierzy do południa, dwóch podoficerów po południu i starszego oficera wieczorem"[4]. Jeśli przymuszane do nierządu kobiety uciekały albo były nieposłuszne, okrutnie je karano, mszcząc się także na ich rodzicach lub bliskich. Ogółem ocenia się, że Cesarska Armia Japońska siłą uczyniła z około stu tysięcy dziewcząt i młodych kobiet seksualne niewolnice. Wielki odsetek z nich stanowiły Koreanki zesłane za morze do japońskich garnizonów na Oceanii i wokół Morza Południowochińskiego, jednak Kempeitai porywała również Malajki, Peranakanki[5], Filipinki oraz Japonki. Polityka czynienia z kobiet w podbitych krajach źródła uciech dla żołnierzy najwyraźniej zyskiwała aprobatę japońskich naczelnych władz.

Pewien młody nacjonalista, Ahmed Sukarno, oddawał swoje usługi japońskim władzom wojskowym jako propagandysta i doradca, w nadziei, że te przyznają byłej holenderskiej kolonii niepodległość. Po wojnie, zamiast stanąć przed sądem jako kolaborant, został pierwszym prezydentem Indonezji, pomimo tego, że dziesiątki tysięcy jego rodaków cierpiało wcześniej głód. Uważa się, iż podczas wojny w trakcie japońskiej okupacji w Azji Południowo-Wschodniej zginęło około pięciu milionów ludzi[6]. Co najmniej milion z nich stanowili Wietnamczycy. Skonfiskowane pola ryżowe przeznaczano na inne uprawy dla Japończyków, a z rekwirowanych zapasów ryżu i innych zbóż pędzony był alkohol.

Japończycy zakazali funkcjonowania wszystkim partiom politycznym i wydawania niezależnej prasy. Kempeitai, posługując się okrutnie prymitywnymi torturami, tępiła wszelkie próby działalności wywrotowej czy choćby najmniejsze przejawy postawy antyjapońskiej. W ramach programowej japonizacji tu i ówdzie wprowadzono japoński język i kalendarz. Okupowane kraje były ograbiane z żywności i surowców, a bezrobocie wzrosło

---

[4] Y. Tanaka, *Hidden Horrors. Japanese War Crimes in World War II*, Oxford 1996, s. 93.
[5] Potomkinie chińskich emigrantów w Malezji zamieszkujące zachodnie wybrzeże Półwyspu Malajskiego (przyp. red.).
[6] Zob. M. Hastings, *Nemesis. The Battle for Japan, 1944–1945*, London 2007, s. 13.

tam do takiego poziomu, że Strefa Wspólnego Dobrobytu Wielkiej Azji Wschodniej niebawem stała się znana jako „Strefa Współnędzy". Japońskiej waluty okupacyjnej nikt nie traktował poważnie, gdy inflacja rosła w sposób niekontrolowany.

W Birmie wielu Birmańczyków początkowo witało Japończyków, mając złudne nadzieje na zdobycie niepodległości, chociaż odrębne pod względem etnicznym plemiona z północy tego kraju pozostały lojalne wobec Brytyjczyków. Wprawdzie Japończycy powołali do istnienia prawie trzydziestotysięczną Birmańską Armię Narodową, jednak traktowali ją z góry. Nawet birmańscy oficerowie mieli salutować japońskim szeregowcom. Ponadto Japończycy wcielili ponad siedem tysięcy Hindusów spośród wziętych do niewoli na Malajach i w Singapurze do Indyjskiej Armii Narodowej, która rzekomo miała wziąć udział w wyzwalaniu Indii spod brytyjskich rządów kolonialnych.

Brytyjscy i australijscy jeńcy wojenni z Singapuru zostali przetransportowani na północ do pracy nad budową niesławnej Kolei Birmańskiej (zwanej też Koleją Śmierci), do której zapędzano nawet chorych, słabych i wycieńczonych. Cierpieli na malarię tropikalną, beri-beri, dyzenterię, błonicę, dengę (gorączkę tropikalną), malarię i pelagrę. Brakowało jakichkolwiek leków, a w ranach szybko dochodziło do rozwoju zakażenia, gdy ciernie kaleczyły ciała w czasie wycinania dżungli. Jeńcy musieli kłaniać się nie tylko japońskim oficerom, ale i szeregowcom. Podoficerowie i oficerowie policzkowali ich i bili płazem szabli. Za niesubordynację i buntowniczą postawę karano zadawaniem ulubionej japońskiej tortury: po przymusowym wlewaniu wody w gardło jeńca strażnicy rozciągali nieszczęśnika na ziemi i skakali mu po brzuchu. Więźniowi schwytanemu na powtórnej próbie ucieczki zwykle publicznie ścinano głowę.

Japońscy wartownicy popędzali wyczerpane ofiary okrzykami „Speedo! Speedo!" („Prędzej, prędzej!"), zmuszając ich chłostaniem do jeszcze większego wysiłku. Wygłodniali, spragnieni i pokąsani przez owady jeńcy pracowali prawie nago w nieznośnym upale. Wielu mdlało z odwodnienia. Łącznie zmarła jedna trzecia z czterdziestu sześciu tysięcy alianckich jeńców w japońskiej niewoli, a okupanci jeszcze gorzej traktowali sto pięćdziesiąt tysięcy miejscowych, zagonionych do przymusowych robót, z których aż połowa nie przeżyła.

Charakter japońskiej okupacji Indochin Francuskich nie różnił się zbytnio mimo zawarcia porozumienia z admirałem Darlanem, podpisanego w Vichy 29 lipca 1941 roku. Kolejny układ w sprawie obrony Indochin został ratyfikowany przez gubernatora generalnego admirała Jeana Decoux w grudniu, a francuska administracja uznająca władze Vichy zarządzała Indochinami aż do marca 1945 roku. Liczyło się wszak głównie to, że wobec praktycznego odcięcia Indochin od Francji znalazły się one w japońskiej strefie ekonomicznej. Niektóre lokalne ugrupowania nacjonalistyczne sprzymierzyły się z Japończykami, licząc na zrzucenie francuskiego zwierzchnictwa, ale miejscowy japoński komendant utrzymywał francuskie rządy kolonialne. Z kolei Roosevelt stanowczo nie chciał oddawać Indochin Francji po zakończeniu toczącej się wojny[7].

*

Dziewiątego kwietnia 1942 roku, tuż przed tym jak generał major Edward King jr poddał amerykańskie i filipińskie wojska na półwyspie Bataan, zapytał japońskiego pułkownika Motō Nakayamę, czy jego ludzie będą należycie traktowani w niewoli. Nakayama odparł, że Japończycy nie są barbarzyńcami. Jednakże japońscy oficerowie nie spodziewali się, że wezmą na Bataanie aż tylu jeńców. Od dnia gdy wstępowali do wojska, wpajano im zasady samurajskiego kodeksu *bushidō* i wiarę, iż żołnierz nie powinien kapitulować, uważali zatem przeciwnika, który się poddawał, za niegodnego szacunku. Na szczególny paradoks zakrawało to, że jeszcze silniej rozbudził ich wściekłość fakt, iż nieprzyjaciel bronił się z zaciętością.

Z siedemdziesięciu sześciu tysięcy Amerykanów i Filipińczyków co najmniej sześć tysięcy było zbyt chorych i rannych, by samodzielnie iść. Około siedemdziesięciu tysięcy żołnierzy, brudnych, wychudzonych i wyczerpanych tak długotrwałym prowadzeniem walk na głodowych racjach żywności, musiało ruszyć w stukilometrowy marsz do obozu O'Donnell. Ten „bataański marsz śmierci" stał w rażącej sprzeczności z zapewnieniami Nakayamy. Bitych i ograbionych ze wszystkich rzeczy osobistych, dręczonych przez głód i pragnienie, popędzanych bagnetami jeńców traktowano z rozmyślnym okrucieństwem, aby zemścić się na nich i upokorzyć. W trakcie koszmarnych dni, jakie nadeszły, tylko nieliczni strażnicy pozwalali więźniom odpocząć w cieniu lub położyć się. Zmarło ponad siedem tysięcy amerykańskich i filipińskich żołnierzy z Bataanu. Około czterystu filipińskich oficerów i podoficerów z 91. Dywizji rozsiekano mieczami podczas masakry urządzonej 12 kwietnia w Batandze[8]. Spośród sześćdziesięciu trzech tysięcy, które dotarły do obozu, codziennie umierały setki. Również dwa tysiące ocalałych z Corregidoru zmarło z głodu i chorób w trakcie dwóch pierwszych miesięcy niewoli.

---

[7] Na temat Indochin podczas drugiej wojny światowej zob. R.B. Smith, *The Japanese Period in Indochina and the Coup of 9 March 1945*, „Journal of Southeast Asian Studies", t. 9: 1978, nr 2, s. 268–301.

[8] R.H. Spector, *Eagle against the Sun. The American War with Japan*, London 2001, s. 397.

Seria militarnych klęsk, kapitulacji i upokorzeń, których doznali alianci, wzbudziła pogardę chińskich nacjonalistów, od czterech lat opierających się o wiele silniejszym japońskim armiom. Brytyjczycy nie poprosili Chińczyków o pomoc w obronie Hongkongu i nie uzbroili tamtejszej ludności chińskiej, aby broniła się sama. Fakt ten znacznie zmniejszał ich prawa do tej kolonii, w razie gdyby doszło ostatecznie do zwycięstwa nad Japończykami. W każdym razie rząd Chiang Kai-sheka z siedzibą w Chongqingu stanowczo sprzeciwiał się obcej obecności w traktatowych portach. Administracja prezydenta Roosevelta wyraźnie sympatyzowała z takim antykolonialnym nastawieniem, a amerykańska opinia publiczna opowiadała się za tym, aby Stany Zjednoczone nie udzielały sojusznikom pomocy w odzyskiwaniu brytyjskich, francuskich i holenderskich posiadłości zamorskich.

Winą za klęskę Brytyjczyków w walkach z Japonią obarczano głównie ich kolonializm. Choć takie wyjaśnienie brzmiało w owym czasie dość wiarygodnie, to stanowiło zaledwie część prawdy, gdyż zasadnicze wysiłki militarne Wielkiej Brytanii koncentrowały się na obszarze oddalonym o tysiące kilometrów na zachód. W pierwszej połowie 1942 roku władze brytyjskie omal uległy naciskom Waszyngtonu i Chongqingu dotyczącym zrzeczenia się praw do Hongkongu, ale później tego samego roku Londyn zgodził się jedynie na przedyskutowanie kwestii przekazania owej kolonii po zakończeniu wojny. Chińscy nacjonaliści, przekonani, że ich wojska wkroczą do miasta jako pierwsze, nie wywierali zbytniej presji w tej sprawie[9].

Chiang Kai-shek uważał, że skoro Wielka Brytania przestała być potęgą na Dalekim Wschodzie, za nowe dalekowschodnie mocarstwo powinny zostać uznane nacjonalistyczne Chiny. Roosevelt chętnie przystałby na to, ale wiedział, że Stalin nie pogodzi się z przystąpieniem Chin do „wielkiej trójki". Z kolei Chiang, jak zwykle cechujący się realizmem, miał świadomość, iż bez względu na jego odczucia względem Brytyjczyków, będzie potrzebował pomocy Churchilla, co częściowo tłumaczy jego uległość w kwestii przełożenia na później dyskusji o Hongkongu. Z drugiej jednak strony władze Kuomintangu były oburzone tym, że brytyjskie Kierownictwo Operacji Specjalnych (SOE) współdziałało z chińską komunistyczną partyzantką w południowych Chinach nad Dong Jiang i na Nowych Terytoriach w Hongkongu. Komuniści pomagali tam brytyjskim jeńcom wojennym, którzy uciekli ze wspomnianej kolonii. Jedną z grup uciekinierów ugoszczono przy ognisku pieczonymi gęśmi i ryżowym winem, a pewien brytyjski oficer uczył komunistycznych partyzantów pieśni *The British Grenadiers* i *The Eton Boating Song*[10].

---

[9]   Por. Ph. Snow, *The Fall of Hong Kong, op. cit.*, s. 142–148.
[10]   *Ibidem*, s. 185.

W Indiach relacje między Brytyjczykami a Indyjskim Kongresem Narodowym (tak zwaną Partią Kongresową), który domagał się przyznania Indiom niepodległości, wyraźnie się pogorszyły. Wicekról lord Linlithgow okazał się arogancki i nieudolny zarówno jako polityk, jak i ekonomista. W 1939 roku nawet nie zasięgnął opinii liderów Kongresu w sprawie ich poparcia dla planów przystąpienia do wojny. Churchill radził sobie z Indiami nie lepiej, nie potrafiąc wyzbyć się romantycznych rojeń o imperium i *Radżu* (brytyjskich rządach w Indiach). Zmuszony wbrew swej woli wysłać do Azji misję pod kierownictwem Stafforda Crippsa, polityka, którego wyjątkowo nie lubił, Churchill wzdragał się na myśl o przyznaniu Indiom statusu dominium, kiedy wojna się już skończy. Mahatma Gandhi określił tę propozycję sławnym mianem „postdatowanego czeku", a i przywódcy Partii Kongresowej nie byli zachwyceni. Ósmego sierpnia 1942 roku Kongres, pod wpływem Gandhiego, skierował do Brytyjczyków odezwę, aby niezwłocznie „opuścili Indie" („*Quit India*"), pozostawiając tylko wojska do obrony przed Japończykami. Następnego ranka władze brytyjskie aresztowały przywódców Kongresu. Doszło do demonstracji i zamieszek, w których zginęło tysiąc ludzi, setki tysięcy zaś wtrącono do więzień. Te rozruchy umocniły Churchilla w podszytym uprzedzeniami przeświadczeniu, że Hindusi są niewdzięczni i wiarołomni.

Utrata Birmy na rzecz Japończyków wiosną 1942 roku spowodowała zmniejszenie dostaw ryżu do Indii o piętnaście procent. Ceny poszły ostro w górę. Handlarze i kupcy, licząc na jeszcze większe ich podbicie, chowali zapasy, co nakręciło spiralę inflacji. Hinduskiej biedoty po prostu nie było stać na kupowanie żywności. Władze w New Delhi nie zrobiły nic, by opanować czarnorynkowe spekulacje. Zwyczajnie przerzuciły odpowiedzialność na regionalne zarządy, które zareagowały na to „obłędnym prowincjonalnym protekcjonizmem"[11]. Regiony, gdzie zboża było w nadmiarze, choćby Madras, nie chciały sprzedawać go okręgom, w których zebranych plonów brakowało.

Bengal odczuł najpoważniej skutki tej wzmagającej się klęski żywnościowej. Co najmniej półtora miliona osób zmarło tam w rezultacie głodu, który nastał pod koniec 1942 roku i trwał przez całe następne dwanaście miesięcy. Szacuje się, że drugie tyle padło ofiarą chorób – cholery, malarii i ospy – gdyż na skutek niedożywienia ich organizmy okazały się nie dość odporne[12]. Churchill, już wściekły z powodu Indii, nie zgodził się na

---

[11] Słowa H.L. Braunda, nadzorującego sytuację na rynku żywnościowym we wschodnich stanach Indii, cyt. za: L. Collingham, *The Taste of War. World War II and the Battle for Food*, London 2011, s. 143.

[12] *Ibidem*, s. 141–154.

uruchomienie interwencyjnego programu pomocy głodującym. Dopiero kiedy we wrześniu 1943 roku marszałek polny Wavell został nowym wicekrólem Indii, władze energicznie zajęły się rozwiązywaniem problemu żywnościowego, przekazując wojsku zadanie dystrybucji zapasów produktów spożywczych. Czyniąc to, Wavell jeszcze bardziej zniechęcił do siebie Churchilla. Cała ta historia była zapewne najbardziej haniebnym epizodem w dziejach brytyjskiego panowania w Indiach. Przede wszystkim zupełnie obaliła argumenty imperialistów, że rządy brytyjskie chronią hinduską biedotę przed wyzyskiwaniem przez bogaczy.

Podczas japońskiego uderzenia na Pearl Harbor Amerykanom poszczęściło się przynajmniej pod jednym względem. W ów feralny weekend w tamtejszym porcie stały amerykańskie pancerniki, a nie lotniskowce. Admirał Yamamoto, najbardziej dalekowzroczny spośród czołowych japońskich dowódców, właśnie z tego powodu nie podzielał radości swoich rodaków po odniesionym sukcesie.

W Waszyngtonie w głównym gmachu dowództwa amerykańskiej marynarki wojennej panowała niepewność. Pragnienie wzięcia odwetu na nieprzyjacielu było nader silne, jednak Flota Pacyfiku musiała wpierw otrząsnąć się po silnym ciosie i działać ostrożnie. Admirał Ernest J. King, nowy głównodowodzący US Navy, słynął z wybuchowości. Był wściekły z tego powodu, że Brytyjczycy przekonali generała Marshalla oraz Roosevelta do przyjęcia strategii pokonania Niemiec w pierwszej kolejności, co oznaczało, iż na Pacyfiku alianci musieli przejść do defensywy. Brytyjscy oficerowie wyczuwali w Kingu nieprzejednanego anglofoba, choć ich amerykańscy odpowiednicy zapewniali, że admirał nie żywi do nich uprzedzeń – po prostu z nienawiścią odnosi się do wszystkich.

Sztabowcy marynarki wojennej w Waszyngtonie uznali za zbyt niebezpieczne posyłanie flotylli lotniskowców na odsiecz wyspie Wake. Wprawdzie dowódcy trzech zespołów uderzeniowych starali się energicznie podważyć tę decyzję, jednak w owym czasie była ona prawie na pewno słuszna. Pod koniec grudnia 1941 roku w Pearl Harbor zjawił się admirał Chester W. Nimitz, który został nowym dowódcą Floty Pacyfiku. Niefortunny admirał Kimmel nadal tam przebywał, oczekując na nowy przydział, lecz kadra oficerska amerykańskiej floty okazała mu wiele wyrozumiałości. W najwyższych kręgach dowódczych US Navy niemal nie istniała niezdrowa rywalizacja i nie dochodziło do konfliktów na tle osobistym. Nimitz był świetnym kandydatem na stanowisko, które objął. Ten siwowłosy Teksańczyk, wywodzący się ze zubożałej niemieckiej szlachty, mówił cicho, ale stanowczo, i odznaczał się spokojem oraz autorytetem. Nic dziwnego zatem, że zaskarbiał sobie lojalność i ufność podkomendnych. A było to bardzo ważne w okresie, gdy w Waszyngtonie nie wypracowano jeszcze jasnej strategii prowadzenia wojny na Pacyfiku.

Jednakże waszyngtońskie władze upierały się, by przeprowadzić nalot powietrzny na Tokio w celu podniesienia morale. Akcją tą miał pokierować podpułkownik James Doolittle z USAAC, przy czym średnie bombowce B-25 czekał pierwszy start z pokładów lotniskowców. Zespół wiceadmirała Williama F. Halseya, z lotniskowcami „Enterprise" i „Hornet", wyszedł w morze 8 kwietnia 1942 roku. Halsey ochoczo korzystał z okazji do uderzenia na Japonię, choć Nimitz powątpiewał w sens operacji, która wiązała się z poświęceniem tylu bombowców w akcji mającej głównie propagandowy wydźwięk. Niepokoiła go także kwestia wystawienia dostatecznych sił do odparcia kolejnego japońskiego uderzenia, spodziewanego gdzieś w rejonie Wysp Salomona i Nowej Gwinei – czyli w południowo-zachodniej strefie Oceanii, która pozostawała pod komendą generała MacArthura.

Komandor Joseph Rochefort, główny kryptolog z Pearl Harbor, w 1940 roku przyczynił się do złamania szyfru Cesarskiej Marynarki Wojennej. Ten nieco ekscentryczny oficer, lubiący pokazywać się w kapciach i w czerwonym smokingu, nie był w stanie przestrzec przed zbliżającym się atakiem na Pearl Harbor ze względu na ścisłą ciszę radiową, zarządzoną w japońskiej flotylli lotniskowców. Na szczęście dla US Navy Rochefort zdołał odszyfrować późniejszy meldunek, który ujawniał, że Japończycy zaplanowali lądowanie na południowo-wschodnim skraju Nowej Gwinei w maju oraz opanowanie lotniska w Port Moresby. Powodzenie takiej operacji zapewniłoby ich lotnictwu panowanie w powietrzu nad Morzem Koralowym i umożliwiłoby przeprowadzenie w dowolnym czasie ataku na północną Australię.

Z powodu wielkich odległości na Pacyfiku zaopatrywanie okrętów w paliwo na morzu stanowiło dla obu stron jedną z największych trudności. Każdy z amerykańskich nawodnych zespołów uderzeniowych, złożonych z dwóch lotniskowców i jednostek eskortowych, musiał korzystać z co najmniej jednego tankowca, które w pierwszej kolejności były atakowane przez japońskie okręty podwodne. Jednak z czasem to amerykańskie okręty podwodne okazały się najskuteczniejszą i najtańszą bronią przeciwko japońskim frachtowcom oraz tankowcom; zatopiły ogółem pięćdziesiąt pięć procent wszystkich japońskich jednostek nawodnych, co w głównej mierze osłabiło morskie i lądowe siły nieprzyjaciela, którym brakowało paliwa i innego zaopatrzenia[13].

Halsey, po powrocie jego zespołu nawodnego z akcji powietrznej przeciwko Tokio, był oczywistym kandydatem na pokierowanie pierwszym poważniejszym amerykańskim kontruderzeniem. Trzydziestego kwietnia

---

[13] „World War II Quarterly" 2008, nr 5/2, s. 64.

1942 roku wypłynął w morze, dowodząc 16. Zespołem Uderzeniowym (Task Force 16, TF 16), ale zgodnie z przewidywaniami Nimitza to na TF 17 pod komendą kontradmirała Franka J. Fletchera, operującego na Morzu Koralowym, spadł główny ciężar zmagań przed dotarciem tam zespołu Halseya.

Trzeciego maja japoński desant wylądował na Tulagi na Wyspach Salomona. Cesarscy dowódcy byli święcie przekonani, że rozbiją wszelkie amerykańskie siły nawodne na Morzu Koralowym na południe od Nowej Gwinei i Wysp Salomona. Fletcher, wspomagany przez okręty australijskie i nowozelandzkie, popłynął na północny zachód na wieść o tym, że następne japońskie zgrupowanie podąża ku Port Moresby w Nowej Gwinei. Po obu stronach zapanowało zamieszanie, lecz piloci samolotów z USS „Lexington" dostrzegli japoński lotniskowiec „Shōhō" i zatopili go. Z kolei japońskie lotnictwo pokładowe błędnie uznało, że odnalazło zgrupowanie amerykańskich lotniskowców, unieszkodliwiając niszczyciel i tankowiec.

Ósmego maja samoloty z amerykańskich i japońskich lotniskowców przeprowadziły ataki na okręty nieprzyjaciela. Lotnictwo „Yorktowna" uszkodziło „Shōkaku" na tyle, by z pokładu tego ostatniego nie mogły startować samoloty, natomiast Japończycy poczynili szkody na lotniskowcach „Lexington" i „Yorktown". Japończycy, nie mogąc zapewnić osłony swojej flotylli desantowej, postanowili wycofać się z Port Moresby, ku wielkiej irytacji admirała Yamamoty. Tymczasem lotniskowiec „Lexington", który mimo uszkodzeń utrzymywał się na powierzchni, zaczął tonąć na skutek eksplozji wywołanych przez wyciek paliwa.

Bitwa na Morzu Koralowym przyniosła Amerykanom częściowe powodzenie, gdyż zapobiegła japońskiemu desantowi, z kolei Japończycy wmawiali sobie, że ich przeciwnik „został pobity"[14]. W każdym razie jej przebieg dał stronie amerykańskiej wiele do myślenia z powodu licznych defektów własnych samolotów i innego uzbrojenia. Większości z tych problemów nie udało się przezwyciężyć do czasu następnego poważniejszego starcia.

Admirał Yamamoto, rozumiejąc dobrze, iż Stany Zjednoczone są w stanie znacznie wyprzedzić Japonię w budowie lotniskowców, chciał zadać przeciwnikowi nokautujący cios, zanim jego flota utraci inicjatywę. Uderzenie na bazę na wyspach Midway miało zmusić nieliczne jeszcze amerykańskie lotniskowce do udziału w walce. Po nalocie Doolittle'a na Japonię oficerowie ze sztabu floty w Tokio, wcześniej krytycznie nastawieni do Yamamoty, nagle przyjęli jego punkt widzenia. Przechwycone meldunki,

---

[14] Określenie użyte przez admirała Chūichiego Nagumę, cyt. za publikacją Biura Wywiadu Morskiego z czerwca 1947 r., NHHC, OPNAV P32-1002.

analizowane przez komandora Rocheforta i jego współpracowników, wskazywały, że Japończycy szykowali się do zwrotu na zachód i ataku na wyspy
Midway. Nasuwało to przypuszczenie, że tym samym chcieli zdobyć tam
bazę wypadową do przeprowadzenia desantu na Pearl Harbor. Wprawdzie
sztab morski w Waszyngtonie odrzucał tę sugestię, niemniej jednak Nimitz
najszybciej, jak tylko się dało, ściągnął z powrotem do Pearl Harbor wszystkie dostępne okręty.

Dwudziestego szóstego maja, kiedy główna japońska flota inwazyjna
wypłynęła z Saipanu na Marianach, nie budziło już niczyich wątpliwości,
dokąd zmierza. Rochefort uciekł się do wywiadowczego podstępu, nadając
otwartym tekstem depeszę, że na Midway brakuje pitnej wody. Informacja
ta została powtórzona w japońskim raporcie z 20 maja, w którym literami
„AF" oznaczono Midway. Skoro zaś w poprzednich meldunkach, zakodo-
wanych z użyciem tego samego szyfru, była mowa o głównym celu operacji,
to Nimitz poznał w ogólnych zarysach plan Yamamoty. Stwarzało to sposobność uniknięcia wielkiej pułapki i obrócenia jej na swoją korzyść. Tymczasem Halsey zapadł na wywołaną przez nadmierny stres łuszczycę i znalazł
się w szpitalu. W tej sytuacji Nimitz powierzył dowodzenie TF 16 wyspor-
towanemu kontradmirałowi Raymondowi Spruance'owi.

Dwudziestego ósmego maja Spruance wyszedł w morze z Pearl Harbor,
a jego zespół składał się z lotniskowców „Enterprise" i „Hornet" pod osłoną
dwóch krążowników i sześciu niszczycieli. Fletcher, który miał przejąć naczelne dowodzenie całym amerykańskim zgrupowaniem, wypłynął dwa dni
później wraz z dwoma krążownikami, sześcioma niszczycielami i lotniskow-
cem „Yorktown", wyremontowanym zdumiewająco szybko. Amerykańskie
okręty odpłynęły w samą porę. Grupa japońskich okrętów podwodnych,
chcąc zastawić na nie sidła, znalazła się na wyznaczonych pozycjach między Hawajami a Midway zaledwie kilka godzin po tym, jak przeszły tamtędy dwa zespoły uderzeniowe przeciwnika.

Spruance'a i Fletchera czekało starcie ze złożonym z przeróżnych jednostek nieprzyjacielskim zgrupowaniem. Dowództwo Cesarskiej Marynarki Wojennej wysłało w morze cztery floty, w których znalazło się jedenaście
pancerników, osiem lotniskowców, dwadzieścia trzy krążowniki, sześćdziesiąt pięć niszczycieli i dwadzieścia okrętów podwodnych. Trzy zespoły uderzeniowe podążały ku Midway, a jeden w kierunku Aleutów leżących na
skraju Morza Beringa, około 3200 kilometrów dalej na północ. Japończycy
uważali, że Amerykanie „nie znają naszych planów"[15].

Trzeciego czerwca piloci samolotów z baz lądowych na Midway jako
pierwsi spostrzegli japońskie okręty nadciągające z południowego zachodu.

---

[15] *Ibidem.*

Nazajutrz Japończycy przypuścili pierwsze ataki powietrzne na Midway. Bombowce USAAF i bombowce nurkujące piechoty morskiej z Midway wystartowały do akcji. Podczas nalotów na nieprzyjacielskie okręty poniosły bardzo ciężkie straty i nie poczyniły większych szkód, co tylko jeszcze bardziej uśpiło czujność Japończyków. Admirał Chūichi Nagumo, dowódca japońskich sił uderzeniowych, nadal zupełnie nie zdawał sobie sprawy, że w pobliżu znalazły się amerykańskie lotniskowce. Tymczasem Yamamoto nabrał takich podejrzeń po odebraniu meldunku z Tokio o wzmożonej aktywności amerykańskich służb łącznościowych w Pearl Harbor, sam jednak nie chciał przerywać ciszy radiowej.

Dla młodych amerykańskich lotników, operujących nad z pozoru bezkresnymi błękitnymi wodami Oceanu Spokojnego, perspektywa walnej bitwy była zarówno pobudzająca, jak i zatrważająca. Wielu pilotów ledwie ukończyło szkoły lotnicze, nie mając doświadczenia w zmaganiach z przeciwnikiem, ale ci młodzi, opaleni i rozpierani przez entuzjazm mężczyźni wykazali się zdumiewającą odwagą. Zestrzelenie nad morzem było samo w sobie przerażające, a dostanie się w ręce japońskich marynarzy oznaczało niemal pewne stracenie przez ścięcie.

Japońskie myśliwce typu Zero górowały osiągami nad pękatymi grummanami F4F Wildcat, za to wildcaty wykazywały się znacznie większą odpornością na uszkodzenia, głównie ze względu na samouszczelniający się zbiornik paliwa. Amerykańskie samoloty torpedowe i bombowce nurkujące nie miały większych szans z japońskimi „zerami", chyba że zapewniano im osłonę myśliwską. Przestarzałe samoloty bombowo-torpedowe Douglas TBD Devastator były powolne, a ich torpedy często szwankowały, więc ataki na japońskie okręty wojenne miały nieomal samobójczy charakter dla załóg tych maszyn. Natomiast, jak niebawem miało wyjść na jaw, znacznie skuteczniejszy okazał się bombowiec nurkujący typu Douglas SBD Dauntless, zwłaszcza podczas pikowania w trakcie nalotów na cele.

Załoga łodzi latającej Catalina dostrzegła zgrupowanie japońskich lotniskowców i podała jego pozycję. Fletcher rozkazał Spruance'owi przyłączyć się do ataku jego lotnictwu pokładowemu. Zespół Spruance'a ruszył pełną parą naprzód. Cele znajdowały się na skraju zasięgu jego samolotów torpedowych, ale warto było zaryzykować, aby zaskoczyć japońskie lotniskowce, zanim wystartują z nich samoloty pokładowe. Z powodu zamieszania bombowo-torpedowe devastatory nadleciały pierwsze i bez eskorty myśliwskiej. Zostały dosłownie zmasakrowane przez japońskie samoloty typu Zero. Japończycy uznali, że odnieśli zwycięstwo, ale ich radość była przedwczesna.

„Obsługa techniczna wiwatowała na cześć powracających pilotów, poklepywano ich po plecach i wykrzykiwano słowa otuchy", pisał dowodzący lotnictwem pokładowym z „Akagi" Mitsuo Fuchida[16]. W samolotach uzupełniano amunicję, a inne maszyny były windowane z hangaru na pokład startowy i przygotowywane do kontruderzenia na amerykańskie lotniskowce. Admirał Nagumo postanowił zaczekać, aż samoloty bombowo-torpedowe Nakajima zostaną uzbrojone w bomby do następnego nalotu na Midway. Niektórzy historycy twierdzą, że spowodowało to przesądzającą o wyniku starcia i niepotrzebną zwłokę. Inni wskazują znowu, że zgodne z przyjętą praktyką było podejmowanie akcji dopiero wtedy, gdy wszystkie maszyny pokładowe mogły operować wspólnie[17].

„O 10.20 admirał Nagumo wydał rozkaz startu po osiągnięciu stanu gotowości – pisał dalej Fuchida. – Na pokładzie startowym »Akagi« wszystkie samoloty znalazły się na miejscach, trwał rozruch silników. Wielki okręt zaczął ustawiać się pod wiatr. W ciągu pięciu minut wszystkie jego samoloty miały znaleźć się w powietrzu. (...) O 10.24 z mostka padła przez głośnik komenda do startu. Oficer zawiadujący machnął białą flagą, a pierwszy z myśliwców Zero nabrał szybkości i przemknął po pokładzie. W tamtej chwili marynarz na wachcie wrzasnął: »Nurkowce!«. Spojrzałem w górę i zobaczyłem trzy czarne samoloty wroga pikujące na nasz okręt. Niektóre z naszych karabinów maszynowych zdołały oddać w ich kierunku kilka gorączkowych serii, ale było za późno. Pękate sylwetki amerykańskich bombowców nurkujących Dauntless szybko się powiększały, a potem wiele czarnych obiektów nagle i niesamowicie oderwało się od ich skrzydeł".

Bombowce nurkujące Dauntless z „Enterprise'a" i z zespołu Fletchera na „Yorktownie" zdołały wcześniej skryć się wśród chmur na wysokości trzech tysięcy metrów, więc zaskoczenie było zupełne, a pokład startowy lotniskowca „Akagi" stanowił wymarzony cel ataku. Wypełnione paliwem i amunicją japońskie samoloty wybuchały jeden po drugim. Jedna z bomb wyrwała wielką dziurę w pokładzie, a inna zniszczyła windę wynoszącą maszyny z hangaru pod pokładem. Ani to trafienie, ani też inne, w tylną część pokładu koło lewej burty, nie wystarczyły do zatopienia okrętu, lecz eksplodujące pokładowe samoloty razem z podwieszonymi pod nimi bombami i torpedami zamieniły „Akagi" w płonący wrak. Portret cesarza pospiesznie przeniesiono z „Akagi" na jeden z niszczycieli.

---

[16] M. Fuchida, *Pearl Harbor. The View from the Japanese Cockpit*, w: *Bombs Away! True Stories of Strategic Airpower from World War I to the Present*, red. S.M. Ulanoff, New York 1971, cyt. za: J.E. Lewis, *Eyewitness World War II*, Philadelphia 2008, s. 305.

[17] Zob.: J.G. Barlow, „World War II Quarterly" 2008, nr 5/1, s. 66–69; D. Woodbury Isom, *Midway Inquest. Why the Japanese Lost the Battle of Midway*, Bloomington 2007, s. 269; J. Parshall, A. Tully, *Shattered Sword. The Untold Story of the Battle of Midway*, Dulles, VA 2005, s. 171; J.B. Lundstrom, *Black Shoe Carrier Admiral. Frank Jack Fletcher at Coral Sea, Midway and Guadalcanal*, Annapolis 2006, s. 254–255.

Znajdujący się w pobliżu „Kaga" także został śmiertelnie zraniony i unosiły się nad nim kłęby czarnego dymu. Następnie amerykańskie bombowce nurkujące trafiły „Sōryū". Wyciek płonącej benzyny wywołał prawdziwe piekło. Zaczęły się rozrywać pociski i bomby. Naraz potężna eksplozja zmiotła wszystkich z pokładu do wody. „Kiedy tylko na pokładzie okrętu wybuchły pożary – relacjonował admirał Nagumo – kapitan tej jednostki, Ryūsaku Yanagimoto, pojawił się na wieży sygnalizacyjnej na prawo od mostka. Z tego miejsca objął dowodzenie i zaklinał swoich ludzi, żeby szukali schronienia i bezpieczeństwa. Nikomu nie pozwolił się do siebie zbliżyć. Otaczały go płomienie, ale nie chciał zejść ze stanowiska. Krzyczał co chwilę »Banzai!«, ginąc bohaterską śmiercią"[18].

Wkrótce potem „Yorktown" został uszkodzony przez japońskie samoloty bombowo-torpedowe. Powracające lotnictwo pokładowe skierowano na lotniskowce Spruance'a, gdzie zastąpiło niektóre z utraconych wcześniej maszyn. W trakcie późniejszego nalotu samoloty z „Enterprise'a" zaatakowały „Hiryū", który również zatonął. „O 23.50 – raportował admirał Nagumo – komandor Tomeo Kaku i dowódca eskadry kontradmirał Tamon Yamaguchi wydali odezwę do załogi. Następnie okazano cześć i szacunek cesarzowi i wśród okrzyków »Banzai!« nastąpiło opuszczenie bandery bojowej oraz bandery dowódcy. O godzinie 0.15 wszyscy marynarze dostali rozkaz opuszczenia okrętu, zdjęto portret Jego Cesarskiej Wysokości, a załoga przeszła na podstawione niszczyciele »Kazagumo« i »Makigumo«. Przenosiny portretu [cesarza] i ludzi zakończyły się o 1.30. Po zakończeniu tych czynności dowódca eskadry i kapitan pozostali na okręcie. Pomachali czapkami swoim ludziom i z całkowitym spokojem połączyli swój z los z losem swego okrętu"[19].

Yamamoto, jeszcze nieświadomy katastrofy, jaka była udziałem jego lotniskowców, wydał rozkaz kontynuowania ataków. Można sobie wyobrazić jego reakcję, kiedy przedstawiono mu rzeczywistą sytuację. Polecił wówczas swojej potężnej flotylli pancerników, wraz z „Yamato", największym w tym czasie okrętem wojennym, oraz dwóm lotniskowcom eskortowym i wielu krążownikom i niszczycielom wyruszyć z maksymalną prędkością przeciwko zgrupowaniu wroga. Spruance, poinformowany o nadciągających siłach Yamamoty, w nocy zmienił kurs i zawrócił w stronę Midway, by móc korzystać z osłony powietrznej lotnictwa tamtejszej bazy. Nazajutrz jego bombowcom nurkującym udało się zatopić jeden krążownik i poważnie uszkodzić inny. Ale nadwyrężony „Yorktown" w trakcie operacji ratowniczej

---

[18] Słowa admirała Nagumy, cyt. za publikacją Biura Wywiadu Morskiego z czerwca 1947 r., NHHC, OPNAV P32-1002.
[19] *Ibidem.*

6 czerwca został storpedowany przez japoński okręt podwodny i zatonął następnego przedpołudnia.

W związku z zatopieniem czterech japońskich lotniskowców oraz krążownika i poważnym uszkodzeniem jednego okrętu liniowego, nie wspominając nawet o zniszczeniu dwustu pięćdziesięciu samolotów, a wszystko to kosztem utraty jedynego amerykańskiego lotniskowca, bitwa o Midway oznaczała rozstrzygające zwycięstwo US Navy i wyraźny punkt zwrotny w wojnie na Oceanie Spokojnym. Plany Yamamoty dotyczące rozbicia amerykańskiej Floty Pacyfiku legły w gruzach. Jednak jak zaznaczył Nimitz w swoim raporcie: „Gdybyśmy nie mieli wcześniej informacji o ruchach Japończyków i gdyby nasze uderzeniowe siły lotniskowców zostały zaskoczone w rozproszeniu, może nawet aż na Morzu Koralowym, bitwa o Midway zakończyłaby się zupełnie inaczej"[20].

---

[20] Dowódca Floty Pacyfiku do Głównodowodzącego Floty Wojennej, 28 czerwca 1942 r., NHHC, bitwa o Midway: 4–7 czerwca 1942 r., raport z działań bojowych, F-2042.

ROZDZIAŁ 21

Porażka na pustyni

marzec–wrzesień 1942

Po upokarzającym odwrocie przez Cyrenajkę w styczniu i lutym 1942 roku mit Rommla, tak energicznie propagowany przez Goebbelsa, podchwycili także Brytyjczycy. Legenda o „Lisie Pustyni" była wszak bardzo nieudolną próbą objaśnienia niepowodzeń wojsk brytyjskich. Hitlera zdumiał i zachwycił ten swoisty kult niemieckiego dowódcy. Odpowiadał jego wierze w to, że Brytyjczycy, po klęskach na Dalekim Wschodzie, znaleźli się na progu całkowitego załamania.

Przy tym był wszak gotów powściągnąć swojego ulubionego generała, aby nie powodować zadrażnień z Włochami. Pozycji Mussoliniego zagrażał narastający opór przeciw niemu w Comando Supremo, którego członkowie uważali, że Duce nadto wysługuje się Hitlerowi. Ponadto raziły ich arogancja i apodyktyczne żądania Rommla, nie wspominając nawet o jego nieustannych narzekaniach na niedostateczne, według niego, chronienie konwojów zaopatrzeniowych płynących do Afryki. Poza tym Halder i OKH wciąż stanowczo przeciwstawiali się wzmacnianiu kontyngentu Rommla. Sztabowcy z OKH przekonywali, że Kanał Sueski można zająć dopiero po przemarszu niemieckich wojsk przez Kaukaz. Konieczność priorytetowego traktowania frontu wschodniego stanowiła mocny argument w trakcie przygotowań do wielkiej ofensywy na południu Rosji. Tylko Kriegsmarine, popierająca strategię uporania się z Wielką Brytanią w pierwszej kolejności, podsycała ambicje Rommla.

Malta znalazła się w rozpaczliwej sytuacji, gdy bombowce Luftwaffe wznowiły naloty na tamtejsze lotniska i główny port w Valletcie. Na dno poszło wszystkie pięć statków marcowego konwoju, a żołnierzom i cywilnej ludności Malty zagroził głód. Ale w maju sześćdziesiąt spitfire'ów przeleciało na Maltę z pokładu lotniskowca USS „Wasp", natomiast przybycie stawiacza min z zapasami uratowało wyspę. Feldmarszałek Albert Kesselring, niemiecki głównodowodzący na śródziemnomorskim teatrze wojny, opracował plany powietrznego desantu na Maltę, czyli operacji „Herkules", lecz te trzeba było odłożyć na półkę. Nie tylko Hitler powątpiewał w jej sukces, ale także X Korpus Lotniczy okazał się bardziej potrzebny dalej na wschodzie. W dodatku Włosi zażądali potężnego wsparcia, jeśli mieliby zaangażować się w tę akcję.

Rommel raz jeszcze zlekceważył rozkazy i problemy z zaopatrzeniem, rozpoczynając przemieszczanie Armii Pancernej „Afrika" ku linii Ajn al-Ghazali. „Te walki nie mają nic wspólnego z okrucieństwami i nieopisanymi trudnościami kampanii rosyjskiej – pisał w liście do domu pewien niemiecki kapral. – Nie ma wsi czy miasteczek niszczonych albo obracanych w gruzy". W następnym liście, napisanym tego samego wieczoru, tenże Niemiec informował swoją matkę: „*Tommy* tutaj traktuje wszystko bardziej sportowo. (...) Naprzód, ku decydującemu zwycięstwu". Choć żołnierzom Rommla dawały się we znaki roje much i straszny ukrop, gdy w promieniach słońca można było wypiekać chleb, spodziewali się rychłego zwycięstwa po „wielkiej ofensywie w Rosji, po której *Tommies* [Brytyjczycy] zostaną wzięci w dwa ognie"[1]. Już się szykowali na zwiedzanie Kairu.

Wtedy w OKW nagle przekonano się do snutych przez Rommla pomysłów zajęcia Egiptu i strefy Kanału Sueskiego. Hitler zaczął się lękać, że amerykańska pomoc wojskowa może nadejść wcześniej, niż się tego spodziewał. Wtedy zaś nie można było wykluczyć nawet ataku przez kanał La Manche. Gdyby Rommlowi udało się rozbić brytyjską 8. Armię, kalkulował Führer, morale Brytyjczyków załamałoby się. Ponadto Japończycy dawali do zrozumienia, że podejmą natarcie na zachód, ku Oceanowi Indyjskiemu, kiedy tylko Niemcy opanują Kanał Sueski.

W pierwszej fazie inwazji Rommla na Egipt, opatrzonej kryptonimem „Theseus" („Tezeusz"), przewidywano oskrzydlenie brytyjskich linii obronnych. Umocnione punkty obronne rozciągały się od Ajn al-Ghazali na wybrzeżu, w odległości około osiemdziesięciu kilometrów na zachód od Tobruku, ku Bir al-Hakim (Bir Hakeim) na południu – bastionowi na pustyni, bronionemu przez 1. Brygadę Wolnych Francuzów generała Marie-Pierre'a Koeniga. Na tę wysuniętą placówkę składało się siedem bunkrów, z których każdego bronił oddział piechoty z artylerią, a rozciągające się zasieki z drutu kolczastego i pola minowe chroniły strefy między bunkrami.

---

[1] Kapral Hans-Hermann H., 8 kwietnia 1942 r., BfZ-SS N91.2.

Na tyłach Ritchie rozmieścił swoje formacje pancerne, gotowe do przeprowadzenia kontrataku. Rommel zamierzał zdobyć Tobruk. Uchwycenie tego portu uważano za niezbędne do zaopatrywania wojsk; w przeciwnym razie ciężarówkom Opel Blitz zabierała dwa tygodnie jazda z Trypolisu na front i z powrotem.

Operacja „Theseus" nie powinna była zaskoczyć Brytyjczyków, gdyż ośrodek w Bletchley Park przesłał rozszyfrowane niemieckie meldunki do alianckiej kwatery głównej na Bliskim Wschodzie. Ale tamtejsze dowództwo było niechętne przekazaniu tych informacji jednostkom frontowym, ograniczając się do stwierdzenia, że nieprzyjacielski atak najprawdopodobniej nastąpi w maju i zapewne przybierze formę oskrzydlającego manewru od południa. Natarcie rozpoczęło się 26 maja, a włoskie dywizje piechoty przeprowadziły pozorowane uderzenie w północnym sektorze linii frontu. Równocześnie dalej na południu Dywizja Zmotoryzowana „Trieste" i Dywizja Pancerna „Ariete" wraz z trzema niemieckimi dywizjami pancernymi wyruszyły daleko w głąb pustyni. Burza piaskowa skryła dziesięć tysięcy pojazdów tych formacji przed wzrokiem Brytyjczyków. Nieco później, nocą, główne zgrupowanie uderzeniowe Rommla obeszło linię Ajn al-Ghazali od południa.

Rommel błyskawicznie przeprowadził swoje dywizje po szerokim łuku, korzystając z blasku księżyca po tym, jak ustał chamsin. O świcie zajęły wyznaczone pozycje, gotowe do przeprowadzenia ataku. Około trzydziestu kilometrów na północny wschód od Bir al-Hakim niemiecka 15. Dywizja Pancerna starła się z brytyjską 4. Brygadą Pancerną, zadając ciężkie straty 3. Królewskiemu Pułkowi Czołgów i 8. Pułkowi Huzarów. Wkrótce potem osiemdziesiąt brytyjskich czołgów przypuściło kontruderzenie na 21. Dywizję Pancerną. Brytyjska 8. Armia miała w tym czasie sto sześćdziesiąt siedem amerykańskich czołgów typu Grant. Te wozy bojowe były ciężkie, wyjątkowo wysokie i niezbyt zwrotne podczas ostrzału, ale ich działa kalibru 75 mm okazały się znacznie skuteczniejsze od żałosnych „dwufuntówek" (40 mm) w wieżach crusaderów.

Tymczasem na hinduską 3. Brygadę Zmotoryzowaną, znajdującą się nieco na południowy wschód od Bir al-Hakim, 27 maja o godzinie 6.30 spadło uderzenie. Jej dowódca nadał przez radio, że ma przed sobą „całą cholerną niemiecką dywizję pancerną"[2], podczas gdy w istocie była to włoska Dywizja Pancerna „Ariete". Hinduskie oddziały zniszczyły pięćdziesiąt dwa czołgi, lecz musiały ustąpić pola po tym, jak zostały wyeliminowane z walki wszystkie ich działa przeciwpancerne.

---

[2] Cyt. za: J. Holland, *Together We Stand. North Africa, 1942–1943 – Turning the Tide in the West*, London 2005, s. 80.

Brygada Wolnych Francuzów Kœniga osamotniona na pozycjach pod Bir al-Hakim wiedziała, czego może się spodziewać, słysząc w nocy odgłosy silników czołgowych na pustyni. Rankiem patrol potwierdził, że nieprzyjaciel wyszedł na tyły brygady i odciął ją od składu zaopatrzeniowego. Siły Kœniga liczyły około czterech tysięcy żołnierzy, w tym półbrygadę Legii Cudzoziemskiej, dwa bataliony piechoty kolonialnej i piechoty morskiej. Miały też własną artylerię: pięćdziesiąt cztery francuskie armaty polowe 75 mm i działa Bofors. Punkty umocnione na pierwszej linii obrony otaczały pola minowe i druty kolczaste[3].

Czołgi Dywizji „Ariete" zwróciły się przeciwko Francuzom i zaatakowały ich całą masą. Francuscy kanonierzy unieruchomili pięćdziesiąt dwa wozy bojowe przeciwnika. Tylko sześć włoskich czołgów zdołało przejechać przez miny i zasieki, ale francuscy legioniści zniszczyli i te z bliska. Niektórzy z nich wdrapywali się nawet na czołgi i strzelali do środka przez otwory w pancerzu oraz włazy. Ataku nie wspierała piechota, a Francuzi dzielnie odpierali kolejne szturmy, zadając nieprzyjacielowi dotkliwe straty i biorąc do niewoli dziewięćdziesięciu jeden jeńców, w tym dowódcę jednego z pułków. Trwały też potyczki z niemiecką 90. Dywizją Lekką. „Po raz pierwszy od czerwca 1940 roku – napisał później z dumą generał Charles de Gaulle – Francuzi i Niemcy starli się z sobą w boju"[4].

Na północno-wschodnim odcinku reszta 90. Dywizji Lekkiej zaatakowała 7. Brygadę Zmotoryzowaną i zmusiła słabszych liczebnie Brytyjczyków do odwrotu. Potem niemieckie jednostki zdobyły kwaterę główną 7. Dywizji Pancernej i przejęły różne zapasy. Mimo że 90. Dywizja Lekka szybko posuwała się naprzód, to postępy dwóch dywizji pancernych Rommla w marszu na północ ku lotnisku w El Adem, gdzie już rok wcześniej toczyły się zaciekłe walki, były spowalniane przez kontrataki i silny ogień artyleryjski.

Śmiały plan Rommla nie powiódł się tak, jak tego oczekiwał jego twórca. Wojska znalazły się na odsłoniętych pozycjach pomiędzy bastionami na linii Ajn al-Ghazali a resztą brytyjskich czołgów dalej na zachodzie. Rommel spodziewał się wcześniej, że Francuzi pod Bir al-Hakim łatwo ulegną, a tymczasem oni nadal się bronili. Wpadł w poważny niepokój, wielu zaś jego oficerów uznało, że ofensywa skończyła się fiaskiem. Szef sztabu Rommla zaproponował nawet, by poinformować OKW, iż operacja ta była tylko przeprowadzonym znacznymi siłami wypadem zwiadowczym, mającym na celu podreperowanie reputacji Panzerarmee „Afrika". Obawy Niemców

---

[3] Obrona Bir al-Hakim zob. M. Kitchen, *Rommel's Desert War. Waging World War II in North Africa, 1941–1943*, Cambridge 2009, s. 225–226.

[4] Ch. de Gaulle, *Mémoires de guerre*, t. 1: *L'Appel, 1940–1942*, Paris 1940, s. 325.

okazały się jednak przedwczesne. Brytyjczykom ponownie nie udało się przeprowadzić takiej koncentracji swoich czołgów, aby wywarły poważniejszy wpływ na przebieg bitwy.

Rommel chciał ruszyć na północ, ku drodze biegnącej nad wybrzeżem, i przełamać tam brytyjskie pozycje, aby móc odtworzyć linię zaopatrzeniową do Trypolisu. Ale poczynając od 28 maja, rozpętały się chaotyczne walki na linii Ajn al-Ghazali. Dywizjom Rommla utrudniały działania niedobory paliwa i amunicji, lecz znowu ocaliła je opieszałość brytyjskich dowódców w wykorzystywaniu uzyskanej znacznej przewagi. Ritchie chciał przeprowadzić silny atak nocny, jednak dowódcy podległych mu korpusów i dywizji utrzymywali, że potrzebują więcej czasu. Sądzili, że Niemcy znaleźli się w pułapce, ale wojska osi oczyściły drogę na zachód przez pole minowe i zaczęło do nich napływać zaopatrzenie. Jednakże droga ta przebiegała blisko pozycji brytyjskiej 150. Brygady Piechoty, której bataliony z Yorkshire nagle zaczęły nastręczać Rommlowi znacznych problemów.

Tymczasem w „Wilczym Szańcu" w Prusach Wschodnich uwaga Hitlera nie była skupiona na Afryce Północnej. Jego adiutant z Luftwaffe Nicolaus von Below powrócił z wizyty u Rommla i zastał „bardzo nieprzyjemną sytuację"[5]. Oto 27 maja na Reinharda Heydricha przeprowadzili zamach w Pradze dwaj młodzi Czesi, wyekwipowani przez brytyjskie Kierownictwo Operacji Specjalnych (SOE). Heydrich przeżył, ale po tygodniu zmarł w wyniku zakażenia rany. W nocy 30 maja RAF przeprowadził pierwszy nalot „tysiąca bombowców" na Kolonię. Hitler nie posiadał się ze wściekłości, piekląc się zwłaszcza na Göringa.

Od 31 maja, w czasie chaotycznej batalii w „kotle" (jak zwali takie punkty Brytyjczycy, w przeciwieństwie do Niemców, którzy określali je mianem „kiełbasianego rondla"), Rommel rzucił swoje siły na pozycje 150. Brygady. Natarcie było bardzo silne, z użyciem czołgów, artylerii i stukasów. Brygada walczyła do końca, wykazując się wielką odwagą i zaskarbiając sobie uznanie niemieckich przeciwników. Ale to, że brytyjscy dowódcy wciąż nie mogli się zebrać do przeprowadzenia silnego przeciwuderzenia z zachodu, było jedną z najpoważniejszych wpadek tej wojny. Wkrótce Rommel rozkazał 90. Dywizji Lekkiej i włoskiej Dywizji „Trieste" rozbić Francuzów pod Bir al-Hakim, aby móc podjąć próbę przełamania linii Ajn al-Ghazali od południa.

Trzeciego czerwca żołnierze Kœniga odparli atak przeważających sił nieprzyjaciela. Brytyjczycy wysłali odsiecz, ta jednak natknęła się na 21. Dywizję Pancerną i wycofała się. Nie próbowali już ponownie wesprzeć francu-

---

[5] N. von Below, *Byłem adiutantem Hitlera, 1937–1945*, tłum. Z. Rybicka, Warszawa 1990, s. 324.

skiego garnizonu, częściowo dlatego, że przeprowadzone 5 czerwca kontrnatarcie dalej na północy załamało się wobec niekompetencji i tchórzostwa
brytyjskich dowódców, którzy nie chcieli wystawiać swoich czołgów na
ogień niemieckich dział 88 mm. Dostarczono tylko niewielką ilość zaopatrzenia. Samoloty RAF-u udzielały maksymalnej pomocy, przyczyniając się
od odpierania szturmów i odpędzając bombowe stukasy i heinkle. Żołnierze francuskich oddziałów kolonialnych szybko rozprawiali się z każdym
pilotem stukasa, który wyskakiwał ze spadochronem. Ludzie Kœniga, cier-
piąc w ukropie i kurzu z pragnienia oraz głodu, okopywali się jeszcze głę-
biej, czekając na generalny szturm. Wiedzieli, że broniąc się, wielce ułatwiają odwrót 8. Armii.

Zirytowany zaciętością francuskiego oporu Rommel osobiście przejął
dowodzenie. Ósmego czerwca niemiecka artyleria i bombowce nurkujące
ponownie zaczęły bombardować pozycje Francuzów. Jedna z bomb zabiła
siedemnastu rannych w punkcie opatrunkowym. Determinacja obrońców
nie słabła. Pewien oficer widział jedynego ocalałego artylerzystę działonu, le-
gionistę, któremu urwało rękę, a który okrwawionym kikutem załadowywał
pocisk do działa 75 mm. Obrońcom Bir al-Hakim kończyła się amunicja.

Tej samej nocy wycofała się brytyjska 7. Dywizja Pancerna, jedyna formacja, która mogła przyjść na pomoc Francuzom. Kœnig otrzymał rozkaz
przystąpienia do odwrotu. W ciemnościach wyprowadził większość swoich pozostałych przy życiu żołnierzy z niemieckiego okrążenia, początkowo
niezauważony, potem pod silnym ostrzałem. Towarzyszyli mu dzielny an-
gielski kierowca i kochanka Susan Travers, później awansowana do stopnia
chorążego we francuskiej Legii Cudzoziemskiej. Hitler rozkazał Rommlowi rozstrzeliwać wszystkich wziętych do niewoli legionistów – rodowitych
Francuzów, których należało uznać za buntowników, a także niemieckich
antyfaszystów lub obywateli innych okupowanych przez nazistów krajów.
Jednakże Rommel, co stosunkowo dobrze o nim świadczy, dołożył starań,
by traktowano ich tak jak innych jeńców wojennych.

Kiedy generał de Gaulle dowiedział się od generała Alana Brooke'a, szefa brytyjskiego Sztabu Imperialnego, że Kœnigowi wraz z większością jego
ludzi udało się dotrzeć do brytyjskich linii, doznał tak silnych emocji, że
musiał zamknąć się w swoim pokoju. „O, serce bije ze wzruszenia, szlocha
z dumy, wylewa łzy radości", zapisał potem we wspomnieniach. Chwila ta,
jak wiedział, oznaczała „początek odrodzenia Francji"[6].

Dalej na północy trwała nadal bitwa w „kotle", gdzie brytyjskie i hinduskie brygady toczyły zażarte zmagania obronne, ale 8. Armia wciąż pozostawała niezdolna do przeprowadzenia skutecznego przeciwuderzenia.

---

6 Ch. de Gaulle, *Mémoires de guerre*, t. 1, *op. cit.*, s. 325.

Jedenastego czerwca, tuż po upadku Bir al-Hakim, Rommel polecił swym trzem dywizjom zniszczenie reszty brytyjskich pozycji, w tym polowego fortu „Knightsbridge", bronionego przez 201. Brygadę Gwardii i 4. Brygadę Pancerną. Następnie wojska niemieckie miały uchwycić via Balbia. Doprowadziło to do nagłego zwrotu w przebiegu działań 14 czerwca, kiedy to Południowoafrykańczycy i oddziały 50. Dywizji Piechoty dostały rozkaz wycofania się na egipską granicę, aby ustrzec się odcięcia. Wojska alianckie przeszły do niesławnego generalnego odwrotu, który stał się znany jako „galop z Ajn al-Ghazali".

Oznaczało to wystawienie Tobruku na atak. Wkrótce włoska piechota natarła, by otoczyć miasto od wschodu. Rommel ściągnął niemieckie dywizje, mimo że stan 21. Dywizji Pancernej poważnie nadwyrężyły myśliwsko-bombowe hurricane'y RAF-u i samoloty P-40 Kittyhawk. Lotnicy Pustynnych Sił Powietrznych generała RAF-u (*Air Vice Marshal*) Arthura Coninghama radzili sobie coraz lepiej, a bez ich wsparcia los 8. Armii mógł być katastrofalny.

Churchill wydał Auchinleckowi rozkaz obronienia Tobruku za wszelką cenę. Ale w Tobruku brakowało dostatecznej liczby żołnierzy i broni, a wiele min zabrano wcześniej do wzmocnienia linii Ajn al-Ghazali. Siedemnastego czerwca Rommel rozpoczął ofensywę od pozorowanego natarcia na jednym skraju pierścienia obronnego, podczas gdy potajemnie szykowano atak gdzie indziej.

W odróżnieniu od Australijczyków, którzy z takim uporem bronili Tobruku rok wcześniej, południowoafrykańska 2. Dywizja pod dowództwem generała majora Hendrika Kloppera była formacją niedoświadczoną. W każdym razie admirał Cunningham dobrze wiedział, że brakuje mu okrętów i statków do przewozu zaopatrzenia do Tobruku w trakcie następnego oblężenia. W skład liczącego trzydzieści trzy tysiące żołnierzy garnizonu tej twierdzy wchodziły jeszcze dwie brygady piechoty i słaba brygada pancerna z przestarzałymi czołgami.

O świcie 20 czerwca Kesselring rzucił do walki wszystkie stukasy i zgrupowania bombowców, jakimi dysponował w basenie Morza Śródziemnego, wspierane przez eskadry włoskich sił powietrznych – Regia Aeronautica. Nalotowi towarzyszyło skoncentrowane przygotowanie artyleryjskie, podczas gdy bataliony niemieckich saperów oczyściły przejście przez pola minowe. To uderzenie o niespotykanej dotąd sile wstrząsnęło Hinduską 11. Brygadą Piechoty, o 8.30 zaś pierwsze niemieckie czołgi przedarły się przez zewnętrzny pierścień obrony. W ciągu jednego dnia, gdy słupy dymu wznosiły się pod niebo nad ostrzeliwanym miastem, Niemcy dotarli aż do portu, rozcinając na dwie połowy dwudziestokilometrowe linie obronne wokół fortecy. Odnieśli zdumiewająco szybkie zwycięstwo.

Generał Klopper skapitulował następnego ranka, zanim zniszczono port i liczne magazyny z zapasami. W ręce Rommla wpadły cztery tysiące ton ropy naftowej – lepszego prezentu nie mógł oczekiwać. Jego wygłodniali żołnierze, w wystrzępionych mundurach, radowali się wielce z łupów. „Zdobyliśmy czekoladę, mleko w puszkach, konserwowane warzywa i całe skrzynie sucharów – pisał do domu pewien niemiecki kapral. – Zdobyliśmy angielskie pojazdy i broń w wielkich ilościach. Cóż to za uczucie założyć angielską koszulę i skarpety!". Włoskim żołnierzom nie przypadła część tych bogatych zdobyczy. Cytowany kapral przyznawał, że Włosi „mają gorzej od nas, mniej wody, mniej żywności, mniejszy żołd i nie tyle sprzętu, ile my posiadamy"[7].

Mussolini usiłował przedstawiać zdobycie Tobruku jako włoskie zwycięstwo, więc aby podkreślić, jak było naprawdę, Hitler niezwłocznie awansował czterdziestodziewięcioletniego Rommla do rangi feldmarszałka. Ten awans wywołał niemało zawiści i rozgoryczenia w najwyższych kręgach Wehrmachtu, z czego Hitler bez wątpienia się ucieszył. W tym czasie, w pierwszą rocznicę rozpoczęcia operacji „Barbarossa", niemieckiego dyktatora rozpierało zadowolenie; był pewien, że brytyjskie imperium zgodnie z jego przewidywaniami zaczyna się rozpadać. Po upływie tygodnia planowano na południu Rosji przystąpić do operacji „Blau", której celem było zdobycie Kaukazu. Trzecia Rzesza znowu wydawała się niezwyciężona.

Owego czerwcowego dnia Churchill rozmawiał właśnie w Białym Domu z Rooseveltem, kiedy wszedł asystent i wręczył prezydentowi kartkę papieru. Roosevelt przeczytał jej treść i podał kartkę brytyjskiemu premierowi. Churchilla niemal zemdliło z niedowierzania. Poprosił generała Ismaya o sprawdzenie w Londynie, czy Tobruk rzeczywiście padł. W takim momencie kompromitacja nie mogła być większa. Churchill napisał potem: „Klęska to jedno; ale to była hańba"[8].

Roosevelt, okazując instynktowną szczodrość, zapytał od razu, jak mógłby dopomóc. Churchill zainteresował się, ile z nowych czołgów typu Sherman Amerykanie mogliby przekazać Brytyjczykom. Cztery dni później amerykańskie dowództwo zgodziło się na wydanie sojusznikom trzystu shermanów oraz setki samobieżnych haubic 105 mm (typu M7). Było to wyrazem hojności, tym bardziej że wspomniane shermany odebrano formacjom US Army, od dawna oczekującym na zastąpienie nimi przestarzałych wozów bojowych.

---

[7] Kapral Hans-Hermann H., 30 czerwca 1942 r., BfZ-SS N91.2.
[8] W.S. Churchill, *Druga wojna światowa*, t. 4: *Huśtawka losu*, tłum. E. Katkowska, Gdańsk 1995, s. 358.

Głęboko przygnębiony i wstrząśnięty Churchill powrócił do kraju, by stawić czoło niewierze w jego przywództwo, okazanej mu w Izbie Gmin. Winą za porażkę obarczył głównie Auchinlecka, co było trochę niesprawiedliwe. Największym błędem „Auka" było powierzenie dowództwa Ritchiemu. Ostry niedostatek kompetentnych i stanowczych dowódców najwyższego szczebla w armii brytyjskiej fatalnie odbijał się na jej losach. Brooke przypisywał to śmierci najlepszych młodych oficerów podczas pierwszej wojny światowej.

Równie poważnym utrudnieniem był tragiczny, i to od dawna, system zaopatrywania wojsk lądowych w broń. W przeciwieństwie do RAF-u, który przyciągał najbardziej utalentowanych konstruktorów i inżynierów w okresie, gdy lotnictwo budziło fascynację, brytyjska armia lądowa przyjmowała uzbrojenie, które było przestarzałe już w chwili jego wprowadzania, i godziła się na jego masową produkcję, zamiast domagać się nowszych konstrukcji. Cykl ten zaczął się od utraty wielkich ilości wyposażenia pod Dunkierką i potrzeby szybkiego zastąpienia czymkolwiek pozostawionej tam broni – lecz nie został w porę przerwany.

Niektóre z nowych sześciofuntowych armat przeciwpancernych (kalibru 57 mm) zostały zastosowane z dobrym skutkiem w walkach pod Ajn al-Ghazalą, ale posyłanie do boju nieudanych czołgów uzbrojonych w działa dwufuntowe (40 mm) przeciwko niemieckim czołgom PzKpfw IV, a zwłaszcza armatom 88 mm musiało przywodzić na myśl użycie dwupłatowych myśliwców Gloster Gladiator w zmaganiach z messerschmittami Bf 109. Można tylko podziwiać odwagę brytyjskich czołgistów, ruszających do ataku z pełną świadomością, że ich czołgi nadają się wyłącznie do walki z nieprzyjacielską piechotą. Brytyjczycy wyprodukowali pierwszy naprawdę udany typ czołgu, Comet (A34), dopiero w ostatnim okresie wojny.

Dla Churchilla jedyną pociechą wyniesioną z wizyty w Stanach Zjednoczonych było to, że udało mu się przekonać Roosevelta do inwazji na francuskie terytoria w Afryce Północnej. Operacji „Gymnast", wkrótce przemianowanej na „Torch", stanowczo przeciwstawiał się generał Marshall i inni amerykańscy sztabowcy. Obawy Marshalla, że Churchill namówi do czegoś Roosevelta, a prezydent nie zasięgnie opinii swoich doradców wojskowych, okazały się uzasadnione. Amerykańscy stratedzy podejrzewali nie bez powodu, że Brytyjczykom zależy na utrzymaniu swojej pozycji na Bliskim Wschodzie. Jednak Churchill bał się, że jeśli Brytyjczycy utracą Egipt, a Niemcom powiedzie się zgranie natarcia na Kaukazie z ofensywą Rommla, wówczas przepadłby aliantom nie tylko Kanał Sueski, ale i bliskowschodnie złoża ropy naftowej. Być może skłoniłoby to nawet Japończyków do agresywnych działań w zachodniej części Oceanu Indyjskiego.

Churchill kierował się jeszcze jednym motywem, który współgrał z koncepcjami Roosevelta. Wobec tego, że zbyt pospieszna inwazja na Francję nie wchodziła w grę przed uzyskaniem przez sprzymierzonych panowania w powietrzu i wobec niedostatku transportowców oraz barek desantowych, nie było innego regionu, gdzie amerykańskie wojska mogłyby zostać wprowadzone do bezpośredniej walki z Niemcami. Brytyjski premier wiedział, że admirał King, podobnie jak większość amerykańskiej opinii publicznej, chce odejścia od strategii pokonania Niemiec w pierwszej kolejności na rzecz skoncentrowania militarnych wysiłków na Pacyfiku. Nawet Brooke miał poważne wątpliwości dotyczące desantu w zachodniej części Afryki Północnej, ale jak się okazało, to Churchill miał rację, choć z zupełnie innych powodów niż te, które przedstawił. Armia amerykańska musiała nabyć doświadczenia bojowego przed walnym starciem z Wehrmachtem na kontynencie europejskim. Sprzymierzeni winni byli poznać wszelkie zagrożenia związane z przeprowadzeniem dużego desantu morskiego przed podjęciem próby przeprawienia się przez kanał La Manche.

Kesselring nadal domagał się zdobycia Malty, lecz Rommel obstawał przy swoim. Wsparcie Luftwaffe było mu niezbędne do zniszczenia brytyjskiej 8. Armii, nim ta zdoła odzyskać siły. Hitler poparł Rommla, argumentując, że zajęcie Egiptu pozbawi Maltę strategicznego znaczenia. Ale obaj, Hitler i Rommel, przeoczyli fakt, że gdy samoloty Luftwaffe wspomagały Rommla podczas walk pod Ajn al-Ghazalą, Brytyjczycy wzmocnili garnizon Malty. Ponownie nad szlakami zaopatrzeniowymi państw osi na Morzu Śródziemnym zawisło zagrożenie, a uchwycenie Tobruku wraz z tamtejszym portem nie rozwiązało, wbrew rachubom Rommla, logistycznych problemów związanych z prowadzeniem wojny na pustyni. Mówiło się w tych kampaniach o „efekcie pękającej gumki" – nadmierne rozciągnięcie linii zaopatrzenia przywodziło do katastrofy, utrudniając działania atakującej stronie.

Jeszcze przed zdobyciem Tobruku Rommel rozkazał 90. Dywizji Lekkiej kontynuowanie natarcia na Egipt po drodze przebiegającej wzdłuż wybrzeża. Dwudziestego trzeciego czerwca dwie niemieckie dywizje pancerne wyruszyły w pościg za 8. Armią. Tymczasem Auchinleck zdymisjonował Ritchiego i sam objął dowodzenie. Rozsądnie anulował rozkazy stawienia oporu pod Marsa Matruh i polecił wszystkim jednostkom szybkie wycofanie się do Al-Alamajn (El Alamein), niewielkiej nadmorskiej stacji kolejowej. Tam, pomiędzy Al-Alamajn a depresją Munchafad al-Kattara nieco dalej na południu, z jej słonymi bagnami i lotnymi piaskami, zamierzał utworzyć nową linię obrony, świadom tego, że Rommlowi nie uda się tak łatwe oskrzydlenie brytyjskich wojsk jak wcześniej pod Ajn al-Ghazalą.

Morale 8. Armii przedstawiało się jak najgorzej. Pomimo stanowczego postanowienia Auchinlecka, by wycofać się do Al-Alamajn, na podstawie wcześniejszego rozkazu Ritchiego hinduska 10. Dywizja pozostała, by bronić Marsa Matruh. Doścignęły ją czołowe formacje Rommla, które otoczyły tę miejscowość i wyszły na nadmorską drogę. Część brytyjskiego X Korpusu zdołała się przebić, ale w trakcie tej akcji korpus ów stracił siedem tysięcy żołnierzy, którzy dostali się do niewoli. Dalej na południu Dywizja Nowozelandzka przedarła się przez pozycje 21. Dywizji Pancernej podczas krwawego nocnego ataku, zabijając rannych, personel medyczny i żołnierzy wroga, a także, zdaniem Niemców, dopuszczając się w trakcie tej akcji zbrodni wojennych.

Rommel wciąż żywił przekonanie, że 8. Armia ucieka i że sam zdoła wkroczyć na Bliski Wschód. Mussolini był tak pewien sukcesu, że przywiózł z sobą do portu w Darnie wspaniałego siwego rumaka, na którym miał zamiar przyjąć defiladę zwycięstwa w egipskiej stolicy. W samym Kairze zapanowały panika i zamieszanie w bliskowschodniej kwaterze głównej i brytyjskiej ambasadzie, ku rozbawieniu albo przerażeniu większości Egipcjan. Przed bankami ustawiły się długie kolejki. Pierwszego lipca znad stosów dokumentów palonych w ogrodach koło oficjalnych gmachów wzbiły się słupy dymu. Nadpalone skrawki papierów zasłały całe miasto niczym śnieg. Uliczni handlarze chwytali je i robili z nich torebki na orzeszki ziemne w tym dniu, który zyskał ironiczne miano „środy popielcowej". Europejczycy zaczęli wyjeżdżać samochodami, z materacami przywiązanymi do dachów aut, a wokół rozgrywały się sceny podobne do tych, jakie widziano w Paryżu dwa lata wcześniej.

Jeszcze wcześniej panika wybuchła w Aleksandrii, gdzie wiceadmirał Henry Harwood, który dopiero co zastąpił Cunninghama, wydał rozkaz rozproszenia brytyjskiej floty i odesłania jej okrętów do różnych portów Lewantu. Rozeszły się plotki, że Niemcy nadejdą w ciągu doby, a desantu powietrznego można się spodziewać lada chwila. Egipscy sklepikarze szykowali się do wywieszenia w swoich kramach portretów Hitlera i Mussoliniego. Inni na tym nie poprzestali. Oficerowie nacjonaliści, w nadziei, że Niemcy wyzwolą ich kraj spod brytyjskiego panowania i przyznają Egiptowi niezawisłość, rozpoczęli przygotowania do zbrojnego powstania. Jeden z nich, niejaki Anwar as-Sadat, późniejszy prezydent Egiptu, nabył dziesięć tysięcy butelek, by sporządzić koktajle Mołotowa[9].

Dla społeczności żydowskiej perspektywa niemieckiego podboju była przerażająca, lecz choć brytyjskie władze w Kairze zapewniły Żydom miej-

---

[9] Na temat nastrojów panujących w Kairze i w Aleksandrii w czasie alianckiego odwrotu zob. A. Cooper, *Cairo in War, 1939–1945*, London 1989, s. 190–201.

sca w pociągach odjeżdżających do Palestyny, to administracja w Palestynie odmówiła wydania im wiz. Żydowskie obawy nie były nieuzasadnione. Jednostka Einsatzkommando SS już czekała w Atenach na przerzut do Egiptu i stamtąd do Palestyny, jeśli pasmo sukcesów Rommla nie ulegnie przerwaniu.

Liczba dezercji z brytyjskiej Armii Nilu, jak Churchill nazywał wojska w Egipcie, wzrosła dramatycznie, a łącznie w Kairze i w delcie Nilu zdezerterowało około dwudziestu pięciu tysięcy ludzi. Brytyjscy oficerowie w charakterystyczny dla siebie sposób stroili sobie żarty z katastrofalnej sytuacji. Utyskując na opieszałość obsługi w Shepheard's Hotel, powiadali: „Niech no tylko Rommel dotrze do Shepheard. To go dopiero spowolni". Krążyły pogłoski, że Rommel już zabukował telefonicznie pokój dla siebie. W każdym razie niemieckie radio nadało wiadomość dla kobiet z Aleksandrii: „Szykujcie suknie balowe, przybywamy!". Ale triumfalizm państw osi okazał się przedwczesny.

Mimo że Niemcy przechwytywali brytyjskie radiogramy na poziomie taktycznym, to Auchinleck za sprawą Ultry znał operacyjne plany Rommla. Wczesnym rankiem 1 lipca Afrikakorps z dwiema dywizjami pancernymi dokonały pozorowanego ataku na południe od linii obronnej pod Al-Alamajn. Rzeczywisty cel Rommla znajdował się dalej na północy, ale spiesząc się, aby zmusić 8. Armię do walki, zanim uporządkuje ona szyki, zaniedbał przeprowadzenia rozpoznania. Okazało się to fatalnym w skutkach błędem, pogorszonym jeszcze przez burzę piaskową. Dziewięćdziesiąta Dywizja Lekka próbowała atakować umocnienia pod Al-Alamajn, lecz została odparta niespodziewanie silnym ogniem artyleryjskim. Wkrótce potem niemiecka 21. Dywizja Pancerna szturmowała centralne punkty oporu na linii, obsadzone przez hinduską 18. Brygadę. I choć zdobyła je, to utraciła jedną trzecią czołgów, z których wiele zostało zniszczonych przez samoloty myśliwsko-bombowe RAF-u.

Pustynne Siły Powietrzne Coninghama nieustannie atakowały przeciwnika. Piloci latali jeszcze częściej aniżeli podczas bitwy o Anglię. W skład tego zgrupowania lotniczego wchodzili przedstawiciele różnych nacji, nie zabrakło nawet Alzackiej Grupy Pościgowej (Groupe de Chasse Alsace) Wolnych Francuzów, wyposażonej w zbieraninę samolotów myśliwskich najrozmaitszych typów[10]. Coninghamowi bardzo potrzebne były spitfire'y do walki z messerschmittami, ale Ministerstwo Lotnictwa w Londynie nie chciało ich wydzielić z formacji obrony powietrznej Wielkiej Brytanii. Pustynnym Siłom Powietrznym udzielała wsparcia formacja amerykańskich bombowców B-24 Liberator, atakujących statki i okręty państw osi w portach

---

[10] Por. „Global War Studies", t. 7: 2010, nr 2, s. 79.

w Bengazi, Tobruku i Marsa Matruh. Amerykańskie Bliskowschodnie Siły Powietrzne (United States Army Forces in the Middle East, USAFIME) dopiero organizowano pod komendą generała majora Lewisa H. Breretona, a w ich skład miały wejść zarówno jednostki myśliwskie, jak i bombowe. Doszło do pierwszego współdziałania bojowego sił zbrojnych Wielkiej Brytanii i USA w czasie tej wojny.

Niemieckie plany odniesienia łatwego zwycięstwa zaczęły się załamywać. Auchinleck kontratakował z użyciem mobilnych zgrupowań i bardzo skutecznie koncentrował ogień artyleryjski. Dywizja Nowozelandzka znów wyróżniła się w walkach, wybierając idealny moment do przeciwuderzenia na włoską Dywizję „Ariete" i zmuszając ją do chaotycznego odwrotu. W nocy 3 lipca Rommel rozkazał Panzerarmee „Afrika" przejść do defensywy. Pozostało jej niespełna pięćdziesiąt sprawnych czołgów. Jego żołnierze byli skrajnie wyczerpani i brakowało im amunicji oraz paliwa. Rommel nie mógł sobie pozwolić na prowadzenie zażartych walk pozycyjnych.

Skały, osypiska i piaski linii Al-Alamajn nie ułatwiały życia także żołnierzom 8. Armii. Zadręczały ich wszechobecne roje natrętnych much i burze piaskowe niesione przez wiatry oraz wyzuwający z sił pustynny upał. Czołgi w promieniach palącego słońca rozgrzewały się jak piece. Nocami żołnierze owijali się szczelnie derkami, aby ustrzec się skorpionów. Cierpieli na dyzenterię przenoszoną przez muchy i z powodu owrzodzeń, przyciągających żarłoczne owady. Gdy usiłowali się posilać, preparując sobie z mielonej wołowiny i pokruszonych sucharów coś w rodzaju papki o konsystencji gipsu sztukatorskiego, nie przychodziło łatwo przełknięcie tego w obecności much. Jedyną pociechę dawało zaparzanie herbaty, choć woda do gotowania miała paskudny smak. Nic dziwnego, że żołnierze często myśleli o domowym jedzeniu i wygodach w rodzinnym kraju. Pewien strzelec oświadczył swoim towarzyszom broni, że „kiedy dotrze do domu, zamierza spędzać cały czas na jedzeniu czekoladowych lodów, siedząc na toalecie i rozkoszując się luksusem spuszczania wody [w ustępie]"[11].

Ósma Armia również była zanadto wyczerpana, by skorzystać z okazji do przeciwnatarcia. Zamiast tego umocniła się na pozycjach wzdłuż linii obronnej, wsparta przez świeżą brygadę australijską ściągniętą na wzgórze Ruwejsat. Rommel zaatakował ponownie 10 lipca. Ale na północnym odcinku australijska 9. Dywizja, wspomagana przez brygadę pancerną, przełamała pozycje Włochów pod Al-Alamajn i zmusiła ich do ucieczki. Największym sukcesem Australijczyków było pojmanie do niewoli pododdziału łączności Rommla, co w praktyce odebrało mu wszelką wiedzę o poczynaniach przeciwnika, gdyż Niemcy nie byli w stanie złamać amerykańskiego

---

[11]   V. Gregg, Rifleman. A Front Line Life, London 2011, s. 127.

szyfru. Amerykański attaché wojskowy Bonner Fellers, który nieświadomie dostarczał Niemcom najcenniejszych danych wywiadowczych, wyjechał pod koniec czerwca.

Przez większość lipca obie strony przeprowadzały ataki i kontrataki na podobieństwo militarnej wersji gry w berka. Rommel był rozwścieczony postawą większości włoskich formacji, co doprowadziło do zaciekłych kłótni w obozie wojsk osi. Uznał, że jest zmuszony do rozdzielenia niektórych ze swoich jednostek, by te posłużyły za „usztywniający gorset" pewnych włoskich dywizji. Jego podszyte oburzeniem protesty w sprawie niedostatecznych dostaw znowu niczego nie dały, gdyż RAF i Royal Navy ponownie zadały ciężkie straty konwojom osi i zniszczyły część portowych instalacji. Rojenia Rommla, iż zdobycie Tobruku i Marsa Matruh rozwiąże jego problemy, za jednym zamachem brutalnie się rozwiały. W nocy 26 lipca komandosi w jeepach z nieco wcześniej sformowanej brytyjskiej SAS (Special Air Service) zaatakowali lotnisko koło Fuka, niszcząc na ziemi trzydzieści siedem samolotów, w tym wiele transportowych junkersów Ju 52. Ogółem w owym miesiącu wyeliminowano osiemdziesiąt sześć nieprzyjacielskich maszyn.

Wypada docenić wyczyn Auchinlecka. Przynajmniej ocalił poważnie osłabioną 8. Armię od katastrofy i ustabilizował linie obronne, równocześnie zadając znaczne straty Niemcom. Churchill oceniał to zupełnie inaczej. Dostrzegał tylko niewykorzystane okazje i nie chciał przyjąć do wiadomość faktu wyczerpania swoich wojsk oraz skandalicznie niskiej wartości bojowej brytyjskich wozów pancernych.

*

Brytyjski premier w towarzystwie generała Alana Brooke'a zjawił się w Kairze 3 sierpnia po drodze do Moskwy, gdzie miał uprzedzić Stalina o przesunięciu terminu otwarcia drugiego frontu. Brytyjczycy sądzili, że w końcu odwiedli Amerykanów od pomysłu operacji „Sledgehammer", czyli przeprawienia się przez kanał La Manche i desantu na półwyspie Cotentin, tak pospiesznie przyobiecanej Mołotowowi. Ale w drugim tygodniu lipca amerykańscy szefowie sztabów i sekretarz wojny Henry L. Stimson zaczęli się buntować. Uważając, że Brytyjczycy po cichu chcą storpedować wszelkie plany inwazji na północną Francję, opowiedzieli się za odrzuceniem strategii pokonania Niemiec w pierwszym rzędzie i skupieniem się na prowadzeniu wojny na Pacyfiku.

Roosevelt, jako formalny zwierzchnik sił zbrojnych USA, 14 lipca ostro przywołał ich do porządku. Napisał do Marshalla, że wysłanie przez Amerykę wojsk, aby te zdobyły jakąś wysepkę na Oceanie Spokojnym, jest właśnie tym, na co Niemcy liczą, i „nie wpłynęłoby na sytuację na świecie w tym roku i w następnym"[12]. Na pewno nie pomogłoby też radzieckiej Rosji ani aliantom na Bliskim Wschodzie. Nadal pozostaje niejasne, czy cała ta sprawa nie była w znacznej mierze blefem Marshalla, usiłującego zmusić Brytyjczyków do zaangażowania się w inwazję za kanałem La Manche. Jednak w istocie Marshall i admirał King podjęli inicjatywę później tego samego miesiąca, kiedy złożyli Churchillowi wizytę w Chequers i próbowali wskrzesić plany operacji „Sledgehammer". Brytyjczycy znowu stanowczo się im przeciwstawili. Twierdzili, że przyniosłoby to katastrofę i w niczym nie pomogłoby Armii Czerwonej.

Harry Hopkins, który także przebywał w Londynie, pokrzepił Brytyjczyków nieoficjalną wiadomością, że Roosevelt chce wprowadzić amerykańskie wojska do walki w Afryce Północnej. Marshall, ostatecznie zmuszony do możliwie najlepszego wywiązania się z, jak uważał, niewdzięcznego zadania prowadzenia wojny „za" Wielką Brytanię, wysłał do Londynu jednego ze swoich najlepszych sztabowców – generała majora Dwighta D. Eisenhowera, by tam zajął się planowaniem desantu w Afryce Północnej z perspektywą objęcia dowodzenia tą operacją.

Przed podjęciem wyprawy do Związku Radzieckiego Churchill postanowił uporządkować struktury dowodzenia na Bliskim Wschodzie. Auchinleck powiedział mu, że nie byłoby rozsądne wznowienie działań ofensywnych do połowy września, więc Churchill zadecydował o zastąpieniu go na stanowisku głównodowodzącego na tym teatrze wojny generałem Haroldem Alexandrem. Powierzył też generałowi porucznikowi Williamowi „Straferowi" Gottowi, dowódcy XIII Korpusu, komendę nad 8. Armią. Gott, mimo że należał do najlepszych brytyjskich dowódców w kampanii pustynnej, był w tym okresie przemęczony i zdemoralizowany przebiegiem walk. Brooke widział na jego miejscu generała porucznika Bernarda Montgomery'ego, ale Churchill pozostawał nieustępliwy. Jednak niebawem Gott zginął, gdy jego samolot transportowy został zestrzelony przez messerschmitta. Ostatecznie dowództwo przypadło Montgomery'emu.

Montgomery chlubił się tym, że nie przypomina typowego wysokiego rangą oficera brytyjskiej armii. Ten niewysoki, kościsty, drobnej budowy generał z orlim nosem rzeczywiście wielce kontrastował z bezpretensjonalnym, arystokratycznym i nienagannym Alexandrem. „Monty" nosił nieprzepisowe stroje, preferując porozciągane swetry i sztruksowe spodnie, uzupełnione potem czarnym beretem Królewskiego Pułku Czołgów, po którym go rozpoznawano. Jako dowódca odznaczał się jednak zachowawczo-

---

[12]   Cyt. za: A. Roberts, *Masters and Commanders. How Roosevelt, Churchill, Marshall and Alanbrooke Won the War in the West*, London 2008, s. 233.

ścią, zdając się na szczegółowe opracowania sztabowe i ustalone z góry rozmieszczanie dywizji, a nie na improwizowane grupy bojowe, jakie pojawiły
się podczas kampanii pustynnej. Bezwstydnie grał pod publiczkę, złożoną
z żołnierzy i reporterów, pomimo swego dość piskliwego głosu i wady wy-
mowy – nie potrafił wymówić „r". Ten niepalący abstynent był egoistyczny,
ambitny i bezwzględny; prezentował bezgraniczną wiarę w siebie, która czasem przybierała wręcz groteskowe formy. Owa pewność siebie, którą potrafił zarażać wszystkich napotkanych, stanowiła atut w powierzonej mu misji
tchnięcia wiary w zwycięstwo poważnie nadwyrężonej 8. Armii. Dowódcy
jej jednostek mieli „wziąć się w garść" i skończyć z „biadoleniem" i podwa-
żaniem rozkazów.

Sytuacja zastana przez Montgomery'ego w sierpniu 1942 roku bynajmniej nie była aż tak dramatyczna, jak wynikałoby to ze stworzonego później przez niego samego mitu. Niemieckie i włoskie dywizje Rommla znacznie ucierpiały w czasie lipcowych batalii. Ale Montgomery słusznie był
zatrwożony defetyzmem wielu swoich czołowych sztabowców, choć nie-
zgodnie z prawdą dawał do zrozumienia, że Auchinleck podziela ich zapatrywania. Faktycznym błędem Auchinlecka było ignorowanie owych nastrojów, powszechnych w gronie „gabardynowych świń", jak oficerowie
frontowi przezywali personel kwatery głównej bliskowschodniego dowództwa w Kairze. Montgomery obwieścił 8. Armii, że rozkazał spalić wszystkie alarmowe plany odwrotu. Uciekając się do wielu teatralnych sztuczek,
zdołał poprawić ducha bojowego za sprawą wizytacji i programów szkole-
niowych. Wrażenie radykalnej zmiany zdziałało cuda, mimo iż Montgomery przypisał sobie wiele innowacji, które zaczęto wprowadzać już w czasach
Auchinlecka.

Montgomery nie miał zamiaru podejmować przedwczesnej ofensywy,
choć podobna ostrożność wykazywana przez Auchinlecka była głównym
powodem dymisji tego ostatniego. Ale też „Monty" cechował się dużo większą przebiegłością w kontaktach z premierem. W istocie Montgomery planował nawet zwlekać z działaniami zaczepnymi dłużej, poza wyznaczony
przez Auchinlecka termin w połowie września. Postanowił rozbudować
swoją armię do takich rozmiarów, że zwycięstwo będzie przesądzone. Miał
w tym prawie na pewno słuszność, ponieważ Wielka Brytania nie mogła sobie pozwolić na kolejne fiasko.

Wprawdzie wojska Rommla zostały zasilone 164. Dywizją Lekką oraz
brygadą strzelców spadochronowych, lecz niemiecki dowódca wiedział, że
znalazł się w sytuacji bardziej niż niebezpiecznej. Dysponował zbyt słabymi siłami, by kontynuować walki okopowe na linii Al-Alamajn. Chciał się
wycofać, żeby sprowokować Brytyjczyków do wymarszu z ich pozycji i narzucić im bitwę manewrową, w której niemieckie czołgi wykazałyby swoją

wyższość. Nadal brakowało mu środków transportu oraz paliwa, gdyż samoloty RAF-u i okręty Royal Navy zatapiały jeden statek z zaopatrzeniem za drugim. Pod wpływem stresu i bezsilnej wściekłości skrytykował, nie przebierając w słowach, postawę włoskich żołnierzy, mimo że niektóre formacje, zwłaszcza Dywizja Spadochronowa „Folgore", walczyły dobrze.

W drugiej połowie sierpnia role się odwróciły: Mussolini i Kesselring nakłaniali Rommla do przeprowadzenia ofensywy tak szybko, jak to możliwe, natomiast on sam zaczął się wahać i zdradzać oznaki pesymizmu. Trzydziestego sierpnia, wyczuwając, że i tak nie ma nic do stracenia, Rommel wyprowadził „prawy sierpowy", atakując południowe skrzydło zgrupowania 8. Armii, aby wyjść na jej tyły i uderzyć na wzniesienia Alam el-Halfa. Wiedział, że największe ryzyko tkwi w tym, iż zabraknie mu paliwa, jednak Kesselring obiecał mu zawczasu, że tankowce wkrótce wyjdą z portu, a zaopatrzenie dotrze na miejsce.

Montgomery, świadom planów Rommla dzięki odszyfrowanym przez Ultrę meldunkom wroga, rozmieścił swoje formacje pancerne w gotowości do odparcia szturmu, mniej więcej tak, jak to przewidywał Auchinleck. Zwiad i wywiad Rommla nie spisały się najlepiej. Jego sztab nie zorientował się, jak rozległe są pola minowe, które należy przebyć w drodze na południe, nie docenił też wpływu alianckiego lotnictwa na przebieg bitwy. Gdy dwie niemieckie dywizje pancerne utknęły na polach minowych, dywizjony bombowców i myśliwców bombardujących Coninghama atakowały je nieustannie w trakcie rozświetlonej racami nocy. Niemieckie czołgi, stłoczone na wąskich przejazdach oczyszczonych z min, stanowiły względnie łatwe cele. Afrikakorps i włoska Dywizja Pancerna „Littorio" nie przedarły się aż do następnego ranka i dopiero wtedy natarcie na północ, ku wzgórzom Alam el-Halfa, nabrało tempa. Rommla zachęcano do kontynuowania ataku, a Kesselring rzucił do walki stukasy, aby nadwyrężyły pozycje obronne przeciwnika. Jednak powolne i nieodporne na ogień stukasy zostały zdziesiątkowane przez dywizjony alianckich Pustynnych Sił Powietrznych.

Wzniesienia Alam el-Halfa były dobrze bronione, co zmusiło niemieckie dywizje pancerne do zatrzymania się. Rommel spodziewał się 1 września zmasowanego przeciwuderzenia, ale Montgomery nie chciał wystawiać na ryzyko swoich zmechanizowanych formacji i rzucać ich do kawaleryjskich szarż, więc wstrzymał większość okopanych czołgów na zamaskowanych pozycjach. Brytyjczycy przeprowadzili tylko jeden kontratak z wykorzystaniem opancerzonych wozów bojowych. Wtedy Rommel otrzymał najgorsze z możliwych wieści. Tankowce, na które tak liczył, zostały zaatakowane na morzu z fatalnym dla nich skutkiem. Przejęte przez Ultrę informacje znowu umożliwiły Brytyjczykom przechwycenie tych statków.

Rommel znalazł się w sytuacji nie do pozazdroszczenia, gdyż jego czołgi, bez przerwy nękane przez Pustynne Siły Powietrzne, utknęły na otwartej przestrzeni między linią Al-Alamajn na zachodzie a brytyjskimi formacjami pancernymi na wschodzie i południu. Piątego września wydał rozkaz przystąpienia do odwrotu. Jeśli nie liczyć nieporadnego kontruderzenia przeprowadzonego przez XXX Korpus na odcinku południowym, to Montgomery nie wykorzystał okazji do zadania rozstrzygającego ciosu. Ale i tak odparcie Afrikakorps i straty zadane wojskom Rommla przez alianckie lotnictwo na pustyni w dużej mierze podniosły na duchu żołnierzy 8. Armii.

Rommel wyprowadził z potrzasku większość swoich sił, lecz zrozumiał, że przebieg walk w Afryce Północnej przybrał nieodwracalnie niekorzystny dlań obrót, mimo iż jeszcze nie miał pojęcia o zagrożeniu dla jego zaplecza, jakie zgotował mu Eisenhower.

ROZDZIAŁ 22

„Fall Blau” – nowa ofensywa na froncie wschodnim

maj–sierpień 1942

Gdy tylko na wiosnę 1942 roku zaczęły topnieć śniegi, ukazały się skryte wcześniej skutki zimowych walk. Radzieckich jeńców zapędzono do grzebania zwłok ich towarzyszy broni, zabitych podczas styczniowej kontrofensywy. „Teraz za dnia jest dosyć ciepło – napisał pewien niemiecki żołnierz na skrawku papieru, znalezionym w kieszeni poległego sowieckiego politruka – zwłoki zaczynają cuchnąć i pora je pochować"[1]. Inny żołnierz, z 88. Dywizji Piechoty, zapisał, iż po zdobyciu pewnej wioski w trakcie nagłej odwilży ciała „około osiemdziesięciu niemieckich żołnierzy z batalionu rozpoznania wyłoniły się spod śniegu, z poodcinanymi kończynami i porozbijanymi czaszkami. Większość [zwłok] była zwęglona"[2].

Ale kiedy brzozy puściły liście, a słońce zaczęło osuszać podmokłe grunty, niemieccy oficerowie w niezwykły sposób odzyskali ducha bojowego. Zupełnie, jak gdyby straszliwa zima, którą przetrwali, była tylko koszmarnym snem, a teraz znowu miały nastąpić zwycięstwa. Niemieckie dywizje pancerne zostały uzupełnione nowym sprzętem, jednostki zasilono rezerwowymi oddziałami, a składy amunicji szykowano z myślą o letniej ofensywie. Pułk Piechoty „Grossdeutschland", z którego po zimowej katastrofie pozostał mały oddziałek, został teraz rozbudowany w zmotoryzowaną dywizję, z dwoma batalionami czołgów i działami szturmowymi. Dywizje Waffen-SS przekształcono w formacje pancerne, chociaż wiele zwykłych dywizji uzupełniono głównie niedoświadczonymi rekrutami[3]. Narastało napięcie między

---

[1] Szeregowy Fritz S., 25. Dywizja Piechoty Zmotoryzowanej, 1 maja 1942 r., BfZ-SS 26312.
[2] Szeregowy Ferdinand S., 88. Dywizja Piechoty, BfZ-SS 05831E.
[3] D.M. Glantz, J. House, *When Titans Clashed. How the Red Army Stopped Hitler*, Lawrence 1995, s. 105.

SS a armią. Dowódca jednego z batalionów 294. Dywizji Piechoty napisał w dzienniku „o wielkim zaniepokojeniu, w które wprawia nas potęga i znaczenie SS. (...) [Esesmani] już powiadają w Niemczech, że kiedy tylko zwycięskie wojsko powróci do kraju, SS rozbroi je na granicy"[4].

Na wielu żołnierzach odznaczonych za udział w zimowej kampanii specjalnym orderem wyróżnienie to nie zrobiło wrażenia. Nazywali je „orderem zamarzniętych zwłok". Pod koniec stycznia nowe instrukcje wydano tym, którym zezwolono na spędzenie urlopu w Niemczech. „Podlegacie prawu wojskowemu – upominano ich – i nadal można was ukarać. Nie wolno wam mówić o uzbrojeniu, taktyce albo stratach. Nie wspominajcie o marnych racjach żywnościowych ani o przejawach niesprawiedliwości. Służby wywiadowcze wroga czekają tylko, żeby to wykorzystać"[5].

Cynizm żołnierzy wzmógł się wraz z opóźnionym dowozem na front cywilnej odzieży zimowej, narciarskich kombinezonów i damskich futer, przekazanych wojsku w odpowiedzi na apel Goebbelsa, by zapewnić ciepłe ubrania żołnierzom *Ostfrontu*. Woń naftaliny i wspomnienia domu, które zapachy te przywołały, tylko pogłębiły u żołnierzy poczucie, że utknęli na obcej planecie, gdzie panują brud i wszy. Gigantyczne przestrzenie Związku Radzieckiego wzbudzały w nich wielki niepokój i przygnębienie. Cytowany już kapitan z 294. Dywizji pisał: „Bezkresne, leżące odłogiem pola, żadnych lasów, tylko po kilka drzew od czasu do czasu. Ponure kołchozy ze zniszczonymi zabudowaniami. Nieliczni ludzie, brudni, w łachmanach, stali przy kolejowych torach z obojętnymi minami"[6].

Choć Stalin wciąż się spodziewał, że Wehrmacht przeprowadzi następny szturm na Moskwę, to Hitler miał tym razem odmienne plany. Wiedząc, że przetrwanie Niemiec w tej wojnie zależy od żywności, a przede wszystkim od paliw, zamierzał umocnić się na Ukrainie i opanować pola naftowe Kaukazu. To Stalin miał potknąć się pierwszy w tym militarnym *danse macabre*, a Hitler mierzył za wysoko, co ostatecznie przyniosło mu zgubę. Jednak chwilowo wszystko zdawało się układać po myśli Führera.

Siódmego maja 11. Armia Mansteina na Krymie przeprowadziła kontratak na radzieckie wojska, próbujące nacierać z Półwyspu Kerczeńskiego. Manstein oskrzydlił je swoimi formacjami pancernymi i zamknął w okrążeniu. Wielu czerwonoarmistów walczyło mężnie i ginęło w okopach rozjechanych przez niemieckie czołgi, obracające się na gąsienicach, by zasypać żołnierzy wroga. Katastrofa, która nastąpiła w trakcie kilku następnych dni – będąca niemal całkowicie skutkiem ingerencji komisarza faworyzowanego

---

[4]   Cyt. ze zdobycznego dziennika żołnierskiego, CAFSB 14/4/328, s. 367–371.
[5]   Treść rozkazu z 31 stycznia 1942 r., CAMO 206/294/48, s. 346.
[6]   Cyt. ze zdobycznego dziennika żołnierskiego, CAFSB 14/4/328, s. 367–371.

przez Stalina, Lwa Mechlisa – doprowadziła do utraty przez Sowietów stu siedemdziesięciu sześciu tysięcy ludzi, czterystu samolotów, trzystu czterdziestu siedmiu czołgów i czterech tysięcy dział. Mechlis próbował obwiniać za nią żołnierzy, zwłaszcza Azerów, ale straszliwe straty wzbudziły nienawiść ludów kaukaskich. Mechlis został zdjęty ze stanowiska, lecz niebawem Stalin znalazł mu inną funkcję[7].

Zgodnie z niemieckimi relacjami sowieccy żołnierze z Azji Środkowej dezerterowali najczęściej. „Zostali w pośpiechu i byle jak przeszkoleni i posłani na linię frontu. Mówią, że Rosjanie trzymają się z tyłu i zmuszają ich do atakowania. Przebyli rzekę w nocy. Brnęli w błocie i wodzie po kolana i spoglądali na nas lśniącymi oczami. Dopiero w naszym więzieniu poczuli się wolni. Rosjanie podejmują coraz więcej kroków, żeby zapobiec dezercjom i ucieczkom z pola walki. Teraz wprowadzili tak zwane kompanie strażnicze [zaporowe], które mają tylko jedno zadanie: udaremnianie odwrotu własnym oddziałom. Jeżeli naprawdę jest u nich tak źle, to wszystkie domysły o demoralizacji w Armii Czerwonej odpowiadają prawdzie”[8].

Po klęsce na Kerczu nastąpiła kolejna, jeszcze większa. Marszałek Timoszenko, popierany przez Nikitę Chruszczowa, zaproponował w marcu, by armie Frontu Południowo-Zachodniego i Południowego pokrzyżowały przeciwnikowi ewentualną ofensywę na Moskwę, przeprowadzając uderzenie okrążające na Charków. Należało to skoordynować z wyłomem z Półwyspu Kerczeńskiego, który miał na celu oswobodzenie garnizonu oblegnego Sewastopola.

Stawka nie miała pojęcia, jakimi siłami dysponują Niemcy, zakładając, że wojska radzieckie nadal mają przed sobą jednostki pobite w miesiącach zimowych. Sowiecki wywiad wojskowy przeoczył bardzo poważne wzmocnienie niemieckiej Grupy Armii „Południe”, choć wiele z jednostek, którymi ją zasilono, było formacjami rumuńskimi, węgierskimi i włoskimi – słabo uzbrojonymi i równie marnie wyposażonymi. Zaplanowane przez Hitlera wznowienie operacji „Barbarossa” opatrzono kryptonimem „Fall Blau”. Niemcy byli świadomi czynionych przez Timoszenkę przygotowań do ofensywy, choć ta rozpoczęła się wcześniej, niż przypuszczali. Szykowali atak na południe od Charkowa i likwidację występu w linii frontu pod Barwienkowem, opanowanego przez Armię Czerwoną podczas styczniowego przeciwuderzenia. Operacja ta, pod kryptonimem „Fridericus”, miała stanowić fazę wstępną do „Fall Blau”.

Dwunastego maja, pięć dni po nieudanym ataku z Kerczu, zaczęła się ofensywa Timoszenki. Południowe zgrupowanie nacierających wojsk prze-

---

[7] Sylwetka Mechlisa zob. S. Sebag Montefiore, *Stalin. Dwór czerwonego cara*, tłum. M. Antosiewicz, Warszawa 2004, s. 390–398.

[8] CAFSB 14/4/328, s. 367–371.

biło się przez słabą dywizję osłonową i pierwszego dnia przebyło piętnaście kilometrów. Sowieckich żołnierzy zdumiewały dostatki zastane na zdobytych niemieckich pozycjach, luksusy takie jak czekolada, puszki sardynek i konserwy mięsne, biały chleb, koniak i papierosy. Ale czerwonoarmiści ponieśli dotkliwe straty. „Strasznie było – pisał Jurij Władimirow z baterii dział przeciwlotniczych – mijać ciężko rannych, którzy ginęli z upływu krwi i błagali o pomoc głośno albo cicho, a my nie mogliśmy nic począć"[9].

Działania północnego zgrupowania napierających sił były nieskoordynowane i ściągały nieustanne ataki Luftwaffe. „Nacieraliśmy z Wołczańska w kierunku Charkowa i mogliśmy dostrzec kominy słynnej fabryki traktorów – napisał żołnierz z radzieckiej 28. Armii. – Niemieckie lotnictwo nie dawało nam spokoju, bombardując nieprzerwanie od trzeciej nad ranem aż do nocy, z dwugodzinną przerwą w porze obiadu"[10]. Wśród dowódców zapanowało zamieszanie, brakowało amunicji. „Nawet przedstawiciele trybunału wojennego musieli walczyć" z bronią w ręku, dodał cytowany czerwonoarmista.

Timoszenko uświadomił sobie, że uderzył na Niemców w chwili, gdy ci przygotowywali się do swojej ofensywy. Jednak nie podejrzewał, że jego wojska idą wprost w pułapkę. Generała wojsk pancernych (General der Panzertruppe) Paulusa, uzdolnionego sztabowca, który nigdy dotąd nie dowodził formacją liniową, zaskoczył impet ataku Timoszenki na jego 6. Armię. Szesnaście batalionów tejże armii znacznie ucierpiało w walkach, prowadzonych w ulewnych wiosennych deszczach. Ale feldmarszałek von Bock spostrzegł okazję do odniesienia wielkiego zwycięstwa. Przekonał Hitlera, że 1. Armia Pancerna von Kleista mogłaby odciąć od południa siły Timoszenki pod Barwienkowem. Hitler podchwycił ów pomysł i uznał go za własny. Siedemnastego maja przed świtem von Kleist ruszył do natarcia.

Timoszenko zadzwonił do Moskwy z prośbą o wsparcie, lecz jeszcze niezupełnie pojął, w jak niebezpiecznej sytuacji się znalazł. Wreszcie późnym wieczorem 20 maja namówił Chruszczowa, aby ten zatelefonował do Stalina i zażądał wstrzymania ofensywy. Chruszczowa połączono z daczą w Kuncewie. Stalin kazał Gieorgijowi Malenkowowi, sekretarzowi Komitetu Centralnego partii, rozmówić się z Chruszczowem. Chruszczow chciał jednak rozmawiać z samym *wożdiem*. Stalin się na to nie zgodził i polecił Malenkowowi dowiedzieć się, w czym rzecz. Kiedy wreszcie został poinformowany o powodach, dla których go niepokojono, wrzasnął: „Rozkazy w wojsku trzeba wykonywać", i polecił Malenkowowi przerwanie

[9] J. Władimirow, *Wojna sołdata-zienitczika, 1941–1942*, Moskwa 2009, s. 234.
[10] Jewgienij Fiodorowicz Okiszew, w: *Swiaszczennaja wojna. Ja pomniu*, red. A. Drabkin, Moskwa 2010, s. 210.

rozmowy z Chruszczowem[11]. Podobno od tej pory datowała się nienawiść Chruszczowa do Stalina, która przywiodła go do namiętnego publicznego oskarżenia zmarłego już radzieckiego dyktatora na XX Zjeździe KPZR w 1956 roku.

Minęły kolejne dwa dni, nim Stalin w końcu zezwolił na wstrzymanie ofensywy, ale do tego czasu większość sowieckich 6. i 57. Armii znalazła się w okrążeniu. Otoczone oddziały rozpaczliwie usiłowały się przebijać, czasem nawet nacierając tyralierą, ramię w ramię, a ich masakra była straszliwa. Przed niemieckimi pozycjami wyrastały stosy zwłok. Czyste niebo zapewniało samolotom Luftwaffe doskonałą widoczność. „Nasi piloci latają setkami dzień i noc – zanotował żołnierz niemieckiej 389. Dywizji Piechoty. – Cały horyzont zasnuty jest dymem"[12]. Pomimo trwającej bitwy Jurij Władimirow wsłuchiwał się w śpiew skowronka w upalny, bezchmurny dzień. Ale zaraz dosłyszał krzyki: „Czołgi! Czołgi nadciągają!" – i musiał uciekać, by ukryć się w okopie[13].

Zbliżał się koniec. Aby uniknąć natychmiastowej egzekucji, komisarze polityczni zrzucali swoje charakterystyczne mundury i zakładali te zdjęte z poległych czerwonoarmistów. Golili też głowy, żeby się upodobnić do szeregowych żołnierzy. Po kapitulacji oddziały wbijały w ziemię karabiny z osadzonymi bagnetami. „Wyglądało to na bajkowy las po wielkim pożarze, w czasie którego wszystkie drzewa potraciły liście", pisał Władimirow. Umorusany i zawszony myślał o samobójstwie, wiedząc, co go czeka, ale ostatecznie dał się pojmać. Pośród porzuconych hełmów i masek przeciwgazowych jeńcy zbierali z pobojowiska rannych i nieśli ich na zaimprowizowanych z deszczowych pelerynach noszach. Potem Niemcy ustawili głodnych i wyczerpanych radzieckich żołnierzy w kolumnę, po pięciu ludzi w szeregu.

Wehrmacht wziął do niewoli około dwustu czterdziestu tysięcy jeńców, zdobywając też dwa tysiące dział polowych i większość czołgów użytych przez atakujące radzieckie wojska. Jeden z dowódców armii oraz wielu oficerów odebrało sobie życie. Kleist zauważył po bitwie, że okolica była tak gęsto zasłana zwłokami ludzi i koni, iż jego wóz miał trudności z przejechaniem.

Ta druga batalia o Charków wpłynęła bardzo źle na nastroje w Związku Radzieckim. Chruszczow i Timoszenko byli przekonani, że staną przed plutonem egzekucyjnym. Mimo iż wcześniej się z sobą przyjaźnili, to zaczęli się wzajemnie oskarżać, a Chruszczow najwyraźniej doznał załamania nerwowego. Stalin w typowy dla siebie sposób upokorzył Chruszczowa,

---

[11] S. Sebag Montefiore, *Stalin, op. cit.*, s. 391–396.
[12] Szeregowy Heinrich R., 389. Dywizjon Piechoty, 20 maja 1942 r., BfZ-SS 43 260.
[13] J. Władimirow, *Wojna sołdata-zienitczika, 1941–1942, op. cit.*, s. 300.

wytrzepując popiół z fajki na jego łysą czaszkę i powiadając, że wedle rzymskiej tradycji dowódca, który przegrał bitwę, w geście pokuty obsypywał głowę popiołem.

Niemcy triumfowali, ale zwycięstwo to miało pewien groźny dla nich skutek. Paulus, który chciał się wycofać w początkowej fazie zmagań, był pod wrażeniem tego, co uznał za przenikliwość Hitlera, ten bowiem rozkazał mu wytrwać, gdy von Kleist szykował się do rozstrzygającego uderzenia. Paulusa charakteryzowało zamiłowanie do porządku i ogromny respekt wobec zwierzchników. Cechy te, wraz z rozbudzonym na nowo podziwem dla Führera, miały wywrzeć ważny wpływ w przełomowym momencie wojny – sześć miesięcy później pod Stalingradem.

Pomimo zagrożeń dla przetrwania Związku Radzieckiego w owym roku Stalina nie przestała zajmować kwestia powojennych granic. Amerykanie i Brytyjczycy odrzucali jego żądanie uznania radzieckich granic z czerwca 1941 roku, które obejmowały kraje nadbałtyckie i wschodnie obszary Polski. Ale na wiosnę roku 1942 Churchill zaczął się nad tym na nowo zastanawiać. Rozważał wyrażenie zgody, by podtrzymać udział Sowietów w prowadzeniu działań wojennych, mimo że stanowiło to rażącą sprzeczność z postanowieniami Karty atlantyckiej, gwarantującej narodom prawo do samostanowienia. Zarówno Roosevelt, jak i jego sekretarz stanu Sumner Welles z oburzeniem odmówili poparcia propozycji Churchilla. Jednak w późniejszym okresie wojny to brytyjski premier będzie się przeciwstawiał imperialistycznym zakusom Stalina, a Roosevelt je zaakceptuje.

Stosunki między zachodnimi aliantami a Stalinem były naznaczone wzajemną podejrzliwością. Zwłaszcza Churchill obiecywał ZSRR dużo większą pomoc wojskową niż ta, której Wielka Brytania mogła udzielić. Złożone przez amerykańskiego prezydenta Mołotowowi w maju nieprzemyślane zapewnienia o otwarciu drugiego frontu do końca owego roku w większym stopniu niż cokolwiek innego zatruły Wielką Koalicję. Stalin umocnił się w swoich paranoicznych podejrzeniach, że państwa kapitalistyczne dążą po prostu do osłabienia Związku Radzieckiego, podczas gdy same zamierzają wyczekiwać.

Lubujący się w politycznych manipulacjach Roosevelt poinformował Mołotowa za pośrednictwem Harry'ego Hopkinsa, że sam skłania się ku uruchomieniu drugiego frontu w 1942 roku, ale amerykańscy dowódcy wojskowi sprzeciwiają się temu zamysłowi. Wydaje się, że Roosevelt był gotów uciec się do wszystkiego, byle tylko utrzymać Związek Radziecki w stanie wojny z Niemcami – bez względu na konsekwencje. Kiedy zaś stało się jasne, że zachodni sojusznicy nie zamierzają w rzeczonym roku przeprowadzić desantu na północną Francję, Stalin uznał, iż został wystawiony do wiatru.

Churchill stwierdził, że to na niego spadła złość Stalina za niedotrzymanie obietnic. Choć i Churchill, i Roosevelt zanadto beztrosko je składali, to Stalin nie chciał słyszeć o żadnych obiektywnych trudnościach. Straty, jakie ponosiły arktyczne konwoje płynące do Murmańska, nie liczyły się wcale w jego kalkulacjach. Konwoje PQ, które kursowały z Islandii do Murmańska od września 1941 roku, stawiały czoło przerażającym niebezpieczeństwom. W zimie statki i okręty pokrywała warstwa lodu, a morze stawało się zdradliwe, za to latem, podczas krótszych nocy, konwoje były narażone na naloty niemieckiego lotnictwa z baz w północnej Norwegii, a także musiały się liczyć z nieustającą groźbą ze strony U-Bootów. W marcu uległa zatopieniu jedna czwarta statków konwoju PQ-13. Churchill zmusił Admiralicję do wysłania PQ-16 w maju, nawet jeśli miałoby to oznaczać, że tylko połowa jednostek dopłynie do celu. Nie miał złudzeń co do politycznych konsekwencji wstrzymania konwojów. Ostatecznie tym razem poszło na dno „tylko" sześć z trzydziestu sześciu statków.

Następny konwój, PQ-17, największy z wysłanych dotychczas do Związku Radzieckiego, okazał się jedną z najbardziej spektakularnych katastrof morskich w całej wojnie. Na podstawie nieścisłych danych wywiadowczych uznano, że niemiecki pancernik „Tirpitz", wraz z okrętami liniowymi „Admiral Hipper" i „Admiral Scheer", wypłynęły z Trondheim, by przeprowadzić atak. Skłoniło to Pierwszego Lorda Morskiego admirała Dudleya Pounda do wydania 4 lipca rozkazu rozproszenia konwoju. Była to fatalna w skutkach decyzja. Łącznie dwadzieścia cztery z trzydziestu dziewięciu statków konwoju padło łupem Luftwaffe i U-Bootów, co wiązało się z utratą prawie stu tysięcy ton zaopatrzenia, w tym samolotów, czołgów i innych pojazdów. Wobec upadku Tobruku w Afryce Północnej i groźby wtargnięcia niemieckich wojsk na Kaukaz Brytyjczycy zaczęli się poważnie obawiać, że ostatecznie mogą jednak przegrać tę wojnę. Wszystkie letnie konwoje zawieszono, ku wielkiemu niezadowoleniu Stalina.

Po zniszczeniu radzieckich wojsk na Półwyspie Kerczeńskim Manstein skierował swoją 11. Armię ku portowi i twierdzy w Sewastopolu. Potężne przygotowanie artyleryjskie i naloty stukasów nie doprowadziły do wyparcia obrońców z ich pozycji w jaskiniach i tunelach wyrytych głęboko w skałach. Podobno w pewnym stadium ofensywy Niemcy użyli gazów bojowych do wykurzenia nieprzyjaciela, jednak brak dowodów na potwierdzenie tej informacji. Lotnicy Luftwaffe postanowili skończyć z nękającymi nalotami radzieckich bombowców. „Już my pokażemy tym Rosjanom – napisał pewien starszy kapral – co to znaczy igrać z Niemcami"[14].

---

[14] Kapral Karl H., 2. eskadra 122. Grupy Rozpoznaczej, 7 czerwca 1942 r., BfZ-SS L 28 420.

Sowieccy partyzanci operowali na niemieckich tyłach, a jeden z podziemnych oddziałów wysadził w powietrze jedyną linię kolejową przebiegającą przez Przesmyk Perekopski. Niemcy zwerbowali antyradzieckich krymskich Tatarów do pomocy w obławach na partyzantów. Manstein ściągnął gigantyczne kolejowe działo oblężnicze kalibru 800 mm, aby ostrzeliwać z niego ruiny wielkiej sewastopolskiej fortecy. „Powiem tylko tyle, że to już nie jest wojna – zapisał żołnierz z niemieckiego motocyklowego oddziału zwiadowczego – ale śmiertelne starcie dwóch światopoglądów"[15].

Najbardziej skutecznym manewrem Mansteina było przeprowadzenie zaskakującego ataku z użyciem łodzi szturmowych przez zatokę Siewiernaja i oskrzydlenie w taki sposób pierwszej linii radzieckiej obrony. Ale żołnierze i marynarze Floty Czarnomorskiej walczyli dalej. Oficerowie polityczni organizowali wiece, podczas których rozkazywali wytrwać i ginąć za ojczyznę. Baterii armat przeciwlotniczych użyto do niszczenia czołgów, lecz Niemcy eliminowali z walki kolejne radzieckie działa. „Odgłosy eksplozji zlały się w wielki nieprzerwany huk – zanotował jeden z żołnierzy sowieckiej piechoty morskiej. – Nie da się już rozróżnić pojedynczych wybuchów. Bombardowanie rozpoczyna się wcześnie rano i kończy późną nocą. Rozrywające się bomby i pociski artyleryjskie przysypywały ludzi i musieliśmy ich odgrzebywać, żeby kontynuowali walkę. Polegli wszyscy nasi telefoniści. Wkrótce potem trafiono nasze ostatnie działo przeciwlotnicze. Zaczęliśmy prowadzić obronę »jak piechota« w lejach po bombach. (...) Niemcy zepchnęli nas do morza i musieliśmy schodzić po linie z urwistych klifów. Wiedząc, że jesteśmy tam, na dole, Niemcy zrzucali na nas ciała naszych towarzyszy, którzy padli w boju, a także płonące beczki ze smołą i granaty. Sytuacja była beznadziejna. Postanowiłem przedrzeć się wzdłuż brzegu do Bałakławy, przepłynąć w nocy zatokę i uciec na wzgórza. Zorganizowałem grupę żołnierzy piechoty morskiej. Ale udało nam się przebyć nie więcej niż kilometr"[16]. Oddział ten trafił do niewoli.

Sewastopolska bitwa trwała od 2 czerwca do 9 lipca, a niemieckie straty też były znaczne. „Straciłem wielu towarzyszy broni, walczących u mego boku – napisał po jej zakończeniu pewien plutonowy Wehrmachtu. – Pewnego razu, w samym środku bitwy zapłakałem nad jednym z nich jak dziecko"[17]. Już po tej batalii rozradowany Hitler awansował Mansteina na feldmarszałka. Chciał przekształcić Sewastopol w wielką niemiecką bazę morską nad Morzem Czarnym i w stolicę całkowicie zgermanizowanego Krymu.

---

[15] Kapral Kurt P., oddział zwiadowczy 4. Pułku, 15 czerwca 1942 r., BfZ-SS 29 962.
[16] J.S. Naumow, *Trudnaja sud'ba zaszczitnikow Siewastopolja (1941–1942)*, Niżnyj Nowogrod 2009, s. 15.
[17] Kapral Arnold N., 377. Dywizja Pancerna, 8 lipca 1942 r., BfZ-SS 41 967.

Ale jak zauważył sam Manstein, wielki wysiłek włożony w zdobycie Sewastopola zredukowały w krytycznej fazie działań siły wojsk wydzielonych do przeprowadzenia „Fall Blau".

Stalin za sprawą przypadku mógł się zapoznać zawczasu ze szczegółowymi danymi o szykowanej niemieckiej ofensywie na południu Związku Radzieckiego, ale potraktował to jako dezinformację, tak jak zlekceważył doniesienia wywiadowcze o operacji „Barbarossa" rok wcześniej. Oto 19 czerwca major Joachim Reichel, niemiecki oficer sztabowy przewożący plany operacji „Blau", został zestrzelony w samolocie łącznikowym Fieseler Storch za radzieckimi liniami. Mimo to Stalin, pewien, że Niemcy przeprowadzą swój główny atak na Moskwę, uznał zdobyte dokumenty za falsyfikat. Hitler szalał, kiedy się dowiedział o tej wywiadowczej wpadce, i zdymisjonował dowódców korpusu oraz dywizji, w których służył Reichel. Wstępne uderzenie, mające na celu opanowanie linii wyjściowej do ofensywy na wschód od rzeki Doniec, już się jednak rozpoczęło.

Dwudziestego ósmego czerwca 2. Armia i 4. Armia Pancerna Hotha uderzyły na wschód w kierunku Woroneża nad górnym Donem. Stawka rzuciła tam do walki dwa korpusy czołgów, lecz te w wyniku złej łączności radiowej pogubiły się nieco na otwartym terenie i poważnie ucierpiały wskutek nalotów stukasów. Stalin, upewniwszy się ostatecznie, że Niemcy nie maszerują na Moskwę, wydał rozkaz obrony Woroneża za wszelką cenę.

Wtedy Hitler wmieszał się w realizację planów operacji „Blau". Początkowo miała ona przebiegać w trzech fazach. Pierwszą z nich było zdobycie Woroneża. Następnie 6. Armia Paulusa powinna była otoczyć wojska radzieckie w wielkim łuku Donu, a potem nacierać na Stalingrad, aby zabezpieczyć niemiecką lewą flankę. W tym czasie chodziło nie tyle o zajęcie tego miasta, ile o dotarcie do niego lub „przynajmniej doprowadzenie do tego, żeby znalazło się w zasięgu naszej ciężkiej broni"[18] – by Sowieci nie mogli wykorzystywać Stalingradu jako ośrodka komunikacyjnego i zbrojeniowego. Dopiero wówczas 4. Armia Pancerna miała zwrócić się na południe i przyłączyć do Grupy Armii „A" feldmarszałka Lista w marszu na Kaukaz. Ale zniecierpliwiony Hitler uznał, że tylko jeden korpus pancerny wystarczy do zwycięskiego zakończenia walk o Woroneż. Reszta armii pancernej Hotha powinna niezwłocznie wyruszyć na południe. Jednak korpusowi pozostawionemu pod Woroneżem brakło sił do przełamania twardej obrony przeciwnika. Armia Czerwona wykazała, z jakim uporem potrafi prowadzić walki uliczne,

---

[18] Rozkaz nr 41, cyt. za: N. von Below, *Byłem adiutantem Hitlera, 1937–1945*, tłum. Z. Rybicka, Warszawa 1990, s. 314.

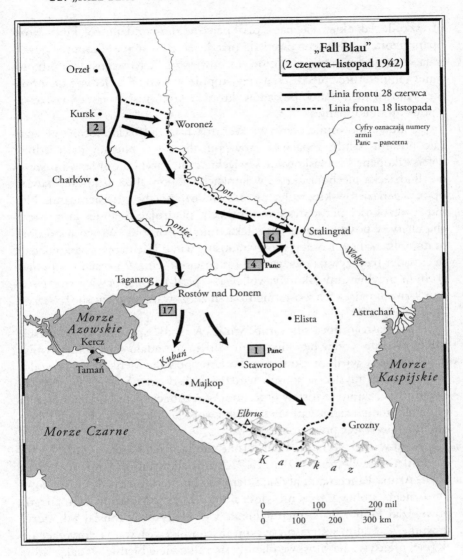

„Fall Blau"
(2 czerwca–listopad 1942)

—— Linia frontu 28 czerwca

---- Linia frontu 18 listopada

Cyfry oznaczają numery armii
Panc – pancerna

Orzeł

Kursk

2

Woroneż

Charków

Don

Doniec

6

Stalingrad

4 Panc

Wołga

Taganrog

Rostów nad Donem

17

Morze Azowskie

Kercz

Elista

Astrachań

Tamań

Kubań

1 Panc

Stawropol

Morze Kaspijskie

Majkop

Elbrus

Morze Czarne

Grozny

Kaukaz

| 0 | 100 | 200 mil |
| 0 | 100 | 200 | 300 km |

gdy Niemcy tracili atut większej sprawności w zakresie działań manewrowych z użyciem broni pancernej, wspieranej przez panujące w powietrzu lotnictwo.

Hitler zbył obawy swoich generałów, a początkowo operacja „Blau" zdawała się przebiegać wyjątkowo pomyślnie dla Niemców. Armie niemieckie bardzo szybko posuwały się naprzód, ku wielkiemu ukontentowaniu dowódców formacji pancernych Wehrmachtu. W czasie upalnego lata ziemia była sucha, a natarcie na południowy wschód rozwijało się bez większych przeszkód. „Jak okiem sięgnąć – pisał pewien korespondent wojenny – wozy opancerzone i półgąsienicowe jadą przed siebie po stepie. Proporce powiewają w rozgrzanym popołudniowym powietrzu"[19]. Któregoś dnia odnotowano temperaturę „pięćdziesiąt trzy stopnie w słońcu"[20]. Jedyne utrudnienie stanowił niedostatek pojazdów, które zresztą musiały zatrzymywać się z powodu braku paliwa.

Usiłując spowolnić ofensywę Wehrmachtu, radzieckie lotnictwo zrzucało nocami bomby zapalające, aby podpalić stepy. Niemcy parli jednak dalej. Okopane i zamaskowane sowieckie czołgi szybko omijano i niszczono. Radziecka piechota ukryta w kopkach snopów zbóż usiłowała stawiać opór, ale nazistowskie czołgi po prostu rozjeżdżały je gąsienicami. Niemieccy czołgiści przystawali w wioskach, plądrując bielone, kryte strzechą chaty w poszukiwaniu jaj, mleka, miodu i drobiu. Wrogo usposobieni do bolszewików Kozacy, którzy radośnie witali Niemców, szybko uznali, że ci nader nadużywają okazywanej im gościnności. „W oczach miejscowego ludu przybywamy jako wyzwoliciele – pisał z ironią pewien starszy kapral – »uwalniając« ich z ostatnich ziaren zbóż, warzyw, oleju spożywczego i tak dalej"[21].

Czternastego lipca siły Grup Armii „A" i „B" spotkały się w mieście Millerowo, ale wbrew oczekiwaniom Hitlera nie udało się zamknąć wojsk przeciwnika w wielkim okrążeniu. Po kotle pod Barwienkowem dowódcy Stawki zaczęli myśleć w sposób bardziej realistyczny. Sowieci wycofywali swoje armie, zanim te zostały otoczone. W rezultacie plan Hitlera, polegający na okrążeniu i zniszczeniu radzieckich wojsk na zachodnim brzegu Donu, nie mógł przynieść powodzenia.

Rostów nad Donem, czyli wrota wiodące na Kaukaz, padł 23 lipca. Hitler niezwłocznie rozkazał 17. Armii zdobycie Batumi, natomiast 1. i 4. Armia Pancerna miały się skierować ku polom naftowym Majkopu i Groznego, stolicy Czeczenii. „Jeśli nie weźmiemy Majkopu i Groznego", powiedział Führer do swoich generałów – wtedy będę musiał zakończyć tę wojnę"[22]. Stalin, wstrząśnięty tym, iż jego przewidywania dotyczące następnej ofensywy na Moskwę okazały się całkowicie błędne, i zdając sobie sprawę, że Armii Czerwonej brakuje dostatecznie silnych wojsk na Kaukazie, wysłał Ławrientija Berię, by ten zasiał nieco strachu wśród frontowych dowódców.

---

[19] C. Podewils, *Don und Volga. Aufzeichnungen aus dem Jahre 1942*, München 1952, s. 47.
[20] H. Groscurth, *Tagebücher eines Abwehroffiziers 1938–1940*, Stuttgart 1970, s. 527.
[21] Kapral Fritz W., 389. baon rezerwowy, 9 lipca 1942 r., BfZ-SS 05 951.
[22] W. Görlitz, *Paulus: „Ich stehe hier auf Befehl!". Lebensweg des Generalfeldmarschalls Friedrich Paulus*, Frankfurt am Main 1960, s. 157.

W tym czasie Paulus dostał rozkaz zdobycia Stalingradu siłami 6. Armii, podczas gdy rumuńska 4. Armia miała osłaniać jej lewe skrzydło nad Donem. Dywizje piechoty Paulusa maszerowały bez odpoczynku przez szesnaście dni. Z kolei XXIV Korpus Pancerny z armii Hotha, który pędził na południe w kierunku Kaukazu, winien zawrócić i wesprzeć uderzenie na Stalingrad. Zdumiony Manstein dowiedział się, że jego 11. Armia po opanowaniu Krymu miała zostać przerzucona na północ, by wziąć udział w nowej ofensywie na froncie leningradzkim. Ponownie Hitler zaniedbał wymóg koncentracji sił i to w chwili, gdy usiłował zająć rozległe terytoria.

Dwudziestego ósmego lipca Stalin wydał rozkaz nr 227 – „Ani kroku w tył" („*Ни шага назад*") – sporządzony przez generała pułkownika Aleksandra Wasilewskiego. „Panikarzy i tchórzy należy likwidować na miejscu. Trzeba stanowczo wykorzenić myśli o odwrocie. Ci dowódcy armii, którzy zezwalają na samowolne opuszczanie pozycji, muszą być usuwani i od razu stawiani przed trybunałem wojennym"[23]. Oddziały zaporowe rozlokowano na zapleczu wszystkich armii, by strzelały do tych, którzy podawali tyły. W owym miesiącu bataliony karne zostały wzmocnione trzydziestoma tysiącami więźniów łagrów, osłabionymi i niedożywionymi, którzy nie przekroczyli jeszcze czterdziestego roku życia. W tymże roku w radzieckich obozach zginęło łącznie 352 560 ludzi – jedna czwarta więźniów[24].

Barbarzyński rozkaz nr 227 przywiódł do skandalicznych nadużyć, gdy niecierpliwi sowieccy dowódcy poszukiwali kozłów ofiarnych. Dowódca pewnej dywizji polecił pułkownikowi, którego pułk zbyt opieszale przeprowadził natarcie, aby kogoś rozstrzelał. „To nie egzekutywa związkowców – wyjaśnił rzeczony generał – tylko wojna". Pułkownik wybrał na ofiarę porucznika Aleksandra Obodowa, powszechnie podziwianego dowódcę kompanii moździerzy. Komisarz polityczny pułku i kapitan z wydziału specjalnego NKWD aresztowali Obodowa. „Towarzyszu komisarzu, zawsze byłem dobrym człowiekiem", powiedział Obodow, nie mogąc uwierzyć w los, jaki go spotkał. „Dwaj oficerowie, którzy go aresztowali, rozeźlili się i zaczęli do niego strzelać – wspominał jeden z jego przyjaciół. – Sasza [Obodow] próbował rękami opędzać się od kul jak od much. Po trzeciej serii padł na ziemię"[25].

Zanim jeszcze 6. Armia Paulusa dotarła w wielkie zakole Donu, Stalin powołał do istnienia Front Stalingradzki i postawił miasto na stopie wojennej. Gdyby Niemcy sforsowali Wołgę, kraj zostałby przepołowiony na dwie części. Angloamerykańskie szlaki zaopatrzeniowe przebiegające przez Persję

23 CAMO 48/486/28, s. 8.
24 GARF 9401/1a/128, s. 121.
25 Jefim Abielewicz Golbrajch, w: *Swiaszczennaja wojna, op. cit.*, s. 114–115.

zostały zagrożone i to tuż po tym, jak Brytyjczycy skasowali konwoje płynące do północnej Rosji. Kobiety, a nawet młode dziewczęta zapędzono do kopania rowów przeciwczołgowych i usypywania wałów ziemnych, które chroniłyby zbiorniki z ropą naftową nad Wołgą. Dziesiąta Dywizja Strzelecka NKWD przybyła na miejsce i objęła straż nad przeprawami przez Wołgę, starając się przywrócić dyscyplinę w mieście coraz bardziej owładniętym paniką. Stalingradowi zagrażały 6. Armia Paulusa w łuku Donu oraz 4. Armia Pancerna Hotha, niespodziewanie zawrócona przez Hitlera na północ w celu przyspieszenia zdobycia miasta.

O świcie 21 sierpnia piechota niemieckiego LI Korpusu przeprawiła się przez Don na łodziach szturmowych. Opanowała przyczółek, przerzuciła przez rzekę mosty pontonowe, a następnego popołudnia czołgi 16. Dywizji Pancernej generała porucznika Hansa Hubego zaczęły się po nich przetaczać. Dwudziestego trzeciego sierpnia, tuż przed brzaskiem, czołowy batalion pancerny Hubego, dowodzony przez pułkownika Hyazintha Strachwitza, wyruszył w kierunku wschodzącego słońca na Stalingrad, leżący zaledwie sześćdziesiąt pięć kilometrów dalej na wschodzie. Podłoże na stepie nad Donem, rozległe tereny pokryte uschniętymi trawami, było twarde jak głaz. Tylko parowy spowalniały niemieckie natarcie. Ale sztab Hubego nagle się zatrzymał, odebrawszy nieoczekiwany radiogram. Dywizja czekała, czołgi stały z wyłączonymi silnikami. Wkrótce nadleciał łącznikowy Fieseler Storch, zatoczył koło w powietrzu i wylądował w pobliżu wozu, z którego dowodził Hube. Podszedł doń generał Wolfram von Richthofen, brutalny i rozpoznawalny po ogolonej głowie dowódca 4. Floty Powietrznej. Oświadczył Hubemu, że na podstawie rozkazu z kwatery głównej Führera cała jego flota powietrzna ma uderzyć na Stalingrad. „Korzystajcie dziś z naszego wsparcia! – powiedział do Hubego. – Będzie was wspomagało tysiąc dwieście samolotów. Na jutro niczego nie mogę panu obiecać"[26]. Kilka godzin później niemieccy czołgiści entuzjastycznie machali rękami zmasowanym eskadrom heinkli He 111, junkersów Ju 88 oraz stukasów lecących ponad ich głowami w stronę Stalingradu.

Owa niedziela 23 sierpnia 1942 roku była dla mieszkańców Stalingradu pamiętnym dniem. Nie wiedząc, że niemieckie wojska podeszły już blisko, ludność cywilna wypoczywała w słońcu na Kurhanie Mamaja, wielkim kopcu z czasów tatarskich górującym nad centrum miasta i rozciągającym się na ponad trzydziestu kilometrach na wielkim łuku zachodniego brzegu Wołgi. Głośniki na ulicach ostrzegały przed nalotem, ale dopiero kiedy baterie przeciwlotnicze otworzyły ogień, ludzie zaczęli szukać schronienia.

---

[26]   C. Podewils, *Don und Volga*, *op. cit.*, s. 107.

Napływające falami samoloty Richthofena przystąpiły do nalotu dywanowego na miasto. „Późnym popołudniem – zapisał Richthofen w swoim dzienniku – rozpocząłem dwudniowy silny nalot na Stalingrad, a od samego początku bomby zapalające odniosły dobry skutek"[27]. Zbiorniki z benzyną, trafione bombami, eksplodowały jak ogniste kule, a potem wzbiły się ku niebu słupy czarnego dymu, widoczne z ponad stu pięćdziesięciu kilometrów. Tysiące ton bomb burzących i zapalających zamieniło miasto w piekło. Wysokie budynki mieszkalne, duma Stalingradu, uległy zniszczeniu. Był to najbardziej skoncentrowany atak powietrzny podczas całej wojny na froncie wschodnim. W mieście przebywało, razem z uchodźcami, około sześciuset tysięcy ludzi, z czego, jak się szacuje, blisko czterdzieści tysięcy zginęło w trakcie owych dwudniowych nalotów.

Żołnierze 16. Dywizji Pancernej Hubego pozdrawiali lotników, gdy ci powracali znad celu, a piloci stukasów uruchomili syreny w odpowiedzi na te wiwaty. Późnym popołudniem batalion pancerny Strachwitza zbliżył się do Wołgi nieco na północ od miasta. Ale czołgi zostały ostrzelane przez baterie przeciwlotnicze, których działa kalibru 37 mm wycelowano w niemieckie tanki. Ich obsługę stanowiły młode kobiety, w tym wiele uczennic i studentek, które walczyły do końca. Dowódcy niemieckich oddziałów pancernych byli wstrząśnięci, gdy odkryli płeć poległych obrońców.

Niemcy przebyli całą drogę znad Donu nad Wołgę w ciągu jednego dnia, co wydawało się wielkim wyczynem. Dotarli do tego, co uważali za granicę Azji, a zarazem do wytyczonej przez Hitlera linii, przebiegającej z Archangielska do Astrachania. Wielu z nich uznało, że wojna praktycznie dobiegła końca. Fotografowali się nawzajem w pozach zwycięzców na tle czołgów i uwieczniali na zdjęciach słupy dymu wznoszące się nad Stalingradem. Pewien as myśliwski Luftwaffe wraz ze swoim skrzydłowym na widok niemieckich czołgów na ziemi wykręcili w powietrzu triumfalne beczki.

Jeden z dowódców, stojąc na swoim czołgu na wysokim zachodnim brzegu Wołgi, spoglądał za rzekę przez lornetkę. „Patrzyliśmy na wielkie stepy rozciągające się ku Azji i byłem [tym widokiem] poruszony do głębi – wspominał. – Ale nie mogłem o tym rozmyślać za długo, ponieważ musieliśmy przeprowadzić atak na kolejną baterię przeciwlotniczą, która zaczęła nas ostrzeliwać"[28]. Odwaga młodych kobiet obsługujących te działa przeszła do legendy. „To była pierwsza karta obrony Stalingradu", pisał Wasilij Grossman, który wkrótce potem wysłuchał relacji bezpośrednich świadków.

---

[27] Richthofen KTB, 23 sierpnia 1942 r., BA-MA N671/2/7/9, s. 140.
[28] Zapis rozmowy z generałem porucznikiem (w st. sp.) Berndem Freytagiem von Loringhovenem, 23 października 1995 r.

Tego lata, przełomowego dla Wielkiej Koalicji, Churchill postanowił, że musi złożyć Stalinowi wizytę i podczas rozmowy w cztery oczy wyjaśnić mu powody, z jakich wstrzymano konwoje i niemożliwe było chwilowo otwarcie drugiego frontu. Po upadku Tobruku i ciężkich stratach poniesionych w bitwie na Atlantyku ostro krytykowano Churchilla także w Wielkiej Brytanii. Nie był zatem w najlepszym nastroju przed serią trudnych spotkań ze wschodnim dyktatorem.

Przyleciał do Moskwy z Kairu przez Teheran, a w radzieckiej stolicy znalazł się 12 sierpnia. Tłumacz Stalina przyglądał się Churchillowi, gdy ten dokonywał przeglądu kompanii honorowej, co czynił z wysuniętym podbródkiem, wpatrując się „intensywnie w każdego żołnierza, jak gdyby oceniał siłę charakteru radzieckich wojowników"[29]. Churchill, zawzięty antybolszewik, po raz pierwszy postawił stopę na sowieckim terytorium. Towarzyszył mu William Averell Harriman, który w trakcie tych rozmów reprezentował Roosevelta, lecz musiał wsiąść do pierwszego z podstawionych samochodów wraz ze skwaszonym Mołotowem.

Tego wieczoru Churchilla i Harrimana wprowadzono do mrocznego i surowo urządzonego mieszkania Stalina na Kremlu. Brytyjski premier zapytał o sytuację militarną, co okazało się wodą na młyn Stalina. Drobiazgowo opisał bardzo groźny rozwój wypadków na południu ZSRR, zanim jeszcze Churchill przystąpił do wyjaśniania, dlaczego uruchomienie drugiego frontu trzeba było przełożyć na później.

Churchill zaczął od omawiania wielkiej koncentracji alianckich sił w Wielkiej Brytanii. Potem wspomniał o strategicznej ofensywie bombowej i potężnych nalotach na Lubekę i Kolonię, wiedząc, że połechce to mściwe instynkty Stalina. Churchill starał się przekonać radzieckiego przywódcę, że niemieckie wojska we Francji są zbyt silne, aby sprzymierzeni mogli przeprawić się przez kanał La Manche przed 1943 rokiem. Stalin energicznie zaprotestował i „podważał liczby przytoczone przez Churchilla, a dotyczące rozmiarów niemieckich sił zbrojnych na zachodzie Europy". Dodał pogardliwie, że „kto nie ma ochoty podejmować ryzyka, nigdy nie wygra wojny".

Licząc na stonowanie wzburzenia radzieckiego przywódcy, Churchill nakreślił następnie plany lądowania w Afryce Północnej, do których przekonał wcześniej Roosevelta za plecami generała Marshalla. Wziął kartkę i narysował na niej krokodyla, aby zilustrować myśl, że zaatakowane zostanie „miękkie podbrzusze" wrogiej bestii. Ale Stalina nie zadowolił taki substytut drugiego frontu europejskiego. Kiedy Churchill napomknął o możli-

---

[29] V.M. Berezhkov, *History in the Making. Memoirs of World War II Diplomacy*, Moscow 1983, s. 193.

wości inwazji na Bałkany, dyktator od razu wyczuł, że rzeczywistym celem byłoby udaremnienie wkroczenia Armii Czerwonej do tego regionu. Mimo to spotkanie zakończyło się w lepszej atmosferze, niż spodziewał się tego Churchill.

Jednakże nazajutrz Stalin ostro potępił perfidię sprzymierzonych, a Mołotow uparcie powtarzał wszystkie te zarzuty, co rozeźliło i przygnębiło Churchilla na tyle, że Harriman musiał następnie poświęcić kilka godzin na próby podniesienia go na duchu. Czternastego sierpnia Churchill chciał zerwać rozmowy i zrezygnować z udziału w bankiecie urządzonym tamtego wieczoru na jego cześć. Brytyjskiemu ambasadorowi, sympatycznemu ekscentrykowi Archibaldowi Clarkowi Kerrowi, ledwie udało się mu to wyperswadować. Niemniej Churchill uparł się, że pojedzie na bankiet w swoim „dresie" – rodzaju kombinezonu, przyrównanym przez Clarka Kerra do dziecięcych śpioszków, podczas gdy wszyscy czołowi sowieccy funkcjonariusze i dowódcy wojskowi mieli wystąpić w galowych uniformach.

Kolacja we wspaniałej Sali Katarzyny na Kremlu przeciągnęła się do północy; podano dziewiętnaście dań i nieustannie wznoszono toasty, najczęściej inicjowane przez Stalina, który podchodził, aby trącić się kieliszkiem. „[Stalin] ma nieprzyjemnie zimną, przebiegłą, martwą twarz – zapisał w swoim dzienniku generał Alan Brooke – a kiedy tylko na niego patrzę, potrafię sobie wyobrazić, jak posyła ludzi na zatracenie, nie mrugnąwszy nawet okiem. Z drugiej strony niewątpliwie jest bystry i rozumie realia wojny"[30].

Następnego dnia Clark Kerr musiał użyć całego swego uroku osobistego i daru przekonywania. Churchilla rozwścieczało zarzucanie Brytyjczykom tchórzostwa przez Sowietów. Ale po oficjalnym spotkaniu Stalin zaprosił go do swego gabinetu na kolację. Atmosfera szybko uległa rozluźnieniu dzięki alkoholowi i wizycie córki Stalina, Swietłany. Stalin zrobił się przyjazny, dowcipkując na lewo i prawo, a Churchill naraz ujrzał radzieckiego tyrana w zupełnie nowym świetle. Nabrał przekonania, że uczynił ze Stalina swego przyjaciela, i nazajutrz opuścił Moskwę wielce zadowolony z odniesionego sukcesu. Churchill, dla którego emocje często liczyły się bardziej od faktów, nie dostrzegł, że Stalinowi jeszcze lepiej niż Rooseveltowi udawało się manipulować ludźmi.

W kraju czekały na Churchilla kolejne złe wieści. Dziewiętnastego sierpnia pod kierownictwem szefa Dowództwa Operacji Połączonych lorda Louisa Mountbattena przeprowadzono zmasowany desant na Dieppe na północnym wybrzeżu Francji. W operacji „Jubilee" wzięło udział zaledwie nieco ponad sześć tysięcy żołnierzy, głównie kanadyjskich, a także

---

[30] A. Brooke (lord Alanbrooke), *War Diaries, 1939–1945*, London 2001, s. 301.

oddział Wolnych Francuzów i pododdział amerykańskich rangersów. Wcześnie rano wschodnie zgrupowanie szturmowe natknęło się na niemiecki konwój, co ostrzegło siły Wehrmachtu przed zbliżającym się atakiem. Niemcy zatopili niszczyciel i trzydzieści trzy małe barki desantowe. Wszystkie alianckie czołgi, które znalazły się na brzegu, również uległy zniszczeniu, a kanadyjska piechota na plażach wpadła w pułapkę silnych umocnień i zasieków z drutu kolczastego.

Rajd na Dieppe, w którego wyniku sprzymierzeni stracili ponad cztery tysiące ludzi, przyniósł surowe, choć i oczywiste wnioski. Przekonał aliantów, że silnie bronionych portów nie da się zdobyć z morza, desant zaś trzeba poprzedzić potężnym lotniczym i morskim bombardowaniem, a co najważniejsze, że inwazji na północną Francję nie należy przeprowadzać do roku 1944. Stalina po raz kolejny rozwścieczyło odłożenie na później stworzenia tak ważnego drugiego frontu. Jednakże wspomniana katastrofa przyniosła sprzymierzonym także pewną poważną korzyść. Oto Hitler uznał, że wkrótce będzie mógł ogłosić wał atlantycki przeszkodą nie do sforsowania, a jego wojska we Francji bez trudu odeprą każdą próbę inwazji.

W Związku Radzieckim wieści o rajdzie na Dieppe rozbudziły nadzieje na rozpoczęcie walk na drugim froncie, lecz optymizm ten rychło przeszedł w gorzkie rozczarowanie. Operację uznano za ochłap rzucony zagranicznej opinii publicznej. Kwestia drugiego frontu stała się obosieczną bronią radzieckiej propagandy, zarówno ognikiem nadziei dla całego społeczeństwa, jak i źródłem docinek pod adresem Brytyjczyków i Amerykanów. Kiedy w ZSRR otwierano konserwy z mięsną mielonką (czy też, jak nazywali je Rosjanie – tuszonką), dostarczane w ramach amerykańskiego programu Lend-Lease, powiadano przy tym: „Otwórzmy »drugi front«"[31].

W odróżnieniu od ich towarzyszy broni na południu Rosji, duch bojowy niemieckich wojsk wokół Leningradu nie przedstawiał się najlepiej. Zadręczały je niepowodzenia w zdławieniu oporu stawianego przez „pierwsze miasto bolszewizmu". Po surowych mrozach zimy nadeszły niewygody bytowania wśród bagnisk i rojów komarów.

Z kolei sowieccy obrońcy Leningradu byli wdzięczni losowi za przetrwanie głodu minionej strasznej zimy, który zabił prawie milion ludzi. Starano się wysprzątać miasto i usunąć nagromadzone odpadki, które zagrażały wybuchem epidemii. Ludność zmobilizowano do sadzenia kapusty na każdym wolnym kawałku gruntu, między innymi na całym Polu Marsowym. Leningradzka Rada Miejska utrzymywała, że wiosną 1942 roku obsadzono jarzynami dwanaście i pół tysiąca hektarów w samym mieście i wokół niego.

---

[31] I. Erenburg, *Ludzie, lata, życie*, cz. 5, tłum. W. Komarnicka, Warszawa 1984, s. 84.

Aby zapobiec głodowi podczas następnej zimy, podjęto na nowo ewakuację ludności cywilnej przez jezioro Ładoga; ponad pół miliona osób wyjechało z miasta, a na ich miejsce miały przybyć wojskowe rezerwy. Inne przygotowania obejmowały gromadzenie zapasów i układanie rurociągu paliwowego na dnie Ładogi.

Dziewiątego sierpnia dużo dla podniesienia morale uczyniło wykonanie w mieście VII symfonii (zwanej leningradzką) Dymitra Szostakowicza; koncert ten transmitowano w wielu krajach[32]. Niemiecka artyleria usiłowała zakłócić występ, ale radzieckie baterie dział odpowiedziały na to skutecznym ogniem, ku radości leningradczyków. Cieszyło ich wielce także to, że nieustanne ataki Luftwaffe na transporty przez jezioro Ładoga trochę osłabły w wyniku zestrzelenia stu sześćdziesięciu niemieckich samolotów.

Sowiecki wywiad ustalił, że Niemcy pod dowództwem feldmarszałka von Mansteina, który przybył na czele 11. Armii, mieli przystąpić do silnego szturmu. W ramach operacji o kryptonimie „Nordlicht" Hitler rozkazał Mansteinowi zniszczenie miasta i połączenie się z Finami. Aby pokrzyżować ten atak, Stalin polecił Frontom Leningradzkiemu i Wołchowskiemu podjęcie kolejnej próby rozbicia niemieckiego występu w linii frontu, sięgającego ku południowym brzegom Ładogi – a tym samym przerwania oblężenia. Owa tak zwana ofensywa siniawińska rozpoczęła się 19 sierpnia.

Pewien młody czerwonoarmista opisał swój pierwszy atak przeprowadzony o świcie w liście do rodziny: „Szum, grzmot i wycie odłamków wypełniły powietrze; ziemia drżała, dym zasnuwał całe pole bitwy. Czołgaliśmy się bez przerwy. Naprzód, tylko naprzód, inaczej śmierć. Odłamek rozciął mi wargę, krew zalała mi twarz, mnóstwo odłamków leciało z góry jak grad, parząc nam ręce. Nasz karabin maszynowy już strzelał, ogień się nasilił, aż nie dało się wychylić głowy. Płytki okop chronił nas przed odłamkami. Próbowaliśmy posuwać się naprzód tak szybko, jak tylko się dało, żeby wyjść ze strefy ostrzału. Powyżej zaczęły dudnić samoloty. Zaczęło się bombardowanie. Nie pamiętam, jak długo trwało to piekło. Gruchnęła wieść, że pojawiły się niemieckie wozy pancerne. Obleciał nas paniczny strach, ale okazało się, że to nasze czołgi przejeżdżały przez zasieki z drutu kolczastego. Wkrótce dotarliśmy do tych drutów i powitał nas straszny ogień. Tam właśnie zobaczyłem pierwszy raz zabitego żołnierza; leżał bez głowy nad rowem, który tarasował nam drogę. Dopiero wtedy zaświtało mi w myślach, że i ja mogę zginąć. Przeskoczyliśmy nad trupem. (...) Pozostawiliśmy za sobą ogniowe piekło. Przed nami rozciągał się rów przeciwczołgowy. Gdzieś z boku zaczęły grzechotać karabiny maszynowe. Biegliśmy zgięci wpół.

---

[32] Ch. Bellamy, *Wojna absolutna. Związek Sowiecki w II wojnie światowej*, tłum. M. Antosiewicz, M. Habura, P. Laskowicz, Warszawa 2010, s. 398–410.

Nastąpiły ze dwa albo trzy wybuchy. »Prędzej, rzucają granaty«, wrzasnął Puczkow. Pobiegliśmy jeszcze szybciej. Dwóch martwych żołnierzy z obsługi kaemu przywarło do drewnianej kłody, jak gdyby próbowali się nad nią przeczołgać; blokowali nam drogę. Opuściliśmy okop, przebiegliśmy po płaskim terenie i wskoczyliśmy [do następnego okopu]. Zabity niemiecki oficer leżał na jego dnie, z twarzą w błocie. Było tam pusto i cicho. Nigdy nie zapomnę tego drugiego ziemnego przejścia, którego jedną ścianę oświetlało słońce. Wszędzie świstały kule. Nie wiedzieliśmy, gdzie są Niemcy, byli przed nami i za nami. Jeden z obsługi karabinu maszynowego wyskoczył, żeby się rozejrzeć, ale od razu został zabity przez snajpera. Przysiadł, jakby się zadumał, a głowa opadła mu na pierś"[33].

Sowieckie straty były bardzo poważne – sto czternaście tysięcy ludzi, w tym czterdzieści tysięcy poległych – ale ku wściekłości Hitlera to uprzedzające uderzenie całkowicie udaremniło operację, którą miał przeprowadzić Manstein.

*

Nadal owładnięty obsesją zdobycia złóż ropy naftowej na Kaukazie oraz miasta nazwanego na cześć Stalina, Hitler był pewien, że „Rosjanie są skończeni"[34], mimo że jego wojska wzięły znacznie mniej jeńców, niż się spodziewano. W tym czasie założył swoją nową kwaterę główną, znaną jako „Werwolf", koło Winnicy na Ukrainie, lecz nie dawały mu tam spokoju muchy i komary, a podenerwowanie wzmagał uciążliwy upał. Führer zaczął wypatrywać symbolicznych oznak zwycięstwa, zamiast skupić się na analizie militarnych realiów. Dwunastego sierpnia oznajmił włoskiemu ambasadorowi, że bitwa o Stalingrad zadecyduje o wyniku wojny[35]. Dwudziestego pierwszego sierpnia oddział niemieckiej piechoty górskiej wspiął się na Elbrus, wznoszący się na 5600 metrów n.p.m. najwyższy szczyt Kaukazu, by zatknąć tam „sztandar bojowy Rzeszy". Trzy dni później wiadomość o tym, że pancerne czołówki Paulusa wyszły nad Wołgę, jeszcze bardziej podniosła Hitlera na duchu. Ale niebawem, 31 sierpnia, wpadł w furię, kiedy feldmarszałek List, dowódca Grupy Armii „A" na Kaukazie, powiedział mu, że jego żołnierze są u kresu sił i natrafiają na opór dużo silniejszy od spodziewanego. Hitler nie dowierzał Listowi i wydał rozkaz ataku na Astrachań oraz opanowania zachodnich wybrzeży Morza Kaspijskiego. Zwyczajnie nie chciał po-

---

[33] List Borisa Antonowa, W. Antonow, *Ot partii do obieliska*, w: *idem, Nasza wojna*, Moskwa 2005, s. 256.

[34] N. von Below, *Byłem adiutantem Hitlera, 1937–1945, op. cit.*, s. 319.

[35] ADAP, seria E, t. III, s. 304–307, cyt. za: M. Kitchen, *Rommel's Desert War. Waging World War II in North Africa, 1941–1943*, Cambridge 2009, s. 286.

godzić się z tym, że powierza takie zadania zbyt słabym wojskom, którym brakuje paliwa, amunicji i innego zaopatrzenia.

Z kolei wśród niemieckich żołnierzy pod Stalingradem utrzymywały się wysoce optymistyczne nastroje. Sądzili, że miasto to wkrótce znajdzie się w ich rękach, a wtedy będą mogli wrócić do kraju. „W każdym razie nie pozostaniemy w Rosji na kwaterach zimowych – pisał żołnierz 389. Dywizji Piechoty – gdyż w naszej dywizji nie przyjęto żadnej odzieży zimowej. W tym roku, jak Bóg da, powinniśmy zobaczyć się znowu z naszymi bliskimi"[36]. „Miejmy nadzieję, że operacja ta nie potrwa zbyt długo"[37], rzucił niezobowiązująco pewien kapral ze zwiadu motocyklowego 16. Dywizji Pancernej, po tym jak zauważył, że wzięte do niewoli radzieckie kobiety w mundurach wojskowych były tak brzydkie, iż ledwie dało się na nie patrzeć.

Dowództwo 6. Armii robiło się coraz bardziej niespokojne z powodu wydłużonych linii zaopatrzeniowych, które rozciągały się na setki kilometrów aż znad Donu. Noce, jak zanotował Richthofen w swoim dzienniku, stały się nagle „bardzo chłodne"[38]. Do zimy nie pozostało wiele czasu. Niemieckich sztabowców niepokoił też stan słabych rumuńskich, włoskich i węgierskich wojsk strzegących prawego brzegu Donu na tyłach. Kontrataki Armii Czerwonej w wielu miejscach wyparły oddziały sojuszników Niemiec i uchwyciły przyczółki za tą rzeką, co później miało odegrać decydującą rolę.

Oficerowie radzieckiego wywiadu już przystąpili do zbierania wszelkich materiałów o tych sprzymierzeńcach Rzeszy. Wielu włoskich żołnierzy posłano na front wschodni wbrew ich woli, niektórych przywożąc tam nawet „w łańcuchach". Żołnierzom rumuńskim, jak odkryli Rosjanie, oficerowie przyobiecali, że „po wojnie dostaną ziemię w Transylwanii [Siedmiogrodzie] i na Ukrainie[39]. Jednakże rumuńscy żołnierze otrzymywali żałośnie niski żołd w wysokości zaledwie sześćdziesięciu lei miesięcznie, a ich dziennie przydziały prowiantu były ograniczone do połowy menażki gorącej strawy i trzystu–czterystu gramów chleba na dzień[40]. Nienawidzili członków Żelaznej Gwardii w swoich szeregach, gdyż ci zajmowali się szpiegowaniem w wojsku. Demoralizację panującą w rumuńskiej 3. i 4. Armii skrzętnie odnotowano w Moskwie.

Losy frontów pod Stalingradem, na Kaukazie i w Egipcie były z sobą ściśle powiązane. Rozciągnięte na wielkiej przestrzeni wojska Wehrmachtu,

---

[36] Szeregowy Heinrich R., 389. Dywizja Pancerna, 28 sierpnia 1942 r., BfZ-SS 43 260.
[37] Kapral Eduard R., 16. Dywizja Pancerna, 25 sierpnia 1942 r., BfZ-SS 28 148.
[38] Richthofen KTB, 23 sierpnia 1942 r., BA-MA N671/2/7/9, s. 140.
[39] CAMO FSB 14/4/326, s. 269–270.
[40] CAFSB 14/4/777, s. 32–34.

zdające się w coraz większej mierze na swoich słabych sprzymierzeńców, straciły wielki atut *Bewegungskriegu* – możliwości prowadzenia działań manewrowych. Okres takich operacji dobiegł końca, ponieważ Niemcy ostatecznie utraciły inicjatywę strategiczną. W kwaterze głównej Führera, podobnie jak w północnoafrykańskim obozie Rommla, nie spodziewano się już cudów po wyczerpanych wojskach i liniach zaopatrzeniowych nie do utrzymania. Hitler zaczął podejrzewać, że Trzecia Rzesza osiągnęła szczytowy punkt swej ekspansji. I był jeszcze bardziej zdeterminowany, aby nie zezwolić własnej generalicji na odwrót.

ROZDZIAŁ 23

Kontrofensywa na Pacyfiku

lipiec 1942–styczeń 1943

Po podjętej w lipcu 1942 roku decyzji o odłożeniu na późniejszy termin inwazji na francuskich brzegach kanału La Manche i lądowaniu zamiast tego we francuskiej części Afryki Północnej admirał King skorzystał z okazji do wzmocnienia swoich sił na Oceanie Spokojnym. Zamierzał w miarę możliwości utrzymać prowadzenie wojny z Japonią pod kontrolą US Navy, wykorzystując formacje amerykańskiego Korpusu Piechoty Morskiej jako czołówki w operacjach desantowych. Tymczasem szefostwo US Army zaplanowało przerzucenie do Oceanii prawie trzystu tysięcy żołnierzy, z których większość miała się znaleźć pod komendą generała Douglasa MacArthura i jego dowództwa regionu południowo-zachodniego Pacyfiku z kwaterą główną w Australii. King nie podzielał zachwytów amerykańskiej opinii publicznej nad MacArthurem; w istocie nie znosił go. Nawet były protegowany MacArthura generał Eisenhower żałował, że ten został ewakuowany z Filipin.

MacArthur pozował na kogoś w rodzaju wojskowego wicekróla, otoczywszy się dworem schlebiających mu sztabowców, znanych jako „gang z Baatanu". W przeciwieństwie do skromnego admirała Nimitza, cechującego się surową, ale dobrą prezencją, „Dugout Doug" był mistrzem w kreowaniu własnego wizerunku i lubił, gdy fotografowano go z jego charakterystyczną fajką, spoglądającego na widnokrąg Pacyfiku. Nie przywiązywał specjalnej wagi do życzeń swoich politycznych zwierzchników, czyli demokratów. Pogardzał Rooseveltem, a w 1944 roku na serio rozważał konkurowanie z nim w wyborach prezydenckich. Przywódcy partii republikańskiej chcieli, aby zajadle prawicowy MacArthur został mianowany naczelnym dowódcą amerykańskich wojsk lądowych oraz marynarki wojennej. Myśl o tak autokratycznym generale wtrącającym się do morskiej strategii przerażała admirała Kinga.

Obszar Dalekiego Wschodu pod wpływem nalegań Roosevelta podzielono na dwa teatry działań wojennych. Brytyjczycy mieli się zająć Chinami, Birmą i Indiami (tak zwanym obszarem CBI), mimo że Chiny znajdowały się zasadniczo w strefie interesów amerykańskich. Amerykanie mieli nadzorować operacje militarne na Oceanii i Morzu Południowochińskim oraz zapewnić obronę Australii i Nowej Zelandii. Rządy obu tych dominiów bynajmniej nie były zadowolone z takiego rozwiązania, które odbierało im głos w kwestiach strategicznych, ponieważ Kolegium Połączonych Szefów Sztabów w Waszyngtonie nie miało zamiaru komplikować przygotowywanych działań zbrojnych poprzez konsultowanie ich z sojusznikami. W kwietniu 1942 roku powołano do istnienia Radę Wojenną Pacyfiku (Pacific War Council), w której skład weszli przedstawiciele państw tamtego regionu, niemniej jednak organizacja ta funkcjonowała wyłącznie jako „wentyl" dla Chińczyków, Holendrów, Australijczyków i innych[1].

Najważniejszą sprawą była od stycznia obrona Australii, gdyż Japończycy zajęli wtedy Rabaul na Nowej Brytanii i przekształcili tę miejscowość w dużą bazę morską i lotniczą. Zagrażało to szlakom transportowym ze Stanów Zjednoczonych do Australii. Wszyscy zgadzali się, że trzeba działać, ale rozgorzały próżne spory na temat tego, czy operacjami w tym rejonie ma kierować MacArthur czy admirał Nimitz, głównodowodzący strefy Pacyfiku (*Commander in Chief Pacific*, CINCPAC). Późniejsze japońskie próby zajęcia Port Moresby na południowym wybrzeżu Papui-Nowej Gwinei zostały odłożone na później po dość chaotycznej bitwie na Morzu Koralowym. Jednakże Japończykom udało się zająć port Tulagi na Wyspach Salomona dalej na wschodzie. Rabaul stanowił główny cel dla Amerykanów i MacArthura, którzy chcieli zaatakować niezwłocznie, ale przed próbą odzyskania tego miasta dowództwo US Navy nalegało na wcześniejsze opanowanie południowych Wysp Salomona. Ostatnią rzeczą, jakiej życzył sobie Nimitz, było rzucenie przez MacArthura na Rabaul 1. Dywizji Piechoty Morskiej i wystawianie jednostek przewożących tę dywizję na ryzyko na wodach kontrolowanych przez japońskie lotnictwo.

Dane wywiadowcze od bardzo przydatnych grup australijskich „obserwatorów na wybrzeżach", rozmieszczonych z radionadajnikami w kryjówkach na wyspach Pacyfiku, wskazywały, że Japończycy przystąpili do budowy lotniska na Guadalcanal w pobliżu południowo-wschodniego skraju archipelagu Wysp Salomona. Ale o świcie 21 lipca, kiedy Amerykanie szykowali się do desantu na Tulagi i Guadalcanal siłami 1. Dywizji Piechoty Morskiej, a MacArthur przenosił swą kwaterę główną z Melbourne do Brisbane,

---

[1]   30 marca 1942 r., dokumenty Ernesta J. Kinga, cyt. za: R.H. Spector, *Eagle against the Sun. The American War with Japan*, London 2001, s. 143.

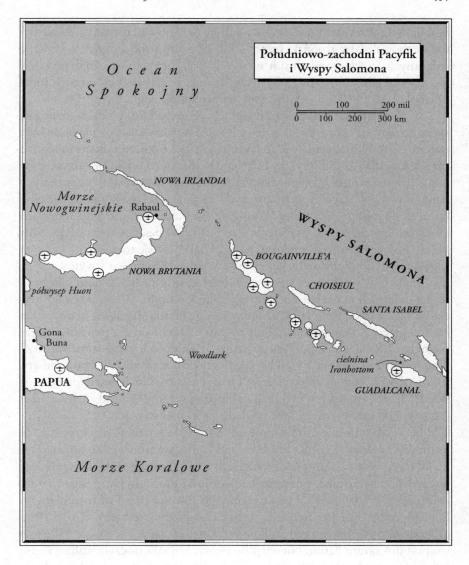

Południowo-zachodni Pacyfik
i Wyspy Salomona

O c e a n
S p o k o j n y

0   100   200 mil
0   100   200   300 km

NOWA IRLANDIA

Morze
Nowogwinejskie Rabaul

WYSPY SALOMONA

BOUGAINVILLE'A

NOWA BRYTANIA

półwysep Huon

CHOISEUL

SANTA ISABEL

Gona
Buna

Woodlark

cieśnina
Ironbottom

PAPUA

GUADALCANAL

Morze Koralowe

nadeszła wieść, że złożony z szesnastu tysięcy żołnierzy japoński kontyngent wylądował w Buna na północnych brzegach Papui. Wyraźnie zamierzali powtórnie spróbować uchwycić Port Moresby na południu jako bazę do późniejszego uderzenia na Australię.

Japończycy szybko umocnili się na przyczółku, a następnie zaczęli nacierać wzdłuż szlaku Kokoda. Ów przebiegał przez gęstą dżunglę, wijąc się między dochodzącymi do czterech tysięcy metrów wierzchołkami Gór Owena Stanleya. Australijscy obrońcy, mimo że znacznie ustępowali liczebnością przeciwnikowi, wykazywali się dzielnością, tocząc walki odwrotowe i spowalniając japoński marsz. Żołnierze obu stron cierpieli w skrajnie wilgotnych lasach tropikalnych na dyzenterię, dur plamisty, malarię i dengę. Zbocza górzystej dżungli były tak strome, że stąpających po nich ludzi bolały kolana i łydki, a jednocześnie trzęsły im się nogi.

W cuchnących oparach wśród lepkich, gnijących roślin odzież rozpadała się na strzępy, na skórze po ukąszeniach owadów rozwijała się infekcja, a obie walczące strony niedojadały z powodu trudności z dostarczaniem zaopatrzenia. Zrzuty dla Australijczyków były bardzo niecelne i udało się odzyskać tylko nieliczne zasobniki. I Japończycy, i Australijczycy zatrudnili miejscowych Papuasów w roli tragarzy, przenoszących na tyczkach zapasy i amunicję albo rannych na zaimprowizowanych noszach. Na błotnistych, stromych stokach górskiego łańcucha było to nader wyczerpujące. O dziesięć tysięcy Papuasów, którzy pomagali Australijczykom, na ogół należycie się troszczono, lecz tym zapędzonym do pracy przez Japończyków powodziło się bardzo źle.

Walki były bezlitosne. Japońscy żołnierze, w butach z hakami, ukrywali się na drzewach i strzelali do Australijczyków od tyłu. Wielu udawało martwych i leżało pod zwłokami, aż pojawiała się okazja strzelenia nieprzyjacielowi w plecy. Żołnierze australijscy rychło nauczyli się dla pewności dźgać bagnetami każdego napotkanego trupa. Znajdowali także złośliwą przyjemność w zatruwaniu wszelkiej żywności pozostawianej w czasie odwrotu, dziurawiąc bagnetami konserwy i rozrzucając w błocie resztę prowiantu. Wiedzieli, że Japończycy byli jeszcze bardziej wygłodniali od nich i zjadali wszystko, co tylko znaleźli, bez względu na konsekwencje.

Skandalicznie niedoinformowany MacArthur nabrał przekonania, że australijscy żołnierze górują liczebnie nad Japończykami, a tylko unikają walki. W rzeczywistości Australijczycy zdołali w ciągu następnych kilku miesięcy wyczerpać przeciwnika, pomimo konieczności prowadzenia zmagań w najtrudniejszych warunkach, i powstrzymać go również przed wkroczeniem do Port Moresby. Kolejna brygada, wsparta przez dwie eskadry RAAF (Royal Australian Air Force), pobiła Japończyków lądujących w zatoce Milne na wschodnim skraju Papui. Niestety, heroiczny bój jaki stoczyły walczące tam jednostki, został zepchnięty w cień przez australijską legendę szlaku Kokoda. Szóstego sierpnia pod osłoną chmur i rzęsistego deszczu osiemdziesiąt dwa okręty 61. Zespołu Uderzeniowego (TF 61) podpłynęły ku wyspom Guadalcanal i Tulagi. Dziewiętnaście tysięcy żołnierzy amerykańskiej piechoty morskiej zajęło się sprawdzaniem stanu broni, ostrzeniem bagnetów i poczernianiem żelaznych celowników w swoich karabinach. Prawie ustały typowe żarty i przyjacielskie docinki. O świcie następnego poranka, gdy ciężko obładowani *marines* schodzili po linowych drabinkach do barek desantowych, działa eskortujących ich okrętów rozpoczęły przygotowanie artyleryjskie. Samoloty z lotniskowców przeleciały ponad ich głowami, by zaatakować japońskie pozycje. Niebawem barki desantowe dotarły do plaż, a piechota morska rozbiegła się pod kokosowymi palmami. Amerykańskiej flocie inwazyjnej udało się zaskoczyć przeciwnika zarówno na Guadalcanal, jak i na Tulagi. Japończycy nie spodziewali się, że Amerykanie przeprowadzą przeciwuderzenie tak szybko po porażkach, których doznali.

Na Tulagi walki były zaciekłe, ale do czasu zapadnięcia zmroku następnego dnia wzmocniona 1. Dywizja Piechoty Morskiej zabezpieczyła obie wyspy. Wiceadmirał Fletcher, który dowodził zespołem nawodnym osłaniającym siły inwazyjne, poważnie się niepokoił, że trzy jego lotniskowce mogły zostać zaatakowane przez japońskie lotnictwo z baz na lądzie, a może także przez samoloty pokładowe. Ku wściekłości i niesmakowi kontradmirała Richmonda K. Turnera, dowodzącego siłami desantu, Fletcher nalegał, aby jego lotniskowce i okręty eskortowe odpłynęły do bazy w ciągu czterdziestu ośmiu godzin. Turner uważał tę decyzję Fletchera za równoznaczną z dezercją w obliczu wroga.

We wczesnych godzinach porannych 9 sierpnia zgrupowanie osłonowe Turnera zostało zaskoczone przez silną japońską eskadrę krążowników płynącą z Rabaul. Dowództwo Cesarskiej Marynarki Wojennej wiedziało, że ma zdecydowaną przewagę w działaniach nocnych. W ciągu nieco ponad pół godziny zostały zatopione australijski krążownik HMAS „Canberra" oraz trzy krążowniki US Navy. Łącznie zginęło tysiąc dwudziestu trzech australijskich i amerykańskich marynarzy. Na szczęście dla wojsk sprzymierzonych japoński wiceadmirał Gun'ichi Mikawa, z obawy przed uderzeniem powietrznym samolotów z amerykańskich lotniskowców, które wtedy w istocie znajdowały się jeszcze daleko, zawrócił do Rabaul. Turner kontynuował wyładunek sprzętu *marines* na Guadalcanal, lecz potem musiał odpłynąć wraz ze swoimi okrętami, gdyż jego eskortowce poniosły znaczne straty.

Żołnierze amerykańskiej piechoty morskiej, dobrze rozumiejąc, w jak niebezpiecznej sytuacji się znaleźli, pospiesznie szykowali zdobyte japońskie lotnisko, które przechrzcili na Henderson Field. Znajdowało się na północnym wybrzeżu Guadalcanal w otoczeniu kokosowych gajów. Było regularnie bombardowane codziennie, koło południa. *Marines* zwali tę porę „czasem Tōjō". Japońskie krążowniki i niszczyciele wpłynęły do zatoki przezwanej „Ironbottom" („Żelazne dno"), ponieważ zatopiono tam wiele okrętów, i wielokrotnie ostrzeliwali wspomniane lotnisko. Piętnastego sierpnia przecisnęły się tamtędy amerykańskie jednostki, przewożąc paliwo i bomby dla samolotów, które miały stacjonować na Henderson Field. Dziewiętnaście myśliwców Wildcat i dwanaście bombowców nurkujących pięć dni później wystartowało z pokładu lotniskowca i doleciało na miejsce. Generał major Alexander A. Vandegrift, dowódca 1. Dywizji Piechoty Morskiej, przyznał, że chciało mu się płakać z ulgi i radości, gdy maszyny te wylądowały bezpiecznie. Owo zgrupowanie lotnicze nazywano Cactus Air Force, gdyż hasło „Cactus" oznaczało Guadalcanal.

Najgorsze było nocne wyczekiwanie na nieuniknione japońskie kontruderzenie. Nagłe hałasy, czynione przez wypełzające na brzeg wielkie kraby, dzikie świnie kotłujące się w zaroślach, krzykliwe ptactwo, lub też głuche odgłosy spadających na piasek orzechów kokosowych prowokowały warty do strzelania w ciemnościach. Dni poświęcano na umacnianie pozycji obronnych, mimo że większość materiału wojennego nadal znajdowała się na pokładach transportowców, które admirał Turner musiał wycofać po odpłynięciu eskadry Fletchera i katastrofalnej bitwie w zatoce Ironbottom.

Na szczęście dla *marines* Japończycy uważali, że mają do czynienia z o wiele słabszym przeciwnikiem. W nocy 18 sierpnia japońskie niszczyciele z Rabaul wysadziły na brzeg 28. Pułk Piechoty pod komendą pułkownika Kiyonao Ichikiego, trzydzieści kilometrów na wschód od Henderson Field. Kiedy tylko patrole zawiadomiły Vandegrifta o tym desancie, ten wydał polecenie podjęcia obrony na linii rzeki Ilu. Nocą 21 sierpnia pułkownik Ichiki rozkazał swoim żołnierzom, a jego kontyngent liczył około tysiąca ludzi, atakować przez bagna namorzynowe. *Marines* na odległym nasypie już na nich czekali.

W upiornie zielonkawym blasku rac zmasakrowali nacierających Japończyków z broni maszynowej i dział przeciwpancernych strzelających pociskami zapalającymi. „Dopadła nas gorączka", napisał jeden z amerykańskich żołnierzy o żądzy zabijania, jaka ich ogarnęła[2]. Tylko kilku Japończyków się przedarło, lecz i oni zostali wkrótce zastrzeleni albo zadźgani. *Marines* podjęli oskrzydlający kontratak siłami odwodowego batalionu. „Niektórzy Japończycy rzucali się do kanału i uciekali wpław z tego koszmarnego zagajnika – relacjonował dalej cytowany żołnierz piechoty morskiej. – Przypominali lemingi. Nie mogli wrócić. Ich głowy podskakiwały [na wodzie] jak korki na horyzoncie. *Marines* kładli się na brzuchu na piasku i celowali w te głowy". Spośród tysiąca Japończyków zginęło ponad ośmiuset. Łowcy łupów ogołacali oblepione przez roje much trupy z wszystkiego, co tylko później nadawało się do wymiany. Jeden z żołnierzy, o przezwisku „Souvenirs" („Pamiątkarz"), chodził od zwłok do zwłok z obcążkami, kopniakiem otwierał zabitym usta i wyrywał z nich złote zęby. Niebawem zebrały się krokodyle i zaczęły ucztować. *Marines*, zaczajeni na swoich stanowiskach strzeleckich, z mieszanymi odczuciami nasłuchiwali w ciemnościach odgłosów miażdżonych ludzkich kości. Pułkownik Ichiki, który przeżył ten

---

[2] R. Leckie, *Helmet for My Pillow*, London 2010, s. 82.

atak, popełnił *seppuku* – rytualne samobójstwo, polegające na wbiciu miecza we własne trzewia.

Dwudziestego trzeciego sierpnia Japończycy wysłali następne siły desantowe, tym razem pod silną eskortą Połączonej Floty (Rengō Kantai). Doprowadziło to do bitwy koło wschodnich Wysp Salomona. Lotniskowce admirała Fletchera otrzymały rozkaz powrotu w rejon walk. Jego samoloty pokładowe zaatakowały i zatopiły mały japoński lotniskowiec Ryūjō, osłaniający eskadrę krążowników ostrzeliwujących Henderson Field, jednak Fletcher nie miał pojęcia, że w okolicy znalazły się również wielkie lotniskowce „Zuikaku" i „Shōkaku". Japończycy wysłali swoje samoloty przeciwko grupie Fletchera, a te uszkodziły lotniskowiec USS „Enterprise", ale przy tym wojsko japońskie straciło dziewięćdziesiąt maszyn, a Amerykanie tylko dwadzieścia. Wtedy lotniskowce obu stron wycofały się z walki, lecz piloci lotnictwa piechoty morskiej z Henderson Field i nielicznych „Latających Fortec" B-17 zdołali zaatakować lądujące siły japońskie i osiągnąć w tej akcji niezwykły sukces, niszcząc największy z okrętów transportowych przeciwnika i poważnie uszkadzając flagowy okręt kontradmirała Raizō Tanaki, „Jintsu".

Gdy Cactus Air Force uzyskały za dnia panowanie w powietrzu wokół Guadalcanal, Japończycy mogli dostarczać zaopatrzenie tylko nocą. Ze względu na straty ponoszone przez lotnictwo także Amerykanie byli jednak w stanie wysadzać swoje uzupełnienia na brzeg dopiero po zmroku. Przestarzałe myśliwce typu Wildcat nie dorównywały japońskim samolotom typu Zero, mimo to latający na nich piloci uzyskali imponującą liczbę zestrzeleń. Na ziemi *marines* Vandegrifta bytowali w swoich rowach strzeleckich na skraju dżungli lub w kokosowych zagajnikach. Bez przerwy bombardowani albo ostrzeliwani z morza prowadzili też nieustanne walki z małymi oddziałami Japończyków. Co noc pewien bombowiec, przezwany przez żołnierzy „Washing Machine Charlie" („Pralka żółtków"), dudnił na niebie i uniemożliwiał sen. Japończycy, którym brakowało amunicji, starali się prowokować *marines* do zdradzania swoich pozycji w nocy, łamiąc uschnięte tyczki bambusowe, gdyż ich trzask przypominał nieco karabinowy wystrzał. Potem podczołgiwali się w ciemnościach i wskakiwali do okopów lub ziemnych jam z maczetami, wymachując nimi na wszystkie strony, by następnie wydostać się na zewnątrz w nadziei, że w zamieszaniu ci Amerykanie, którzy przeżyli ową napaść, pozabijają się nawzajem.

Głodu prawie nie uśmierzały zapasy zarobaczonego ryżu, zdobytego wcześniej na Japończykach. Ale największym wrogiem były tropikalne gorączki, dyzenteria i ropiejące w skrajnej wilgotności tropików wrzody. Osobista odwaga szybko topniała. Nieliczni załamywali się nerwowo podczas bombardowań, ku wielkiemu zażenowaniu swoich towarzyszy broni. „Każdy odwracał wtedy wzrok – pisał cytowany już żołnierz piechoty morskiej, w cywilu komentator sportowy – niczym milioner na okropny widok członka klubu pożyczającego pięć dolarów od kelnera"[3].

Pod koniec sierpnia admirał Tanaka w trakcie nocnych akcji desantowych z udziałem niszczycieli zdołał wysadzić na brzeg zgrupowanie sześciu tysięcy japońskich żołnierzy pod dowództwem generała majora Kiyotakego Kawaguchiego. Przerzut tych wojsk na Guadalcanal, a nie na Papuę spowodował, że zelżał trochę nacisk na Australijczyków walczących na szlaku Kokoda. Główne siły wyrzucono tam, gdzie wcześniej przeprowadził desant pułk Ichikiego, natomiast inny oddział wylądował na zachód od lotniska Henderson Field. Kawaguchi okazał się niemal tak samo zarozumiały i pozbawiony wyobraźni jak Ichiki. Nie przeprowadziwszy rozpoznania, postanowił zaatakować od południa Henderson Field.

Gdy tylko wyruszył do akcji, wydzielony oddział amerykański uderzył na jego bazę, niszcząc całą artylerię i wszystkie urządzenia radiowe; potem *marines* oddali mocz na całe japońskie zapasy żywności. Wojska Kawaguchiego, nie wiedząc o tym ataku, błądziły po dżungli, często gubiąc drogę. W końcu wieczorem 12 września Kawaguchi rozpoczął szturm na niewielkie wzniesienia na południe od Henderson Field. Żołnierze amerykańskiej piechoty morskiej, dowiedziawszy się, że nie mogą się spodziewać pomocy od US Navy po wzmocnieniu japońskiego kontyngentu w Rabaul, oczekiwali najgorszego. Po opanowaniu lotniska przez wroga nie mieliby wyjścia, musieliby uciec na wzgórza i stamtąd prowadzić działania partyzanckie. Tymczasem bardzo brakowało im żywności.

W tej batalii o „krwawą grań" *marines* stracili jedną piątą swoich sił, natomiast Japończycy prawie połowę ludzi. Kawaguchi musiał przyznać się do porażki, kiedy i jego drugie zgrupowanie zostało odparte. Niedobitki japońskich oddziałów wycofały się ku wzgórzom, gdzie razem z resztkami niefortunnych żołnierzy Ichikiego dosłownie głodowały w przegniłych mundurach. Guadalcanal stał się w japońskim wojsku znany jako „wyspa głodu".

Admirał Yamamoto zareagował wzburzeniem na wieść o tym niepowodzeniu. Hańbę japońskich sił zbrojnych należało zmyć, więc zewsząd zebrano wojska, żeby zgnieść opór amerykańskich obrońców. Admirał Turner powrócił ze swoim zgrupowaniem uderzeniowym i 18 września wyokrętował na Guadalcanal posiłki w postaci 7. Pułku Piechoty Morskiej, ale lotniskowiec USS „Wasp" został zatopiony przez japoński okręt podwodny.

Dziewiątego października znacznie większe siły japońskie pod dowództwem generała porucznika Harukichiego[4] Hyakutakego znalazły się na wy-

---

[3] *Ibidem*, s. 89.
[4] Znanego też pod imieniem Haruyoshi lub Seikichi (przyp. red.).

spie. Jednak dwie noce później Turner wrócił ponownie i wysadził na ląd 164. Pułk Piechoty Dywizji Americal (23. Dywizji Piechoty). Najpierw zaplanował coś innego: schwytanie w pułapkę tego, co *marines* nazywali „ekspresem tokijskim", czyli japońskich okrętów dowożących żołnierzy i zaopatrzenie na Guadalcanal. Tym razem w skład owego konwoju weszły trzy krążowniki i osiem niszczycieli. W chaotycznej nocnej walce, jaka się wywiązała, zwanej bitwą koło przylądka Ésperance, Japończycy stracili ciężki krążownik i niszczyciel, a następny ciężki krążownik odniósł poważne uszkodzenia. Po stronie amerykańskiej ucierpiał tylko jeden krążownik. Wpłynęło to nader korzystnie na morale Amerykanów, zaś zespół nawodny Turnera bez większych przeszkód wysadził na ląd 164. Pułk Piechoty oraz zapasy. *Marines* wymykali się na plaże, aby pozbierać nieco rzeczy i pohandlować z marynarzami, oferując trofea zabrane japońskim zabitym. Samurajski miecz zmieniał właściciela za trzy duże tabliczki czekolady marki Hershey's. Za sztandar z symbolem wschodzącego słońca (określany przez Amerykanów mianem „pulpeta") można było dostać tuzin takich czekolad[5].

W trakcie następnych dwóch nocy japońskie pancerniki wpłynęły do zatoki „Ironbottom", ostrzeliwując pobliskie lotnisko, niszcząc niemal połowę alianckich samolotów na Guadalcanal i na tydzień unieruchamiając tamtejszy pas startowy. Ale trwała już budowa drugiego pasa, a przybycie świeżych oddziałów zdecydowanie zmieniło sytuację. Vandegrifta najbardziej pocieszało mianowanie wiceadmirała Halseya na głównodowodzącego na południowym Pacyfiku. Halsey, jasno pojmując, że walki na Guadalcanal przeobraziły się w próbę sił w zmaganiach Japonii ze Stanami Zjednoczonymi, był gotów zrezygnować ze wszelkich innych operacji militarnych w celu skoncentrowania maksymalnych sił tam, gdzie były najpilniej potrzebne. Roosevelt myślał dokładnie tak samo.

Nastała pora deszczowa, a ulewy wypełniły wodą okopy i transzeje. Zarośnięci żołnierze trzęśli się w nich z zimna, moknąc do suchej nitki przez całe dnie. Najważniejsze było niedopuszczenie do zamoknięcia amunicji. Oddziały Vandegrifta zdołały odeprzeć ataki generała Hyakutakego, przeprowadzane równie topornie jak wcześniej. *Marines* wycinali maczetami zarośla i trawy *kunai*, aby oczyścić pole ostrzału przed okopami. A jednak boje o Guadalcanal coraz bardziej przekształcały się w walne starcie na morzu. Seria potyczek od końca października do końca listopada była morską bitwą na wyczerpanie. Wypada przyznać, że amerykańskie straty były początkowo większe, ale w połowie listopada ciągnące się przez trzy dni zmagania przyniosły Amerykanom utratę dwóch lekkich krążowników i siedmiu

---

[5] R.H. Spector, *Eagle against the Sun, op. cit.*, s. 205.

niszczycieli, US Navy zatopiła jednakże dwa japońskie pancerniki, ciężki krążownik, trzy niszczyciele oraz siedem transportowców, na których zginęło sześć tysięcy żołnierzy mających wzmocnić wojska generała Hyakutakego. Do początku grudnia amerykańska flota zapanowała na podejściach do wyspy.

W drugim tygodniu grudnia wyczerpaną 1. Dywizję Piechoty Morskiej ewakuowano na odpoczynek do Melbourne, gdzie jej żołnierzom huczne powitanie zgotowały młode Australijki i gdzie odczytano im prezydencką mowę pochwalną. Została zastąpiona na Guadalcanal przez 2. Dywizję Piechoty Morskiej, Dywizję Americal oraz 25. Dywizję Piechoty w składzie XIV Korpusu generała majora Alexandra M. Patcha. W trakcie następnych dwóch miesięcy, po zaciętych walkach o górę Austen na południe od Henderson Field, japońskie niszczyciele ostatniego „ekspresu tokijskiego" ewakuowały trzynaście tysięcy ocalałych z liczącego początkowo trzydzieści sześć tysięcy ludzi kontyngentu Hyakutakego. Około piętnastu tysięcy spośród tych Japończyków, którzy zginęli, w istocie padło ofiarą głodu. Japończycy określali teraz Guadalcanal mianem „wyspy śmierci". Dla Amerykanów Guadalcanal okazał się z kolei pierwszą odskocznią na szlaku bojowym, który miał ich prowadzić przez Pacyfik aż do Tokio.

Przebieg wydarzeń na Guadalcanal dopomógł także Australijczykom broniącym Port Moresby. Japończycy, niezdolni do wzmocnienia lub zaopatrywania swoich oddziałów, rozkazali im wycofać się do Buna na północnym wybrzeżu Papui, gdzie pierwotnie wylądowali. Australijczycy ostatecznie uzyskali przewagę liczebną nad przeciwnikiem wraz z powrotem z Bliskiego Wschodu ich 7. Dywizji. Dla wygłodzonych i chorujących Japończyków, w rozpadających się mundurach i butach, odwrót przez górskie lasy tropikalne był koszmarnym doświadczeniem. Wielu nie przeżyło tego marszu. Nacierający Australijczycy odkrywali, że Japończycy pożywiali się ludzkimi zwłokami.

Kiedy Australijczycy i Amerykanie z 32. Dywizji Piechoty zaatakowali przyczółki koło Gona i Buna, okazało się to niebezpiecznym przedsięwzięciem. Japońscy żołnierze zawczasu przygotowali w dżungli świetnie zamaskowane schrony, budując je z mocnych pni palm kokosowych, których nie przebijały pociski z broni maszynowej. Dwudziestego pierwszego listopada, po tym jak generał MacArthur rozkazał 32. Dywizji Piechoty „zdobyć dzisiaj Buna za wszelką cenę"[6], jego oddziały poważnie ucierpiały w czasie tej akcji. Brakowało im ciężkiej broni, częściowo także prowiantu, a dodatkowo były co rusz bombardowane przez własne lotnictwo. Ich morale było bardzo niskie.

---

[6] Cyt. za: *ibidem*, s. 216–217.

Australijska 7. Dywizja atakująca Gona poniosła równie duże straty. Trzydziestego listopada część 32. Dywizji zdołała nocą przedostać się przez japońskie pozycje, czołgając się wśród wysokich, ostrych traw *kunai*. Ale walki o Buna i Gona trwały nadal, gdyż Japończycy stawiali rozpaczliwy opór. Dopiero przybycie lekkich czołgów i dodatkowych dział, którymi niszczono japońskie schrony, umożliwiło w końcu aliantom poczynienie postępów. Kiedy Australijczycy ostatecznie zdobyli Gona 9 grudnia, przekonali się, że Japończycy strzelali tam wcześniej zza ułożonych w stosy zwłok swoich poległych żołnierzy.

Dopiero w styczniu 1943 roku 32. Dywizja oraz Australijczycy definitywnie zniszczyli ostatnie nieprzyjacielskie punkty oporu. Japońscy obrońcy żywili się dzikimi trawami i korzeniami roślin. Wielu w rezultacie niedożywienia zapadło na czerwonkę pełzakową i malarię, a ci nieliczni, którzy trafili do niewoli, byli całkowicie wycieńczeni. MacArthur ogłosił odniesienie „wspaniałego zwycięstwa"[7], a potem obwinił „opieszałych" australijskich dowódców frontowych o to, że walki trwały tak długo. Jednak zarówno bitwy na Guadalcanal, jak i na Papui, które zbiegły się w czasie z operacją stalingradzką prowadzoną w zupełnie odmiennych warunkach klimatycznych, rozwiały mit o japońskiej niezwyciężoności. Pod względem psychologicznym stanowiły punkt zwrotny w wojnie na Pacyfiku, choć w wymiarze strategicznym takim przełomem była bitwa o Midway.

Z kolei w Birmie trudno było sobie wyobrazić podobny zwrot w przebiegu zmagań po tysiącośmiusetkilometrowym odwrocie do Asamu. Dla alianckich żołnierzy wypartych do Indii wojna w Europie rozgrywała się jakby na innej planecie, choć wywierała na nich bezpośredni wpływ, gdyż w związku z nią mogli liczyć tylko na bardzo ograniczone posiłki wojskowe, wsparcie lotnicze i zaopatrzenie. Churchill rozumiał, że Birma nie stanowi głównego teatru działań wojennych w konflikcie zbrojnym z Japonią, jeśli nie liczyć imperatywu ponownego otwarcia szlaku do Chin. Odzyskanie Birmy interesowało go głównie dlatego, że chciał zmyć hańbę poniesionej klęski i odbudować bardzo nadwyrężony prestiż Wielkiej Brytanii.

Marszałek polny Wavell, świadom tego, że nie może zbyt długo trzymać w bezczynności swoich wojsk, zdecydował się na przeprowadzenie ograniczonej ofensywy w celu zdobycia półwyspu Mayu nad Zatoką Bengalską oraz wyspy Akyab (dzisiejsze Sittwe), leżącej w pobliżu wybrzeża, w odległości ponad osiemdziesięciu kilometrów od granicy. Ta pierwsza ofensywa na Arakan rozegrała się na obszarach, na które składały się „strome niewielkie wzniesienia porośnięte dżunglą, poletka ryżowe

---

[7] *Ibidem.*

i bagna"[8]. Namorzyny i małe potoki czyniły większość wybrzeża terenem niemal nie do przebycia.

Operację tę traktowano jak uprzedzające uderzenie mające na celu powstrzymanie japońskiej inwazji na Indie. Plan przewidywał przemarsz indyjskiej 14. Dywizji z Koks Badźar na półwysep Mayu, podczas gdy 6. Brygada Piechoty miała wylądować u ujścia rzeki Mayu Myit i opanować Akyab wraz z tamtejszym japońskim lotniskiem. Ostatecznie okazało się, że nie ma barek desantowych, które przeznaczono do użycia w operacji „Torch" oraz w amerykańskich działaniach na Wyspach Salomona. Dowódca Armii Wschodniej generał Noel Irwin nie chciał wprowadzić do walki XV Korpusu Slima – z pobudek osobistych, gdyż Slim w 1940 roku w Sudanie zdymisjonował jednego z jego przyjaciół. Irwin potraktował Slima nader obcesowo, a gdy tamten się poskarżył, Irwin odparł: „Nie mogę być niegrzeczny. Jestem pańskim zwierzchnikiem"[9].

Natarcie wzdłuż wybrzeża Japończycy zatrzymali między Maungdaw a Buthidaung, a wyjątkowo ulewne deszcze nadzwyczaj utrudniały ruchy wojsk. Potem, w grudniu, słabsze japońskie siły wycofały się. Hinduska 14. Dywizja podjęła marsz naprzód, na półwyspie Mayu oraz na wschodnim brzegu Mayu Myit ku Rathedaung. Jednak Japończycy ściągnęli odwody, które zablokowały półwysep pod Donbaik i przypuściły kontratak koło Rathedaung.

Podobnie jak Amerykanie i Australijczycy na Oceanii, hinduskie bataliony na wspomnianym półwyspie, mimo że wzmocnione siłami brytyjskiej 6. Brygady, ponosiły dotkliwe straty, ostrzeliwane przez Japończyków z dobrze zamaskowanych bunkrów w okolicach Donbaik. W marcu 1943 roku japoński atak przez rzekę Mayu Myit zagroził alianckim tyłom i zmusił Brytyjczyków do odwrotu. Jeden z oddziałów japońskiej 55. Dywizji zdołał nawet wziąć do niewoli sztab 6. Brygady wraz z jej dowódcą. W końcu wyczerpane wojska brytyjskie i hinduskie, dręczone przez malarię, wycofały się z powrotem do Indii. Straciły trzy tysiące żołnierzy – dwukrotnie więcej niż Japończycy. Wywołało to pogardliwą reakcję generała Stilwella, który uznał, że Brytyjczycy nie palą się, podobnie jak chińscy nacjonaliści Chiang Kai-sheka, do walki z Japończykami.

Siedemnastego stycznia 1943 roku Wielka Brytania i Stany Zjednoczone oficjalnie zrzekły się wszelkich uprawnień do międzynarodowego arbitrażu, narzuconego Chinom na mocy „nierównoprawnych traktatów" podpi-

---

[8] Słowa podpułkownika Franka Owena, cyt. za: W. Fowler, *We Gave Our Today. Burma, 1941–1945*, London 2009, s. 82.

[9] Cyt. za: *ibidem*, s. 85.

sanych po zakończeniu wojen opiumowych i powstania bokserów. Porozumienie to, na które Brytyjczycy zgodzili się cokolwiek niechętnie, stanowiło próbę utrzymania Chin w stanie wojny z Japonią, w czasie gdy sprzymierzeni główne działania ofensywne przeciwko Japończykom prowadzili na Pacyfiku. Nalot Doolittle'a na Tokio w kwietniu 1942 roku z pokładu lotniskowca USS „Hornet", po którym ocalałe z tej akcji amerykańskie samoloty wylądowały na chińskim wybrzeżu, sprowokował Japończyków do ofensywy w Chinach, w której wyniku zrównali z ziemią jedno miasto i zniszczyli bazę powietrzną Kuomintangu.

Stilwella, być może czującego się odpowiedzialnym za klęskę, która doprowadziła do utraty Mandalaju, opanowała obsesja odzyskania Birmy. Jego dalekosiężny plan, po ponownym otwarciu Drogi Birmańskiej, zakładał dozbrojenie i przeszkolenie wojsk Chiang Kai-sheka, ażeby te pokonały Japończyków w Chinach. Siódmego grudnia 1942 roku generał Marshall w Waszyngtonie uznał, że jedyny interes Ameryki w odzyskaniu północnej Birmy to uruchomienie na nowo tamtejszego szlaku zaopatrzeniowego, a nie wzmacnianie armii Chiang Kai-sheka. Zatem chciał tylko „szybkiego nasilenia operacji powietrznych znad Chin"[10].

Marshall był pod wrażeniem raportów o wyczynach Latających Tygrysów Chennaulta – formacji oficjalnie przekształconej w amerykańską 14. Armię Lotniczą po ataku na Pearl Harbor. „Już teraz naloty bombowe, związane z bardzo małymi stratami amerykańskimi – wyjaśniał Chennault – przyniosły efekty niewspółmierne do liczby [użytych w nich] samolotów". Chennault, pisząc bezpośrednio do Roosevelta, twierdził, że był w stanie zniszczyć japońskie siły powietrzne w Chinach, atakować wodne szlaki zaopatrzeniowe Japończyków na Morzu Południowochińskim, a nawet przeprowadzać naloty na Tokio. Był przekonany, że mógł „doprowadzić do upadku Japonii"[11], tak samo jak generał RAF-u (*Air Chief Marshal*) Arthur Harris z Wielkiej Brytanii uważał, iż jego Bomber Command zdoła samodzielnie pokonać Niemcy. I choć w Waszyngtonie nie podzielano takiego przesadnego optymizmu, to kampania powietrzna prowadzona z baz w Chinach wydawała się rokować dużo lepiej aniżeli pomysł Stilwella na późniejszą rozbudowę chińskich armii. Stilwell poczuł się dotknięty takim zepchnięciem go na boczny tor i wszczął waśnie z Chennaultem. Marshall musiał w styczniu 1943 roku wystosować do niego utrzymany w surowym tonie list, polecając mu udzielanie pomocy Chennaultowi, ale na niewiele się to zdało.

---

[10] Memorandum opracowane na zlecenie Kolegium Połączonych Szefów Sztabów, MP, II, s. 475–476.

[11] Cyt. za: H.J. van de Ven, *War and Nationalism in China, 1925–1945*, London – New York 2003, s. 36.

Osobiste konflikty wpłynęły również na brak spójnej strategii sprzymierzonych na Oceanii, a wynikało to niemal wyłącznie z manii generała MacArthura na punkcie Filipin i jego dążenia do wypełnienia swojej obietnicy, zawartej w słowach: „Powrócę". Nalegał na przeprowadzenie ofensywy na Nowej Gwinei i oczyszczenia tego kraju z pozostających tam jeszcze japońskich wojsk, a potem zamierzał przygotować się do inwazji na Filipiny. Wprawnie manipulując prasą, MacArthur zdołał przekonać amerykańską opinię publiczną, że wielkim moralnym obowiązkiem Stanów Zjednoczonych jest wyzwolenie ich półkolonialnego filipińskiego sojusznika spod okrutnej japońskiej okupacji.

Dowództwo US Navy miało dużo rozsądniejszy plan: chciało nacierać ku Japonii, opanowując kolejne wyspy i archipelagi i odcinając szlaki zaopatrzeniowe rozrzuconym na rozległych obszarach japońskim garnizonom oraz wojskom okupacyjnym. Nie mogąc przełamać impasu wynikającego z uporu MacArthura, Kolegium Połączonych Szefów Sztabów wypracowało kompromis w postaci tak zwanej strategii dwuosiowej, która polegała na równoczesnym prowadzeniu opisanych powyżej działań militarnych. Tylko Stany Zjednoczone, gdzie produkowano mnóstwo okrętów i samolotów, stać było na takie rozproszenie własnych sił zbrojnych.

Szybko rozbudowywana w strefie Pacyfiku amerykańska potęga wojskowa czyniła niewiele, by wspomagać chińskich nacjonalistów, a „dwuosiowa strategia" nie przewidywała większych dostaw do Chin. Z drugiej strony zwrot w losach wojny pod koniec 1942 roku, zwłaszcza przebieg walk na Guadalcanal, zmusił władze tokijskie do rezygnacji z planów ofensywy „Gogō", wedle których japońska Armia Ekspedycyjna w Chinach miała uderzyć na prowincję Syczuan i zniszczyć siedzibę chińskich władz nacjonalistycznych w Chongqingu.

1. Japończycy przebijają bagnetami chińskich jeńców w Nankinie

2. Japońska artyleria konna w południowych Chinach

3. Goebbels i Göring

4. Warszawa w sierpniu 1939 roku

5. Narwik w kwietniu 1940 roku

6. Poddająca się załoga francuskiego czołgu B1

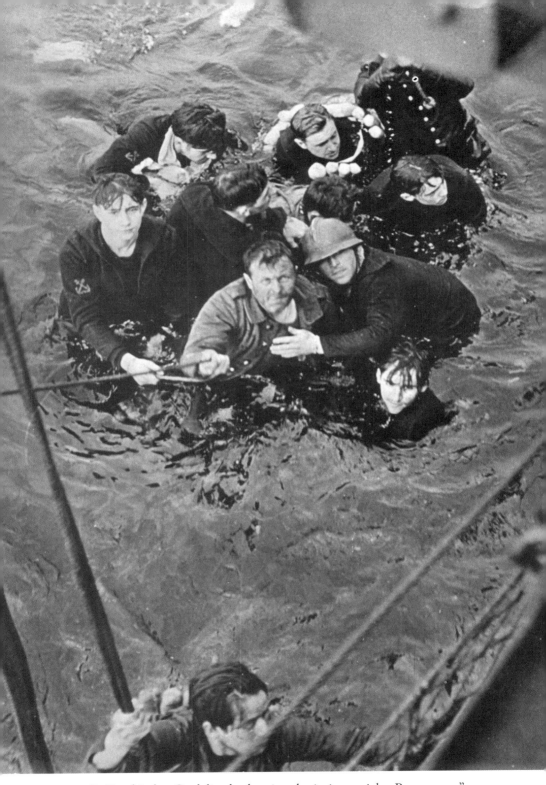

7. Dunkierka. Ocalali członkowie załogi niszczyciela „Bourrasque"

8. Załoga niemieckiego samolotu wzięta do niewoli przez Home Guard,
sierpień 1940 roku

9. Gubernator generalny Hans Frank spotyka się z polskimi duchownymi

10. Niemieccy spadochroniarze na Krecie

11. Załoga brytyjskiego transportera opancerzonego Universal Carrier
w Syrii, czerwiec 1941

12. Ukraińska wieś w ogniu, lipiec 1941 roku

13. Radzieckie oddziały kontratakują pod Moskwą, grudzień 1941 roku

14. Pearl Harbor, 7 grudnia 1941 roku

15. Hitler wypowiada wojnę Stanom Zjednoczonym, 11 grudnia 1941 roku

16. Radziecka kontrofensywa pod Moskwą

17. Niemieckie służby zaopatrzeniowe w grudniu 1941 roku

18. Radziecka sanitariuszka

19. Skutki głodu.
Trzy zdjęcia dokumentowe
Niny Pietrowej z Leningradu,
wykonane w maju 1941, maju
1942 i październiku 1942 roku
(*poniżej*)

20. Ewakuacja z Leningradu po „Drodze Życia" przez jezioro Ładoga,
kwiecień 1942 roku

21. Rommel w Afryce Północnej

22. Japońska ofensywa w Birmie. Żołnierze zastępują podpory mostu

23. Żołnierze japońscy świętują zwycięstwo na wyspie Corregidor
u wejścia do Zatoki Manilskiej, 6 maja 1942 roku

24. Niemieccy oficerowie zażywają relaksu w Paryżu

25. Niemiecka piechota w Stalingradzie

26. Amerykańska piechota morska podczas szturmu Tarawy,
19 listopada 1943 roku

27. Więzień obozu na moment przed egzekucją

28. HMS „Belfast" biorący udział w konwoju arktycznym, listopad 1943 roku (*z prawej*)

29. Dzieci pracujące na rzecz radzieckiego przemysłu zbrojeniowego

30. Pododdział japońskiej kawalerii w Chinach

31. Hamburg po zmasowanych nalotach bombowych w lipcu 1943 roku

ROZDZIAŁ 24

Stalingrad

sierpień–wrzesień 1942

Stalin był wściekły, kiedy się dowiedział, że wojska radzieckie zostały zepchnięte na obrzeża Stalingradu. „Co z nimi? – krzyczał przez telefon do
generała Aleksandra Wasilewskiego, którego posłał na front, żeby ów złożył
raport sytuacyjny Stawce. – Czy nie rozumieją, że to katastrofa nie tylko dla
Stalingradu? Stracić główną drogę wodną, a niebawem i ropę?!"[1]. Poza tym,
że siły Paulusa zagrażały miastu od północy, dwa korpusy pancerne Hotha
nacierały w szybkim tempie od południa.

Wasilij Grossman, pierwszy korespondent wojenny, który dotarł do
Stalingradu zbombardowanego przez Luftwaffe, był tak jak wszyscy zdjęty głębokim niepokojem. „Ta wojna na granicach Kazachstanu, nad dopły-
wami dolnej Wołgi, daje straszne odczucie głęboko wbitego noża"[2]. Kiedy
przypatrywał się zniszczonym budynkom z powybijanymi oknami i spalonym tramwajom na ulicach, przyrównał zrujnowane miasto do „Pompejów,
na które katastrofa spadła w dniu, kiedy wszystko rozkwitało".

Dwudziestego piątego sierpnia 1942 roku w Stalingradzie ogłoszono
stan oblężenia. Dziesiąta Dywizja Strzelecka NKWD zorganizowała „bataliony niszczycieli czołgów", złożone z robotników i robotnic wytwórni dział
„Czerwona Barykada", zakładów metalurgicznych „Czerwony Październik"
i fabryki traktorów im. Feliksa Dzierżyńskiego. Te słabo uzbrojone jednostki rzucono do walki z niemiecką 16. Dywizją Pancerną, z łatwymi do przewidzenia rezultatami. Zaporowe oddziały komsomolców, wyposażonych
w broń automatyczną, zostały rozmieszczone za wspomnianymi batalionami,

---

[1] Cyt. za: D. Wołkogonow, *Stalin*, t. 2, tłum. M. Antosiewicz, Warszawa 1999, s. 207.
[2] RGALI 1710/3/50.

aby przeciwdziałać próbom odwrotu z pola walki. Na północny zachód od miasta radziecka 1. Armia Gwardyjska otrzymała rozkaz zaatakowania flanki XIV Korpusu Pancernego generała Gustava von Wietersheima, który oczekiwał na wzmocnienie i zaopatrzenie. Sowiecki plan przewidywał przebicie się do linii 62. Armii, odrzuconej przez Niemców z powrotem do Stalingradu, jednak niemieckie czołgi, wspierane przez lotnictwo Richthofena, odparły radzieckie kontruderzenie w pierwszym tygodniu września.

Samoloty Luftwaffe kontynuowały naloty na zrujnowane miasto. Ponadto obrzucały bombami i ostrzeliwały z broni maszynowej rzeczne promy, stare parowce oraz łodzie i kutry, którymi próbowano ewakuować cywilów z zachodniego brzegu Wołgi. Hitler, zdecydowany unicestwić bolszewickiego wroga, 2 września wydał nowe dyrektywy. „Führer rozkazuje, aby po wkroczeniu do tego miasta zlikwidować całą jego męską ludność, gdyż Stalingrad, z ponadmilionową populacją zaprzysięgłych komunistów, stanowi szczególne zagrożenie"[3].

Niemieccy żołnierze żywili bardzo mieszane uczucia, o czym świadczą listy pisane przez nich do rodzin. Niektórzy radowali się z bliskiego, jak sądzili, zwycięstwa, inni utyskiwali, że w odróżnieniu od podboju Francji nie było czego nabywać i wysyłać do domów. Żony prosiły ich o futra, zwłaszcza o astrachańskie karakuły. „Przyślij mi, proszę, jakiś prezent z Rosji, wszystko jedno jaki", błagała jedna z żołnierskich żon[4]. Krewni skarżyli się na wzmożony pobór do wojska. „Kiedy się skończy całe to paskudztwo [*Schweinerei*]? – czytał w otrzymanym liście szeregowiec Müller. – Niedługo zaczną posyłać do boju szesnastolatków". Narzeczona zaś informowała go, że już nie chodzi do kina, ponieważ uznała za „zbyt przygnębiające oglądanie kronik filmowych z nowinami z frontu"[5].

Wieczorem 7 września, mimo że niemieckie natarcie na Stalingrad zdawało się rozwijać pomyślnie, Hitler wpadł w niesłychany szał. Oto bowiem generał Alfred Jodl właśnie wrócił do kwatery głównej Führera w Winnicy z wizytacji w sztabie feldmarszałka Lista, dowódcy Grupy Armii „A" na Kaukazie. Kiedy Hitler poskarżył się, że List nie wypełnił otrzymanego rozkazu, Jodl odparł, iż List uczynił to, co mu kazano. Hitler wrzasnął: „To kłamstwo!" – i wybiegł z pomieszczenia[6]. Następnie wydał polecenia, aby stenotypistki zapisywały każde słowo wypowiedziane na codziennych naradach wojennych[7].

---

[3] *KTB OKW*, t. II/I, s. 669.
[4] CAFSB 114/4/326, s. 167–168.
[5] CAFSB 14/4/943, s. 38–39.
[6] *Hitler. Reden und Proklamationen, 1932–1945*, t. 2, red. M. Domarus, Wiesbaden 1973, s. 1908.
[7] Por. też I. Kershaw, *Hitler, 1941–1945. Nemezis*, tłum. P. Bandel, R. Bartołd, Poznań 2003, s. 280–305.

Generała Waltera Warlimonta ze sztabu OKW, który wrócił po krótkiej nieobecności, uderzyła dramatyczna zmiana atmosfery w kwaterze Führera. Hitler przywitał go „przeciągłym spojrzeniem pełnym gorejącej nienawiści"[8]. Warlimont twierdził później, że pomyślał sobie wtedy: „Ten człowiek stracił twarz; uświadomił sobie, że jego ryzykowna zagrywka przyniosła fiasko". Inni członkowie świty Hitlera także zauważyli, że wódz zamknął się w sobie. Już nie jadał w towarzystwie swego personelu ani nie witał się uściskiem dłoni. Wydawał się nikomu nie ufać. Zaledwie dwa tygodnie później zdymisjonował generała Haldera ze stanowiska szefa sztabu niemieckich wojsk lądowych.

Trzecia Rzesza weszła w tamtym czasie w szczytowy okres swojej ekspansji terytorialnej. Jej wojska okupowały obszary od Wołgi po francuskie wybrzeże Atlantyku i od Przylądka Północnego w Norwegii po Saharę. Ale Hitler uległ obsesji zdobycia Stalingradu, głównie dlatego, że miasto to przechrzczono na cześć Stalina. Beria skomentował stalingradzką bitwę słowami: „Trafiła kosa na kamień", gdyż dla obydwu przywódców, niemieckiego i radzieckiego, miała ona charakter prestiżowy[9]. Hitler nade wszystko uczepił się idei symbolicznego zwycięstwa w Stalingradzie, które miało osłodzić mu zarysowujące się niepowodzenie w uchwyceniu kaukaskich pól naftowych. Wehrmacht istotnie osiągnął „punkt kulminacyjny": jego działania ofensywne wytraciły impet i nie udawało się już odpierać kolejnych przeciwuderzeń.

A jednak w oczach zdjętego głębokim niepokojem świata nic, jak się wydawało, nie mogło powstrzymać niemieckiego najazdu na Bliski Wschód z Kaukazu i z Afryki Północnej. W ambasadzie amerykańskiej w Moskwie oczekiwano, że Sowieci załamią się lada moment. W owym roku, naznaczonym klęskami sprzymierzonych, większość ludzi nie zdawała sobie sprawy z tego, że Wehrmacht dopuścił do nadmiernego rozproszenia swoich sił. Niedoceniano też determinacji i woli stawiania oporu przez pobitą w wielu starciach Armię Czerwoną.

Gdy 62. Armia wycofywała się na skraj miasta, generał Andriej Jeriomienko, dowódca Frontu Stalingradzkiego, oraz Nikita Chruszczow, komisarz polityczny tegoż frontu, wezwali generała majora Wasilija Czujkowa do swojej nowej kwatery głównej na wschodnim brzegu Wołgi. Czujkow miał objąć komendę nad 62. Armią w Stalingradzie.

---

[8] W. Warlimont, *W Kwaterze Głównej Wehrmachtu* (maszynopis powielany, bez nazwiska tłumacza), Warszawa 1965, s. 248.
[9] S. Beria, *Beria, mój ojciec. W sercu stalinowskiej władzy*, tłum. J. Waczków, Warszawa 2000, s. 133.

„Towarzyszu Czujkow – odezwał się Chruszczow – jak pojmujecie wasze zadanie?"

„Będziemy bronić miasta albo padniemy w walce", orzekł Czujkow. Jeriomienko i Chruszczow stwierdzili, że właściwie zrozumiał swoją misję[10].

Czujkow, o mocnej rosyjskiej twarzy okolonej gęstymi, kędzierzawymi włosami, był bezwzględnym dowódcą, gotowym uderzyć lub rozstrzelać każdego oficera, który nie wypełnił rozkazu. W atmosferze paniki i chaosu, jaka zapanowała, z pewnością okazał się właściwym człowiekiem na właściwym miejscu. Obrona Stalingradu nie wymagała geniuszu strategicznego, a tylko chłopskiej przebiegłości i niezłomnej determinacji. Niemiecka 29. Dywizja Zmotoryzowana wyszła nad Wołgę na południowych obrzeżach miasta, odcinając radziecką 62. Armię od sąsiedniej 64. Armii dowodzonej przez generała majora Michaiła Szumiłowa. Czujkow wiedział, że musi się utrzymać, wyczerpując Niemców, i nie zważać na straty. „Czas to krew" – tak to ujął później z brutalną szczerością[11].

Aby poskromić coraz częściej podejmowane przez radzieckich żołnierzy próby ucieczek za Wołgę, Czujkow rozkazał pułkownikowi Aleksandrowi Sarajanowi, dowódcy 10. Dywizji Strzeleckiej NKWD, wystawić warty na przeprawach i rozstrzeliwać dezerterów. Wiedział, że morale wojska się załamuje. Nawet pewien politruk nieroztropnie zapisał w swoim dzienniku: „Nikt nie wierzy, że Stalingrad wytrwa. Ja nie sądzę, żebyśmy kiedykolwiek zwyciężyli"[12]. Jednakże Sarajana oburzyło polecenie Czujkowa, by wprowadzić pozostałych enkawudzistów do walki pod jego, Czujkowa, rozkazami. NKWD bardzo źle odnosiło się do wojskowych przejmujących komendę nad oddziałami sił bezpieczeństwa, niemniej Czujkow pojmował, że tym razem może zignorować groźby. Nie miał nic do stracenia. W jego armii pozostało zaledwie dwadzieścia tysięcy żołnierzy i niespełna sześćdziesiąt czołgów, w tym wiele unieruchomionych, które trzeba było holować na pozycje bojowe i tam okopywać.

Czujkow już się zorientował, że Niemcy nie lubią starć na bliskim dystansie, więc zamierzał utrzymać radzieckie linie obronne możliwie najbliżej nieprzyjaciela. To utrudniłoby też działania niemieckich bombowców, których załogi obawiały się pomyłkowego atakowania własnych pozycji. Zapewne jednak najbardziej sprzyjało obrońcom to, że miasto już zostało obrócone w gruzy. Ruiny, które były skutkiem nalotów bombowców Richthofena, okazały się zabójczymi pułapkami dla atakujących Niemców. Jesz-

---

[10] W.I. Czujkow, *Początek drogi*, tłum. L. Hesu, Warszawa 1962, s. 96.
[11] *Ibidem*, s. 99.
[12] Z dziennika pomocnika oficera politycznego Sokołowa, 92. Pułk Zapasowy, 11 września 1942 r., CAFSB 40/31/577, s. 42.

cze jedna trafna decyzja podjęta przez Czujkowa polegała na zatrzymaniu ciężkich i średnich dział na wschodnim brzegu Wołgi i ostrzeliwaniu stamtąd niemieckich oddziałów koncentrowanych do ataku.

Pierwszy poważny niemiecki szturm zaczął się 13 września, dzień po tym jak Hitler zmusił Paulusa do określenia daty zdobycia Stalingradu. Paulus, któremu dokuczały nerwowy tik i przewlekła dyzenteria, oceniał, że jego wojska powinny opanować miasto w ciągu dwudziestu czterech dni. Oficerowie przekonywali podwładnych, że uda się sforsować Wołgę w trakcie wielkiej i energicznie przeprowadzonej przeprawy. Jednostki Luftwaffe pod dowództwem Richthofena już przystąpiły do bombardowań, przeprowadzanych głównie z użyciem nurkujących Ju 87 Stuka nadlatujących z wyciem syren nad radzieckie pozycje. „Masa stukasów przelatuje ponad nami – zapisał pewien starszy szeregowiec z niemieckiej 389. Dywizji Piechoty – a po ich ataku aż się nie chce wierzyć, że przeżyła tam choćby mysz"[13]. Chmury bladego kurzu i tynku mieszały się w powietrzu z dymem z płonących budynków i zbiorników z ropą naftową.

Zorganizowawszy swoje stanowisko dowodzenia w pobliżu strefy walk, na Kurhanie Mamaja, Czujkow osobiście kontaktował się z dowódcami podległych mu dywizji, gdyż niemieckie bombardowania pozrywały linie telefoniczne. Zmuszał sztabowców do tego, by przebiegali zgięci wpół do bunkra wkopanego głęboko w nabrzeże rzeki Carycy. Choć zacięty sowiecki opór spowolnił większość nazistowskich ataków, to 71. Dywizja Piechoty przedarła się do centrum miasta. Jeriomienko stanął przed nader niewdzięcznym obowiązkiem telefonicznego powiadomienia o tym Stalina, gdy ten ostatni konferował akurat z Żukowem i Wasilewskim. Stalin natychmiast wydał rozkaz, aby 13. Dywizja Gwardyjska pod dowództwem generała majora Aleksandra Rodimcewa, bohatera hiszpańskiej wojny domowej, przeprawiła się przez Wołgę i podjęła walki w mieście.

Dwa pułki strzeleckie NKWD Sarajana zdołały 14 września zatrzymać 71. Dywizję Piechoty, a nawet odzyskać śródmiejski dworzec kolejowy. To dało gwardzistom Rodimcewa czas na rozpoczęcie przeprawy przez rzekę tej samej nocy – na łodziach wiosłowych, żaglówkach, kanonierkach i barkach. Była to długa i przerażająca podróż pod nieprzyjacielskim ostrzałem, gdyż Wołga ma koło Stalingradu (obecnego Wołgogradu) tysiąc trzysta metrów szerokości. Gdy czerwonoarmiści z pierwszych łodzi zbliżali się do zachodniego skraju, mogli dostrzec sylwetki niemieckich piechurów rysujące się na tle płonących zabudowań na wysokiej skarpie. Pierwsi sowieccy żołnierze, którzy dotarli na brzeg, od razu przeszli do natarcia na stromym zboczu, nie mając nawet czasu na osadzenie bagnetów. Przy wsparciu strzelców z formacji

---

[13] Anonimowy starszy szeregowy z 389. Dywizji Piechoty, BfZ-SS.

NKWD na lewej flance odrzucili Niemców. Wylądowały kolejne bataliony, podejmując walkę wzdłuż linii kolejowej u podnóża Kurhanu Mamaja; rozgorzały zacięte zmagania o studwumetrowy wierzchołek tego wzniesienia. Gdyby Niemcy go zdobyli, mogliby ostrzeliwać z dział rzeczne przeprawy. Kurhan od trzech miesięcy ryły pociski artyleryjskie, a zwłoki poległych co rusz były przysypywane ziemią, to znów wyłaniały się spod jej warstwy.

Najwyraźniej wielu strzelców z NKWD rzuconych do walk na linii frontu załamywało się nerwowo. Wydział Specjalny meldował, że „oddział zaporowy 62. Armii aresztował w dniach od 13 do 15 września 1218 szeregowców i oficerów, z których dwudziestu jeden stracono, dziesięciu uwięziono, a pozostałych zawrócono do ich jednostek. Większość aresztowanych żołnierzy należy do 10. Dywizji NKWD"[14].

„Stalingrad przypomina cmentarzysko albo górę śmieci – napisał w dzienniku jeden z czerwonoarmistów. – Całe miasto i jego okolice są czarne, jakby osmalone sadzą"[15]. Trudność sprawiało rozpoznawanie żołnierzy obu stron po mundurach, które zesztywniały od brudu i betonowego pyłu. Przez większość dni dym i kurz były tak gęste, że nie przebijało przez nie słońce. Fetor zwłok rozkładających się pośród ruin mieszał się z wonią ekskrementów i spalonego żelaza. Co najmniej pięćdziesiąt tysięcy cywilów (w jednym z raportów NKWD mowa o dwustu tysiącach) nie zdołało przeprawić się przez rzekę lub też uniemożliwiono im to, gdyż w pierwszej kolejności ewakuowani byli ranni. Ludzie gnieździli się, wygłodniali i spragnieni, w piwnicach zburzonych budynków, kiedy ponad nimi toczyła się walka, a wybuchy wstrząsały podłożem.

Znacznie gorzej przedstawiało się położenie tych, którzy utknęli za niemieckimi liniami. „Od pierwszych dni okupacji – raportował później Wydział Specjalny NKWD – Niemcy przystąpili do likwidacji Żydów, którzy pozostali w mieście, a także komunistów, komsomolców oraz osób podejrzanych o to, że należą do partyzantki. Wyszukiwaniem Żydów zajmowały się głównie niemiecka żandarmeria polowa i ukraińska policja pomocnicza. Ważną rolę odegrali w tym również zdrajcy spośród miejscowej ludności. W trakcie poszukiwań i zabijania Żydów sprawdzano mieszkania, piwnice, schrony i okopy. Komuniści i komsomolcy byli ścigani przez Geheime Feldpolizei [tajną żandarmerię] przy czynnym współudziale zdrajców ojczyzny. (...) Zdarzały się też akty zwyrodniałych gwałtów na radzieckich kobietach popełniane przez Niemców"[16].

---

[14] Relacja Seliwanowskiego, szefa wydziału specjalnego Frontu Stalingradzkiego, CAFSB 14/4/326, s. 220–223.
[15] Dziennik Anurina, 7 września 1942 r. (ze zbiorów prywatnych w Moskwie).
[16] 1 kwietnia 1943 r., CAFSB 3/10/136, s. 45–73.

Wielu sowieckich żołnierzy załamywało się psychicznie podczas bitwy. Łącznie trzynaście tysięcy stracono za tchórzostwo albo dezercję w trakcie stalingradzkiej batalii. Skazańcy byli zmuszani do rozebrania się przed egzekucją, ponieważ ich mundury nadawały się do ponownego wykorzystania, a dzięki temu nie miały wpływających deprymująco na ich nowych posiadaczy dziur po kulach. Żołnierze mówili o tym, że skazani dostają „dziewięć gramów" ołowiu – ostatni przydział wydawany im przez państwo radzieckie[17]. Tych, którzy nie donosili na towarzyszy broni szykujących się do zdezerterowania, także aresztowano. Ósmego października dowództwo Frontu Stalingradzkiego meldowało Moskwie, że po wprowadzeniu surowej dyscypliny „panikarskie nastroje zostały prawie wykorzenione, a liczba aktów zdrady ulega zmniejszeniu"[18].

Komisarzy szczególnie niepokoiły pogłoski o tym, że Niemcy zezwalali radzieckim dezerterom, którzy przeszli na ich stronę, na powrót do rodzinnych domów. Brak wyrobienia politycznego, informował w meldunku dla Moskwy pewien starszy rangą politruk, „jest wykorzystywany przez niemieckich agentów, którzy prowadzą swą krecią robotę, próbując nakłaniać niepewnych żołnierzy do dezercji – zwłaszcza tych, których rodziny pozostały na obszarach przejściowo zajętych przez Niemców"[19]. Stęsknieni za domami Ukraińcy, nierzadko tacy, którzy uciekając przed Niemcami, zostali wcieleni do radzieckiego wojska i skierowani prosto na front, najwyraźniej ulegali takim podszeptom najczęściej. Nie wiedzieli nic o losach swoich rodzin i domostw.

Wydział polityczny mógł wskazać, że tylko pięćdziesiąt dwa procent żołnierzy 62. Armii było narodowości rosyjskiej, co miało stanowić oznakę wielokulturowego charakteru Związku Radzieckiego. Ów odsetek nie uwzględniał tego, iż wielu z tych Rosjan pochodziło z Syberii. Nieco ponad jedną trzecią żołnierzy Czujkowa stanowili Ukraińcy. Na resztę składali się Kazachowie, Białorusini, Żydzi (wedle radzieckiego prawa traktowani jako nie-Rosjanie), Tatarzy, Uzbecy oraz Azerowie. Stanowczo za dużo oczekiwano od masowo wcielonych do wojska mieszkańców Azji Środkowej, którzy wcześniej nigdy nie zetknęli się z nowoczesną techniką wojskową. „Trudno im pojąć pewne sprawy – meldował rosyjski porucznik wyznaczony na dowódcę plutonu karabinów maszynowych – i bardzo ciężko się z nimi pracuje"[20]. Większość Azjatów przybywała na front bez przeszkolenia, a sierżanci i oficerowie musieli ich uczyć obchodzenia się z bronią.

---

17 CAMO 48/486/24, s. 162.
18 Dobronin do Szczerbakowa, 8 października 1942 r., CAMO 48/486/24, s. 74.
19 *Ibidem*, s. 77.
20 Dobronin do Szczerbakowa, 11 listopada 1942 r., CAMO 48/486/25, s. 138–139.

„Po tym jak zostaliśmy przerzuceni na drugą linię z powodu wielkich strat – zanotował pewien żołnierz wywodzący się z krymskich Tatarów – otrzymaliśmy uzupełnienia: Uzbecy i Tadżycy, wszyscy w tiubietiejkach, nawet na froncie. Niemcy krzyczeli do nas po rosyjsku przez megafon: »Skąd wzięliście takich zwierzaków?«"[21].

Taka propaganda skierowana do żołnierzy była prymitywna, ale zapewne skuteczna. W gazetce frontowej wydawanej w Stalingradzie pojawił się wizerunek zatrwożonej dziewczyny ze skrępowanymi kończynami. „A co, jeśli to twoją ukochaną tak zwiążą faszyści? – głosił podpis. – Najpierw zgwałcą ją niemiłosiernie, a potem rzucą pod czołg. Do boju, żołnierzu. Strzelaj do wroga. Nie wolno ci dopuścić, aby najeźdźcy zgwałcili ci wybrankę"[22]. Niewzruszenie wierzono w taki oto propagandowy slogan: „Dla obrońców Stalingradu ziemia kończy się na Wołdze"[23].

Na początku września niemieccy żołnierze słyszeli od swoich oficerów, że Stalingrad niebawem padnie, a to będzie oznaczało koniec wojny na froncie wschodnim albo przynajmniej widoki na urlop w kraju. Pierścień wokół miasta zacieśnił się, kiedy oddziały niemieckiej 4. Armii Pancernej dotarły do pozycji 6. Armii Paulusa. Wszyscy wiedzieli, że ludność w Niemczech oczekuje na radosne nowiny. Pojawienie się 13. Dywizji Gwardyjskiej Rodimcewa i niepowodzenie Niemców, którym nie udało się zdobyć pomostu cumowniczego w centrum Stalingradu, uważano zaledwie za przejściowe trudności. „Od wczoraj – pisał w liście do rodziny żołnierz niemiecki 29. Dywizji Zmotoryzowanej – flaga Trzeciej Rzeszy powiewa nad centrum miasta. Centrum i okolice dworca kolejowego są w niemieckich rękach. Nawet nie możecie sobie wyobrazić, jak przyjęliśmy te wieści"[24]. Na lewym skrzydle wszystkie radzieckie kontrataki z północy zostały odparte, a Niemcy zadali Sowietom ciężkie straty. Szesnasta Dywizja Pancerna rozmieściła czołgi na przeciwległym zboczu i wyeliminowała z walki wszelkie radzieckie wozy opancerzone, które wyłoniły się na szczycie wzniesienia. Niemieckie zwycięstwo wydawało się przesądzone, choć rozpoczynające się przymrozki przyniosły pierwsze zwątpienie.

Wieczorem 16 września szef sekretariatu Stalina wszedł po cichu do gabinetu wodza i położył na jego biurku tłumaczenie przechwyconego niemieckiego meldunku radiowego. Z jego treści wynikało, że Stalingrad zo-

---

[21] A.A. Mamutow, „Ja pomniu. Wospominania wietieranow Wielikoj Otieczestwiennoj Wojny", 16 listopada 2010, http://www.iremember.ru/pekhotintsi/mamutov-amza-amzaevich/stranitsa-3.html (dostęp: 1.09.2012).
[22] „Stalinskoje Znamia", 8 września 1942 r., CAMO 230/586/1, s. 79.
[23] Koszczejew do Szczerbakowa, 17 listopada 1942 r., CAMO 48/486/25, s. 216.
[24] Słowa anonimowego żołnierza z 29. Dywizji Piechoty (zmotoryzowanej), 15 września 1942 r., BZG-S.

stał zdobyty, a rosyjskie wojska rozdzielono na dwie części. Stalin podszedł do okna i popatrzył przez nie, a potem zadzwonił do biura Stawki. Rozkazał wysłać depeszę do Jeriomienki i Chruszczowa i zażądać od nich całej prawdy o aktualnej sytuacji. Ale w rzeczywistości chwilowy kryzys został przezwyciężony. Czujkow rozpoczął przerzucanie za rzekę kolejnych odwodów, żeby uzupełnić poniesione straszliwe straty. Sowiecka artyleria, zmasowana na wschodnim brzegu Wołgi, także nauczyła się skuteczniej rozbijać niemieckie ataki. Radziecka 8. Armia Lotnicza kierowała coraz więcej samolotów do walki z Luftwaffe, chociaż sowieckim lotnikom wciąż brakowało pewności siebie. „Nasi piloci uważają, że już po nich, kiedy startują [do lotu bojowego] – przyznawał dowódca jednej z radzieckich formacji myśliwskich. – To leży u źródła naszych strat"[25].

Taktyka Czujkowa polegała na ignorowaniu rozkazów wydawanych przez dowództwo Frontu Stalingradzkiego, aby przeprowadzać silne przeciwuderzenia. Wiedział on, że nie może sobie pozwolić na nowe straty. Zamiast tego opierał obronę na tak zwanych falochronach, korzystając z umocnionych budynków w roli małych twierdz oraz z armat przeciwpancernych ukrytych w ruinach do rozbijania niemieckich szturmów. Ukuł termin „stalingradzka akademia walk ulicznych" na określenie nocnych wypadów przeprowadzanych przez żołnierzy uzbrojonych w pistolety maszynowe, granaty, noże, a nawet zaostrzone łopaty. Grupy te atakowały przez piwnice i kanały ściekowe.

Dniami i nocami trwały zmagania o poszczególne piętra zrujnowanych bloków mieszkalnych; wrogie oddziały zajmowały różne kondygnacje, strzelając i ciskając granaty w otwory wybite przez pociski artyleryjskie. „Pepesza [radziecki pistolet maszynowy] przydaje się w walkach o domy – odnotował jeden z żołnierzy. – Niemcy często obrzucają nas granatami, a wtedy my rzucamy granatami w nich. Kilka razy nawet złapałem niemiecki granat i odrzuciłem go z powrotem; rozrywały się, zanim spadły na ziemię. Moja drużyna dostała rozkaz bronienia pewnego domu i wszyscy siedzieliśmy na jego dachu. Niemcy podeszli na parter i pierwsze piętro i wtedy ich ostrzelaliśmy"[26].

Zaopatrzenie w amunicję nastręczało rozpaczliwe problemy. „Amunicja dostarczana w nocy nie jest przejmowana w porę przez przedstawicieli dowództwa 62. Armii – raportował Wydział Specjalny NKWD. – Jej wyładunek odbywa się na brzegu [Wołgi], a potem często niszczy ją nieprzyjacielski ogień za dnia. Rannych nie zabiera się aż do wieczora. Ciężko ranni żołnierze nie otrzymują żadnej pomocy. Giną, a ich zwłok się nie uprząta.

---

[25] Dobronin do Szczerbakowa, 4 października 1942 r., CAMO 48/486/24, s. 48.
[26] A.A. Mamutow, „Ja pomniu", *op. cit.*

Rozjeżdżają je pojazdy. Nie ma lekarzy. Rannym pomagają miejscowe kobiety"[27]. Nawet perspektywy tych, którzy przeżyli forsowanie Wołgi i znaleźli się w szpitalu polowym, nie były zbyt optymistyczne. W pośpiechu przeprowadzano tam amputacje. Wielu rannych zostało ewakuowanych pociągami szpitalnymi do Taszkientu. Jeden z czerwonoarmistów wspominał, że na jego oddziale spośród czternastu żołnierzy spod Stalingradu tylko pięciu miało „wszystkie kończyny"[28].

Niemcy, zatrwożeni faktem utraty przewagi wynikającej z większej mobilności ich wojsk, ochrzcili tę nową formę zmagań bojowych mianem *„Rattenkrieg"* – „wojny szczurów" czy też „szczurzej wojny". Nazistowscy dowódcy, przerażeni niesłychanym okrucieństwem walk, w których straty rosły w zastraszającym tempie, uznali, że trzeba powrócić do taktyki znanej z pierwszej wojny światowej. Próbowali organizować doraźne grupy szturmowe, ale ich żołnierze nie lubili walczyć nocami. Wartownicy, przerażeni na myśl, że podkradają się ku nim Sybiracy, aby ich pochwycić na przesłuchania jako „języki", wpadali w panikę na najmniejszy nawet odgłos i otwierali ogień. Tylko we wrześniu zużycie amunicji przez 6. Armię przekroczyło dwadzieścia pięć milionów pocisków. „Niemcy walczą, nie licząc nabojów – raportował Wydział Specjalny NKWD Berii w Moskwie. – [Ich] działa polowe strzelają do pojedynczych ludzi, natomiast my oszczędzamy taśmy amunicji do karabinów maszynowych"[29]. Jednakże niemieccy żołnierze w listach do rodzin uskarżali się na skąpe racje żywnościowe i napady bóli głodowych. „Nie macie pojęcia, co ja tutaj przechodzę – pisał jeden z nich. – Pewnego dnia przebiegały w pobliżu jakieś psy i ustrzeliłem jednego, ale ten, którego trafiłem, okazał się bardzo chudy"[30].

Do innych metod wojowania należało wyczerpywanie Niemców i uniemożliwianie im odpoczynku. Sowiecki 588. Pułk Nocnych Bombowców specjalizował się w przeprowadzanych nocami na przestarzałych dwupłatowcach Po-2 nalotach na wrogie linie; lotnicy wyłączali silniki tuż przed zrzutem bomb. Upiorny świst szybujących maszyn stanowił dla Niemców złowieszczy odgłos. Na tych dwupłatach, wykazując się nadzwyczajną odwagą, latały głównie młode kobiety. Naziści wkrótce ochrzcili je mianem „nocnych wiedźm" (*„Nachthexen"*), a przydomek ten przyjął się później i po stronie radzieckiej.

---

[27] Biełousow, wydział specjalny Frontu Stalingradzkiego, 21 września 1942 r., CAFSB 14/4/326, s. 229–230.

[28] I. Szatunowski, *I ostanietsia dobryj slied*, w: *Wsiem smiertiam na zło*, Moskwa 2000.

[29] II Wydział Specjalny NKWD do Berii i Abakumowa, 4 września 1942 r., CAFSB 14/4/913, s. 27–31.

[30] CAFSB 41/51/814, s. 7.

Za dnia dodatkowy nacisk wywierały na Niemców nieprzyjacielskie grupy strzelców wyborowych. Początkowo działania snajperów były dość przypadkowe i nieskoordynowane, szybko jednak sowieccy dowódcy docenili ich wartość w zasiewaniu strachu w szeregach wroga i podbudowywaniu morale radzieckich oddziałów. Oficerowie polityczni uczynili ze „snajperstwa" rodzaj kultu, wobec czego trzeba było traktować dość ostrożnie „stachanowskie" przechwałki sowieckich strzelców wyborowych na temat ich wyczynów, zwłaszcza po tym jak propaganda wyniosła najlepszych snajperów niemal do poziomu gwiazd piłki nożnej. Najsławniejszy snajper ze Stalingradu Wasilij Zajcew, w istocie wcale nie najlepszy strzelec, zdobył rozgłos prawdopodobnie z tego powodu, że służył w 284. Dywizji Strzelców Syberyjskich pułkownika Nikołaja Batiuka – formacji faworyzowanej przez Czujkowa. Dowódca armii zazdrościł poklasku 13. Dywizji Gwardyjskiej Rodimcewa, więc czołowemu snajperowi z tej jednostki Anatolijowi Czechowowi poświęcano mniej uwagi.

Rumowiska w zniszczonym mieście i niewielka odległość od pozycji nieprzyjaciela sprzyjały strzelcom. Snajperzy mogli wynajdywać kryjówki niemal wszędzie. Wysoki budynek zapewniał znacznie lepsze pole ostrzału, ale i późniejsza ucieczka z niego okazywała się bardziej niebezpieczna. Wasilijowi Grossmanowi, korespondentowi wojennemu, który wśród radzieckich żołnierzy wzbudzał największe zaufanie, zezwolono nawet na towarzyszenie dziewiętnastoletniemu Czechowowi w jednym z jego wypadów. Czechow, spokojny, milczkowaty chłopak, relacjonował Grossmanowi swoje przeżycia w trakcie długich rozmów. Objaśniał, jak wybiera ofiary po mundurach. Oficerowie stanowili, obok obserwatorów z oddziałów artylerii, główny cel, a w dalszej kolejności żołnierze niosący wodę innym Niemcom dręczonym okrutnym pragnieniem. Informowano nawet, że sowieccy snajperzy dostali rozkaz otwierania ognia do głodujących rosyjskich dzieci, przekupywanych przez Niemców okruszynami chleba, by napełniały ich manierki i butelki wodą z Wołgi. Ponadto Sowieci bez wahania strzelali do Rosjanek zadających się z Niemcami.

Podczas „łowieckiej" wyprawy Czechow już przed świtem zajmował starannie wybrane stanowisko, aby być gotowym „przed nastaniem poranka". Od chwili ustrzelenia pierwszego wroga celował głównie w głowę, wypatrując wystarczająco obfitej strugi krwi z rany. „Widziałem, jak coś ciemnego tryska mu z głowy; upadł. (...) Po strzale głowę od razu odrzuca w tył albo na bok, a [trafiony] upuszcza to, co niesie, i przewraca się. (...) Nigdy nie napili się wody z Wołgi!"[31]

---

[31] Dokumentacja W. Grossmana, RGALI 1710/3/50.

Treść zdobycznego dziennika pewnego niemieckiego kaprala z 297. Dywizji Piechoty operującej w okolicach południowych obrzeży Stalingradu świadczy o tym, że nawet na zrujnowanych przedmieściach sowieccy snajperzy wywierali na Niemców demoralizujący wpływ. Piątego września wspomniany kapral zapisał: „Żołnierz, który niósł nam śniadanie, został zastrzelony przez snajpera tuż przed tym, jak miał wskoczyć do naszego okopu". Pięć dni później zanotował: „Właśnie byłem na tyłach i aż nie potrafię wyrazić, jak tam przyjemnie. Można chodzić wyprostowanym bez obawy, że zostanie się postrzelonym przez strzelca wyborowego. Umyłem twarz po raz pierwszy od trzynastu dni". Po powrocie na linię frontu dopisał: „Snajperzy nie dają nam spokoju. Strzelają piekielnie celnie"[32].

Stachanowska mentalność była głęboko zakorzeniona w szeregach Armii Czerwonej, a sowieccy oficerowie czuli się w obowiązku jeszcze ją wzmacniać lub nawet wprowadzać nowe kryteria takiej rywalizacji. Jak wyjaśniał pewien podporucznik: „Co rano i co wieczór należało wysyłać meldunek na temat strat zadanych nieprzyjacielowi oraz bohaterstwa żołnierzy pułku. Musiałem dostarczać te raporty, bo wyznaczono mnie na oficera łącznikowego, gdyż nasza bateria straciła wszystkie działa. (...) Pewnego przedpołudnia z ciekawości przeczytałem dokument opatrzony nagłówkiem »TAJNE«, przysłany przez dowódcę pułku. Napisano w nim, że żołnierze pułku odparli atak wroga i uszkodzili dwa czołgi, zmusili cztery [niemieckie] baterie do przerwania ostrzału oraz zabili kilkunastu hitlerowskich szeregowców i oficerów ogniem z dział, karabinów i broni maszynowej. A przecież wiedziałem świetnie, że Niemcy spokojnie przesiedzieli cały dzień w okopach, a nasze działa 75 mm nie wystrzeliły ani jednego pocisku. Nie powiem, żeby ten meldunek specjalnie mnie zaskoczył. W tym czasie wszyscy już braliśmy przykład z działań Sowinformbiura [Radzieckiego Biura Informacyjnego]"[33].

Czerwonoarmistów zadręczały nie tylko strach, głód fizyczny i wszy, które przezywali „snajperami", ale także przemożny głód nikotynowy. Niektórzy narażali się na surowe kary, wykorzystując papier ze swoich dokumentów tożsamości na skręty, jeśli pozostało im jeszcze choćby trochę machorki. W najgorszym razie ćmili wyściółkę ze swoich waciaków. Wszyscy wypatrywali codziennych przydziałów stu gramów wódki, ale podoficerowie z zaopatrzenia kradli część alkoholu, rozcieńczając jego resztę wodą. Gdy nadarzała się okazja, żołnierze wymieniali z cywilami ekwipunek lub część odzieży na samogon[34].

---

[32] Kapral Alois Heimesser z 297. Dywizji Pancernej, 14 listopada 1942 r., CAFSB 40/22/11, s. 62–65.
[33] W.W. Gormin, „Nowgorodskaja Prawda", 21 kwietnia 1995.
[34] Na temat głodu nikotynowo-alkoholowego zob. *ibidem*.

Najdzielniejsze z dzielnych w Stalingradzie były młode sanitariuszki, które nieustannie pod ciężkim ostrzałem ściągały rannych z pola walki. Czasami same strzelały do Niemców. Używanie noszy nie wchodziło w rachubę, więc sanitariuszka albo wczołgiwała się pod ciało żołnierza i pełzła wraz z nim, dźwigając go na plecach, albo też ciągnęła go na kawałku brezentu lub peleryny. Następnie rannych zabierano na jeden z pomostów w celu przewozu ich za Wołgę, podczas którego narażeni byli na ogień artylerii, broni maszynowej i ataki samolotów. Często rannych było tak wielu, że nikt się nimi nie zajmował całymi godzinami, czasem nawet dniami. Służby medyczne były przeciążone pracą. W polowych szpitalach, w których brakowało zapasów krwi, pielęgniarze i lekarze przetaczali rannym swoją, z ramienia do ramienia. „W przeciwnym razie żołnierze umrą", raportowano z Frontu Stalingradzkiego do Moskwy[35]. Wielu medyków mdlało, oddawszy za dużo krwi.

Przełomowa bitwa o Stalingrad zbiegła się w czasie z ważnymi przekształceniami w armii radzieckiej. Dziewiątego października dekret nr 307 obwieścił „wprowadzenie jednolitej struktury dowodzenia w Armii Czerwonej i likwidację funkcji komisarzy politycznych"[36]. Frontowi dowódcy, wcześniej narażeni na ingerencje politruków, triumfowali. Rzeczona zmiana była nader istotnym krokiem na drodze do odrodzenia zawodowego korpusu oficerskiego. Z kolei komisarze z trwogą zorientowali się, że dowódcy zaczęli ich lekceważyć. Wydział polityczny Frontu Stalingradzkiego ubolewał nad „absolutnie niepoprawną postawą", jaka się wykształciła. Do Moskwy posyłano liczne przykłady, które na to wskazywały. Pewien komisarz donosił, że „wydział polityczny jest uważany za zbędny dodatek"[37].

Ponadto sowiecki wywiad wojskowy i NKWD bardzo zaniepokoiły informacje uzyskane od przesłuchiwanych jeńców niemieckich o tym, że masy radzieckich jeńców pracują dla Niemców, oddając im różne usługi[38]. „Na niektórych odcinkach frontu – donosił do Moskwy stalingradzki wydział polityczny – zdarzają się przypadki, że byli Rosjanie zakładają mundury Armii Czerwonej i przenikają na nasze pozycje w celach zwiadowczych i aby pochwycić oficera albo żołnierza, a potem poddać go przesłuchaniom"[39]. Sowieci nie mieli wszak pojęcia, że nieco ponad trzydzieści tysięcy takich kolaborantów skierowano do samej tylko niemieckiej 6. Armii. Dopiero po batalii przekonali się o skali tego zjawiska na podstawie przesłuchań i ustalili, na czym polegała taka współpraca.

[35] 4 listopada 1942 r., CAMO 48/486/25, s. 47.
[36] CAMO 48/486/25, s. 176–177.
[37] Koszczejew do Szczerbakowa, 14 listopada 1942 r., CAMO 48/486/25, s. 179.
[38] Na temat przesłuchań jeńców na Froncie Stalingradzkim zob.: CAMO 62/335/7, 48/453/13, 206/294/12, 206/294/47, 206/294/48, 226/335/7.
[39] Dobronin do Szczerbakowa, 8 października 1942 r., CAMO 48/486/24, s. 81.

„Rosjan w armii niemieckiej można podzielić na trzy kategorie – oznajmił pewien jeniec wojenny przesłuchującym go enkawudzistom. – Pierwsza to żołnierze powołani pod broń przez niemieckie wojska, tak zwane plutony kozackie, przydzielane do niemieckich dywizji. Druga to *Hilfsfreiwillige* [zwani hiwisami], oddziały złożone z miejscowej ludności lub rosyjskich jeńców, którzy zgłosili się na ochotnika, albo tych czerwonoarmistów, którzy zdezerterowali, żeby przyłączyć się do Niemców. Ludzie z tej kategorii mają przepisowe niemieckie umundurowanie, stopnie wojskowe i naszywki. Jedzą tak jak niemieccy żołnierze i są przydzielani do niemieckich pułków. Trzecią są rosyjscy jeńcy, którzy wykonują brudną robotę w kuchniach, stajniach i tak dalej. Te trzy kategorie traktuje się odmiennie; najlepiej, rzecz jasna, ochotników"[40].

W październiku 1942 roku Stalin stanął w obliczu również innych problemów. Chiang Kai-shek i całe kierownictwo Kuomintangu w Chongqingu było skore do wykorzystania chwilowej radzieckiej słabości, w chwili gdy niemieckie armie zagrażały kaukaskim polom naftowym. Od kilku lat Stalin nasilał sowiecką kontrolę nad odległą, północno-zachodnią prowincją Xinjiang, wraz z jej kopalniami i złożami ropy naftowej w Dushanzi. Za sprawą ostrożnych zabiegów dyplomatycznych Chiang zajął się umacnianiem panowania chińskich nacjonalistów w tej prowincji. Zmusił Sowietów do wycofania stamtąd swoich wojsk oraz przekazania kopalni i zakładów lotniczych, które tam założyli. Chiang szukał pomocy u Amerykanów i ostatecznie Sowieci wycofali się jak niepyszni. Stalin nie mógł ryzykować konfliktu z Rooseveltem. Wielka przebiegłość, jaką wykazał się Chiang w tej sytuacji, uniemożliwiła Związkowi Radzieckiemu przejęcie Sinkiangu i rozciągnięcie nad tym obszarem takiej kontroli, jaką Moskwa sprawowała nad Mongolią Zewnętrzną. Wycofanie się Sowietów znacznie pogorszyło też sytuację chińskich komunistów w owej prowincji. Mieli oni tam powrócić dopiero w 1949 roku, gdy Armia Ludowo-Wyzwoleńcza pod wodzą Mao opanowała to terytorium pod koniec chińskiej wojny domowej[41].

Nieustępliwe niemieckie ataki w Stalingradzie nasiliły się z jeszcze większym impetem w trakcie października. „Huraganowy ostrzał artyleryjski zaczął się, kiedy szykowaliśmy śniadanie – zapisał pewien radziecki żołnierz. – Kuchnia, w której siedzieliśmy, naraz wypełniła się cuchnącym dymem. Tynk pospadał w nasze menażki z wodnistą jaglaną zupą. Od razu zapomnieliśmy

---

[40]   Zapis przesłuchania, 4 marca 1943 r., CAMO 226/335/7, s. 364.
[41]   Na temat wypadków w prowincji Xinjiang zob. J.W. Garver, *Chinese-Soviet Relations, 1937–1945. The Diplomacy of Chinese Nationalism*, Oxford 1988, s. 169–177.

o zupie. Ktoś na dworze krzyknął: »Czołgi!«. Ten okrzyk przedarł się przez grzmot, odgłos walących się ścian i czyjeś rozdzierające wrzaski"[42].

Mimo że radziecka 62. Armia została zepchnięta niebezpiecznie blisko brzegu Wołgi, nie przerywała zaciekłych zmagań w zniszczonych fabrykach w północnej części miasta. Dowództwo Frontu Stalingradzkiego donosiło, że jego wojska wykazują „prawdziwy zbiorowy heroizm"[43]. Wielce w tym pomagało wsparcie ogniowe ze strony znacznie wzmocnionej artylerii zza Wołgi, rozbijające niemieckie szturmy.

W trakcie pierwszego tygodnia listopada na Froncie Stalingradzkim odnotowano pewną zmianę: „W ostatnich dwóch dniach – zwracano uwagę w raporcie dla Moskwy z 6 listopada – wróg zaczął zmieniać taktykę. Przypuszczalnie pod wpływem wielkich strat w czasie ostatnich trzech tygodni przestał walczyć dużymi formacjami". W ciągu trzech tygodni ciężkich i kosztownych ataków Niemcom nie udało się posuwać naprzód więcej niż średnio „pięćdziesiąt metrów na dzień". Rosjanie określili nową niemiecką taktykę mianem „rozpoznania walką w celu wyszukania słabych punktów na styku naszych pułków"[44]. Ale te nowe „nagłe ataki" nie dawały więcej niż dawniejsze. Sowieccy żołnierze odzyskiwali ducha bojowego. „Często wspominam słowa Niekrasowa o tym, że lud rosyjski jest w stanie znieść wszystko, co Bóg może na nas zesłać – napisał jeden z czerwonoarmistów. – Tu, w wojsku, łatwo sobie wyobrazić, że nie ma na ziemi takiej mocy, która dałaby radę naszej rosyjskiej sile"[45].

Z kolei niemieckie morale nader się załamywało. „Nie do opisania, co się tutaj dzieje – pisał w liście do domu niemiecki kapral. – Każdy w Stalingradzie, kto jeszcze ma głowę i ręce, kobiety i mężczyźni, uczestniczy w walce"[46]. Inny przyznawał, że „te [sowieckie] psy walczą jak lwy"[47]. Trzeci tak napisał do rodziny: „Im prędzej pójdę do piachu, tym mniej się nacierpię. Często myślimy, że Rosja powinna skapitulować, ale ten ciemny naród jest za głupi, żeby to zrozumieć"[48]. Nękani przez wszy, osłabieni koniecznością odżywiania się skąpymi racjami prowiantu i narażeni na wiele chorób, z których najpowszechniejszą była dyzenteria, Niemcy jedyną pociechę znajdowali w nadziei na spędzenie Bożego Narodzenia w zimowych kwaterach.

Hitler żądał przeprowadzenia ostatecznego natarcia w celu uchwycenia zachodniego brzegu Wołgi, zanim spadnie śnieg. Ósmego listopada chełpił

---

[42] W.W. Gormin, „Nowgorodskaja Prawda", 21 kwietnia 1995.
[43] CAMO, 48/486/24, s. 200.
[44] Koszczejew to Szczerbakowa, 6 listopada 1942 r., CAMO 48/486/25, s. 69.
[45] CAFSB 40/22/12, s. 96–100.
[46] Starszy szeregowy Gelman, cyt. za: Volgograd University Project, AMPSB.
[47] Starszy szeregowy H.S., 389. Dywizja Piechoty, 5 listopada 1942 r., BfZ-SS.
[48] Cyt. za: dokumentacja W. Grossmana, RGALI 1710/1/100.

się podczas przemówienia do nazistowskich „starych bojowników" w monachijskiej piwiarni Bürgerbräukeller, że Stalingrad można już uznać za zdobyty. „Czas nie ma tu znaczenia", twierdził[49]. Wielu oficerów 6. Armii z niedowierzaniem słuchało tych słów, transmitowanych przez berlińskie radio. Armia Pancerna „Afrika" Rommla znajdowała się w odwrocie, a alianckie wojska właśnie wylądowały na północnoafrykańskim wybrzeżu. Wspomniane przemówienie stanowiło przykład przesadnej brawury, która miała wpłynąć katastrofalnie na niemieckie losy wojenne, zwłaszcza na los 6. Armii. Zadufany w sobie Hitler nie potrafił się pogodzić z koniecznością strategicznego odwrotu.

Wkrótce nastąpiła seria nieprzemyślanych decyzji. Kwatera główna Führera wydała rozkaz, aby większość ze stu pięćdziesięciu tysięcy koni pociągowych 6. Armii odesłano o kilkaset kilometrów dalej na tyły. W takiej sytuacji nie byłoby konieczności przewożenia wielkich ilości paszy na pierwszą linię, znacznie oszczędzając na transporcie. To posunięcie pozbawiło mobilności wszystkie niezmotoryzowane dywizje, lecz przypuszczalnie Hitler chciał w ten sposób uniemożliwić 6. Armii ewentualne wycofanie się. Jego najbardziej katastrofalnym w skutkach rozkazem było wydane Paulusowi polecenie rzucenia prawie wszystkich jego formacji pancernych do „ostatecznej" bitwy o Stalingrad; nawet rezerwowe załogi czołgów miały walczyć u boku piechoty. Paulus usłuchał tego rozkazu. Rommel, gdyby przypadkiem znalazł się na jego miejscu, niemal na pewno zignorowałby podobną dyrektywę.

Dziewiątego listopada, dzień po wystąpieniu Hitlera, w Stalingradzie nastała zima. Temperatura nagle spadła do −18 °C, co uczyniło przeprawy przez Wołgę jeszcze niebezpieczniejszymi. „Kry lodowe zderzają się z sobą, kruszą się i ocierają", pisał Grossman, wsłuchując się w towarzyszące temu niesamowite odgłosy[50]. Dostarczanie zapasów i ewakuacja rannych stały się prawie niewykonalne. Dowódcy oddziałów niemieckiej artylerii, świadomi, przed jakimi problemami stanął nieprzyjaciel, jeszcze bardziej skoncentrowali ogień na przeprawach. Jedenastego listopada grupy bojowe wydzielone z sześciu niemieckich dywizji, wspierane przez cztery bataliony saperów, przeszły do natarcia. Czujkow szybko, jeszcze tej samej nocy, przeprowadził przeciwuderzenie.

W swoich wspomnieniach Czujkow stwierdził, że nie miał pojęcia, co planowała Stawka, ale to nieprawda. Doskonale orientował się w sytuacji, o czym świadczy jeden z meldunków dla Moskwy, że musi związać walką

---

[49] *Hitler. Reden und Proklamationen, 1932–1945*, t. 2, red. M. Domarus, Wiesbaden 1973, s. 1937–1938.
[50] Dokumentacja W. Grossmana, RGALI 618/2/108.

w mieście maksymalnie duże niemieckie siły, aby 6. Armia nie mogła w tym czasie wzmocnić skrzydeł narażonych na kontratak.

Niemieccy dowódcy i sztabowcy w Stalingradzie od dawna aż za dobrze zdawali sobie sprawę z tego, jak słabo bronione są ich flanki. Zaplecze lewego skrzydła nad Donem chroniła rumuńska 3. Armia, natomiast sektora nieco dalej na południe strzegła rumuńska 4. Armia. Wojska te były słabo uzbrojone, a żołnierze rumuńscy zdemoralizowani i pozbawieni dział przeciwpancernych. Hitler zlekceważył wszelkie przestrogi, utrzymując, że Armia Czerwona dogorywa i nie może przeprowadzić skutecznej kontrofensywy. Nie chciał też przyjąć do wiadomości szacunkowych ocen dotyczących produkcji radzieckich czołgów. Wydajność sowieckich robotników i robotnic w zaimprowizowanych i nieogrzewanych fabrykach na Uralu w istocie aż czterokrotnie przewyższała produktywność niemieckiego przemysłu zbrojeniowego.

Generałowie Żukow i Wasilewski mieli świadomość nadarzającej się wielkiej okazji już od 12 września, kiedy wyglądało na to, że Stalingrad niebawem padnie. Czujkowa zasilono uzupełnieniami wystarczającymi do utrzymania miasta, ale niepozwalającymi na nic więcej. Faktycznie radziecką 62. Armię podtrzymywano jako rodzaj przynęty przed gigantyczną pułapką. W trakcie całych straszliwych jesiennych bojów Stawka gromadziła odwody i tworzyła nowe armie, w tym zwłaszcza formacje czołgów, i kierowała na front baterie wyrzutni rakietowych Katiusza. Sowieci przekonali się, jak skuteczna okazała się ta nowa broń w sianiu trwogi w szeregach nieprzyjaciela. Szeregowiec Waldemar Sommer z niemieckiej 371. Dywizji Piechoty tak powiedział śledczemu z NKWD: „Jeśli katiusze zaśpiewają jeszcze parę razy, to wszystkim, co z nas pozostanie, będą żelazne guziki"[51].

Stalin, zwykle tak niecierpliwy, usłuchał w końcu argumentów swojej generalicji, że potrzebny jest czas. Sowieccy dowódcy przekonali go, iż frontalne atakowanie na skraju północnej flanki niemieckiej 6. Armii niczego nie mogło przynieść. Tym, czego potrzebowała Armia Czerwona, była wielka operacja oskrzydlająca z użyciem potężnych formacji czołgów wyprowadzona z głębokiego zaplecza, z okolic na zachód od Donu i na południe od Stalingradu. Stalin nie niepokoił się tym, że oznaczało to powrót do doktryny „głębokich operacji", za którą niegdyś opowiadał się marszałek Michaił Tuchaczewski i która została uznana za herezję po straceniu Tuchaczewskiego w trakcie czystek. Perspektywa wielkiego odwetu na wrogu otwarła umysł Stalina na ów śmiały plan, który miał „zasadniczo zmienić

---

[51] CAFSB 14/4/326, s. 307.

sytuację strategiczną na południu"[52]. Szykowaną ofensywę określono kryptonimem „Uran".

Od połowy września Żukow i Wasilewski koncentrowali nowe armie i szkolili je przez krótkie okresy na różnych odcinkach frontu. Postępowanie takie przy okazji wprowadzało w błąd niemiecki wywiad, który zaczął oczekiwać wielkiej radzieckiej ofensywy przeciwko Grupie Armii „Środek". Nie zabrakło działań mających zmylić przeciwnika – *maskirowki* – a łodzie szturmowe znalazły się nad Donem koło Woroneża, gdzie Sowieci nie planowali żadnego uderzenia, podczas gdy radzieckim żołnierzom kazano się okopywać akurat w tych sektorach, z których miała wyjść ofensywa. Jednak niemieckie podejrzenia, że szykuje się poważne uderzenie przeciwko występowi w linii frontu koło Rżewa na zachód od Moskwy, w istocie nie były bezpodstawne.

Sowiecki wywiad wojskowy już zawczasu zebrał optymistyczne raporty na temat stanu rumuńskich 3. i 4. Armii. Przesłuchania jeńców ujawniały nienawiść przymusowo powołanych do wojska Rumunów do marszałka Iona Antonescu, który „zaprzedał ich ojczyznę Niemcom"[53]. Dzienny żołd rumuńskiego żołnierza zaledwie „wystarczał na kupno litra mleka"[54]. Oficerowie byli „bardzo surowi wobec żołnierzy i często ich bili". Regularnie zdarzały się przypadki samookaleczeń, pomimo kazań wygłaszanych przez oficerów, że to „grzech przeciwko ojczyźnie i Bogu". Niemieccy żołnierze nierzadko znieważali Rumunów, co prowadziło do bójek, a rumuńscy szeregowcy zabili pewnego nazistowskiego oficera, który zastrzelił dwóch ich towarzyszy broni. Radziecki śledczy ustalił, że wojska rumuńskie są w „złym stanie moralno-politycznym"[55]. Prowadzone przez NKWD przesłuchania jeńców wykazały też, że żołnierze rumuńskiej 3. Armii „gwałcili wszystkie kobiety we wsiach na południowy zachód od Stalingradu"[56].

Na Frontach Kalinińskim i Zachodnim Stawka zaplanowała operację „Mars", wymierzoną przeciwko niemieckiej 9. Armii. Główny cel tej operacji sprowadzał się do zapewnienia, by Niemcy nie mogli „przerzucić z centralnej części frontu na południową" ani jednej dywizji[57]. Mimo że Żukow odpowiadał za nadzorowanie tych działań jako przedstawiciel Stawki, to w gruncie rzeczy poświęcił dużo więcej czasu na planowanie operacji „Uran".

---

[52] G. Żukow, *Marszał Żukow. Kakim my jego pomnim*, Moskwa 1988, s. 140.
[53] CAMO 48/453/13, s. 4.
[54] Stenogram przesłuchania porucznika rumuńskiej kawalerii, 26 września 1942 r., CAMO 206/294/47, s. 561.
[55] CAMO 48/453/13, s. 4–7.
[56] CAFSB 14/4/326, s. 264–267.
[57] Słowa prof. O.A. Rżeszewskiego na seminarium poświęconym bitwie pod Stalingradem, Londyn, 9 maja 2000 r.

Pierwszych dziewiętnaście dni spędził w Moskwie, zaś zaledwie osiem i pół w kalinińskim sektorze frontu i aż pięćdziesiąt dwa w okolicach Stalingradu[58]. Już tylko to wskazuje, że „Mars" był operacją drugorzędną, pomimo użycia w niej sześciu armii.

Zdaniem rosyjskich historyków wojskowości czynnikiem, który jasno demonstrował, że „Mars" był dywersyjną, a nie, jak przekonywał David Glantz[59], równorzędną operacją, była dystrybucja amunicji artyleryjskiej. Wedle generała armii Mahmuta Achmatowicza Gariejewa z Rosyjskiego Stowarzyszenia Historyków Drugiej Wojny Światowej w operacji „Uran" przypadało „2,5 do 4,5 ładunków amunicyjnych [na działo] pod Stalingradem, w porównaniu z niespełna jednym w operacji »Mars«"[60]. Takie uderzająco nierównomierne rozdzielnie zasobów zdaje się wskazywać, jak niewiele znaczyło ludzkie życie dla Stawki, która była gotowa rzucić do walki sześć armii z niedostatecznym wsparciem artyleryjskim, aby związać Grupę Armii „Środek" w trakcie zamykania niemieckich wojsk w kotle stalingradzkim.

W opinii szefa siatki szpiegowskiej generała Pawła Sudopłatowa, wysokiego rangą funkcjonariusza radzieckich służb szpiegowskich, taka bezwzględność miała całkowicie cyniczny charakter. Sudopłatow opisał, jak szczegóły zbliżającej się akcji zaczepnej pod Rżewem z premedytacją podsuwano Niemcom. Zarząd Zadań Specjalnych NKWD i wywiad wojskowy GRU wspólnie przygotowały operację „Monastyr" związaną z infiltracją niemieckiej Abwehry. Aleksandr Diemianow, wnuk przywódcy kubańskich Kozaków, otrzymał od NKWD polecenie, aby dać się zwerbować do Abwehry. Generał major Reinhard Gehlen, szef niemieckiego wywiadu na froncie wschodnim, nadał mu pseudonim „Max" i twierdził, że to jego najlepszy agent oraz organizator siatek szpiegowskich. Ale złożona z antykomunistów podziemna organizacja Diemianowa była całkowicie kontrolowana przez NKWD. „Max" rzekomo „zbiegł" na stronę Niemców na nartach w trakcie chaosu, jaki powstał podczas radzieckiego kontruderzenia w grudniu 1941 roku. Wobec tego, że Niemcy już go wytypowali na potencjalnego agenta w czasie obowiązywania paktu nazistowsko-radzieckiego, a rodzina Diemianowa była dobrze znana w kręgach białogwardyjskich emigrantów, Gehlen zaufał mu bez zastrzeżeń. Następnie, w lutym

---

[58] S.I. Isajew, *Wiechi frontowogo put'i*, „Wojenno-Istoriczeskij Żurnał" 1991, nr 10, s. 22–25.

[59] Zob. D. Glantz, *General Zhukov's Greatest Defeat. The Red Army's Epic Disaster in Operation Mars, 1942*, London 2000.

[60] Wypowiedź generała armii M.A. Gariejewa na sesji Narodowej Komisji Historyków Rosyjskich z 28 grudnia 1999 roku. Chciałbym wyrazić swoją wdzięczność prof. Olegowi Rżeszewskiemu, przewodniczącemu Rosyjskiego Stowarzyszenia Historyków Drugiej Wojny Światowej, za przysłany mi numer piąty biuletynu informacyjnego tej instytucji z 2000 roku, z pełnym zapisem przebiegu wspomnianej sesji.

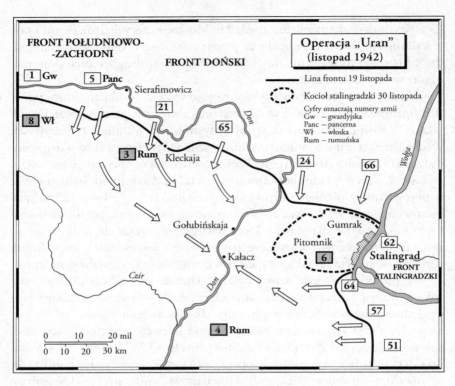

1942 roku, „Maxa" zrzucono ze spadochronem na tyły Armii Czerwonej i już wkrótce zaczął on przekazywać drogą radiową wiarygodne, ale w istocie nieprawdziwe dane wywiadowcze, podsuwane przez kontrolujących go funkcjonariuszy NKWD[61].

Na początku listopada przygotowania do operacji „Uran" pod Stalingradem i dywersyjnej operacji „Mars" w pobliżu Rżewa były już bardzo zaawansowane. Wtedy właśnie „Max" dostał polecenie przekazania Niemcom szczegółów dotyczących „Marsa". „Ofensywa przewidziana przez »Maksa« na froncie centralnym, niedaleko Rżewa – pisał generał Sudopłatow, ówczesny szef Zarządu Zadań Specjalnych NKWD – była planowana przez Stalina w celu odwrócenia uwagi Niemców od Stalingradu. Dezinformację zatajono nawet przed marszałkiem Żukowem. (...) Ja dowiedziałem się o niej od generała Fiodora Kuzniecowa z GRU, który wręczył mi zalakowaną kopertę. (...) Żukow, który nie wiedział o prowadzonej jego kosztem grze dezinformacyjnej, zapłacił wysoką cenę, tracąc tysiące ludzi"[62].

---

[61] Zob. P. Sudopłatow, *Wspomnienia niewygodnego świadka*, tłum. J. Markowski, Warszawa 1999, s. 155–159.

[62] *Ibidem*, s. 160.

Ilja Erenburg należał do nielicznych pisarzy będących świadkami tamtejszych walk. „Część lasku na obrzeżach [Rżewa] była polem bitwy; drzewa rozerwane przez pociski i miny przypominały bezładne stosy. Ziemia była poprzecinana transzejami; okopy wypiętrzały się jak wrzody. Jeden lej po pocisku zlewał się z innymi. (...) Dudniący ryk dział i wściekły szczekot moździerzy ogłuszały, potem naraz, w trakcie dwu- albo trzyminutowej pauzy słychać było grzechotanie broni maszynowej. (...) W szpitalach polowych odbywały się transfuzje krwi, amputowano ręce i nogi"[63]. Armia Czerwona straciła 70 374 zabitych i 145 300 rannych, a informacje o tej gigantycznej ofierze utrzymywano w tajemnicy przez prawie sześćdziesiąt następnych lat[64].

Przed wielką operacją okrążającą przeciwko 6. Armii Żukow osobiście lustrował strefy działań zaczepnych nad Donem, a Wasilewski wizytował armie na południe od Stalingradu. Tam właśnie Wasilewski wydał rozkaz lokalnego natarcia tuż za linię słonych jezior w celu uchwycenia dogodniejszych punktów wyjściowych do wyprowadzenia ofensywy. Zachowanie tajemnicy miało zasadnicze znaczenie. Nawet dowódców poszczególnych armii nie zaznajomiono z planem ataku. Ludność cywilna została ewakuowana ze strefy przyfrontowej. Opustoszałe wsie miały być potrzebne do ukrywania wojsk podprowadzanych nocami. Sowieci dobrze się maskowali, ale nie na tyle skutecznie, żeby skryć przed nieprzyjacielem koncentrację tak wielu jednostek. Nie to było jednak najważniejsze. Choć sztabowcy z 6. Armii i Grupy Armii „B" spodziewali się jakiegoś uderzenia na bronionym przez Rumunów odcinku na północnym zachodzie i prób przecięcia linii kolejowej wiodącej do Stalingradu, to nie wyobrażali sobie, że Sowieci postarają się zamknąć w okrążeniu całe niemieckie zgrupowanie pod Stalingradem. Nieskuteczne radzieckie ataki na ich północną flankę w pobliżu miasta przekonały ich, że Armii Czerwonej nie stać na zadanie nokautującego ciosu. Hitler gotów był jedynie na przesunięcie bardzo słabego XLVIII Korpusu Pancernego do odwodu, na tyły rumuńskiej 3. Armii. Odwód ten składał się z rumuńskiej 1. Dywizji Pancernej, wyposażonej w przestarzałe czołgi, niemieckiej 14. Dywizji Pancernej, zdziesiątkowanej w walkach o Stalingrad, a także 22. Dywizji Pancernej z pojazdami unieruchomionymi przez tak długi okres, że myszy uciekające przed mrozem chowały się pod pancerzami i maskami i poprzegryzały okablowanie.

W rezultacie niedostatku środków transportu zaszła konieczność odłożenia operacji „Uran" do 19 listopada. Cierpliwość Stalina została wystawiona

---

[63] I. Erenburg, *Ludzie, lata, życie*, cz. 5, tłum. W. Komarnicka, Warszawa 1984, s. 85–86.
[64] Na temat radzieckich strat podczas tej operacji zob. D. Glantz, *General Zhukov's Greatest Defeat*, op. cit., s. 304, 318, 319, 379.

na poważną próbę. Miał milion żołnierzy na pozycjach wyjściowych i bardzo się obawiał, że Niemcy zorientują się, co się szykuje. Na północ od Donu 5. Armia Pancerna, 4. Korpus Pancerny, dwa korpusy kawalerii i kilka dywizji strzeleckich uchwyciło w nocy przyczółki. Na południe od Stalingradu dwa korpusy zmechanizowane, korpus kawalerii i jednostki wsparcia przerzucono pod osłoną ciemności przez Wołgę, co było bardzo niebezpieczne, gdyż rzeką spływała kra.

W nocy z 18 na 19 listopada sowieccy saperzy na przyczółkach nad Donem w białych maskujących kurtkach przeczołgali się przez śnieg, aby oczyścić pola minowe. W gęstej, mroźnej mgle nie zostali zauważeni przez rumuńskie warty. O 7.30 czasu moskiewskiego pułki artylerii wyposażone w haubice, armaty polowe, moździerze i wyrzutnie rakietowe Katiusza równocześnie otworzyły ogień. Pomimo tej kanonady, która sprawiała, że ziemia drżała w odległości do pięćdziesięciu kilometrów, rumuńscy żołnierze stawili o wiele twardszy opór, aniżeli spodziewali się tego niemieccy oficerowie łącznikowi. Kiedy tylko do ataku przeszły czołgi, przetaczając się po zasiekach z drutu kolczastego, zaczęło się na dobre radzieckie natarcie; obok czołgów T-34 po zaśnieżonych polach cwałowały jednostki kawaleryjskie. Zaskoczone na otwartej przestrzeni niemieckie dywizje piechoty musiały odpierać szarże kawalerii, „zupełnie jakby był rok 1870", jak zapisał jeden z oficerów[65].

W dowództwie 6. Armii nie zapanował jeszcze zbytni niepokój, gdyż dotarły tam wieści, że niemiecki XLVIII Korpus Pancerny wyruszył do kontrakcji, by zlikwidować wyłom w linii frontu. Ale ingerencje kwatery głównej Führera i zmiany wydanych już rozkazów wywołały zamęt. Wobec tego, że 22. Dywizja Pancerna ledwie mogła przystąpić do walki, gdyż nie zdążono z naprawą elektryki w większości jej czołgów, chaotyczne przeciwuderzenie przeprowadzone przez generała porucznika Ferdinanda Heima załamało się. Gdy Hitler się o tym dowiedział, żądał rozstrzelania Heima.

Wreszcie Paulus zareagował, ale o wiele za późno. Jego dywizjom piechoty brakowało koni, a zatem i mobilności. Formacje pancerne nadal były uwikłane w walki w samym Stalingradzie i nie mogły szybko oderwać się od nieprzyjaciela, gdyż przeciwdziałały temu ataki przeprowadzane przez generała Czujkowa. Kiedy w końcu im się to powiodło, jednostki pancerne dostały rozkaz odejścia na zachód i wzmocnienia XI Korpusu generała porucznika Karla Streckera, który miał zablokować wyłom daleko na niemieckich tyłach. Jednakże oznaczało to, że w odwodzie na flance południowej, obsadzonej przez rumuńską 4. Armię, pozostała jedynie niemiecka 29. Dywizja Zmotoryzowana.

---

[65] BA-MA RW4/v.264, s. 157.

Dwudziestego listopada generał Jeriomienko wydał rozkaz do ataku na południowym odcinku. Natarcie rozpoczęły Armie 64., 57. i 51., poprzedzane przez dwa korpusy zmechanizowane i korpus kawalerii. Nadchodziła pora odwetu; morale radzieckich wojsk przedstawiało się dobrze. Ranni żołnierze nie chcieli, żeby ewakuowano ich na tyły. „Nie pójdę – powiedział czerwonoarmista z 45. Dywizji Strzeleckiej. – Chcę atakować dalej razem z moimi towarzyszami"[66]. Rumuni poddawali się masowo, a wielu z nich zabijano na miejscu.

Nie mając rozpoznania lotniczego w tej krytycznej chwili, dowództwo 6. Armii nie pojęło radzieckiego planu. Ten zaś przewidywał, że dwa nacierające ugrupowania spotkają się w okolicach Kałacza nad Donem, zamykając w okrążeniu całą 6. Armię. Rankiem 21 listopada Paulus i jego sztabowcy kwaterujący we wsi Gołubińskaja, położonej dwadzieścia kilometrów na północ od Kałacza, wciąż nie mieli pojęcia, co im zagraża. Ale z upływem dnia, wraz z alarmującymi meldunkami o postępach czynionych przez radzieckie czołówki, uświadomili sobie nadciągającą katastrofę. Nie było formacji mogących powstrzymać przeciwnika, a sama siedziba dowództwa 6. Armii znalazła się w niebezpieczeństwie. Pospiesznie palono dokumenty i akta, zniszczono też uszkodzony samolot zwiadowczy na pobliskim lądowisku. Owego popołudnia z kwatery głównej Führera nadszedł rozkaz: „Szósta Armia ma wytrwać na pozycjach mimo przejściowego zagrożenia okrążeniem"[67]. Los największego związku operacyjnego w całym Wehrmachcie wkrótce miał zostać przesądzony. Kałacz, wraz z tamtejszym mostem na Donie, pozostał bez obrony.

Dowódca radzieckiej 19. Brygady Czołgów dowiedział się od miejscowej kobiety, że wrogie wozy pancerne zbliżają się do wspomnianego mostu z włączonymi światłami. W tej sytuacji ustawił dwa zdobyczne czołgi niemieckie na czele swojej kolumny, rozkazał wszystkim kierowcom zapalić światła i ruszyć prosto na most w Kałaczu, zanim zaimprowizowany oddział Niemców i obsługa niemieckich dział przeciwlotniczych zorientują się, co się dzieje.

Nazajutrz, w niedzielę 22 listopada, radzieckie czołówki spotkały się na zamarzniętym stepie, informując o swojej pozycji za pomocą wystrzeliwanych zielonych rac. Żołnierze padali sobie w objęcia, święcąc sukces i dzieląc się wódką oraz kiełbasą. W Niemczech w ów dzień wypadał *Totensonntag* – dzień pamięci poległych. „Nie wiem, jak to wszystko się skończy – napisał do żony generał porucznik Eccard von Gablenz, dowódca 384. Dywizji Piechoty. – To dla mnie bardzo trudne, ponieważ powinienem próbować rozbudzać w podwładnych niewzruszoną wiarę w zwycięstwo"[68].

---

[66] Koszczejew do Szczerbakowa, 21 listopada 1942 r., CAMO 48/486/25, s. 264.
[67] BA-MA RH 20-6/241.
[68] List z 21 września 1942 r., CAFSB 40/22/142, s. 152.

ROZDZIAŁ 25

Al-Alamajn i operacja „Torch"

W październiku 1942 roku, gdy Żukow i Wasilewski czynili przygotowania do zamknięcia niemieckiej 6. Armii w wielkim okrążeniu pod Stalingradem, Rommel przebywał w Niemczech na urlopie zdrowotnym. Cierpiał z powodu skutków nadmiernego stresu, niskiego ciśnienia krwi i zaburzeń jelitowych. Jego ostatnia próba przełamania pozycji 8. Armii w bitwie pod Alam el-Halfa skończyła się fiaskiem. Wielu jego żołnierzy także chorowało, ponadto rozpaczliwie brakowało im prowiantu, paliwa i amunicji. Po tym jak jego marzenia o podboju Egiptu i Bliskiego Wschodu się rozwiały, Rommel nie chciał wziąć na siebie osobistej odpowiedzialności za niepowodzenia. Wmawiał sobie, że feldmarszałek Kesselring celowo, z zawiści, wstrzymywał dostawy zaopatrzenia dla *Panzerarmee* „Afrika".

Położenie Armii Pancernej „Afryka" w istocie było trudne. Włosi na tyłach oraz jednostki Luftwaffe zatrzymywały dla siebie większość zapasów. Morale niemieckich żołnierzy było bardzo złe. Za sprawą przechwyconych i rozszyfrowanych meldunków przeciwnika alianckie okręty podwodne i bombowce zatopiły w październiku na Morzu Śródziemnym jeszcze więcej frachtowców należących do państw osi. Hitler nie ufał swoim „anglofilskim sprzymierzeńcom" i nabrał przeświadczenia, że „niemieckie transportowce są wystawiane Anglikom przez Włochów"[1]. Nie brał pod uwagę możliwości, iż nieprzyjaciel złamał kody niemieckiej Enigmy.

Generał wojsk pancernych Georg Stumme, ten sam dowódca korpusu, którego postawiono przed sądem wojskowym za utratę planów „Fall Blau",

---

[1] N. von Below, *Byłem adiutantem Hitlera, 1937–1945*, tłum. Z. Rybicka, Warszawa 1990, s. 307.

dowodził niemiecką armią w Afryce Północnej pod nieobecność Rommla, a generał porucznik Wilhelm von Thoma objął komendę Afrikakorps. Hitler i sztabowcy z OKW nie wierzyli, że Brytyjczycy zaatakują przed nadejściem kolejnej wiosny, a w związku z tym nadal istniała szansa, iż Armia Pancerna „Afryka" przebije się ku delcie Nilu. Rommel i Stumme wykazywali się większym realizmem. Wiedzieli, że nie mogą zrobić wiele w warunkach dominacji alianckiego lotnictwa w powietrzu oraz ataków Royal Navy na konwoje zaopatrzeniowe państw osi.

Rommla wprawiła w jeszcze większą konsternację beztroska, jaką zastał w Berlinie, gdzie wręczono mu buławę marszałkowską. Göring lekceważył potęgę lotniczą aliantów, powiadając: „Amerykanie potrafią tylko produkować żyletki". „Herr Reichsmarschall – odparł na to Rommel – szkoda, że sami nie mamy takich żyletek"[2].

Hitler obiecał wysłanie do Afryki czterdziestu ciężkich czołgów Tiger (PzKpfw VI) wraz z bateriami wielolufowych wyrzutni rakietowych Nebelwerfer, jak gdyby mogło to zrekompensować niedostatki, z jakimi borykały się wojska Rommla.

W OKW bagatelizowano wszelkie obawy, że alianci mogą w najbliższej przyszłości wylądować w północno-zachodniej części Afryki. Jedynie Włosi odnieśli się do tej groźby poważnie. Opracowali doraźne plany zajęcia francuskiej Tunezji, czemu Niemcy się sprzeciwiali z obawy, iż wojska Francji Vichy stawią tam zbrojny opór. W rzeczywistości przygotowania sprzymierzonych do operacji „Torch" były nawet bardziej zaawansowane, aniżeli podejrzewali to Włosi. Na początku września część problemów trapiących Eisenhowera znalazła rozwiązanie wraz z rozstrzygnięciem nieporozumień wokół konwojów transatlantyckich. Miało dojść do równoczesnych desantów pod Casablanką na wybrzeżu Atlantyku oraz koło Oranu i Algieru w basenie Morza Śródziemnego. Ale problem zaopatrzenia wojsk inwazyjnych, wobec chaotycznego systemu przewozowego i niedostatku transportowców, stał się zmorą szefa sztabu Eisenhowera generała majora Waltera Bedella Smitha. Większość wojsk przerzucono przez Atlantyk bez broni i innego wyposażenia, a ćwiczenia w przeprowadzaniu operacji desantowych ulegały opóźnieniom.

Na froncie dyplomatycznym rządy amerykański i brytyjski zaczęły zapewnić reżim generała Franco w Hiszpanii, że nie mają zamiaru pogwałcić hiszpańskiej suwerenności ani w Afryce Północnej, ani na kontynencie europejskim. Zaszła konieczność zareagowania na rozpuszczane przez Niemców pogłoski, że alianci zaplanowali zajęcie Wysp Kanaryjskich. Na szczęście

---

[2] Cyt. za: M. Kitchen, *Rommel's Desert War. Waging World War II in North Africa, 1941–1943*, Cambridge 2009, s. 316.

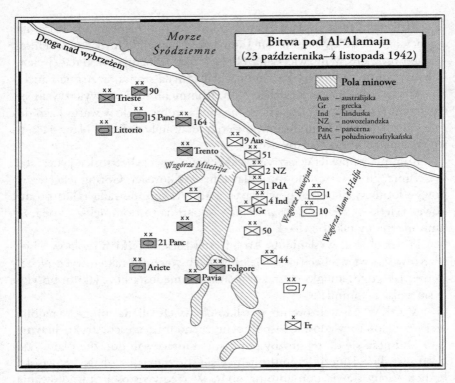

dla sprzymierzonych hiszpańskim ministrem spraw zagranicznych został ponownie pragmatyczny generał Francisco de Jordana, po tym jak Franco usunął z tego stanowiska swojego pronazistowskiego i wielce ambitnego szwagra Ramona Serrano Suñerę. Filigranowy, sędziwy Jordana był zdecydowany utrzymać Hiszpanię poza konfliktem zbrojnym, a jego wrześniową nominację alianci przyjęli z wielką ulgą.

Stumme, choć nie wyróżniał się szczególną inteligencją, pozostawał przekonany, że Montgomery szykuje wielką ofensywę. Zwiększył aktywność patroli i przyspieszył rozmieszczanie prawie pół miliona min w tak zwanych diabelskich ogrodach przed frontalnymi pozycjami Armii Pancernej. Zgodnie ze wskazówkami Rommla Stumme wzmocnił też włoskie formacje niemieckimi jednostkami i rozdzielił Afrikakorps; 15. Dywizja Pancerna znalazła się na bezpośrednim zapleczu północnego odcinka frontu, a 21. Dywizja Pancerna – południowego.

Tymczasem generał Alexander osłaniał Montgomery'ego przed skutkami niecierpliwości Churchilla. Montgomery potrzebował czasu na przeszkolenie swoich nowych wojsk, zwłaszcza X Korpusu Pancernego generała porucznika Herberta Lumsdena, określanego przezeń z dumą i nader optymistycznie mianem *corps de chasse* (korpusu pościgowego). Szykowano też do walki niedawno dostarczone amerykańskie shermany, a łączna liczba czołgów w 8. Armii przekroczyła tysiąc. Lumsden, dziarski kawalerzysta, który w swoim czasie zwyciężył w Grand National[3], raczej nie należał do ulubieńców Montgomery'ego, niemniej jednak był ceniony przez Alexandra.

Plan Montgomery'ego, opatrzony kryptonimem „Lightfoot", przewidywał przeprowadzenie głównego uderzenia w północnym sektorze, najsilniej bronionym przez nieprzyjaciela. Montgomery przypuszczał, że będzie to dla Niemców zaskoczeniem. Dziesiąty Korpus Lumsdena miał wejść w wyłom w linii frontu po tym, jak XXX Korpus przedostanie się przez pole minowe na południe od przebiegającej nad wybrzeżem szosy. Za sprawą wyszukanych działań maskujących, przygotowanych przez majora Jaspera Maskelyne'a, profesjonalnego iluzjonistę, Montgomery liczył na to, że zwiedzie Niemców, którzy uznają, iż główne brytyjskie uderzenie nastąpi na południu, wobec czego przemieszczą tam swoje siły. Maskelyne ustawił setki atrap, które udawały pojazdy, a nawet przeciągnął upozorowany wodociąg w południowym sektorze. Na tym samym obszarze Brytyjczycy nadawali wiele fałszywych, nagranych uprzednio meldunków radiowych, natomiast za liniami ciężarówki ciągnące za sobą łańcuchy wzbijały w powietrze kłęby kurzu. Dla dodatkowego uwiarygodnienia tego kluczowego elementu w planie Montgomery'ego XIII Korpus generała porucznika Briana Horrocksa, wspierany przez 7. Dywizję Pancerną, winien był przeprowadzić dywersyjne uderzenie przy wsparciu jednej trzeciej swojej artylerii. Na lewym skraju linii Al-Alamajn oddziały Wolnych Francuzów pod dowództwem Kœniga miały zaatakować silne włoskie pozycje pod Karet el Himejmat na obrzeżach depresji Munchafad al-Kattara, lecz brakło im dostatecznego wsparcia, by zrealizować tak trudne zadanie.

Dziewiętnastego października brytyjskie Pustynne Siły Powietrzne i samoloty amerykańskie przystąpiły do serii nalotów na lotniska Luftwaffe. Cztery dni później, 23 października o 20.40, artyleria Montgomery'ego rozpoczęła potężny ostrzał pozycji wojsk osi. Ziemia drżała od wybuchów, a rozbłyski u wylotu luf dział rozświetlały horyzont w nocy. Z daleka wyglądało to jak błyskawice. Alianckie bombowce atakowały odwody i zaplecze przeciwnika. Generał Stumme, obawiając się przedwczesnego zużycia amunicji, rozkazał swojej artylerii nie odpowiadać ogniem.

Od chwili zapadnięcia zmierzchu saperzy powoli przemieszczali się naprzód przy blasku wschodzącego księżyca, dźgając piasek bagnetami i usuwając napotykane miny, aby utworzyć przejazdy oznakowane białą taśmą

---

[3] Tradycyjna, największa brytyjska gonitwa jeździecka (przyp. tłum.).

i lampami oliwnymi. O 22.00 cztery dywizje XXX Korpusu – brytyjska 51. Dywizja Górska (Highland), 9. Dywizja Australijska, 1. Dywizja Południowoafrykańska i 2. Dywizja Nowozelandzka – a każda z nich wspierana przez co najmniej jeden pułk pancerny – ruszyły owymi korytarzami przez pola minowe. Żołnierze 51. Dywizji nacierali przy dźwiękach dud i z bagnetami osadzonymi na broni, usłyszawszy, że Włosi ponad wszystko boją się zimnej stali. Piechota poniosła stosunkowo nieznaczne straty, ale ku irytacji Montgomery'ego czołgi X Korpusu Lumsdena utknęły na polach minowych. Zwłoka ta oznaczała, że oberwało im się poważne, gdy nastał świt.

Stumme chciał osobiście ocenić sytuację na linii frontu, ale kiedy jego samochód znalazł się pod ostrzałem, kierowca zjechał z drogi, nie zdając sobie sprawy z tego, że generał wypadł z pojazdu. Stumme zmarł na atak serca, a jego ciało odnaleziono dopiero następnego dnia. Gdy dowiedział się o tym generał von Thoma, który objął dowodzenie, nie palił się z przeprowadzeniem silnego przeciwuderzenia, ponieważ obawiał się zużycia paliwa, zanim jego wojska zostaną na nowo zaopatrzone. Jednakże 25 października zarówno niemiecka 15. Dywizja Pancerna na północy, jak i 21. Dywizja Pancerna na południu podjęły udane lokalne kontrakcje.

Działania nie rozwijały się zgodnie z misternym planem Montgomery'ego. Niemcy nie nabrali się na jego działania maskujące i nie przerzucili wojsk na południowy odcinek w celu odparcia dywersyjnego ataku XIII Korpusu. Tymczasem w północnym sektorze niemieckie pola minowe i opór stawiany przez oddziały osi okazały się przeszkodami znacznie trudniejszymi do pokonania, niż się tego spodziewano. Montgomery niesłusznie obwiniał za niepowodzenia 10. Dywizję Pancerną, zarzucając nawet jej żołnierzom tchórzostwo, podczas gdy w istocie jednostkę tę nieodpowiednio wykorzystano. Montgomery miał uprzedzenia wobec kawalerii, co nie dopomogło mu w optymalnym użyciu broni pancernej.

Na wieść o brytyjskiej ofensywie i śmierci Stummego Rommel wyruszył samolotem do Afryki przez Rzym. Dotarł do swej kwatery polowej o zmierzchu 25 października, dowiedziawszy się w Rzymie, że zaopatrzenie afrykańskich wojsk osi w paliwo jeszcze się pogorszyło wskutek działań Royal Navy i alianckich sił powietrznych.

Wtedy brytyjskiej ofensywie dopomogło schwytanie do niewoli przez Australijczyków dwóch niemieckich oficerów, którzy mieli przy sobie szczegółowe mapy z rozmieszczeniem pól minowych. Jeszcze owej nocy Australijczycy zajęli kluczowe wzgórze, na którym utrzymali się następnego dnia, odpierając silne kontrataki. Wraz z koncentracją jednostek XXX i X Korpusu nacisk na formacje Armii Pancernej na północnym odcinku stał się przemożny. Wówczas Rommel dowiedział się, że został zatopiony kolejny tankowiec z paliwem, na które Niemcy tak bardzo liczyli. Przestrzegł OKW, że wobec minimalnych rezerw paliwa i braku amunicji trudno mu będzie kontynuować bitwę. W tym czasie stało się jasne, że Montgomery gromadził większość swoich sił na północnym odcinku, Rommel przerzucił więc tam na pomoc 21. Dywizję Pancerną. Bez niezbędnego paliwa umożliwiającego jego czołgom wycofanie się i podjęcie walki manewrowej na otwartej przestrzeni uwikłał się w statyczny bój, w którym nie mógł odnieść zwycięstwa. Ponad połowa jego czołgów uległa zniszczeniu, wyeliminowana z walki przez przeciwpancerne armaty sześciofuntowe (kalibru 57 mm) albo przez alianckie lotnictwo. Nowe, trzydziestosiedmiomilimetrowe działka w amerykańskich samolotach typu Bell P-39 Airacobra okazały się najskuteczniejszą bronią przeciwko czołgom.

Montgomery, zmuszony do korekty planu w obliczu tak twardej obrony przeciwnika, przygotował nową ofensywę, natomiast na Australijczyków spadł główny ciężar odpierania nieustannych kontrataków. Drugiego listopada zaczęła się we wczesnych godzinach porannych operacja „Supercharge", poprzedzona kolejnym silnym ostrzałem artyleryjskim i nalotami powietrznymi. Montgomery rzucił do ataku przeciwko okopanym działom przeciwpancernym 9. Brygadę Pancerną. Wcześniej przestrzegano go, że to samobójcza akcja, lecz odparł, iż bez niej się nie obejdzie. Ów atak okazał się powtórką bitwy pod Bałakławą, a szarżująca brygada została dosłownie unicestwiona. Dywizja nowozelandzka dowodzona przez Freyberga nacierała dość daleko na północ od wzgórza Kidney, lecz niemieckie przeciwuderzenie z udziałem obu dywizji pancernych udaremniło przełamanie frontu. Jednak zatrzymanie tam przeciwnika było kresem możliwości *Panzerarmee*. Montgomery ostatecznie zwyciężył, wyczerpując nieprzyjaciela.

Rommel wydał rozkazy wycofania się do Fuka, mimo że wiedział, iż oddziały niezmotoryzowane, głównie włoskie, zostaną szybko doścignięte przez Brytyjczyków. Wielu niemieckich żołnierzy rekwirowało włoskie ciężarówki, grożąc swoim sojusznikom użyciem broni; dochodziło do drastycznych incydentów. Tego wieczoru Rommel wysłał do OKW depeszę, oględnie przedstawiając zaistniałą sytuację i wyjaśniając, dlaczego przeszedł do odwrotu. Z powodu pomyłki pewnego sztabowca Hitler otrzymał ten telegram dopiero następnego ranka. Węsząc zmowę, która miała mu udaremnić odwołanie wydanego przez Rommla rozkazu, Führer wpadł w nieopanowany szał, a w jego kwaterze głównej rozegrały się histeryczne sceny. Wstrząs wywołany przez klęskę Rommla był zupełnie nieoczekiwany dla Hitlera, który wcześniej skupiał uwagę na Stalingradzie i Kaukazie. Pokładał w talentach dowódczych Rommla taką wiarę, że nie potrafił sobie wyobrazić podobnego niepowodzenia.

Krótko po dwunastej w południe 3 listopada skierował do Rommla rozkaz: „W sytuacji, w jakiej się pan znajduje, nie może być innej myśli poza tą, aby nieustępliwie wytrwać, nie cofnąć się nawet o krok i rzucić do boju całą posiadaną broń i wszystkich żołnierzy". Obiecał wsparcie ze strony Luftwaffe i zakończył: „Nie pierwszy raz w historii niezachwiana determinacja przeważy nad silniejszymi batalionami wroga. Może pan postawić swoje wojska tylko przed takim wyborem: zwycięstwo albo śmierć"[4].

Rommel był wstrząśnięty i oszołomiony niedorzecznością tego rozkazu. A jednak samooszukiwanie się przez Hitlera, który nie przyjmował do wiadomości faktu klęski, wkrótce miało ponownie dojść do głosu, w dyrektywach wydanych generałowi Paulusowi walczącemu na stepach nad Donem na zachód od Stalingradu. Rommel, wbrew swemu żołnierskiemu instynktowi, uznał, że musi się podporządkować temu rozkazowi. Wydał polecenie przerwania odwrotu. Tylko włoskim dywizjom na południowym odcinku polecono przemieścić się na północny zachód. Umożliwiło to 4 listopada brytyjskiemu XIII Korpusowi Horrocksa marsz naprzód bez napotkania oporu. Dalej na północy X Korpus przebił się przez linię frontu, zdobywając kwaterę dowództwa Afrikakorps i biorąc do niewoli generała von Thomę, który poddał się 10. Pułkowi Huzarów.

Rommel, pewny wsparcia ze strony Kesselringa, nakazał ostatecznie przejście do generalnego odwrotu. Poinformował Hitlera, że wycofa się tylko na linię Fuka, ale faktycznie oddał przeciwnikowi całą Libię. To, że niedobitki *Panzerarmee* w ogóle ocalały, było rezultatem powolnej reakcji Montgomery'ego i jego nadmiernej ostrożności. Osiągnąwszy zwycięstwo, nie chciał ryzykować jakiejkolwiek wpadki. Niektórzy twierdzą, że fakt, iż nie schwytał w pułapkę cofających się wojsk Rommla, skłonił Hitlera do podjęcia katastrofalnej decyzji wysłania dodatkowych niemieckich jednostek do Afryki Północnej, które ostatecznie znalazły się w niewoli. Ale to nie świadczy jeszcze o talentach dowódczych Montgomery'ego, gdyż nie wchodziło w zakres planów tego ostatniego.

Zwycięstwo pod Al-Alamajn na pewno nie było skutkiem strategicznego czy taktycznego geniuszu. Decyzja Montgomery'ego o zaatakowaniu najsilniejszego odcinka niemieckich linii była, mówiąc delikatnie, sporna. Jego piechota i formacje pancerne niewątpliwie walczyły dzielnie, czemu wielce sprzyjało wcześniejsze ponowne rozbudzenie ducha bojowego w 8. Armii. Jednak pod wieloma względami do odniesienia zwycięstwa w ogromnej mierze przyczyniła się brytyjska artyleria, a także Pustynne Siły Powietrzne, nieustannie niszczące samoloty Luftwaffe, niemieckie czołgi i nieprzyjacielskie

---

[4] BA-MA RH/19/VIII/34a.

linie zaopatrzeniowe, oraz okręty Royal Navy i alianckie lotnictwo, które przecięły życiodajny szlak wodny państw osi na Morzu Śródziemnym.

Siódmego listopada, podczas wyjazdu Hitlera do Monachium, gdzie miał wygłosić przemówienie do przedstawicieli nazistowskiej „starej gwardii", jego pociąg specjalny zatrzymał się w Turyngii. Depesza z Wilhelmstrasse ostrzegała, że bliskie jest alianckie lądowanie w Afryce Północnej. Führer niezwłocznie wydał rozkaz obrony Tunezji. Poinformowany o tym, że samoloty Luftwaffe nie będą w stanie zdziałać tam wiele, startując z odległych baz, wściekł się na Göringa. Sprzeczne pogłoski z poprzednich miesięcy na temat alianckich zamiarów oraz obsesja Hitlera na punkcie ostatecznego zdobycia Stalingradu przełożyły się na to, że OKW było zupełnie nieprzygotowane do otwarcia nowego frontu. Wielką niewiadomą było i to, jak reżim Vichy zareaguje na inwazję sprzymierzonych w Afryce Północnej[5].

W Bambergu do pociągu Führera wsiadł Ribbentrop i zajął się nakłanianiem go, aby zezwolił mu na złożenie wstępnych propozycji rozejmu Stalinowi za pośrednictwem radzieckiej ambasador w Sztokholmie, Aleksandry Kołłontaj. Hitler z miejsca odrzucił tę sugestię. Pomysł negocjowania w chwili słabości był dlań nie do pomyślenia. Nadal przygotowywał się do przemówienia, zamierzając ogłosić, że Stalingrad upadnie lada moment, i podkreślić swe zdecydowanie prowadzenia walki aż do ostatecznego zwycięstwa. Jego pycha wykluczała rozważenie jakichkolwiek innych rozwiązań. Przemilczał klęskę Rommla i nawet nie napomknął o alianckim desancie w Afryce Północnej, woląc powracać do swoich zapowiedzi unicestwienia Żydów. A jednak nawet Goebbels pojmował, że Niemcy „znalazły się w punkcie zwrotnym tej wojny"[6]. Poza fanatycznie lojalnymi nazistami większość Niemców uważała w owym czasie, iż zwycięstwo stało się bardziej odległe niż kiedykolwiek, co wykazywały aż nadto jasno raporty SD na temat nastrojów panujących wśród ludności cywilnej Rzeszy. Tylko nieliczni podzielali przekonanie Göringa, że Amerykanie są zdolni wyłącznie do produkowania żyletek. Nasilająca się aliancka ofensywa bombowa przeciwko niemieckim miastom dowodziła rosnącej przewagi materiałowej sprzymierzonych.

Dla Eisenhowera i jego sztabowców kluczową kwestię stanowiła reakcja Vichy i reżimu Franco w Hiszpanii na aliancką operację inwazyjną. Odznaczający się pewną naiwnością polityczną Eisenhower rychło uświadomił sobie, że wkroczył na pole minowe spraw francuskich. Roosevelt nie chciał

---

[5] Por. I. Kershaw, *Hitler, 1941–1945. Nemezis*, tłum. P. Bandel, R. Bartołd, Poznań 2003, s. 301–316.
[6] *TBJG*, cz. II, t. VI, s. 259.

mieć nic wspólnego z generałem de Gaulle'em i wywierał naciski na Churchilla, aby nie zdradzał temu Francuzowi alianckich planów. Relacje samego Churchilla z de Gaulle'em były ponadto skażone przez francuskie podejrzenia, że Brytyjczycy popatrywali łasym okiem na Syrię i Liban, a Churchill wiedział, iż de Gaulle wścieknie się z powodu tego, że sojusznicy utrzymują go w niewiedzy. Poza tym de Gaulle za nic nie pogodziłby się z tym, że dla uniknięcia ciężkich walk alianci dogadali się jakoś z władzami Vichy w Afryce Północnej. Jednakże Churchill miał pewien atut, za pomocą którego zamierzał okiełznać dumnego francuskiego generała.

Dowództwo Royal Navy, które stale pamiętało, że to japońskie samoloty startujące z vichystowskich lotnisk w Indochinach zatopiły okręty „Prince of Wales" i „Repulse", nieustannie trapiło się kwestią francuskiej kolonii na Madagaskarze, wyspie leżącej w pobliżu szlaków konwojów morskich przebiegających wzdłuż afrykańskich południowo-wschodnich wybrzeży. Po upływie niewielu tygodni od katastrofy opodal Malajów wydzielono siły desantowe do operacji „Ironclad", mającej na celu uchwycenie ważnego portu Diégo-Suarez (dzisiejsza Antsiranana) na północnym skraju Madagaskaru. Początkowo zarówno generał Brooke w Londynie, jak i Wavell na Dalekim Wschodzie przeciwstawiali się temu planowi wobec narastających tak licznych innych zagrożeń. Potem, na początku marca 1942 roku, Amerykanie złamali szyfry japońskiej marynarki wojennej i dowiedzieli się, że Berlin naciska na Tokio w sprawie interwencji w zachodniej strefie Oceanu Indyjskiego, nalegając, by Japończycy zaatakowali brytyjskie transportowce opływające południowy skraj Afryki i podążające do Egiptu. Dwunastego marca brytyjski gabinet wojenny ostatecznie zaaprobował przeprowadzenie operacji „Ironclad".

W pierwszych dniach maja brytyjskie oddziały z Afryki Południowej zdobyły szturmem port Diégo-Suarez, gdzie piechota morska wylądowała w nocy w trakcie brawurowej akcji przywodzącej na myśl czasy Nelsona. Tyle przewidywał pierwotny plan, gdyż zakładano, że na Madagaskarze zostanie utrzymany dotychczasowy stan, a władze Vichy pozostaną w stolicy tego kraju Antananarywie[7]. Ale 30 maja japońska miniaturowa łódź podwodna storpedowała pancernik HMS „Ramillies" w porcie Diego-Suárez. Flotylla japońskich okrętów podwodnych zatopiła następnie dwadzieścia trzy statki z zaopatrzeniem dla brytyjskiej 8. Armii, a był to jedyny akt bezpośredniego wsparcia militarnego udzielonego przez Japończyków niemieckim sojusznikom w trakcie całej wojny.

---

[7] Por. C. Smith, *England's Last War against France. Fighting Vichy 1940–1942*, London 2009, s. 281–355.

Churchill cokolwiek niechętnie, przekonany w końcu przez marszałka polnego Jana Christiaana Smutsa, że Japończycy mogli założyć swoje bazy w innych francuskich portach na Madagaskarze, zgodził się na zajęcie całej wyspy. Sądził również, że może być to sposobem na ułagodzenie de Gaulle'a, który chciał opanować tę wyspę siłami Wolnych Francuzów i zareagował wściekłością na wiadomość, iż Brytyjczycy zaplanowali ułożenie się tam z lokalnymi władzami podległymi Vichy. Po opanowaniu całej wyspy można było przekazać ją de Gaulle'owi. Nastąpiło to ostatecznie 5 listopada, po fiasku kampanii partyzanckiej prowadzonej przez vichystowskiego gubernatora Armanda Anneta. Na tydzień przed kapitulacją Anneta Churchill mógł uprzejmie zapytać generała de Gaulle'a, kogo ów chciałby mianować na nowego gubernatora Madagaskaru. De Gaulle podejrzewał, że alianci zamierzają wylądować w Afryce Północnej, ale gdyby wiedział o wszystkich konszachtach Amerykanów z generałami reżimu Vichy trwających w trakcie przygotowań do operacji „Torch", zapewne z hukiem wybiegłby z pokoju, w którym rozmawiał z Churchillem.

Robert Murphy, wcześniej amerykański chargé d'affaires przy rządzie Vichy, a w tym czasie emisariusz Roosevelta we francuskiej Afryce Północnej, także był zdania, że de Gaulle'a trzeba wykluczyć z całej sprawy. Większość oficerów francuskich wojsk kolonialnych wciąż jeszcze traktowała de Gaulle'a jako kogoś tylko niewiele lepszego od zdrajcy na żołdzie Anglików. Należało wyszukać takiego marionetkowego przywódcę, który przypadłby im do gustu. Generał Henri Giraud był wysokim i dzielnym oficerem ze wspaniałymi wąsami, przy tym jednak nie słynął z wielkiej inteligencji. De Gaulle przezywał go „ołowianym żołnierzykiem". Giraud, który dostał się do niemieckiej niewoli w 1940 roku jako dowódca francuskiej 7. Armii, zbiegł wcześniej z Königstein, zamienionej na więzienie twierdzy w Saksonii. Przedostał się do Vichy, gdzie premier Pierre Laval chciał go wydać z powrotem Niemcom, czemu jednak sprzeciwił się sędziwy marszałek Pétain.

Murphy uważał, że Giraud mógłby najlepiej posłużyć alianckim interesom, lecz Giraud miał własne plany. Upierał się, że sam powinien zostać naczelnym dowódcą wojsk uczestniczących w operacji „Torch", i żądał, aby alianci wylądowali nie tylko w Afryce Północnej, ale i we Francji. W dodatku nie chciał, żeby w działaniach tych wzięli udział Brytyjczycy, gdyż ataku Royal Navy na francuską flotę w Mers el-Kébir nie zapomniano im ani nie wybaczono. Nadto Giraud pozostawał w bliskiej przyjaźni z generałem Charles'em Mastem, czołowym dowódcą francuskich wojsk w Afryce Północnej. Murphy, który nawiązał liczne kontakty ze starszymi rangą francuskimi oficerami i oficjelami, zaaranżował potajemne spotkanie generała Masta i innych konspiratorów z zastępcą Eisenhowera, amerykańskim generałem porucznikiem Markiem Clarkiem.

Nocą 21 października Clarka wysadzono na brzeg w pobliżu Algieru z pokładu brytyjskiego okrętu podwodnego HMS „Seraph"; towarzyszyli mu uzbrojeni komandosi. Miał przede wszystkim przekonać Masta, iż amerykańskie wojska będą na tyle potężne, że Francuzi nie powinni próbować stawiać im oporu. Clark twierdził, że wyląduje pół miliona żołnierzy, podczas gdy w istocie siły desantowe liczyły zaledwie sto dwanaście tysięcy ludzi. Mast ostrzegał go, że choć jednostki wojsk lądowych i lotnictwa można było przeciągnąć na stronę aliantów, to francuska flota wojenna zdecydowanie się im przeciwstawi. Inni francuscy oficerowie udzielili Clarkowi cennych informacji na temat stanu i rozmieszczenia ich oddziałów oraz umocnień obronnych. Z obawy przed miejscową żandarmerią, którą powiadomiono o rzekomym pojawieniu się przemytników, Clark następnej nocy powrócił bez spodni na oczekujący okręt podwodny. Pomimo takiego drobnego upokorzenia w sumie jego niebezpieczna misja zakończyła się sukcesem.

Ten sam okręt, HMS „Seraph", który tym razem miał udawać jednostkę amerykańską, wysłano, aby zabrał Girauda z Lazurowego Wybrzeża i przewiózł go do Gibraltaru na spotkanie z Eisenhowerem. Agenci i zwiad lotniczy państw osi meldowali o coraz większej liczbie transportowców w Gibraltarze. Na szczęście dla aliantów niemiecki wywiad uznał, że oddziały przewożone przez te statki miały albo wzmocnić garnizon Malty, albo też znaleźć się w Libii i tam odciąć Rommlowi drogę odwrotu. W związku z tym U-Bootom na Morzu Śródziemnym nakazano koncentrację u wybrzeży libijskich, znacznie dalej na wschód od miejsca, gdzie siły inwazyjne sprzymierzonych miały w istocie wylądować. Wedle jeszcze innych domysłów snutych przez członków państw osi alianci zamierzali zająć Dakar na wybrzeżu zachodnioafrykańskim i założyć tam swoją bazę morską, która ułatwiłaby im prowadzenie walk na Atlantyku.

Za pośrednictwem Murphy'ego Amerykanie odebrali propozycje złożone przez admirała Darlana. Admirał William D. Leahy, były ambasador Roosevelta w Vichy, uważał jednak Darlana za niebezpiecznego oportunistę. Fakt, że Darlan nienawidził Lavala, który zajął jego miejsce na stanowisku zastępcy Pétaina, nie gwarantował jeszcze jego wiarygodności. Ale nawet Churchill gotów był do układów z tym najbardziej zawziętym anglofobem, o ile tylko mogło to doprowadzić do przejścia francuskiej floty wojennej w Tulonie na stronę aliancką. Eisenhower wolał postawić na Girauda, niemniej ten ostatni, przybywszy do Gibraltaru, nadal oczekiwał, iż zostanie alianckim głównodowodzącym. Nieczęsto polityka i osobiste animozje aż tak komplikowały militarne operacje.

Czwartego listopada, zaledwie na cztery dni przed desantem, Darlan, który znajdował się w trakcie objazdu francuskich kolonii w Afryce, poleciał do Algieru. Dowiedział się bowiem właśnie, że stan zdrowia jego syna, porucznika marynarki dotkniętego chorobą Heinego-Medina, nagle uległ pogorszeniu. Darlan nie miał pojęcia, że aliancka flota inwazyjna już wyszła w morze, i zamierzał udać się samolotem do Vichy po tym, jak jego syn poczuje się lepiej. Western Task Force, czyli liczące trzydzieści pięć tysięcy żołnierzy zgrupowanie desantowe pod dowództwem generała majora George'a S. Pattona, wyruszyło z Hampton Roads w kierunku Casablanki. Dwa inne zgrupowania, które także wypłynęły z Anglii, podążały na Morze Śródziemne, do Oranu i Algieru. Wszystkie transportowce z wojskiem znajdowały się pod eskortą trzystu okrętów pod zwierzchnim dowództwem admirała Cunninghama, który z radością powracał na śródziemnomorskie akweny.

Wieczorem 7 listopada Darlan był na kolacji w Villa des Oliviers, rezydencji generała Alphonse'a Juina, naczelnego dowódcy wojsk francuskich w Algierii. Juin zastąpił Weyganda, uwięzionego w Königstein w miejsce Girauda, ponieważ Hitler obawiał się, że Weygand przejdzie na stronę aliancką. Pod koniec kolacji spokój został zmącony przez komendanta sił morskich z Algieru, który pospiesznie powiadomił Darlana i Juina, że alianckie jednostki być może wcale nie płynęły ku Malcie, a zamierzały wysadzić wojska w Algierze i Oranie. Darlan zlekceważył te obawy i udał się na spoczynek przed lotem, który czekał go nazajutrz wczesnym rankiem. O północy Murphy usłyszał we francuskiej audycji rozgłośni BBC umówione hasło potwierdzające, że lądowanie trwa. Wysłał grupę uzbrojonych Francuzów, których wraz z generałem Mastem zawczasu zwerbował, aby zajęli kluczowe instalacje oraz siedziby dowództw.

We wczesnych godzinach porannych 8 listopada Murphy udał się do Villa des Oliviers, gdzie polecił obudzić Juina. Poinformował go o lądowaniu. Początkowo Juin oniemiał. Potem stwierdził, że musi porozumieć się ze swoim przełożonym, czyli admirałem Darlanem, który znajdował się w Algierze. Murphy uznał, że nie ma wyjścia i trzeba rozmówić się z Darlanem, którego przywieziono buickiem Murphy'ego.

Darlan zjawił się rozwścieczony. Ów niski, łysy admirał z beczkowatą klatką piersiową, który bez przerwy ćmił fajkę, niebawem zyskał u Amerykanów przezwisko „Popeye"[8], bawiąc ich niepomiernie swoimi butami na koturnach. Nienawiść Darlana do Anglików miała podłoże rodzinne, gdyż jego pradziad zginął w bitwie pod Trafalgarem. Jednakże Darlan był też doświadczonym renegatem. Tuż po zawieszeniu broni w 1940 roku weteran francuskiej sceny politycznej Édouard Herriot powiedział o nim: „Ten admirał wie, jak pływać"[9], gdy Darlan, obiecawszy

---

[8] Imię bohatera popularnego amerykańskiego komiksu, skorego do bójki marynarza z fajką w zębach (przyp. red.).

[9] É. Herriot, *Épisodes, 1940–1944*, Paris 1950, s. 75.

Brytyjczykom stawiać zbrojny opór do końca, po cichu dołączył do grona kapitulantów.

Podczas gdy Murphy starał się uspokoić Darlana i przekonać go, że podejmowanie walki z siłami desantu na nic się nie zda, zjawili się ludzie zwerbowani przez Masta i zaaresztowali Darlana oraz Juina. Potem z kolei przybył oddział żandarmerii, aby ich uwolnić, a uwięzić powstańców i Murphy'ego. Murphy oczekiwał, że do tego czasu dotrą na miejsca amerykańskie wojska, lecz te pomyłkowo wylądowały na nieco oddalonym odcinku wybrzeża.

Jednak równocześnie rozgrywała się o wiele większa katastrofa. Brytyjski plan zdobycia portów w Algierze i Oranie w rezultacie śmiałego szturmu przyniósł całkowite fiasko, okupione ogromnymi stratami. To, co nie powinno dziwić, wywołało znaczne wzburzenie Amerykanów. W zatoce francuskie baterie nabrzeżne i okręty wojenne ostrzelały dwa niszczyciele Royal Navy, na których powiewały bandery US Navy, gdy te usiłowały wysadzić na brzeg amerykańskie oddziały desantowe, jak wcześniej w Diégo-Suarez. Akcja powietrznodesantowa, w ramach której jedyny batalion amerykańskich spadochroniarzy miał uchwycić lotnisko w Oranie, także się nie powiodła. Operacja „Torch" zdawała się przeobrażać w istną farsę.

Pomimo żądania Roosevelta, aby nie informować o niczym Wolnych Francuzów, Churchill zawczasu polecił generałowi Ismayowi zadzwonić do francuskiego generała Pierre'a Billotte'a, szefa sztabu de Gaulle'a, i uprzedzić go o inwazji tuż przed lądowaniem desantu. Ale Billotte postanowił nie budzić de Gaulle'a, który wcześnie poszedł spać. Gdy następnego ranka de Gaulle dowiedział się o operacji, nie posiadał się ze wściekłości. „Mam nadzieję, że ci z Vichy zepchną ich [aliantów] do morza – grzmiał. – Nie zjednuje się Francji, włamując się do niej!"[10]. Ale do czasu wspólnego lunchu z próbującym załagodzić jego gniew Churchillem de Gaulle zdążył się uspokoić. Tego samego wieczoru w radiowym wystąpieniu udzielił pewnego poparcia alianckiej operacji.

Dopiero kiedy przybyły na miejsce silniejsze wojska amerykańskie, spóźnione o wiele godzin z powodu chaotycznego przebiegu lądowania, Darlan zmienił front. Poprosił o spotkanie z dowódcą 34. Dywizji Piechoty w celu przedyskutowania rozejmu, który uzgodniono w Algierze. Francuskie oddziały miały powrócić do koszar bez składania broni.

Hitler dał gwałtowny wyraz swoim podejrzeniom co do chwiejnej lojalności reżimu Vichy, niepewnego sprzymierzeńca Niemiec. Zerwanie stosunków dyplomatycznych ze Stanami Zjednoczonymi mu nie wystarczało, podobnie jak zgoda Pierre'a Lavala na korzystanie przez samoloty bojowe

---

[10] Cyt. za: J. Lacouture, *De Gaulle. The Rebel, 1890–1944*, New York 1990, s. 397.

państw osi z francuskich lotnisk w Tunezji. Dziewiątego listopada Laval został wezwany do Monachium, gdzie zażądano od niego dowiedzenia lojalności wobec Rzeszy i wypowiedzenia wojny aliantom. Było to za wiele nawet dla Lavala i całej administracji Vichy.

Tymczasem Darlan nie objął zawieszeniem ognia okolic Casablanki i Oranu, gdzie nadal trwały walki. Chciał się wpierw dowiedzieć, co się działo w Monachium i we Francji. Zamieszanie zostało spotęgowane przez przybycie do Algieru generała Girauda, a zaraz potem także generała Marka Clarka, który dał do zrozumienia, że alianci powinni przestać stawiać na Girauda i zamiast tego dogadać się z Darlanem. Na szczęście Giraud uznał starszeństwo Darlana i nie wywołał awantury z tego powodu. Ale do Eisenhowera, przebywającego w wilgotnych tunelach pod Skałą Gibraltarską, docierały nieliczne i sprzeczne meldunki, na których podstawie miał ocenić postępy operacji. Nie miał żadnych wiadomości o generale Pattonie i desancie pod Casablanką. Pozbawiony możliwości realnego wpływania na przebieg działań Eisenhower wypalał kolejne papierosy marki Camel i liczył, że wszystko ułoży się dobrze.

W Monachium Hitler przyjął Lavala w towarzystwie hrabiego Ciano, ministra spraw zagranicznych we władzach Mussoliniego, i zażądał, aby francuskie wojska przygotowały porty i lotniska w Tunezji na przybycie oddziałów osi. Niechęć Francuzów wobec Włoch, po ciosie nożem w plecy zadanym im przez Mussoliniego w czerwcu 1940 roku, była tak silna, że Laval nie był skłonny wpuścić włoskich żołnierzy na francuskie terytorium. Zaznaczył wszak przy tym, iż podporządkuje się niemieckiemu ultimatum, pod warunkiem że marszałek Pétain zgłosi formalny protest.

Następnego ranka, 10 listopada, Darlan przyjechał do hotelu Saint-Georges w Algierze, gdzie Clark zorganizował swoją kwaterę. Bezceremonialność Clarka nie przypadła do gustu Darlanowi, który podkreślał, że sam ma o wiele wyższą rangę wojskową. Clark zagroził nawet wprowadzeniem w całej francuskiej Afryce Północnej alianckiego zarządu militarnego. Darlan trzymał nerwy na wodzy, gdyż musiał grać na zwłokę. Nie był w stanie wydać rozkazu przerwania walk, czego tak pilnie domagał się Clark, do czasu aż Hitler poleci niemieckim wojskom wkroczenie do zdemilitaryzowanej strefy we Francji, tym samym łamiąc porozumienie rozejmowe z 1940 roku. Eisenhower, na wieść, że prowadzone przez Clarka negocjacje utknęły w martwym punkcie, wybuchnął: „Chryste Panie! Potrzebny mi tutaj niezawodny zamachowiec"[11]. Owego dnia amerykańskiej 1. Dywizji Piechoty udało się, kosztem trzystu zabitych i rannych żołnierzy, przynajmniej zająć

---

[11] R. Atkinson, *Afryka Północna, 1942–1943. Jak rodziła się militarna potęga Ameryki*, tłum. B. Górecka, Warszawa 2005, s. 128.

Oran, niemniej jednak wojska francuskie wciąż stawiały opór oddziałom Pattona w Maroku, mimo że utraciły niemal wszystkie okręty wojenne, zatopione w zaciętej bitwie morskiej opodal Casablanki.

Wcześnie nazajutrz Hitler obwieścił, że niemieckie jednostki zajmą południową i południowo-wschodnią Francję w ramach operacji „Anton". Rzesza miała nadal uznawać tamtejsze władze Pétaina, choć reputacja starego marszałka doznała nieodwracalnego uszczerbku. Wielu jego zwolenników uważało, że powinien był zbiec do Afryki Północnej i przejść do obozu aliantów. Führer wydał również rozkaz, aby niemieckie wojska obsadziły Pireneje. Rząd Franco lękał się, że Hitler mógł zażądać przepuszczenia niemieckich oddziałów wojskowych przez obszar Hiszpanii w celu zaatakowania Gibraltaru, a na posiedzeniu rady ministrów 13 listopada w Madrycie uzgodniono ogłoszenie częściowej mobilizacji.

W trakcie gdy Niemcy wkraczali do nieokupowanej części Francji, Darlan mógł już wysunąć argument, że Pétain stał się ich więźniem. W związku z tym wydał polecenie zawieszenia broni w całej francuskiej Afryce Północnej. Jednak Darlan nie zdołał przekazać sprzymierzonym swej floty z Tulonu, na co liczył Churchill. Jej dowódca, kontradmirał Jean de Laborde, który nie znosił Darlana i obawiał się, że jego marynarze i oficerowie zechcą przejść na stronę znienawidzonych Anglosasów, pozostał lojalny wobec Vichy, nie oglądając się na nikogo. Zapewniony przez oficerów Kriegsmarine, że wojska niemieckie nie będą próbowały zająć jego okrętów albo portu tulońskiego, Laborde postanowił zostać na miejscu. Jednakże pojawienie się jednostek pancernych SS i wzmagające się niezadowolenie jego załóg sprawiły, że się rozmyślił. Kiedy niemieckie oddziały weszły do portu, wydał rozkaz samozatopienia floty. Niemal sto okrętów wojennych zatopiono lub wysadzono w powietrze.

Operację „Torch" alianci okupili stratą 2225 żołnierzy, z których mniej więcej połowa zginęła, a Francuzi stracili około trzech tysięcy ludzi. Jak przyznali i Patton, i Clark, lądowanie miało wręcz opłakany przebieg. Gdyby jednostki desantu starły się z wojskami niemieckimi, a nie ze źle uzbrojonymi francuskimi oddziałami kolonialnymi, zostałyby zmasakrowane. Brytyjscy oficerowie pozwalali sobie na ironiczne komentarze pod adresem „naszych zielonych sojuszników"[12], niemniej jednak podsumowujące tę operację raporty świadczyły o dezorganizacji i chaosie logistycznym oraz stanowiły przygnębiającą lekturę. Przede wszystkim wyszło na jaw, że dążenia generała Marshalla do przeprowadzenia pospiesznej inwazji na Francję doprowadziłyby do katastrofy, gdyby w tym czasie się na nią zdecydowano. Bez względu na motywy, jakimi kierowali się Churchill i generał Brooke,

---

[12]   Z dziennika Guya Liddella, 6 stycznia 1943 r., TNA KV 4/191.

skłaniając Amerykanów do lądowania w Afryce Północnej, zamysł ten bez wątpienia okazał się słuszny. Armia amerykańska musiała nauczyć się jeszcze bardzo dużo przed podjęciem zmagań zbrojnych z Wehrmachtem w zachodniej i północnej Europie, czy choćby w Tunezji.

Morale wojsk często ulegało raptownym zmianom, szybko przechodząc od zniechęcenia do euforii. Łatwe zwycięstwo w Maroku i Algierii rozbudziło nieuzasadniony optymizm. W świetnych humorach, pod wpływem taniego miejscowego wina, amerykańscy żołnierze uznali, że przeszli krwawy chrzest bojowy i przeobrazili się w zaprawione w walkach, doświadczone wojsko. Ci, którzy widzieli przestarzałe francuskie czołgi typu Renault, unieruchomione przez nowe pancerzownice typu Bazooka, wołali: „Dawać tu szwabskie »Tygrysy«!"[13]. Nawet Eisenhower powiedział Rooseveltowi, że spodziewa się zdobycia Trypolisu do końca stycznia.

[13] R. Atkinson, *Afryka Północna, 1942–1943, op. cit.*, s. 162.

ROZDZIAŁ 26

Walki na południu Związku Radzieckiego i w Tunezji

listopad 1942–luty 1943

N a skutym mrozem stepie nad Donem wieść o dokonanym przez So-wietów okrążeniu rozeszła się szybko wśród żołnierzy niemieckiej 6. Armii. Dwudziestego pierwszego listopada 1942 roku Paulus i jego szef sztabu wylecieli dwoma ocalałymi lekkimi samolotami łącznikowymi Fiese-ler Storch ze swojej kwatery głównej we wsi Gołubińskaja do miejscowości Niżnie-Czirskaja, poza obrębem stalingradzkiego kotła. Tam nazajutrz od-byli naradę z generałem Hothem z 4. Armii Pancernej, omawiając wynikłą sytuację i porozumiewając się przez bezpieczną linię z dowództwem Grupy Armii „B". Jednak Hitler, usłyszawszy, gdzie przebywa Paulus, zarzucił mu pozostawienie żołnierzy i rozkazał Paulusowi polecieć do siedziby jego szta-bu w Gumraku, piętnaście kilometrów na zachód od Stalingradu. Paulusa wielce zirytowała taka zniewaga, a Hoth musiał go uspokajać.

Obaj dyskutowali o wydanym przez Hitlera rozkazie, by 6. Armia pro-wadziła twardą obronę pomimo widma „przejściowego okrążenia"[1]. Przypusz-czając, że Führer niebawem odzyska rozsądek, uzgodnili, że 6. Armia wymaga pilnego zaopatrywania drogą powietrzną w paliwo i amunicję, ażeby przebić się z kotła. Ale dowódca VIII Korpusu Lotniczego ostrzegł ich, że Luftwaffe po prostu nie ma tylu samolotów transportowych, by zaopatrywać nimi całą armię. Formacjom pancernym Paulusa brakowało paliwa, a jego dywizje pie-choty nie miały koni, więc Paulus zdawał sobie sprawę z tego, że 6. Armia musiała porzucić całą swoją artylerię, nie wspominając już nawet o rannych, jeśli miała wydostać się z okrążenia. Jego szef sztabu generał porucznik Ar-thur Schmidt, „wysoki mężczyzna z byczym karkiem, małymi oczami i wąski-

---

[1] BA-MA RH 20-6/241.

mi ustami"[2], zauważył, że „doprowadzi to do napoleońskiego końca"[3]. Paulus, który bardzo szczegółowo przestudiował przebieg kampanii z roku 1812, lękał się takiej perspektywy. W trakcie narady zjawił się generał major Wolfgang Pickert, dowodzący 9. Dywizją Przeciwlotniczą Luftwaffe, który stwierdził, że bezzwłocznie wycofa swoją jednostkę. On również wiedział, iż Luftwaffe nie może zorganizować skutecznych dostaw dla 6. Armii drogą powietrzną.

Hitler nie miał zamiaru dopuścić, aby jego wojska wycofały się spod Stalingradu. Zdobycie tego miasta miało w takim stopniu zaważyć na jego reputacji, zwłaszcza po jego chełpliwym przemówieniu w Monachium sprzed dwóch tygodni, że nie mógł znieść myśli o odwrocie. Rozkazał feldmarszałkowi von Mansteinowi pozostawienie północnego odcinka frontu i sformowanie nowej Grupy Armii „Don", która miałaby przełamać pierścień radzieckiego okrążenia i przyjść z odsieczą 6. Armii. Göring, po tym jak dowiedział się o zamiarach wodza, zawezwał do siebie szefostwo lotnictwa transportowego. Mimo że 6. Armia potrzebowała siedmiuset ton zaopatrzenia dziennie, Göring zapytał wezwanych oficerów, czy zdołaliby zorganizować codzienne dostawy pod Stalingrad pięciuset ton. Ci odparli, że trzysta pięćdziesiąt ton stanowi absolutne maksimum, i to tylko przez krótki czas. Wtedy Göring, który liczył na przypodobanie się Hitlerowi, zapewnił Führera w jego kwaterze głównej, że Luftwaffe uda się zaopatrywać 6. Armię. Ta kłamliwa obietnica przypieczętowała ostatecznie los Paulusa i jego wojsk. Dwudziestego czwartego listopada Hitler wydał rozkaz „twierdzy Stalingrad" na froncie nad Wołgą wytrwać „bez względu na okoliczności"[4].

Ogółem Armia Czerwona okrążyła w stalingradzkim kotle około dwustu dziewięćdziesięciu tysięcy żołnierzy, w tym ponad dziesięć tysięcy Rumunów i ponad trzydzieści tysięcy hiwisów (Rosjan na niemieckiej służbie)[5]. Hitler zabronił rozgłaszania wieści o tym w Niemczech. Komunikaty OKW celowo przeinaczały faktyczny stan rzeczy, niemniej jednak w Rzeszy zaczęły krążyć pogłoski o prawdziwym losie 6. Armii. Führer zrzucał winę za to radzieckie zwycięstwo na wszystkich z wyjątkiem siebie. We wschodniopruskim „Wilczym Szańcu" doszło do wściekłej kłótni z rumuńskim marszałkiem Antonescu, gdy Hitler usiłował obarczyć odpowiedzialnością za klęskę rumuńskie armie na skrzydłach wojsk Paulusa. Antonescu wskazał

---

2 GBP.
3 BA-MA N601/v.4, s. 3.
4 M. Kehrig, *Stalingrad. Analyse und Dokumentation einer Schlacht*, Stuttgart 1974, s. 562.
5 Na temat sporów wokół tych danych liczbowych por.: A. Beevor, *Stalingrad*, tłum. M. Bielewicz, Kraków 2008, s. 213; R. Overmans, *Das andere Gesicht des Krieges. Leben und Sterben der 6. Armee*, w: *Stalingrad. Ereignis, Wirkung, Symbol*, red. J. Förster, München 1992, s. 442; BA-MA RH20-6/239, s. 226; P. Hild, *Partnergruppe zur Aufklärung von Vermisstenschicksalen deutscher und russischer Soldaten des 2. Weltkrieges*, w: *Die Tragödie der deutschen Kriegsgefangenen in Stalingrad*, red. A.E. Epifanov, Osnabrück 1996, s. 29.

poirytowany, że Niemcy wcześniej nie zgodzili się na wyposażenie rumuńskich oddziałów w skuteczne armaty przeciwpancerne, a wszystkie ich przestrogi o zbliżającym się nieprzyjacielskim uderzeniu zlekceważono. Nie wiedział jeszcze w tym czasie, że 6. Armia odmówiła zaopatrywania Rumunów w racje żywnościowe. Niemieccy oficerowie powiadali: „Nie ma sensu karmić Rumunów, bo i tak się poddadzą"[6].

Jednostki 6. Armii odcięte na zachód od Donu zdołały wycofać się w porę i dołączyć do głównego niemieckiego zgrupowania. Stalingradzki *Kessel* (kocioł) miał kształt zgniecionej czaszki, z czołem w samym mieście i resztą broniącą obwodu na dońskim stepie, na obszarze o wymiarach sześćdziesiąt na czterdzieści kilometrów. Niemieccy żołnierze ironicznie nazywali to „twierdzą bez dachu". Racje prowiantu, niewystarczające jeszcze przed zamknięciem okrążenia, drastycznie zredukowano. Wyczerpani żołnierze ryli okopy w zamarzniętej ziemi. Na stepie rosło niewiele drzew, drewnem z których można było przesłonić ziemne schrony. Oficerowie starali się wzmocnić determinację podwładnych takim oto argumentem: „Nawet śmierć jest lepsza od rosyjskiej niewoli, więc musimy wytrwać do końca. Ojczyzna na pewno o nas nie zapomni"[7].

Sowiecka kontrofensywa doprowadziła do odzyskania rozległych terytoriów, wcześniej zajętych przez Niemców. Ograbiona i wygłodzona ludność cywilna witała czerwonoarmistów ze łzami w oczach, lecz enkawudziści, którzy zjawiali się w ślad za frontowcami, wyłapywali wszystkich podejrzanych o kolaborację z wrogiem. Dowództwo Frontu Dońskiego przeprowadziło w pierwszym tygodniu grudnia serię uderzeń, licząc na przedzielenie stalingradzkiego kotła, ale radziecki wywiad znacznie zaniżał liczbę niemieckich żołnierzy, którzy znaleźli się w okrążeniu. Szef wywiadu w sztabie generała Rokossowskiego oceniał ją na osiemdziesiąt sześć tysięcy, a nie na dwieście dziewięćdziesiąt tysięcy.

Sowieccy oficerowie nie wyobrażali też sobie, z jaką wielką determinacją Niemcy zdecydowani byli się bronić. Obietnica odsieczy złożona przez Führera traktowana była niczym święta prawda, zwłaszcza przez młodszych żołnierzy wychowanych w narodowosocjalistycznym duchu. „Najgorsze minęło – pisał z naiwnym optymizmem w liście do domu szeregowy niemieckiej 376. Dywizji. – Wszyscy mamy nadzieję, że wydostaniemy się z tego kotła przed Bożym Narodzeniem. (...) Kiedy tylko skończy się ta bitwa, dobiegnie końca cała wojna w Rosji"[8]. Oficerowie służb zaopatrzeniowych, po zmniejszeniu normalnych przydziałów prowiantu o jedną trzecią lub po-

---

[6]   12 grudnia 1942 r., CAFSB 40/22/11, s. 77–80.
[7]   Zapis przesłuchania prowadzonego przez NKWD na Froncie Dońskim, 12 grudnia 1942 r., szeregowy Karl Wilniker, 376. Dywizja Pancerna, CAFSB 14/5/173, s. 223.
[8]   Szeregowy K.P., 14 grudnia 1942 r., BfZ-SS.

łowę, wykazywali się większym realizmem. Brak paszy oznaczał, że trzeba było zabić na mięso nieliczne pozostałe konie.

Wedle rachub kwatermistrzostwa 6. Armii samoloty transportowe powinny były odbywać minimum trzysta lotów dziennie, a jednak w pierwszym tygodniu po uruchomieniu mostu powietrznego miało miejsce średnio nie więcej niż trzydzieści na dobę. Zresztą i tak znaczną część przewożonego tonażu stanowiło paliwo niezbędne na lot powrotny. Göring nie wziął też pod uwagę tego, że lotniska w obrębie kotła znajdowały się w zasięgu radzieckiej ciężkiej artylerii, a nieprzyjacielskie myśliwce i baterie przeciwlotnicze stwarzały nieustanne niebezpieczeństwo. Tylko w trakcie jednego dnia Niemcy stracili dwadzieścia dwie maszyny transportowe na skutek nieprzyjacielskich działań, a także wypadków. Czasem pogoda była tak zła, że samoloty prawie nie mogły dotrzeć do celu. Richthofen nieustannie telefonował do generała pułkownika Hansa Jeschonnka, szefa sztabu Luftwaffe, powtarzając, że cały plan zaopatrywania wojsk drogą powietrzną skazany jest na niepowodzenie. Z samym Göringiem nie można się było skontaktować, gdyż ów zaszył się w paryskim hotelu Ritz.

W tym okresie Stalin polecił Stawce opracowywanie bardziej ambitnych planów. Po sukcesie operacji „Uran" chciał odcięcia reszty Grupy Armii „Don" oraz zamknięcia w pułapce 1. Armii Pancernej i 17. Armii na Kaukazie. Na operację „Saturn" miały się złożyć silne uderzenia, wyprowadzone przez Front Południowo-Zachodni i Front Woroneski na pozycje włoskiej 8. Armii w kierunku dolnego Donu i okolic, gdzie rzeka ta wpada do Morza Azowskiego. Ale Żukow i Wasilewski argumentowali, że skoro Manstein przypuszczalnie miał w tym samym czasie przyjść w sukurs 6. Armii za pomocą natarcia na północny wschód od Kotielnikowa, to należało ograniczyć zamysł ataku na tyły lewej flanki Grupy Armii „Don". Operacji nadano ostatecznie kryptonim „Mały Saturn".

Plany Mansteina rzeczywiście pokrywały się z sowieckimi przewidywaniami. Natarcie z okolic Kotielnikowa pozostawało na dobrą sprawę jedyną opcją działania. Ofensywa otrzymała kryptonim „Burza zimowa". Hitler chciał tylko wzmocnić 6. Armię na tyle, by mogła utrzymać swój arcyważny przyczółek nad Wołgą i pozostać w gotowości do dalszych działań w 1943 roku. Manstein przygotowywał jednak w tajemnicy inną operację, określoną kryptonimem „Piorun". Jego celem było przyjście z odsieczą 6. Armii, w nadziei, że Hitler w końcu zrozumie powagę sytuacji.

Dwunastego grudnia zgrupowanie, które pozostało z 4. Armii Pancernej generała Hotha, rozpoczęło atak w kierunku północnym. Wojska te zostały zawczasu wzmocnione przez 6. Dywizję Pancerną przerzuconą z Francji oraz batalion nowych czołgów ciężkich typu Tiger. Żołnierze 6. Armii na południowych obrzeżach pierścienia okrążenia dosłyszeli odgłosy przygotowania artyleryjskiego z odległości setki kilometrów i gruchnęła pogłoska:

„*Der Manstein kommt*" („Nadciąga Manstein"). Niemcy pokrzepiali się myślą, że oto ma się spełnić obietnica Hitlera. Nie wiedzieli tylko, że Führer nadal nie ma zamiaru zezwolić im na odwrót.

Atak Hotha nastąpił wcześniej, aniżeli spodziewali się tego sowieccy dowódcy. Wasilewski obawiał się o radziecką 57. Armię, znajdującą się na odcinku, na którym nacierali Niemcy, ale Rokossowski i Stalin odmówili zmiany wydanych już dyspozycji. W końcu jednak Stalin uległ i zgodził się na skierowanie w zagrożony rejon 2. Armii Gwardyjskiej generała Rodiona Malinowskiego. Skutki tej zwłoki nie okazały się aż tak poważne ze względu na to, że w wyniku niespodziewanej odwilży i ulewnych deszczów czołgi Hotha ugrzęzły w błocie, tocząc ciężkie walki nad rzeką Myszkowa niespełna sześćdziesiąt kilometrów od skraju stalingradzkiego kotła. Manstein liczył na to, że Paulus wykaże się inicjatywą i zacznie przebijać się na południe, ignorując rozkazy Hitlera. Ale Paulus był nader posłuszny zwierzchnikom i nie ruszyłby się bez bezpośredniego polecenia wydanego przez samego Mansteina. W każdym razie jego żołnierze byli zanadto wygłodzeni, aby odbyć daleki przemarsz, a niemieckim czołgom brakowało dostatecznych zapasów paliwa.

Stalin zgodził się na zmodyfikowanie planów operacji „Mały Saturn" i wydał rozkaz rozpoczęcia jej po upływie trzech dni. Szesnastego grudnia radzieckie 1. i 3. Armia Gwardyjska oraz 6. Armia zaatakowały na słabo bronionym przez Włochów odcinku frontu. Włosi prezentowali zupełnie inne od Niemców nastawienie do wojny ze Związkiem Radzieckim. Włoskich oficerów szokowały niemieckie rasistowskie poglądy na temat Słowian, a tam, gdzie luzowali na linii frontu jednostki Wehrmachtu, starali się w miarę możności dokarmiać rosyjskich jeńców zatrudnionych przy ciężkich robotach. Zaprzyjaźniali się również z miejscowymi wieśniakami ograbionymi z odzieży i żywności przez nazistów.

Najlepszymi włoskimi formacjami były cztery dywizje Korpusu Alpejskiego – „Tridentina", „Julia", „Cuneense" i „Vicenza". W odróżnieniu od typowej włoskiej piechoty strzelcy alpejscy byli przyzwyczajeni do surowych warunków zimowych, ale nawet oni zostali źle wyposażeni. Musieli prokurować sobie obuwie z kawałków opon zniszczonych radzieckich pojazdów. Brakowało im broni przeciwpancernej, mieli karabiny z roku 1891, a ich kaemy, nieodpowiednie do użycia w arktycznych temperaturach, często po prostu zamarzały. Także włoskie pojazdy, nierzadko pokryte pustynnym kamuflażem, nie nadawały się do użytku w czasie mrozów dochodzących nawet do –30 ˚C. Juczne muły zapadały się w głębokim śniegu i padały z wyczerpania, braku paszy i zimna. Wielu włoskich żołnierzy cierpiało z powodu odmrożeń, więc podobnie jak Niemcy, kiedy tylko mogli, nosili waciaki i filcowe walonki zdejmowane z poległych czerwonoarmistów. Porcje zupy warzywnej i chleba docierały na front skute lodem. Zamarzało nawet wino. Włoscy szeregowcy i oficerowie nienawidzili faszystowskich władz i pogardzali nimi za to, że te posłały ich na tę wojnę tak źle przygotowanych.

Kiedy dywizje Armii Czerwonej atakowały falami, wznosząc bojowe okrzyki „*Urra!*", wiele formacji włoskiej 8. Armii stawiło im opór znacznie twardszy od spodziewanego. Były jednak źle uzbrojone i pozbawione odwodów, dlatego obrona rychło się załamała i przeobraziła w chaotyczny odwrót. Włoscy żołnierze, wyczerpani i osłabieni dyzenterią, rejterowali w długich kolumnach, brnąc przez śniegi niczym uchodźcy, szczelnie owinięci kocami. Na swych pozycjach wytrwał tylko Korpus Alpejski, wspierając flankę węgierskiej 2. Armii na lewym skrzydle.

Radzieckie brygady czołgów przedarły się na tyły Włochów, a zaopatrzone w szerokie gąsienice czołgi T-34 nacierały po świeżym śniegu. Sowieci bez trudu zdobyli składy zaopatrzeniowe i węzły kolejowe z porządnymi pociągami. Ponieważ niemiecka 17. Dywizja Pancerna została przerzucona w celu wzmocnienia ataku prowadzonego przez Hotha, na zapleczu Grupy Armii „Don" zabrakło rezerw.

Największe zagrożenie dla niemieckiej 6. Armii wiązało się z tym, że radziecki 24. Korpus Zmechanizowany opanował lotnisko w pobliżu miejscowości Tacynskaja, będące główną bazą samolotów transportowych zaopatrujących stalingradzkich *Kessel*. Generał lotnictwa Martin Fiebig rozkazał załogom swoich junkersów Ju 52 odlecieć do Nowoczerkaska, gdy radzieckie wozy pancerne wjeżdżały już na skraj lądowiska. Samoloty kolejno startowały, podczas gdy czołgi strzelały do nich. Niektóre z junkersów eksplodowały w powietrzu, a jeden z wozów bojowych staranował samolot kołujący na pozycję startową. W sumie udało się uratować sto osiem Ju 52, ale Luftwaffe straciło dwadzieścia siedem maszyn tego typu – niemal dziesięć procent wszystkich posiadanych samolotów transportowych. Jedyne pozostałe lotnisko, gdzie można było odbierać zaopatrzenie dla niemieckich wojsk w Stalingradzie, znajdowało się znacznie dalej.

Operacja „Mały Saturn" zmusiła Mansteina do przemyślenia dotychczasowej strategii. Nie tylko nie wchodziło już w grę przyjście 6. Armii z odsieczą, lecz niebawem trzeba było wycofać wszystkie wojska z okolic Kaukazu. Manstein nie miał serca albo odwagi, by powiedzieć Paulusowi, w jak beznadziejnej sytuacji znalazła się jego armia. Niektórzy niemieccy oficerowie jasno zdawali sobie sprawę z tego, jaki los ich czeka. „Już nigdy nie ujrzymy swoich domów – pisał kapelan 305. Dywizji Piechoty – nie wydostaniemy się z tego bagna!"[9] Jednak oficerowie radzieckiego wywiadu stwierdzili,

---

[9] Słowa dywizyjnego kapelana, doktora Hansa Mühlego z 305. Dywizji Piechoty, 18 stycznia 1943 r., BA-MA N241/42.

że pojmani niemieccy jeńcy wciąż nie chcieli się pogodzić z perspektywą klęski i uciekali się do powikłanej logiki. „Musimy nadal wierzyć, że Niemcy wygrają tę wojnę – powiedział nawigator samolotu Ju 52 zestrzelonego nad Stalingradem – bo w przeciwnym razie jaki sens ją ciągnąć?"[10] Pewien szeregowiec dał wyraz podobnemu zacietrzewieniu: „Jeśli przegramy wojnę, to nie mamy na co liczyć"[11]. Niemcy pod Stalingradu nie mieli pojęcia, że w Afryce Północnej wojska Wehrmachtu również znalazły się w potrzasku.

Głównym celem operacji „Torch" było zajęcie francuskiej Tunezji, zanim państwa osi przerzuciłyby tam swoje wojska, ale Niemcy zareagowali wprost błyskawicznie. Rankiem 9 listopada, jeszcze przed opanowaniem Algieru i Oranu, wylądowały w Tunezji niemieckie czołówki. Nazajutrz przybyły samoloty transportowe z pierwszymi kontyngentami piechoty i spadochroniarzy. Lokalny francuski dowódca, nadal posłuszny wobec władzy Vichy, nie poważył się na protest z powodu pogwałcenia postanowień niemiecko-francuskiego porozumienia rozejmowego z 1940 roku.

Hitler nie zamierzał dopuścić, by alianci zorganizowali bazę wypadową do inwazji na południe Europy – uderzenia, które, o czym wiedział, doprowadziłoby do wyeliminowania Włoch z wojny. Planował zdecydowane wzmocnienie swoich wojsk w Afryce Północnej, nawet w tej krytycznej fazie zmagań na froncie wschodnim. Tak więc, pomimo sceptycyzmu Stalina i masowych demonstracji w Londynie pod hasłami „Drugiego frontu od zaraz", północnoafrykański teatr działań wojennych okazał się w 1942 roku ważniejszy od wciąż znajdujących się w powijakach planów desantu we Francji. Z kolei utrzymanie mostu powietrznego nad Morzem Śródziemnym wiązało flotę samolotów transportowych Junkers Ju 52, którą można było lepiej wykorzystać do zaopatrywania 6. Armii pod Stalingradem.

Alianckie natarcie na Tunis było źle zorganizowane i prawie niezaplanowane. Słabą brytyjską 1. Armię pod dowództwem ponurego Szkota, generała porucznika Kennetha Andersona, zasilono kilkoma amerykańskimi jednostkami pancernymi i pewną liczbą francuskich batalionów piechoty. Armia Andersona faktycznie dorównywała siłą niepełnemu korpusowi, mimo to popełnił on dodatkowy błąd, rozdzielając ją na cztery zgrupowania mające przeprowadzić natarcie. Nie miał pojęcia, że państwa osi do 25 listopada posiadały już w tamtym rejonie dwadzieścia pięć tysięcy żołnierzy.

Owego dnia 1. Armia osiągnęła swój jedyny realny sukces, gdy zgrupowanie „Blade", złożone z 1. Batalionu Amerykańskiego 1. Pułku Pancernego oraz z brytyjskiego 17./21. Pułku Lansjerów podeszło do Tunisu od

---

[10] Słowa H. Paschkego, 25 stycznia 1943 r., GBP.
[11] Słowa Hugona Millera, 25 stycznia 1943 r., GBP.

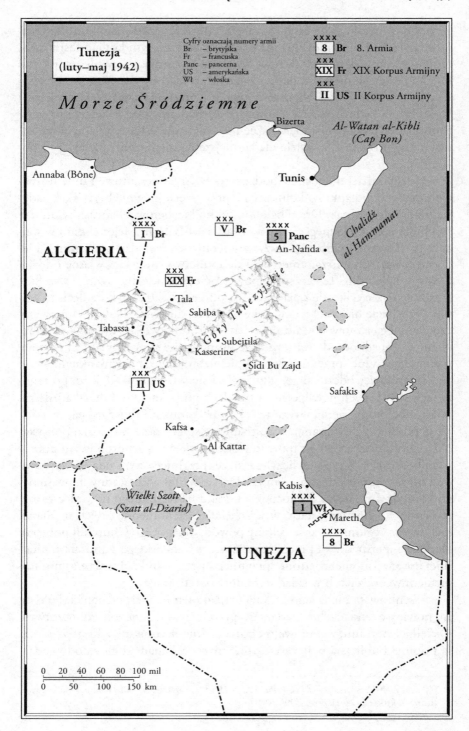

Tunezja
(luty–maj 1942)

Cyfry oznaczają numery armii
Br   – brytyjska
Fr   – francuska
Panc – pancerna
US   – amerykańska
Wł   – włoska

xxxx
8 Br   8. Armia

xxx
XIX Fr   XIX Korpus Armijny

xxx
II US   II Korpus Armijny

Morze Śródziemne

Bizerta

*Al-Watan al-Kibli
(Cap Bon)*

Annaba (Bône)

Tunis

xxxx
I Br

xxx
V Br

xxxx
5 Panc

An-Nafida

ALGIERIA

*Chalidż
al-Hammamat*

xxx
XIX Fr

Tala

Sabiba

Tabassa

Góry Tunezyjskie

Subejtila

Kasserine

Sidi Bu Zajd

xxx
II US

Safakis

Kafsa

Al Kattar

*Wielki Szott
(Szatt al-Dżarid)*

Kabis

xxxx
1 Wł

Mareth

xxxx
8 Br

TUNEZJA

0   20   40   60   80   100 mil

0   50   100   150 km

zachodu. Amerykańskie czołgi Stuart dotarły do wysuniętego lotniska Luftwaffe koło Al-Dżudajjidy. Przeprowadzając atak niczym komandosi z SAS, czołgiści wtargnęli na pas startowy, ostrzeliwując stojące w pobliżu junkersy Ju 52, messerschmitty i stukasy. Zniszczyli ponad dwadzieścia samolotów. Akcja ta zasiała wśród Niemców panikę i przekonała generała porucznika Walthera Nehringa, który dowodził Afrikakorps pod zwierzchnictwem Rommla, że powinien skrócić swoje linie obronne. Opisany szturm na lotnisko uczynił jednak niewiele dla zmniejszenia niemieckiej przewagi w powietrzu.

Gdzie indziej niemieckie oddziały powietrznodesantowe i inne formacje zastawiały pułapki na kolumny nieprzyjaciela, głównie brytyjskie, zadając im dotkliwe straty. Drugi batalion Pułku Fizylierów z Lancashire utracił 144 ludzi w czasie jednego ataku na Madżaz al-Bab (fr. Mejez el Bab) w walce z batalionem spadochroniarzy, wspieranym przez działa 88 mm i nieliczne czołgi. Co gorsza, amerykańskie lotnictwo ostrzelało własne oddziały wojsk lądowych. Te zaczęły odpowiadać ogniem, ostrzeliwując wszelkie samoloty, jakie tylko się pojawiały – zgodnie z zasadą: „Jak nadleci, to zginie". Przybycie niemieckiej 10. Dywizji Pancernej wraz z kilkoma nowymi czołgami Tiger zaowocowało pobiciem 3 grudnia wojsk Andersona, które Niemcy zmusili od odwrotu, zadając im poważne straty. Była to nierówna walka ze znacznie sprawniejszym i lepiej uzbrojonym przeciwnikiem.

Eisenhower odczuł ulgę, gdy znalazł się wreszcie w Algierze po tygodniach spędzonych w wilgotnych tunelach pod Skałą Gibraltarską. Ale zamiast móc skupić się na wytracającej impet kampanii tunezyjskiej, uwikłał się w problemy powiązane z kwestiami logistyki oraz z francuską polityką. Do szału doprowadzali go francuscy oficerowie z ich „chorobliwym poczuciem honoru"[12]. Wcześniej liczył na to, że sprzymierzonym uda się wypracować znośny kompromis, po tym jak Darlan został wyznaczony na wysokiego komisarza w Afryce Północnej, a Giraud na naczelnego dowódcę wojsk francuskich, choć ten ostatni wciąż chciał objąć komendę całych sił alianckich w tym regionie. Z kolei jedyny powód, dla którego Churchill popierał Darlana – perspektywa przeciągnięcia przez francuskiego admirała francuskiej floty w Tulonie na stronę sprzymierzonych – zniknął wraz z samozatopieniem wchodzących w skład tejże floty okrętów.

Eisenhowera niebawem czekała bardzo niemiła niespodzianka. Po tym jak nowiny o „układach z Darlanem" przeciekły do Stanów Zjednoczonych i Wielkiej Brytanii, zapanowało oburzenie nie do opisania. Tamtejsza prasa i opinia publiczna były zatrwożone myślą, że aliancki głównodowodzą-

---

[12] Cyt. za: R. Atkinson, *Afryka Północna, 1942–1943. Jak rodziła się militarna potęga Ameryki*, tłum. B. Górecka, Warszawa 2005, s. 198.

cy pozostawił Afrykę Północną w rękach sprzedawczyka z Vichy, zwłaszcza kiedy wyszło na jaw, iż nadal obowiązują tam antysemickie ustawy, a przeciwnicy polityczni reżimu nie zostali zwolnieni z więzień. W istocie najgorzej traktowano tam stronników de Gaulle'a. Sam Darlan nie był zbytnio ukontentowany położeniem, w jakim się znalazł. Dobrze rozumiał, że Amerykanie mogą wkrótce pozbyć się go, wyrzucić niczym „wyciśniętą cytrynę".

De Gaulle roztropnie unikał publicznych deklaracji, gdyż to Amerykanie sami nawarzyli sobie tego piwa. Zapewne zdążył się już zorientować, że oficerowie Vichy nienawidzili go równie mocno, jak nie znosili Brytyjczyków. I choć nigdy tego nie przyznał, to amerykańska polityka układania się z Darlanem i Giraudem z pominięciem jego ostatecznie miała wyjść na korzyść de Gaulle'a, zapobiegła bowiem wybuchowi wojny domowej w Afryce Północnej.

Kierownictwo Operacji Specjalnych (SOE) było nader zaniepokojone tym, że porozumienie z Darlanem wzbudziło głęboką nieufność nie tylko wśród gaullistów w Londynie, ale przede wszystkim zmąciło alianckie stosunki z ruchem oporu w okupowanej Francji, a nawet w innych krajach podbitych przez Rzeszę. Razem z amerykańskim Biurem Służb Strategicznych (Office of Strategic Services, OSS) SOE przystąpiło pospiesznie do organizowania baz w Algierii, aby szkolić tam wielu młodych francuskich ochotników, którzy mieli działać w Tunezji. Wśród zwerbowanych znalazł się niejaki Fernand Bonnier, który miał kontakty w kręgach monarchistów i dodał sobie do nazwiska pompatyczny przydomek de la Chapelle. Ci, którym marzyła się restauracja monarchii i koronowanie *Comte de Paris* na króla Francji, upatrywali w de Gaulle'u potencjalnego regenta mogącego do tego doprowadzić – choćby dlatego, że ród generała de Gaulle'a znano z monarchistycznych poglądów.

W takim mrocznym klimacie konspiracyjnych powikłań narodziły się plany zamachu na Darlana. Maczali w nim palce gaulliści, którzy za pośrednictwem generała François d'Astiera de la Vigerie przekazali dwa tysiące funtów na sfinansowanie tej akcji; przeprowadzić ją mieli wysoki rangą oficer SOE w Algierii podpułkownik Douglas Dodds-Parker z grenadierów gwardii oraz wspomniany Fernand Bonnier, wyznaczony do dokonania zamachu. Dodds-Parker, który wcześniej pożegnał przywódcę francuskiego ruchu oporu Jeana Moulina przed jego powrotem do okupowanej Francji, przeszkolił Bonniera w strzelaniu z broni krótkiej i twierdził później, nieściśle, jak się okazało, że to z jego broni został zabity Darlan. Plan przewidywał ewakuowanie Bonniera z Algieru na pokładzie jachtu „Mutin", dowodzonej przez Gerry'ego Holdswortha jednostki tajnej flotylli SOE, zajmującej się przerzutem agentów w basenie śródziemnomorskim. Ale tuż po tym jak

Bonnier 24 grudnia postrzelił Darlana w brzuch, zamachowca schwytano, osądzono i w nadzwyczajnym pośpiechu stracono[13].

Eisenhower, wstrząśnięty na wieść o tym zabójstwie, mimo iż wcześniej sam życzył sobie interwencji jakiegoś „niezawodnego zamachowca", wezwał Doddsa-Parkera do kwatery głównej dowództwa alianckich wojsk i zażądał od niego kategorycznych zapewnień, że SOE nie miało nic wspólnego z tą sprawą. Dodds-Parker takiego zapewnienia mu udzielił. Trudno ustalić, ile zawczasu wiedziano o planach tego zamachu. W agenturze OSS w Londynie na pewno o nich słyszano i aprobowano je, niemniej wydaje się, że ani Churchill, ani Charles Hambro, szef SOE, oficjalnie ich nie zatwierdzili. Pozbycie się „wyciśniętej cytryny" nie wywołało zbytniej rozpaczy, nawet w gronie tych aliantów, którzy popierali Darlana. Roosevelt cynicznie stwierdził w rozmowie z jednym z gości Białego Domu podczas noworocznego przyjęcia, że Darlan był zwyczajnym „sukinsynem"[14].

W stalingradzkim kotle żołnierze okrążonej 6. Armii dodawali sobie otuchy, gdy zbliżały się święta Bożego Narodzenia. Chociaż cierpieli, dręczeni przez wszy, zimno i głód, to myśli o świętach odwracały ich uwagę od tragicznej sytuacji, w jakiej się znajdowali. Wiedzieli, że przeprowadzona przez Mansteina operacja „Zimowa Burza" (*Unternehmen Wintergewitter*), która miała im przynieść ocalenie, skończyła się fiaskiem, a jednak wielu niemieckich żołnierzy wciąż pozostawało pod wpływem złudnej „gorączki", wyobrażając sobie, że słyszą grzmot artylerii armii pancernej SS, jaka, zgodnie z obietnicami Hitlera, miała im przybyć na ratunek. Nie potrafili uwierzyć, że ich Führer pozostawi 6. Armię na łasce losu. Ale zarówno OKW, jak i Manstein zdawali sobie sprawę, iż trzeba było ją poświęcić, aby związać radzieckie wojska, które otaczały armię Paulusa, i wykorzystać uzyskany w ten sposób czas na ewakuację niemieckich jednostek z Kaukazu.

Żołnierzom 6. Armii marzyło się świętowanie Bożego Narodzenia „na niemiecką modłę"[15]. Przygotowywali drobne podarunki dla towarzyszy broni, a często bywały to wystrugane drobiazgi lub przechowane porcje żywności, której sobie odmówili. W ośnieżonych schronach wbrew wszelkim przeciwnościom zapanował duch nadzwyczajnej szczodrości i braterstwa. W Wigilię odśpiewano kolędę *Stille Nacht, heilige Nacht*, a jej dobrze zna-

---

[13] Na temat udziału SOE w zamachu na Darlana i reakcji OSS na to wydarzenie zob. zapisy rozmów z Douglasem Doddsem-Parkerem, Brookesem Richardsem, Evangeline'em Bruce'em i Lloydem Cutlerem.

[14] Z rozmowy z Susan-Mary Alsop.

[15] BA-MA N395/12.

ne słowa wyciskały wiele łez na wspomnienie rodzin w Niemczech. Jednakże świąteczny nastrój nie udzielił się radzieckim jeńcom, przetrzymywanym w dwóch obozach w obrębie kotła pod Stalingradem. Z powodu braku żywności, której nie wydzielono im z niemieckich racji prowiantu, nieliczni ocalali czasem posilali się zwłokami swoich zmarłych towarzyszy.

Poczucia rzeczywistości nie dało się tłumić zbyt długo. Z powodu ataku radzieckich czołgów na lotnisko w miejscowości Tacynskaja przez dwa dni nie docierały samoloty z zaopatrzeniem. Szósta Armia przymierała głodem, pożywiając się jedynie *Wassersuppe* – ochłapami koniny gotowanej w roztopionym śniegu. Wojskowy patolog, doktor Hans Girgensohn, przerzucony samolotem do stalingradzkiego kotła w połowie grudnia, po przeprowadzeniu sekcji pięćdziesięciu zwłok rychło dokonał alarmującego odkrycia. Głód zbierał wśród niemieckich żołnierzy śmiertelne żniwo w większym stopniu niż wszystko inne. Zgony, jak ustalił, były połączonym skutkiem stresu, długotrwałego niedożywienia, niewyspania i przenikliwego zimna. Wszystko to zakłócało przemianę materii. Jeśli nawet żołnierz konsumował dziennie kilkaset kalorii, to jego układ pokarmowy przyswajał zaledwie nieznaczną ich część. Wynikłe z tego wycieńczenie organizmu obniżało odporność na różne schorzenia. Także ci, którzy jeszcze nie chorowali, byli o wiele za słabi, by przeprowadzać ataki, brnąc w głębokim śniegu. Zresztą Paulusowi i tak brakło odwagi, ażeby przeciwstawić się rozkazom Hitlera.

Warunki panujące w polowych lazaretach były nie do opisania. Krew sącząca się z otwartych ran zamarzała nawet w szpitalnych namiotach. Piłami amputowano odmrożone kończyny, w których rozwijała się zgorzel. Obcęgami „operowano" palce. Zabrakło środków znieczulających, więc ci z poważniejszymi ranami brzucha czy głowy konali w mękach. Straszliwie przepracowani chirurdzy musieli stawiać bezlitosne diagnozy. „Niemiecki żołnierz cierpi i ginie z bezprzykładną odwagą – zapisał kapelan 305. Dywizji Piechoty. – Nawet ci po amputacjach zachowują spokój i opanowanie"[16].

Samoloty transportowe ewakuowały w tym czasie już tylko tych rannych, którzy mogli poruszać się o własnych siłach, gdyż nosze zajmowały za dużo miejsca. Żandarmeria polowa uzbrojona w pistolety maszynowe starała się powstrzymywać tłumy kontuzjowanych i symulantów, którzy próbowali dostać się na pokład każdego samolotu na oblodzonych pasach startowych lotnisk w Gumraku i Pitomniku. Nawet zdobycie miejsca w samolocie nie gwarantowało jeszcze przeżycia. Przeładowane junkersy Ju 52 i wielkie focke-wulfy Condor z trudem nabierały wysokości w powietrzu do czasu znalezienia się nad nieprzyjacielskimi liniami, gdzie radzieckie baterie przeciwlotnicze otwierały do nich ogień. Niemieccy żołnierze widzieli, jak

---

[16] Doktor Hans Mühle, 305. Dywizja Piechoty, 18 stycznia 1943 r., BA-MA N241/42.

wiele z tych samolotów spadało, płonąc; wiedzieli, że oznaczało to śmierć ich rannych towarzyszy broni.

Nowy rok 1943 przyniósł ognik irracjonalnej nadziei, gdy Hitler w swoim orędziu obiecał, że „ja i całe niemieckie siły zbrojne uczynią wszystko, co w ich mocy, aby przyjść z odsieczą [niemieckim] obrońcom Stalingradu, a wraz z waszą wytrwałością przyniesie to najświetniejszy wyczyn w dziejach niemieckiej armii"[17]. Na znak respektu dla cierpień 6. Armii Führer wydał zakaz wznoszenia noworocznych toastów winiakiem i szampanem w swojej kwaterze głównej.

Narodowi niemieckiemu nadal oficjalnie nie oznajmiono, że 6. Armia znalazła się w okrążeniu, a żołnierzom spod Stalingradu, którzy pisali listy do rodzin, zagrożono surowymi karami, jeżeli ujawnią swoim bliskim ten fakt. Jeden z nich wysłał noworoczną laurkę, a w rogu karteczki napisał po francusku: „Już od dwudziestu dni jesteśmy otoczeni. Straszne tak tkwić tu w tej pułapce. Mówią nam:»Trzymajcie się, trzymajcie się!«, ale dostajemy po dwieście gramów chleba dziennie i trochę zupy na koninie. Prawie nie ma soli. Wszy to udręka i zupełnie nie sposób się ich pozbyć. W bunkrach ciemno, a na zewnątrz minus dwadzieścia do minus trzydziestu [stopni]"[18]. Jednak list ten nie dotarł do adresatów, gdyż znalazł się w worku poczty polowej w zestrzelonym samolocie. Wydział wywiadowczy Frontu Dońskiego zatrudniał niemieckich komunistów i dezerterów do czytania przechwyconej nieprzyjacielskiej korespondencji. Inny żołnierz pisał z sarkazmem: „Pierwszego dnia świąt mieliśmy na obiad kaczkę z ryżem, a na drugi – gęś z groszkiem. Od dłuższego czasu jadamy gęsi. Tylko że te gąski mają po cztery nogi i podkowy"[19].

Stalinowi spieszyło się do rozpoczęcia operacji „Pierścień" (*Kolco*), czyli zadania ostatecznego ciosu 6. Armii. Rokossowskiemu oddano pod komendę czterdzieści siedem dywizji, wspieranych przez trzysta samolotów. Ósmego stycznia dowództwo Frontu Dońskiego wysłało do Niemców dwóch parlamentariuszy z białą flagą, przedstawiając Paulusowi warunki kapitulacji, ale ten, niemal na pewno pod wpływem swojego szefa sztabu generała porucznika Schmidta, odesłał ich z niczym.

Dwa dni później o świcie operacja „Pierścień" zaczęła się od silnego przygotowania artyleryjskiego i wycia pocisków rakietowych baterii katiusz. Oficerowie Armii Czerwonej z dumą mówili w tym czasie o tych używanych masowo wyrzutniach jako o „bogach wojny". Zasadnicze uderzenie wymierzone było w „nos Marinowki" – wypukłość w linii frontu na południowym zachodzie od stalingradzkiego kotła. Żołnierze niemieccy, poowijani

---

[17] BA-MA RH20-6/236.
[18] CAFSB 40/28/38, s. 69–72.
[19] CAFSB 40/28/38, s. 52–53.

w łachmany niczym strachy na wróble, ledwie byli w stanie przyciskać opuchniętymi, przemarzniętymi palcami spusty broni. Spowity w bieli pejzaż, gdzie kopczyki śniegu oznaczały niepogrzebane zwłoki, upstrzony był czarnymi lejami po pociskach, zażółconymi na brzegach przez kordyt. W południowym sektorze przebiły się i rzuciły do ucieczki niedobitki jednej z rumuńskich dywizji, pozostawiwszy kilometrową lukę w liniach obronnych. Dowództwo radzieckiej 64. Armii natychmiast skierowało tam brygadę czołgów T-34, których gąsienice chrzęściły w zamarzniętym śniegu.

Zmuszone do odwrotu niemieckie dywizje na południowo-zachodnim odcinku nie mogły utworzyć nowych linii obrony, gdyż przemarznięta ziemia uniemożliwiała przygotowanie okopów. Amunicji pozostało tak mało, że żołnierze wyczekiwali niemal do ostatniej chwili i strzelali do atakujących Sowietów z bliska. Kapelan 305. Dywizji opisał okrutny radziecki szturm, w którego trakcie „miażdżono rannych czołgami, bezlitośnie rozstrzeliwując rannych i jeńców"[20].

Na lotnisku w Pitomniku zapanował zupełny chaos; stały tam sczerniałe, zniszczone samoloty, a stosy zamarzniętych zwłok zalegały przed szpitalnymi namiotami. Brakowało paliwa, by ewakuować pozostałych rannych do polowych lazaretów. Niektórych żołnierzy ciągnięto na saniach, póki ich wyczerpani współtowarzysze tego nie zaniechali. Rozgrywały się niemal niewyobrażalne, tragiczne sceny. Zniechęceni i dotknięci nerwicą frontową niemieccy żołnierze uciekali w kierunku zrujnowanego miasta tak licznie, że żandarmerii polowej z trudem przychodziło utrzymanie dyscypliny. Większość jednak walczyła nadal, a często przyłączali się do nich rosyjscy hiwisi, którzy dobrze wiedzieli, jaki czeka ich los, kiedy bitwa się skończy.

Szesnastego stycznia Niemcy opuścili Pitomnik, a na rozkaz Richthofena odleciały ostatnie stacjonujące tam messerschmitty. Drugie, mniejsze lotnisko w Gumraku nie było w stanie przyjąć samolotów transportowych i samo znalazło się pod bezpośrednim ostrzałem artylerii. Maszyny Luftwaffe przystąpiły do zrzucania zaopatrzenia na spadochronach, lecz większość zasobników została zniesiona przez wiatr i spadła za radzieckimi liniami. Owego dnia skapitulował cały batalion z 295. Dywizji Piechoty. Dowódcy niektórych niemieckich batalionów nie mogli już patrzeć na cierpienia swoich podwładnych, kulejących na odmrożonych nogach, z rozwartymi nieustannie ustami, z brodatymi twarzami o żółtawym, trupim odcieniu. Wrony krążyły w powietrzu i nadlatywały, aby wydziobywać oczy martwym i umierającym.

Czerwonoarmiści nie okazywali wrogowi litości, zwłaszcza po dokonaniu pewnych makabrycznych odkryć. „W trakcie wyzwalania wioski Nowomaksimowsk – donosiło NKWD w składzie Frontu Dońskiego – nasi

---

[20] Doktor Hans Mühle, 18 stycznia 1943 r., BA-MA N241/42.

żołnierze odnaleźli w dwóch budynkach z zamurowanymi oknami i drzwiami siedemdziesięciu sześciu radzieckich jeńców; sześćdziesięciu z nich zmarło z głodu, a ich ciała uległy rozkładowi. Pozostali byli ledwie żywi, zaś większość z nich nie mogła ustać na nogach, gdyż tak byli wygłodzeni. Okazało się, że jeńcy ci przesiedzieli w tych budynkach około dwóch miesięcy. Niemcy morzyli ich głodem. Czasami rzucali im ochłapy koniny i dawali do picia osoloną wodę"[21]. Oficer zarządzający tym obozem, znanym jako Dulag-205, zeznał potem podczas przesłuchań prowadzonych przez Smiersz, że „od początku grudnia 1942 roku dowództwo 6. Armii z osobistego polecenia generała porucznika Schmidta zupełnie zaprzestało zaopatrywać ów obóz w żywność i zaczęło się tam masowe umieranie z głodu"[22]. Radzieccy żołnierze nie okazywali litości niemieckim rannym zwłaszcza po tym, jak natknęli się na ostatnich ocalałych sowieckich jeńców, głodujących w innym obozie w Gumraku. Tragedią było to, że ci, którzy ich oswobodzili, nieumyślnie doprowadzili do ich śmierci, dając im za dużo jedzenia[23].

Dwudziestego drugiego stycznia kwatera główna 6. Armii odebrała rozkaz Hitlera: „Kapitulacja wykluczona. Wojsko ma walczyć do końca. Jeśli to możliwe, utrzymać zmniejszoną twierdzę siłami tych żołnierzy, którzy są w stanie prowadzić walkę. Dzielność i upór [niemieckich obrońców stalingradzkiej] twierdzy umożliwiły zorganizowanie nowego frontu i przeprowadzenie przeciwuderzeń. W ten sposób 6. Armia wypełniła swoją dziejową misję w trakcie najtrudniejszej próby w niemieckiej historii"[24]. W Stalingradzie, gdzie żołnierze przemieszczali się na czworaka „jak dzikie zwierzęta"[25], warunki panujące w zajmowanych piwnicach były wręcz tragiczne; wegetowało tam ogółem być może nawet czterdzieści tysięcy rannych i chorych, pozostawionych przez 6. Armię. Palce odmrożonych dłoni i stóp często odpadały po zdjęciu bandaży. Nikt nie miał siły wynosić zwłok tych, którzy zmarli. Widywano, jak objedzone wszy schodziły z nich w poszukiwaniu żywych ciał.

Dwudziestego szóstego stycznia szczątki 6. Armii zostały rozbite na dwa zgrupowania, kiedy radziecka 21. Armia dotarła do pozycji zajmowanych przez 13. Dywizję Gwardyjską Rodimcewa na północ od Kurhanu Mamaja. Sam Paulus, który również cierpiał z powodu dyzenterii, popadł w stan załamania nerwowego w podziemiach *uniwiermagu* – domu towarowego na placu Czerwonym w Stalingradzie. Dowodzenie przejął Schmidt. Kilku niemieckich generałów i starszych oficerów zastrzeliło się, aby unik-

---

[21] CAFSB 14/4/1330, s. 17.
[22] Abakumow do Wyszynskiego o zbrodniach niemieckich żołnierzy na radzieckich jeńcach wojennych, 2 września 1943 r., CAFSB 14/5/1, s. 228–235.
[23] J.F. Okiszew, w: *Swiaszczennaja wojna. Ja pomniu*, red. A. Drabkin, Moskwa 2010, s. 222.
[24] BA-MA RH19VI/12, s. 324.
[25] BA-MA RW4/v.264.

nąć upokorzenia kapitulacji. Niektórzy wybierali „żołnierską śmierć", stając na skraju okopu i wystawiając się tam na kule nieprzyjaciela.

Hitler obwieścił awansowanie Paulusa do rangi feldmarszałkowskiej. Paulus wiedział, że to zakamuflowane polecenie, aby odebrał sobie życie, ale do tego czasu wyzbył się żywionego wcześniej podziwu dla Führera i nie miał zamiaru dawać mu takiej satysfakcji. Trzydziestego pierwszego stycznia żołnierze Armii Czerwonej zdobyli gmach *uniwiermagu*. „Paulus był całkowicie roztrzęsiony – zapisał sowiecki tłumacz, porucznik żydowskiego pochodzenia Zachary Rajzman. – Drżały mu wargi. Powiedział generałowi Schmidtowi, że zrobiło się zbyt wielkie zamieszanie, że w pomieszczeniu jest za dużo ludzi"[26]. Rajzman odprowadził 151 niemieckich oficerów i żołnierzy do kwatery dowództwa dywizji. Po drodze musiał powstrzymywać czerwonoarmistów przed próbami ich znieważania. „Cóż za ironia losu – oznajmił pewien niemiecki pułkownik, i to tak, aby Rajzman go usłyszał. – Żyd pilnuje, żeby nic złego się nam nie stało". Paulus i Schmidt zostali zabrani do siedziby dowództwa 64. Armii generała Szumiłowa, gdzie akt kapitulacji sfilmowano. Na filmie widać nerwowy tik na twarzy Paulusa.

Hitler wysłuchał w milczeniu wieści o tej kapitulacji. Nie odrywał przy tym wzroku od warzywnej zupy, którą jadł. Ale nazajutrz dał upust swej wściekłości na Paulusa za to, że ów się nie zastrzelił. Drugiego lutego generał Strecker, dowodzący niedobitkami XI Korpusu w ruinach w północnej części Stalingradu, także się poddał. Armia Czerwona wzięła do niewoli dziewięćdziesiąt jeden tysięcy żołnierzy, to jest znacznie więcej, aniżeli spodziewali się Sowieci. Z powodu niedostatecznego przygotowania do zajęcia się taką liczbę jeńców przez pewien czas nie dostawali oni żywności ani nie udzielano im pomocy medycznej. Wiosny nie doczekała prawie połowa z nich.

Radzieckie straty w całej kampanii stalingradzkiej wyniosły 1,1 miliona żołnierzy, z których prawie połowa poległa. Wojska Niemiec i ich sprzymierzeńców straciły ponad pół miliona ludzi, zabitych lub wziętych do niewoli. W Moskwie z okazji tego historycznego zwycięstwa zabiły dzwony na Kremlu. Na całym świecie reputacja Związku Radzieckiego wzrosła niepomiernie, a do kierowanego przez komunistów podziemnego ruchu oporu w okupowanych krajach wstąpiło wielu nowych członków.

W Niemczech rozgłośniom radiowym nakazano grać żałobną muzykę. Uparcie nie przyjmując do wiadomości faktu, że 6. Armia znajdowała się od listopada w okrążeniu, Goebbels usiłował teraz stwarzać wrażenie, iż cała ta armia uległa zniszczeniu w prowadzonej do końca walce: „Polegli, aby mogła przetrwać Rzesza". Jednak ta próba wykreowania historycznego mitu

---

[26] Ze wspomnień Zacharego Rajzmana. Chciałbym wyrazić wdzięczność wnukowi Rajzmana, Walowi, za przekazanie mi tego dokumentu historycznego.

rychło odniosła skutek przeciwny do zamierzonego. W Niemczech szybko rozeszła się wieść, powtarzana głównie przez tych, którzy potajemnie słuchali audycji rozgłośni BBC, że Moskwa poinformowała o wzięciu do niewoli dziewięćdziesięciu jeden tysięcy niemieckich jeńców. Klęska ta wywołała wstrząs w całym kraju. Tylko sfanatyzowani naziści nadal wierzyli, że tę wojnę uda się jeszcze wygrać.

OKW było nader zaniepokojone „wielkim poruszeniem, jakie zapanowało wśród niemieckiej opinii publicznej" po kapitulacji 6. Armii pod Stalingradem, dlatego wydało korpusowi ostre w tonie ostrzeżenie, żeby nie pogarszać zaistniałej sytuacji krytykowaniem militarnego i politycznego przywództwa za sprawą „tak zwanych faktycznych relacji" z przebiegu walk na froncie[27]. Nasiliły się próby zaszczepienia w siłach zbrojnych „narodowosocjalistycznej wizji", mimo to władze otrzymywały raporty, że starsi oficerowie pamiętający „apolityczne czasy" Reichswehry niezbyt się palili do indoktrynowania swoich żołnierzy[28]. Z kolei oddani sprawie nazistowskiej oficerowie i esesmani uskarżali się, że Armia Czerwona znacznie skuteczniej posługiwała się ideologiczną propagandą.

Osiemnastego lutego Goebbels rzucił hasło: „Wojna totalna to krótka wojna!", podczas mityngu w berlińskim Pałacu Sportu. Panowała atmosfera podminowanego podniecenia. Goebbels krzyczał z mównicy: „Chcecie wojny totalnej?"[29]. Widownia zrywała się z miejsc i wyjąc, odpowiadała, że tak. Nawet pewien niechętny wobec nazizmu reporter przyznawał później, że trudno mu było nie dać się porwać temu zbiorowemu entuzjazmowi i sam ledwie powstrzymał się, żeby nie wrzeszczeć *Ja!* („Tak!") wraz z tłumem. Stwierdził potem w rozmowie z przyjaciółmi, że gdyby Goebbels zawołał: „Czy chcecie wszyscy iść na śmierć?" – zebrana ciżba rykiem odpowiedziałaby na to twierdząco[30]. Nazistowski reżim schwytał w sidła całą ludność kraju, która stała się świadomym bądź mimowolnym wspólnikiem jego zbrodni i szaleństwa.

---

[27] BA-MA RL 5/793.
[28] *GSWW*, t. IX/1, s. 589.
[29] Niemiecka kronika filmowa z lutego 1943 roku.
[30] O przemówieniu Goebbelsa i zapowiedzi „wojny totalnej" (*Totaler Krieg*) por. U. von Kardorff, *Może to po raz ostatni*, tłum. E. Bielicka, Warszawa 1992, s. 59–67.

ROZDZIAŁ 27

Casablanca, Charków i Kijów

grudzień 1942–maj 1943

W ciągu grudnia 1942 roku, gdy brytyjska 1. Armia pod dowództwem Andersona prowadziła zmagania na deszczowych wzgórzach Tunezji, 8. Armii Montgomery'ego nie udało się podążyć wystarczająco energicznie za wycofującą się *Panzerarmee* Rommla. Montgomery, który pilnie się starał, aby nie doznała uszczerbku jego reputacja pewnego zwycięzcy, nie chciał zaliczyć jakiegoś nieprzyjemnego taktycznego niepowodzenia w rezultacie nagłego kontrataku przeciwnika, a niemieckie wojska specjalizowały się w takich właśnie przeciwuderzeniach. Ponadto wiele alianckich pułków nie miało nic przeciwko, żeby pozostawić „innym draniom ściganie" przeciwnika, jak to ujął dowódca rangersów z Sherwood[1]. Żołnierze tych jednostek uznali, że zrobili już swoje, i woleli skupiać się na zdobywaniu łupów wojennych, takich jak pistolety Luger, alkohole, cygara i czekolada, znajdowanych w porzuconych niemieckich pojazdach.

Montgomery zapewne słusznie uznawał, że armia brytyjska jeszcze nie dorównywała Niemcom w wojnie manewrowej, ale na przesadnie ostrożnym prowadzeniu przezeń operacji militarnych odcisnęły piętno jego antykawaleryjskie uprzedzenia. Tylko pułki wyposażone w samochody pancerne, 11. Pułk Huzarów i Królewski Pułk Dragonów, zapędziły się na tyle daleko, by konsekwentnie nękać cofających się Niemców. Mimo że wojska Rommla liczyły w tym czasie zaledwie około pięćdziesięciu tysięcy żołnierzy wspieranych przez niepełny batalion czołgów, to niechęć Montgomery'ego do podejmowania ryzyka skłoniła go na pewnym etapie do rozważania planu pozostawienia Trypolisu oraz Tunisu 1. Armii Andersona. Takie

---

[1] K. Douglas, *Alamein to Zem Zem*, London 1992, s. 73.

samozadowolenie udzielało się i niższym rangom. „Wszyscy widzieliśmy, że nieprzyjaciel był tak zdezorganizowany, iż nie wydawało się możliwe, aby mógł przegrupować się na tyle, by sprawić nam wiele kłopotów – pisał poeta Keith Douglas, podówczas porucznik jednostki Sherwood Rangers. – Kiedy dowiedzieliśmy się o lądowaniu [Amerykanów] w Afryce Północnej, tylko bardzo nieliczni spodziewali się, że likwidacja oporu przeciwnika potrwa dłużej niż kilka tygodni i kampania afrykańska dobiegnie końca"[2].

Pustynne Siły Powietrzne w Egipcie także krytykowano za to, że nie zdołały poważniej zaszkodzić czołgom Rommla, gdy te wjeżdżały przez przełęcz Halfaja z powrotem do Libii. Jednakże działania brytyjskiego lotnictwa utrudniało to, że sporo czasu wymagało przewiezienie paliwa i zapasu na wysunięte lotniska. Generał RAF-u Coningham zwrócił się o pomoc do Amerykanów, a jednostki Breretona, skupione organizacyjnie w ramach 9. Armii Lotniczej, zajęły się przetransportowaniem paliwa do strefy przyfrontowej. Rommel, który nabrał już wtedy pewności, że państwa osi przegrały wojnę w Afryce Północnej, wytyczył linie obronne pod Marsa al-Burajka, nieco na wschód od Al-Ukajla nad Wielką Syrtą, czyli tam, gdzie rozpoczął swoją pustynną kampanię w lutym 1942 roku.

*

Czternastego stycznia 1943 roku do Casablanki przybył Roosevelt, wyczerpany trwającą pięć dni podróżą ze Stanów Zjednoczonych. Jeszcze tego samego dnia spotkał się z Churchillem w Anfie, a nazajutrz Połączony Komitet Szefów Sztabów zebrał się, aby wysłuchać raportu Eisenhowera o przebiegu kampanii północnoafrykańskiej. Dowódca wojsk alianckich był wyraźnie zdenerwowany. Wcześniej przebył grypę, do której przyczyniło się nałogowe palenie papierosów marki Camel, i cierpiał z powodu znacznie podwyższonego ciśnienia tętniczego. Zaimprowizowane uderzenie na Tunis przyniosło fiasko. Eisenhower winił za to deszcze i błota oraz trudności w nawiązaniu współpracy z Francuzami, a nie rozproszenie przez Andersona dość słabych wojsk, którymi dowodził ten ostatni. Wspomniał też o dezorganizacji systemu zaopatrzenia, którego porządkowaniem zajął się jego szef sztabu – Bedell Smith.

Następnie Eisenhower nakreślił swój plan natarcia przez Safakis (fr. Sfax) ku Zatoce Kabiskiej (Mała Syrta) siłami dywizji z II Korpusu generała majora Lloyda Fredendalla. Zamiar ten został skrytykowany przez generała Brooke'a w typowy dlań, zjadliwy sposób. Brooke wskazał, że atakujące siły zostaną wzięte w dwa ognie przez wycofujące się wojska Rommla z jednej

---

[2] *Ibidem*, s. 80.

strony i tak zwaną 5. Armię Pancerną generała pułkownika Hansa-Jürgena von Arnima z drugiej. Przygarbiony Brooke, z opadającymi powiekami i wydatnym nosem na ascetycznej twarzy, przypominał nieco z wyglądu skrzyżowanie łownego ptaka z gadem, zwłaszcza kiedy zwilżał sobie usta językiem. Wstrząśnięty do głębi Eisenhower obiecał przemyśleć na nowo cały plan i wyszedł z pomieszczenia.

Konferencja w Casablance nie była dla Eisenhowera godziną chwały i zwierzył się nawet Pattonowi, że obawiał się, iż zostanie zdymisjonowany. W dodatku generał Marshall zganił go za niezdyscyplinowanie amerykańskich oddziałów i chaos panujący na tyłach. Z kolei Patton dołożył starań, aby jego własny dobrze prezentujący się korpus w Casablance wywarł na wszystkich możliwie najkorzystniejsze wrażenie.

Głównym celem konferencji było ustalenie spójnej strategii. Admirał King nie skrywał swojego przekonania, że alianci powinni rzucić większość sił przeciwko Japonii na Pacyfiku. Energicznie przeciwstawiał się planom „operacji powstrzymujących" na Dalekim Wschodzie. Ponadto Amerykanie byli bardziej niż Brytyjczycy zainteresowani wspieraniem chińskich nacjonalistów Chiang Kai-sheka. Jednakże generał Brooke stanowczo dążył do osiągnięcia jasnego porozumienia w kwestii doprowadzenia do końca wojny w Afryce Północnej, a następnie przeprowadzenia inwazji na Sycylię. Krytykował Marshalla za brak należytego zrozumienia zaistniałych uwarunkowań strategicznych. Marshall nadal obstawał przy pomyśle przerzutu wojsk inwazyjnych przez kanał La Manche w 1943 roku, choć jasne było, że armii amerykańskiej wciąż daleko do osiągnięcia gotowości niezbędnej, by pokonać czterdzieści cztery niemieckie dywizje stacjonujące we Francji, a siłom sprzymierzonych ciągle brakuje niezbędnych do przeprowadzenia takiej operacji transportowców i barek desantowych. Ostatecznie Marshall musiał dać za wygraną. Dzięki dobremu przygotowaniu sztabowemu Brytyjczycy, w odróżnieniu od Amerykanów, dysponowali wszelkimi nieodzownymi danymi statystycznymi.

Brooke uważał, że Marshall to świetny organizator amerykańskiej potęgi wojskowej, ale przy tym znacznie gorszy strateg. Gdy Amerykanom wyperswadowano przeprowadzenie inwazji na Francję w najbliższych miesiącach, a ci nie wiedzieli, co zaproponować zamiast tego, Brooke zdołał ich stopniowo przekonać do swoich planów. Zawczasu musiał jednak również przełamać upór innych brytyjskich strategów i sztabowców, którzy chcieli dokonania desantu na Sardynię, a nie na Sycylię. Wreszcie 18 lutego Brooke, mając poparcie marszałka polnego Johna Dilla, w owym czasie przedstawiciela brytyjskich sił zbrojnych w Waszyngtonie, oraz generała lotnictwa Charlesa Portala, szefa sztabu brytyjskiego lotnictwa wojskowego, skłonił Amerykanów do zgody na podjęcie dalszych działań w basenie śródziemnomorskim – do operacji „Husky", czyli lądowania na Sycylii. Generał brygady Albert C. Wedemeyer, strateg z amerykańskiego Departamentu Wojny, który odnosił się bardzo nieufnie do Brytyjczyków, musiał później przyznać: „przybyliśmy, posłuchaliśmy i zostaliśmy zwyciężeni"[3]. Konferencja w Casablance stanowiła apogeum brytyjskich wpływów w koalicji antyhitlerowskiej.

Brytyjczycy i Amerykanie poznali się nawzajem lepiej podczas narady w Anfie, jednak nie zawsze oznaczało to obopólny podziw. Patton, znany z tego, że nie przebierał w słowach, uważał generała Alana Brooke'a za „zwykłego urzędnika"[4]. Opinia Brooke'a na temat Pattona była znacznie bliższa prawdy. Określił go jako „pełnego werwy, dzielnego, niesfornego i niezrównoważonego dowódcę, nadającego się dobrze do operacji związanych z energicznym nacieraniem i atakowaniem, ale gubiącego się we wszelkich działaniach wymagających fachowej wiedzy i trzeźwego osądu"[5]. Brytyjczycy zgadzali się z Amerykanami co do jednego: że generał Mark Clark jest skrajnym egocentrykiem. Eisenhower dogadywał się dobrze z admirałem Cunninghamem i mającym najwyższą rangę generalską w RAF-ie Arthurem Tedderem, który później został jego zastępcą, ale w oczach Amerykanów „Ike" stanowczo zanadto ulegał wpływowi Brytyjczyków na śródziemnomorskim teatrze wojny. Brytyjski generał Alexander został wyznaczony na głównodowodzącego alianckich wojsk lądowych, pod formalnym zwierzchnictwem Eisenhowera. Chociaż Patton początkowo odnosił się do Alexandra ze sporym uznaniem, to niechęć wywołało w nim rzekome pomniejszanie przez tego dowódcę zasług armii amerykańskiej. Już wkrótce zapisał w swoim dzienniku, że „Ike jest bardziej brytyjski od samych Brytyjczyków i przypomina kit w ich rękach"[6].

Ale nawet Eisenhowerowi nie przypadł do gustu pomysł przydzielenia mu brytyjskiego konsultanta politycznego w osobie Harolda Macmillana. Macmillan udzielał zdecydowanego poparcia de Gaulle'owi, a po zamachu na Darlana ani Eisenhower, ani Roosevelt nie mogli już dłużej spychać de Gaulle'a na boczny tor. Eisenhower obawiał się ingerencji Macmillana w dowodzenie wojskami, biorąc pod uwagę jego powiązania z Churchillem i jego ministerialną rangę, ale w istocie Macmillan nie miał takiego zamiaru. Pojmował bowiem, że Amerykanie już niebawem osiągną dominującą pozycję w sojuszu, więc wolał subtelniejsze metody. Odwołując się do antycznej

---

[3] Cyt. za: R. Atkinson, *Afryka Północna, 1942–1943. Jak rodziła się militarna potęga Ameryki*, tłum. B. Górecka, Warszawa 2005, s. 284.

[4] Dziennik Pattona, 16 stycznia 1943 r., cyt. za: *The Patton Papers*, t. 2: *1940–1945*, red. M. Blumenson, Boston 1974, s. 155.

[5] A. Brooke (lord Alanbrooke), *War Diaries, 1939–1945*, London 2001, s. 361.

[6] Dziennik Pattona, 12 kwietnia 1943 r., *The Patton Papers*, t. 2, *op. cit.*, s. 218.

historii, przyrównywał Amerykanów do Rzymian i sądził, że optymalny sposób współdziałania z potężniejszymi sojusznikami to przyjęcie roli „greckich niewolników, [którzy] kierowali poczynaniami cesarza Klaudiusza"[7].

Eisenhower nadal czuł się przybity reakcją amerykańskiej i brytyjskiej prasy na wcześniejsze konszachty z Darlanem. „Jestem skrzyżowaniem byłego żołnierza – napisał w liście do zaprzyjaźnionej osoby – z rzekomym mężem stanu, niedorobionym politykiem i szemranym dyplomatą"[8]. Przytłoczony szczegółami z rozmaitych dziedzin, obarczył rozstrzyganiem kwestii politycznych i wielu innych problemów Bedella „Beetle'a" Smitha, co sprawiło, że temu drugiemu jeszcze bardziej zaczęły dokuczać wrzody, na które cierpiał. Jednakże Bedell Smith, słynący ze zgryźliwości wobec amerykańskich oficerów, znajdował wspólny język z Brytyjczykami i Francuzami.

Jednym z dominujących problemów związanych z prowadzeniem walk w Afryce Północnej, kwestią, którą Churchill i Roosevelt próbowali rozwiązać w Casablance, była rola Charles'a de Gaulle'a. Roosevelt nie wyzbył się ani trochę swej nieufności wobec francuskiego generała, ale pod naciskiem Churchilla Giraud i de Gaulle zostali zmuszeni do wymiany uścisku dłoni na oczach fotoreporterów. Wcześniej amerykański prezydent cokolwiek lekkomyślnie obiecał Giraudowi broń i wyposażenie dla jedenastu francuskich dywizji, nie zasięgnąwszy opinii, czy to w ogóle wykonalne. De Gaulle, który początkowo nie chciał przyjechać do Casablanki, rad był pozostawić dowodzenie francuskimi wojskami w Afryce Północnej w rękach Girauda, pod warunkiem że sam zachowałby przywództwo polityczne. Na to musiał wszak jeszcze nieco zaczekać. Tak czy owak wiedział, że przejęcie pełni władzy nie powinno okazać się zbyt trudne. Giraud, dzielny „ołowiany żołnierzyk", nie stanowił poważnej konkurencji dla najbardziej zdeterminowanego generała na francuskiej arenie politycznej.

Zaraz po tym jak żenujący spektakl z udziałem dwóch francuskich generałów z oporami ściskających sobie dłonie powtórzono na użytek reporterów, prezydent Roosevelt obwieścił, że koalicjanci zamierzają doprowadzić do bezwarunkowej kapitulacji Niemiec i Japonii. Na to Churchill stwierdził, iż Wielka Brytania w pełni się z tym zgadza, choć zaskoczyło go to, że Roosevelt postanowił ogłosić taki cel publicznie. W jego opinii konsekwencje takiego kroku nie zostały jeszcze w pełni przeanalizowane, mimo że sam zawczasu uzyskał w tej sprawie zgodę swojego gabinetu wojennego. W istocie wspomniana deklaracja, choć w pewnej mierze wzmogła

---

7 Macmillan do Richarda Crossmana, cyt. za: N. Fisher, *Harold Macmillan*, New York 1967, s. 100–101.

8 Eisenhower do Paula Hodgsona, 4 grudnia 1942 r., EP 687, cyt. za: D.K.R. Crosswell, *Beetle. The Life of General Walter Bedell Smith*, Lexington 2010, s. 360.

podejrzenia żywione przez Stalina, zapewne nie wywarła decydującego wpływu na wynik wojny. Zarówno naziści, jak i japońscy przywódcy zamierzali walczyć do samego końca. Innym ważnym postanowieniem, które miało na celu przyspieszenie rozstrzygnięcia światowego konfliktu zbrojnego, było zintensyfikowanie kampanii strategicznych nalotów na Niemcy, przeprowadzanych przez brytyjskie lotnictwo bombowe oraz amerykańską 8. Armię Powietrzną.

Stalina, zgodnie z przewidywaniami Churchilla, nie wprawiła w zachwyt depesza podpisana przez Roosevelta oraz brytyjskiego premiera, nadana z Marrakeszu i informująca o decyzjach podjętych w Casablance. Jednakże lądowanie aliantów w ramach operacji „Torch" skłoniło Hitlera do wzmocnienia niemieckiego kontyngentu w Tunezji oraz do zajęcia południowej Francji. To z kolei odciągnęło niemieckie wojska z dala od frontu wschodniego dużo skuteczniej niż przejściowo poniechana inwazja przez kanał La Manche. Zmusiło również Luftwaffe do wycofania ze wschodniego frontu czterystu samolotów – z katastrofalnymi rezultatami dla Niemiec. Do późnej wiosny 1943 roku formacje lotnicze Göringa straciły nad Morzem Śródziemnym czterdzieści procent wszystkich maszyn. Ale Stalina nie udobruchały takie drobiazgi. Postanowienie Anglosasów o odłożeniu na później militarnej konfrontacji z Niemcami we Francji zirytowało go. Armia Czerwona prowadziła i nadal miała prowadzić zmagania z głównymi niemieckimi siłami zbrojnymi.

Dwunastego stycznia, zaledwie na kilka dni przed początkiem konferencji w Casablance, wojska radzieckie przystąpiły do operacji „Iskra", mającej na celu przełamanie niemieckiego oblężenia Leningradu na południe od jeziora Ładoga. Żukow, który z polecenia Stalina miał koordynować przebieg tej ofensywy, rzucił 2. Armię Uderzeniową do ataku od strony „lądu", 67. Armię z Leningradu oraz trzy brygady narciarzy, nacierające przez wielkie zamarznięte jezioro. Sześćdziesiąta siódma Armia musiała przekroczyć Newę, a całą akcję zaczepną odłożono aż do momentu, kiedy lód na tej rzece był na tyle gruby, aby mogły przejechać po nim lekkie czołgi.

Ofensywa rozpoczęła się od zmasowanego przygotowania artyleryjskiego, zwieńczonego gradem pocisków rakietowych wystrzelonych z wyjących katiusz. W temperaturze –25 °C sowieccy żołnierze w białych maskujących pelerynach mknęli po lodzie. Na południowo-zachodnim skraju Ładogi stara carska twierdza w Szlisselburgu znalazła się w okrążeniu. Po dwóch dniach walk w lasach i na zamarzniętych bagnach czołówki obu nacierających armii znalazły się w odległości dziesięciu kilometrów od siebie. Wojskom radzieckim udało się nawet zdobyć nienaruszony czołg typu Tiger – ważny łup, analizą konstrukcji którego od razu zajęli się sowieccy inżynierowie.

Piętnastego stycznia Irina Dunajewska, młoda tłumaczka, przeszła przez skutą lodem Newę, aby zwizytować rejon walk. Ujrzała zabitych „pod prześwitującą warstwą lodu, jak w szklanym sarkofagu". W zdobytej kwaterze niemieckiego dowództwa zastała żołnierzy Armii Czerwonej robiących sobie skręty z tytoniu i papieru, na którym widniały listy osób przedstawionych do odznaczenia. Posługiwano się przydomkami, a nie nazwiskami, więc Dunajewska domyśliła się, że to przestępcy wcieleni do wojska wprost z Gułagu. Na zewnątrz „na ziemi leżały zniszczone wierzchołki drzew i gałęzie, zwalone całe drzewa, śnieg czarny od sadzy i zwłoki żołnierzy, pojedynczo i na stosach, najczęściej nieprzyjaciela, ale też i naszych, końskie truchło, porozrzucana amunicja i zniszczona broń – za wiele dla oczu kobiety. (...) Ciało bardzo młodego, jasnowłosego Niemca spoczywało na drodze w bardzo naturalnej pozie, jak gdyby wciąż żył. Trzy zwęglone ciała niemieckich żołnierzy nadal pozostawały w pozycji siedzącej na przednim siedzeniu ich wielkiego pojazdu. Dalej znowu zwłoki naszych pod lodem na szosie, jak pod szkłem, wciśnięte w płaską taflę przez ciężkie wozy, które niedawno po nich przejechały. (...) W oddali pejzaż miał białawo-szare zabarwienie, konary sosen były szarobrunatne. Wszystkie te kolory przywodziły na myśl srogość, zimno i samotność"[9].

„Twoje modlitwy – pisał w liście do matki radziecki czołgista – pewnie chronią mnie w boju, bo już cztery albo pięć razy przejechałem cało przez pola minowe, na których wyleciało w powietrze wiele czołgów, a jeden pocisk, który rozerwał się w naszym czołgu i zabił dowódcę załogi oraz kanoniera, mnie nie zrobił nic złego. Tu człowiek staje się fatalistą i wyjątkowo przesądną osobą. Zrobiłem się bardzo żądny krwi. Raduje mnie każdy zabity fryc"[10].

Osiemnastego stycznia dwie sowieckie armie zamknęły nieprzyjaciela w okrążeniu, kosztem trzydziestu czterech tysięcy poległych i rannych. Oblężenie Leningradu zostało przełamane, mimo że lądowy korytarz, łączący to miasto z resztą kraju, miał ledwie kilkanaście kilometrów szerokości. Tego samego dnia Stalin awansował Żukowa do rangi marszałka Związku Radzieckiego.

Wraz z ułożeniem nowej linii kolejowej na wyzwolonym pasie terytorium na południe od jeziora Ładoga dostawy do Leningradu znacznie się zwiększyły. Wspomniana linia stanowiła jednakże dogodny cel dla niemieckiej artylerii, więc radzieckie dowództwo przystąpiło do kolejnej ofensywy – operacji „Gwiazda Polarna", którą pokierował marszałek Timoszenko. Wydał on rozkaz zdobycia miejscowości Siniawino do Dnia Armii Czerwonej

---

[9] I. Dunajewska, 15–16 stycznia 1943 r., „Zwiezda" 2010, nr 5, s. 64.
[10] D. Kabanow, *Pamiat' pisem ili czełowiek iz tridcatczetwierki*, Moskwa 2006, s. 36.

i Floty Wojennej, który przypadał 23 lutego. Także ta próba powiększenia uchwyconego pod Leningradem przyczółka zaczęła się od silnego przygotowania artyleryjskiego. Grunt był jednak tak rozmiękły, że wybuchające pociski wyrzucały w powietrze gejzery błota, a wiele z nich wcale nie eksplodowało. Oddziały Armii Czerwonej przebiły się przez niemieckie linie i nacierały przez jodłowo-brzozowy las. Wasilij Czurkin wspominał, jak sowieccy żołnierze natknęli się na polowy burdel: „piętrowy barak, zbity przez Niemców z surowych desek. Ludzie powiadali, że mieszkało tam siedemdziesiąt pięć rosyjskich dziewcząt z pobliskich wsi. Niemcy zmuszali je do nierządu"[11].

Niemiecki XXVI Korpus Armijny znakomicie wybrał porę na przeprowadzenie kontruderzenia. „Zobaczyliśmy kilka czołgów »Tygrys« sunących w naszą stronę i strzelających w trakcie jazdy – napisał Czurkin. – Za nimi podążała niemiecka piechota. Kiedy te czołgi znalazły się bliżej, nasi żołnierze zaczęli opuszczać okopy i podawać tyły. Dowódcy plutonów krzyczeli na tych tchórzy, każąc im wracać do okopów, ale panika szybko zaczęła się szerzyć".

Jedną z formacji państw osi, która ucierpiała znacznie w trakcie operacji „Gwiazda Polarna", była hiszpańska División Azul, czyli Błękitna Dywizja, składająca się głównie z ochotników z frankistowskiej Falangi. Decyzja o sformowaniu tej jednostki została podjęta w Madrycie zaledwie pięć dni przed rozpoczęciem operacji „Barbarossa". Hiszpańska prawica nadal uważała Związek Radziecki za głównego sprawcę wojny domowej w ich kraju. Niemal jedną piątą pierwszych ochotników stanowili studenci i można stwierdzić, że Błękitna Dywizja zaliczała się do najbardziej „wykształconych" jednostek, jakie kiedykolwiek uczestniczyły w działaniach wojennych. W składzie Wehrmachtu formacja ta, pod dowództwem generała Agustína Muñoza Grandesa, oficera armii hiszpańskiej, który wstąpił do Falangi, znana była jako 250. Dywizja Piechoty; po okresie przeszkolenia w Bawarii skierowano ją na front pod Nowogrodem Wielkim. W tamtym lesistym i bagiennym rejonie jej żołnierze ucierpieli z powodu chorób i odmrożeń. Jednak Hitler był pod wrażeniem jej wytrwałości w prowadzeniu obrony oraz udziału w rozbiciu 2. Armii Uderzeniowej generała Własowa wiosną 1942 roku.

Błękitna Dywizja, broniąca sektora nad rzeką Iżorą, trzymała się pomimo utraty 2525 ludzi w trakcie pierwszej doby walk. Wprawdzie jeden z jej pułków poszedł w rozsypkę, ale linię obrony udało się odtworzyć z pomocą niemieckich odwodów. Była to największa i najkrwawsza batalia owej dywizji

---

[11] WCD, 22 lutego 1943 r.

podczas całej wojny i z pewnością przyczyniła się do tego, że wspomniana radziecka ofensywa zakończyła się niepowodzeniem[12].

Na południu Rosji operacja „Mały Saturn" zmusiła Mansteina do wycofania 1. Armii Pancernej oraz 17. Armii na przyczółek kubański u południowo-zachodnich podnóży Kaukazu, na południe od Rostowa. Rokossowski utyskiwał, że nadanie tej ofensywie niedostatecznej roli i fiasko natarcia na Rostów w celu całkowitego odcięcia tamtejszych wojsk nieprzyjaciela zaprzepaściły widoki na poważne zwycięstwo. Stalin, tak jak rok wcześniej, znowu dał się jednak ponieść zbytniemu optymizmowi. Zapominając, jak szybko niemiecka armia potrafiła pozbierać się po porażce, chciał wyzwolenia okręgu Donbasu oraz Charkowa we wschodniej Ukrainie siłami armii możliwych do użycia po kapitulacji 6. Armii Wehrmachtu.

Szóstego lutego Manstein spotkał się z Hitlerem, który początkowo wziął na siebie odpowiedzialność za klęskę pod Stalingradem, lecz zaraz potem zrzucił winę za tę katastrofę na Göringa i innych. Użalał się gorzko, że Paulus nie odebrał sobie życia. Jednak wieści napływające z frontu wschodniego jeszcze bardziej poruszyły Japończyków. W Tokio nowy minister spraw zagranicznych Mamoru Shigemitsu wraz z około stu pięćdziesięcioma japońskimi dowódcami wojskowymi i urzędnikami państwowymi obejrzeli film o walkach pod Stalingradem nakręcony przez radzieckich filmowców. Sceny ukazujące Paulusa i innych wziętych do niewoli niemieckich generałów wstrząsnęły nimi do głębi. „Czy to możliwe? – pytali z niedowierzaniem. – A jeśli to prawda, dlaczego Paulus nie popełnił samobójstwa, jak przystało na prawdziwego żołnierza?"[13] Japońscy przywódcy naraz zdali sobie sprawę, że rzekomo niezwyciężony Hitler przegra jednak tę wojnę.

Manstein dysponował teraz mocniejszymi argumentami, domagając się większej elastyczności w prowadzeniu działań zbrojnych. Hitler chciał prowadzenia nieustępliwej obrony na zajętych terytoriach, lecz widmo klęski na południu Rosji paradoksalnie stworzyło Mansteinowi okazję do przeprowadzenia jednego z najbardziej błyskotliwych przeciwuderzeń podczas całej wojny.

Armia Czerwona, po rozbiciu węgierskiej 2. Armii i okrążeniu części 2. Armii niemieckiej przez wojska Frontu Woroneskiego na lewym skrzydle Mansteina, ruszyła następnie na zachód, aby uchwycić tak zwany Łuk

---

[12] Na temat historii Błękitnej Dywizji zob.: S.G. Payne, *Franco and Hitler. Spain, Germany and World War II*, New Haven 2008, s. 146–154; X. Moreno Juliá, *La División Azul. Sangre española en Rusia, 1941–1945*, Barcelona 2004; J.M. Reverte, *La División Azul. Rusia 1941–1944*, Barcelona 2011.

[13] N. Ajrchajew, „Far Eastern Affairs" 1990, nr 4, s. 124.

Kurski. „Przez ostatnie półtora tygodnia – pisał 10 lutego pewien radziecki żołnierz w liście do żony – maszerowaliśmy przez ziemie niedawno wyzwolone z rąk faszystów. Wczoraj nasze wozy pancerne wdarły się do Biełgorodu. Zdobyto tam mnóstwo łupów i wzięto wielu jeńców. W trakcie marszu ciągle napotykamy wielkie grupy pojmanych Węgrów, Rumunów, Włochów i Niemców. Szuroczka, gdybyś tylko mogła zobaczyć, jaki żałosny widok przedstawiają teraz te sławne hitlerowskie zastępy. Obuci w wojskowe kamasze, a niektórzy w łapcie z łyka, mają na sobie letnie mundury i tylko niewielu nosi szare szynele, a na dodatek wszyscy oni chodzą w zrabowanych kapotach, męskich i damskich. Na ich głowach widać furażerki i marynarskie czapki, a cali poowijani są w damskie pledy. Wielu ma odmrożenia; są brudni, zawszeni. Aż się robi źle na myśl, że ta hołota zapuściła się tak daleko w głąb naszego kraju. Przemaszerowaliśmy już dwieście siedemdziesiąt kilometrów w prowincjach woroneskiej i kurskiej. Tyle wsi, miast, fabryk i mostów zostało zniszczonych. Cywile powracają do domów tam, gdzie wkracza Armia Czerwona. Są tacy szczęśliwi!"[14]

Inne jednostki Frontu Woroneskiego prowadziły natarcie na Charków. Trzynastego lutego Hitler polecił, by miasta tego bronił II Korpus Pancerny SS Gruppenführera Paula Haussera, w którego składzie walczyły dywizje „Leibstandarte SS Adolf Hitler" i „Das Reich". Hausser nie usłuchał tych rozkazów i przeprowadził odwrót. Równocześnie Manstein wycofał 1. Armię Pancerną nad rzekę Mius. Cztery radzieckie armie Frontu Południowo-Zachodniego ruszyły na zachód. Na czele szły cztery korpusy czołgów (choć siłą dorównywały łącznie zaledwie jednemu korpusowi pancernemu) pod dowództwem generała porucznika Markiana Michaiłowicza Popowa. Stawka uważała, że uda się osiągnąć wielkie zwycięstwo poprzez wejście w lukę w niemieckim froncie na południu od Charkowa, niemniej radzieckie linie zaopatrzenia nadzwyczaj się wydłużyły.

Siedemnastego lutego Hitler, wściekły, że zignorowano jego rozkazy, udał się samolotem do Zaporoża, aby ostatecznie rozmówić się z Mansteinem. Jednakże w istocie Manstein panował nad sytuacją. Przemieścił kwaterę dowództwa 4. Armii Pancernej, podporządkowując mu II Korpus Pancerny SS, wzmocniony dodatkowo przez Dywizję „Totenkopf", i szykował 1. Armię Pancerną do uderzenia od tyłu na atakujące wojska radzieckie. Führer poczuł się zmuszony do zaakceptowania tego planu. Podwójny kontratak Mansteina doprowadził do zniszczenia zgrupowania pancernego Popowa i niemalże do okrążenia radzieckich 1. Armii Gwardyjskiej oraz 6. Armii. Czerwonoarmiści z 25. Korpusu Czołgów z powodu wyczerpa-

---

[14] I.I. Korolkow, 10 lutego 1943 r., w: *Pisma z ogniennogo rubieża (1941–1945)*, Sankt Pietiersburg 1992, s. 30–34.

nia się paliwa musieli porzucić wozy bojowe i uciekać pieszo ku sowieckim liniom.

W pierwszym tygodniu marca niemiecka 4. Armia Pancerna uderzyła ponownie na Charków, a wojska Haussera ostatecznie zajęły to miasto 14 marca po okupionych nader wysokimi stratami walkach. Wkrótce ulewne wiosenne deszcze doprowadziły do przerwania dalszych działań. Wziętych do niewoli sowieckich żołnierzy zapędzono do grzebania poległych. Większość jeńców była tak wygłodzona, że przeszukiwali kieszenie mundurów zabitych w poszukiwaniu resztek prowiantu, co jednak karano tak jak kradzież. „Winnych" po prostu rozstrzeliwano, ale pewien sadysta posunął się jeszcze dalej. Otóż przywiązał do bramy trzech radzieckich jeńców oskarżonych o okradanie zabitych. „Kiedy ofiary zostały skrępowane – zapisał inny niemiecki żołnierz – wetknął jednemu granat w kieszeń płaszcza, wyciągnął zawleczkę i odbiegł, aby się ukryć. Trzej Rosjanie, którym powyrywało wnętrzności, do ostatniej chwili błagali krzykiem o zmiłowanie"[15].

Hitler snuł plany letniej ofensywy na wielkim Łuku Kurskim, która miała zapewnić Niemcom odzyskanie inicjatywy na froncie wschodnim, jednak wojska niemieckie w Związku Radzieckim uległy katastrofalnemu osłabieniu. Poza zagładą 6. Armii oraz formacji sprzymierzeńców Rzeszy dotkliwe straty pociągnął za sobą odwrót z Kaukazu, a także walki pod Leningradem oraz radzieckie uderzenie koło Rżewa na pozycje niemieckiej 9. Armii. Wycofujące się oddziały musiały z powodu braku paliwa porzucić wiele pojazdów, niszcząc ich silniki granatami. Czołgi nierzadko służyły za ciągniki, holując po kilka ciężarówek obładowanych rannymi.

Siły Wehrmachtu na froncie wschodnim osłabły również wskutek przerzutu części wojsk do Tunezji oraz do Francji na wypadek spodziewanej tam alianckiej inwazji. Działania zbrojne nad Morzem Śródziemnym nadal wiązały się z ponoszonymi przez Luftwaffe znacznymi stratami, podobnie jak kampania bombardowań strategicznych wymierzona głównie przeciwko niemieckim wielkim miastom oraz wytwórniom lotniczym. Konieczność ochrony przestrzeni powietrznej nad Rzeszą doprowadziła do wycofania ze wschodu jednostek myśliwskich i baterii przeciwlotniczych, co dało Sowietom przewagę w powietrzu po raz pierwszy od rozpoczęcia wojny niemiecko-radzieckiej. Na wiosnę 1943 roku niemieckie siły liczyły nieco ponad 2,7 miliona żołnierzy, natomiast Armia Czerwona zmobilizowała prawie 5,8 miliona ludzi, mając w porównaniu z Wehrmachtem cztery i pół raza więcej czołgów oraz trzykrotnie więcej dział i ciężkich moździerzy. Ponadto

---

[15] G. Mouminoux (pseud. Guy Sajer), *Zapomniany żołnierz*, tłum. R. Kortas, Gdańsk 2001, s. 160–161.

wojska radzieckie zaczęły przewyższać przeciwnika pod względem mobilności dzięki masowym dostawom amerykańskich jeepów i ciężarówek w ramach programu Lend-Lease[16].

O liczebnej rozbudowie Armii Czerwonej częściowo zadecydowało także zmobilizowanie łącznie aż ośmiuset tysięcy młodych kobiet. I choć część
z nich znalazła się w wojsku w początkowym okresie wojny, a grubo ponad
dwadzieścia tysięcy wzięło udział w samej tylko bitwie pod Stalingradem,
największy ich nabór zaczął się w 1943 roku[17]. Zadania, jakie spełniały w siłach zbrojnych, znacznie wykroczyły poza te wykonywane poprzednio przez
lekarki i sanitariuszki, telefonistki i sygnalistki, pilotki i obserwatorki lotnicze oraz członkinie obsługi baterii przeciwlotniczych. Odwaga i umiejętności, jakimi wykazały się kobiety, zwłaszcza podczas bitwy stalingradzkiej,
skłoniły radzieckie władze do wzmożenia naboru kobiet do sił zbrojnych,
a w Armii Czerwonej służyło ich więcej niż w innych regularnych wojskach
w trakcie tej wojny. Choć już wcześniej nie brakowało snajperek, które za-
słynęły ze swojego zabójczego dla wroga kunsztu strzeleckiego, to okres największego ich napływu przypadł, wraz ze zorganizowaniem kobiecej szkoły
strzeleckiej, na rok 1943. W ZSRR uważano, że kobiety są odporniejsze na
chłody i mają pewniejszą rękę.

Owe nieustraszone młódki musiały jednakże radzić sobie także z awan-
sami czynionymi im przez towarzyszy broni oraz przełożonych. „Dziewczyny te przywoływały wspomnienia balów maturalnych, pierwszej miłości –
pisał Ilja Erenburg. – Prawie wszystkie, jakie spotkałem na froncie, przyszły
tam prosto ze szkół. Często drgały nerwowo: wokół było za wielu mężczyzn
z wygłodniałym wzrokiem"[18]. Wielu z dziewcząt przymusowo narzucono
rolę „żołnierskich żon" starszych rangą oficerów – przezywanych „pepeżami"
(skrót od pochodno-polewaja żena), gdyż kojarzyło się to z pepeszą, standar-
dowym pistoletem maszynowym Armii Czerwonej.

Przymuszanie do świadczenia tego rodzaju usług nierzadko miało gru-
biański charakter. Pewien żołnierz wspominał, jak jeden z oficerów rozkazał
młodej kobiecie z plutonu łączności towarzyszyć mu w patrolu bojowym –
tylko dlatego, że wcześniej odrzuciła jego zaloty. „Wiele odesłano na tyły,
ponieważ zaszły w ciążę – pisał dalej tenże czerwonoarmista. – Większość
żołnierzy nie myślała o nich źle. Takie już było życie. Codziennie stawali-
śmy oko w oko ze śmiercią na linii frontu, więc ludziom zachciewało się

---

[16] O proporcji sił na froncie wschodnim zob. D.M. Glantz, J. House, *When Titans Clashed.
How the Red Army Stopped Hitler*, Lawrence, KS 1995, s. 151.
[17] Na temat kobiet w Armii Czerwonej oraz ich udziału w bitwie stalingradzkiej zob.
R. Pennington, *Women and the Battle of Stalingrad*, w: *Russia. War, Peace and Diplomacy*,
red. L. Erickson, M. Erickson, London 2005.
[18] I. Erenburg, *Ludzie, lata, życie*, cz. 5, tłum. W. Komarnicka, Warszawa 1984, s. 79–80.

trochę przyjemności"[19]. Tylko nieliczni frontowcy poczuwali się do odpowiedzialności i czynili, co tylko się dało, aby unikać swoich zapłakanych kochanek przed rozstaniem na dobre. Przyjaciel i kolega po fachu Erenburga Wasilij Grossman był oburzony cynicznym wykorzystywaniem wojskowej rangi w celu korzystania z seksualnych względów. Uważał „żołnierskie żony" w Armii Czerwonej za „wielki grzech". „A jednak wszędzie dookoła – dodał – tysiące dziewcząt w mundurach pracuje ciężko i z godnością"[20].

Na jałowych wzgórzach na zachód od Tunisu 1. Armia Andersona nadal starała się utrzymać zajmowane pozycje. Jej zdolność bojową osłabiały zawiła struktura dowodzenia, nadmierne rozproszenie działających bez należytej koordynacji oddziałów, wreszcie konflikty między brytyjskimi, francuskimi i amerykańskimi oficerami. Wojska aliantów w żaden sposób nie umiały sobie poradzić z wysoce wyspecjalizowanymi niemieckimi kontruderzeniami, przeprowadzanymi z użyciem nurkujących bombowców typu Stuka, artylerii i czołgów.

Obie strony uczestniczące w tych walkach bardzo narzekały na ulewne deszcze, brud i błoto. „Nie do wiary, co tu trzeba znosić", pisał w liście do domu pewien niemiecki starszy szeregowiec, najwyraźniej nieświadomy tego, o ile gorsze warunki panowały na froncie wschodnim[21]. Generał von Arnim przybył do Afryki, by objąć dowodzenie wojskami w Tunezji, właśnie przemianowanymi na 5. Armię Pancerną. Von Arnim zajął się przygotowywaniem polowych umocnień wobec spodziewanych ataków aliantów, a do robót przymusowych na tych umocnieniach zapędzono tunezyjskich Żydów. Lokalna społeczność żydowska była ponadto bezlitośnie ograbiana ze złota i pieniędzy.

Odwrót Rommla z linii pod Marsa al-Burajka w grudniu 1942 roku oraz brak alianckich sukcesów w Tunezji skłoniły Montgomery'ego do wznowienia działań zaczepnych. Zmarnował on jednak kolejne okazje do okrążenia niedobitków *Panzerarmee*, zwłaszcza wtedy, gdy ta zatrzymała się na linii Bueratu. Dwudziestego trzeciego stycznia 1943 roku brytyjska 8. Armia, z 11. Pułkiem Huzarów na czele, wkroczyła do Trypolisu, ale Rommel ponownie zdążył się stamtąd wycofać, umacniając się na linii Mareth nad Zatoką Kabiską (Małą Syrtą), aby nawiązać współdziałanie z 5. Armią Pancerną von Arnima.

Godząc się z myślą, że Afryka Północna jest dla państw osi stracona, Rommel opowiadał się za ewakuacją swoich wojsk w stylu tej spod

---

[19] J.F. Okiszew, w: *Swiaszczennaja wojna. Ja pomniu*, red. A. Drabkin, Moskwa 2010, s. 172.
[20] Dokumentacja W. Grossmana, RGALI 1710/3/50.
[21] Starszy szeregowy Karl B., 28 grudnia 1942 r., 334. Dywizja Piechoty, BfZ-SS 48 037A.

Dunkierki. Jego oddziałom brakowało dostatecznych zapasów paliwa i amunicji, co Rommel rozpaczliwie starał się uświadomić Hitlerowi. Podczas nader nerwowej rozmowy w „Wilczym Szańcu", jaka odbyła się pod koniec listopada, Führer nie udzielił mu zgody na wycofanie się z linii Marsa al--Burajka i zarzucał żołnierzom Rommla porzucanie broni w trakcie odwrotu spod Al-Alamajn. W rzeczywistości owa odwrotowa operacja Rommla była najsprawniej przeprowadzoną przezeń akcją w czasie całej kampanii w Afryce Północnej i umożliwiła Niemcom oderwanie się od brytyjskiej 8. Armii.

Wysiłki Mussoliniego zmierzające do nakłonienia Hitlera do zakończenia wojny ze Związkiem Radzieckim nie znajdowały posłuchu. Kapitulacja pod Stalingradem oraz utrata Libii bardzo poważnie osłabiły bojowe zapędy Duce. Zwolnił on swego zięcia hrabiego Ciano ze stanowiska ministra spraw zagranicznych i pogrążył się w depresji, zalegając w łóżku i próbując odciąć się od rzeczywistości.

Generał von Arnim obawiał się poważnie, że amerykański II Korpus pod dowództwem generała Lloyda Fredendalla na południu Tunezji mógł podjąć próbę przedarcia się przez góry drogą z Kasserine (Al-Kasrajn) do Safakisu nad morzem. Oznaczałoby to odcięcie jego 5. Armii Pancernej od *Panzerarmee* Rommla. Arnim wyjaśnił to zagrożenie Rommlowi i zażądał, aby jego dozbrojona 21. Dywizja Pancerna wyparła słabo wyekwipowaną jednostkę francuską z przełęczy Faïd.

Dwudziesta pierwsza Dywizja Pancerna zaatakowała 30 stycznia, a II Korpus generała Fredendalla zareagował opieszale na wysyłane przez Francuzów wezwania o pomoc. Nazajutrz, kiedy formacje bojowe amerykańskiej 1. Dywizji Pancernej wreszcie podjęły kontruderzenie na skalistą przełęcz, Niemcy już tam na nie czekali. Kolumna nacierających czołgów typu Sherman ucierpiała od ataków messerschmittów i od ognia dobrze zamaskowanych dział przeciwpancernych. Ponad połowa z nich została wyeliminowana z walki, a załogi tych, które ocalały, wycofały się pośród płonących wraków zniszczonych wozów bojowych. Następna amerykańska próba szturmu, podjęta kilka godzin później, również przyniosła fiasko i ciężkie straty. Fredendall, beznadziejny dowódca, jeszcze bardziej rozproszył swoje siły, wbrew instrukcjom Eisenhowera, by uczynił odwrotnie. Rzucił do skazanej na niepowodzenie walki kolejne zgrupowanie bojowe, wydając mu przy tym sprzeczne rozkazy. Wsparcie złożone z niedoświadczonych żołnierzy piechoty zostało jeszcze w ciężarówkach obrzucone bombami przez stukasy. Dla oddziałów amerykańskiej 34. Dywizji Piechoty bardziej krwawe okazały się następne dni, w trakcie których Fredendall, rzadko opuszczający swoją kwaterę na tyłach frontu, rozkazywał przeprowadzanie kolejnych ataków.

Rommel postanowił unicestwić zagrażających mu Amerykanów za sprawą potrójnego przeciwuderzenia. Czternastego lutego niemiecka 10. Dywizja Pancerna ruszyła w kierunku zachodnim z przełęczy Faïd, natomiast 21. Dywizja Pancerna zaatakowała przeciwnika z południa. W ciągu pierwszego dnia zmagań wokół Sidi Bu Zajd (fr. Sidi Bouzid) uległo zniszczeniu siedemdziesiąt amerykańskich czołgów. Jeden z nich został wyeliminowany z walki z odległości aż 2700 metrów przez pocisk wystrzelony z osiemdziesięciooośmiomilimetrowej armaty czołgu Tiger. Z kolei pociski z siedemdziesięciopięciomilimetrowych dział shermanów nie były w stanie przebić czołowego pancerza niemieckich „Tygrysów" nawet z niewielkiego dystansu. Szesnastego lutego pewien niemiecki czołgista prostodusznie usprawiedliwiał się w liście do domu, że od dawna nie pisał, gdyż jego dywizja walczyła z Amerykanami przez parę minionych dni. „Pewnie dowiedzieliście się z wczorajszego komunikatu [dowództwa] Wehrmachtu, że rozwaliliśmy ponad dziewięćdziesiąt [amerykańskich] czołgów"[22].

Następnego dnia oddział Afrikakorps z południowej flanki uderzył na miasto Kafsa (fr. Gafsa), zmuszając nieprzyjaciela do panicznego odwrotu. Koło Sidi Bu Zajd batalion shermanów z amerykańskiej 1. Dywizji Pancernej wpadł w zasadzkę i został unicestwiony w czasie odważnej, ale i daremnej próby przebicia się. Wraki płonących i spalonych amerykańskich czołgów zaśmiecały okolicę, a tunezyjscy Arabowie orali pobliskie pola. Amerykańscy czołgiści z osmalonymi twarzami uciekali niczym spieszeni kawalerzyści po szarży Lekkiej Brygady. Ani Fredendall, ani Anderson nie mieli pojęcia, co właściwie działo się na froncie.

Szesnastego lutego Rommel wjechał do Kafsy. Tam radośnie powitała go miejscowa ludność po tym, jak Amerykanie zniszczyli większą część tego miasta, wysadziwszy w powietrze swój skład amunicji. Rommel chciał, aby formacje Afrikakorps wyprzedziły Amerykanów wycofujących się ku Tabassie (fr. Tébessie), tam bowiem zamierzał zdobyć następne wielkie zapasy amunicji. Arnim uznał jednak ten pomysł za zbyt ryzykowny, a w spór niemieckich dowódców wmieszał się także Kesselring.

Tej samej nocy niemieckie dywizje pancerne wyruszyły w kierunku Subajtila (fr. Sbeïtla). Siedemnastego lutego, gdy niektóre amerykańskie jednostki uciekały w popłochu, inne zatrzymały się i jak musiało przyznać dowództwo 21. Dywizji Pancernej skutecznie podjęły walkę. Fredendall skierował wszystkie oddziały, które zdołał zebrać, na przełęcz Kasserine, ale 20 lutego doszło do załamania obrony. Generał major Ernest N. Harmon był świadkiem tej katastrofy. „Wtedy po raz pierwszy – i jedyny – widziałem pogrom amerykańskich wojsk. Jeepy, ciężarówki i wszelkiego rodzaju

---

22 Starszy szeregowy Siegfried K., 15. Dywizja Pancerna, 16 lutego 1943 r., BfZ-SS 09 348.

pojazdy kołowe jechały po drodze ku nam, czasem stłoczone po dwa lub trzy w rzędzie. Oczywiste było, że ich zalęknionym kierowcom przyświecało tylko jedno – aby wyrwać się z frontu, uciec tam, gdzie nie dochodziło do strzelaniny"[23].

Na szczęście dla aliantów Rommel i von Arnim gorączkowo się z sobą spierali. Próbując osiągnąć zbyt wiele za jednym zamachem, rozdzielili swoje wojska, by zająć Tabassę na zachodzie, a także uderzyć na północ ku Tali (fr. Thala) oraz wzdłuż przebiegającej równolegle drogi do Sabiby (fr. Sbiba). Tymczasem połączone siły brytyjsko-amerykańskie, wsparte w ostatniej chwili przez amerykańską artylerię, zablokowały szlaki do Tali i Sabiby i 21. Dywizja Pancerna musiała się zatrzymać. W końcu i zgrupowanie Afrikakorps na drodze do Tabassy również zostało powstrzymane przez amerykańskie armaty przeciwpancerne i polowe. Rommel był pod wrażeniem skuteczności amerykańskich artylerzystów. Gdy niebo się przejaśniło, alianckie samoloty przystąpiły do atakowania wycofujących się niemieckich czołgów. Rommel znalazł się ponownie na linii Mareth 23 lutego, przeświadczony, że zadał aliantom na tyle silny cios, by zniechęcić ich do dalszych działań zaczepnych.

Nie mogąc uwierzyć w to, że Niemcy się cofnęli, wojska alianckie powoli powracały na przełęcz Kasserine. Wszędzie wokoło zalegały wypalone czołgi, wraki rozbitych samolotów i ciała poległych. Na widok Tunezyjczyków obszukujących zwłoki amerykańscy żołnierze otworzyli ogień z pistoletów maszynowych typu Thompson, zabijając lub tylko odstraszając rabusiów. Drugi Korpus Fredendalla stracił ponad sześć tysięcy ludzi, sto osiemdziesiąt trzy czołgi, sto cztery ciągniki półgąsienicowe i pięćset innych pojazdów oraz ponad dwieście dział polowych[24]. Był to bardzo krwawy chrzest bojowy, a dramat ten pogorszyły dodatkowo sprzeczne rozkazy amerykańskiego dowództwa. Wojska naziemne strzelały do swoich samolotów, niszcząc albo uszkadzając dwadzieścia dziewięć z nich, natomiast alianckie dywizjony lotnicze atakowały niewłaściwe cele. Dwudziestego drugiego lutego grupa „Latających Fortec" B-17 zbombardowała zamiast przełęczy Kasserine brytyjskie lotnisko.

Chociaż to Rommel, a nie generał von Arnim został wyznaczony na dowódcę nowo utworzonej Grupy Armii „Afryka", dowiedział się zbyt późno o planach Kesselringa, polegających na przeprowadzeniu następnej ofensywy nieco dalej na północy, opatrzonej kryptonimem operacja „Ochsenkopf" (Głowa wołu). Rozpoczęła się ona dopiero 26 lutego, podczas gdy

---

[23] Cyt. za: J. Ellis, *The Sharp End. The Fighting Man in World War II*, London 1993, s. 265.
[24] Na temat amerykańskich strat zob. R. Atkinson, *Afryka Północna, 1942–1943, op. cit.*, s. 376–378.

należało ją zgrać w czasie z atakami na Kasserine z poprzedniego tygodnia. Tym razem niemieckie straty okazały się dużo wyższe od brytyjskich,
a Niemcy utracili wtedy większość swoich czołgów.

Comando Supremo, czyli włoskie naczelne dowództwo, któremu Hitler wcześniej, w imię jedności osi, zezwolił na ponowne przejęcie zwierzchności nad wojskami w Afryce, odrzuciło prośbę Rommla o zgodę na wycofanie się z linii Mareth. Rommel, dobrze wiedząc, że Montgomery szykuje
nową ofensywę, zdecydował się pokrzyżować szyki przeciwnikowi, ale rozszyfrowane przez Ultrę niemieckie meldunki w porę ostrzegły Montgomery'ego. Ów pospiesznie przystąpił do przerzucania artylerii polowej, dział
przeciwpancernych i czołgów na zagrożony odcinek, a tam przystąpiono do
maskowania stanowisk tej broni. Szóstego marca Niemcy znaleźli się w strefie ognia artylerii całego brytyjskiego korpusu. Rommel stracił pięćdziesiąt
dwa czołgi i sześciuset trzydziestu żołnierzy. Kesselring i Rommel niesłusznie podejrzewali Włochów o dopuszczenie do „przecieku".

Rommel, chory na żółtaczkę i całkowicie wyczerpany, uznał, że pora
wrócić do Niemiec na kurację i odpoczynek. Dziewiątego marca po raz
ostatni opuścił Afrykę Północną. Następnego wieczoru został przyjęty przez
Hitlera w „Werwolfie" – kwaterze głównej Führera koło Winnicy na Ukrainie. Wódz nie chciał słuchać argumentów, że Grupę Armii „Afryka" należało przerzucić przez Morze Śródziemne do obrony Włoch. Odrzucał nawet
wszelkie plany skrócenia linii frontu w Tunezji. Rommlowi, którego w tym
czasie uznał za defetystę, nakazał udanie się na zdrowotny wypoczynek.

Patton, sfrustrowany bezczynnością w Maroku oraz sposobami prowadzenia przez Brytyjczyków wojny w Afryce Północnej, napisał nieco wcześniej: „Osobiście żałuję, że nie mogę się stąd ruszyć i kogoś zabić"[25]. W końcu jego życzenia przystąpienia do walki się spełniły. W drugim tygodniu
marca Eisenhower polecił mu, oraz generałowi majorowi Omarowi N. Bradleyowi w roli jego zmiennika, przejęcie dowodzenia z rąk Fredendalla. Eisenhower zdymisjonował też wielu innych amerykańskich oficerów, a Alexander chciał zastąpić kimś innym Andersona, ale Montgomery nie miał ochoty
wypuszczać spod swojej pieczy jedynego człowieka, którego Alexander widział na stanowisku nowego szefa brytyjskiej 1. Armii.

Patton bezzwłocznie przystąpił do zaprowadzania swoich porządków
w II Korpusie, zaczynając od salutowania i dbałości o przepisowe umundurowanie. Żołnierze korpusu lękali się swego nowego dowódcy, amerykańska
żandarmeria wojskowa rychło zaś zdobyła przydomek „gestapo Pattona"[26].
Generała przerażała liczba żołnierzy odsyłanych na tyły z powodu tak zwanej

---

[25] *The Patton Papers*, t. 2, *op. cit.*, s. 163.
[26] R. Atkinson, *Afryka Północna, 1942–1943, op. cit.*, s. 389.

nerwicy frontowej. Zirytował się również na wieść o tym, że nie dostanie rozkazu przeprawienia się przez morze i odcięcia *Panzerarmee* Rommla (w tym czasie przemianowanej już na włoską 1. Armię) od wojsk generała von Arnima na północy Tunezji. Zamiast tego przyszło mu po prostu zagrozić flance nieprzyjaciela, aby wspomóc Montgomery'ego. Patton podejrzewał, że Montgomery chce dla siebie całej chwały, ale w istocie to Alexander, nadal wstrząśnięty masakrą na przełęczy Kasserine, nie był jeszcze gotowy do ponownego posłania w ogień walki amerykańskich żołnierzy.

Patton pocieszał się swoim awansem na „trzygwiazdkowego" generała porucznika. Nieco przeinaczając otrzymane rozkazy, rzucił swe dywizje naprzód, odzyskał Kafsę i nacierał ku wschodniej części masywu Gór Tunezyjskich, górujących nad nadmorską równiną. Kiedy niemiecka 10. Dywizja Pancerna starała się wyprzeć 1. Dywizję Piechoty Pattona ze wzgórz w Al-Kattar (fr. El Guettar), została zdziesiątkowana i straciła połowę z tych czołgów, które jej jeszcze pozostały.

Montgomery postanowił rzucić XXX Korpus do frontalnego ataku na linię Mareth, chcąc związać tam nieprzyjaciela, i równocześnie oskrzydlić go od południowego zachodu za pomocą manewru przeprowadzonego przez Nowozelandczyków Freyberga, wspartych czołgami. Niemcy przejrzeli jednak zamiar wyprowadzenia zamaszystego „lewego sierpowego" przez siły Freyberga i atak 50. Dywizji z 20 marca zakończył się katastrofalnie dla aliantów. Montgomery, który przedwcześnie cieszył się z sukcesu, był wstrząśnięty, ale szybko wziął się w garść i posłał X Korpus Horrocksa w sukurs Nowozelandczykom, rozwijając atak w kierunku wybrzeża ponad trzydzieści kilometrów za linią Mareth. Jednocześnie rzucił hinduską 4. Dywizję do bardziej ograniczonego manewru oskrzydlającego. Dwudziestego szóstego marca Nowozelandczycy i brygady pancerne Horrocksa przeprowadzili wspólne natarcie, rozbijając słabą niemiecką obronę na przełęczy Tebaga. Generał Giovanni Messe, dowodzący włoską 1. Armią, szybko wycofał wszystkie swoje oddziały w kierunku wybrzeża, ku Tunisowi. Choć alianci odnieśli ostatecznie pewien sukces, to wojskom osi znowu udało się umknąć.

Pustynne Siły Powietrzne nękały cofające się oddziały niemieckie. Jedną z ofiar tych ataków był pułkownik Claus Schenk von Stauffenberg, który stracił rękę i oko, ostrzelany przez myśliwiec. Siódmego kwietnia spotkały się jednostki 1. i 8. Armii. Oba te związki operacyjne nader się od siebie różniły. Weterani walk na pustyni, w poobijanych i pomalowanych na kolor piasku czołgach i ciężarówkach, wykazywali się nonszalancją, nie przywiązując wagi do przepisowego umundurowania. Choć toczona przez nich wojna bywała czasem krwawa, to generalnie okazywali szacunek dla życia wziętych do niewoli jeńców, a na niemal bezludnej pustyni prawie nie ginęli miejscowi nieliczni cywile. Lokalny szczep Senussów[27] zdołał uchronić się przed skutkami najbardziej zaciętych zmagań pustynnych, chociaż wielu jego przedstawicieli – i ich wielbłądy – potraciło nogi w wyniku wybuchów na polach minowych.

Z kolei aliancka 1. Armia głównie prowadziła walki w terenie górzystym, na wschodnim skraju masywu Atlasu, a batalie te miały o wiele brutalniejszy charakter. Wstrząs wywołany bezpośrednim zetknięciem się z działaniami wojennymi, gdy zanadto pewni siebie, niedoświadczeni żołnierze, zwłaszcza z formacji amerykańskich, starli się z zaprawionymi w bojach niemieckimi jednostkami pancernymi i grenadierów pancernych, był traumatyczny. Zdarzały się przypadki zupełnego zdziczenia, sadystycznego zabijania jeńców, a nawet strzelania dla zabawy do tunezyjskich Arabów, celowania z broni do ludzi na wielbłądach jak do strzelniczych tarczy. Brytyjscy żołnierze wykazywali zazwyczaj większe zdyscyplinowanie od Amerykanów, lecz i oni byli przesiąknięci ówczesnymi rasistowskimi przesądami. Tylko nieliczni zaprzyjaźniali się z miejscową ludnością. Francuzi okazali się pod tym względem nie lepsi. Jak na ironię niektórzy oficerowie i szeregowcy z byłej armii Vichy szukali zemsty na arabskich poddanych, którzy nierzadko kolaborowali z Niemcami, głównie ze względu na antyżydowską politykę tych ostatnich. Gdy północnoafrykańska kampania zbliżała się do zwycięskiego końca, relacje pomiędzy aliantami zdawały się pogarszać, a brytyjska arogancja rozbudzała gwałtowną anglofobię wśród wielu amerykańskich oficerów.

Eisenhower odzyskiwał wiarę we własne siły, bardzo nadwerężoną w trakcie miesięcy zimowych. Jego wojsko uczyło się na błędach. Plany operacji „Husky", czyli inwazji na Sycylię, były znacznie zaawansowane i wyglądało na to, że armie państw osi uda się na dobre wyprzeć z Afryki Północnej, zaś system zaopatrzenia wciąż działał. Amerykańska potęga przemysłowa wprawiła Brytyjczyków w prawdziwe osłupienie. Zdumiewało ich też marnotrawstwo Amerykanów, choć nie mieli powodów do narzekań, gdyż sami również korzystali ze szczodrości sojusznika. Kiedy jednak doszło do tego, że personel kwatery głównej sił alianckich rozbudowano do trzech tysięcy oficerów i szeregowców, wywołało to zmieszanie nawet Eisenhowera.

Na początku maja walczące nadal w Afryce wojska osi zajmowały już tylko północny skrawek Tunezji, w tym Bizertę, Tunis i przylądek Ar-Ras at-Tajjib (fr. Cap Bon). I choć liczyły ponad ćwierć miliona żołnierzy, to Niemcy stanowili mniej niż połowę ich składu, a większość Włochów służyła w formacjach tyłowych. Wobec niedostatku amunicji, a przede wszystkim paliwa Niemcy wiedzieli, że zbliża się koniec, i opowiadali sobie podszyte

---

[27] Rodzaj islamskiego zakonu bądź ruchu religijno-politycznego (przyp. tłum.).

goryczą dowcipy o „Tunisgradzie". Fakt, że Hitler sprzeciwił się ewakuowaniu swoich żołnierzy, choć mogli zostać wykorzystani do obrony południa Europy przed aliantami, nie przydawał Niemcom w Afryce zapału bojowego. Wprost nie mogli uwierzyć, że Führer jeszcze w kwietniu i maju wysyłał tam posiłki wojskowe: żołnierze wszystkich tych jednostek mieli niebawem trafić do niewoli.

Junkersy Ju 52 i gigantyczne transportowe messerschmitty Me 323 stanowiły łatwy łup dla alianckich myśliwców patrolujących niebo nad Morzem Śródziemnym. Ponad połowa maszyn z floty transportowej Luftwaffe uległa zniszczeniu w dwóch ostatnich miesiącach kampanii afrykańskiej. W niedzielę 18 kwietnia cztery dywizjony amerykańskich myśliwców i dywizjon brytyjskich spitfire'ów zaatakowały w powietrzu grupę sześćdziesięciu pięciu niemieckich samolotów transportowych eskortowanych przez dwadzieścia myśliwców. W trakcie starcia, które przeszło do historii jako „polowanie na indyki w Niedzielę Palmową", alianckie myśliwce zestrzeliły siedemdziesiąt cztery maszyny przeciwnika. W czasie gdy Armia Czerwona nieustannie wyczerpywała w bojach zdecydowaną większość niemieckich wojsk lądowych, zachodni alianci przystąpili do „łamania kręgosłupa" Luftwaffe. *Air Marshal* Coningham, dowódca Pustynnych Sił Powietrznych, nie skrywał oburzenia z powodu tego, jak niewielkie zasługi Montgomery przypisywał roli odegranej przez RAF w Afryce Północnej. W istocie to, że lotnictwo sprzymierzonych wespół z okrętami Royal Navy atakowało szlaki zaopatrzeniowe państw osi na całym Morzu Śródziemnym, przyczyniło się do ostatecznego zwycięstwa na tym teatrze wojny co najmniej w takiej mierze jak działania alianckich wojsk lądowych.

Ostatnia faza niszczenia tunezyjskiego przyczółka nie była jednak łatwa. Montgomery prowadził walki w górzystym rejonie An-Nafida (fr. Enfidaville) na wybrzeżu na południe od Tunisu z niewielkim efektem, za to kosztem znacznych strat własnych. Ósma Armia pozostawała w tyle za Amerykanami pod względem wyciągania trudnych wniosków z walk w górach. Ataki przeprowadzane przez 1. Armię nieco nalej na zachód natrafiały na zacięty opór nieprzyjaciela. Gwardia Irlandzka nacierała przez pola uprawne, szturmując niemieckie pozycje pod ogniem broni maszynowej, artylerii i nowych sześciolufowych wyrzutni pocisków rakietowych Nebelwerfer. Kiedy gwardzista padał, któryś z jego towarzyszy wbijał w pobliżu w ziemię jego broń. „Wszędzie widniały sterczące karabinowe kolby, wskazujące miejsca, gdzie leżeli zabici, umierający i ranni – pisał pewien kapral. – Przystanąłem przy nieszczęsnym gwardziście, który chciał wody. Miał okropne rany. Mogłem dostrzec roztrzaskane kości w jego ramieniu i ziejącą ranę w boku"[28].

[28] J. Kenneally, *The Honour and the Shame*, London 1991, s. 83–85.

Ci, którzy przetrwali, przypuścili szturm na gaj oliwny na wznoszącym się przed nimi wzgórzu, zmuszając Niemców do ucieczki. Ale w jednym z okopów wspomniany kapral i dwaj inni gwardziści dosłyszeli w bunkrze niemiecką mowę. Wrzucili do środka granaty i odstąpili. Później kapral zajrzał do ciemnego wnętrza. „Leżało tam pewnie ze dwudziestu Niemców. Wszyscy byli zabandażowani, a ci, którzy jeszcze nie skonali, krzyczeli wniebogłosy. W tamtym miejscu wycofujący się nieprzyjaciel pozostawił swoich rannych. Odwróciłem się, nie mając dla nich ani krzty współczucia. Wcześniej sami byli dużo okrutniejsi wobec moich poległych i rannych towarzyszy broni, leżących tam, na wypalonych polach"[29].

Tylko II Korpus Bradleya na zachód od Tunisu poczynił w początkach maja znaczniejsze postępy. Zrozumiawszy wreszcie swój błąd popełniony pod An-Nafidą, Montgomery przekonał Alexandra, że aby zakończyć pozycyjne zmagania, konieczne jest koncentryczne uderzenie i obejście obrony przeciwnika. Szóstego maja Horrocks rozpoczął siłami 7. Dywizji Pancernej, hinduskiej 4. Dywizji i 201. Brygady Gwardii operację „Strike" – uderzenie z południowego zachodu. Po przygotowaniu artyleryjskim, jeszcze silniejszym od tego spod Al-Alamajn, ruszyło natarcie na Tunis, które rozdzieliło niemieckie zgrupowanie obronne na dwie części, a tymczasem Amerykanie zdobyli Bizertę na północnym wybrzeżu. Oddziały brytyjskie, w których awangardzie raz jeszcze podążał 11. Pułk Huzarów w swoich wypróbowanych w wielu walkach samochodach pancernych, następnego popołudnia wkroczyły do Tunisu. Do 12 maja walki dobiegły końca. Aliantom poddało się prawie ćwierć miliona nieprzyjacielskich żołnierzy, w tym dwunastu generałów.

Hitler wmawiał sobie, że słusznie podtrzymywał do samego końca batalię w Afryce Północnej, aby opóźnić aliancką inwazję na południu Europy i utrzymać Mussoliniego u władzy w Rzymie. Jednakże przy tym utracił wojska, które bardzo przydałyby mu się w późniejszych zmaganiach.

---

[29] *Ibidem.*

ROZDZIAŁ 28

Europa za drutami kolczastymi

1942–1943

Agresja na Związek Radziecki wywarła wpływ na niemiecką politykę okupacyjną w prawie całej Europie. Na obszarach wschodnich odurzająca, ale i zatrważająca perspektywa podboju milionowych rzesz ludności sprawiła, że naziści w coraz większym stopniu uciekali się do stosowania terroru dla osiągania swoich celów. Pomimo żywionych wcześniej przez pewnych niemieckich wyższych urzędników państwowych i zarządców nadziei na wciągnięcie niektórych nacji, choćby Bałtów czy Ukraińców, do udziału w antybolszewickiej krucjacie, Hitlera interesowało na wschodzie wyłącznie sianie strachu. Uważał, że tamtejsze kraje uda się całkowicie wymazać z mapy świata, tak jak Polskę.

Mimo że Führera nader odstręczała myśl o Słowianach w mundurach Wehrmachtu, to ogółem niemal milion sowieckich obywateli służyło u boku Niemców w siłach zbrojnych Rzeszy oraz w SS. Większość z nich zwerbowano spośród morzonych głodem jeńców w obozach do nieuzbrojonych pomocniczych oddziałów hiwisów w niemieckich dywizjach. Niektórzy z owych „iwanów" stali się z czasem, po cichu, pełnoprawnymi żołnierzami armii niemieckiej. Dowódca 12. Dywizji Pancernej SS „Hitlerjugend" przechwalał się później swoim szoferem i ochroniarzem – Rosjanami, którzy zawsze mu towarzyszyli.

Znacznie ponad sto tysięcy pełniło służbę, z bardzo różnym zaangażowaniem i skutecznością, w Rosyjskiej Armii Wyzwoleńczej (ROA) generała Własowa oraz w korpusach „kozackich", zwalczających partyzantkę na zajętych terytoriach radzieckich, a później także w Jugosławii i we Włoszech. Ukraińscy milicjanci i strażnicy z obozów koncentracyjnych zasłynęli z niesłychanego okrucieństwa. Ponadto Himmler werbował Łotyszy, Estończyków, przedstawicieli nacji kaukaskich, a nawet bośniackich muzułmanów do formacji Waffen-SS. W 1943 roku sformował ukraińską dywizję grenadierów, którą jednak nazwano Dywizją „SS-Galizien", aby nie drażnić Hitlera. Zgłosiło się do niej sto tysięcy ukraińskich ochotników, z których przyjęto zaledwie jedną trzecią[1].

Ludność cywilną na okupowanych obszarach oraz radzieckich jeńców wojennych nadal traktowano w nieludzki sposób. Do lutego 1942 roku około sześćdziesięciu procent z trzech i pół miliona wziętych do niewoli czerwonoarmistów zmarło z głodu, chłodu i chorób. Zaprzysięgli naziści nie tylko szczycili się swoim okrucieństwem. Dehumanizowanie ofiar różnych kategorii – Żydów, Słowian, Azjatów czy Romów – stanowiło formę samospełniającej się przepowiedni: poprzez upokarzanie, zadawanie cierpień i głodzenie sprowadzano ich do poziomu zwierząt, tym samym „dowodząc" ich rasowej niższości.

Chaotyczna rywalizacja między satrapami Hitlera na terenach wschodnich rozciągnęła się na same Niemcy, gdzie partia nazistowska konkurowała z różnymi organami władzy państwowej. Alfred Rosenberg został mianowany na ministra do spraw okupowanych terytoriów wschodnich, lecz na każdym kroku utrudniano mu działalność. Z jego Ostministerium szydzono, po części dlatego, że Rosenberg należał do tych nielicznych cywilnych niemieckich oficjeli, którzy chcieli zaangażowania byłych nacji ZSRR do wojny z bolszewizmem. Göring, który kierował gospodarką wojenną Rzeszy, dążył po prostu do ogołocenia ze wszystkiego zajętych ziem i zagłodzenia tamtejszej ludności, podczas gdy Himmler chciał raczej „oczyszczenia" ich poprzez masowe mordowanie w trakcie przygotowań do skolonizowania tych obszarów przez Niemców. W związku z tym Rosenberg nie miał wpływu na poczynania służb bezpieczeństwa, zaopatrzenie w żywność ani na sprawy gospodarcze – czyli w istocie nie sprawował kontroli nad niczym ważnym. Nie podlegał mu nawet Erich Koch, komisarz Rzeszy na Ukrainie oraz gauleiter Prus Wschodnich. Koch, nieokrzesany pijak, określał miejscowych ludzi mianem „czarnuchów"[2].

„Plan głodowy" (*Hungerplan*) Herberta Backego, przewidujący likwidację około trzydziestu milionów sowieckich obywateli, nie doczekał się realizacji. Wprawdzie szalał głód, ale wbrew zamiarom nazistów nie był skutkiem zorganizowanych działań. Dowódcy wojskowi uchylali się od wypełniania rozkazów zamykania czy też otaczania miast szczelnymi kordonami w celu zagłodzenia żyjącej tam ludności, ponieważ Wehrmacht potrzebował

[1] O Dywizji „SS-Galizien" zob. M. Mazower, *Hitler's Empire. Nazi Rule in Occupied Europe*, London 2008, s. 459.
[2] Cyt. za: *ibidem*, s. 152.

licznych zastępów żywych sowieckich robotników, którzy pracowali na jego potrzeby. Rzucony przez Backego pomysł wyżywienia populacji Rzeszy oraz formacji Wehrmachtu na froncie wschodnim przyniósł jeszcze większe fiasko. Rolnictwo na „chlebodajnej" Ukrainie faktycznie popadło w ruinę na skutek zastosowanej przez wycofujących się Sowietów taktyki „spalonej ziemi", a także zniszczeń wojennych, wyludnienia, ewakuacji ciągników, wreszcie działań partyzanckich. Żywienie Wehrmachtu płodami ukraińskich pól oznaczało w praktyce rekwizycje paszy i zbóż oraz masowe wyrzynanie drobiu, żywca i bydła – bez myślenia o konieczności odkładania zapasów na zasiewy, a już na pewno bez przejmowania się tym, jak miało przeżyć miejscowe chłopstwo. Niedostatek taboru kolejowego i transportu motorowego wiązał się z tym, że większość zarekwirowanej żywności i tak nie podlegała planowej dystrybucji.

Nazistowskie koncepcje odnoszące się do przyszłości niewiele się różniły od groteskowych fantazji. Plan Generalny „Wschód" przewidywał stworzenie germańskiego imperium aż po Ural, gdzie autostrady miały łączyć nowe miasta, mniejsze miasteczka i wzorcowe wsie z farmami, na których gospodarowaliby uzbrojeni osadnicy, a zniewoleni *Untermenschen* oraliby pola. Himmler snuł marzenia o *gemütlich* („przytulnych") niemieckich koloniach z ogrodami i sadami, utworzonych w pobliżu miejsc masowych zbrodni dokonanych wcześniej przez jego Einsatzgruppen SS. Ośrodek wypoczynkowy na Krymie, przemianowanym na Gotengau, miał się stać Niemiecką Riwierą. Zasadniczy problem polegał wszak na tym, skąd wziąć dostatecznie wielu zgermanizowanych przedstawicieli do zasiedlenia bezkresów na wschodzie. Zgłosili się bowiem tylko bardzo nieliczni Duńczycy, Holendrzy i Norwegowie. Zrodził się nawet szalony zamysł wyekspediowania Słowian do Brazylii i sprowadzenia stamtąd z powrotem do Europy niemieckich osiedleńców z prowincji Santa Catarina. Po klęsce pod Stalingradem i odwrocie z Kaukazu stało się oczywiste, że zabraknie Niemców – rodowitych czy „przyszywanych" – do osiągnięcia studwudziestomilionowego progu, a tym samym do urzeczywistnienia rojeń Hitlera i Himmlera.

Czystki etniczne i przemieszczanie całych grup ludności w środkowej Europie nie tylko miały okrutny charakter, ale i były związane z niewiarygodnym trwonieniem zasobów ludzkich oraz materialnych w okresie krytycznym dla ostatecznego rezultatu światowej wojny. Okazało się, że koloniści nie uprawiali zdobytych ziem tak dobrze jak ci, na których miejscu się znaleźli, więc produkcja rolna na obszarach zajętych przez Rzeszę katastrofalnie spadła.

Przeciążonej niemieckiej machinie wojennej rozpaczliwie brakowało rąk do pracy, wobec czego Fritz Sauckel, podlegający ministrowi uzbrojenia Albertowi Speerowi, objeżdżał okupowane terytoria i kraje, organizując obławy na pięć milionów robotników do fabryk, kopalni, stalowni i gospodarstw rolnych w Niemczech. W Rzeszy zaroiło się od obozów dla tych mas przymusowej siły roboczej. Niemieccy cywile lękliwe zerkali ukradkiem na obcych, postrzegając ich jako wewnętrzne zagrożenie. Większość czołowych nazistów było świadomych pewnego budzącego ich niepokój paradoksu: oto po zdziesiątkowaniu rodzimej „niepożądanej rasowo" części populacji przystąpiono do sprowadzania do Niemiec setek tysięcy obcokrajowców.

Nazistowscy oficjele obiecywali utworzenie „wielkoniemieckiej strefy gospodarczej" i nowej europejskiej unii ekonomicznej, co miało doprowadzić do podniesienia poziomu życia, jednakże niekonsekwentne poczynania i konieczność eksploatacji zasobów podbitych krajów przyniosły przeciwny skutek[3]. Podbite kraje musiały pokrywać koszty niemieckiej okupacji. Wiele przedsiębiorstw czerpało zyski z kolaboracji z okupantami, ale generalnie niemal wszędzie, z wyjątkiem Danii, która zachowała pewną autonomię, miejscowa ludność bardzo zubożała. Większość podbitych państw zachodnioeuropejskich musiała oddawać Niemcom od jednej czwartej do jednej trzeciej swoich dochodów, ponadto Niemcy zabierali lwią część produkcji rolnej tychże krajów, aby uchronić obywateli Rzeszy przed głodem. Na okupowanych obszarach doprowadziło to do gwałtownego rozkwitu czarnego rynku i wielkiego wzrostu inflacji.

Niemalże od samego początku wojny Churchill pokładał ogromne nadzieje w przekształceniu powszechnego niezadowolenia w zajętej przez nazistów Europie w otwartą zbrojną rewoltę. W maju 1940 roku mianował doktora Hugh Daltona, zamożnego brytyjskiego socjalistę, na stanowisko ministra wojny gospodarczej i nadzorcy działań Kierownictwa Operacji Specjalnych (SOE). Dalton nie cieszył się zbytnią popularnością w Partii Pracy, ale wcześniej, jako przeciwnik ugodowej polityki wobec Niemiec, uczynił dużo pod koniec lat trzydziestych na rzecz przełamania programowego pacyfizmu brytyjskich laburzystów. Od dawna wielce podziwiał Churchilla, choć sam premier osobiście nie przepadał za nim. Churchill „nie znosił jego grzmiącego głosu i chytrych oczu"[4], a o Robercie Vansittarcie, stałym podsekretarzu Ministerstwa Spraw Zagranicznych w latach trzydziestych, wyraził się tak: „Nadzwyczajny człek z tego Vana [Vansittarta]! On naprawdę lubi doktora Daltona!"[5].

---

[3] *GSWW*, t. II, s. 322.
[4] Cyt. za: T. Charman, *Hugh Dalton, Poland and SOE, 1940–42*, w: *Special Operations Executive. A New Instrument of War*, red. M. Seaman, London 2006, s. 62.
[5] Cyt. za: J.G. Beevor, *SOE. Recollections and Reflections, 1940–1945*, London 1981, s. 64.

Dalton, gorący zwolennik Polaków, zatrudnił pułkownika Colina Gubbinsa, który podczas kampanii wrześniowej roku 1939 był brytyjskim oficerem łącznikowym przy dowództwie wojsk polskich. Nieco później Gubbins stanął na czele Kierownictwa Operacji Specjalnych. Działania polskiego ruchu oporu stanowiły inspirację dla SOE. Nawet po pokonaniu ostatnich regularnych jednostek wojskowych na początku października 1939 roku polscy żołnierze kontynuowali walkę w okręgu kieleckim pod dowództwem majora Henryka Dobrzańskiego („Hubala") aż do maja roku 1940, a mniejsze oddziały stawiały zbrojny opór w okolicach Sandomierza nad Wisłą. W SOE powstała sekcja polska, ale jej rola ograniczała się do współpracy z Oddziałem VI dowództwa Polskich Sił Zbrojnych w Londynie i zapewniania mu wsparcia. Do okupowanej Polski nie przerzucono żadnej misji wojskowej i w rezultacie polskie podziemie zbrojne działało samodzielnie. Doceniając wielki wkład polskich pilotów w powietrznej bitwie o Anglię, SOE zdołało nakłonić RAF do zaopatrzenia starego bombowca typu Whitley w dodatkowe zbiorniki paliwa, aby można było latać nad Polskę z jednej z baz w Szkocji. Pierwszy przerzut polskich kurierów miał miejsce 15 lutego 1941 roku. Zaprojektowano także specjalne zasobniki do zrzucania na spadochronach broni i materiałów wybuchowych dla podziemnego Związku Walki Zbrojnej, przemianowanego w 1942 roku na Armię Krajową.

Patriotyzm Polaków był w znacznej mierze podszyty nieco utopijnym romantyzmem, niemniej jednak pozostał niezachwiany nawet w najmroczniejszym okresie nazistowskich i radzieckich prześladowań. Po niemieckiej inwazji dochodziło w Polsce do zbiorowych i pojedynczych egzekucji, a dziesiątki tysięcy Polaków zesłano do obozów, w tym do nowego obozu koncentracyjnego w Auschwitz (Oświęcim). Choć polskie wojska poniosły klęskę we wrześniu 1939 roku, już wkrótce zorganizował się podziemny ruch oporu. W szczytowym okresie Armia Krajowa liczyła prawie czterysta tysięcy członków. Nader sprawne polskie służby wywiadowcze, które przyczyniły się w latach trzydziestych do złamania kodu Enigmy, nieprzerwanie współpracowały z aliantami. W późniejszym okresie wojny Polakom udało się nawet zdobyć i rozmontować egzemplarz próbny pocisku rakietowego V-2, który nie uległ zniszczeniu, lądując na bagnach. Specjalnie przystosowany samolot transportowy C-47 Dakota został wtedy wysłany do Polski, sprowadzając stamtąd elementy tej rakiety, których badaniem zajęli się alianccy naukowcy.

Zarówno Armia Krajowa, jak i siatka wywiadowcza przesyłały meldunki polskim władzom emigracyjnym w Londynie, które Stalin niechętnie uznał w lipcu 1941 roku po nazistowskiej inwazji na Związek Radziecki. Armii Krajowej ciągle brakowało broni. Początkowo AK koncentrowała się na odbijaniu więźniów i wysadzaniu w powietrze linii kolejowych, co stanowiło wielką pomoc dla Armii Czerwonej, pomijaną wszak milczeniem przez Sowietów. Później przyszedł czas na większe akcje zbrojne.

Polacy zwolnieni z radzieckich obozów pracy i wstępujący do armii organizowanej pod komendą generała Władysława Andersa nie przestali żywić nienawiści do swoich sowieckich ciemiężycieli. Nieufność polskiego rządu w Londynie wobec Stalina wzmogła się jeszcze na wieść o tym, że zaczął się on domagać od Brytyjczyków uznania granicy ustalonej z Hitlerem przez Sowietów na mocy paktu radziecko-nazistowskiego. W kwietniu 1943 roku kryzys się zaognił, gdy Niemcy obwieścili całemu światu o odkryciu w Lesie Katyńskim masowych grobów ze zwłokami polskich oficerów straconych przez NKWD.

Dotąd radzieckie władze konsekwentnie zaprzeczały, że wiedzą cokolwiek o losach tych jeńców, a w owym okresie nawet Polacy nie mogli uwierzyć, iż reżim Stalina mógł się posunąć do takiej zbrodni. Kreml twierdził uparcie, że Katyń to sztuczka niemieckiej propagandy, tamtejsze ofiary zaś z pewnością zginęły z rąk nazistów. Polski rząd na uchodźstwie zażądał przeprowadzenia dochodzenia przez Międzynarodowy Czerwony Krzyż, natomiast Brytyjczyków cała sytuacja wprawiła w wielkie zmieszanie. Churchill podejrzewał, że Sowieci byli zdolni do popełnienia takiej zbrodni, lecz nie czuł się na siłach podjąć tego tematu w rozmowach ze Stalinem, zwłaszcza w czasie gdy przyszło mu po raz kolejny przyznać, iż w owym roku nie wchodziła w grę aliancka inwazja we Francji. W czerwcu spadły na Polaków dalsze nieszczęścia. W Warszawie Niemcom udało się schwytać dowódcę Armii Krajowej Stefana „Grota" Roweckiego, ale wkrótce nadejść miały jeszcze większe tragedie.

Latem 1941 roku doszło do pierwszych ataków na oddziały Wehrmachtu w Związku Radzieckim, przeprowadzanych przez pozostających na wolności na niemieckich tyłach czerwonoarmistów odciętych od głównych sił radzieckich. Jednakże pierwsze powstanie zbrojne przeciw nazistowskim wojskom miało miejsce w Serbii, tuż po rozpoczęciu przez Niemców operacji „Barbarossa". Insurekcja ta całkowicie zaskoczyła zbyt pewne siebie niemieckie oddziały okupacyjne. Wkrótce po wiosennym podboju Jugosławii pewien podporucznik przechwalał się w liście do rodziny: „My, żołnierze, żyjemy tutaj jak bogowie!"[6]. Wobec błyskawicznej klęski przeciwnika w kwietniu 1941 roku nie spodziewali się większych problemów w zajętym

---

[6] Podporucznik Peter G., 714. Dywizja Piechoty, 24 czerwca 1941 r., BfZ-SS 41 768 B.

kraju, jednak nie wzięli pod uwagę, jak wielu jugosłowiańskich żołnierzy zatrzymało lub ukryło posiadaną broń.

Serbia znalazła się pod zwierzchnią komendą kwatery głównej feldmarszałka Wilhelma Lista w Grecji. Stacjonujące tam trzy dywizje niemieckiego LVI Korpusu generała porucznika Paula Badera były źle wyszkolone i słabo wyekwipowane. Otrzymawszy rozkaz odpowiedzenia represjami na akcje podziemia, przystąpiły do rozstrzeliwań wielu Żydów, schwytanych wcześniej w obławach. Ale egzekucje wieśniaków w pobliżu miejsc organizowanych zasadzek w istocie były wodą na młyn jugosłowiańskich partyzantów, których zastępy szybko się powiększały; przystępowali do nich ci, którzy chcieli pomścić śmierć swoich krewnych.

Feldmarszałek Keitel w kwaterze głównej Führera domagał się przeprowadzenia surowych akcji odwetowych. Proporcję Serbów likwidowanych za każdego zabitego Niemca podniesiono do stu za jednego, w przeświadczeniu, że na „bałkańską mentalność" może wpłynąć jedynie przemoc[7]. We wrześniu miała miejsce wielka operacja karna, do udziału w której wyznaczono też 342. Dywizję Piechoty. Dowódcy lokalnych niemieckich garnizonów ponownie postanowili ją rozpocząć od zabijania zaaresztowanych Żydów. Tak więc w połowie października 1941 roku zastrzelono około 2100 Żydów i „Cyganów" w odwecie za zabicie dwudziestu jeden niemieckich żołnierzy przez komunistyczną partyzantkę. Był to pierwszy masowy mord Żydów dokonany poza zajętymi terytoriami polskimi i radzieckimi.

Akcjami zaczepnymi partyzantów kierował Josip Broz, alias Tito, sprawny organizator i działacz Kominternu w latach hiszpańskiej wojny domowej. Tito, mocny człowiek o niezłej, choć surowej prezencji, który wcześniej doprowadził do odrodzenia jugosłowiańskiego ruchu komunistycznego, wyznawał pogląd, że komuniści z całego świata powinni pomagać swoim towarzyszom ze Związku Radzieckiego. Internacjonalistyczny program partii komunistycznej zacierał tak ostro dochodzące do głosu w Jugosławii podziały etniczne i religijne między katolickimi Chorwatami, prawosławnymi Serbami i muzułmańskimi Bośniakami.

Rywalizującą z komunistami organizacją jugosłowiańskiego ruchu oporu byli czetnicy, dowodzeni przez generała Dragoljuba „Drażę" Mihailovicia – niemal bez wyjątku Serbowie. Noszący okulary i brodę, posępny Mihailović, który z wyglądu bardziej przypominał popa aniżeli wojskowego, nie dorównywał Tito charyzmą. Dążył do rozbudowy własnej siły zbrojnej, którą chciał trzymać w gotowości aż po dzień, kiedy zachodni alianci

---

[7]   Ch.R. Browning, *Geneza „ostatecznego rozwiązania". Ewolucja nazistowskiej polityki wobec Żydów, wrzesień 1939 – marzec 1942*, tłum. B. Gutowska-Nowak, Kraków 2012, s. 358–362.

wylądują na Bałkanach, a wtedy miał zamiar się do nich przyłączyć i ponownie osadzić na tronie młodego króla Piotra II. Słusznie przewidywał, że Tito posłuży się swoją partyzantką, by zdobyć władzę absolutną po wkroczeniu Armii Czerwonej do Jugosławii. Mihailović nie chciał prowokować represji, niemniej jednak wbrew komunistycznej propagandzie jego oddziały czasami atakowały Niemców. Inne grupy, również określające się jako czetnicy, ściśle współdziałały z Niemcami i marionetkowymi władzami generała Milana Nedicia, a wynikające z tego zamieszanie ułatwiło potem komunistom oczernianie Mihailovicia w oczach Brytyjczyków.

O szczególnym okrucieństwie wojny domowej, która w istocie rozpętała się w okupowanej Jugosławii, decydowała zwłaszcza działalność zawzięcie antyserbskich i antysemickich chorwackich ustaszy. Chorwackie państwo Antego Pavelicia było lojalnym sojusznikiem Niemiec, a ustasze zaprowadzili rządy terroru na obszarach znajdujących pod ich kontrolą. Znacznie ponad pół miliona Jugosłowian zginęło w latach wojny w zmaganiach prowadzonych przez zwalczające się wzajemnie jugosłowiańskie frakcje.

Nowe potyczki pociągnęły za sobą kolejne dokonywane przez Niemców masakry; zabito między innymi kilka tysięcy serbskich cywilów w odwecie za niemieckie ofiary. Niektórzy nazistowscy oficerowie zaczęli pojmować głupotę takich akcji represyjnych wymierzonych w przypadkowych ludzi, którzy nie zbiegli, a wobec tego nie mieli nic wspólnego z napaściami na niemieckich żołnierzy. Po tym jak stracono około piętnastu tysięcy ofiar, a przy życiu pozostało już tylko niewielu okolicznych Żydów i „Cyganów", zakres odwetowych egzekucji nieco ograniczono, nie informując o tym Berlina.

Liczba uwięzionych zakładników znacznie zaczęła się zmniejszać w marcu 1942 roku, kiedy do Belgradu sprowadzono mobilną komorę gazową zamontowaną na podwoziu ciężarówki. Zgładzono dzięki niej około siedmiu i pół tysiąca Żydów z obozu w Zemunie, zagazowanych w drodze do masowych grobów wykopanych na strzelnicy na obrzeżach tego miasta. Niemiecki ambasador był nader zakłopotany z powodu półjawnego charakteru owych egzekucji, ale 29 maja 1942 roku szef lokalnej służby bezpieczeństwa uznał za stosowne pochwalić się w Berlinie, że „Belgrad to jedyne wielkie miasto w Europie wolne od Żydów"[8].

Walki w Jugosławii stawały się coraz okrutniejsze wraz z kolejnymi niemieckimi antypartyzanckimi operacjami w bośniackich górach. Ranni partyzanci, schwytani przez niemieckie wojska, byli miażdżeni pod gąsienicami czołgów. Tito zorganizował swoje siły w liczące po tysiąc ludzi brygady, jednak był na tyle roztropny, by nie stosować konwencjonalnych metod walki

---

[8] Cyt. za: *ibidem*, s. 423.

zbrojnej. W oddziałach obowiązywała surowa dyscyplina i nie dopuszczano do fraternizacji między mężczyznami a znaczną liczbą młodych kobiet walczących w partyzanckich szeregach. Do jesieni roku 1942 partyzanci Tity w praktyce opanowali górzyste regiony zachodniej Bośni i wschodniej Chorwacji, a on sam założył swoją kwaterę główną w mieście Bihać, po wyparciu stamtąd ustaszy.

Uznawszy oficjalnie rojalistyczny jugosłowiański rząd na uchodźstwie w Londynie, Brytyjczycy udzielali pomocy Mihailoviciowi, wyznaczonemu na przedstawiciela tych władz w okupowanym kraju. Moskwa w zasadzie się temu nie sprzeciwiała, formalnie także uznając ów rząd. Ale w trakcie 1942 roku przechwycone przez Ultrę niemieckie depesze i meldunki wskazywały, że oddziały Tity atakowały Niemców, podczas gdy czetnicy wstrzymywali się od podejmowania otwartej walki z okupantem. Wprawdzie oficerowie łącznikowi SOE przerzuceni do Jugosławii usiłowali nakłonić tamtejsze rywalizujące ugrupowania ruchu oporu do współdziałania, lecz z mizernym skutkiem. Wobec tego kiedy zainteresowanie aliantów regionem bałkańskim wzrosło po pokonaniu Niemców w Afryce Północnej, Brytyjczycy nawiązali kontakty z Titą.

Niemcy, obawiając się lądowania aliantów na Bałkanach i zdecydowani na obronę tamtejszego wybrzeża wraz z jego zasobami surowcowymi, podjęli nowe operacje zaczepne z udziałem swoich wojsk oraz oddziałów włoskich. Tito, prowadząc walki odwrotowe, wycofał się do Czarnogóry, ledwie unikając okrążenia nad rzeką Neretwą. Jego wojska nie zostały rozbite, a niebawem zaczęła do nich docierać brytyjska pomoc, zrzucana na spadochronach lub dostarczana samolotami transportowymi lądującymi na prowizorycznych pasach startowych; partyzanckie zgrupowanie Tity szybko urosło w siłę. Mihailović, opuszczony przez sprzymierzonych po tym, jak nie przeprowadził konkretnych działań, których żądali od niego alianci, był skazany na klęskę w toczącej się równolegle wojnie domowej.

Wysuniętą dalej na południe Albanię nadal okupowały wojska włoskie. Abaz Kupi, zwolennik króla Ahmeda Zogu, który opuścił kraj po inwazji armii Mussoliniego na Albanię w 1939 roku, podjął ograniczone działania partyzanckie na wiosnę roku 1941. Po ataku nazistów na Związek Radziecki albańscy komuniści pod wodzą Envera Hodży rozpoczęli znacznie agresywniejszą kampanię w południowej części kraju. Tak jak w Jugosławii Brytyjczycy postanowili pomagać tamtejszym komunistom w związku z tym, że ci ostatni walczyli dzielniej. Abazowi Kupiemu udzielono tylko nieznacznego wsparcia, ku niesmakowi brytyjskich oficerów z SOE, i ostatecznie komuniści Hodży zdołali wyeliminować swoich rywali.

Znacznie większe zainteresowanie Wielkiej Brytanii wzbudzała Grecja. Churchill zdecydowanie popierał greckiego króla Jerzego II i nie miał zamiaru oddawać tego kraju komunistycznemu ruchowi partyzanckiemu EAM-ELAS. Jednakże Brytyjczyków konfundowało to, że wielu greckich monarchistów kolaborowało z Niemcami i Włochami pod wpływem antykomunizmu i oportunizmu. Autorytarne rządy generała Metaksasa wzmogły w społeczeństwie nastroje antymonarchistyczne, a słaba początkowo Komunistyczna Partia Grecji (KKE) rychło zaczęła zdobywać wpływy.

Grabieże, jakich dopuszczały się w Grecji wojska osi, w połączeniu z niekompetencją włoskich władz okupacyjnych doprowadziły w tym kraju do straszliwej klęski głodu w zimie 1941 roku. Słynący z bezwzględności przywódca greckich komunistów Aris Weluchiotis zaczął organizować siły partyzanckie w górach Pindos w 1942 roku. Jego głównym rywalem był pułkownik (później generał) Napoleon Zerwas, jowialny brodacz, który utworzył Narodową Republikańską Ligę Grecką (EDES) – niekomunistyczną, lewicującą organizację. Oddziały Zerwasa były dużo słabsze od partyzantki komunistycznej i działały głównie w Epirze w północno-zachodniej części kraju. Wraz z rozrostem sił komunistycznych znalazły się one w izolacji, natomiast inne, mniejsze grupy podziemne, takie jak Wyzwolenie Narodowe i Społeczne (EKKA), zostały ostatecznie wchłonięte przez kontrolowany przez komunistów ruch EAM-ELAS.

Dwaj brytyjscy oficerowie z SOE, zrzuceni na spadochronach do Grecji latem 1942 roku, po wielu perypetiach nawiązali kontakt zarówno z Zerwasem, jak i z ELAS. Ich zadanie polegało na zniszczeniu głównej linii kolejowej, którą przewożono na południe zaopatrzenie z Niemiec dla *Panzerarmee* Rommla w Afryce Północnej. Brytyjscy agenci zdołali nakłonić Zerwasa i ELAS do wysadzenia w powietrze wielkiego wiaduktu kolejowego w Gorgopotamos. Kiedy partyzanci zaatakowali włoskie posterunki na obu skrajach wiaduktu, grupa saperów przerzucona z Kairu umieściła potężne ładunki wybuchowe na filarach. Była to jedna z najbardziej udanych akcji sabotażowych podczas całej wojny i doprowadziła do unieruchomienia wspomnianej linii kolejowej na cztery miesiące.

W marcu 1943 roku oddziały Wehrmachtu i SS schwytały w łapankach sześćdziesiąt tysięcy greckich Żydów, głównie w Salonikach, gdzie liczna społeczność żydowska zamieszkiwała od stuleci. Choć greckiemu ruchowi oporu udało się zapewnić schronienie nielicznym uciekinierom, to nie zdołano zatrzymać ruchu pociągów, wiozących więźniów do obozów koncentracyjnych na obszarze podbitej Polski, gdzie wiele ofiar poddano strasznym eksperymentom medycznym.

Akcja w Gorgopotamos była dość wyjątkowym przykładem współdziałania ELAS i EDES, a po jej przeprowadzeniu brytyjscy agenci SOE znaleźli się na minowym polu politycznych konfliktów, gdyż w Grecji doszło w istocie do wojny domowej pomiędzy rywalizującymi z sobą ugrupowaniami podziemnymi. Zerwas znacznie chętniej współpracował z aliantami, ale by doszło do zaplanowanej operacji „Animals", Brytyjczycy musieli uzbroić także ELAS. Wspomniana akcja polegała na serii działań zaczepnych latem 1943 roku, w przededniu desantu na Sycylię. W połączeniu z planem dywersyjnym, znanym jako operacja „Mincemeat", a który sprowadzał się do podrzucenia na brzeg morza na południu Hiszpanii ciała upozorowanego na zwłoki oficera brytyjskiej piechoty morskiej mającego przy sobie ważne dokumenty, miało to zasugerować Niemcom, że alianci zamierzają lądować w Grecji. Tak jak w wypadku wielu innych skutecznych działań dezinformacyjnych chodziło o umocnienie Hitlera w przeświadczeniu, że przejrzał zamiary przeciwnika, i podtrzymanie go w wierze, iż Brytyjczycy zaplanowali atak na południe Europy przez Bałkany. Hitler, z pochodzenia Austriak, obsesyjnie wracał myślami do tego regionu. W rezultacie tuż przed lądowaniem sprzymierzonych na Sycylii Niemcy przerzucili do Grecji dywizję pancerną oraz inne formacje.

W kierownictwie ELAS nie było zgody co do tego, jak współdziałać z Brytyjczykami. Wprawdzie współpraca z aliantami zapewniała ELAS pożądaną pomoc i formalne uznanie, lecz nadzwyczaj podejrzliwie odnoszono się do pobudek, jakimi kierowali się Brytyjczycy. W sierpniu 1943 roku przedstawicieli greckiej partyzantki przewieziono samolotem na naradę w Kairze. Komuniści, jak zresztą większość Greków w owym okresie, przeciwstawiali się restauracji monarchii. Twierdzili, że król Jerzy II nie powinien powracać do kraju po zwycięstwie, chyba że zadecyduje o tym wynik plebiscytu. Z kolei grecki rząd na uchodźstwie oraz sami Brytyjczycy, pod wpływem nalegań Churchilla, nie chcieli się z tym pogodzić i niesłusznie zarzucali SOE dopuszczenie do politycznego impasu w okupowanej Grecji. Emisariusze ELAS wrócili do rodzimego kraju ze stanowczym postanowieniem pokonania wewnętrznych rywali, powołania rządu tymczasowego oraz zapobieżenia wszelkim brytyjskim próbom przywrócenia monarchii w Grecji.

Na Krecie znowuż działający tam ruch oporu nie nastręczał specjalnych problemów natury politycznej. Większość przywódców lokalnej partyzantki, znanych jako „kapitanowie", akceptowała brytyjskie przewodnictwo i choć nie należeli oni do zwolenników monarchii, to byli zarazem zdeklarowanymi antykomunistami. Tylko pomniejsze grupy we wschodniej części Krety popierały EAM-ELAS.

We Francji zdecydowana większość ludności tego kraju, w tym republikanie, powitała z ulgą zawieszenie broni zawarte przez Pétaina z Niemcami. Francuzi nie znali jeszcze wtedy ówczesnych niemieckich planów sprowadzenia

Francji do poziomu „kraju turystycznego"[9] oraz przyłączenia Alzacji i Lotaryngii do Rzeszy, co wiązało się z tym, że mężczyźni z tamtych regionów musieli służyć w niemieckim wojsku.

Francuzi nie buntowali się i prowadzili codzienne życie w nowych warunkach tak, jak się dało, choć było to bardzo trudne dla żon półtora miliona francuskich jeńców wojennych przetrzymywanych w obozach w Niemczech. Okupacyjna grabież – Niemcy zabierali znaczną część francuskiej produkcji rolnej – wywołała wielkie trudności w miastach i miasteczkach, zwłaszcza tych, które nie miały bliskich powiązań z okręgami wiejskimi. W trakcie wojny dorastała słabsza fizycznie francuska młodzież; chłopcy byli niżsi średnio o siedem centymetrów, a dziewczynki o jedenaście w porównaniu z okresem przedwojennym[10].

Pod koniec 1940 roku niewielkie grupy ruchu oporu zaczęły drukować podziemną bibułę, nierzadko pod wpływem nadawanych z Londynu radiowych wystąpień de Gaulle'a, który głosił, że walka z wrogiem nadal trwa. Do francuskiej partyzantki wstępowały osoby z różnych kręgów i partii. W owej fazie rzadko jednak podejmowano we Francji otwarte zmagania z niemieckim okupantem. Dopiero po zaatakowaniu przez Niemcy Związku Radzieckiego doszło do zbrojnych akcji, przeprowadzanych przez francuskich komunistów. Francuska Partia Komunistyczna, która wcześniej utraciła dobre imię, a także wielu swoich członków w rezultacie paktu Ribbentrop-Mołotow, w 1941 roku zaczęła się przekształcać w sprawną podziemną organizację.

Niemiecka okupacja wojskowa, trwająca od 1940 roku, z początku była tam względnie łagodna, jednak coraz bardziej bezwzględny, „totalny" charakter wojny, a także przeprowadzane przez francuskich komunistów zamachy na nazistowskich oficerów i żołnierzy doprowadziły do tego, że SS stopniowo roztaczało coraz większą kontrolę nad Francją. W maju 1942 roku Heydrich udał się do Paryża, gdzie wyznaczył na miejscowego szefa SS i policji Karla Albrechta Oberga. Hitler traktował Francję lepiej od większości innych podbitych krajów, wychodząc z pragmatycznego założenia, że jeśli Francuzi sami dopilnują u siebie porządku, będzie to leżało w interesach Niemiec, gdyż zaoszczędzi Wehrmachtowi utrzymywania tam znacznych sił okupacyjnych. Jednakże nadzieje Pétaina na zjednoczenie pokonanego kraju pod egidą jego État Français musiały się rychło rozwiać.

Militarna klęska pogłębiła ostre podziały we francuskim społeczeństwie. Nawet przedwojenna prawica uległa rozbiciu na różne frakcje. Bardzo nieliczna mniejszość chciała zmyć hańbę klęski i przeciwstawić się niemieckiemu

---

panowaniu. Z kolei faszyzujący germanofile, pogardzający Pétainem, uważali, że jego ograniczona kolaboracja z Rzeszą to za mało. Francuska Partia Ludowa (PPF) Jacques'a Doriota, Zgromadzenie Narodowo-Ludowe (RNP) Marcela Déata oraz Rewolucyjny Ruch Społeczny (MSR) Eugène'a Deloncle'a popierały ideę nazistowskiego „nowego porządku" europejskiego, wierząc, iż Francja mogła odzyskać status mocarstwa u boku Trzeciej Rzeszy. W istocie ulegali jeszcze większym złudzeniom niż stary marszałek Pétain, gdyż Niemcy nigdy nie traktowali poważnie wspomnianych polityków. W najlepszym razie byli oni dla nazistów odpowiednikami ludzi niegdyś określonych przez Lenina mianem „przydatnych idiotów".

Konflikty wewnętrzne w gronie zelotów ze skrajnej francuskiej prawicy szły w parze z rywalizacją wśród samych Niemców mających wpływy we Francji. Czołowi naziści, zwłaszcza Göring, na ogół szydzili z Ottona Abetza, frankofila i ambasadora Rzeszy w Paryżu. SS i Wehrmacht często darły z sobą koty, w Paryżu powstawało mnóstwo różnorakich niemieckich siedzib sztabów i ośrodków administracyjnych, a wszystkie one prowadziły własną politykę. Centrum okupowanej stolicy wprost roiło się od tablic i znaków ulicznych wskazujących we wszystkich kierunkach drogę do tych urzędów.

Jednak Gruppenführer SS Oberg był nader zadowolony z asysty, jakiej udzielała mu reżimowa policja. W tym stadium wojny Trzeciej Rzeszy brakowało ludzi na froncie wschodnim, a Oberg dysponował zaledwie niespełna trzema tysiącami niemieckich policjantów w całej okupowanej Francji. René Bousquet, wyznaczony przez Pierre'a Lavala na sekretarza generalnego służb policyjnych Vichy, był młodym, energicznym organizatorem, nie zaś prawicowym ideologiem. Podobnie jak inni młodzi technokraci, po cichu reorganizujący i umacniający vichystowski system rządów, Bousquet żywił stanowcze przekonanie, iż władze État Français powinny utrzymać w swoich rękach kwestie bezpieczeństwa wewnętrznego, jeżeli mają zachować jakiekolwiek znaczenie. Jeśli natomiast wiązało się to z rozszerzeniem jego uprawnień, gdy doszło do obław na zagranicznych Żydów przewidzianych do deportacji, to Bousquet gotów był zignorować zalecenia Pétaina, aby francuska policja nie uczestniczyła w takiej akcji.

Szesnastego lipca 1942 roku dziewięć tysięcy paryskich policjantów pod rozkazami Bousqueta przystąpiło o świcie do łapanek na „bezpaństwowych" Żydów w Paryżu. Około trzynastu tysięcy schwytanych, w tym trzy tysiące dzieci – których wydania Niemcy wcale się nie domagali – przetrzymywano w welodromie zimowym i w obozie przejściowym w Drancy na paryskich przedmieściach przed wyekspediowaniem ofiar do obozów zagłady na wschodzie. Dalsze obławy miały miejsce w nieokupowanej zonie na południu Francji. Oberg był wielce usatysfakcjonowany z efektów starań Bousqueta, choć Eichmann wciąż uznawał je za niedostateczne.

Pojawienie się armii amerykańskiej w strefie śródziemnomorskiej i wyraźne oznaki, że wojska osi zostaną tam pokonane, wpłynęły na raptowny rozrost francuskiego ruchu oporu. Poważnie przyczyniło się do tego także zajęcie przez Niemców nieokupowanej części Francji oraz zabójstwo Darlana pod koniec 1942 roku. Z końcem stycznia roku 1943 reżim Vichy, w próbie wzmocnienia swej pozycji, powołał do istnienia Milicję Francuską (Milice Française), organizację paramilitarną pod wodzą Josepha Darnanda. W jej szeregi napłynęła zbieranina zwolenników skrajnie prawicowej ideologii i antysemitów, reakcjonistów nierzadko wywodzących się ze zubożałej prowincjonalnej szlachty, naiwnej wiejskiej młodzieży skuszonej perspektywą wydania jej broni, wreszcie przestępców, zwabionych możliwością rabunku w domach aresztowanych osób.

Utworzenie tej milicji rozniecało tlący się, wewnętrzny konflikt między „dwiema Francjami", który istniał w utajonej formie już od rewolucji roku 1789. Po jednej stronie znajdowali się przedstawiciele katolickiej prawicy, która nienawidziła wolnomyślicielstwa, lewicy i republiki, określanej pogardliwym mianem „la gueuse" („zdziry"). Z drugiej byli republikanie i przeciwnicy klerykalizmu, którzy w 1936 roku głosowali na Front Ludowy. A jednak i licznych rzesz Francuzów w okresie okupacji nie można było zaliczyć do żadnej z określonych kategorii. Zdarzali się nawet „poczciwi wieśniacy" o lewicujących poglądach, którzy denuncjowali Żydów, oraz czarnorynkowi spekulanci ratujący żydowskie ofiary – i to nie zawsze za pieniądze.

Operacja „Anton", czyli zajęcie przez Niemców południowej i wschodniej Francji, również skłoniła wielu tych, którzy bez przekonania popierali Pétaina, do zmiany postaw. Jedynym wyższym rangą oficerem stutysięcznej armii Vichy, który przeciwstawił się wojskom niemieckim, był generał Jean de Lattre de Tassigny, ekstrawagancki dowódca, któremu alianci ułatwili ucieczkę z kraju, a później objął komendę francuskiej 1. Armii walczącej u boku sprzymierzonych. Wielu innych ukrywało się i przystąpiło do nowego zbrojnego ugrupowania podziemnego – ORA (Organisation de Résistance de l'Armée – Organizacja Ruchu Oporu Armii). Niechętni wobec de Gaulle'a, początkowo uznali tylko zwierzchnictwo generała Girauda.

Zrozumiałe, że Francuska Partia Komunistyczna odnosiła się nadzwyczaj podejrzliwie do tych, którzy tak późno przechodzili na stronę aliancką, z ironią określając tę falę „powrotem Vichy na front". Inni francuscy wojskowi i politycy zbiegli do Afryki Północnej, gdzie władze admirała Darlana nazywano „Vichy à la sauce américaine" („Vichy w sosie amerykańskim"). Kiedy François Mitterrand, reżimowy oficjel, który wiele lat po wojnie został wyniesiony przez socjalistów do rangi prezydenta Republiki Francuskiej, dotarł do Algieru, generał de Gaulle odniósł się doń nieufnie – nie dlatego, że Mitterrand przybył z Vichy, ale z powodu tego, iż przyleciał na pokładzie brytyjskiego samolotu.

De Gaulle nie mógł ścierpieć ingerencji Brytyjczyków w sprawy francuskie, a zwłaszcza tego, że SOE wspomagało oddziały francuskiego ruchu oporu. Chciał podporządkować całe francuskie podziemie swojej organizacji BCRA (Bureau Central de Renseignements et d'Action – Centralne Biuro Wywiadu i Operacji), a najbardziej irytowały go poczynania Sekcji F (francuskiej) SOE, kierowanej przez pułkownika Maurice'a Buckmastera, która doprowadziła do utworzenia ponad setki niezależnie działających siatek podziemnych na okupowanym terytorium.

Początkowo brytyjskie Ministerstwo Spraw Zagranicznych poleciło Sekcji F trzymać się z dala od struktur Wolnej Francji w Londynie. Podwładni Buckmastera chętnie się zastosowali do tego życzenia, częściowo ze względów bezpieczeństwa – Wolni Francuzi słynęli z gadatliwości oraz stosowali prymitywne szyfry, których łamanie nie nastręczało Niemcom żadnych kłopotów – ale również dlatego, że wkrótce okazało się, jak niebezpiecznego charakteru nabrała rywalizacja polityczna w gronie Francuzów. Jak zauważył później jeden z oficerów Kierownictwa Operacji Specjalnych, wielką korzyścią wynikającą z niewikłania się SOE we francuskie spory, a jednocześnie zachowania kontroli nad dostarczaniem broni francuskiemu podziemiu, była możliwość zmniejszenia groźby wybuchu wojny domowej we Francji już po wyzwoleniu tego kraju[11].

SOE powołało też do istnienia Sekcję RF, współpracującą ściśle z BCRA i dostarczającą Francuzom broń oraz samoloty; miała swą siedzibę w pobliżu kwatery głównej BCRA przy londyńskiej Duke Street, nieco na północ od Oxford Street. Szefem BCRA był André Dewavrin, lepiej znany pod pseudonimem „pułkownik Passy". Jego organizacja początkowo składała się z dwóch wydziałów: wywiadowczego oraz zajmującego się „działaniami bojowymi", który utrzymywał kontakty ze zbrojnymi grupami francuskiego podziemia. Ponoć Passy – choć nigdy tego nie dowiedziono – należał do radykalnie antykomunistycznego sprzysiężenia La Cagoule (Kaptur), a na pewno miał pod swoją komendą paru „kapturowców". Piwnicę na węgiel w siedzibie BCRA przy Duke Street przerobiono na cele, w których przetrzymywano przesłuchiwanych przez kapitana Rogera Wybota francuskich ochotników podejrzanych o to, że byli szpiegami Vichy albo komunistami. Ku rozdrażnieniu i zażenowaniu SOE krążyły słuchy o zadawanych tam torturach i niewyjaśnionych, tajemniczych wypadkach zgonów. Czternastego stycznia 1943 roku szef brytyjskiej służy bezpieczeństwa (MI5) Guy Liddell

---

[11]   Rozmowa autora z Brookesem Richardsem przeprowadzona w 1993 roku.

zapisał w swoim dzienniku: „Osobiście sądzę, że najwyższa pora na zamknięcie [centrali BCRA przy] Duke Street"[12].

De Gaulle z coraz większą determinacją dążył do zjednoczenia całego francuskiego ruchu oporu pod swoją komendą, choć jako zawodowy wojskowy nie miał zbytniego zaufania do członków zbrojnych ugrupowań podziemnych. Gdyby ruch oporu we Francji uznał jego zwierzchnictwo, wówczas Brytyjczycy, a potem i Amerykanie musieliby wziąć to pod uwagę. Poza nielicznymi podziemnymi siatkami w rodzaju Confrérie Notre-Dame, którą kierował pułkownik Rémy (pseudonim konspiracyjny reżysera Gilberta Renaulta), większości z tych ugrupowań nie tworzyli gaulliści. Jednakże takie grupy jak Combat, zorganizowana przez Henriego Frenaya, stopniowo zrozumiały potrzebę współdziałania. Ale komuniści nie ufali de Gaulle'owi, który jak przypuszczali, po wyzwoleniu przeobrazi się w prawicowego dyktatora.

Jesienią 1941 roku Jean Moulin, który we Francji roku 1940 był najmłodszym z prefektów, zjawił się w Londynie. Moulin, urodzony przywódca, wywarł pozytywne wrażenie zarówno na SOE, jak i na de Gaulle'u, który z miejsca uznał go za człowieka mogącego zjednoczyć francuski ruch oporu. Pierwszego stycznia 1942 roku Moulin powrócił do Francji z rozkazem de Gaulle'a mianującym go na delegata generalnego w okupowanym kraju. Zadanie Moulina polegało na zreorganizowaniu możliwie wielu siatek ruchu podziemnego w małe komórki, do których trudniej było przenikać agentom Abwehry lub Sicherheitsdienstu (SD) – służby bezpieczeństwa SS, często mylonej z Gestapo. Ruch oporu miał nie podejmować otwartej walki, tylko czynić przygotowania do wyzwolenia Francji przez wojska alianckie.

Moulin, który potrzebował pomocy wojskowego do dowodzenia ugrupowaniami mającymi z czasem przekształcić się w podziemną armię, zwerbował generała Charles'a Delestrainta. Pracując niestrudzenie, Moulin przeciągnął na swoją stronę główne ugrupowania podziemne w nieokupowanej części Francji: Combat, Libération i Franc-Tireur (podobną nazwę do tej ostatniej nosiła inna, komunistyczna organizacja Francs-Tireurs et Partisans). Pomimo tych sukcesów władze brytyjskie nadal wzbraniały się przed przekazaniem Wolnym Francuzom kontroli nad Sekcją F SOE.

Jak na ironię amerykańskie poparcie dla Darlana bardzo dopomogło de Gaulle'owi w porozumieniu z francuskimi komunistami. Komunistów oburzało, że alianci opowiedzieli się za Darlanem, który *de facto* wcześniej stał na czele rządu Vichy w okresie, kiedy członków francuskiego podziemia

---

[12] Dziennik Guya Liddella, 14 stycznia 1943 r., TNA KV 4/191.

komunistycznego likwidowano jako zakładników. W styczniu 1943 roku Fernand Grenier przybył do Londynu jako delegat Francuskiej Partii Komunistycznej przy władzach Wolnej Francji. W następnym miesiącu Pierre Laval, ulegając naciskom Niemców, którzy domagali się wysyłania do Rzeszy większej liczby robotników przymusowych, powołał Obowiązkową Służbę Pracy (*Service du Travail Obligatoire*). We Francji ten przymusowy nabór do pracy w Niemczech wywołał wielkie wzburzenie i skłonił dziesiątki tysięcy młodych mężczyzn do ucieczki w góry i do lasów. Zbrojne grupy podziemia niemal nie poradziły sobie z takim napływem ludzi; choć ledwie można ich było wyżywić, nie wspominając nawet o ich uzbrojeniu, to francuska partyzantka – zwana *Maquis* – przekształciła się w ruch masowy.

Na wiosnę Moulin zorganizował Krajową Radę Ruchu Oporu (Conseil National de la Résistance, CNR) i nawiązał kontakty z podziemiem w północnej części Francji, nakłaniając tamtejsze grupy do przyłączenia się. Ale w czerwcu zaczęła się seria katastrofalnych wsyp, spowodowanych przede wszystkim zaniedbywaniem wymogów konspiracji. Agentom SD udało się przeniknąć do wielu grup. Generała Delestrainta aresztowano w paryskim metrze, a 21 czerwca zostali schwytani w jednym z domów na obrzeżach Lyonu Jean Moulin i wszyscy pozostali członkowie CNR. Haupsturmführer SS Klaus Barbie poddał Moulina tak bestialskim torturom, że ów zmarł dwa tygodnie później, nikogo jednak nie wydając. Brytyjczycy, przerażeni wpadkami we Francji i serią aresztowań, jaka potem nastąpiła, jeszcze mniej chętnie zaczęli dzielić się tajnymi informacji z BCRA.

Gaulliści zajęli się odtwarzaniem kierownictwa francuskiego ruchu oporu, na którego czele stanął wtedy Georges Bidault, uczciwy, lecz pozbawiony charyzmy lewicujący katolik. W związku z tym, że Bidaultowi brakowało konsekwencji i determinacji, cechujących wcześniej Moulina, komuniści, których ściśle zakonspirowane komórki w dużej mierze uniknęły wrogiej infiltracji, znacznie rozszerzyli posiadane wpływy. Nawiązawszy współpracę z podziemną armią gaullistów, komuniści liczyli na przejęcie od SOE większych dostaw uzbrojenia i pieniędzy. Starali się ponadto umieszczać swoich agentów, udających, że nic ich nie łączy z Francuską Partią Komunistyczną, w rozmaitych komitetach kierujących podziemną walką zbrojną. Ich wizja oswobodzenia Francji różniła się wielce od koncepcji gaullistów. Poprzez nadzór nad komitetami i wraz ze wzrastaniem w siłę ich własnych zbrojnych ugrupowań w składzie Francs-Tireurs et Partisans chcieli przekształcenia wyzwolenia w rewolucję. Nie wiedzieli jednak, że Stalin ma odmienne plany, a poza tym nie docenili politycznego sprytu gaullistów.

Sam de Gaulle, wcześniej niemal zupełnie zepchnięty na boczny tor w rezultacie alianckiego porozumienia z Darlanem i poparcia udzielonego przez Amerykanów generałowi Giraudowi, rychło zyskał przewagę nad swoim konkurentem. Roosevelt przydzielił Giraudowi doradcę w osobie Jeana Monneta, lecz Monnet, choć wcześniej przeciwny de Gaulle'owi, wykazał się w tym czasie poczuciem realizmu, działając zakulisowo na rzecz płynnego przejęcia władzy przez generała. Trzydziestego maja 1943 roku de Gaulle wylądował na lotnisku Maison Blanche w Algierze, gdzie został powitany przez Girauda oraz orkiestrę grającą *Marsyliankę*. Brytyjczycy i Amerykanie przypatrywali się temu z boku. Wkrótce wybuchły nieporozumienia i rozeszły się pogłoski o spiskach, a nawet porwaniach. Intrygi te skłoniły generała Pierre'a de Bénouville'a do wyrażenia opinii, że „nic tak bardzo nie przypominało [sytuacji w] Vichy jak Algier"[13].

Trzeciego czerwca ukonstytuował się Francuski Komitet Wyzwolenia Narodowego, a de Gaulle decydował o dosłownie każdym aspekcie działalności tego rządu tymczasowego. Wykazując się wielką przenikliwością, de Gaulle uznał również za nieodzowne nawiązanie kontaktów ze Stalinem, nie tylko po to, aby lepiej radzić sobie z francuskimi komunistami. Postanowił wysłać do Moskwy swojego przedstawiciela. Siły Wolnej Francji, jako jedyne z zachodnich aliantów, już miały swoją jednostkę myśliwską na froncie wschodnim. Pierwszego września 1942 roku w Baku w Azerbejdżanie sformowano Grupę Myśliwską „Normandia", która przeprowadzała loty ćwiczebne na radzieckich myśliwcach Jak-1. Po włączeniu się do walki 22 marca 1943 roku, po przemianowaniu jednostki na Pułk Lotnictwa Myśliwskiego „Normandia-Niemen", piloci tej formacji zniszczyli łącznie 273 samoloty Luftwaffe[14]. De Gaulle kalkulował, że dobre stosunki między Związkiem Radzieckim a Francją dadzą do ręki Stalinowi atut w relacjach z Zachodem, a także wzmocnią jego własną pozycję w oczach Anglosasów.

Po podboju Belgii Hitler rozkazał, by Flamandów traktowano tam w sposób uprzywilejowany. Nosił się z myślą, że ich państwo może się stać na poły germańskim dodatkiem do Rzeszy, po przyszłej reorganizacji porządku europejskiego. Fragment belgijskiego terytorium na południe od Akwizgranu, a także Wielkie Księstwo Luksemburga zostały przyłączone do Rzeszy.

Brak wystarczającej liczby niemieckich żołnierzy na froncie wschodnim skłonił w 1942 roku Himmlera do rozbudowy Waffen-SS i zasilenia tych formacji jednostkami z krajów „germańskich", to jest ze Skandynawii,

---

[13] Rozmowa z generałem Pierre'em de Bénouville'em w styczniu 1993 roku.
[14] T. Polak, *Stalin's Falcons. The Aces of the Red Star*, London 1999, s. 355.

Holandii i Flamandii. W składzie Waffen-SS, poza Legionem Walońskim, sformowanym przez faszystę Léona Degrelle'a, który widział się w roli przyszłego przywódcy Belgów w ramach nazistowskiego „nowego porządku", znalazł się też Ochotniczy Legion Holenderski. Ogółem w SS służyło około czterdziestu tysięcy Belgów – Flamandów i Walonów – czyli dwukrotnie więcej niż Francuzów, z których utworzono Dywizję SS „Charlemagne".

Większość Belgów miała jednak zdecydowanie nieprzychylny stosunek do drugiej niemieckiej okupacji w trakcie ćwierćwiecza. Drukowano wiele nielegalnych broszur i ulotek, a nastawiona buntowniczo młodzież dawała wyraz swojej niechęci do okupanta malunkami na murach. Tak jak w innych zajętych przez Niemców krajach wyrysowywano kredą literę V oznaczającą alianckie zwycięstwo. Kiedy w 1941 roku Rudolf Hess odbył lot do Wielkiej Brytanii, pojawiły się na murach napisy „Heil Hess!"[15]. Niemieckie wojska okupacyjne wykazywały się w tej mierze pragmatyzmem i pewną pobłażliwością, nie zwracając specjalnej uwagi na takie zaczepki. Ale kiedy seria strajków zagroziła spadkiem produkcji przemysłowej, Niemcy zareagowali surowiej.

Zbrojny opór byłby działaniem samobójczym, więc wielu Belgów na ważniejszych stanowiskach, w tym byli oficerowie wywiadu, czyniło wszystko, by zdobyć informacje cenne dla aliantów. Ostatecznie powstała podziemna Armée Secrète, licząca około pięćdziesięciu tysięcy członków, ale z podjęciem akcji zbrojnych trzeba było zaczekać na okres tuż przed wyzwoleniem. Belgijskie władze emigracyjne w Londynie i belgijska sekcja SOE traktowały się wzajemnie bardzo nieufnie. Względnie najlepsze relacje z Belgami utrzymywał Hardy Amies, który w połowie roku 1943 stanął na czele wspomnianej sekcji, a po wojnie zajął się projektowaniem sukni szytych dla brytyjskiej królowej.

Bardziej wojowniczą organizacją był kierowany przez komunistów Front Niepodległościowy, który poza organizowaniem wspomnianych strajków przeprowadzał na ulicach zamachy na kolaborantów. Inne grupy dzielnych ludzi ułatwiały ucieczki alianckim lotnikom zestrzelonym podczas kampanii bombardowań strategicznych Niemiec. Najbardziej zasłużyła się pod tym względem młoda kobieta, Andrée de Jongh, pseudonim „Dédée", która zorganizowała szlak przerzutowy „Comet". Ponadto wielu Belgów podejmowało wielkie ryzyko osobiste, ukrywając Żydów belgijskiego pochodzenia. Żydowscy uciekinierzy z innych krajów, którzy znaleźli się w Belgii, mieli mniej szczęścia. Stanowili zdecydowaną większość trzydziestu tysięcy ofiar wywiezionych do obozów.

---

[15] M. Mazower, *Hitler's Empire, op. cit.*, s. 476–477.

Holandia, która utrzymała neutralność podczas pierwszej wojny światowej, ucierpiała od wstrząsu, jakim była okupacja, zapewne jeszcze bardziej od Belgii. Mimo że nieliczna mniejszość podjęła kolaborację z okupantem albo wstąpiła później do Dywizji SS „Nederland", to większość ludności tego kraju prezentowała zdecydowanie antyniemieckie nastawienie. Tak jak w Belgii obławy na Żydów w lutym 1941 roku wywołały strajk, który z kolei sprowokował ostre represje. Jedna z grup holenderskiego ruchu oporu spaliła w Amsterdamie rejestr z aktami urodzenia, aby utrudnić Niemcom poszukiwania, niemniej jednak ostatecznie większość spośród stu czterdziestu tysięcy holenderskich Żydów została wywieziona do obozów zagłady – wśród tych ofiar znalazła się także młoda Anna Frank. Wraz z rozpoczęciem zmagań na froncie wschodnim niemieckie władze okupacyjne wprowadziły znacznie surowsze rządy w Holandii. Czwartego maja 1942 roku Niemcy rozstrzelali siedemdziesięciu dwóch członków holenderskiego podziemia i uwięzili setki kolejnych.

SD działała aktywnie na terenie Holandii już przed wojną, tak więc kiedy narastał tam opór wobec przymusowego werbunku siły roboczej, okupanci dobrze wiedzieli, kogo aresztować. Uzyskawszy listę kontaktów holenderskiego wywiadu od dwóch oficerów SIS pojmanych w Venlo w 1940 roku, Niemcy szybko zdjęli holenderskich agentów.

Ponadto Abwehra odnosiła poważne sukcesy w walce z holenderskim ruchem oporu od początków marca 1942 roku. Akcję kontrwywiadu prowadzono pod kryptonimem operacja „Biegun Północny" (*Unternehmen Nordpol*) albo *„Englandspiel"*[16]. Do tej katastrofalnej wpadki doszło niemal całkowicie wskutek naiwności pracowników Sekcji N (holenderskiej) w londyńskiej centrali SOE. W czasie jednej z obław w Hadze Niemcy schwytali tamtejszego radiooperatora SOE. Abwehra zmusiła go do dalszego przekazywania meldunków do Londynu. Agent czynił to, przypuszczając, że w Londynie zorientują się, iż działa pod kontrolą wroga, gdyż na końcu meldunku umieszczał umówiony znak. Jednak ku jego przerażeniu Londyn uznał, że radiooperator po prostu się zapomniał, i w odpowiedzi przekazano mu informację o strefie zrzutu następnego agenta.

Niemiecki „komitet powitalny" już czekał na zrzutka, którego także zmuszono do wysłania, zgodnie z otrzymanymi instrukcjami, podsuniętego mu meldunku. Cykl wpadek trwał; aresztowano kolejnych agentów zaraz po tym, jak docierali do Holandii. Każdy z nich przekonywał się zaszokowany, że Niemcy wszystko o nim wiedzą, znając nawet kolor ścian w sali odpraw londyńskiej centrali. W taki sposób Abwehra i SD, w danym wypadku

---

[16] Najlepszy jej opis znalazł się w książce: M.R.D. Foot, *SOE in the Low Countries*, London 2001.

harmonijnie z sobą współdziałając, zdołały pojmać około pięćdziesięciu holenderskich agentów i pracowników wywiadu. Opisana katastrofa rzuciła cień na brytyjsko-holenderskie relacje; w istocie wiele osób w Holandii podejrzewało, iż w Londynie doszło do zdrady. Tymczasem faktycznie całe to nader niefortunne zdarzenie było tylko skutkiem karygodnej niekompetencji i samozadowolenia ludzi z SOE w połączeniu z zupełną nieznajomością warunków panujących w okupowanej Holandii.

Dania, zupełnie zaskoczona niemiecką inwazją w 1940 roku, w pierwszym okresie okupacji stawiała najeźdźcom bierny opór. Niemieckie władze nie stosowały tam surowych metod i zasadniczo pozostawiły Duńczykom znacz-ne swobody, co skłoniło Churchilla do niesprawiedliwego określenia Danii mianem „oswojonego hitlerowskiego kanarka". Wysoce wydajne duńskie rolnictwo zaspokajało prawie jedną piątą potrzeb Rzeszy w zakresie dostaw masła, wieprzowiny i wołowiny[17]. Naziści, a zwłaszcza Himmler, chcieli zwerbować możliwie wielu Duńczyków do Waffen-SS, jednak większość zgłaszających się z Danii ochotników wywodziła się z niemieckojęzycznej mniejszości z południowej części tego kraju.

W listopadzie 1942 roku Hitler, poirytowany nieskrywaną niechęcią duńskiego króla Chrystiana X wobec Rzeszy, zażądał zaprowadzenia w Danii bardziej posłusznych wobec Niemiec rządów. Premierem został nielubiany przez Duńczyków pronazista Erik Scavenius. Doprowadził on do przystąpienia Danii do paktu antykominternowskiego i wezwał duńskich ochotników do udziału w walce ze Związkiem Radzieckim. Mimo wszystko warunki panujące w Danii pod rządami nazistów były znacznie lepsze aniżeli w innych okupowanych krajach Europy, a Duńczycy zdołali przyczynić się do ocalenia większości miejscowych Żydów, przemycając ich kutrami rybackimi przez cieśninę Kattegat do południowej Szwecji. Duński ruch oporu – Dansk Frihedsrådet – dostarczał do Londynu dane wywiadowcze, cenne zwłaszcza dla RAF-u. Przeprowadzał także akcje sabotażowe, a w roku 1943 zorganizował podziemny rząd.

*

Spośród wszystkich przedstawicielstw emigracyjnych w Londynie największymi wpływami i zasobami dysponowały norweskie władze na uchodźstwie. Wielka norweska flota handlowa została na czas wojny oddana do dyspozycji Brytyjczyków, w bardzo znacznym stopniu wspomagając wysiłek wojenny na Atlantyku oraz konwoje arktyczne. Sama Norwegia, której ludność

---

[17] L. Collingham, *The Taste of War, op. cit.*, s. 175.

w latach wojny powszechnie popierała króla Haakona VII przebywające-go w Wielkiej Brytanii, była w dużo mniejszym stopniu, w porównaniu z innymi okupowanymi krajami, zagrożona widmem walk wewnętrznych, zarówno podczas okupacji, jak i po zakończeniu działań wojennych.

Po podboju ich kraju przez Niemcy norwescy oficerowie przystąpili u schyłku 1940 roku do organizowania armii podziemnej, Milorg. Pod koniec wojny liczyła ona około czterdziestu tysięcy członków. Norwedzy mieli spory żal do aliantów z powodu ich nieporadnej interwencji militarnej późną wiosną 1940 roku, a w pierwszych latach niemieckiej okupacji dochodziło do napięć między Norwegami a SOE, które chciało podjęcia w tym kraju agresywnych podziemnych akcji zbrojnych.

Churchill nalegał na przeprowadzanie rajdów na Norwegię, a w 1941 roku rzeczywiście brytyjscy komandosi dokonali dwóch wypadów na archipelag Lofotów; później, w roku 1942, domagał się inwazji na Norwegię, co przyprawiało o ból głowy jego sztabowców, jednakże wspomniane rajdy rzeczywiście umocniły Hitlera w przekonaniu, że alianci zaatakują przez Morze Północne. W związku z tym niemiecki dyktator upierał się przy utrzymywaniu w Norwegii czterystutysięcznego kontyngentu wojsk Wehrmachtu, ku frustracji jego generałów na innych frontach z powodu wiązania tak znacznych własnych sił przez prawie cały okres wojny. Z powodu pobytu w ich kraju tak silnej armii okupacyjnej nie powinno dziwić, że Milorg nie chciała rozpętywania walk partyzanckich, które przyniosłyby wielkie ofiary wśród ludności cywilnej.

Samozwańczy przywódca norweski Vidkun Quisling stał przed wojną na czele niewielkiej pronazistowskiej partii Nasjonal Samling (NS). Ogłosiwszy się szefem nowego rządu w czasie niemieckiej inwazji, został niebawem pozbawiony realnych wpływów przez niemieckiego namiestnika, komisarza Rzeszy Josefa Terbovena, który pogardzał Quislingiem. W lutym 1942 roku Hitler oficjalnie mianował Quislinga premierem marionetkowego rządu norweskiego, ale Terboven w dalszym ciągu skutecznie powściągał ambitne zapędy Norwega. Powołano do istnienia organizację Hird (Rikshird), wzorowaną na nazistowskich SA, do której wstąpiło pięćdziesiąt tysięcy Norwegów, w większości oportunistów. Skopiowano i inne nazistowskie ruchy masowe, takie jak Hitlerjugend. Nieuchronnie dochodzić musiało do intymnych kontaktów wielu Norweżek z żołnierzami tak licznej niemieckiej armii okupacyjnej, a z takich związków urodziło się ponad dziesięć tysięcy dzieci.

Mimo to *gros* norweskiej ludności nienawidziło niemieckich okupantów. W kwietniu 1942 roku zdecydowana większość norweskiego luterańskiego duchowieństwa opowiedziała się przeciwko rządowi Quislinga, a kiedy Niemcy przystąpili do obławy na miejscowych Żydów, ostatecznie udało

im się deportować zaledwie 767 z dwóch tysięcy dwustu schwytanych. Prze-
ważającą liczbę pozostałych Norwedzy przemycili przez granicę do Szwecji,
której władze, choć chętnie sprzedawały Niemcom swoją rudę żelaza i inne
surowce dla przemysłu wojennego, zdystansowały się od nazistowskich part-
nerów handlowych, gdy działania zbrojne na świecie zaczęły układać się nie-
pomyślnie dla Niemiec.

Bardzo ważnym celem dla RAF-u były zakłady chemiczne Norsk Hydro w okręgu Telemark produkujące ciężką wodę dla, jak podejrzewano
w obozie sprzymierzonych, prototypu niemieckiej bomby atomowej. Ale
z czasem naloty powietrzne na ten cel uznano za bezskuteczne, więc SOE
otrzymało zadanie zorganizowania akcji sabotażowej. Atak brytyjskich komandosów w listopadzie 1942 roku zakończył się katastrofalnym fiaskiem,
a dwa szybowce desantowe typu Horsa rozbiły się z powodu bardzo złej pogody. Niemcy schwytali ocalałych z jednego z tych szybowców, skrępowali
im ręce drutem kolczastym i zabili na miejscu. Odbyło się to na podstawie
wydanego nieco wcześniej przez Hitlera *Kommandobefehl* – dyrektywy na-
kazującej rozstrzeliwanie wszystkich nieprzyjacielskich członków personelu
sił specjalnych lub oddziałów komandosów pojmanych w mundurach albo
w cywilnych ubraniach. Na podstawie map odnalezionych w rozbitym szy-
bowcu Niemcy od razu przekonali się, co było celem tej udaremnionej akcji.

Następnie, w październiku, zwiadowczy zespół trzech norweskich komandosów zrzucono ze spadochronami w okolicznych górach. Przetrwali
tam mroźną zimę, mieszkając w przysypanych śniegiem szałasach i żywiąc
się mięsem reniferów. Jedyne źródło witaminy C w ich pożywieniu stanowił *gørr* – na poły strawiona roślinna papka z żołądków tych upolowanych
zwierząt. Wreszcie 17 lutego 1943 roku odbył się zrzut następnych sześciu
norweskich komandosów przeszkolonych w Wielkiej Brytanii; wylądowali
oni na spadochronach na zamarzniętym górskim jeziorze, z dala od tego, na
którym mieli się znaleźć. W końcu obie grupy się spotkały, a nocą 28 lutego udało im się podłożyć ładunki wybuchowe w hydroelektrowni Vermork
w sąsiedztwie zakładów Norsk Hydro. Dostali się do środka i bez wdawania
się w strzelaninę spowodowali znaczne zniszczenia. Niemcy przeprowadzili
naprawy, a produkcja ciężkiej wody została wznowiona cztery miesiące później. Bomby zrzucone przez samoloty amerykańskiej 8. Armii Powietrznej
nie trafiły w cel, więc na pomoc ponownie wezwano norweski ruch oporu.

Gdy w lutym 1944 roku gotowa była wystarczająca ilość ciężkiej wody,
Niemcy załadowali ją do wagonów towarowych, zaplanowawszy przetransportowanie ich promem; nie wiedzieli o tym, że dwaj starsi wiekiem członkowie norweskiego zbrojnego podziemia zakradli się do tych wagonów noc
wcześniej i umieścili w nich bomby z zapalnikami czasowymi wykonanymi
z przerobionych budzików. Prom zatonął, zgodnie z planami norweskiego

ruchu oporu, na największej głębinie pobliskiego zbiornika wodnego. W akcji tej zginęło czternastu cywilów, ale władze norweskie w Londynie zawczasu przyznały, że cel zamachu uzasadniał podjęte ryzyko. Choć niemieccy naukowcy bynajmniej nie byli bliscy skonstruowania pierwszej bomby nuklearnej, to w tej sprawie alianci woleli dmuchać na zimne. W każdym razie obie akcje na Vermork należały do najbardziej udanych operacji sabotażowych sprzymierzonych w trakcie całej wojny[18].

Czechosłowacja, pierwsza ofiara niemieckiej agresji, została pozostawiona bez pomocy przez Brytyjczyków i Francuzów w 1938 roku, a w marcu następnego roku Niemcy zajęli całe Czechy i Morawy. Jednakże 28 października 1939 roku czescy studenci uczcili rocznicę uzyskania niepodległości przez ich kraj wielką demonstracją. Naziści ku przestrodze pozamykali wszystkie uniwersytety w Czechach i dokonali stracenia dziewięciu studentów. Były premier Edvard Beneš zorganizował w Londynie rząd emigracyjny, a czescy żołnierze i lotnicy przedostali się do Anglii. Czescy piloci wykazali się świetnymi umiejętnościami i wielką odwagą, walcząc w składzie RAF-u.

Niemcy dokonali rozbioru Czechosłowacji. Okręg sudecki już wcześniej został przyłączony do Rzeszy, Słowacja stała się marionetkowym państwem pod rządami księdza Jozefa Tiso, resztę zaś kraju przemianowano na Protektorat Czech i Moraw. Mimo że nazistowski reżim początkowo wystrzegał się stosowania szczególnie surowych represji, to SD dusiła w zarodku wszelkie oznaki niezadowolenia ludności po czerwcu 1941 roku i włączeniu się Związku Radzieckiego do wojny po stronie sprzymierzonych. Czeski ruch oporu – ÚVOD (Ústřední vedení odboje domácího) – rozpoczął, podobnie jak czescy komuniści, akcje sabotażowe, wysadzając w powietrze składy paliw i linie kolejowe.

Hitler wyznaczył Reinharda Heydricha na nowego zwierzchnika Protektoratu Czech i Moraw, aby ów rozprawił się z czeskim ruchem podziemnym. Heydrich niezwłocznie wprowadził rządy terroru, zamierzając radykalnie zapobiec dalszym zakłóceniom produkcji wojennej. Zaaresztował czołowych urzędników i doprowadził do ich skazania na śmierć. Ogółem w trakcie pierwszych dni władzy nowego protektora rozstrzelano dziewięćdziesiąt dwie osoby, a kilka tysięcy zesłano do obozu koncentracyjnego w Mauthausen. Dalekosiężny plan Heydricha polegał na zgermanizowaniu czeskich terytoriów poprzez masowe deportacje. Rozpoczął też wywózkę stu tysięcy tamtejszych Żydów do obozów koncentracyjnych, gdzie niemal wszyscy oni zginęli.

---

[18] Szczegółowy opis tej operacji zob. J.A. Poulsson, *The Heavy Water Raid. The Race for the Atom Bomb 1942–1944. Counter Sabotage 1944–1945*, Oslo 2009.

W Londynie czeski rząd emigracyjny postanowił przeprowadzić zamach na Heydricha. Dwaj młodzi czescy ochotnicy zostali przeszkoleni przez SOE i pod koniec 1941 roku zrzuceni ze spadochronami nad Protektoratem Czech i Moraw. Dwudziestego siódmego maja 1942 roku, po długotrwałych działaniach rozpoznawczych, ta dwójka zorganizowała zasadzkę na trasie przejazdu Heydricha. Jeden z zamachowców usiłował ostrzelać nazistowskiego dygnitarza, gdy jego samochód zwolnił przed ostrym zakrętem, ale zaciął się pistolet maszynowy. Wtedy drugi cisnął sporządzoną w warunkach chałupniczych bombę. Wybuch ranił Heydricha; choć odniesione przezeń rany nie były śmiertelne, to wdało się zakażenie i 4 czerwca Heydrich zmarł wskutek posocznicy.

Hitler pieklił się, uważając, że Heydrich nie powinien był podejmować ryzyka związanego z jeżdżeniem po Pradze w otwartym aucie, a furia, do jakiej doprowadzili Führera Czesi, poskutkowała zbiorowymi represjami – masowymi egzekucjami i deportacjami. Wsie Lidice i Leżaki zostały zrównane z ziemią, wszystkie zamieszkujące w nich osoby płci męskiej powyżej szesnastego roku życia – zgładzone, a kobiety zesłane do obozu koncentracyjnego w Ravensbrück. Choć naziści dopuścili się jeszcze większych zbrodni, to tragiczny los Lidic stał się symbolem niemieckich prześladowań w świadomości całego świata zachodniego.

ROZDZIAŁ 29

Bitwa o Atlantyk i strategiczne bombardowania

1942–1943

Sukcesy Royal Navy oraz RAF-u w zwalczaniu statków z zaopatrzeniem dla Afrikakorps Rommla jesienią 1941 roku skłoniły Hitlera do wydania rozkazu przerzutu niektórych U-Bootów z Atlantyku na Morze Śródziemne oraz na jego podejścia. Admirał Dönitz energicznie protestował, ale bez skutku. U-Booty odniosły na akwenach śródziemnomorskich pewne spektakularne sukcesy, w listopadzie zatapiając lotniskowiec HMS „Ark Royal" oraz pancernik HMS „Barham", lecz do przetrwania brytyjskiej 8. Armii w Afryce Północnej znacznie przyczyniła się Ultra – brytyjskie źródło informacji pochodzących z przechwyconych i rozszyfrowanych meldunków nieprzyjaciela.

Szef sztabu US Navy admirał Ernest King ociągał się z wprowadzeniem systemu konwojów wzdłuż amerykańskiego wschodniego wybrzeża, mimo iż jego kraj znalazł się w stanie wojny z Niemcami. Admirał Dönitz rozkazał niektórym U-Bootom typu IX przejście na tamte wody, gdzie miały atakować statki, przede wszystkim tankowce, dobrze widoczne nocami na tle rozświetlonego wybrzeża. Amerykańskie straty były tak wielkie, że King, pod naciskiem generała Marshalla, musiał na początku kwietnia zająć się organizowaniem konwojów. Wtedy Niemcy przenieśli główny ciężar podwodnych ataków w rejon Morza Karaibskiego i Zatoki Meksykańskiej.

W lutym 1942 roku Kriegsmarine wprowadziła w maszynach kodujących typu Enigma czwarty wirnik. W Bletchley Park określono ten nowy system kodowania mianem „Shark" i przez wiele miesięcy usiłowano go bez powodzenia złamać. Co gorsza, Niemcy złamali w tym czasie szyfr brytyjskiej Admiralicji, znany jako Naval Cipher 3, służący do kodowania wymienianych z Amerykanami szczegółowych informacji o konwojach. Choć Brytyjczycy już w sierpniu zaczęli podejrzewać, że doszło do jego złamania, to Admiralicja z niejasnych powodów korzystała z niego przez następnych dziesięć miesięcy – z katastrofalnymi dla aliantów konsekwencjami.

Ogółem w 1942 roku uległo zatopieniu tysiąc sto alianckich statków, przy czym 173 w samym tylko czerwcu. Jednakże pod koniec października udało się zdobyć na uszkodzonym niemieckim okręcie podwodnym na Morzu Śródziemnym sprawny egzemplarz Enigmy wraz z instruktażem jej obsługi. W połowie grudnia kryptolodzy z Bletchley Park rozgryźli kod „Shark". Od tej pory znowu można było tak wytyczać szlaki rejsowe konwojów, by te omijały rejony koncentracji U-Bootów na morzu, a alianckie samoloty do zwalczania broni podwodnej z baz w Kanadzie, na Islandii i w Wielkiej Brytanii kierowano do stref, gdzie operowały U-Booty. Zmusiło to niemieckie podwodne „wilcze stada" do przeniesienia działań zaczepnych do „luki" na środkowym Atlantyku, pozostającej poza zasięgiem lotnictwa morskiego sprzymierzonych startujących z baz na lądzie.

W celu zwiększenia praktycznego zasięgu U-Bootów oraz czasu spędzanego przez nie na otwartym morzu *Grossadmiral* Dönitz, który nieco wcześniej zastąpił Raedera na stanowisku szefa Kriegsmarine, wprowadził do użycia „mleczne krowy" (*„Milchkühe"*) – okręty podwodne przystosowane do zaopatrywania w paliwo i inne zapasy podwodnych „wilczych stad" na Atlantyku. W grudniu skierował nawet kilka swoich U-Bootów na Ocean Indyjski. W czasie operacji „Torch" U-173 zatopił jeden i uszkodził dwa jednostki alianckiej floty inwazyjnej opodal Casablanki, a następnej nocy U-130 pod dowództwem Ernsta Kalsa storpedował kolejne trzy.

Przez cały ten okres odbywały się „piekielne rejsy" konwojów atlantyckich. W miesiącach letnich noce były tak krótkie, że okręty eskortowe i statki transportowe sprzymierzonych ucierpiały znacznie od nieustannych ataków przeprowadzanych przez samoloty Luftwaffe z baz w północnej Norwegii. Poza U-Bootami dowództwo Kriegsmarine rzucało przeciwko konwojom duże niszczyciele z kotwicowisk w tamtejszych fiordach. Z kolei w zimie pokłady alianckich statków i okrętów pokrywały się warstwą lodu, który trzeba było odrąbywać toporkami. Załogi storpedowanych, tonących jednostek nie miały większych szans na przeżycie w lodowatej wodzie, w której marynarze ginęli pod wpływem wychłodzenia organizmu w ciągu trzech minut.

Churchill, przekonany o konieczności zwiększenia bezpieczeństwa konwojów płynących do ZSRR, chciał przeprowadzenia desantu i opanowania północnej Norwegii w ramach operacji „Jupiter". Już od jesieni 1941 roku zadręczał swoich sztabowców planami inwazji we wspomnianym rejonie. Za każdym razem przedstawiano mu na to rzeczowe argumenty, dlaczego taka akcja mija się z celem. Brakowało dostatecznej liczby transportowców i okrętów nawodnych, a obszary te były zbyt odległe, aby móc zapewnić tam desantowi należytą osłonę powietrzną. Churchill powrócił do forsowania tej koncepcji w maju 1942 roku. W lipcu wpadł na pomysł, że akcja taka byłaby odpowiednim zadaniem dla Korpusu Kanadyjskiego, którego żołnierze przywykli do surowych warunków zimowych. Dowódca owego korpusu, generał Andrew McNaughton, oceniał, że potrzebowałby do takiej operacji „pięciu dywizji, dwudziestu dywizjonów [lotniczych] oraz wielkiej floty"[1]. Churchill zamierzał wysłać McNaughtona do Moskwy w celu przedyskutowania tego projektu ze Stalinem. Dopiero po stanowczym sprzeciwie Kanadyjczyków oraz brytyjskich szefów sztabów premier ostatecznie zarzucił te plany wiele miesięcy później. W Waszyngtonie generał Marshall również zdecydowanie przeciwstawiał się podobnemu rozpraszaniu sił.

Trzydziestego pierwszego grudnia 1942 roku konwój JW-51B płynący do Murmańska został zaatakowany koło Przylądka Północnego przez ciężki krążownik „Admiral Hipper", pancernik kieszonkowy „Lützow" i sześć niszczycieli. Cztery eskortowce Royal Navy natychmiast podjęły walkę. Choć w wyniku tego starcia poszły na dno jeden z brytyjskich niszczycieli, HMS „Achates", oraz trałowiec, to okręty Royal Navy uszkodziły „Hippera" i zatopiły niemiecki niszczyciel. Odparłszy atak potężniejszych nieprzyjacielskich sił, eskorta, na czele z HMS „Onslow", zdołała doprowadzić konwój do docelowego portu.

Na konferencji w Casablance w styczniu 1943 roku uznano bazy i stocznie U-Bootów za priorytetowe cele ataków brytyjskiego lotnictwa bombowego. W nocy z trzynastego na czternastego lutego dokonano ciężkiego nalotu na Lorient, jedną z najważniejszych niemieckich baz na francuskim wybrzeżu Atlantyku. Zaatakowany został też port w Saint-Nazaire. Ale żelbetowe schrony przetrzymały te naloty, mimo że na cele zrzucono wielką liczbę bomb, po około tysiąca ton na każdy z nich. Alianci doszli do wniosku, że skuteczniejsze okazało się stawianie mnóstwa min opodal wybrzeży Bretanii.

Udoskonalone radary, montowane na przeznaczonych do walki z okrętami podwodnymi samolotach Liberator i łodziach latających Sunderland, wkrótce zaczęły dowodzić swej przydatności. Zatoka Biskajska stała się poniekąd terenem łowieckim dywizjonów Bomber Command, operujących z lotnisk w południowo-zachodniej Anglii. A jednak podwodne „wilcze stada" U-Bootów na środkowym Atlantyku, gdzie jeszcze nie docierały alianckie samoloty, nadal zadawały flocie sprzymierzonych poważne straty. W marcu 1943 roku na wzburzonym morzu szybki konwój HX-229

---

[1] A. Brooke (lord Alanbrooke), *War Diaries, 1939–1945*, London 2001, s. 285.

wyprzedził wolniejszy SC-122. Stworzyło to zgrupowaniu U-Bootów okazję do zaatakowania dziewięćdziesięciu statków handlowych, osłanianych przez zaledwie szesnaście eskortowców. Dönitz skoncentrował na tamtych wodach trzydzieści osiem okrętów podwodnych, które pomiędzy 16 a 19 marca zatopiły dwadzieścia jeden alianckich jednostek. Dopiero pojawienie się następnego ranka liberatorów z lotnisk na Islandii ocaliło pozostałe statki z obydwu konwojów.

Dönitz dysponował w owym okresie dwustoma czterdziestoma sprawnymi U-Bootami. Trzydziestego kwietnia skoncentrował pięćdziesiąt jeden z nich między Grenlandią a Nową Fundlandią w celu przechwycenia konwoju ONS-5. Ponieważ w Bletchley Park udało się złamać nieco wcześniej szyfr „Shark", z St. John's w Kanadzie wyruszyło w tamten rejon pięć dodatkowych niszczycieli, a w stan pogotowia postawiono załogi łodzi latających Catalina Królewskich Kanadyjskich Sił Powietrznych (które w RCAF znane były pod nazwą Canso). Liberatory dalekiego zasięgu zwęziły w tym okresie atlantycką „lukę", a alianckie okręty eskortowe zostały wyposażone w nowe radionamierniki wysokiej częstotliwości, za pomocą których można było wykryć wynurzonego U-Boota z odległości dochodzącej do sześćdziesięciu pięciu kilometrów. Osłonę konwojów wzmocniono lotniskowcami eskortowymi, niszczycielami i korwetami wyekwipowanymi w nowe wyrzutnie typu Hedgehog, miotające bomby głębinowe przed dziób – wcześniej zrzucano je za rufę okrętu nawodnego, atakującego zanurzonego U-Boota. W pierwszym tygodniu maja U-Booty Dönitza przechwyciły konwój ONS-5. Zatopiły trzynaście statków, lecz kontratak przeprowadzony z udziałem nawodnych eskortowców oraz lotnictwa doprowadził do zniszczenia siedmiu U-Bootów. Zmusiło to Dönitza do wydania załogom pozostałych okrętów rozkazu przerwania akcji.

W maju Dönitz zmuszony był uznać, że taktyka operowania podwodnymi „wilczymi stadami" przestała się sprawdzać. Grupa trzydziestu trzech U-Bootów próbowała wtedy atakować konwój SC-130. Nie zdołały zatopić ani jednego statku, a Niemcy stracili pięć okrętów podwodnych. Jeden z nich, U-954, padł łupem liberatora brytyjskiego lotnictwa morskiego (Coastal Command). Zginęła cała załoga U-Boota, w tym dwudziestojednoletni syn Dönitza Peter. Łącznie podczas owego miesiąca Kriegsmarine straciła trzydzieści trzy U-Booty. Dwudziestego czwartego maja Dönitz rozkazał kapitanom prawie wszystkich swoich okrętów podwodnych wycofanie się z północnego Atlantyku i przejście na nowe pozycje na południe od Azorów. Churchillowi kamień spadł z serca. Po radykalnym zredukowaniu niebezpieczeństwa ze strony U-Bootów można było także przystąpić do przerzucania przez

Ocean Atlantycki amerykańskich wojsk z myślą o inwazji na kontynencie europejskim.

Hitler traktował podwodną kampanię przeciwko Wielkiej Brytanii jako sprawiedliwą odpłatę za morską blokadę Niemiec podczas pierwszej wojny światowej. Niewątpliwie też kampania bombardowań strategicznych Niemiec wiązała się u Anglosasów z silną chęcią odwetu za *Blitz* – wcześniejsze naloty Luftwaffe na Anglię. Ponadto chciano pomścić nazistowskie zbrodnie w okupowanych krajach, ofiary, które nie mogły same się bronić. Jednakże główny bodziec powietrznych uderzeń na Rzeszę stanowiła względna brytyjska słabość militarna i niemożność skutecznego zaatakowania wroga w inny sposób.

Dwudziestego dziewiątego czerwca 1940 roku, tuż po klęsce Francji, Churchill uznał, że kontynuowanie morskiej blokady Niemiec jest już niemożliwe. „Wobec tego – dodawał – jedynym rozstrzygnięciem w naszych rękach pozostanie potężny atak powietrzny na Niemcy"[2]. Strategiczna ofensywa bombowa przeciwko Rzeszy rozpoczęła się już 15 maja 1940 roku, gdy dziewięćdziesiąt dziewięć bombowców przeprowadziło nocny nalot na zakłady petrochemiczne w Zagłębiu Ruhry. Przez pierwszy rok ataki z udziałem maszyn Bomber Command były jednak w bardzo znacznym stopniu nieskuteczne. Pod koniec września 1941 roku Churchill z przerażeniem zapoznał się z tak zwanym raportem Butta; na podstawie zdjęć lotniczych oszacowano, że tylko co piąty brytyjski samolot zrzuca bomby w promieniu ośmiu kilometrów od wyznaczonego celu[3].

Szef sztabu brytyjskich sił powietrznych, generał RAF-u (*Air Chief Marshal*) Charles Portal, nieco wcześniej opracował dla premiera dokument, w którym opowiadał się za utworzeniem potężnego lotnictwa bombowego, złożonego z czterech tysięcy samolotów, którego działania miały złamać niemieckie morale. Portala, człowieka wielce inteligentnego, nie odstręczyły konsternacja i złość Churchilla po zapoznaniu się z raportem Butta. Wysunął argument nie do odrzucenia: brytyjskie wojska lądowe nie są w stanie pokonać Niemiec. Tylko RAF mógł liczyć na śmiertelne osłabienie Rzeszy do dnia powrotu Brytyjczyków do kontynentalnej Europy. Churchill przypomniał w odpowiedzi o prezentowanych przed wojną przesadnych zapewnieniach RAF-u dotyczących rzekomo rozstrzygających skutków bombardowań. W owym czasie odmalowywano obraz „zniszczeń spowodowanych przez lotnictwo, i to tak znacznych, że wprawiało to w przygnębienie mężów stanu odpowiedzialnych za przedwojenną politykę, co odegrało decydującą

---

[2] J. Colville, *The Fringes of Power. Downing Street Diaries, 1939–1955*, London 1985, s. 145.
[3] Por. *SOAG*, t. IV, s. 205–213.

rolę w pozostawieniu Czechosłowacji [przez Wielką Brytanię i Francję] w sierpniu 1938 roku"[4].

Churchill mógł równie dobrze stwierdzić, że zapewnienia składane przez RAF wynikają z rywalizacji brytyjskiego lotnictwa wojskowego z armią lądową i Royal Navy. Naloty bombowe na Niemcy podczas pierwszej wojny światowej były zarówno kosztowne, jak i nieskuteczne. Nowo zorganizowany wówczas RAF walczył o swoje przetrwanie, po czasie przytaczając zawyżone dane na temat poczynionych przez siebie zniszczeń, a zwłaszcza sukcesów w osłabianiu ducha bojowego nieprzyjacielskiej ludności cywilnej. Od roku 1918 uzasadnieniem utrzymania niezależności od pozostałych rodzajów sił zbrojnych przez lotnictwo był argument o tym, że bombardowania z powietrza stanowią czynnik strategiczny, zdolny do rozstrzygania wyników wojen. Doprowadziło to do „schematu przesadnych zapewnień, które w ostatecznym rozrachunku sprzyjały powstaniu przepaści między deklaratywną polityką RAF-u a ich rzeczywistymi możliwościami"[5]. Jednakże Churchill bynajmniej nie chciał rezygnować z atutów oferowanych mu przez Bomber Command. Bardzo zajmowała go historia i był aż nadto świadom tradycyjnej brytyjskiej strategii unikania bezpośredniego starcia z wrogami na europejskim lądzie aż do czasu poważnego osłabienia przeciwnika na morzach i na obszarach peryferyjnych. Przede wszystkim zależało mu na uniknięciu powtórki z pierwszej wojny światowej i krwawej łaźni na frontach.

Dla Churchilla najpilniejsza potrzeba w czasie nocnych nalotów Luftwaffe na Anglię w 1940 roku i wiosną roku 1941 sprowadzała się do udowodnienia rozczarowanemu przebiegiem wojny i zmęczonemu społeczeństwu, że Wielka Brytania może odpłacić się wrogowi tym samym. W okresie kiedy brytyjskie wojska lądowe znajdowały się w odwrocie po katastrofach w Grecji, na Krecie i po uderzeniach Rommla w Afryce Północnej, lansowana przez RAF strategia ofensywy lotniczej, sformułowana przez pierwszego szefa sztabu Królewskich Sił Powietrznych lorda Trencharda – „bombardować ich [nieprzyjaciół] bardziej, aniżeli oni bombardują nas"[6] – brzmiała na tyle atrakcyjnie, że zasługiwała na wypróbowanie. Fakt, że formacje bombowe Trencharda podczas pierwszej wojny światowej ponosiły olbrzymie straty, nie osiągając przy tym wiele, pomijano. Przymykano też oko na oczywistą implikację, iż strategia bombardowań była wymierzona zasadniczo przeciwko ludności cywilnej „w celu osiągnięcia efektu moralnego" – podobnie jak naloty przeprowadzane przez Luftwaffe. W każdym

---

[4] PP, folder 2c, cyt. za: T.D. Biddle, *Rhetoric and Reality in Air Warfare. The Evolution of British and American Ideas about Strategic Bombing, 1914–1945*, Princeton 2002, s. 2.
[5] *Ibidem*, s. 69.
[6] Słowa Trencharda, cyt. za: *ibidem*, s. 71.

razie bombardowania okazywały się w owym okresie na tyle nieprecyzyjne, że tylko rozległe cele, w rodzaju gęsto zaludnionych dużych miast, mogły realnie ucierpieć w wyniku takich ataków.

W odróżnieniu od jednostek Luftwaffe, które w wymiarze taktycznym ściśle współdziałały z niemieckimi formacjami wojsk lądowych, RAF starał się maksymalnie zdystansować od pozostałych rodzajów sił zbrojnych w trakcie długotrwałych zmagań o własną niezależność i odrzucał koncepcję bliskiej współpracy z nimi. Taka wewnętrzna rywalizacja w brytyjskich siłach zbrojnych nasiliła się zwłaszcza w latach trzydziestych. Zarówno brytyjska armia lądowa, jak i Royal Navy podważały aspekt moralny i „legalność" proponowanej przez RAF strategii nalotów bombowych. Admiralicja wręcz określała bombardowania miasta mianem „budzących odrazę i nieangielskich"[7]. RAF protestował energicznie, że „dzieciobójstwo" nie stanowi jego celu[8]. A jednak podkreślana nieustannie potrzeba osłabiania ducha bojowego nieprzyjaciół nie szła w parze z podsuwaniem alternatywnych rozwiązań.

W chwili wybuchu wojny Bomber Command pozostawało daleko z tyłu za brytyjskim lotnictwem myśliwskim (Fighter Command) pod względem gotowości do wykonywania swoich zadań bojowych. Nie tylko brytyjskie bombowce były wtedy nieodpowiednie do ich przeprowadzania, ale i poważnie zaniedbywano takie kwestie jak nawigacja, zwiad, rozpoznanie lotnicze i użycie systemów lokalizowania celów. Ponadto Bomber Command nie przewidziało skuteczności niemieckiej obrony powietrznej.

Na początku wojny dowódców RAF-u poinformowano oficjalnie, że „celowe bombardowania [skupisk] ludności cywilnej są w zasadzie bezprawiem"[9]. Było to reakcją na apel prezydenta Roosevelta do walczących państw o powstrzymanie się od bombardowań miast. Naloty brytyjskiego lotnictwa bombowego na Niemcy ograniczały się zrazu do nieskutecznych ataków na transporty i porty przeciwnika oraz do zrzucania propagandowych ulotek. Nawet po uderzeniach Luftwaffe na wielkie miasta, takie jak Warszawa, a nieco później Rotterdam, strategia ta nie uległa zmianie – aż do czasu pomyłkowego zbombardowania przez niemieckie samoloty Londynu zamiast portów u ujścia Tamizy, w nocy 24 sierpnia 1940 roku. Wydany przez Churchilla rozkaz ataku odwetowego, o którym już była mowa, w konsekwencji przywiódł do *Blitzu* – serii nalotów na Londyn – oraz do rozluźnienia ograniczeń narzuconych działaniom RAF-u. Jednakże mimo

---

[7] Zwrot z memorandum Admiralicji z kwietnia 1932 roku, cyt. za: U. Bialer, *The Shadow of the Bomber. The Fear of Air Attack and British Politics, 1932–1939*, London 1980, s. 24.

[8] S.B. Joubert de la Ferté, *The Aim of the Royal Air Force*, maj 1933, TNA AIR 2/675.

[9] TNA AIR 14/249.

wszelkich przechwałek Bomber Command w latach międzywojennych dywizjony bombowców Wellington i Handley Page Hampden okazały się prawie bezbronne w starciach z niemieckimi myśliwcami; ponadto miały trudności z docieraniem nad wyznaczone cele nawet za dnia, a jeśli już się to udawało, nie wyrządzały większych szkód. Dla RAF-u oznaczało to poważną kompromitację.

Churchill, mając nader nieobiektywne wyobrażenia na temat wrażliwości gospodarki Niemiec na ataki i blokadę, forsował plany rozbudowy Bomber Command. Oceniając perspektywy osiągnięcia zwycięstwa wyłącznie za sprawą bombardowań Rzeszy, pomijano fiasko ofensywy powietrznej Luftwaffe przeciwko Wielkiej Brytanii, która nie doprowadziła do zniszczenia infrastruktury i złamała morale ludności. Przy tym niemieckie zakłady petrochemiczne i lotnicze okazały się zbyt niewielkimi celami w obliczu chaotycznego przebiegu ataków powietrznych. Tak więc Portal, przekonując, że niemieckie naloty na Londyn w 1940 roku dały Wielkiej Brytanii prawo do „zdjęcia rękawiczek"[10], zaproponował powrót do przedwojennej strategii RAF-u, przewidującej „moralny efekt" bombardowań miast, które jego samoloty mogły niszczyć. Churchill wyraził na to zgodę. W nocy z 16 na 17 grudnia 1940 roku, miesiąc po niszczycielskim ataku Luftwaffe na Coventry, Bomber Command przeprowadziło pierwszy celowy nalot dywanowy na Mannheim.

Coraz trudniejsza sytuacja aliantów w bitwie o Atlantyk zmusiła następnie Bomber Command do skupienia się na nalotach na bazy U-Bootów, stocznie oraz fabryki, gdzie produkowano samoloty Focke-Wulf Condor, wykorzystywane przez Niemców do ataków na konwoje. Ale w lipcu 1941 roku spory w łonie RAF-u dotyczące nalotów dywanowych na miasta nasiliły się, a gorąco opowiadał się za ich podjęciem lord Trenchard. Panowało błędne przeświadczenie, że morale ludności niemieckiej jest znacznie bardziej kruche od tego prezentowanego przez Brytyjczyków i że załamie się ono pod wpływem nieustannej kampanii nocnych bombardowań. Raport Butta na temat niecelności dotychczasowych ataków bombowych przekonał jednak nawet krytyków tej koncepcji, iż nie ma innego wyjścia poza podjęciem nalotów dywanowych.

W lutym 1942 roku gabinet wojenny zezwolił Bomber Command na realizację strategii takich nalotów, a dowodzenie brytyjskim lotnictwem bombowym objął generał RAF-u (*Air Chief Marshal*) Arthur Harris. Harris, krzepkie chłopisko ze szczeciniastymi wąsami, nie miał wątpliwości, że klucz do zwycięstwa tkwi w niszczeniu niemieckich miast. To, jego zdaniem, pozwoliłoby na uniknięcie konieczności wysyłania sił

---

[10] Cyt. za: T.D. Biddle, *Rhetoric and Reality in Air Warfare*, op. cit., s. 188.

inwazyjnych na kontynent europejski, aby podjęły tam walkę z Wehrmachtem. Przywykły do twardego życia w Rodezji Harris nie widział specjalnych powodów, by iść na kompromisy z ludźmi, których uznawał za bojaźliwych dżentelmenów.

Poczynając od nocy w czasie niemieckiej ofensywy powietrznej na Anglię, którą Harris spędził na dachu gmachu Ministerstwa Lotnictwa, obserwując, jak bomby zrzucane przez samoloty Luftwaffe spadały na Londyn, pilno mu było przeprowadzić odwetowe uderzenie, zwłaszcza z użyciem mnóstwa ładunków zapalających – te bowiem mogły wywołać pożary, z jakimi nie poradziłyby sobie nieprzyjacielskie służby strażackie. W wyniku niemieckich nalotów na Londyn i inne angielskie miasta zginęło czterdzieści jeden tysięcy cywilów, a 137 tysięcy odniosło różne obrażenia. W związku z tym Harris nie chciał słuchać żadnych krytycznych uwag, ani też podporządkowywać się życzeniom generałów i admirałów, którzy – o czym był przekonany – próbowali ograniczyć swobodę działań i samodzielność RAF-u. Uważał ich za „dywersantów", zamierzających pokrzyżować urzeczywistnienie jego najważniejszego planu.

Pierwszym zadaniem, jakie postawił przed sobą Harris, było doprowadzenie do podniesienia morale swoich lotników. RAF poniósł dotkliwe straty – tracąc prawie pięć tysięcy ludzi i 2331 samolotów w pierwszych dwóch latach wojny – osiągając, wedle raportu Butta, niewiele. Podczas licznych przeprowadzonych wcześniej nalotów ginęło więcej brytyjskich lotników niż Niemców na ziemi w wyniku tychże ataków z powietrza.

Załóg brytyjskich bombowców nie otaczał taki nimb świetności jak pilotów myśliwskich z dywizjonów spitfire'ów w południowo-wschodniej Anglii, których dosłownie noszono na rękach w trakcie ich częstych wizyt w Londynie. Większość baz jednostek bombowych znajdowała się na prowincjonalnych lotniskach, na płaskich, wietrznych terenach hrabstw Lincolnshire i Norfolk, które leżały na tej samej szerokości geograficznej co Berlin. Załogi bytowały w barakach z blachy falistej, gdzie cuchnęło dymem z papierosów i koksowych piecyków, a krople deszczu zdawały się niemal bez przerwy bębnić w dach. Lotnicy dostawali po powrocie z misji bojowych posiłki złożone z jajek na boczku, a poza tym na ich nieurozmaiconą dietę składał się makaron zapiekany z serem, rozgotowane jarzyny, buraki i mielonka z konserw, wobec czego większość cierpiała na zaparcia. Do picia mieli herbatę, którą, jak podejrzewali, zaprawiano bromem zmniejszającym popęd seksualny, a w pobliskich posępnych pubach, do których trzeba było dojeżdżać w deszczowe wieczory rowerami lub autobusami, serwowano im wodniste piwo. Szczęściarze mogli liczyć na towarzystwo młodych dziewcząt z Pomocniczej Lotniczej Służby Kobiet (WAAF), pracujących na lotniskach. Innym marzyło się na potańcówkach nawiązanie znajomości z miejscowymi dziewczynami lub kobietami zatrudnionymi przy pracach rolnych[11].

Tak jak w brytyjskim lotnictwie myśliwskim piloci i inni członkowie załóg samolotów bombowych byli w większości ochotnikami. Jedna czwarta z nich pochodziła z krajów podbitych przez nazistów oraz z brytyjskich dominiów: Kanady, Australii, Nowej Zelandii, Rodezji i Afryki Południowej. Kanadyjczyków było tak wielu, że tworzono z nich osobne dywizjony RCAF, a nieco później powstały w składzie RAF-u także dywizjony polskie i francuskie. Około ośmiu tysięcy lotników Bomber Command zginęło w wypadkach w trakcie lotów ćwiczebnych, co stanowiło aż siódmą część łącznych strat.

Podczas gotowości bojowej, w oczekiwaniu na start, musieli zmagać się z chłodem, nudą, strachem, niewygodą i ciągłym hałasem silników lotniczych. Śmierć mogła nadejść w każdej chwili, od ognia artylerii przeciwlotniczej albo niemieckich myśliwców nocnych. Łut szczęścia oraz pech zdawały się odgrywać w ich życiu najważniejszą rolę, a wielu lotników nabierało obsesyjnych przesądów, wykonując prywatne rytuały i nosząc przy sobie talizmany w rodzaju króliczej łapki albo medalików z wizerunkiem świętego Krzysztofa. Niezależnie od celu akcji każda rozpoczynała się od ustalonej procedury – odprawy, której pierwsze słowa brzmiały: „Celem na dzisiejszą noc...", kontroli sprzętu radiowego, startu, zataczania kręgów na niebie aż do chwili uformowania szyku; nad kanałem La Manche strzelcy pokładowi oddawali próbne serie z kaemów, a napięcie na pokładzie samolotów narastało, gdy tylko w słuchawkach rozlegała się informacja: „Przed nami nieprzyjacielski brzeg". Wszyscy wyczekiwali na charakterystyczne poderwanie maszyny, odciążonej po zrzucie ładunku bomb.

Była to wojna młodych ludzi. Pewien trzydziestojednoletni pilot miał przydomek „Grandpa" („Dziadzio"). Przezwiska nadawano wszystkim i kwitły silne braterskie więzi, ale aby radzić sobie z wiadomościami o śmierci przyjaciół, trzeba było rozwinąć w sobie dozę cynizmu i beznamiętności, chroniąc się w ten sposób przed poczuciem winy z powodu tego, że samemu się przeżyło. Widok innego płonącego samolotu wywoływał mieszaninę przerażenia i ulgi, że nieszczęście przytrafiło się kolegom. Pewien bombowiec powrócił do bazy tak podziurawiony kulami przez myśliwce nocne, że obsługa naziemna „musiała wyciągać po kawałku" szczątki tylnego strzelca pokładowego z jego wieżyczki[12]. Oczekiwanie w punkcie zbiorczym, bez

---

[11] Na temat codziennego bytowania lotników z dywizjonów bombowych RAF-u zob.: P. Bishop, *Chłopcy z bombowców. Odpowiedź na atak 1940–1945*, tłum. R. Bartołd, Poznań 2010; D. Swift, *Bomber County. The Poetry of a Lost Pilot's War*, London 2010.
[12] Cyt. za: D. Swift, *Bomber County*, op. cit., s. 56.

wiedzy o tym, czy niebawem nastąpi start, czy też zostanie on przełożony, a nawet odwołany z powodu niesprzyjającej pogody nad celem, wiązało się z wielkim napięciem nerwowym. Zwłaszcza piloci bombowców byli „napięci jak postronki"[13], mimo że sami czasem z przekąsem określali siebie mianem „kierowców lepszych autobusów"[14].

Siła uderzeniowa Bomber Command zaczęła się zwiększać dopiero wówczas, gdy ciężkie bombowce – najpierw typu Stirling, a później także czterosilnikowe halifaksy i lancastery – zaczęły zastępować w jednostkach starsze hampdeny i wellingtony. W nocy 3 marca 1942 roku zgrupowanie 235 bombowców rzucono do pierwszego zmasowanego nalotu na cel we Francji – zakłady Renault w Boulogne-Billancourt na przedmieściach Paryża. Był to cel militarny, gdyż w fabryce tej produkowano pojazdy dla Wehrmachtu. Po raz pierwszy użyto wtedy świetlnych markerów, a ponieważ w okolicy Niemcy mieli niewiele dział przeciwlotniczych, samoloty mogły zejść na pułap nieco powyżej tysiąca metrów, aby celniej zrzucić bomby. Skutkiem tej akcji były bardzo poważne zniszczenia wspomnianego kompleksu przemysłowego, ale zginęło także 367 francuskich cywilów, głównie z pobliskich bloków mieszkalnych.

Dwudziestego ósmego marca RAF zbombardował port w Lubece na północy Niemiec, rzucając ładunki burzące i zapalające, zgodnie z koncepcją Portala i Harrisa. Dzielnica staromiejska spłonęła. Hitler szalał. „Teraz na terror będziemy odpowiadać terrorem", miał stwierdzić, jak odnotował jego adiutant z Luftwaffe[15]. Führer był tak rozwścieczony, że zażądał, aby „przerzucić samoloty z frontu wschodniego na zachód", lecz generał Jeschonnek, szef sztabu Luftwaffe, przekonał go, że lepiej wykorzystać niemieckie formacje bombowe z północnej Francji[16]. Gdy brytyjska kampania bombardowań zaczęła jednak nabierać tempa, wzmogły się naciski na wycofanie jednostek myśliwskich Luftwaffe i ciężkich baterii przeciwlotniczych z frontu wschodniego do obrony Rzeszy. Miesiąc po ataku na Lubekę Bomber Command przeprowadziło serię czterech nalotów na Rostock, miasto leżące osiemdziesiąt kilometrów dalej na wschód, dokonując tam jeszcze większych zniszczeń. Goebbels określił to jako „*Terrorangriff*" – „atak terrorystyczny" – a od tej pory lotników Bomber Command nazywano w Niemczech „*Terrorflieger*". Harris otwarcie wyrażał skalę odnoszonych sukcesów liczbą akrów miejskiej zabudowy obróconych w gruzy.

---

[13] *Ibidem*, s. 70.
[14] P. Bishop, *Chłopcy z bombowców, op. cit.*, s. 51.
[15] N. von Below, *Byłem adiutantem Hitlera, 1937–1945*, tłum. Z. Rybicka, Warszawa 1990, s. 295.
[16] *Ibidem*.

W nocy 30 maja 1942 roku Harris przeprowadził pierwszy nalot z udziałem tysiąca bombowców – na Kolonię. Pierwotnym celem tej akcji miał być Hamburg, gdzie znajdowały się stocznie U-Bootów, ale zła pogoda wymusiła zmianę planu. Churchill, w nieco teatralnym geście, zaprosił na obiad do swojej rezydencji w Chequers amerykańskiego ambasadora Johna Winanta oraz generała Henry'ego „Hapa" Arnolda, szefa Sił Powietrznych Armii Stanów Zjednoczonych (USAAF). Gdy goście zasiedli do stołu, premier obwieścił nowinę. Było to bardzo nieskromne, ale i kuszące przedstawienie w roku naznaczonym kompromitującymi niepowodzeniami Brytyjczyków. Winant wysłał Rooseveltowi depeszę, w której stwierdził: „Anglia to miejsce, z którego wygramy tę wojnę. Proszę o przysłanie tu samolotów i żołnierzy tak szybko, jak to możliwe"[17].

Zniszczenia w Kolonii były bardzo znaczne, ale i tak względnie małe w porównaniu ze skutkami późniejszych nalotów. Zginęło około czterystu osiemdziesięciu osób. Harris, niestrudzony propagator skuteczności Bomber Command, skoncentrował do tej akcji niemal wszystkie bombowce, które były w stanie wzbić się w powietrze, nawet maszyny ćwiczebne, aby sformować swoją złożoną z tysiąca samolotów armadę powietrzną. On także chciał zaimponować Amerykanom i Sowietom. „Zaczyna się odpłata!" – głosił nagłówek w gazecie „Daily Express". A jednak Harris wiedział, że musi zwodzić brytyjską opinię publiczną, a nawet niektórych swoich zwierzchników, zwłaszcza Churchilla, który odniósł się do tej akcji z bardzo mieszanymi odczuciami; trzeba było utrzymywać, że w atakowanych miastach znajdują się cele wojskowe, takie jak składy paliw czy węzły komunikacyjne. Większe stacje kolejowe stanowiły dla Harrisa usprawiedliwienia zrzutu bomb na całe centralne dzielnice wielkich miast. Mimo wszystko Harris orientował się też, że rodzima opinia publiczna go popiera. W Wielkiej Brytanii odezwały się tylko nieliczne, odosobnione głosy sprzeciwu; zaprotestował na przykład George Bell, biskup Chichester.

W sierpniu owego roku, kiedy Churchill poleciał do Moskwy wyjaśnić Stalinowi, że inwazja na północną Francję nie wchodzi na razie w rachubę, bombardowania niemieckich miast stanowiły jego najważniejszy atut w rokowaniach. Mógł bowiem argumentować, że ofensywa prowadzona przez Bomber Command to coś w rodzaju drugiego frontu. Minister uzbrojenia we władzach Hitlera Albert Speer wyrażał zresztą taki pogląd. Kampania bombardowań była jedyną brytyjską akcją zbrojną, którą Stalin pochwalał. Radziecki wywiad już uzyskiwał od przesłuchiwanych jeńców informacje, które wskazywały, że na morale niemieckich żołnierzy na froncie wschodnim

---

[17]   D.L. Miller, *The Eighth Air Force. The American Bomber Crews in Britain*, New York 2006, s. 58–59.

źle wpływa niepokój o losy ich rodzin w Rzeszy, w miastach bombardowanych przez Brytyjczyków. Stalin zawsze pałał żądzą zemsty, tym silniejszą, że do tego czasu około pół miliona radzieckich obywateli zginęło w wyniku nalotów Luftwaffe. W sowieckim lotnictwie wojskowym w zasadzie nie istniały wtedy formacje bombowców strategicznych, Stalin zatem był rad, że Brytyjczycy wzięli na siebie to zadanie.

Wraz z decyzją o użyciu naprowadzającego sprzętu radionawigacyjnego załogom samolotów Bomber Command łatwiej już było w tym okresie wyszukiwać naziemne cele. Tak zwane pathfindery, czyli samoloty oznaczające cele świetlnymi markerami, stanowiły inne *novum*, któremu Harris początkowo zdecydowanie się opierał, lecz przeważyło zdanie Portala i sztabu sił powietrznych. W tym samym okresie Niemcy przystąpili do wzmacniania obrony powietrznej Rzeszy. W Berlinie Hitler nakazał budowę wielkich betonowych wież, z bateriami ciężkich armat przeciwlotniczych na ich szczycie.

Straty Bomber Command wzrastały nieubłaganie wraz z przyspieszeniem rytmu nalotów na Niemcy, zwłaszcza na Zagłębie Ruhry, nazywane z goryczą „doliną szczęśliwości". Krewni poległych lotników otrzymywali oficjalne zawiadomienie, a następnie list kondolencyjny od dowódcy dywizjonu lub bazy. Po upływie pewnego czasu rodzinie zwracano przedmioty osobiste – spinki do mankietów, ubrania, grzebienie i przybory do golenia, a jeśli lotnik posiadał auto, także można je było odebrać.

„Najgorsze jest patrzenie na ogień przeciwlotniczy – napisał dwudziestoczteroletni podpułkownik Guy Gibson, który kierował akcją 617. Dywizjonu „Dambusters" w nocy 16 maja 1943 roku. – Trzeba stłumić wyobraźnię, bo inaczej stanie się człowiekowi krzywda"[18]. Skutki trafienia pociskiem przeciwlotniczym i związane z tym odczucia były oczywiście jeszcze gorsze. „Pocisk wybuchający pod samolotem unosi go o jakieś piętnaście metrów – zauważył aktor Denholm Elliott, podówczas pełniący służbę jako radiooperator na pokładzie bombowca typu Halifax. – Człowiek natychmiast staje się religijny"[19].

Pomijanymi ofiarami wojny byli ci, którzy załamywali się nerwowo przed końcem tury, na jaką składało się uczestnictwo w trzydziestu lotach bojowych. LFM – *„lacking in moral fibre"*, czyli „brak kręgosłupa moralnego" – tak określano w RAF-ie przypadki tchórzostwa lub wstrząsu wywołanego udziałem w walkach. Przez większość czasu wojny w RAF-ie najwyraźniej jeszcze bardziej bezdusznie aniżeli w wojskach lądowych odnoszono się do kwestii leczenia urazów psychicznych.

---

[18] Cyt. za: D. Swift, *Bomber County, op. cit.*, s. 95.
[19] P. Bishop, *Chłopcy z bombowców, op. cit.*, s. 145.

Ogółem u 2989 osób z personelu latającego Bomber Command rozpoznano nerwicę lub załamanie nerwowe. Nieco ponad jedną trzecią z tych ludzi byli piloci. Najbardziej niezwykłe było to, że loty ćwiczebne najwyraźniej wywoływały jeszcze silniejszy stres niż udział w nocnych bombardowaniach.

Latem 1942 roku rozpoczęło się koncentrowanie amerykańskiej 8. Armii Powietrznej w Wielkiej Brytanii. W maju przybył tam generał major Carl Andrew Spaatz, aby kierować wszystkimi amerykańskimi operacjami lotniczymi w Europie, a dowództwo formacji bombowych 8. Armii Powietrznej objął generał brygady Ira C. Eaker. Ku zdumieniu Brytyjczyków, którzy wcześniej próbowali przeprowadzać dzienne bombardowania i źle na tym wyszli, Amerykanie obwieścili, że będą prowadzili swoją kampanię nalotów na Niemcy za dnia.

W Siłach Powietrznych Armii Stanów Zjednoczonych odrzucano kontrowersyjną teorię RAF-u o osłabianiu ducha bojowego wroga za pomocą bombardowań. Dowódcy amerykańskiego lotnictwa wojskowego twierdzili, że dysponując celownikiem bombowym typu Norden, będą w stanie przeprowadzać precyzyjne bombardowania „kluczowych węzłów" nieprzyjacielskiej „sieci zakładów przemysłowych". Ale informacje wywiadowcze na temat atakowanych celów były cokolwiek nieprecyzyjne, poza tym osiągnięcie należytej celności bombardowań wymagało doskonałej widoczności podczas nalotów oraz wyboru celów łatwo rozpoznawalnych, które w dodatku nie miałyby zbyt silnej obrony przeciwlotniczej. Zapewnienia o bombardowaniach tak celnych, że można było „trafić w beczkę z kiszonymi ogórkami", rzadko odpowiadały rzeczywistości – rozrzut bomb spadających na ziemię był znaczny. Uniki wykonywane przez pilotów bombowców, aby ochronić się przed ogniem przeciwlotniczym, rozchwiewały czułe żyroskopy celowników Norden, a założenie, iż celowniczy zachowa całkowity spokój w trakcie wprowadzania wszystkich niezbędnych danych, było nader optymistyczne, nawet przyjmując, że ów członek załogi w ogóle potrafi dostrzec cel pośród dymu, chmur i mgły. Techniki bombardowań z powietrza stosowane przez Amerykanów nie były lepsze od tych obowiązujących w RAF-ie[20].

Uzbroiwszy swoje B-17 w ciężkie karabiny maszynowe w obrotowych wieżyczkach, USAAF przewidywały, że naloty na znacznych wysokościach w ciasnym szyku umożliwią skuteczne odpieranie ataków myśliwców nieprzyjaciela za pomocą koncentrycznego ognia zaporowego. Niedoświadczeni strzelcy pokładowi częściej jednak trafiali sąsiednie samoloty formacji

---

[20] D.L. Miller, *The Eighth Air Force, op. cit.*, s. 89–136.

bombowców niż atakujące messerschmitty. Spaatz początkowo nie uważał eskorty myśliwskiej za niezbędną, mimo że już w połowie lat dwudziestych w US Army Air Service, gdyż taką nazwę nosiły wtedy amerykańskie siły powietrzne, przetestowano dodatkowe, odrzucane zbiorniki paliwa, zapewniające samolotom myśliwskim większy zasięg. Tak jak wcześniej Brytyjczycy, Amerykanie zlekceważyli wnioski z przebiegu walk powietrznych podczas hiszpańskiej wojny domowej i zmagań w Chinach. Rychło okazało się to bardzo poważnym zaniedbaniem, gdy 8. Armia Powietrzna przystąpiła do przeprowadzania misji bojowych nad Niemcami.

Z początku Spaatz rozsądnie postanowił posyłać swoje niedoświadczone załogi bombowców na stosunkowo mniej niebezpieczne akcje nad Francją. Siedemnastego sierpnia dwanaście „Latających Fortec" wystartowało pod wodzą Eakera do pierwszej misji bojowej w Europie. Spaatz chciał polecieć sam, ale ostatecznie wyperswadowano mu ten pomysł, gdyż znał sekret Ultry – wiedział, że alianci mogą korzystać z przechwyconych i rozszyfrowywanych niemieckich meldunków. Celem amerykańskich bombowców były stacje rozrządowe w Rouen w północnej Francji – miejscowości znajdującej się na tyle blisko, by Amerykanie mogli korzystać z osłony myśliwskiej zapewnianej przez spitfire'y. W Rouen nie było obrony przeciwlotniczej, a eskortowe spitfire'y odpędziły w trakcie lotu powrotnego znad celu nieliczne messerschmitty. Po tej akcji alianccy dziennikarze zgotowali amerykańskim załogom huczne powitanie. Jednakże Churchilla i Portala niepokoiło dość powolne tempo rozbudowy amerykańskich sił bombowych w Wielkiej Brytanii oraz uparte obstawanie sojuszników przy planach dziennych nalotów. Główną przyczyną wspominanych opóźnień było to, że część samolotów i ich załóg przerzucono w region śródziemnomorski w celu wzmocnienia 12. Armii Powietrznej operującej nad Afryką Północną.

Pod kierownictwem generała Arnolda USAAF rozrastały się w zdumiewającym tempie. W początkowym okresie sprzyjały temu przyjacielskie układy w dowództwie amerykańskich sił powietrznych. Z kolei w RAF-ie często dochodziło do sporów, zazwyczaj wywoływanych przez przekorę i upór Harrisa oraz żywioną przezeń głęboką niechęć wobec personelu i sztabowców brytyjskiego lotnictwa wojskowego; uważał ich za jeszcze bardziej ograniczonych umysłowo od oficerów wojsk lądowych i Royal Navy, których wprost nie cierpiał. Harris otwarcie szydził z „ropniaków", jak określał zwolenników nalotów bombowych na nieprzyjacielskie zakłady petrochemiczne, oraz ze „sklepikarzy", którzy domagali się atakowania innych, konkretnych celów naziemnych. A jednak amerykańskie koncepcje precyzyjnych nalotów dziennych cechowały się podobnym brakiem elastyczności. Nawet specyfika panującej w Europie pogody, fakt, iż nad tym kontynentem często wisiała gruba warstwa chmur, nie rozwiewały u dowódców USAAF przekonania o skuteczności takich bombardowań.

W trakcie kryzysowej fazy bitwy o Atlantyk pod koniec 1942 roku zarówno Bomber Command, jak i amerykańska 8. Armia Powietrzna skoncentrowały wysiłki na atakowaniu schronów dla U-Bootów na francuskim wybrzeżu atlantyckim. Ale potężne betonowe bunkry okazały się odporne na bomby; dochodziło nawet do bezpośrednich trafień, co zdarzało się dosyć rzadko przy bardzo złej pogodzie owej zimy. Z kolei pobliskie miasta portowe, Saint-Nazaire i Lorient, zostały obrócone w perzynę. Z perspektywy czasu jedyną korzyść dla aliantów stanowiło to, że budowa tych wielkich żelbetowych schronów znacznie spowolniła wznoszenie przez Niemców wału atlantyckiego – linii brzegowych umocnień, które miały strzec okupowane obszary północno-zachodniej Europy przed inwazją.

Podczas nalotu 8. Armii Powietrznej na schrony dla okrętów podwodnych w Saint-Nazaire, przeprowadzonego 23 listopada, myśliwce Luftwaffe wypróbowały nową taktykę walki z „Latającymi Fortecami". Do tej pory niemieccy piloci niezmiennie atakowali amerykańskie bombowce od tyłu, tym razem jednak, dysponując trzydziestoma nowymi focke-wulfami FW 190, przypuścili szturm bezpośrednio od czoła. Wymagało to od niemieckich pilotów myśliwskich żelaznych nerwów i wielkich umiejętności, ale pleksiglasowy dziób kadłuba B-17, w którym znajdowało się stanowisko celowniczego, był w istocie najbardziej wrażliwym punktem tej maszyny. Poza tym taki atak wprawiał w przerażenie wszystkich członków załogi w przedniej części bombowca.

Podobnie jak to się działo w przypadku lotników RAF-u, Amerykanom najbardziej doskwierało wyczerpujące nerwowo oczekiwanie na start oraz odwoływanie zaplanowanych akcji wskutek złej pogody. Średnio tylko w dwa lub trzy dni na dziesięć widoczność była na tyle dobra, by można było dostrzec atakowany cel. Młodzi członkowie załóg amerykańskich bombowców także mieli swoje przesądy i rytuały, w rodzaju zakładania swetra na lewą stronę, noszenia przynoszących szczęście monet czy też latania tą samą maszyną. Nie znosili „przesiadek" na zapasowe samoloty.

Mroźny wiatr, zwłaszcza na otwartym stanowisku pokładowego strzelca bocznego, powodował zdrętwienie. Niektórzy z lotników mieli ogrzewane elektrycznie buty, rękawice i kombinezony, ale te rzadko działały należycie. W pierwszym roku operacji powietrznych więcej lotników ucierpiało z powodu odmrożeń niż na skutek odniesionych w walkach ran. Strzelcy w wieżyczkach, nie mogąc opuszczać swoich niewygodnych stanowisk przez kilka godzin, gdy samolot znajdował się nad wrogim terytorium, często musieli moczyć się w spodnie; wilgotne plamy moczu szybko zamarzały. Jeśli karabin maszynowy się zaciął, trzeba było zdjąć rękawice, aby usunąć usterkę, a palce przymarzały do lodowatego metalu broni. Każdemu lotnikowi ranionemu odłamkiem pocisku przeciwlotniczego lub pociskiem z działka groziła śmierć z powodu wychłodzenia organizmu, nim podziurawiony bombowiec powrócił do bazy. Jeśli nieprzyjacielski ogień doprowadzał do uszkodzenia aparatury tlenowej, członkowie załogi popadali w omdlenie, zanim pilotowi udawało się sprowadzić maszynę na pułap poniżej siedmiu tysięcy metrów. I chociaż do śmierci w wyniku anoksji dochodziło rzadziej niż raz na sto takich przypadków, to większości lotników zdarzało się ucierpieć z powodu niedotlenienia.

W gęstych chmurach nierzadko dochodziło do kolizji, a wiele samolotów ulegało katastrofom w trakcie lądowania w bazie w trudnych warunkach meteorologicznych. Ale największym wstrząsem był widok innego bombowca, lecącego nieco z przodu lub tuż obok, zamieniającego się w gigantyczną ognistą kulę. Nic dziwnego, że piloci sięgali wieczorami po whisky, aby uspokoić roztrzęsione nerwy, w nadziei na odegnanie w taki sposób nawracających koszmarów sennych, które nękały coraz liczniejszych lotników. Śnili im się pokiereszowani, okaleczeni koledzy, palące się silniki albo kadłuby podziurawione ogniem działek i armat przeciwlotniczych.

Tak jak w RAF-ie, przypadki nerwicy wywołanej przebytymi walkami były na porządku dziennym, a amerykańscy lotnicy, wedle ich własnych słów, stawali się skrajnie pobudliwi albo dostawali „dreszczy od focke-wulfów". Liczni cierpieli na „drżączkę", a niektórzy także na omdlenia, przejściową ślepotę lub nawet na katatonię. Były to zrozumiałe reakcje na silny stres, wywołany poczuciem bezradności w warunkach skrajnego niebezpieczeństwa. Czasami takie reakcje występowały po czasie, z opóźnieniem. Ludzie sprawiali wrażenie, że otrząsnęli się ze strasznych przeżyć, a kilka tygodni później popadali w głębokie załamanie. Dysponujemy niewieloma wiarygodnymi statystykami na temat liczby przypadków załamania nerwowego, ponieważ dowódcy jednostek dążyli do ukrywania tego problemu.

Major Curtis LeMay, który w owym czasie podjął służbę w 305. Grupie Bombowej, przekonał się przerażony, że amerykańscy piloci po dotarciu nad cel starali się manewrować i kołysać samolotami, aby uniknąć ognia przeciwlotniczego, tym samym niwecząc jakąkolwiek szansę przeprowadzenia celnego zrzutu bomb. Zdaniem wojowniczego LeMaya, który później stał się pierwowzorem postaci generała Jacka D. Rippera w filmie Stanleya Kubricka *Doktor Strangelove*, odbierało to jakikolwiek sens takiej operacji bojowej. Rozkazał więc swoim pilotom, by lecieli prosto i nie schodzili z kursu w trakcie nalotu na cel. Rozpoznanie lotnicze wykazało, że podczas ataku na Saint-Nazaire 23 listopada 305. Grupa zaliczyła dwukrotnie więcej bezpośrednich trafień w cele w porównaniu z poprzednimi akcjami. A jednak nawet mimo tej innowacji LeMaya przeciętnie zaledwie niespełna trzy procent bomb spadało w promieniu trzystu metrów od wyznaczonych celów. Początkowe zapewnienia USAAF o trafianiu w „beczkę z ogórkami" okazały się, mówiąc delikatnie, przesadzone. Wtedy LeMay zastosował inną taktykę. Umieścił swoich najlepszych nawigatorów i bombardierów w samolotach lecących na czele formacji, w pozostałych maszynach polecił zdemontować celowniki Norden, a dowódcom załóg rozkazał zrzucać ładunek bomb dopiero po uczynieniu tego przez prowadzące samoloty. Ale fakt pewnego rozproszenia bombowców w szyku powodował, że wiele bomb spadało z dala od celu, i to mimo precyzyjnego ataku wiodących maszyn formacji.

Ogień niemieckich baterii przeciwlotniczych, prowadzących w tym czasie ostrzał „strefowy", i agresywniejsze działania nieprzyjacielskich myśliwców jeszcze bardziej redukowały celność amerykańskich bombowców. Lot w ciasnej formacji, zapewniającej obronę przed samolotami myśliwskimi, ułatwiał prowadzenie bardziej skoncentrowanego ognia artylerii przeciwlotniczej. Historyk zajmujący się amerykańską kampanią bombardowań strategicznych ujął to następująco: „8. Armia Powietrzna nigdy nie wypracowała metody bombardowania z maksymalną precyzją i z zachowaniem maksymalnej ochrony. A to, że uporano się z tym problemem, musiało nieodwracalnie prowadzić do bombardowań dywanowych, podczas których część bomb trafiała w cele, a reszta leciała gdzie popadnie. Realia pola walki, a nie przedwojenne teorie, nieuchronnie popchnęły 8. Armię Powietrzną ku zmasowanym nalotom dywanowym [preferowanym przez] »Bombera« Harrisa"[21].

Na konferencji w Casablance w styczniu 1943 roku generał Arnold powiedział generałowi Eakerowi, że Roosevelt zgodził się już na przestawienie 8. Armii Powietrznej na nocne bombardowania prowadzone wraz z RAF-em. Eaker usiłował przekonać Churchilla, że naloty bombowe za dnia są skuteczniejsze. Twierdził, że jego bombowce zestrzeliwują co najmniej dwa lub trzy niemieckie myśliwce za każdy strącony własny samolot, choć Brytyjczycy wiedzieli, iż nie ma to nic wspólnego z prawdą. Churchill milczał, gdyż Portal zawczasu uprzedził go, aby nie wdawał się z Amerykanami w spory w kwestii dziennych bombardowań. Połączenie dziennych nalotów USAAF z nocnymi atakami RAF-u przekuto w odpowiadający Amerykanom i Brytyjczykom kompromis, określony mianem „bombardowań całodobowych".

Sprzymierzeni uzgodnili wydaną wspólnie dyrektywę w tej sprawie, w której stwierdzono, że „głównym celem będzie stopniowe niszczenie i rozmontowanie niemieckiego systemu militarnego, przemysłowego i gospodarczego oraz osłabianie morale niemieckiego narodu aż do momentu, kiedy

---

[21] *Ibidem*, s. 109.

jego zdolność do stawiania zbrojnego oporu ulegnie decydującemu obniżeniu"[22]. Oczywiście Harris uznał to za ostateczne zaaprobowanie swojej strategii. I choć „połączoną ofensywą bombową" miał pokierować Portal, podejmowanie najważniejszych decyzji w tej mierze przypadło Eakerowi i Harrisowi, którzy wybierali cele ataków powietrznych.

Nawet po uzgodnieniu rzeczonej dyrektywy, znanej jako „Pointblank", połączona ofensywa bombowa nie miała w istocie charakteru ściśle skoordynowanej operacji, mimo że Harris i Eaker nieźle się dogadywali, a Harris uczynił wszystko, co w jego mocy, aby dopomóc 8. Armii Powietrznej w podjęciu i kontynuowaniu bombardowań. Eaker, częściowo pod wpływem wskazówek generała Marshalla, który nadzorował przygotowania do inwazji na kontynentalną Europę, miał się skupić na niszczeniu Luftwaffe – zarówno niemieckich wytwórni samolotów, jak i myśliwców w powietrzu. Z kolei Harris, zamierzając po prostu nadal robić swoje, zrównywał z ziemią niemieckie miasta, z pozoru traktując jako pierwszorzędne zadanie atakowania celów wojskowych. Lubował się w prezentowaniu odwiedzającym go w jego kwaterze głównej w High Wycombe okazałych, oprawionych w skórę „niebieskich ksiąg". Te wypełnione były wykresami i diagramami przedstawiającymi strategiczne znaczenie bombardowanych ośrodków miejskich i niszczonych obszarów. Rozżalenie i frustracja Harrisa narastały pod wpływem żywionego przezeń przekonania, że działaniom Bomber Command nie poświęcano należytej uwagi i niedostatecznie je doceniano.

Szesnastego stycznia 1943 roku, kiedy bitwa stalingradzka wkraczała w dramatyczne, ostatnie stadium, Bomber Command przeprowadziło pierwszy z serii nalotów na Berlin. Był to zarazem pierwszy większy nalot poprzedzony zrzuceniem na cele świetlnych markerów przez pathfindery. Osiem dni później 8. Armia Powietrzna po raz pierwszy uderzyła na cele w Rzeszy, atakując stocznie na północnym wybrzeżu Niemiec, w których budowano U-Booty. Po upływie kolejnego miesiąca amerykańskie samoloty, z ośmioma reporterami na pokładach, wśród których był Walter Cronkite, znalazły się ponownie nad Wilhelmshaven. Niebawem w składzie 8. Armii Powietrznej podjęli służbę reżyser William Wyler i aktor Clark Gable, co przydało działaniom tej formacji publicznego rozgłosu; Bomber Command RAF-u nie był w stanie jej w tym względzie dorównać. Harrisowi marzyły się prasowe relacje opisujące wyczyny jego lotników, ale służby informacyjne Spaatza i Eakera biły go w tym na głowę.

Piątego marca samoloty Bomber Command na nowo zaatakowały główne zagłębie przemysłowe Niemiec, zwłaszcza miasto Essen. Nalot z 12 marca doprowadził do zniszczenia zakładów produkujących czołgi, co

---

[22] Cyt. za: T.D. Biddle, *Rhetoric and Reality in Air Warfare*, op. cit., s. 215.

opóźniło dostawy ciężkich „Tygrysów" i „Panter" i przyczyniło się do przesunięcia daty rozpoczęcia przez Niemców wielkiego kontruderzenia pod Kurskiem. Ósma Armia Powietrzna wkrótce przyłączyła się do tak zwanej powietrznej ofensywy na Zagłębie Ruhry, a łączna liczba ofiar nalotów na Niemcy wzrosła do dwudziestu jeden tysięcy ludzi.

Göring, skompromitowany z powodu słabości Luftwaffe w zmaganiach z alianckimi atakami lotniczymi, wycofał kolejne jednostki myśliwskie z frontu wschodniego do wzmocnienia obrony powietrznej Rzeszy. Mimo że nie było to jednym ze sprecyzowanych celów działań sprzymierzonych, to wpływ ofensywy powietrznej na ostateczny rezultat wojny okazał się zapewne o wiele większy od zniszczeń przez nią spowodowanych. Radzieckie lotnictwo wojskowe tu i ówdzie uzyskało dzięki niej przewagę, o ile nie supremację w powietrzu. Ponadto wykorzystanie samolotów rozpoznawczych Luftwaffe musiało ulec drastycznemu ograniczeniu. To z kolei umożliwiło Armii Czerwonej, zwłaszcza w następnym roku, znaczne sukcesy w dziedzinie *maskirowki* – działań maskujących i dywersyjnych.

Chociaż wbrew nadziejom aliantów nie udało się złamać ducha niemieckiej ludności, to Goebbels i inni nazistowscy przywódcy byli poważnie zaniepokojeni. Krążący w owym czasie popularny wierszyk brzmiał:

> *Lieber Tommy fliege weiter,*
> *Wir sind alle Ruhrarbeiter,*
> *Fliege weiter nach Berlin,*
> *Die haben alle „ja" geschrien.*

> (Drogi Tommy [Brytyjczyku], przelatuj
> Nad nami, robotnikami z Ruhry,
> Leć dalej na Berlin,
> A wszyscy krzyczą: „Tak!")

Było to nawiązanie to przemówienia wygłoszonego przez Goebbelsa po bitwie stalingradzkiej w berlińskim Pałacu Sportu w lutym 1943 roku, gdy pobudzał audytorium wołaniem: „Czy chcecie wojny totalnej?" – a wszyscy na to chórem odpowiadali twierdząco[23].

---

[23] Opis alianckich nalotów bombowych na miasta Rzeszy z perspektywy niemieckiej zob.: *Die Deutsche Kriegsgesellschaft, 1939 bis 1945*, red. J. Echternkamp, München 2004; R.M. Ellscheid, *Erinnerungen von 1896–1987*, Köln 1988; J. Friedrich, *Pożoga. Bombardowania Niemiec w latach 1940–1945*, tłum. P. Dziel, D. Kocur, J. Liniwiecki, Warszawa 2011; O. Groehler, *Bombenkrieg gegen Deutschland*, Berlin 1990; H.W. Hermans, *Köln im Bombenkrieg, 1942–1945*, Wartberg 2004; H. Pettenberg, *Starke Verbände im Anflug auf Köln. Eine Kriegschronik in Tagebuchnotizen 1939–1945*, Köln 1981; M. Rüther, *Köln im*

Owej wiosny 1943 roku straty alianckiego lotnictwa rosły w zastraszającym tempie. Tylko niespełna co piąty lotnik RAF-u przeżywał cykl trzydziestu lotów bojowych. Siedemnastego kwietnia 8. Armia Powietrzna straciła nad Bremą piętnaście bombowców, zestrzelonych przez niemieckie myśliwce. Eaker, wściekły z powodu tego, że nie dostał obiecanych mu wcześniej posiłków, ostrzegł generała Arnolda w Waszyngtonie, że do przeprowadzenia kolejnego nalotu pozostały mu maksimum 123 bombowce. Ósma Armia Powietrzna po prostu nie była w stanie wywalczyć przewagi w przestworzach, nieodzownej do pomyślnego przerzutu sił inwazyjnych za kanał La Manche.

Arnold znalazł się w trudnym położeniu. Ze wszystkich teatrów wojny wołano o więcej bombowców. W maju jednak wzmocnił amerykańskie jednostki lotnicze stacjonujące w Wielkiej Brytanii, a we wschodniej Anglii podjęto gigantyczny program budowy lotnisk. Nowi ludzie byli tam pilnie potrzebni, gdyż 8. Armia Powietrzna w pierwszym roku działań nad Europą straciła 188 samolotów bombowych i 1900 lotników. Eaker w końcu zrozumiał też naglącą potrzebę wprowadzenia do akcji myśliwców eskortowych dalekiego zasięgu. Pękate myśliwce P-47 Thunderbolt dysponowały zasięgiem umożliwiającym dotarcie tylko do przedwojennej niemieckiej granicy.

Dwudziestego dziewiątego maja RAF przeprowadził nalot na Wuppertal, wywołując tam za sprawą zrzuconych bomb zapalających pierwszą burzę ogniową. Po tym jak pathfindery zrzuciły znaczniki oświetlające cele ataku, pierwsza fala bombowców dokonała zrzutu ładunków zapalających w celu wywołania pożarów, a bomby burzące z następnej grupy samolotów niszczyły płonące budynki. Palące się zabudowania niebawem przeobraziły się w gorejące piekło, zasysające powietrze z całej okolicy. Wielu ludzi dusiło się od dymu albo z powodu braku tlenu, lecz innych spotkał jeszcze gorszy los. Na ulicach topił się od gorąca asfalt, w którym grzęzły obute stopy. Niektórzy uciekali nad rzekę i skakali do wody, aby uchronić się przed wszechobecnym żarem. Po dogasających pożarach pozostawały zwęglone, skurczone zwłoki, pozbawione wytopionego tłuszczu, a ekipom zajmującym się urządzaniem zbiorowych pogrzebów udawało się pomieścić szczątki trzech osób naraz w baliach i po siedem lub osiem w cynkowych wannach. Ogółem tamtej nocy zginęło 3400 osób. Tak jak Luftwaffe w 1940 roku, dowództwo RAF-u przekonało się, że bomby zapalające wywołują największe,

Zweiten Weltkrieg. Alltag und Erfahrungen zwischen 1939 und 1945, Köln 2005; M. Rüther, *31. Mai 1942. Der Tausend-Bomber-Angriff*, Köln 1992; P. Simon, *Köln im Luftkrieg. Ein Tatsachenbericht über Fliegeralarme und Fliegerangriffe*, Köln 1954; A. vom Stein, *Unser Köln. Erinnerungen 1910–1960. Erzählte Geschichte*, Köln 1999.

rozległe zniszczenia. Ładunki tego rodzaju były także lżejsze od konwencjonalnych bomb i nadawały się do zrzucania całymi seriami.

Harris nadal odnosił się nadzwyczaj niechętnie do wszelkich ingerencji w bezlitosną kampanię bombardowania ośrodków miejskich, zwłaszcza kiedy musiał wydzielić część swoich bombowców do nalotów na bazy U-Bootów. Zintensyfikował bombardowania miast, szczególnie tych, które już uległy częściowemu zniszczeniu. Dziesiątego czerwca 1943 roku oficjalnie rozpoczęła się ofensywa Bomber Command – „Pointblank". Dwa tygodnie później, nieco ponad rok po pierwszym nalocie tysiąca bombowców, Harris znowu rzucił swoje samoloty do uderzenia na Kolonię. Bomby zapalające i burzące zaczęły spadać na to miasto we wczesnych godzinach porannych 29 czerwca, w dniu świętych Piotra i Pawła.

„Wszyscy mieszkańcy domu przebywali w piwnicy – zapisał Albert Beckers. – Nad nami przez dłuższy czas silniki samolotów sprawiały, że powietrze drżało. Przypominaliśmy króliki w klatkach. Niepokoiły mnie rury wodociągowe – co będzie, jeśli popękają; czy wszyscy się potopimy? Powietrze trzęsło się od wybuchów. Do naszej piwnicy nie dotarła burza ogniowa, ale ponad nami wszystko płonęło. Potem nadleciała druga fala [samolotów], z bombami burzącymi. Nie sposób opisać, jakie to odczucie kulić się ze strachu w dole, kiedy powietrze drży, bębenki w uszach pękają od huku, światło gaśnie, brakuje tlenu, a tynk sypie się ze stropu. Musieliśmy przedostać się przez wyłom w murze do sąsiedniej piwnicy"[24].

Reporter Heinz Pettenberg opisał panikę w podziemiach domu swego znajomego, gdzie trzysta osób szukało schronienia, gdy na zewnątrz wybuchły pożary. „Razem z dwoma innymi ludźmi Fischer ganiał jak wariat, żeby ocalić dom. W trakcie tego często musiał zbiegać na dół, aby zapobiec wybuchowi paniki wśród oszalałej ze strachu grupy w piwnicach. Żona Fischera dęła w gwizdek, a wtedy przybiegał Fischer z pistoletem, żeby opanować zamęt. Odrzucano wszelkie zahamowania"[25].

„Waidmarkt przedstawiał straszny widok – relacjonował dalej Beckers. – Snopy iskier wypełniały powietrze. Większe i mniejsze drewniane drzazgi latały wszędzie i podpalały ubrania oraz włosy. Jakiś chłopczyk, który zgubił rodziców, stanął obok mnie i wskazywał na te iskry. Na placu zrobiło się nieznośnie gorąco. Wiatr rozniecał ogień i brakowało tlenu".

Na ulicach „dzieci biegały w kółko w poszukiwaniu rodziców – napisała szesnastoletnia uczennica. – Mała dziewczyna prowadziła za rękę swoją matkę, która w nocy oślepła. Koło dużej kupy gruzu zobaczyłam pastora, który zaciskając zęby, uczepił się kamieni i odrzucał cegłę za cegłą, ponieważ

---

[24] H.W. Hermans, *Köln im Bombenkrieg, 1942–1945, op. cit.*, s. 30.
[25] H. Pettenberg, *Starke Verbände im Anflug auf Köln, op. cit.*, s. 162–168.

bomba burząca zasypała tam całą jego rodzinę. (...) Szliśmy przez małe, wąskie zaułki jak przez rozgrzany piec, a nad piwnicami unosił się swąd spalonych ciał"[26].

„Wszędzie słychać było krzyki rannych, rozpaczliwe nawoływania i stukanie uwięzionych pod ziemią – napisała pewna czternastolatka ze Związku Niemieckich Dziewcząt (Bund Deutscher Mädel, BDM), żeńskiego odpowiednika Hitlerjugend. – Ludzie wołali zaginionych po imionach, a ulice zasłane były ciałami zabitych, wyłożonymi tam w celu ich identyfikacji. (...) Ci, którzy później wrócili, stali oszołomieni przed tym, co kiedyś było ich domami. Musiałyśmy zbierać kawałki ciał do cynowych balii. To było straszne i przyprawiało o mdłości, (...) wymiotowałam jeszcze dwa tygodnie po tym nalocie"[27]. Sprowadzono więźniów obozów koncentracyjnych, aby wydobywali zwłoki spod zawalonych budynków.

Służba Bezpieczeństwa raportowała o reakcjach ludności na nalot na Kolonię i uszkodzenie tamtejszej zabytkowej katedry. Choć wiele osób domagało się odwetu, to nazistów zaalarmowały reakcje katolików. „Tego wszystkiego można było uniknąć, gdybyśmy nie zaczynali tej wojny", stwierdził jeden z nich. „Bóg nie dopuściłby do czegoś takiego, gdyby racja była po naszej stronie i gdybyśmy walczyli o słuszną sprawę", uznał inny[28]. W raportach SD znalazły się nawet doniesienia, że niektórzy wyrażali pogląd, iż bombardowanie kolońskiej katedry i innych niemieckich kościołów ma związek ze zburzeniem synagog w Rzeszy i że to kara boska. Nadawszy zniszczeniom w Kolonii wielkiego rozgłosu propagandowego i poświęciwszy temu wydarzeniu kroniki filmowe, Goebbels naraz się rozmyślił, z obawy, że takie informacje mogą bardziej zniechęcić niemieckie społeczeństwo, aniżeli je wzburzyć. SD ustaliła, że ludzi denerwowało całe to propagandowe zamieszanie wokół zniszczonych kościołów i zabytkowych gmachów, z pomijaniem przez władze cierpień ludności – a przecież zginęło 4377 osób. Tysiące uciekło z Kolonii, rozpowiadając o tym straszliwym nalocie.

Harris stanowczo dążył do dalszego wzmożenia presji na przeciwnika, mimo że postanowił rzucić swoje formacje z dala od Zagłębia Ruhry, gdzie Niemcy wzmacniali obronę przeciwlotniczą. Ataki powietrzne trwały nieprzerwanie, a seria ciężkich nalotów na Hamburg zaczęła się w nocy z 24 na 25 lipca. Wtedy po raz pierwszy zrzucono zawczasu paski aluminiowej folii nazywanej „Window"; zakłócały one pracę niemieckich radarów i całego systemu obrony przeciwlotniczej. Brytyjczycy uderzyli w nocy, a 8. Armia

---

[26] Relacja Liny S. w: M. Rüther, *Köln im Zweiten Weltkrieg, op. cit.*, s. 167.
[27] *Ibidem*, s. 243.
[28] *Meldungen aus dem Reich. Die Geheimen Lageberichte des Sicherheitsdienstes der SS, 1938–1945*, red. H. Boberach, Herrsching 1984.

Powietrzna dwukrotnie za dnia. Harris nadał tej operacji kryptonim „Gomorrah" („Gomora"). Tragedią mieszkańców Hamburga było to, że lokalny gauleiter Karl Kaufmann zabronił opuszczania miasta bez specjalnego zezwolenia, decyzją tą faktycznie skazując na śmierć tysiące osób. W nocy 27 lipca 722 samoloty RAF-u nadleciały ponownie. Panowały idealne warunki do wywołania rozległych pożarów: tak się złożyło, że lipiec 1943 roku był najbardziej suchym i upalnym miesiącem od dziesięciu lat.

Setki bomb zapalających zrzucono na stosunkowo niewielki rejon we wschodniej części miasta, co przyspieszyło zlanie się pojedynczych pożarów w gigantyczną pożogę. Nad nią unosił się ku niebu słup żaru, tuż nad ziemią wywołując trąbę powietrzną, która jeszcze bardziej rozprzestrzeniała ogień. Załogi alianckich samolotów wyczuwały odór spalonych ludzkich ciał nawet na wysokości prawie sześciu tysięcy metrów. Tymczasem na ziemi podmuchy rozgrzanego powietrza zdzierały z ludzi odzież i podpalały nagie ciała, których mięso odpadało od kości. Tak jak w Wuppertalu, asfalt się gotował, a ludzie przylepiali się do niego niczym owady do lepu na muchy. Domy w mgnieniu oka stawały w ogniu. Straż pożarna nie była w stanie podołać zadaniom. Cywile, którzy pozostali w piwnicach, podusili się lub zmarli, wdychając dym albo zatruwając się czadem. Wedle późniejszych szacunków władz Hamburga właśnie ci ludzie stanowili siedemdziesiąt–osiemdziesiąt procent spośród czterdziestu tysięcy śmiertelnych ofiar nalotu. Wiele zwłok uległo takiemu zwęgleniu, że nigdy nie wydobyto ich spod gruzów[29].

Ocalali uciekali na pobliskie wsie i odległą prowincję. Lokalne władze radziły sobie w warunkach kryzysu nader sprawnie, jeśli uwzględnić skalę katastrofy. Wieści o koszmarze w Hamburgu przekazywano z ust do ust w całym kraju, po tym jak ewakuowanych przewieziono przez Berlin i rozlokowano we wschodniej i południowej części Niemiec. Wielu z nich przeszło załamanie nerwowe. Nie brakło pogrążonych w obłędzie po stracie najbliższych; ludzie ci wydobywali z ruin skurczone zwłoki swoich dzieci i wywozili je w walizkach.

Wstrząs, jaki ogarnął całą Rzeszę, porównywano do „cywilnej wersji" szoku wywołanego przez klęskę pod Stalingradem. Nawet nazistowscy przywódcy, tacy jak Speer czy inspektor generalny Luftwaffe feldmarszałek Erhard Milch, zaczęli sądzić, że takie bombardowania mogą doprowadzić do rychłego pokonania Niemiec. Zacietrzewiony Harris zorganizował następny nalot 29 lipca, ale Bomber Command poniosło wtedy znacznie większe szkody,

---

[29] Bardziej szczegółowy opis burzy ogniowej w Hamburgu zob.: J. Friedrich, *Pożoga, op. cit.*, s. 210–217; P. Bishop, *Chłopcy z bombowców, op. cit.*, s. 169–172; D.L. Miller, *The Eighth Air Force, op. cit.*, s. 180–184; K. Lowe, *Inferno. The Devastation of Hamburg, 1943*, London 2007.

tracąc 28 samolotów. Nowa niemiecka formacja myśliwska – „Wilde Sau", czyli „Dzik" – zastosowała nowatorską taktykę walki, polegającą na atakowaniu nieprzyjacielskich bombowców z góry, nawet nad samym celem, gdy te były dobrze widoczne na tle pożarów. Drugiego sierpnia wyruszyło nad Niemcy kolejne zgrupowanie brytyjskich maszyn bombowych, wpadło jednak w burzę z piorunami. Było to kosztowne fiasko: Brytyjczycy stracili wtedy trzydzieści samolotów, nie wyrządzając większych szkód przeciwnikowi.

W pierwszych dniach sierpnia generał Eaker, po intensywnych bombardowaniach w trakcie tak zwanego *Blitz Week* („tygodnia nalotów") i stracie dziewięćdziesięciu siedmiu „Latających Fortec", zdecydował przejściowo wycofać z walki załogi swoich bombowców, aby mogły odpocząć przed innymi ważnymi misjami bojowymi. Tymczasem podlegające mu zgrupowanie samolotów bombowych B-24 Liberator przeleciało do Afryki Północnej, aby stamtąd atakować pola naftowe koło Ploeszti w Rumunii. Operacja ta, pod kryptonimem „Tidal Wave", zaczęła się 1 sierpnia. Nie poprzedzono jej lotami zwiadowczymi, by nie alarmować tamtejszej obrony przeciwlotniczej. Liberatory nadleciały z kierunku naddunajskiej doliny w celu przeprowadzenia ataku z niskiego pułapu, co okazało się poważnym błędem. Niemcy zawczasu rozstawili wokół baterie armat przeciwlotniczych 40 mm i 20 mm, a nawet karabiny maszynowe na wszystkich pobliskich dachach. Zgrupowanie bombowców utrzymywało w trakcie całego lotu ciszę radiową, ale Niemcy przygotowali się do odparcia tego ataku. Złamawszy amerykańskie szyfry wojskowe, wiedzieli z wyprzedzeniem o tym nalocie.

Lecące na małej wysokości pośród kłębów gęstego czarnego dymu bombowce ucierpiały straszliwie od ognia przeciwlotniczego, by następnie natknąć się na silną formację myśliwców Luftwaffe, która stacjonowała w pobliżu. Tylko trzydzieści trzy liberatory ze 178 powróciły z tej akcji do bazy w stanie umożliwiającym następne loty bojowe. I choć koło Ploeszti dokonały bardzo poważnych spustoszeń, to Niemcy ściągnęli na miejsce mnóstwo robotników i po upływie kilku tygodni rafinerie przetwarzały jeszcze więcej ropy naftowej niż przed owym nalotem.

Kolejne zadanie, jakie zostało zlecone przez Waszyngton, polegało na rzuceniu samolotów 8. Armii Powietrznej na cele w głębi Niemiec. Siedemnastego sierpnia 146 bombowców pod dowództwem Curtisa LeMaya zaatakowało zakłady Messerschmitta w Ratyzbonie, a dwieście trzydzieści maszyn zrzuciło bomby na wytwórnię łożysk tocznych w Schweinfurcie. Zgrupowanie LeMaya, które wystartowało pomimo gęstej mgły, w celu zdezorientowania Niemców nadleciało nad Ratyzbonę z Afryki Północnej i znad Alp. Jednakże myśliwską defensywę Luftwaffe zwiększono do czterystu samolotów, wycofawszy część z nich z frontu wschodniego. Formacja

LeMaya straciła czternaście bombowców jeszcze przed dotarciem nad Ratyzbonę. Jeden ze strzelców pokładowych stwierdził, nasłuchując w słuchawkach modlitw innych lotników, że „poczuł się jak w napowietrznym kościele"[30]. Tyle tylko, że Amerykanie uniknęli pościgu, docierając z powrotem nad Alpy po zrzucie bomb.

Zgrupowanie, które otrzymało zadanie ataku na Schweinfurt i które zatrzymano na lotniskach do czasu, aż rozwiała się mgła, znalazło się nad celem z kilkugodzinnym opóźnieniem. Ta katastrofalna w skutkach zwłoka oznaczała, że niemieckie myśliwce, które wcześniej starły się w powietrzu z grupą LeMaya, zdążyły tymczasem wylądować, zatankować ponownie paliwo i uzupełnić amunicję. I znowu amerykańskie myśliwce Thunderbolt z osłony „Latających Fortec" zmierzających nad Schweinfurt musiały, ze względu na swój ograniczony zasięg, zawrócić ku Belgii w pobliżu niemieckiej granicy. Zaraz potem jednostki focke-wulfów FW 190 i messerschmittów Bf 109 wzbiły się w powietrze, by zaatakować amerykańskie samoloty ze wszystkich stron. Szacuje się, że poderwano do alarmowego startu około trzystu niemieckich maszyn myśliwskich, to jest znacznie więcej, niż walczyło ze zgrupowaniem LeMaya. Strzelcy w „Latających Fortecach" już wkrótce stali po kostki w łuskach pocisków z broni maszynowej w obrotowych wieżyczkach, gorączkowo usiłując ostrzeliwać wrogie myśliwce przemykające pomiędzy amerykańskimi bombowcami. Tak liczne samoloty zostały trafione i tak wielu członków załóg wyskoczyło z nich ze spadochronami, że jak zauważył jeden z lotników, przypominało to „desant spadochronowy"[31].

Nad Schweinfurtem ocalałe z pogromu samoloty nie były w stanie celnie zrzucić bomb. Formacje się wymieszały w trakcie ataku, wokół nich nieustannie pojawiały się czarne chmurki rozrywających się pocisków artylerii przeciwlotniczej, ponadto Niemcy przesłonili cel za pomocą generatorów dymu. Poza tym czterystapięćdziesięciokilogramowe bomby nie powodowały wystarczających zniszczeń, nawet trafiając w cele. Ósma Armia Powietrzna straciła sześćdziesiąt zestrzelonych bombowców i następną setkę uszkodzonych tak poważnie, że trzeba je było wykreślić ze stanu jednostek – a także prawie sześciuset lotników.

Wobec takich strat Churchill ponowił wywieranie nacisków na dowództwo USAAF, aby Amerykanie przestawili się na nocne bombardowania. Arnold stanowczo się temu opierał, wiedział jednak, że jego załogi będą wystawione na wielkie ryzyko aż do czasu wprowadzenia do walki przez aliantów myśliwców eskortowych dalekiego zasięgu. Kierownictwo USAAF musiało przyznać, że koncepcja użycia samodzielnie operujących silnie

---

[30] Cyt. za: D.L. Miller, *The Eighth Air Force*, *op. cit.*, s. 198.
[31] *Ibidem*, s. 199.

uzbrojonych „Latających Fortec", przy której Amerykanie obstawali stanowczo zbyt długo, ma poważne minusy. Potwierdził to·dobitnie przebieg następnej akcji 8. Armii Powietrznej, która ponownie zaatakowała cel poza zasięgiem osłony myśliwskiej, zrzucając bomby na Stuttgart. Skończyło się utratą czterdziestu pięciu z 338 uczestniczących w tym nalocie bombowców B-17.

W trakcie opisanych ataków na Ratyzbonę i Schweinfurt Luftwaffe straciła w wielkiej batalii powietrznej, jaka się wtedy wywiązała, czterdzieści siedem myśliwców, a łącznie podczas całego sierpnia 334 zestrzelone maszyny. Jeszcze bardziej złowieszcza dla Niemców była utrata wielu doświadczonych pilotów myśliwskich. Ich śmierć osłabiła powietrzną osłonę Rzeszy znacznie poważniej niż zniszczenia poczynione w fabryce Messerschmitta w Ratyzbonie przez bombowce LeMaya. Osiemnastego sierpnia, pod wpływem wściekłych oskarżeń rzucanych przez Hitlera o dopuszczenie do zburzenia Hamburga i innych nalotów, zastrzelił się szef sztabu Luftwaffe, generał Jeschonnek. Hitler nie przejął się zbytnio tym samobójstwem. Bardziej zajmowała go kwestia rozwoju broni odwetowej, latających bomb V-1 i rakiet V-2. Za najważniejsze uznał zasianie grozy w obozie wrogów Niemiec.

Brytyjskie lotnictwo bombowe, po atakach na bazę w Peenemünde nad Bałtykiem, gdzie Niemcy testowali broń rakietową, rozpoczęło powietrzną bitwę o Berlin. Harris był przekonany, że gdyby udało się uczynić z nazistowską stolicą to samo, co jego samoloty zrobiły z Hamburgiem, Niemcy skapitulowałyby do 1 kwietnia 1944 roku. Hitler, ku rozpaczy asa myśliwskiego Luftwaffe generała Adolfa Gallanda oraz feldmarszałka Milcha, zabronił zwiększenia produkcji myśliwców. Jego zaufanie do Göringa i całej Luftwaffe poważnie osłabło. Powierzył obronę przestrzeni powietrznej nad Berlinem bateriom artylerii przeciwlotniczej, umiejscowionym na masywnych betonowych wieżycach. Ale mimo że zaporowy ogień przeciwlotniczy i snopy światła z naziemnych reflektorów trwożyły lotników RAF-u nadlatujących nad stolicę Rzeszy, to niemieckie działa przeciwlotnicze zadały im znacznie mniejsze straty w porównaniu z myśliwcami nocnymi Luftwaffe.

Pathfindery zrzuciły na Berlin czerwone i zielone świetlne markery; Niemcy przezwali je „świątecznymi choinkami". Potem ciężkie bombowce typu Lancaster i Halifax przeprowadziły nalot dywanowy na całe miasto. Na rozkaz Harrisa każdy lancaster dźwigał ładunek pięciu ton bomb. „Niebo nad Berlinem rozświetla piękna, nieziemska krwawoczerwona łuna – zapisał w swym dzienniku Goebbels po jednym z najcięższych nalotów. – Nie jestem w stanie już dłużej na nie patrzeć"[32]. Mimo wszystko Goebbels

---

[32] *TBJG*, cz. II, t. X, s. 136 (27 listopada 1943 r.).

należał do tych bardzo nielicznych nazistowskich przywódców, którzy zdobyli się na to, by wyjść w miasto i porozmawiać z ofiarami nalotów.

Życie przeciętnych berlińczyków stało się udręką, gdy usiłowali dotrzeć na czas do pracy przez zasypane gruzami ulice, na których utknęły porozbijane i groteskowo zdeformowane wraki tramwajów; kolej miejska (*S-Bahn*) wstrzymała ruch ze względu na uszkodzenia torów. Bladzi i niewyspani cywile podążali w pośpiechu, by nadrobić spóźnienia. Ci ze zniszczonych przez bomby mieszkań albo przenosili się do znajomych, albo też liczyli na to, że władze przydzielą im jakieś lokale. Zazwyczaj umieszczano ich w siedzibach odebranych żydowskim rodzinom, których większość do owego czasu „zesłano na wschód". Tak jak w większości miast ludność Berlina nabywała za grosze ubrania i domowe przybory z pożydowskich domostw. Tylko niewielu zastanawiało się nad losem poprzednich właścicieli.

A jednak zaskakująco duża liczba berlińskich Żydów, oceniana na około pięć do siedmiu tysięcy, ukrywała się; czasami nazywano ich „U-Bootami". Niektórzy przebywali w kryjówkach w samej stolicy, w domostwach sympatyzujących z nimi antynazistów albo też w domkach letnich na działkach. Ci z Żydów, którzy mieli dostatecznie aryjski wygląd, pozbywali się noszonych na ubraniach żółtych Gwiazd Dawida, załatwiali sobie fałszywe dokumenty tożsamości i wtapiali się w tłum. Wszyscy oni obawiali się w każdej chwili aresztowania, poszukiwani na ulicach przez patrole SA lub gestapowskich tajniaków, którym pomagał któryś z żydowskich *Greiferów*, czyli „łapaczy", zmuszonych szantażem bądź fałszywą obietnicą ocalenia swoich rodzin do wypatrywania i denuncjowania ukrywających się pobratymców.

Nocami, przy akompaniamencie wyjących syren alarmowych, ludzie tłoczyli się w schronach, piwnicach kamienic albo w wielkich schronach wież przeciwlotniczych. Mieli przy sobie termosy i kartonowe pakunki z kanapkami, cennymi drobiazgami i ważnymi dokumentami. Wyróżniający się specyficznym, kąśliwym poczuciem humoru berlińczycy nazywali syreny „trąbami Meyera", nawiązując do niefortunnych przechwałek Göringa z początkowego okresu wojny, że jeśli RAF kiedykolwiek zbombarduje Berlin, wtedy on, Göring, zmieni nazwisko na Meyer. Wielki schron znajdujący się wieży przeciwlotniczej w stołecznym Tiergarten (ogrodzie zoologicznym) mógł pomieścić osiemnaście tysięcy osób. Ursula von Kardorff przyrównała to miejsce w swoich pamiętnikach do „więziennej scenerii z *Fidelia*[33]". Pary zakochanych tuliły się do siebie na betonowych spiralnych klatkach schodowych, jak gdyby odgrywając role z „parodii balu maskowego"[34].

---

[33] Opery Ludwiga van Beethovena (przyp. red.).
[34] U. von Kardorff, *Może to po raz ostatni*, tłum. E. Bielicka, Warszawa 2011, s. 150.

W typowych schronach, znanych jako *Luftschutzräume*, unosił się w powietrzu fetor mnóstwa niedomytych ciał i cuchnących wyziewów, co stanowiło wszechobecny problem. Większości ludzi psuły się zęby z powodu awitaminozy. Wnętrza schronów oświetlały niebieskie lampy, a wskazujące kierunki strzałki i napisy na ścianach wymalowywano fosforyzującą farbą na wypadek przerwy w dopływie elektryczności. W piwnicach pod budynkami, gdzie większość osób szukała schronienia, rodziny zasiadały w rzędach naprzeciwko siebie, jak w wagonikach kolejki podziemnej (*U-Bahn*). A gdy gmachy zaczynały drżeć od wybuchów bomb, niektórzy odprawiali osobliwe rytuały mające zapewnić przeżycie – na przykład owijali głowy ręcznikami. Kiedy budynki sypały się w gruzy lub stawały w ogniu, a dym i pył wdzierały się do podziemnych pomieszczeń, przebywający tam ludzie często wpadali w histerię. W bocznych ścianach wybijano otwory, które w razie potrzeby miały ułatwić przedostanie się do piwnic sąsiednich bloków mieszkalnych. Zagranicznym robotnikom, rozpoznawanym po wielkich literach wymalowanych na ich ubraniach, nie wolno było wchodzić do schronów i przebywać tam w ułatwiającej zbliżenia ciasnocie razem z niemieckimi kobietami i dziećmi[35].

Zgodnie z obietnicą złożoną Churchillowi Harris oznajmił swoim lotnikom, że powietrzna bitwa o Berlin będzie decydującą batalią tej wojny. Ale te wyczerpujące zmagania, naloty przeprowadzane noc po nocy, zszargały nerwy jego ludziom, a także berlińczykom. Załogi bombowców RAF-u powracały w swych samolotach nad stolicę Rzeszy, wierząc w słowa Harrisa, że doprowadzi to do skrócenia wojny, a w ostatecznym rozrachunku do ocalenia wielu istnień ludzkich.

Ta kampania powietrzna trwała od sierpnia 1943 roku do marca roku 1944, a mimo to siedemnaście tysięcy ton bomb burzących i szesnaście tysięcy ton bomb zapalających nie zniszczyło niemieckiej stolicy. Miasto to zajmowało zbyt rozległy obszar, by mogło zostać strawione przez burze ogniowe, a większość bomb spadała na niezabudowane tereny między osiedlami. Harris fatalnie się przeliczył i ostatecznie musiał przerwać tę powietrzną ofensywę. Wszelkie zapewnienia, jakie złożył Churchillowi, okazały się gołosłowne. Bomber Command straciło ponad tysiąc samolotów, w większości zestrzelonych przez niemieckie myśliwce nocne. W wyniku nalotów na Berlin zginęło 9390 niemieckich cywilów, ale jednostki bombowe RAF-u straciły przy tym aż 2690 lotników.

---

[35] Naloty na Berlin zob.: J. Friedrich, *Pożoga, op. cit.*, s. 190–205, 223–228; P. Bishop, *Chłopcy z bombowców*, s. 253–261; R. Moorhouse, *Stolica Hitlera. Życie i śmierć w wojennym Berlinie*, tłum. J. Wąsiński, Kraków 2011, s. 391–426.

Podjęta przez Harrisa próba złamania morale Niemców skończyła się fiaskiem, jednakże on sam nie chciał się z tym pogodzić i na pewno nie zamierzał przyznawać się do niepowodzenia. Z pogardą traktował rządowe starania zmierzające do wybielenia kampanii bombardowań za pomocą stwierdzeń, że RAF atakuje tylko cele militarne, a zabijania ludności cywilnej nie dało się przy tym uniknąć. Harris po prostu uważał robotników przemysłowych w Niemczech i ich siedziby za cele o charakterze wojskowym we współczesnym zmilitaryzowanym państwie. Odrzucał wszelkie sugestie, że Brytyjczycy powinni się „wstydzić przeprowadzania nalotów dywanowych"[36].

Tymczasem Amerykanie zrobili się równie powściągliwi i ostrożni w słowach jak krytycy Harrisa z brytyjskiego Ministerstwa Lotnictwa. Mimo iż generał Arnold prywatnie przyznawał, że Brytyjczycy najczęściej bombardowali „na ślepo" i w rezultacie przeszli na naloty dywanowe, to nie chciał stwierdzić tego publicznie. Wbrew wszelkim zapewnieniom o trafianiu bombami w „beczki z ogórkami" skutki amerykańskich nalotów z jesieni 1943 roku nie były wcale lepsze od tych opisanych w cytowanym wcześniej raporcie Butta. „Podczas utrzymującej się złej pogody – jak stwierdził pewien historyk lotnictwa wojskowego – Amerykanie generalnie nie wykazywali się większą celnością bombardowań w porównaniu z Bomber Command, a często była ona jeszcze gorsza"[37]. Dowódcy USAAF nie chcieli uwierzyć nawet w przedstawiane im niezbite dowody.

Hitler wydał rozkaz nalotów odwetowych na historyczne miasta angielskie – Bath, Canterbury, Exeter, Norwich i York. Rzecznik prasowy niemieckiego Ministerstwa Spraw Zagranicznych na Wilhelmstrasse obwieścił, że „Luftwaffe zajmie się każdą budowlą oznaczoną trzema gwiazdkami w przewodniku Baedekera"[38]. Z czasem nazwa tych popularnych przewodników turystycznych w czerwonych okładkach przylgnęła do wspomnianych ataków, określanych jako naloty baedekerowskie. Rozwścieczony Goebbels uznał tę akcję za duży błąd, bo chciał, aby wyłącznie Brytyjczycy okryli się hańbą niszczenia zabytkowych miast.

Bez względu na to, czy Harris cierpiał na „kompleks Zeusa"[39], mściwie ciskając gromy z niebios (co zasadniczo brytyjska opinia publiczna popierała), czy też nie, właściwie zainicjował własną wersję „wojny totalnej", do której Goebbels nawoływał histerycznie z mównicy berlińskiego Pałacu

---

[36] Harris do Arthura Streeta, podsekretarza stanu w brytyjskim Ministerstwie Lotnictwa, 25 października 1943 r., TNA AIR 14/843, cyt. za: T.D. Biddle, *Rhetoric and Reality in Air Warfare*, *op. cit.*, s. 22.

[37] *Ibidem*, s. 229.

[38] D. Swift, *Bomber County*, *op. cit.*, s. 143.

[39] Cyt. za: J. Friedrich, *Pożoga*, *op. cit.*, s. 289.

Sportu w lutym owego roku. Wiara Harrisa w to, że jego strategia skróci czas wojny i ocali życie wielu ludzi, uderzająco przypominała slogan na wielkim afiszu, na którego tle przemawiał Goebbels przy wspomnianej okazji: „Wojna totalna to krótka wojna". Nie sposób udzielić zadowalającej odpowiedzi na narzucające się pytanie, czy prowadzenie powietrznej wojny totalnej przeciwko niemieckiej ludności cywilnej było, w wymiarze etycznym, równoznaczne z bombardowaniami przeprowadzanymi przez Luftwaffe. Jednakże w ujęciu statystycznym aliancka ofensywa bombowa okazała się ostatecznie nieco mniej okrutna, jeśli uwzględnić łączną liczbę cywilnych ofiar niemieckich ataków powietrznych na wszystkie miasta zachodnio- i środkowoeuropejskie, bałkańskie i te w Związku Radzieckim.

ROZDZIAŁ 30

Na Pacyfiku, w Chinach i w Birmie

marzec–grudzień 1943

Po wyczerpujących bataliach o Guadalcanal i wschodnią część Papui--Nowej Gwinei Amerykanie wiedzieli, że likwidacja japońskiej bazy w Rabaul będzie trudna i potrwa długo. Nie ułatwiała tego rywalizacja między MacArthurem a US Navy. Kiedy jednak admirał William „Bull" Halsey, który objął naczelne dowództwo sił amerykańskich na południowym Pacyfiku, odwiedził MacArthura w jego kwaterze głównej w Brisbane, o dziwo obydwaj znaleźli wspólny język. W kwietniu 1943 roku zostało uzgodnione, że siły Halseya podejmą ofensywę ku północnemu zachodowi, z Guadalcanal przez archipelag Wysp Salomona. Równocześnie wojska MacArthura miały wyprzeć Japończyków z Nowej Gwinei i uchwycić półwysep Huon w pobliżu Nowej Brytanii, w ten sposób atakując Rabaul z dwóch stron. Opanować miano również dwie wyspy i zarazem bazy lotnicze na południe od Nowej Brytanii – Kiriwinę i Woodlark.

Japończycy wzmocnili garnizony w Rabaul, Nowej Gwinei i w zachodniej części Wysp Salomona stu tysiącami żołnierzy przerzuconych z Korei, Chin i innych obszarów. Najważniejsze ich zadanie polegało na umocnieniu Lae na półwyspie Huon oddziałami 51. Dywizji. Pierwszego marca japoński konwój, złożony z ośmiu wojskowych transportowców pod eskortą ośmiu niszczycieli, wpłynął na Morze Bismarcka (obecnie Morze Nowogwinejskie) opodal zachodniego skraju Nowej Brytanii. Zgrupowanie to zostało zauważone przez załogi „Latających Fortec" B-17 ze składu 5. Armii Powietrznej wspierającej wojska MacArthura. Piąta Armia Powietrzna była naprędce zorganizowaną formacją, głównie z inicjatywy jej nowego dowódcy generała George'a C. Kenneya. Kenney wprowadził rozmaite innowacje, między innymi zakazując załogom średnich bombowców B-25 atakowania wrogich okrętów ze znacznej wysokości, co wcześniej okazało się zupełnie nieskuteczne. Zamiast tego miały przeprowadzać naloty z niewielkiego pułapu, a ogień karabinów maszynowych zamontowanych w przedniej części kadłuba bombowców winien odstraszać obsługę dział przeciwlotniczych na pokładach japońskich okrętów tuż przed zrzuceniem przez amerykańskie samoloty bomb w pobliżu burt atakowanych jednostek nawodnych.

Bitwa na Morzu Bismarcka zaczęła się od nalotów australijskich beaufighterów, które atakowały z niskiego pułapu, po czym miała miejsce seria bombardowań z dużej wysokości, w których wyniku zatonął jeden japoński transportowiec, a kilka innych uległo uszkodzeniom. Japońskie myśliwce Zero, zapewniające osłonę powietrzną, zostały odpędzone przez nowe amerykańskie ciężkie myśliwce P-38 Lightning, które co najmniej dorównywały im walorami bojowymi. Przez dwa następne dni japoński konwój przedzierał się przez cieśninę Vitiaz ku Nowej Gwinei. Trzeciego dnia lotnicy Kenneya po raz pierwszy wypróbowali w boju nową taktykę – tak zwanych bombardowań z odbicia. Po kolejnym nalocie beaufighterów, które miały wyeliminować z walki obsługę nieprzyjacielskich pokładowych dział przeciwlotniczych, samoloty typu B-25 i A-20 zrzuciły bomby z zapalnikami o opóźnionym działaniu, aby bomby te wybuchały dopiero po przebiciu burty lub pokładu statku czy okrętu. Okazało się to wielce skuteczne. Na dno poszło pozostałych siedem japońskich transportowców wraz z czterema niszczycielami. Przyjąwszy założenie, że Japończycy się nie poddadzą, szybkie kutry patrolowe i samoloty myśliwskie ostrzeliwały z broni maszynowej japońskie szalupy ratunkowe i ludzi w wodzie; zginęło około trzech tysięcy Japończyków. Wraz z zastosowaniem nowej techniki bombardowań Stany Zjednoczone odkryły skuteczną metodę walki na morzu, natomiast Japończycy nie mogli już spokojnie wzmacniać ani zaopatrywać swoich garnizonów, zmuszeni wykorzystywać w tym celu okręty podwodne albo szybkie niszczyciele. W wielu miejscach japońskie oddziały zaczęły głodować.

Admirał Yamamoto zdwoił wysiłki zmierzające do podtrzymania sprawności swoich sił wojskowych w owym regionie. Partię dwustu samolotów wysłano do Rabaul i na Wyspę Bougainville'a w zachodniej części archipelagu Wysp Salomona, podwajając ich liczebność w tamtejszych bazach. Japoński dowódca osobiście poleciał do Rabaul, aby stamtąd nadzorować przebieg operacji militarnych. Siedemnastego kwietnia, w trakcie najsilniejszego japońskiego uderzenia powietrznego od czasów ataku na Pearl Harbor, bombowce nurkujące pod osłoną myśliwców Zero zaatakowały Guadalcanal i Tulagi. W trakcie kilku następnych dni japońskie samoloty bombardowały Port Moresby i rejon Milne Bay na wschodnim skraju Papui.

Czternastego kwietnia Amerykanie przechwycili meldunek radiowy, którego treść wskazywała, że Yamamoto miał 18 kwietnia przelecieć z Rabaul na Wyspę Bougainville'a. Admirał Nimitz uzyskał od władz w Waszyngtonie zgodę na zorganizowanie zasadzki. Znał godzinę planowanego przylotu Yamamoty. Osiemnaście dwukadłubowych lightningów P-38 z lotniska Henderson Field na Guadalcanal już tam czekało na japońskiego admirała. Większość lightningów podjęła walkę z eskortą złożoną z dziewięciu japońskich myśliwców Zero, a pozostałe zaatakowały dwa bombowce; na pokładzie jednego z tych ostatnich leciał Yamamoto. Porucznik Thomas Lanphier odstrzelił skrzydło admiralskiego samolotu, który rozbił się na wyspie. Drugi bombowiec spadł do morza. Zwęglone zwłoki dowódcy Cesarskiej Marynarki Wojennej zostały później odnalezione w dżungli przez wysłany na poszukiwania pododdział japońskich żołnierzy. Piątego czerwca urządzono w Tokio uroczysty pogrzeb prochów Yamamoty.

Operacja „Cartwheel", czyli natarcie na Rabaul, rozpoczęła się 30 czerwca. Jeden z pułków 41. Dywizji pod komendą MacArthura wylądował na Nowej Gwinei w pobliżu Lae. Niektóre barki desantowe osiadły na mieliźnie na skutek wysokiej fali, a rozlegające się w ciemnościach odgłosy ich silników pracujących na najwyższych obrotach podczas prób zejścia z płycizny wystraszyły Japończyków, którzy sądzili, że to pływające czołgi. Żołnierze japońscy pouciekali w głąb dżungli, Amerykanom zaś udało się szybko umocnić na zdobytym przyczółku. Tego samego dnia wojska amerykańskie wylądowały na wyspach Kiriwina i Woodlark, oddalonych o około pięćset kilometrów na południe od Rabaul. Nie napotkano tam oporu, więc Amerykanie przystąpili do budowy lotnisk polowych, z których dywizjony samolotów P-38 Lightning mogły bez trudu atakować japońskie bazy.

Również 30 czerwca okręty admirała Halseya wysadziły na brzeg dziesięć tysięcy żołnierzy na Nowej Georgii, na północny zachód od Guadalcanal. Do tego czasu Amerykanie bardzo usprawnili taktykę desantu morskiego, stosując o wiele więcej gąsienicowych amfibii (LVT) oraz sześciokołowych pływających DUKW. Oddziały desantowe miały silne wsparcie lotnicze z Guadalcanal, jednak gęsta dżungla na Nowej Georgii okazała się znacznie trudniejsza do przebycia, niż wyobrażali to sobie sztabowcy. Wysadzeni na brzeg żołnierze 43. Dywizji łatwo gubili się w dżungli i szybko opadali z sił, zdezorientowani w nocy przez docierające zewsząd odgłosy. Jednemu z pułków zajęło aż trzy dni przebycie dystansu niecałego półtora kilometra. Nie nauczywszy się jeszcze skutecznych metod prowadzenia walk w takim otoczeniu, byli nękani i łatwo zastraszani przez niewielkie japońskie oddziały dokonujące wypadów z bazy w Munda na zachodnim skraju wyspy. Jeszcze przed przystąpieniem do walki niemal jedna czwarta żołnierzy zapadła na nerwicę frontową. Halsey musiał zdymisjonować niektórych dowódców liniowych i ściągnąć nowe oddziały, zwiększając liczebność wojsk lądowych do czterdziestu tysięcy ludzi.

Fakt, że amerykańskie natarcie rozwijało się powoli, umożliwił Japończykom podciąganie rezerw nocami i wzmocnienie swojego kontyngentu do dziesięciu tysięcy żołnierzy. Podjęta przez kontradmirała Waldena Ainswortha pierwsza próba przechwycenia tych japońskich nocnych konwojów przyniosła początkowy sukces, związany z zatopieniem „Jintsu" – nieprzyjacielskiej jednostki flagowej. Kiedy jednak amerykańskie okręty przystąpiły do pościgu, jeden z niszczycieli został zniszczony, a trzy krążowniki doznały ciężkich uszkodzeń w wyniku kontrakcji japońskich okrętów nawodnych uzbrojonych w zabójczo skuteczne torpedy typu Long Lance, o wiele groźniejsze od wszelkiej broni tego rodzaju z amerykańskich arsenałów.

W trakcie tych nocnych starć japoński niszczyciel zniszczył szybki kuter torpedowy PT-109 dowodzony przez kapitana US Navy Johna F. Kennedy'ego. Kennedy z pozostałymi ocalałymi członkami załogi zdołał dotrzeć do pobliskiej wyspy. Dzięki temu, że zostali zauważeni przez jednego z Australijczyków, uratowano ich sześć dni później. Szóstego sierpnia w innej nocnej zasadzce, zastawionej przez sześć amerykańskich niszczycieli, udało się, za pomocą radaru, przechwycić cztery japońskie niszczyciele załadowane wojskiem. Okręty US Navy wyczekiwały, aż nieprzyjacielskie statki podeszły blisko, a wtedy odpaliły w ich stronę dwadzieścia cztery torpedy. Tylko jedna cesarska jednostka ocalała z pogromu; trzy pozostałe zatonęły wraz z dziewięciuset żołnierzami.

Japońskie odwody, które zdołano przerzucić na Nową Georgię, wysłano do potrójnego przeciwuderzenia, a jedno z cesarskich zgrupowań otoczyło miejsce postoju dowództwa 43. Dywizji. Dopiero bardzo celny ogień zaporowy amerykańskiej artylerii, której pociski spadały wszędzie wokół, zmusił Japończyków do odwrotu.

Atak na Munda okazał się dużo trudniejszy, aniżeli wyobrażali to sobie Amerykanie. Japończycy zawczasu stworzyli w dżungli sieć dobrze zamaskowanych schronów. Ostatecznie udało się je zniszczyć z użyciem dział, moździerzy, miotaczy ognia i lekkich czołgów, a lotnisko w Mundzie zostało zdobyte 5 sierpnia. Walki na Nowej Georgii uświadomiły Amerykanom, jak trudne są zmagania w dżungli; opanowanie tej wyspy wymagało osiągnięcia aż czterokrotnej przewagi liczebnej nad obrońcami, nie wspominając o dominacji na morzu i w powietrzu.

Sztab Halseya, wstrząśnięty tym, ile czasu i wysiłku wymagało osiągnięcie tego ograniczonego sukcesu, skorygował stosowaną wcześniej strategię. Amerykanie uznali, że zamiast wyzwalać kolejne wyspy archipelagu Salomona, można omijać te silniej bronione, budować lotniska w wysuniętych bazach i następnie, z wykorzystaniem sił powietrznych i nawodnych, odcinać pozostawione przez Japończyków garnizony. W rezultacie za cel kolejnego ataku obrano nie Kolombangarę, lecz słabo bronioną wyspę Vella Lavella. To zmusiło Japończyków do ewakuacji dopiero co wzmocnionych oddziałów z Kolombangary.

Głównym zadaniem na niemal każdej z opanowanych wysp była budowa lotniska polowego. Morskie bataliony inżynieryjne (Construction Battalions, CB), które stały się znane jako „Seabees" (morskie pszczoły), karczowały dżunglę za pomocą dynamitu, wyrównywały podłoże spychaczami, układały pasy z perforowanej stali (zwane matami Marstona) i przysypywały je zmielonym koralowcem. Czasami oddziały te lądowały tuż za pierwszym rzutem desantu piechoty morskiej i przygotowywały nowe lądowisko przed upływem dziesięciu dni. Jeden z oficerów powiedział o tych niewiarygodnie twardych i pomysłowych saperach, że „cuchnęli jak kozły, żyli jak psy i harowali jak konie"[1]. To oni mieli się w dużej mierze przyczynić do ostatecznego zwycięstwa na Oceanii.

Tymczasem na Nowej Gwinei Amerykanie MacArthura i żołnierze australijscy wspólnie zaatakowali japońską bazę w Lae przed uchwyceniem półwyspu Huon. Amerykański 503. Pułk Spadochronowy zrzucono na lotnisko w Dadzab, nieco na zachód od Lae, a nazajutrz samoloty transportowe C-47 wylądowały tam z oddziałami australijskiej 7. Dywizji. Ponieważ od wschodu nadciągała australijska 9. Dywizja, los wspomnianego miasteczka był przesądzony i w połowie września znalazło się ono w rękach aliantów. Opanowanie półwyspu Huon okazało się wszak dużo trudniejszym zadaniem. Japończycy, zdecydowani utrzymać się tam możliwie najdłużej, aby chronić Rabaul za Vitiaz Strait, zostali wyparci z wybrzeża dopiero w październiku, a następne dwa miesiące zajęło odrzucenie ich z okolicznych gór.

W listopadzie wojska Halseya wylądowały na Wyspie Bougainville'a, ostatniej większej wyspie na drodze do Rabaul. Namorzynowe mokradła, dżungla i góry stanowiły jeszcze trudniejszą przeszkodę od terenów na Nowej Georgii. Ponadto tamtejszy czterdziestotysięczny japoński garnizon wspierały samoloty z czterech lotnisk. Halsey rozpoczął ofensywę od dywersyjnych ataków na pobliskie wysepki, a potem przeprowadził lądowanie siłami dwóch dywizji na zachodnim wybrzeżu, w słabo bronionym miejscu, by następnie zarządzić zmasowane uderzenia powietrzne na sam Rabaul, niszcząc tam ponad setkę japońskich samolotów. Nowe, szybkie amerykańskie myśliwce F4U Corsair dowiodły swej przydatności. Japończycy stracili większość swoich doświadczonych pilotów, a ich myśliwce Zero, które dominowały w walkach powietrznych w 1941 roku, były już nieco przestarzałe. Po dwóch dniach amerykańskich nalotów nowy dowódca japońskiej

---

[1]   Cyt. za: R. Steinberg, *Island Fighting*, New York 1978, s. 194.

Połączonej Floty admirał Mineichi Koga rozkazał wycofanie wszystkich okrętów z Rabaul do Truk, głównej bazy na Pacyfiku, znajdującej się o tysiąc trzysta kilometrów dalej na północ.

Generał Hyakutake, dowódca cesarskiej 17. Armii na Wyspie Bougainville'a, uznał, że desant przeciwnika na zachodnim wybrzeżu wyspy to jeszcze jedna akcja dywersyjna, i nie przeprowadził kontrataku. To dało Amerykanom szansę na zorganizowanie tam rozległego i silnie umocnionego przyczółka, zanim Hyakutake zrozumiał, że popełnił ciężki błąd.

Piętnastego grudnia straż przednia wojsk MacArthura wylądowała na południowym skraju Nowej Brytanii. Jedenaście dni później 1. Dywizja Piechoty Morskiej, odświeżona po długim okresie odpoczynku w Melbourne, znalazła się na przylądku Gloucester, na południowo-zachodnim cyplu tej wyspy. Dla MacArthura ta część Nowej Brytanii miała szczególne znaczenie, gdyż jej zdobycie oznaczało zabezpieczenie flanki przed inwazją na Filipiny.

Marines wylądowali na plażach pokrytych czarnym wulkanicznym miałem dzień po Bożym Narodzeniu, usłyszawszy od swego dowódcy: „Nie pociągajcie za spust, dopóki nie zobaczycie w celowniku »mięsa«. A kiedy je ujrzycie – przelewajcie krew, nie szczędźcie krwi żółtków"[2]. Panowała pora deszczowa, z błotami, wszechobecną wilgocią, zgnilizną i pijawkami; dochodziło do potyczek patroli w deszczu tak rzęsistym, że niemal nic nie było widać. Gdy po zaciętych zmaganiach udało się zająć kluczowe Wzgórze 660, górujące nad tamtejszym lotniskiem, przylądek Gloucester znalazł się w alianckich rękach. Od tej pory można było przeprowadzać naloty bombowe na Rabaul z kilku kierunków, choć wraz z odejściem japońskiej floty port ten utracił swoje znaczenie militarne. Wojska MacArthura musiały jednak jeszcze doprowadzić do końca oczyszczanie z nieprzyjacielskich oddziałów północnych wybrzeży Nowej Gwinei.

Podczas gdy MacArthur był bliski urzeczywistnienia swych marzeń o powrocie w chwale na Filipiny, Nimitz podjął ofensywę na północ od Japonii, planując zajęcie kolejnych wysp na środkowym Pacyfiku. Pod komendą Nimitza znajdowała się między innymi V Flota wiceadmirała Spruance'a, bardzo poważnie wzmocniona szybkimi, wielkimi lotniskowcami klasy Essex, z których każdy miał po sto samolotów, i lekkimi lotniskowcami klasy Independence, dysponującymi pięćdziesięcioma samolotami. Użycie tak potężnych sił lotnictwa morskiego oznaczało, że inwazję na Wyspy Gilberta, pierwszy cel zaplanowanego ataku, można było przeprowadzić bez osłony samolotów z baz zlokalizowanych na lądzie. Wspomniane atole, bez gór, porośnięte głównie palmami, wydawały się niemal idylliczne

---

[2] R. Leckie, *Helmet for My Pillow*, London 2010, s. 214.

w porównaniu z upalnymi, podmokłymi i górzystymi terenami na wielkich wyspach południowego Pacyfiku. Ale sztabowcy trochę zlekceważyli problemy związane z rafami koralowymi wokół atoli.

Dwudziestego listopada 2. Dywizja Piechoty Morskiej przeprowadziła szturm na atol Tarawa. Trzy pancerniki, cztery ciężkie krążowniki i dwadzieścia niszczycieli ostrzeliwały japońskie pozycje i pas startowy dla samolotów. Bombowce nurkujące Dauntless dokonały też silnych uderzeń z powietrza, a widok eksplodujących bomb bardzo podniósł na duchu szykujących się do lądowania *marines*. Wyglądało to tak, jakby cała wyspa została rozbita na kawałki. Jednakże wkopane w podłoże japońskie bunkry, zbudowane z betonu i pni palm, okazały się o wiele bardziej odporne na bomby i pociski, niż się to wydawało amerykańskim dowódcom.

Amfibiom i barkom desantowym dotarcie do brzegu zabrało więcej czasu, niż planowano. Bombardowanie się zakończyło, a z powodu problemów z łącznością na amerykańskim okręcie flagowym USS „Maryland" nastąpiła długa pauza, co dało Japończykom czas na otrząśnięcie się z szoku i wzmocnienie zagrożonego odcinka. Ale najpoważniejszego błędu dopuścił się admirał Turner, uparty dowódca zgrupowania szturmowego, który nie chciał usłuchać przestróg pewnego brytyjskiego oficera, zajmującego się wcześniej odnotowywaniem fal przypływowych na tej wyspie. Ów ostatni, popierany przez dowódcę *marines*, oznajmił Turnerowi, że o tej porze roku barkom desantowym zabraknie niezbędnego półtorametrowego zanurzenia.

Amfibie z pierwszymi oddziałami desantu przeszły ponad rafami, ale potem natknęły się na bardzo silny, skoncentrowany ogień. Utknąwszy na płytkiej wodzie, stały się łatwym celem dla japońskiej piechoty miotającej granaty. Pewien grywający w baseball żołnierz amerykańskiej piechoty morskiej zdołał pochwycić kolejno pięć granatów i odrzucić je, ale szósty rozerwał mu się w ręku. Nadpływające z tyłu barki desantowe niebawem weszły na rafy i także wystawiły się na nieprzyjacielski ogień. Rozpoczęło się chaotyczne przewożenie żołnierzy za pomocą ocalałych amfibii, z raf ku plaży. Lecz nawet ci Amerykanie, którym udało się z trudem dotrzeć na brzeg, zostali tam przygwożdżeni przez silny ostrzał. Radiostacje zalane morską wodą nie działały, więc nie było łączności między oddziałami na plaży a nieco oddalonymi od brzegu wyspy okrętami.

Do czasu zapadnięcia zmroku około pięciu tysięcy amerykańskich żołnierzy znalazło się na brzegu, ale kosztem straszliwych strat – tysiąca pięciuset zabitych i rannych oraz wielu spalonych amfibii. Zwłoki zalegały na całej plaży, a niektóre z nich płytka fala przybrzeżna wprawiała w rytmiczne poruszenia. W trakcie nocy japońscy piechurzy wdarli się do kilku ze zniszczonych amfibii, inni natomiast zaatakowali te na wodach zatoki, aby zmusić ich załogi do ostrzeliwania się zza stanowisk *marines* na plaży. Strzelcy obsadzili nawet unieruchomiony przez bomby japoński frachtowiec i prowadzili ogień z jego pokładu.

Walki miały podobny przebieg o świcie następnego dnia, kiedy kolejny rzut desantu usiłował wyjść na ląd. Na szczęście dla Amerykanów jeden z batalionów ich piechoty morskiej, który opanował wcześniej północno-zachodni skraj wyspy, został niebawem wsparty czołgami. W zaciętych zmaganiach doszło wreszcie do przełomu, gdy *marines* zaczęli likwidować kolejne bunkry za pomocą ładunków wybuchowych, benzyny i miotaczy ognia; z japońskich obrońców wewnątrz pozostawały najczęściej tylko zwęglone szkielety. Niektórzy Japończycy ginęli zagrzebani żywcem w schronach, gdy amerykańskie spychacze zasypywały piaskiem strzelnice w bunkrach.

Bój dobiegł końca trzeciego dnia po samobójczym zmasowanym japońskim natarciu, podjętym zgodnie z ideą *gyōkusai* – „śmierci ponad dyshonor" – aby nie trafić do niewoli[3]. Amerykanie z dziką radością kosili ogniem z broni maszynowej atakujących.

W ciągu tych trzech dni zginęło prawie pięć tysięcy japońskich żołnierzy i koreańskich robotników budowlanych. Cena za zdobycie jednej wysepki – ponad tysiąc poległych i dwa tysiące rannych – zaszokowała amerykańskich dowódców i opinię publiczną w Stanach Zjednoczonych, przerażoną zdjęciami przedstawiającymi martwych *marines*. Niemniej jednak poniesione straty przyczyniły się do usprawnienia przyszłych analogicznych operacji, między innymi za sprawą wprowadzenia do akcji zespołów nurków wyposażonych w ładunki wybuchowe, silniej uzbrojonych pojazdów amfibijnych oraz kontroli stanu łączności i korygowania danych wywiadowczych przed następnym lądowaniem. Analizie poddano także ograniczenia związane z bombardowaniami i użyciem pocisków burzących artylerii okrętowej. Do niszczenia bunkrów takich jak te na Tarawie niezbędne okazało się zastosowanie amunicji przeciwpancernej.

*

Na wiosnę 1943 roku Roosevelt i Marshall skonkretyzowali strategię w odniesieniu do Chin. Preferując ofensywę powietrzną, nadal odrzucali argumenty Stilwella na rzecz użycia w Chinach alianckich sił lądowych, by pokonać operujące tam wojska japońskie. Głównym celem stała się rozbudowa 14. Armii Powietrznej Chennaulta na obszarze kontynentalnych Chin. Rozszerzono jej zadania: odtąd jej samoloty miały też atakować

---

[3] Zob. H. Kawano, *Japanese Combat Morale*, w: M. Peattie, E. Drea, H.J. van de Ven, *The Battle for China. Essays on the Military History of the Sino-Japanese War of 1937–1945*, Stanford 2011, s. 328.

japońskie transporty na Morzu Południowochińskim oraz przeprowadzać naloty na nieprzyjacielskie bazy zaopatrzeniowe i dopomóc w ten sposób amerykańskiej flocie wojennej na Oceanie Spokojnym. Lecz plan ten miał pewną skazę. Otóż sukcesy Chennaulta musiały sprowokować reakcję Japończyków, a bez dostatecznie silnych wojsk chińskich do obrony lotnisk kampania 14. Armii Powietrznej groziła fiaskiem. W związku z tym zamierzano wzmocnić armie Chiang Kai-sheka w prowincji Junnan, ale w istocie te otrzymywały niewiele broni. Większość pierwszej partii 4700 ton zaopatrzenia przeznaczono dla Chennaulta, a złożona przez Roosevelta obietnica późniejszego comiesięcznego przewozu dziesięciu tysięcy ton zapasów drogą powietrzną ponad Himalajami była, mówiąc delikatnie, przesadnie optymistyczna.

W maju Japończycy podjęli swoją czwartą ofensywę na Changshę w prowincji Hunan, wysadzając desant na brzegu jeziora Donting Hu. Pomocnicze natarcie z południowej części Hubei sugerowało, że wojskom japońskim chodzi o okrążenie przeciwnika i zdobycie tamtejszych ważnych, zasobnych w ryż regionów. Bombowce B-24 Liberator z 14. Armii Powietrznej Chennaulta zaatakowały japońskie bazy i transporty kolejowe z zaopatrzeniem. Załogi liberatorów i piloci ich eskorty myśliwskiej zestrzelili łącznie dwadzieścia japońskich samolotów, co wpłynęło nader korzystnie na morale wojsk lądowych chińskich nacjonalistów.

Choć wojska Kuomintangu poniosły znacznie większe straty niż Japończycy, to oddziały Chiang Kai-sheka powstrzymały nieprzyjacielskie uderzenie z Hubei i odparły nacierającą cesarską armię. W prowincji Szantung na południe od Pekinu dywizja chińskich nacjonalistów, operująca na głębokich japońskich tyłach, została zaatakowana zarówno przez Japończyków, jak i przez formacje chińskich komunistów.

Wcześniej władze Kuomintangu w Chongqingu zerwały stosunki dyplomatyczne z Francją Vichy, natomiast marionetkowy rząd Wang Jingweia wypowiedział wojnę Stanom Zjednoczonym i Wielkiej Brytanii. Reżim Vichy musiał także zrzec się na rzecz Wang Jingweia francuskich koncesji w Chinach. Wśród licznej społeczności białogwardyjskich rosyjskich emigrantów w Szanghaju, do tego czasu współdziałającej ściśle z Japończykami, po radzieckim zwycięstwie pod Stalingradem zapanowały nastroje coraz większego przygnębienia. Znienawidzony bolszewicki reżim w ZSRR wydawał się silniejszy niż kiedykolwiek, a przebieg walk na Pacyfiku oraz na froncie wschodnim był w tym okresie zupełnie odmienny od tego, na co liczyli „biali" Rosjanie[4]. Perspektywa komunistycznych rządów w Szanghaju

---

[4] B. Wasserstein, *Secret War in Shanghai. An Untold Story of Espionage, Intrigue, and Treason in World War II*, London 1998, s. 239.

stawała się całkiem realna. Na północnym wschodzie Chin Japończycy nie nękali zbytnio wojsk Mao Zedonga, a w razie wkroczenia sowieckiej Armii Czerwonej po pokonaniu Niemiec do Chin przejęliby tam władzę chińscy komuniści.

Trwały zakulisowe rozgrywki dyplomatyczne. W Tokio ogłoszono, że Birma ma uzyskać suwerenność w ramach wschodnioazjatyckiej strefy pozostającej pod japońską kuratelą. Wobec tego marionetkowe władze birmańskie wypowiedziały wojnę Wielkiej Brytanii i Stanom Zjednoczonym. Rząd japoński, aby podeprzeć swoje zapewnienia o toczeniu wojny z kolonializmem, zorganizował też Indyjską Armię Wyzwoleńczą, na której czele stanął Subhas Chandra Bose, a w jej skład weszli Hindusi zwerbowani w japońskich obozach jenieckich.

Owej wiosny jeszcze bardziej nasiliły się konflikty Stilwella z Chennaultem. Ich kłótnie, ku konsternacji alianckich oficerów, zaczęły utrudniać sprzymierzonym prowadzenie działań wojennych na Dalekim Wschodzie. Brooke określił Stilwella mianem „beznadziejnego maniaka pozbawionego wyobraźni", a Chennaulta jako „bardzo dzielnego lotnika z małym móżdżkiem"[5]. Ponadto Stilwell nastawił wrogo wobec siebie Chiang Kai-sheka, gdyż chciał udzielać pomocy chińskim komunistom. Chiang był wściekły, ponieważ komuniści Mao Zedonga odmawiali choćby formalnego podporządkowania swoich wojsk dowództwu nacjonalistów. Stilwell twierdził, że komuniści wojują z Japończykami twardziej niż Kuomintang, co dodatkowo rozdrażniło Chianga. Z kolei brytyjski wywiad był przekonany, że chińscy komuniści zawarli po cichu niefortunny układ z japońskimi okupantami, na mocy którego obie strony ograniczyły skalę zbrojnych zmagań. Mao zależało na zachowaniu swoich słabo uzbrojonych wojsk na wojnę domową, do której musiało dojść po ostatecznej klęsce Japończyków. Oczywiście podobnie postępował też Chiang.

W maju 1943 roku podjęto próbę rozwiązania sporu Stilwella z Chennaultem, a obaj zostali wezwani na spotkanie z Rooseveltem tuż przed waszyngtońską konferencją opatrzoną kryptonimem „Trident". Roosevelt potwierdził priorytetową rolę przyznaną powietrznej ofensywie Chennaulta prowadzonej z obszaru Chin, jednak zezwolił też Stilwellowi na kontynuowanie kampanii mającej na celu odzyskanie północnej Birmy. Amerykański prezydent starał się łagodzić konflikty między podległymi mu dowódcami wojsk poprzez umożliwianie równoczesnego wprowadzania w życie sprzecznych czasem planów militarnych, tak jak to było w przypadku MacArthura i szefostwa US Navy, realizujących „dwuosiową" strategię na Oceanii.

---

[5] A. Brooke (lord Alanbrooke), *War Diaries, 1939–1945*, London 2001, s. 479.

W lipcu została wysunięta propozycja operacji „Buccaneer" – wysadzenia wielkiego desantu na birmańskim wybrzeżu w celu wyparcia Japończyków znad Zatoki Bengalskiej. Chiang Kai-shek zasadniczo poparł tę koncepcję, ale nie wyzbył się pewnych uzasadnionych podejrzeń, że alianci nie są skłonni użyć silnych wojsk lądowych w głębi lądu w Azji Południowo-Wschodniej. Nic dziwnego zatem, że bynajmniej nie przypadł mu do gustu pomysł skierowania chińskich oddziałów do wyzwalania Birmy, w czasie gdy amerykańskie i brytyjskie formacje przydzielone do jego wojsk w Chinach nie odgrywały poważniejszej roli militarnej. Tak czy owak, brak dostępnych środków transportu ostatecznie doprowadził do tego, że plany operacji „Buccaneer" odłożono na półkę.

Relacji z Chiang Kai-shekiem nie poprawiły również rezultaty konferencji „Quadrant", która odbyła się w drugiej połowie sierpnia w Quebecu, gdzie uzgodniono powołanie do istnienia Dowództwa Azji Południowo-Wschodniej (South-East Asia Command, SEAC) pod komendą admirała Louisa Mountbattena. Brooke, który nie miał zbyt pochlebnego zdania na temat kompetencji Mountbattena, zauważył, że dowódcy SEAC potrzebny będzie bardzo inteligentny szef sztabu, aby umożliwić mu wypełnienie powierzonych zadań. Kimś takim był generał porucznik Henry Pownall. Ale zastępcą Mountbattena na nowym stanowisku został „Vinegar Joe" Stilwell, który go serdecznie nie znosił. Mountbatten, człowiek o świetnej prezencji i wielkim uroku osobistym, czyniący użytek ze swoich koneksji w rodzinie królewskiej, miał dar publicznego kreowania własnego pozytywnego wizerunku, niemniej jednak w istocie był błyskawicznie i stanowczo zbyt wysoko awansowanym dowódcą niszczyciela.

Chiang Kai-shek przeraził się na wieść, że jego żołnierze mają odtąd walczyć w Birmie pod brytyjską komendą. Chciał poprosić o odwołanie coraz bardziej krnąbrnego Stilwella, ale potem, w październiku, zmienił zdanie, zdawszy sobie sprawę, że bez niego Amerykanie mogliby w ogóle zaniechać bezpośredniego militarnego angażowania się w walki w Chinach. Jak na ironię w tej sprawie uzyskał poparcie Mountbattena, ów obawiał się bowiem, iż odwołanie Stilwella nasili podejrzenia amerykańskiej prasy, że Brytyjczycy zechcą odzyskać dominującą pozycję w Azji Południowo-Wschodniej. Amerykańscy oficerowie już żartowali, że skrótowiec SEAC oznaczał *Save England's Asian Colonies* („Ocalić dla Anglii jej azjatyckie kolonie"). Stalin uśmiałby się, gdyby znał szczegóły rywalizacji i osobistych antypatii, które krzyżowały strategię jego zachodnich sojuszników.

Brooke'a jeszcze bardziej zatrwożyła przed rozpoczęciem konferencji „Quadrant" propozycja Churchilla, aby powierzyć dowodzenie zgrupowaniem o sile armii Orde'owi Wingate'owi, niedawno awansowanemu do stopnia brygadiera. Nieco wcześniej, w kwietniu, Churchill odniósł się nieprzychylnie do brytyjskich planów związanych z Birmą, powiadając: „Równie dobrze można by jeść jeżozwierza, przełykając po jednym kolcu"[6]. A jednak, co dla niego typowe, z czasem podchwycił zamysł podjęcia tam działań podjazdowych na japońskich tyłach.

Wingate, głęboko wierzący chrześcijanin, asceta i wizjoner, którego generał Slim przyrównywał do Piotra Pustelnika, nie był szarlatanem. Niemal na pewno cierpiał na psychozę maniakalno-depresyjną, a swego czasu próbował popełnić samobójstwo, podcinając sobie gardło. Kontakty z nim nie należały do łatwych. Był twardy dla swoich ludzi, w istocie nie okazując współczucia nawet rannym – ale równie surowo traktował samego siebie. Zarośnięty i niechlujny, nosił staromodny hełm tropikalny, który wydawał się na niego za duży; nie odpowiadał typowemu wizerunkowi starszego rangą oficera brytyjskiej artylerii królewskiej. Bywało, że pokazywał się nago, przegryzał surową cebulę, przecedzał herbatę przez skarpety, a czasami nosił zawieszony na sznurku na szyi budzik. Zdobył reputację mistrza w działaniach partyzanckich po tym, jak w Palestynie zorganizował żydowskie Specjalne Jednostki Nocne (Special Night Squads, SNS), zwalczające arabskie bojówki, i dowodził tak zwanymi Siłami Gideona (Gideon Force) w Etiopii. Churchill zawsze lubił niekonwencjonalne pomysły i wydało mu się, że Wingate doprowadzi do rozwiązania patowej sytuacji w północnej Birmie.

W 1942 roku w Indiach Wingate zasugerował w rozmowie z Wavellem, że oddziały zbrojne zaopatrywane z powietrza i operujące na japońskich tyłach będą bardzo przydatne do atakowania nieprzyjacielskich linii zaopatrzeniowych i komunikacyjnych. W lutym 1943 roku dostał pierwszą szansę potwierdzenia słuszności takich teorii. Siły Wingate'a zwane czinditami – 77. Brygada podzielona na dwa zgrupowania, złożone z kolei z kolumn bojowych – przekroczyły rzekę Czinduin (Kyindwin Myit). Każdy z oddziałów miał w swoim składzie grupę zwiadowczą strzelców birmańskich, a racje żywności, amunicję, karabiny maszynowe i moździerze transportowano na grzbietach mułów.

W trzecim tygodniu marca większość kolumn czinditów Wingate'a przeprawiła się przez Irawadi (Eyawadi Myit), ale utrzymywanie łączności radiowej było coraz bardziej skomplikowane, a zrzuty zaopatrzenia na spadochronach coraz trudniejsze do zorganizowania, gdyż dwie japońskie dywizje prowadzące pościg zmuszały ich do ciągłych przemarszów. Z powodu braku pożywienia czindici zaczęli zarzynać juczne muły i zjadać ich mięso, co oznaczało konieczność porzucenia większości ciężkiego sprzętu. Wkrótce kolumny Wingate'a znalazły się w odwrocie, a wcześniej nie powiodło

---

[6] *Ibidem*, s. 394 (19 kwietnia 1943 r.).

im się odcięcie drogi z Mandalaju do Lasho; w trakcie tej nieudanej akcji Wingate stracił jedną trzecią z trzech tysięcy ludzi, z którymi rozpoczął działania. Dyscyplinę wśród czinditów utrzymywano drastycznymi metodami, kilkakrotnie stosując karę chłosty, a nawet przeprowadzając kilka egzekucji. Bardzo wielu rannych i chorych porzucono podczas wędrówki. Spośród tych, którzy powrócili do bazy, wyczerpani, cierpiący z powodu febry i wygłodzeni, sześciuset zostało uznanych na długie miesiące za niezdolnych do pełnienia służby wojskowej.

Być może ten daleki wypad na zaplecze wroga nie przyniósł sukcesu, niemniej podbudował morale 14. Armii Slima oraz przyniósł czinditom rozgłos wśród opinii publicznej w Wielkiej Brytanii, której prezentowano wysoce optymistyczne relacje na temat ich działań. Z walk tych wyciągnięto ważne wnioski dotyczące przede wszystkim potrzeby organizowania odpowiednich stref zrzutów, a nawet oczyszczania z zarośli prowizorycznych lądowisk w dżungli. W warunkach gdy alianci mogli zapewnić wystarczający transport oraz wsparcie myśliwców, podobne operacje zdecydowanie mogły przynosić korzyści. Mimo wszystko ten pierwszy daleki rajd na terytorium przeciwnika miał pewien ważny skutek: skłonił Japończyków do przygotowań do dużej ofensywy zaplanowanej na wiosnę 1944 roku, co miało doprowadzić do rozstrzygających bitew w kampanii birmańskiej.

ROZDZIAŁ 31

Bitwa pod Kurskiem

kwiecień–sierpień 1943

Nieczęsto się zdarzało, by plany wielkiej ofensywy znane były tak dobrze przeciwnikowi, jak te dotyczące niemieckiej operacji „Cytadela" („*Zitadelle*"), w wyniku której miała nastąpić likwidacja radzieckiego wybrzuszenia na linii frontu w okolicach Kurska. Generalicja Stalina oceniała, że Niemcy w tym czasie mogli przeprowadzić tylko jedno poważniejsze uderzenie, a wypukłość frontu pod Kurskiem stanowiła najbardziej wrażliwy odcinek sowieckich linii. Żukow i Wasilewski zdołali przekonać swojego niecierpliwego przywódcę, że najlepszą strategią będzie solidne przygotowanie się do tego podwójnego natarcia, złamanie go w walkach obronnych, a następnie przejście do działań zaczepnych[1].

Koncentrację niemieckich wojsk w kwietniu 1943 roku uważnie obserwowały załogi radzieckich samolotów rozpoznawczych, partyzanckie oddziały na niemieckich tyłach oraz sowieccy agenci. Brytyjczycy przesyłali ostrzeżenia, czerpiąc informacje z rozszyfrowanych przez Ultrę, przechwyconych niemieckich meldunków, przy tym jednak starannie ukrywali źródło tych wiadomości. Sowiecki szpieg John Cairncross podsuwał dużo bardziej szczegółowe dane. Jednakże wielokrotnie zmieniany przez Niemców termin rozpoczęcia ofensywy wywołał w Moskwie stan niepewności. Feldmarszałek von Manstein chciał, aby operację tę rozpocząć na początku maja po ustaniu wiosennych deszczów, ale tym razem Hitler jakby stracił zimną krew i co rusz przesuwał w czasie jej podjęcie.

---

[1] Szczegółowa analiza bitwy pod Kurskiem zob.: D.M. Glantz, J.M. House, *The Battle of Kursk*, Lawrence, KS 1999; Ch. Bellamy, *Wojna absolutna. Związek Sowiecki w II wojnie światowej*, tłum. M. Antosiewicz, M. Habura, P. Laskowicz, Warszawa 2010.

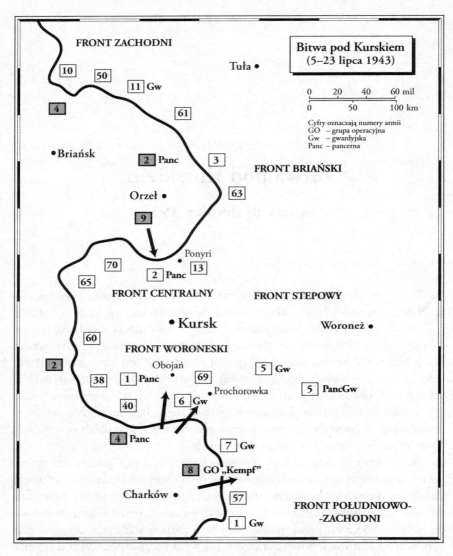

Bitwa pod Kurskiem
(5–23 lipca 1943)

FRONT ZACHODNI

Tuła •

0 20 40 60 mil
0 50 100 km

Cyfry oznaczają numery armii
GO – grupa operacyjna
Gw – gwardyjska
Panc – pancerna

• Briańsk

FRONT BRIAŃSKI

Orzeł •

Ponyri

FRONT CENTRALNY   FRONT STEPOWY

• **Kursk**

Woroneż •

FRONT WORONESKI

Obojań

Prochorowka

Charków •

FRONT POŁUDNIOWO-
-ZACHODNI

Führer zamierzał wykorzystać dosłownie wszystkie posiadane rezerwy w tej ryzykownej zagrywce, mającej na celu skrócenie frontu i odzyskanie inicjatywy, aby przekonać swoich chwiejnych sojuszników, iż klęska pod Stalingradem i odwrót z Kaukazu nie oznaczają krachu na wschodzie. „Zwycięstwo pod Kurskiem będzie sygnałem dla całego świata", oznajmił Hitler w swym rozkazie z 15 kwietnia[2]. A jednak gdy alianci odnosili zwycięstwa w Tunezji, zaczął też nerwowo zerkać na Sycylię i Włochy na ma-

---

[2] Ch. Bellamy, *Wojna absolutna, op. cit.*, s. 642.

pach. „Kiedy myślę o tym ataku – wyjawił Guderianowi – przewraca mi się w żołądku"[3].

Wielu wyższych rangą nazistowskich oficerów żywiło wątpliwości dotyczące tej ofensywy. Aby zrekompensować słabość liczebną, niemiecka armia lądowa zawsze dotąd korzystała ze swojego największego atutu: zdolności do prowadzenia wojny manewrowej (*Bewegungskrieg*). Ale ofensywa pod Kurskiem groziła przekształceniem się w walki pozycyjne. Tak jak w partii szachów, po utracie kilku figur, ryzyko bardzo znacznie wzrasta w chwili, gdy traci się inicjatywę i próbuje wznowić atak. Szachowa królowa w armii niemieckiej, czyli jej formacje pancerne, miała zostać wprowadzona do gry o wiele bardziej niebezpiecznej dla Wehrmachtu niż dla Armii Czerwonej, która w tym czasie uzyskała już przewagę pod względem liczby żołnierzy i uzbrojenia.

Sztabowcy z OKW zaczęli zgłaszać uwagi odnoszące się do samej koncepcji zaczepnej operacji „Cytadela", lecz te tylko umacniały Hitlera w podjętym postanowieniu. Planowanie nabierało tempa. Führer już nie był w stanie się cofnąć. Zlekceważył meldunki zwiadu powietrznego o sile radzieckiej defensywy, utrzymując, że były przesadzone. Jednakże pomimo ponagleń ze strony Mansteina datę rozpoczęcia „Cytadeli" wiele razy przesuwano, aby więcej czołgów, w tym nowe PzKpfw V Panther, mogło dotrzeć na front wschodni po opóźnieniach będących skutkami bombardowań przeprowadzanych przez RAF. Wielka ofensywa ostatecznie rozpoczęła się dopiero 5 lipca.

Armia Czerwona nie zmarnowała nader cennego czasu na złapanie oddechu. Jej oddziały oraz około trzystu tysięcy zmobilizowanych cywilów zapędzono do pracy przy ośmiu liniach obrony, z głębokimi rowami przeciwczołgowymi, podziemnymi schronami, polami minowymi, zasiekami z drutu kolczastego i ponad dziewięcioma tysiącami kilometrów okopów. Każdy żołnierz, w iście radzieckim stylu, dostał zadanie wykopania pięciu metrów okopu co noc, gdyż za dnia było to zbyt niebezpieczne. Tu i ówdzie głębokość linii defensywnych dochodziła do prawie trzystu kilometrów. Wszystkich cywilów, którzy nie brali udziału w robotach ziemnych, a którzy mieszkali w odległości dwudziestu pięciu kilometrów od linii frontu, ewakuowano. Nocami wysyłano zwiady w celu pochwycenia Niemców, których następnie przesłuchiwano. Do pododdziałów tych wybierani byli postawni i silni fizycznie czerwonoarmiści, zdolni do obezwładnienia niemieckich wartowników i opanowania wozów dostarczających żywność. „Do każdej grupy zwiadowczej przydzielano paru saperów, którzy przeprowadzali

---

[3] H. Guderian, *Wspomnienia żołnierza*, tłum. J. Nowacki, Warszawa 1958, s. 255.

pozostałych przez nasze miny i oczyszczali dla nich przejścia na niemieckich polach minowych"[4].

Co najważniejsze, Sowieci skoncentrowali na zapleczu Łuku Kurskiego potężny odwód strategiczny, znany jako Front Stepowy, pod dowództwem generała armii Iwana S. Koniewa. W skład tego zgrupowania weszły 5. Armia Pancerna Gwardii, pięć armii polowych, kolejne trzy korpusy czołgów i korpusy zmechanizowane oraz trzy korpusy kawalerii. W sumie wojska Frontu Stepowego liczyły prawie 575 tysięcy żołnierzy. Wspierała je 5. Armia Lotnicza. Ruchy i pozycje tych formacji starannie maskowano, aby ukryć przed Niemcami przygotowania Armii Czerwonej do przeprowadzenia bardzo silnego przeciwuderzenia. Dalsze poczynania, mające na celu zdezorientowanie nieprzyjaciela, obejmowały koncentrację innych wojsk na południu i budowę pozorowanych lotnisk polowych, co sugerowało, iż Sowieci szykują się do ofensywy właśnie tam, na południu Rosji.

Zazwyczaj atakujące siły powinny mieć trzykrotną przewagę liczebną nad obrońcami, ale tym razem, w lipcu 1943 roku, proporcja ta była odwrotna. Wyznaczone do operacji kurskiej zgrupowania armii radzieckiej – Front Centralny Rokossowskiego, Front Południowo-Zachodni pod komendą Malinowskiego i Front Stepowy Koniewa – liczyły ogółem ponad milion dziewięćset tysięcy ludzi. Z kolei siły niemieckie, które miały uczestniczyć w operacji „Cytadela", nie przekraczały siedmiuset osiemdziesięciu tysięcy żołnierzy. Dowództwo Wehrmachtu podejmowało wielkie ryzyko[5].

Niemcy pokładali nadzieje w swoich pancernych „klinach" – formacjach, w których szpicy miały nacierać kompanie ciężkich czołgów Tiger; ich zadanie polegało na przebiciu radzieckich linii obronnych. Drugi Korpus Pancerny SS, który w marcu odzyskał Charków, a nieco później Biełgorod, otrzymał uzupełnienia. Wzmocniona głównie ludźmi z personelu naziemnego Luftwaffe 1. Dywizja Pancerna SS „Leibstandarte SS Adolf Hitler" przystąpiła do intensywnego szkolenia swoich nowych żołnierzy. Untersturmführer SS (podporucznik) Michael Wittmann, który zasłynął z czasem jako największy as pancerny tej wojny, objął w owym okresie dowództwo swojego pierwszego plutonu ciężkich „Tygrysów"[6]. Ale pomimo niewątpliwych walorów bojowych czołgów typu Tiger dywizje grenadierów pancernych SS

[4] M.P. Czebykin, „Ja pomniu. Wospominania wietieranow Wielikoj Otieczestwiennoj Wojny", 11 listopada 2004 r., http://www.iremember.ru/pekhotintsi/chebikin-mikhail-petrovich (dostęp: 1.09.2012).
[5] Na temat proporcji sił wojskowych obydwu stron zob. D.M. Glantz, J.M. House, *The Battle of Kursk, op. cit.*, s. 65.
[6] Więcej o Wittmannie zob. P. Agte, *Michael Wittmann and the Waffen SS Tiger Commanders of the Leibstandarte in World War II*, t. 1, Mechanicsburg, PA 2006, s. 60.

odczuwały dotkliwy niedostatek sprzętu. W Dywizji SS „Das Reich" trzeba było wyposażyć jedną z kompanii w zdobyczne T-34.

Dane wywiadowcze Ultry, przekazane przez Cairncrossa za pośrednictwem prowadzącego go agenta z Londynu radzieckiemu Wydziałowi Wywiadu Zagranicznego, dopomogły też w zlokalizowaniu lotnisk Luftwaffe w rejonie Kurska[7]. Niemcy skoncentrowali tam około dwóch tysięcy samolotów, czyli większość z tych, które pozostawiono na froncie wschodnim po odesłaniu licznych jednostek myśliwskich do obrony Rzeszy przed alianckimi nalotami powietrznymi. W tej sytuacji radzieckie pułki lotnicze mogły przeprowadzać poprzedzające uderzenia na początku maja, co prawdopodobnie doprowadziło do zniszczenia na ziemi ponad pięciuset niemieckich samolotów. Ponadto formacje Luftwaffe odczuwały niedostatek paliwa lotniczego, co ograniczało możliwość taktycznego wsparcia z powietrza nacierających wojsk lądowych.

Niemieckie problemy z zaopatrzeniem narastały w rezultacie energicznych działań partyzanckich na tyłach Wehrmachtu. Pewne obszary, takie jak lasy na południe od Leningradu czy rozległe tereny na Białorusi, znalazły się pod niemal całkowitą kontrolą radzieckich oddziałów partyzanckich, kierowanych bezpośrednio z Moskwy. Antypartyzanckie akcje Niemców były coraz okrutniejsze. Zgrupowanie Brigadeführera SS Oskara Dirlewangera, sformowane z kryminalistów pozwalnianych z obozów, paliło całe wsie i mordowało ich mieszkańców. Przed niemiecką ofensywą pod Kurskiem sowieckie grupy partyzanckie postawiono w stan gotowości, nakazując im atakować linie kolejowe, żeby w ten sposób opóźniać dostawy zaopatrzenia dla jednostek frontowych Wehrmachtu.

Odraczanie niemieckiej ofensywy skłoniło zniecierpliwionych radzieckich dowódców w rodzaju generała pułkownika Watutina do przekonywania, iż nie należy dłużej czekać i że Armia Czerwona sama powinna przeprowadzić atak. Żukow i Wasilewski znowu musieli uspokajać Stalina i wyjaśniać mu, że trzeba zachować zimną krew. Prowadzenie dobrze przygotowanej obrony pozwalało, w porównaniu z działaniami zaczepnymi, na wyeliminowanie z walki dużo większej liczby niemieckich żołnierzy za cenę mniejszych strat własnych. Stalin nie był w najlepszym nastroju, usłyszawszy na początku czerwca od Churchilla, że termin alianckiej inwazji na północną Francję został odłożony do maja 1944 roku.

Stalina wprawił także w wielkie rozdrażnienie międzynarodowy skandal, który wybuchł po odkryciu masowych grobów ze zwłokami polskich ofiar w lasach pod Katyniem i w innych miejscach. Pod koniec

---

[7] Ch. Andrew, W. Mitrochin, *Archiwum Mitrochina. KGB w Europie i na Zachodzie*, tłum. M.M. Brzeska, R. Brzeski, Warszawa 2001, s. 140–171.

kwietnia Niemcy, po natknięciu się na te zbiorowe mogiły, powołali międzynarodową komisję, złożoną z lekarzy z krajów neutralnych i okupowanych, do przebadania świadectw odnalezionych na miejscu zbrodni. Polskie władze na uchodźstwie w Londynie zażądały pełnego dochodzenia pod egidą Międzynarodowego Czerwonego Krzyża. Zirytowany Stalin uparcie twierdził, że katyńskie ofiary zostały zabite przez Niemców, a każdy, kto w to powątpiewa, „pomaga i sprzyja Hitlerowi". W nocy z 25 na 26 kwietnia Moskwa zerwała stosunki dyplomatyczne z polskim rządem w Londynie. Czwartego lipca zginął w tragicznym wypadku lotniczym generał Sikorski, gdy ładunek na pokładzie liberatora przemieścił się podczas startu w tył kadłuba samolotu. Po wieściach o Katyniu i wysuwanych przez Sikorskiego żądaniach przeprowadzenia skrupulatnego śledztwa w sprawie tej zbrodni Polacy oczywiście podejrzewali, że Sikorski zginął w wyniku zamachu[8].

Piętnastego maja Stalin, najwyraźniej próbując rozwiać obawy Brytyjczyków, a zwłaszcza Amerykanów, którzy udzielali Związkowi Radzieckiemu tak ważnej pomocy w ramach programu Lend-Lease, oficjalnie rozwiązał Komintern (Międzynarodówkę Komunistyczną). Lecz gest ten miał też na celu odwrócenie uwagi od kontrowersji wokół mordu katyńskiego. W rzeczywistości Komintern, pod kierownictwem Georgija Dymitrowa, Dymitra Manuilskiego i Palmira Togliattiego, nadal kontynuował działalność jako Sekcja Międzynarodowa KC radzieckiej partii komunistycznej.

*

Popołudniem 4 lipca, w upalny i wilgotny dzień z przelotnymi ulewami, niemieccy grenadierzy pancerni z Dywizji „Grossdeutschland" i 11. Dywizji Pancernej podjęli wstępny atak na wysunięte radzieckie pozycje na południowym odcinku frontu kurskiego koło Biełgorodu. Tejże nocy hitlerowskie kompanie saperów z 9. Armii, którą dowodził Model, przystąpiły do przecinania drutów kolczastych i usuwania min w północnym sektorze. Jeden z niemieckich żołnierzy został schwytany przez czerwonoarmistów i przesłuchany. Uzyskaną informację o tym, że „godzina W" została wyznaczona na trzecią rano, przekazano generałowi Rokossowskiemu, dowódcy Frontu Centralnego. Ów niezwłocznie wydał rozkazy podjęcia zmasowanego ostrzału pozycji niemieckiej 9. Armii z dział, ciężkich moździerzy i wyrzutni rakietowych Katiusza. Żukow zadzwonił do Stalina, aby mu oznajmić, że bitwa wreszcie się zaczęła.

---

8   Rozmowa autora z Victorem Cazaletem.

Wojska Watutina na południowym skraju Łuku Kurskiego, gdzie także przesłuchano innego niemieckiego jeńca, wkrótce potem otworzyły ogień do szykującej się do natarcia 4. Armii Pancernej Hotha. Zarówno 9. Armia, jak i 4. Armia Pancerna musiały opóźnić rozpoczęcie ataku o dwie godziny. Ich dowództwa zastanawiały się nawet, czy Sowieci sami nie rozpoczną lada chwila ofensywy. Mimo że Niemcy nie ucierpieli zbytnio od tej nawałnicy ogniowej, to wiedzieli już na pewno, iż Armia Czerwona czeka na nich w pełnej gotowości w głównych punktach zaplanowanego uderzenia. Wobec tego, że rozpętała się jeszcze gwałtowna burza, nie był to zbyt zachęcający początek operacji.

O świcie radzieckie lotnictwo przeprowadziło naloty na niemieckie lotniska, na których jednak prawie nie zastało samolotów wroga. Maszyny Luftwaffe wystartowały wcześniej i doszło to potężnej bitwy powietrznej, co było pomyślne dla nazistowskich pilotów. Po otrzymaniu rozkazu do ataku niemieckie czołówki pancerne wyruszyły naprzód o godzinie piątej rano. Na południowym odcinku kolumny Hotha składały się z czołgów Tiger i ciężkich dział szturmowych w szpicy, z czołgami Panther i PzKpfw IV na skrzydłach, za którymi podążała piechota. Szybko się okazało, że „Pantery", w pośpiechu zmontowane w halach fabrycznych w Niemczech, mają wiele usterek technicznych, a liczne egzemplarze czołgów tego typu strawił ogień. Jednakże choć spośród łącznej liczby niemieckich 2700 czołgów wyznaczonych do udziału w operacji „Cytadela" znalazło się niespełna dwieście ciężkich „Tygrysów", to stanowiły one potężny taran.

Najwyraźniej Niemcom nie brakło zapału bojowego. „Uważam, że tym razem Rosjanie dostaną straszne lanie", napisał pewien *Fahnenjunker* z jednego z batalionów przeciwlotniczych[9]. Z kolei plutonowy z 19. Dywizji Pancernej uznał, że eksplozje i zestrzelone radzieckie myśliwce stanowiłyby „świetne obrazy dla kronik filmowych, tylko pewnie nikt nie chciałby w nie uwierzyć"[10]. Oficerowie podtrzymywali morale swoich podwładnych za pomocą innej optymistycznej refleksji. Oto bowiem Stalin robił się zły na Anglię, że ta nie otwiera drugiego frontu. „Jeśli coś takiego [jak otwarcie frontu na zachodzie] nie wydarzy się wkrótce – zapisał szeregowiec z 36. Dywizji Piechoty – wtedy [Stalin] wystąpi wobec nas z pokojową propozycją"[11].

Hoth atakował na południowym odcinku trzema kolumnami. Na lewej flance 3. i 11. Dywizja Grenadierów Pancernych operowały na skrzydłach Dywizji Grenadierów Pancernych „Grossdeutschland". W centrum sektora wprowadził do walki II Korpus Pancerny SS Obergruppenführera

---

[9] Werner K., 2. bateria 74. baonu przeciwlotniczego, BfZ-SS L 20 909.

[10] Plutonowy Herbert Peter S., 19. Dywizja Pancerna, 7 lipca 1943 r., BfZ-SS 13 925.

[11] Szeregowy Karl K., 36. Dywizja Piechoty, 7 lipca 1943 r., BfZ-SS 08 818C.

Paula Haussera, z dywizjami „Leibstandarte SS Adolf Hitler", „Das Reich" i „Totenkopf". Z prawej nacierały 6., 19. i 7. Dywizja Pancerna III Korpusu Pancernego. Na jego prawym skrzydle i nieco z tyłu Grupa Operacyjna „Kempf" prowadziła atak na południe od Biełgorodu, próbując się przeprawić w północnym biegu rzeki Doniec. Dalej na północy nacierało na miejscowość Ponyry centralne zgrupowanie, którym dowodził Model, złożone z dwóch korpusów pancernych, na czele każdego z nich zaś podążał batalion „Tygrysów" i wielkich, ociężałych samobieżnych dział pancernych typu Elefant, znanych także pod nazwą Ferdinand.

Lekko pofałdowany teren, z nielicznymi lasami i osadami rolniczymi, nadawał się idealnie do prowadzenia walk z użyciem jednostek zmechanizowanych, niemniej jednak załogi niemieckich czołgów szybko się przekonały, że trudno im było wypatrzyć setki zamaskowanych stanowisk armat przeciwpancernych. Baterie takich dział zostały przydzielone do pierwszoliniowych dywizji Armii Czerwonej, w istocie je poświęcając, aby wzięły na siebie początkowe uderzenie niemieckich pancernych czołówek i związały je walką. Pociski artyleryjskie dużego kalibru wkopano w ziemię w wielu miejscach, by detonować je z oddali.

Na niebie, z wyciem syren, niezgrabne stukasy z charakterystycznie załamanymi skrzydłami nurkowały na radzieckie pozycje i okopane czołgi T-34. As niemieckich jednostek bombowców nurkujących Hans Rudel wypróbował własny wynalazek, polegający na zastosowaniu dwóch działek BK 37 mm zamontowanych pod płatami nośnymi[12]. Niemcy szybko uporali się z wieloma T-34, dość prymitywnie ukrytymi w stertach siana. Sowieccy czołgiści, którzy przeżyli podziurawienie ich wozów pociskami przeciwpancernymi, musieli uciekać z płonących stogów. Żołnierze niemieccy radowali się na ten widok. „Nasze lotnictwo wojskowe jest naprawdę fantastyczne – pisał w liście do rodziny pewien starszy sierżant ze 167. Dywizji Piechoty. – A jak tylko wróg oberwie, nasze czołgi mogą ruszać naprzód na pełnej szybkości"[13].

Jednak radzieckie działa przeciwpancerne były lepiej zamaskowane. Doświadczeni w walkach artylerzyści czekali z otwarciem ognia do chwili, aż niemiecki czołg znajdzie się w odległości zaledwie dwudziestu metrów. Na odcinku północnym, tuż na zachód od Ponyry, gdzie „Tygrysy" przerwały sowiecką obronę, Wasilij Grossman słyszał, jak czterdziestopięciomilimetrowe przeciwpancerne „pociski trafiały w czołgi, ale odbijały się od nich jak groch. Zdarzało się, że kanonierzy wariowali na ten widok". Nie lepiej było w południowym sektorze, jak miał okazję się przekonać. „Pewien

---

[12] P. Agte, *Michael Wittmann and the Waffen SS Tiger Commanders...*, *op. cit.*, s. 100.
[13] Willy P., 167. Dywizja Piechoty, BfZ-SS 19 279 D.

ładowniczy wystrzelił z bliska do »Tygrysa« z armaty 45 mm. Pocisk odbił się od pancerza. Ładowniczy stracił głowę i rzucił się pod czołg"[14].

Mimo że większość przeciwpancernych pocisków nie przebiło grubego przedniego pancerza czołgów Tiger, to gąsienice tych wozów bojowych ulegały uszkodzeniom, wjeżdżając na miny. Z samobójczą brawurą sowieccy saperzy podkładali zapasowe miny przeciwczołgowe na ich drodze. Czerwonoarmiści podczołgiwali się też, by obrzucać czołgi granatami, wiązkami dynamitu i butelkami z benzyną.

Obawiając się powiększenia przez Niemców wyłomu w linii frontu na zachód od Ponyry, Rokossowski rzucił tam oddziały przeciwpancerne oraz brygady dział i moździerzy. Wezwał również myśliwce 16. Armii Lotniczej do walki z niemieckimi bombowcami i messerschmittami, te jednak poniosły ciężkie straty w starciach z maszynami Luftwaffe. Niemieccy dowódcy byli wstrząśnięci tym, że bynajmniej nie zaskoczyli nieprzyjaciela i że radzieccy żołnierze tym razem nie uciekali przed nacierającymi czołgami. Pomimo dotkliwych strat niemieckie czołówki wdarły się na głębokość prawie dziesięciu kilometrów na piętnastokilometrowym froncie. Rokossowski szykował się do kontruderzenia w następnym dniu, lecz chaos panujący na rozległym polu bitewnym utrudniał skoordynowane działania.

Batalia w przestworzach miała równie bezlitosny przebieg, a niemiecka VI Flota Powietrzna i radziecka 16. Armia Lotnicza rzuciły do walki dosłownie wszystkie sprawne samoloty. Focke-wulfy, stukasy i messerschmitty ścierały się ze „szturmowikami" (Ił-2), jakami i ławoczkinami. Sporadycznie zdesperowani sowieccy piloci po prostu taranowali niemieckie maszyny.

Podniebne zmagania nad strefą działań 4. Armii Pancernej Hotha na południowym odcinku Łuku Kurskiego były jeszcze bardziej zaciekłe. Czwarta Flota Powietrzna, uniknąwszy o świcie wyprzedzającego ataku radzieckiego lotnictwa, zadała atakującym dotkliwe straty. Batalia pod Kurskiem od dawna jest przedstawiana – czemu czasem towarzyszy podawanie zawyżonych danych liczbowych – jako największa bitwa wojsk pancernych w historii, lecz i walki powietrzne w czasie tych zmagań należały do najintensywniejszych w drugiej wojnie światowej.

W południowym sektorze natarcie Dywizji „Grossdeutschland" utknęło po pewnym czasie na polu minowym, które zrobiło się zdradliwie bagniste po ulewnej burzy poprzedniej nocy. Bataliony inżynieryjne, wysłane na pomoc czołgom, znalazły się pod silnym ostrzałem i tylko rozpaczliwy szturm spieszonych grenadierów pancernych doprowadził do likwidacji radzieckich stanowisk obronnych osłaniających ogniem wspomniane pole minowe.

---

[14] RGALI 1710/3/51.

Mimo to wyciąganie czołgów z błota i wytyczanie przejść w tej niebezpiecznej strefie zabrało wiele godzin. Niemcom dodatkowo podcięło skrzydła to, że brygada nowych czołgów typu Panther, która miała udzielić wsparcia, narzekała na liczne usterki mechaniczne swoich wozów bojowych. Problemy tego rodzaju nie ograniczały się wyłącznie do „Panter". „Moja dywizja już schodzi na psy – pisał pewien kapral z 4. Dywizji Pancernej. – Psuje się bardzo dużo półgąsienicowych ciągników, równie wiele czołgów, a i [ciężkie] »Tygrysy« zawodzą"[15]. Pomimo trudności natarcie zostało jednak wznowione.

Raszyd Ziewadinowicz Sadriedinow, Tatar z pochodzenia, służył w baterii przeciwlotniczej, której wszystkie cztery działa zostały rozbite przez stukasy. Wysokie żyto wokół ich stanowisk płonęło. Artylerzyści schowali się w podziemnych schronach, gdy mijały ich niemieckie czołgi. Kiedy czerwonoarmiści w końcu wyłonili się spod ziemi, stwierdzili, że znaleźli się poza strefą walk, na tyłach nieprzyjaciela, daleko od przesuniętej linii frontu. Sadriedinow i jego towarzysze broni zdjęli mundury z zabitych Niemców i założyli je na swoje. Warty zatrzymały ich, kiedy zbliżali się do radzieckich linii. Któryś z żołnierzy Armii Czerwonej uznał, że to Rosjanie w niemieckich mundurach, i zwymyślano ich: „Ach, wy dranie, jesteście własowcami!". Dotkliwie ich pobito. Sadriedinow wraz z kolegami w końcu zdołali dowieść swej tożsamości, gdy umożliwiono im skontaktowanie się z szefem sztabu ich dywizji[16].

„Luftwaffe nas bombardowała – wspominał Nikifor Dmitriewicz Czewoła, dowódca 27. Brygady Przeciwpancernej rzuconej przeciwko Dywizji »Grossdeutschland«. – Otaczał nas ogień i dym, ale moich ludzi poniosło. Ciągle strzelali, nie zwracając na nic uwagi"[17]. Myśliwce typu Messerschmitt, czyli „messery", jak zwali je czerwonoarmiści, ostrzeliwały z broni maszynowej radzieckie okopy, od końca do końca. Nawet wielokrotnie ranieni żołnierze nie odchodzili na punkty opatrunkowe. „Nieustanny grzmot, ziemia drżała, pożary wszędzie wokoło. Porozumiewaliśmy się krzykiem. Jeśli chodzi o łączność radiową, to Niemcy próbowali nas nabierać. Wydzierali się przez radio: »Tu Niekrasow, tu Niekrasow!« [Chodziło o pułkownika Iwana Michajłowicza Niekrasowa, dowódcę 52. Gwardyjskiej Dywizji Strzeleckiej, zajmującej stanowiska bojowe w przyległym sektorze.] Odkrzyknąłem im: »Gówno prawda! Chrzańcie się!«. Zagłuszali nasze głosy wyciem"[18].

---

[15] Kapral Ludwig D., 103. Pułk Artylerii Polowej, 4. Dywizja Pancerna, 12 lipca 1943 r., BfZ--SS 44 705.

[16] R.Z. Sadriedinow, 4. bateria 1362. Pułku Artylerii Przeciwlotniczej 25. Dywizji Przeciwlotniczej, w: *Swiaszczennaja wojna. Ja pomniu*, red. A. Drabkin, Moskwa 2010, s. 137.

[17] RGALI 1710/3/51.

[18] *Ibidem*.

„Była to walka bezpośrednia – powiedział ładowniczy Trofim Karpowicz Teplenko. – Przypominała pojedynek działa przeciwpancernego z czołgiem. Sierżantowi Smirnowowi urwało głowę i nogi. Przynieśliśmy jego głowę, a później i nogi, ułożyliśmy je w małym rowie i przysypaliśmy". Drobiny czarnoziemu i dymiący kordyt sprawiały, że prowiant czerwonoarmistów zabarwiał się na ciemnoszaro, o ile w ogóle był dostarczany. W trakcie krótkich pauz w walkach żołnierze nie mogli usnąć, gdyż odwykli od ciszy. „Im spokojniej, tym większe napięcie się odczuwa", wyjaśniał podpułkownik Czewoła[19].

Kilkanaście kilometrów dalej na wschód II Korpus Pancerny SS, wspierany przez brygadę wyrzutni rakietowych typu Nebelwerfer, wdarł się na pozycje 52. Gwardyjskiej Dywizji Strzeleckiej Niekrasowa. Za podążającymi na czele czołgami postępowały pododdziały z miotaczami ognia, niszczące punkty oporu w bunkrach i okopach. Było to niemal samobójcze zadanie, gdyż na drużynach tych natychmiast skupiał się nieprzyjacielski ostrzał. Ale buchające płomienie z tych miotaczy pozostawiały po sobie odór benzyny i spalonych ciał.

Dywizja „Leibstandarte SS Adolf Hitler" (LSSAH) na lewym skrzydle kontynuowała marsz na Prochorowkę, a jednostki „Das Reich" i „Totenkopf" nacierały na prawo od niej na kierunku północno-wschodnim. Lecz nawet doborowa LSSAH została tego wieczoru powstrzymana przez kolejną radziecką brygadę przeciwpancerną, wprowadzoną do walki z zadaniem utrzymania linii obrony. Trzydzieści kilometrów dalej na południowy wschód Grupa Operacyjna „Kempf", po sforsowaniu Dońca na południowy wschód od Biełgorodu, zdołała osiągnąć tylko lokalny sukces. Cel jej działań, czyli dalsze natarcie z zadaniem osłony prawej flanki Hotha, stawał się nader trudny do osiągnięcia.

Niemieccy czołgiści, zwłaszcza ładowniczy, cierpieli z powodu przegrzania podczas tego upalnego dnia. „Tygrysy" przystosowano do pomieszczenia w ich wnętrzu stu dwudziestu zamiast dziewięćdziesięciu pocisków kalibru 88 mm. Celów do ostrzału było tak dużo, że ładowniczy, uwijając się w pośpiechu w rozgrzanej wieży czołgu, padali ze zmęczenia. Czasami zachodziła konieczność uzupełniania zapasu amunicji dwukrotnie lub trzykrotnie w ciągu dnia, a umieszczanie armatnich pocisków we wnętrzu wozu bojowego również było bardzo wyczerpujące, nawet gdy ktoś w tym pomagał. Jeden z niemieckich korespondentów wojennych, przydzielony do kompanii czołgów Tiger, nieomal oszalał od szumów i pisków w słuchawkach hełmofonu, nieustannego grzechotu karabinów maszynowych i ogłuszającego huku wystrzałów z czołgowego działa.

---

[19] *Ibidem.*

Watutin, zdając się głównie na swoje jednostki przeciwpancerne w trakcie pierwszego dnia walk pod Kurskiem, przystąpił do podciągania w rejon zmagań 1. Armii Pancernej generała porucznika Katukowa oraz dwóch gwardyjskich korpusów czołgów, wzmacniając nimi drugą linię obrony. Choć później skrytykowano jego decyzję wykorzystania tych pancernych odwodów w defensywie, zamiast zachowania ich do potężnego przeciwuderzenia, w istocie Watutin prawie na pewno postąpił słusznie. Zmasowany kontratak na otwartym terenie oznaczałby wystawienie jego wozów bojowych na ogień „Tygrysów", których osiemdziesięciooośmiomilimetrowe działa mogły niszczyć radzieckie T-34 z odległości dochodzącej do dwóch kilometrów, a te ostatnie z takiego dystansu nie były w stanie wyeliminować z walki niemieckich ciężkich czołgów. Załoga jednego z „Tygrysów" zdołała zniszczyć w ciągu niespełna godziny dwadzieścia dwa radzieckie czołgi, jej dowódcę zaś niezwłocznie odznaczono za to osiągnięcie Krzyżem Rycerskim.

Szóstego lipca, gdy Dywizja „Grossdeutschland" na lewym skrzydle została powstrzymana przez rozmokły grunt i zacięty opór nieprzyjaciela, LSSAH wraz z Dywizją „Das Reich" u boku szturmowały dalej na północ, przełamując drugą linię obrony. Wiązało się to jednak z odsłonięciem flanek, a wywierany przez wojska radzieckie nacisk na zachodnim odcinku zmusił wspomniane jednostki niemieckie do zejścia z wyznaczonej osi natarcia na północy i skierowania się ku północnemu wschodowi w kierunku węzła kolejowego w Prochorowce.

Tymczasem w północnym sektorze niemiecka 9. Armia, którą dowodził Model, ponosiła ciężkie straty. Piechota, a nawet zmotoryzowane oddziały grenadierów pancernych nie były w stanie dotrzymać kroku pancernym zagonom. Z kolei sowieccy piechurzy, pozostając w ukryciu, organizowali zasadzki na wielkie samobieżne działa Elefant, saperzy natomiast nadal układali miny na drodze ich przejazdu. Ku konsternacji Niemców nawet takie kolosy jak elefanty nie wywoływały wśród radzieckich żołnierzy *Panzerschreck* – paniki na widok nieprzyjacielskich czołgów.

Podczas boju, jaki rozegrał się 7 lipca w pobliżu stacji kolejowej Ponyry, „wszystko się paliło, i pojazdy, i ludzie". Prawie wszystkie domy i wsie w promieniu wielu kilometrów spłonęły do szczętu. Piechurzy Armii Czerwonej z trwogą patrzyli na straszliwie poparzonych czołgistów, ewakuowanych na zaplecze. „Pewien porucznik, ranny w nogę i z urwaną ręką, dowodził baterią atakowaną przez [niemieckie] czołgi. Po tym jak szturm wroga został powstrzymany, zastrzelił się, bo nie chciał dalej żyć jako kaleka"[20].

---

[20] *Ibidem.*

Czerwonoarmiści najbardziej lękali się okaleczenia. I nic dziwnego, jeśli weźmie się pod uwagę los ich kalekich towarzyszy. Weteranów walk, którzy przeszli amputacje kończyn, bezdusznie przezywano „samowarami".

Model zdawał sobie sprawę, że choć jego wojskom udało się posunąć naprzód o kilkanaście kilometrów na jednym z odcinków na zachód od Ponyry, to radzieckie linie obronne okazały się rozmieszczone daleko bardziej w głąb, aniżeli wcześniej sądzili Niemcy. Rokossowski także miał powody do niepokoju. Jego kontratak z użyciem czołgów, zaplanowany na świt, nie doszedł do skutku. W tej sytuacji Rokossowskiemu pozostało tylko wydanie swoim czołgistom rozkazu wzmocnienia pozycji obronnych przez okopanie wozów bojowych aż po wieżyczki. Okazało się to dobrym posunięciem, gdyż Model postanowił wprowadzić do walki swój główny odwód w desperackiej próbie przełamania frontu.

Zaciekłe zmagania, które toczyły się na północy aż do godzin nocnych 8 lipca, doprowadziły do zatrzymania i zdziesiątkowania pancernych czołówek Modela. Mimo że zadały one obrońcom kolosalne straty, to liczebna przewaga Armii Czerwonej w czołgach i działach przeciwpancernych w końcu dała o sobie znać. Również radzieckie samoloty szturmowe Ił-2, atakujące cele naziemne, zniszczyły wiele niemieckich czołgów i samobieżnych dział. Dziewiąta Armia, którą dowodził Model, straciła około dwudziestu tysięcy żołnierzy i dwieście wozów bojowych[21]. Kiedy stało się jasne, że niemieckie natarcie utknęło w miejscu, Rokossowski i generał Popow z dowództwa Frontu Briańskiego zaczęli przygotowania do przeciwuderzenia na wybrzuszenie w linii frontu pod Orłem, zaplanowanego na 10 lipca. Operacji tej miano nadać kryptonim „Kutuzow" – na cześć sławnego rosyjskiego wodza, który kierował kampanią 1812 roku.

W południowej części Łuku Kurskiego znalazły się w niebezpieczeństwie armie Watutina. Stawka oczekiwała, że główne niemieckie uderzenie nastąpi na północnym skrzydle, podczas gdy faktycznie Niemcy skoncentrowali największe siły w sektorze południowym, gdzie operowała 4. Armia Pancerna Hotha. Wydawało się, iż niemieckie natarcie na Prochorowkę, prowadzone przez II Korpus Pancerny SS, zakończy się sukcesem, nawet mimo ściągnięcia tam do obrony 1. Armii Pancernej Katukowa. Wieczorem 6 lipca Watutin, popierany przez marszałka Związku Radzieckiego Wasilewskiego zażądał od moskiewskiej centrali pilnego wzmocnienia swoich oddziałów.

---

[21] D.M. Glantz, J. House, *The Battle of Kursk*, *op. cit.*, s. 121.

Sytuacja wyglądała na tyle poważnie, że Front Stepowy Koniewa otrzymał rozkaz przygotowań do wymarszu, a 5. Armia Pancerna Gwardii pod komendą generała porucznika Pawła Rotmistrowa została niezwłocznie skierowana na pomoc Watutinowi. Na osobiste polecenie Stalina 2. Armia Lotnicza miała osłaniać z powietrza jej trzystukilometrowy przemarsz za dnia, ponieważ kłęby kurzu, wzbijane przez kolumny czołgów, od razu przyciągnęłyby uwagę lotników Luftwaffe.

Piąta Armia Pancerna Gwardii wyruszyła we wczesnych godzinach porannych 7 lipca, a jej pancerne kolumny rozciągnęły się na stepie na odcinku około trzydziestu kilometrów. „W południe – pisał Rotmistrow – wznosiły się skłębione chmury pyłu, zalegając grubą warstwą na przydrożnych zaroślach, łanach zbóż, czołgach i ciężarówkach. Ciemnoczerwona tarcza słońca była ledwie widoczna. Twarze żołnierzy poczerniały od kurzu i spalin. Panował nieznośny upał. Żołnierzy dręczyło pragnienie, a ich koszule, mokre od potu, lepiły się do ciał"[22].

Gigantyczna bitwa wzdłuż północnego odcinka Łuku Kurskiego toczyła się nieprzerwanie 7 lipca, a radzieckie dywizje strzeleckie, brygady czołgów i jednostki przeciwpancerne 6. Armii Gwardyjskiej i 1. Armii Pancernej broniły się z samobójczą zaciekłością. Wojska Hotha przekonały się, że zaraz po zniszczeniu jednej sowieckiej dywizji wyłania się następna, blokując Niemcom drogę. Nikt nie miał czasu na grzebanie zwłok poległych, które obsiadały muchy. Żołnierze obu walczących stron popadali w obłęd ze strachu, pod wpływem stresu i ogłuszającego bitewnego hałasu. Pewien niemiecki żołnierz zaczął tańczyć kankana, zanim nie powalili go na ziemię jego towarzysze broni. W pewnym momencie wydawało się, że Dywizja „Grossdeutschland" jest bliska dokonania znacznego wyłomu w linii frontu wiodącej ku miejscowości Obojań, lecz wtedy natknęła się na brygadę radzieckiego 6. Korpusu Pancernego, w porę przerzuconą na pole walki. Dywizje „Leibstandarte SS Adolf Hitler" i „Das Reich" zdołały posunąć się naprzód wzdłuż drogi do Prochorowki na wschodniej flance 6. Armii Gwardyjskiej, jednak ciągle musiały odpierać kontrataki, nękające ich odsłonięte skrzydła.

Piloci Luftwaffe zestrzelili wiele radzieckich samolotów. As niemieckiego lotnictwa Erich Hartmann strącił ich siedem tylko tego dnia; z czasem zdobył miano najskuteczniejszego pilota myśliwskiego całej wojny, mając 352 zwycięstwa powietrzne na koncie. Sowieccy lotnicy również odnotowywali sukcesy. Nad południowym sektorem zestrzelili łącznie około setki myśliwców i bombowców nieprzyjaciela. Jednostki Luftwaffe, traktując

---

[22] P. Rotmistrow, *Tanks against Tanks*, w: *Main Front. Soviet Leaders Look Back on World War II*, red. J. Erickson, London 1987, s. 106–109.

jako swe główne zadanie taktyczne wsparcie wojsk lądowych, nie były w stanie uwikłać w walki powietrzne dostatecznie wielu maszyn przeciwnika, a dotkliwe braki paliwa wymuszały ograniczenie liczby prowadzonych lotów bojowych. Po raz pierwszy podczas tej wojny Sowieci zaczęli uzyskiwać przewagę w powietrzu i już wkrótce przystąpili do conocnych nalotów bombowych na niemieckie lotniska. A jednak, pomimo znacznych strat, jeden z pilotów z jednostki Hansa-Urlicha Rudla zapisał, że już o brzasku ponownie wzbijali się w powietrze. „Z niezłomnym duchem, typowym dla lotników w stukasach, spadamy na wroga i zrzucamy na niego nasze niszczycielskie bomby"[23].

Ósmego lipca Hausser przerzucił Dywizję „Totenkopf" z prawego skrzydła swojego korpusu na lewe, aby przenieść ciężar natarcia z kierunku Prochorowki z powrotem ku Obojaniowi na głównym szlaku wiodącym do Kurska. W trakcie tego przegrupowania korpusu został on zaatakowany przez radziecki 10. Korpus Pancerny, lecz była to tak chaotyczna akcja zaczepna, że została odparta, a Sowieci ponieśli znaczne straty. Ponadto radziecki 2. Korpus Pancerny, który miał uderzyć na odsłoniętą flankę II Korpusu Pancernego SS, został zdziesiątkowany przez nowe szturmowe samoloty Henschel Hs-129 (zwane *Panzerknacker*, czyli „niszczycielami czołgów"), uzbrojone w działka 30 mm. Dywizje Haussera (zapewne zapisując też na własne konto pojazdy rozbite przez maszyny Luftwaffe) odnotowały owego dnia zniszczenie 121 radzieckich czołgów.

Dziewiątego lipca II Korpus Pancerny SS przeprowadził atak na ostatnią linię obrony Watutina. „Ci w maskującym umundurowaniu [stosowanym w jednostkach Waffen-SS] walczyli wyjątkowo dobrze", przyznał jeden z radzieckich żołnierzy z 6. Armii Gwardyjskiej[24]. Ten sam czerwonoarmista widział też, jak jeden z „Tygrysów" zniszczył po kolei siedem T-34. Skrajnie wyczerpani niemieccy czołgiści przełykali pobudzające pastylki Pervitinu (metamfetaminy), które przytępiały poczucie niebezpieczeństwa i odpędzały senność. Hausser liczył też na wsparcie swojego prawego skrzydła, ale Grupa Operacyjna „Kempf" nadal zmagała się z twardym oporem Sowietów na wschód od Biełgorodu, gdy tymczasem jej prawej flance zagroziła 7. Armia Gwardyjska generała Szumiłowa.

Pułk grenadierów pancernych Dywizji „Totenkopf" dotarł do rzeki Psioł, ale natarcie pozostałych jednostek II Korpusu Armijnego SS spowolniły radzieckie dywizje rzucone do walki, by wspomogły 6. Armię Gwardii

---

[23] Podporucznik Paul D., 2. Pułk Lotnictwa Szturmowego „Immelmann", 18 lipca 1943 r., BfZ-SS L 16 641.

[24] A.A. Mamutow, „Ja pomniu. Wospominania wietieranow Wielikoj Otieczestwiennoj Wojny", 16 listopada 2010, http://www.iremember.ru/pekhotintsi/mamutov-amza-amzaevich/stranitsa-3.html (dostęp: 1.09.2012).

i 1. Armię Pancerną. Później tego popołudnia niemieckie dowództwo ponownie postanowiło skierować atak Haussera ku Prochorowce. Niemcy liczyli na to, że z Grupa Operacyjna „Kempf" po prawej, której nie udawało się dotąd przełamać pozycji przeciwnika, zdoła teraz przywrócić ofensywie gasnący impet. Dywizje Wernera Kempfa były jednak nieprzerwanie atakowane z obu skrzydeł.

Dziesiątego lipca, to jest w dniu, kiedy alianci wylądowali na Sycylii, radziecka 1. Armia Pancerna oraz niedobitki 6. Armii Gwardyjskiej w dalszym ciągu, kosztem straszliwych strat, opóźniały niemieckie ataki w kierunku Obojania. Zmuszało to XLVIII Korpus Pancerny generała Ottona von Knobelsdorffa do wsparcia prowadzonego przez Haussera natarcia na Prochorowkę. Dywizja „Grossdeutschland" była już zupełnie wyczerpana, niemniej grenadierzy pancerni zdołali jeszcze uchwycić dwa kluczowe wzgórza siłami pułku pancernego, dowodzonego przez grafa Hyazintha Strachwitza, tego samego „pancernego kawalerzystę", który wcześniej jako pierwszy niemiecki oficer dotarł nad Wołgę na północ od Stalingradu. Niemcy widzieli wyraźnie Obojań przez lornetki, ale wyczuwali, że nie zdobędą już tego miasta. Dla Strachwitza było to pewnie znajome odczucie. W 1914 roku jego kawaleryjski patrol znalazł się w miejscu, skąd widać było Paryż, lecz wkrótce Francuzi przeprowadzili kontratak nad Marną.

Dywizje SS pod komendą Haussera nie maszerowały na Prochorowkę w takim tempie, jakiego by sobie Niemcy życzyli, głównie ze względu na to, że wiele ich pułków toczyło boje na obu skrzydłach. A jednak, mimo huraganowego ognia radzieckiej artylerii, Dywizja „Leibstandarte SS Adolf Hitler" z częścią Dywizji „Das Reich" dalej parły naprzód. Pięć kilometrów dalej na lewym skrzydle Dywizja „Totenkopf" zdołała przeprawić się na drugi brzeg Psiołu, musiała się jednak zatrzymać, napotykając rozpaczliwą radziecką obronę na pobliskich wzniesieniach, które strzegły dostępu do doliny leżącej na północny wschód od owego miejsca. Do tego czasu wilgotny grunt podsechł. „Bardzo tu teraz gorąco – napisał niemiecki sanitariusz w liście do rodziny – a na drogach można się zapaść po kolana w piachu. Szkoda, że nie możecie zobaczyć mojej twarzy; pokrywa ją gruba na milimetr warstwa kurzu"[25]. Dla pilotów stukasów intensywność przeprowadzanych nalotów nie słabła. „W ciągu pięciu dni – pisał pewien podporucznik Luftwaffe – odbyłem trzydzieści lotów bojowych, a łącznie mam ich na koncie już 285". Dodał, że odgrywali decydującą rolę w wielkiej bitwie pancernej[26].

---

[25] Szeregowy Helmut P., 198. Dywizja Piechoty, 10 lipca 1943 r., BfZ-SS 29 740.
[26] Podporucznik Paul D., 2. Pułk Lotnictwa Szturmowego „Immelmann", 10 lipca 1943 r., BfZ-SS L 16 641.

Jedenastego lipca Watutin przegrupował swoją linię obrony na południowy zachód od Prochorowki, ściągając świeże dywizje z 5. Armii Gwardyjskiej, aby te zablokowały natarcie II Korpusu Pancernego SS. Kempf, na którego Manstein wywierał silną presję, domagając się przełamania frontu, posłużył się „Tygrysami" z 503. batalionu czołgów ciężkich i wozami bojowymi 6. Dywizji Pancernej do uderzenia na pozycje dwóch radzieckich dywizji strzeleckich. Obergefreiter z 6. Dywizji Pancernej zanotował, że był to piąty dzień z kolei, kiedy on i jego koledzy nie opuszczają czołgów. „Rosjanie nie odpuszczają, ponieważ przez ostanie trzy miesiące mieli dosyć czasu na zbudowanie takiej linii obronnej, na jaką wcześniej jeszcze nie natrafiliśmy"[27]. Dziewiętnasta Dywizja Pancerna także nacierała na drugim brzegu Dońca, zmierzając w kierunku Prochorowki.

Watutin, świadom tego zagrożenia i ściśle nadzorowany przez marszałka Wasilewskiego, który pozostawał w stałym kontakcie ze Stalinem, polecił generałowi Rotmistrowowi wprowadzenie do walki jego 5. Armii Pancernej Gwardii, kiedy tylko ta dotrze na front. Ale tego samego wieczoru, w trakcie wizytacji na froncie przeprowadzonej razem z Wasilewskim, Rotmistrow dostrzegł przez lornetkę, że zauważone w oddali czołgi to w rzeczywistości niemieckie wozy bojowe. Drugi Korpus Pancerny SS, przeprowadzając nagłe natarcie, już dotarł do punktu, z którego Rotmistrow zamierzał nazajutrz wyprowadzić kontruderzenie. Rotmistrow odjechał amerykańskim jeepem, dostarczonym Sowietom w ramach układu Lend-Lease, aby skorygować swoje plany.

Razem ze sztabem przepracował całą noc, przygotowując nowe rozkazy, ale o godzinie czwartej nad ranem 12 lipca dowiedział się od Watutina, że niemiecka 6. Dywizja Pancerna podchodziła nad Doniec koło Rżawca. Oznaczało to, że Grupa Operacyjna „Kempf" oskrzydlała radziecką 69. Armię i mogła zagrozić tyłom 5. Gwardyjskiej Armii Pancernej Rotmistrowa.

Faktycznie *Kampfgruppe* (zgrupowanie bojowe) 6. Dywizji Pancernej pod osłoną ciemności już dotarła do Rżawca, wykorzystując zdobyczne T-34, które jechały na czele kolumny czołgów. Choć saperzy Armii Czerwonej wysadzili w powietrze most nad Dońcem, w panującym zamieszaniu nie zniszczyli pobliskiej kładki i o świcie grenadierzy pancerni znaleźli się za rzeką. *Kampfgruppe* wydzielona ze składu 19. Dywizji Pancernej pospieszyła naprzód, aby ich wesprzeć, ale nie powiadomiono Luftwaffe o sukcesie pod Rżawcem. Formacja heinkli He 111 zbombardowała przyczółek, raniąc między innymi generała majora Walthera von Hünersdorffa, dowodzącego 6. Dywizją Pancerną, oraz pułkownika Hermanna von Oppeln-Bronikowskiego, dowódcę *Kampfgruppe*.

---

[27] Kapral Robert B., 6. Dywizja Pancerna, 10 lipca 1943 r., BfZ-SS 24 924.

Aby zlikwidować zagrożenie w okolicach Rżawca, Watutin w trakcie tej gorączkowej nocy rozkazał Rotmistrowowi użyć odwodu w celu powstrzymania nieprzyjaciela. Na zachód od Prochorowki XLVIII Korpus Pancerny Knobelsdorffa wyraźnie zamierzał wznowić natarcie na miasto Obojań, więc Watutin wydał rozkaz przeprowadzenia wyprzedzającego uderzenia siłami brygady czołgów z 1. Armii Pancernej oraz 22. Korpusu Strzeleckiego Gwardii. Wojska Hotha były wyczerpane. Rozpoczynając tę ofensywę, dysponowały dziewięćset szesnastoma czołgami; w tym czasie pozostało im niespełna pięćset. W dodatku ulewne deszcze znowu zamieniły piaszczysty grunt w lepkie błoto, co bardziej utrudniało działania Niemcom niż Sowietom, posiadającym zaopatrzone w szerokie gąsienice czołgi T-34.

Dwunastego lipca, tuż po brzasku, generał Rotmistrow znalazł się w bunkrze wzniesionym w sadzie na stoku wzgórza, ponad polami pszenicy i linią kolejową przebiegającą na południowy wschód od Prochorowki; mieściło się tam stanowisko dowodzenia radzieckiego 29. Korpusu Pancernego. Skorygowane rozkazy do przeprowadzenia przeciwuderzenia zostały już rozesłane, a pułki artylerii i wyrzutni rakietowych Katiusza skoncentrowano i rozmieszczono na wyznaczonych pozycjach w trakcie wczesnych godzin porannych. Za polami był las, w którym skryła się część II Korpusu Pancernego SS. Na niebie ponownie wisiały burzowe chmury, zwiastujące nową falę rzęsistych deszczów.

Naloty stukasów rozpoczęły bój. Wkrótce pojawiły się myśliwskie jaki i ławoczkiny z radzieckiej 2. Armii Lotniczej, aby podjąć z nimi walkę. Zaraz po nich nadleciały sowieckie bombowce, a ich atakowi towarzyszył ogłuszający grzmot dział i przerażające wycie rakietowych baterii katiusz, których pociski sprawiły, że łany pszenicy stanęły w ogniu. Kiedy II Korpus Pancerny SS wyłonił się ze skraju lasu i wyszedł na otwartą przestrzeń, Rotmistrow rzucił hasło „Stal!", nakazując swoim czołgom przejście do natarcia. Czołgi te oczekiwały zamaskowane na zboczu niewielkiego wzniesienia, a na dane hasło ruszyły naprzód na pełnej szybkości. Rotmistrow wyjaśnił w wydanym rozkazie, że w walce z „Tygrysami" jedyna szansa polega na podejściu możliwie najbliżej i wykorzystaniu przewagi liczebnej w starciu na niewielkim dystansie.

Obersturmführer Rudolf von Ribbentrop, syn ministra spraw zagranicznych Rzeszy, obserwował tę scenę z wieży swojego czołgu Tiger z 1. Pułku Pancernego SS. „Na ten widok zaniemówiłem. Zza niewysokiego pagórka, wznoszącego się jakieś sto pięćdziesiąt–dwieście metrów przede mną, wyłoniło się piętnaście, potem trzydzieści, wreszcie czterdzieści czołgów. W końcu było ich za wiele, żeby je zliczyć. T-34 pędziły w naszym kierunku na pełnej szybkości, przewożąc na kadłubach piechotę"[28].

---

[28] Cyt. za: F. Kurowski, *Panzer Aces*, Winnipeg 1992, s. 279.

Bitwa ta przypominała średniowieczne starcie zakutych w pancerze rycerzy. Ani artyleria, ani samoloty nie mogły wesprzeć żadnej z walczących stron, gdyż ich siły wymieszały się z sobą. Szyki się rozpadły, nie było mowy o uporządkowanym dowodzeniu, czołgi zaś strzelały do siebie z bliska. Po eksplozji amunicji i zbiornika z paliwem podmuch wyrzucał wysoko w powietrze wieżę trafionego czołgu. Niemieccy celowniczy początkowo koncentrowali ogień na czołgach dowódców nieprzyjacielskich oddziałów, gdyż tylko te były wyposażone w radiostacje, a potem zaczęli mierzyć w pokaźne metalowe beczki przymocowane do tylnej części kadłuba T-34, w których znajdował się zapas paliwa.

„Byli wokoło nas, nad nami i pomiędzy nami – zapisał pewien Untersturmführer z 2. Pułku Pancernego SS. – Toczyliśmy indywidualne pojedynki"[29]. Niemiecka przewaga w zakresie łączności, ruchliwości i siły ognia zatraciła się pośród chaosu, hałasu i dymu. „Panowała duchota – zanotował kierowca jednego z radzieckich czołgów. – Z trudem łapałem oddech, a pot spływał mi strugami po twarzy". Walczący znajdowali się w stanie skrajnego stresu. „W każdej chwili spodziewaliśmy się, że zginiemy"[30]. Ci, którzy po upływie paru godzin toczyli bój, nie mogli się nadziwić, że jeszcze żyją. „Czołgi czasami taranowały się nawzajem – pisał radziecki czołgista. – Palił się metal"[31]. Niewielkie pole bitewne zasłane było spalonymi wozami pancernymi, z których wznosiły się słupy czarnego, oleistego dymu.

Nadzieje Hotha na to, że Grupa Operacyjna „Kempf" zaatakuje flankę 5. Gwardyjskiej Armii Pancernej Rotmistrowa, legły z gruzach. Wspomniana grupa operacyjna została zatrzymana w odległości dziewiętnastu kilometrów, choć z najwyższym trudem, przez odwody Rotmistrowa. Jedyne powodzenie Niemcy odnotowali na lewym skrzydle, kiedy wydawało się, że Dywizja „Totenkopf" przełamie pozycje 5. Armii Pancernej Gwardii na północny wschód od Prochorowki. Jednakże radzieckie posiłki wojskowe przybyły na czas, uszczelniając wyłom. Choć XLVIII Korpus Pancerny Knobelsdorffa odparł przygotowane zawczasu przeciwnatarcie wojsk Watutina, ten częściowy sukces został osiągnięty za późno, by przynieść zasadniczy zwrot w przebiegu bitwy.

Gdy o zmierzchu znów spadł ulewny deszcz, obie strony wycofały swoje czołgi, aby uzupełnić w nich zapas paliwa i amunicji. Drużyny sanitariuszy ewakuowały rannych, a ekipy naprawcze penetrowały w nocy pole walki, na którym zaległy setki uszkodzonych i wypalonych czołgów. Nawet

---

29 R. Lehmann, *The Leibstandarte*, t. 3, Winnipeg 1993, s. 234, cyt. za: D.M. Glantz, J. House, *The Battle of Kursk, op. cit.*, s. 185.
30 A. Wołkow, cyt. za: L. Clark, *The Battle of Kursk 1943*, „The Wishstream" 2010, s. 140.
31 A.A. Mamutow, „Ja pomniu", *op. cit.*

bezlitosnego Żukowa poruszył widok, jaki ujrzał, objeżdżając bitewne pole dwa dni później.

Wziętych do niewoli esesmanów zabijano na miejscu, wiedząc, że SS nie dawało pardonu jeńcom. Poległym wrogom nie okazywano szacunku. „Niemcy byli miażdżeni pod kołami i gąsienicami pojazdów – zanotował pewien młody radziecki oficer. – Leżały tam stosy martwych Niemców, którzy nadal mieli przy sobie mapniki i inne przybory. Widziałem, jak czołgi przejeżdżają po ich ciałach"[32].

Hoth nie wiedział aż do wieczora, że na północ od Łuku Kurskiego Armia Czerwona właśnie przystąpiła do operacji „Kutuzow", dążąc do odzyskania Orła. Rozmiary tej ofensywy przeciwnika zaskoczyły wyczerpaną 9. Armię Modela i niemiecką 2. Armię Pancerną. Raz jeszcze niemiecki wywiad nie docenił skali koncentracji sił Armii Czerwonej na zapleczu frontu. Jedenasta Armia Gwardyjska generała Iwana Bagramiana zaatakowała tyły wojsk, którymi dowodził Model, i w ciągu dwóch dni posunęła się naprzód o szesnaście kilometrów. Wykorzystując ten sukces, radziecka 4. Armia Pancerna, 3. Armia Pancerna Gwardii, a nawet wyczerpana 13. Armia Rokossowskiego przeszły do działań zaczepnych.

Trzynastego lipca Hitler, wielce zaabsorbowany udaną inwazją aliantów na Sycylię, rozpoczętą trzy dni wcześniej, wezwał na naradę do „Wilczego Szańca" feldmarszałków von Mansteina i von Klugego. Już wcześniej Manstein wydał II Korpusowi Pancernemu SS oraz Grupie Operacyjnej „Kempf" rozkaz wznowienia ataku, ale Führer oznajmił, że musi wycofać część wojsk z frontu wschodniego do obrony Włoch. Operacja „Cytadela" została niezwłocznie przerwana. Hitler podejrzewał, że Włosi nie są gotowi do walk na Sycylii, a to wiązało się z groźbą lądowania sprzymierzonych w samej Italii.

Jednak Manstein, mając w tej sprawie poparcie Hotha, chciał kontynuowania boju pod Kurskiem, choćby tylko dla ustabilizowania frontu w tamtym rejonie. Grupa Operacyjna „Kempf" ostatecznie połączyła siły z wojskami Hotha, lecz 17 lipca OKH wydało rozkazy, zgodnie z którymi II Korpus Pancerny SS miał się wycofać z frontu wschodniego i przygotować do przerzutu do zachodniej Europy. Desant na Sycylię, chociaż właściwie nie oznaczał wyczekiwanego przez Stalina otwarcia drugiego frontu, wywarł pewien skutek. Tego samego dnia wojska dwóch radzieckich frontów, Południowo-Zachodniego i Południowego, przystąpiły do połączonych ataków wzdłuż rzek Doniec i Mius, aż po Morze Azowskie. Częściowo był to manewr pozorowany, mający na względzie odciągnięcie niemieckich sił

---

[32] *Ibidem.*

z okolic Charkowa, którego odzyskanie stanowiło główny cel radzieckiego kontruderzenia.

Tym razem Stalin dobrze wybrał porę przejścia do generalnej ofensywy. Niemcy byli wstrząśnięci liczbą świeżych bądź odtworzonych sowieckich formacji, które pojawiły się na froncie, oraz zdolnością Armii Czerwonej do przeprowadzenia nowych uderzeń zaraz po gigantycznej batalii na Łuku Kurskim. „Ta wojna nigdy dotąd nie była tak straszna i okrutna – pisał pilot stukasa, użalając się poniewczasie. – I wcale nie widać jej końca"[33]. Na domiar złego nasiliły się akcje sabotażowe radzieckiej partyzantki na linie kolejowe nieprzyjaciela. Dwudziestego drugiego lipca Model otrzymał od Hitlera zgodę na wycofanie się spod Orła.

Konsekwencje zwycięstwa pod Kurskiem były tak ważkie, że Stalin postanowił jedyny raz w trakcie całej tej wojny wybrać się na linię frontu. Pierwszego sierpnia udał się bardzo silnie strzeżonym i zamaskowanym pociągiem do kwatery dowództwa Frontu Zachodniego. Następnie zwizytował Front Kaliniński na północy. Ale ponieważ nie rozmawiał tam ani z oficerami frontowymi, ani z żołnierzami, można przyjąć, że wyjazd ten przeprowadził po to, aby mieć się czym pochwalić Churchillowi i Rooseveltowi.

Trzeciego sierpnia Front Stepowy Koniewa wraz z armiami Frontu Woroneskiego przeprowadziły operację „Wódz Rumiancew", z udziałem niespełna miliona żołnierzy, ponad dwunastu tysięcy armat, haubic i wyrzutni Katiusza oraz blisko 2500 czołgów i samobieżnych dział pancernych. Manstein nie spodziewał się tak potężnego uderzenia tak szybko. „Przemęczonej niemieckiej piechocie wydało się, że pobity nieprzyjaciel powstał z martwych ze świeżymi siłami"[34]. Dwa dni później Sowieci odbili Biełgorod, a Armia Czerwona mogła się teraz skupić na zadaniu odzyskania Charkowa.

Piątego sierpnia wojska radzieckie wkroczyły też do Orła w północnej części Łuku Kurskiego, nie zastając tam Niemców, którzy nieco wcześniej zdążyli się stamtąd wycofać. Wasilij Grossman, który aż za dobrze pamiętał popłoch w tym mieście w 1941 roku, dotarł do Orła tego samego popołudnia. „W powietrzu unosił się swąd spalenizny – zapisał. – Jasnoniebieski, mleczny dym kłębił się nad dogasającymi pożarami. Z głośnika na placu rozlegały się dźwięki *Międzynarodówki*. (...) Rumiane dziewczęta, kierujące ruchem drogowym, stały na wszystkich skrzyżowaniach, szykownie wymachując swoimi czerwonymi i zielonymi chorągiewkami"[35].

---

[33] Podporucznik Paul D., 2. Pułk Lotnictwa Szturmowego „Immelmann", 18 lipca 1943 r., BfZ-SS L 16 641.

[34] D.M. Glantz, J. House, *The Battle of Kursk*, op. cit., s. 246–247.

[35] RGALI 1710/3/50.

Osiemnastego sierpnia został wyzwolony Briańsk, lecz w tym samym tygodniu, gdy wojska Koniewa maszerowały na Charków, Niemcy przeprowadzili kontratak. Tym razem Armia Czerwona nie została zaskoczona i podjęła walkę. Dwudziestego ósmego sierpnia Charków ostatecznie padł, po zaciętej obronie stawianej przez jednostki Grupy Operacyjnej „Kempf", przemianowanej w tym czasie na 8. Armię. Hitler rozkazał utrzymać Charków możliwie najdłużej, starając się powstrzymać proces demoralizacji wojsk sojuszników Niemiec. Katastrofalna sytuacja we Włoszech wstrząsnęła nim i obawiał się, że wywrze to wpływ na postawę Rumunów i Węgrów. Jak na ironię Hitler upierał się wcześniej przy przeprowadzeniu ofensywy pod Kurskiem, by dodać zapału bojowego swoim sprzymierzeńcom.

Armia niemiecka doznała druzgocącej porażki. Stan liczebny wielu jej dywizji był w tym czasie zbliżony do wielkości słabego pułku; łącznie Niemcy stracili około pięćdziesięciu tysięcy żołnierzy. Ale i Armia Czerwona zapłaciła za to zwycięstwo bardzo wysoką cenę. Z powodu stosowanej przez Żukowa taktyki bezpośrednich szturmów sama tylko ofensywa biełgorodzko-bogoduchowska pod Charkowem pochłonęła ćwierć miliona ofiar – więcej nawet niż 177 tysięcy żołnierzy, których Sowieci stracili pod Kurskiem. Operacja „Kutuzow", podjęta w celu odzyskania okolic Orła, była pod tym względem jeszcze gorsza, okupiona stratą około czterystu trzydziestu tysięcy ludzi. Przeciętnie Armia Czerwona traciła pięć opancerzonych pojazdów za każdy zniszczony niemiecki wóz bojowy, w tym okresie jednak Niemcy nie mieli wyboru i wycofali się na linię Dniepru oraz zaczęli ściągać niedobitki swoich oddziałów z przyczółka w okolicach Półwyspu Tamańskiego. Snute od dawna przez Hitlera marzenia o zdobyciu pól naftowych na Kaukazie rozwiały się na zawsze.

Armia Czerwona rozrastała się i nabierała doświadczenia bojowego, ale nadal nie wyzbyła się pewnych zakorzenionych słabości. Po bitwie Wasilij Grossman odwiedził generała majora Gleba Bakłanowa, który wcześniej objął dowodzenie 13. Dywizją Strzelecką Gwardii. Bakłanow powiedział mu, że „żołnierze walczą teraz inteligentnie, nie gorączkując się. Walczą tak, jak gdyby pracowali"[36], lecz przy tym wyrażał się pogardliwie o poczynaniach sztabowców Armii Czerwonej w czasie planowania działań zaczepnych oraz o wielu dowódcach pułków, którzy nie dopilnowywali szczegółów przed atakiem bądź składali kłamliwe meldunki o pozycji swoich oddziałów. Wciąż uważał, że bojowy okrzyk „»Naprzód!« to albo efekt głupoty, albo lęku przed którymś z przełożonych. Dlatego dochodzi do takiego rozlewu krwi".

W armii niemieckiej po fatalnej w skutkach utracie inicjatywy pod Kurskiem i Charkowem panowały nader pesymistyczne nastroje. Nazistowscy

---

[36] *Ibidem.*

przywódcy stali się nerwowi i rozdrażnieni. Nadal zazdroszcząc Sowietom instytucji politruków, ponownie domagali się, aby oficerowie w wojsku odgrywali też rolę narodowosocjalistycznych komisarzy politycznych. Jednak nie mogli zrobić zbyt wiele, aby ukrócić krytykę pod adresem dowództwa wojskowego frontu wschodniego i planów batalii pod Kurskiem. Odkładanie terminu rozpoczęcia tej operacji przez Hitlera, który wyczekiwał na dostawy nowych czołgów typu Panther, niewątpliwie zaważyło na skali tej katastrofy militarnej, ale bynajmniej nie jest pewne, czy operacja kurska przyniosłaby Niemcom sukces, gdyby nastąpiła w maju, a nie w lipcu.

Niemieccy dowódcy frontowi wskazywali, że żołnierze chcą znać prawdę na temat ogólnej sytuacji wojennej, a ich przełożonym trudno udzielać jasnych odpowiedzi na zadawane pytania. „Żołnierz z 1943 roku to inny człowiek od tego z roku 1939! – zapisał generał pułkownik Otto Wöhler, który objął komendę niemieckiej 8. Armii po utracie Charkowa. – Od dawna pojmuje, jak straszliwie ważna jest walka o istnienie naszego narodu. Nienawidzi frazesów i mydlenia oczu, pragnie znać fakty i chce, by przedstawiano mu je »w jego języku«. Instynktownie odrzuca wszystko, co trąci propagandą"[37]. Manstein, głównodowodzący Grupy Armii „Południe", bez wahania podpisał się pod treścią zacytowanego raportu.

Wtedy OKH usiłowało zrzucić winę na nowego szefa sztabu 8. Armii, generała majora Hansa Speidla, przedstawianego karykaturalnie jako „intelektualizujący, introspektywny, analitycznie usposobiony Wirtemberczyk, zawsze skłonny do podkreślania tego, co złe, i pomijający to, co dobre"[38]. Wöhler odparł te zarzuty, używając mocnych słów, a Keitel (szef OKW) stanowczo zabronił nadsyłania dalszej korespondencji w tej kwestii. Keitel zażądał, żeby wszyscy oficerowie demonstrowali niezłomną wiarę w swoje dowództwo i przywódców kraju. Jakakolwiek inna postawa równała się defetyzmowi, a stosowanie wszelkich środków zaradczych, nawet bardzo surowych, było uzasadnione koniecznością zwalczania tych, którzy próbują osłabiać wolę narodu. Ta wojna nie miała się zakończyć zawarciem traktatu pokojowego. Stawką było zwycięstwo lub unicestwienie Niemiec. Niezbyt inteligentny i napuszony Keitel tym razem żywił słuszne podejrzenia. Speidel już wtedy należał do czołowych figur wojskowej opozycji przeciwko Hitlerowi i miał odegrać istotną rolę w lipcowym zamachu na Führera rok później.

---

[37] BA-MA RH 13/50, cyt. za: *GSWW*, t. IX/1, s. 597.
[38] *Ibidem*, s. 598.

ROZDZIAŁ 32

Z Sycylii na kontynentalne Włochy

maj–wrzesień 1943

Jedenastego maja 1943 roku, czyli w dniu, kiedy wojska amerykańskie wylądowały na Aleutach na odległym północnym Pacyfiku, Winston Churchill i jego sztabowcy dotarli do Nowego Jorku na pokładzie liniowca „Queen Mary". Generał Alan Brooke miał złe przeczucia związane ze zbliżającą się konferencją „Trident", która miała się zacząć następnego dnia w Waszyngtonie. Podejrzewał, że Amerykanie chcą po cichu wycofać się ze strategii przewidującej pokonanie Niemiec w pierwszej kolejności za sprawą skierowania znacznych posiłków wojskowych na Daleki Wschód. „Tak naprawdę zależy im na Pacyfiku – zapisał w swoim dzienniku niespełna miesiąc wcześniej. – Usiłujemy prowadzić dwie wojny jednocześnie, co jest prawie niemożliwe wobec ograniczonych środków transportu"[1].

Brooke musiał też hamować zapędy Churchilla, który forsował następny ze swoich projektów – pomysł inwazji na Sumatrę w celu pozbawienia Japończyków tamtejszej ropy naftowej. Brytyjski premier nie zarzucił też myśli o przeprowadzeniu operacji „Jupiter", czyli desantu na północną Norwegię. Próby powściągnięcia nierealistycznych zamiarów Churchilla, który nie liczył się zbytnio z ograniczonymi zasobami i możliwościami Wielkiej Brytanii, przede wszystkim w zakresie transportu i osłony powietrznej, wyczerpywały siły Brooke'a.

W Waszyngtonie natychmiast zarysowały się linie podziału między zachodnimi koalicjantami, zapewne wyraźniejsze niż wcześniej. Wielu wyższych rangą amerykańskich oficerów uważało, że zostali „sprowadzeni na

---

[1] A. Brooke (lord Alanbrooke), *War Diaries, 1939–1945*, London 2001, s. 393 (15 kwietnia 1943 r.).

śródziemnomorskie manowce" przez Brytyjczyków. Generał Marshall, który musiał się zgodzić na przeprowadzenie operacji „Husky", to jest desantu na Sycylię, nadal starał się nie dopuścić do tego, aby amerykańskie wojska ugrzęzły w basenie Morza Śródziemnego. Twierdził, że trzeba je skoncentrować z powrotem w Wielkiej Brytanii i przysposobić do inwazji na północną Francję do późnej wiosny 1944 roku. Gdyby się to nie udało, należało przerzucić je na Daleki Wschód. Zapewne była to bardziej groźba aniżeli przemyślana propozycja, a przy tym miała na celu zmuszenie Brytyjczyków do pełniejszego zaangażowania w ofensywne działania militarne. Jednakże admirał King chciał właśnie tego – skupienia wysiłku zbrojnego na dalekowschodnim teatrze wojny.

Brooke argumentował na to, z naciskiem wypowiadając słowa, iż zachodni alianci nie mogą czekać biernie przez dziesięć miesięcy, gdy Armia Czerwona samotnie toczy zmagania z głównymi siłami Wehrmachtu. Tym samym opowiadał się w dyskusjach z Amerykanami za przeprowadzeniem operacji „Sledgehammer". Zmusiłaby ona Hitlera albo do przerzutu znacznych sił wojskowych do Włoch, kosztem frontu wschodniego i osłabienia obrony wybrzeży kanału La Manche, albo do opuszczenia prawie całej Italii i ustanowienia linii defensywnej na północ od Padu u podnóży Alp. Poza tym, ciągnął Brooke, uderzenie na Półwysep Apeniński przez Cieśninę Mesyńską, już pod zdobyciu Sycylii, doprowadziłoby do obalenia Mussoliniego i kapitulacji Włoch. Odzyskanie przez aliantów kontroli nad basenem śródziemnomorskim winno skrócić szlaki morskie wiodące na Daleki Wschód i przyczynić się do zaoszczędzenia równowartości przewozu miliona ton zaopatrzenia rocznie.

Z kolei Brytyjczycy okazali się krótkowzroczni lub też przesadnie optymistyczni w swoich zapewnieniach, że kampania włoska będzie wymagała zaangażowania najwyżej dziewięciu dywizji. Słowa Churchilla o „miękkim podbrzuszu Europy", które po raz pierwszy wypowiedział w rozmowie ze Stalinem, stały się czymś w rodzaju mantry. Churchill zaczął nawet wspominać o możliwości inwazji na Bałkany, aby nie dopuścić do zajęcia środkowej Europy przez Sowietów; pomysł ten wzbudził głęboką nieufność wśród Amerykanów. Uznali go za kolejną próbę politycznych rozgrywek Brytyjczyków, mających na względzie okres powojenny.

Dziewiętnastego maja, na nieoficjalnym spotkaniu z udziałem wyłącznie szefów sztabów obu stron, brytyjskiej i amerykańskiej, został osiągnięty kompromis. Ustalono, że dwadzieścia dziewięć dywizji będzie przygotowywało się w Wielkiej Brytanii do inwazji na Francję na wiosnę 1944 roku, a wcześniej sprzymierzeni uderzą na Włochy. Marshall postawił pewien warunek. Po zdobyciu Sycylii siedem alianckich dywizji miano ściągnąć znad Morza Śródziemnego do Wielkiej Brytanii, by wzięły udział w desancie na francuskie wybrzeże nad kanałem La Manche.

Brooke był z tego zadowolony, wyzbywszy się złych przeczuć. Jego plany zmierzające do rozproszenia niemieckich sił przed atakiem sprzymierzonych przez La Manche zostały zaakceptowane. Tak czy owak, koncentracja amerykańskich wojsk w Wielkiej Brytanii odbywała się stanowczo zbyt wolno, by możliwa była inwazja na Francję w roku 1943, a aliantom niewątpliwie brakowało barek desantowych i nieodzownej przewagi w powietrzu, ażeby w tym czasie taka operacja przyniosła sukces.

Churchill i Brooke udali się samolotem do Algieru w towarzystwie generała Marshalla w celu zapoznania Eisenhowera z postanowieniami przyjętymi w Waszyngtonie. Marshall wciąż sprzeciwiał się inwazji na Włochy i nalegał, aby ostateczną decyzję w tej sprawie podjąć dopiero wówczas, gdy wynik kampanii sycylijskiej będzie już jasny. W trakcie lotu, ilekroć Churchill starał się wciągnąć go w dywagacje dotyczące kwestii strategicznych, Marshall kontrował go niewinnymi pytaniami, które skłaniały Churchilla do rozwlekłych wywodów na dany temat. Ale choć Marshall nadal wypowiadał się niezobowiązująco w sprawie następnej fazy działań zaczepnych po opanowaniu przez wojska alianckie Sycylii, to Churchill i Brooke przekonali Eisenhowera o korzyściach inwazji na Włochy, przyjmując założenie, że zbrojny opór wojsk osi w tym kraju zostanie łatwo przełamany.

Stalin, który w owym czasie oczekiwał niemieckiej ofensywy na Łuku Kurskim, z dużo mniejszym entuzjazmem odniósł się do planów uderzenia na Włochy, co jasno stwierdził w depeszy skierowanej do Roosevelta i Churchilla. Churchill wystosował utrzymaną w dość stanowczym tonie odpowiedź, lecz faktycznie brytyjski premier ponosił winę za to, że wcześniej, w lutym, zapewniał Stalina o dążeniach do przeprowadzenia w sierpniu desantu na francuskim brzegu kanału La Manche, podczas gdy Brooke wiedział, iż podobna operacja będzie w tym czasie niewykonalna. Obietnica ta była zupełnie niepotrzebnym podstępem, który musiał utwierdzić Stalina w mocnym przekonaniu o wiarołomności Brytyjczyków.

Planowanie operacji „Husky", czyli inwazji na Sycylię, było skomplikowane i czasami doprowadzało do zadrażnień między sojusznikami. W kwietniu Eisenhower rozważał nawet jej odwołanie, gdy dowiedział się, że dwie niemieckie dywizje zostały przerzucone na tę wyspę. Churchill odniósł się do takich obaw pogardliwie. „[Eisenhower] będzie musiał sprostać o wiele większym siłom niż dwie niemieckie dywizje – zauważył po przeprowadzeniu inwazji na Francję. – Ufam, że szefowie sztabów odrzucą takie bojaźliwe i defetystyczne obiekcje, bez względu na to, kto je zgłasza"[2].

Montgomery, poważnie zaangażowany w prowadzenie końcowych walk o Tunezję, uważał, że sztabowcy opracowujący plany operacji „Husky"

---

[2] Cyt. za: M. Hastings, *Finest Years. Churchill as Warlord, 1940–45*, London 2009, s. 375.

kierowali się sprzecznymi przesłankami i opacznym rozumowaniem. Problemy natury logistycznej nasuwały myśl, że lepiej wysadzić na Sycylii wiele desantów. Montgomery krytykował takie założenie i przekonywał, że 8. Armia powinna wylądować w południowo-wschodniej części wyspy, co ułatwi koncentrację jej jednostek, natomiast 7. Armia Pattona na jej lewym skrzydle, co umożliwiało obu tym armiom wzajemne wspomaganie się. Z kolei Patton podejrzewał, iż Montgomery chce sam osiągnąć zwycięstwo i wykorzystać Amerykanów do osłony swojej flanki.

Doprowadziło to do pewnych tarć między sojusznikami. Patton uznał wręcz, że „alianci muszą walczyć na osobnych teatrach [operacyjnych], albo znienawidzą się nawzajem bardziej niż nienawidzą wroga"[3]. Brytyjski szef sztabu w dowództwie Eisenhowera, generał RAF-u (*Air Chief Marshal*) Arthur Tedder, podzielał sceptyczne nastawienie Pattona wobec Montgomery'ego. „To mały człowieczek o przeciętnych zdolnościach – miał ponoć powiedzieć Pattonowi – który tak urósł w siłę, że uważa się za [nowego] Napoleona, lecz nim nie jest"[4]. Ponadto Patton sądził, że Alexander obawiał się Montgomery'ego i dlatego nie był wobec niego dość stanowczy.

Jeszcze większe intrygi od tych w łonie dowództwa sił alianckich rozgrywały się we francuskiej posiadłości kolonialnej – Algierii. Od chwili koniunkturalnego mariażu generałów Henriego Girauda i Charles'a de Gaulle'a, wymuszonego w styczniu w Casablance przez Roosevelta i Churchilla, gaulliści wyczekiwali na swoją chwilę. Dziesiątego maja, w trzecią rocznicę niemieckiego ataku na Francję, tamtejsza Krajowa Rada Ruchu Oporu uznała zwierzchnictwo de Gaulle'a. Ani Roosevelt, ani Churchill nie mieli pojęcia, jak doniosłe okaże się z czasem to wydarzenie.

Trzydziestego maja generał de Gaulle ostatecznie przybył do Algieru, lądując na lotnisku Maison Blanche – co od dawna utrudniały mu amerykańskie władze wojskowe, działając na podstawie wskazówek Roosevelta. W oślepiającym blasku słońca orkiestra odegrała *Marsyliankę*, a brytyjscy i amerykańscy oficerowie starali się nie uczestniczyć w tej ceremonii. Mieli poważne powody, by okazywać powściągliwość. Dzień wcześniej Giraud odznaczył Eisenhowera orderem Wielkiej Komandorii Legii Honorowej, a de Gaulle, jak stwierdził Brooke, był „oburzony, że Giraud zrobił coś takiego, nie konsultując się z nim!"[5].

Kluczem do władzy było przejęcie kontroli nad francuską Armią Afrykańską, którą zaczęto przebierać w amerykańskie wyposażenie. Nieuchronnie nadal panowała wzajemna nieufność pomiędzy *moustachis*, czyli oficerami byłej armii Vichy, a *hadjis*, to jest tymi, którzy „odbyli pielgrzymkę" do Londynu, aby tam wstąpić do wojsk de Gaulle'a. Obie te frakcje różniły się znacznie pod względem liczebności. *Moustachis* dowodzili dwustu trzydziestoma tysiącami żołnierzy, natomiast siły Wolnej Francji z Bliskiego Wschodu oraz oddziały Kœniga, które chlubnie odznaczyły się w walkach pod Bir al-Hakim, liczyły zaledwie piętnaście tysięcy ludzi. Gaulliści przystąpili do

---

[3] *The Patton Papers*, t. 2: *1940–1945*, red. M. Blumenson, Boston 1974, s. 234 (28 kwietnia 1943 r.).
[4] *Ibidem*, s. 237.
[5] A. Brooke (lord Alanbrooke), *War Diaries, 1939–1945, op. cit.*, s. 414.

przeciągania żołnierzy do swoich formacji, co wywołało oburzenie zwolenników Girauda. Moralny autorytet de Gaulle'a i jego większy zmysł polityczny miały jednak ostatecznie wynieść go na szczyt.

*

Dziesiątego lipca operacja „Husky" rozpoczęła się od przeprowadzonego jeszcze przed świtem zrzutu spadochronowego, a następnie z 2600 statków i okrętów zeszło na ląd osiem dywizji – więcej niż w Normandii jedenaście miesięcy później. Do zapadnięcia zmroku alianci mieli już na brzegu osiemdziesiąt tysięcy żołnierzy, trzy tysiące pojazdów, trzysta czołgów oraz dziewięćset dział.

Akcja ta zaskoczyła Niemców. Operacja „Mincemeat", polegająca na podrzuceniu na hiszpańskim wybrzeżu zwłok rzekomego oficera brytyjskiej piechoty morskiej z fałszywymi planami, wraz z innymi podobnymi fortelami sprawiły, iż Hitler spodziewał się raczej nieprzyjacielskiej inwazji na Sardynię albo Grecję. Choć feldmarszałek Kesselring mimo wszystko uważał, że to Sycylia i południe Włoch były bardziej prawdopodobnym miejscem desantu, jego opinię w tej kwestii zlekceważono. Mussolini wzmocnił garnizon wojskowy na Sardynii, przekonany, że alianci wylądują właśnie tam, po serii nalotów bombowych na tę wyspę. W dodatku w Turynie i Mediolanie wybuchły strajki i zamieszki, co wzmogło nerwowość faszystowskiego reżimu.

Morze było spokojne, kiedy flota inwazyjna wypływała z portów, ale niebawem silny wiatr wzburzył jego powierzchnię; okręty i transportowce zaczęły się kołysać na falach, a żołnierze upchani na ich pokładach dostali choroby morskiej. Najbardziej ucierpieli ci na płaskodennych okrętach desantowych LST, którymi rzucało na wszystkie strony. Na szczęście wiatr osłabł, gdy alianci zbliżali się do wybrzeża. Ósma Armia Montgomery'ego skierowała się ku południowo-wschodniemu skrajowi sycylijskiego trójkąta. Po wylądowaniu jego wojska miały wyruszyć na północ, wzdłuż brzegów wyspy, ku Mesynie, by odciąć dywizjom osi drogę ucieczki do kontynentalnych Włoch. Amerykańska 7. Armia Pattona lądowała nieco dalej na zachód, w trzech miejscach na południowym wybrzeżu, nakierowana tam przez okręty podwodne Royal Navy, wysyłające w stronę otwartego morza świetlne, niebieskie sygnały. Przed 7. Armią po jej wyjściu na brzeg nie postawiono konkretnych zadań, a wobec tej mglistości planów Patton zamierzał wykazać własną inicjatywę.

Na krótko przed godziną drugą nad ranem 10 lipca padł rozkaz wodowania łodzi desantowych i spuszczania barek z żurawików. Morze nadal było trochę wzburzone i już wkrótce żołnierze w barkach desantowych zaczęli się ślizgać na wymiocinach tych, którzy cierpieli z powodu kołysania. Potem na wodzie znalazły się amfibie, a jeden z korespondentów patrzył, jak „hordy małych jednostek, przypominających wodne robaczki, suną w kierunku brzegu"[6]. Lądowanie na zaminowanych plażach przy wysokiej fali bynajmniej nie było łatwe. Nierzadko oddziały wychodziły na brzeg w niewłaściwych miejscach, a tu i ówdzie panowało niemal tak wielkie zamieszanie, jak wcześniej w czasie operacji „Torch". Kilka godzin później weszły do akcji pojazdy amfibijne DUKW, dowożąc zaopatrzenie, paliwo, a nawet działa.

W głębi wyspy, z powodu porywistego wiatru, desant powietrzny miał chaotyczny przebieg, a spadochroniarze z brytyjskiej 1. Dywizji Powietrznodesantowej i amerykańskiej 82. Dywizji Powietrznodesantowej rozproszyli się na znacznym obszarze. Wielu z nich doznało urazów nóg. Brytyjski desant szybowcowy, który otrzymał zadanie uchwycenia Ponte Grande – kluczowego mostu na południe od Syrakuz – ucierpiał w największym stopniu. Piloci maszyn holujących szybowce transportowe nie mieli należytego doświadczenia i co rusz się gubili. Jeden z szybowców wylądował na Malcie, a inny koło Mareth w południowej Tunezji. Liny holownicze sześćdziesięciu szybowców zwolniono zbyt szybko, przez co szybowce te rozbiły się o powierzchnię morza. Jednakże trzydziestu żołnierzy, którzy dotarli w pobliże celu, zdołało mimo wszystko uchwycić wspomniany most i usunąć założone ładunki wybuchowe. Rankiem dołączyło do nich pięćdziesięciu kolejnych ludzi; przez większość popołudnia Brytyjczycy odpierali ciężkie ataki, a tylko piętnastu z nich nie odniosło ran. I choć ostatecznie musieli skapitulować, to most został rychło odzyskany przez Królewski Pułk Szkockich Fizylierów, który nadciągnął od strony wybrzeża. W całej operacji alianci stracili sześciuset żołnierzy, z których prawie połowa utonęła.

Zamieszanie panowało po alianckiej stronie, ale jeszcze większy zamęt powstał wśród trzystutysięcznego zgrupowania wojsk osi. Z powodu sztormu na morzu nie spodziewali się owej nocy nieprzyjacielskiego desantu. Szósta Armia generała Alfreda Guzzoniego teoretycznie liczyła trzysta tysięcy żołnierzy, lecz w jej składzie znajdowały się tylko dwie niemieckie wielkie jednostki – 15. Dywizja Grenadierów Pancernych i Dywizja Pancerna „Hermann Göring". Pierwszą z nich rozmieszczono w zachodniej części wyspy, zbyt daleko, aby mogła przeprowadzić kontratak, więc Kesselring wydał rozkaz Dywizji „Hermann Göring" niezwłocznie wyruszyć ku miejscowości Gela, zdobytej przez rangersów Pattona w centralnej strefie rejonu lądowania pierwszego dnia akcji. Stamtąd amerykańska 1. Dywizja Piechoty, sławetna „Wielka Czerwona Jedynka", ruszyła w głąb wyspy, by zająć pobliskie wzniesienia i lokalne lotnisko.

---

[6] J. Belden, *Still Time to Die*, New York 1943, s. 269.

Kontruderzenie Dywizji „Hermann Göring" przeprowadzone rankiem 11 lipca zaskoczyło czołowe bataliony amerykańskiej piechoty, pozbawione chwilowo wsparcia czołgów typu Sherman, które jeszcze nie znalazły się na brzegu. Od strony zachodniej włoska Dywizja „Livorno" także ruszyła na Gela, lecz wkrótce została powstrzymana ogniem moździerzy, strzelających pociskami fosforowymi – generał Patton osobiście pokierował tym ostrzałem – oraz ogniem artyleryjskim dwóch operujących opodal brzegu krążowników i czterech niszczycieli. Oddziały Dywizji „Hermann Göring" na północy i północnym wschodzie od miasta nieomal dotarły do plaż. Dowódca tej jednostki poinformował nawet generała Guzzoniego, że Amerykanie przystąpili do ewakuacji. Tymczasem w samą porę przetransportowano na brzeg pluton shermanów i pewną liczbę dział. Te o kalibrze 155 mm, nazywane „Long Tom", niezwłocznie weszły do walki, rażąc bezpośrednio nieprzyjaciela.

W winnicy u podnóży łańcucha górskiego Biazza trochę dalej na wschodzie 505. Pułk Piechoty Spadochronowej pod dowództwem pułkownika Jamesa M. Gavina natknął się na ciężkie czołgi Tiger przydzielone do Dywizji „Hermann Göring". Gavin nie wątpił w bojowość swoich żołnierzy, którzy wcześniej, przed opuszczeniem Algierii, ćwiczyli się w strzelaniu do „niektórych groźnie wyglądających Arabów"[7]. Ale „Tygrysom" mogli przeciwstawić tylko pancerzownice Bazooka i parę przeciwpancernych armat 75 mm.

Na szczęście dla spadochroniarzy pewien chorąży marynarki wojennej zaopatrzony w radiostację zaoferował, że poprosi o wsparcie ogniowe artylerii okrętowej. Gavin, co zrozumiałe, niepokoił się i zastanawiał, na ile celnie strzelać będą kanonierzy na okrętach. Chciał, aby najpierw oddano pojedynczy strzał dla określenia dokładnej odległości. Strzał ten trafił w cel. Potem wezwał do skoncentrowania ognia. Niemcy zaczęli się wycofywać, a wtedy z plaży nadjechały pierwsze czołgi Sherman, ku radości wiwatujących spadochroniarzy. Mając wsparcie wozów pancernych, zaatakowali pobliskie wzniesienia i udało im się zastrzelić załogę jednego z „Tygrysów", która dała się zaskoczyć obok swojego pojazdu; zdobyczny „Tiger" okazał się cennym łupem. Amerykanie przypatrywali się miejscom na pancerzu PzKpfw VI, w które trafiały pociski z bazooki, i przekonali się, że ich pancerzownice ledwie wyszczerbiły potężną przednią osłonę niemieckiego czołgu. Wozy bojowe Dywizji „Hermann Göring" musiały się szybko cofać na całej linii, ostrzeliwane nieustannie przez okręty US Navy. Patton, który naprzemiennie dopingował i przeklinał swoje oddziały pod Gelą, miał

---

[7] Cyt. za: R. Atkinson, *The Day of Battle. The War in Sicily and Italy, 1943–1944*, New York 2007, s. 40.

powody do zadowolenia. „Bóg na pewno czuwał dziś nade mną", zapisał w swoim dzienniku[8].

W nocy nastrój Pattona znowu uległ zmianie. Pięćset czwarty Pułk Piechoty Spadochronowej miał wylecieć z Tunezji we wczesnych godzinach porannych, wylądować na spadochronach na zapleczu 7. Armii i niezwłocznie wzmocnić jej wojska. Patton chciał odwołać tę operację, ale stwierdził, że już na to za późno. Podejrzewał, iż jego rozkaz wstrzymania ognia wydany bateriom przeciwlotniczym na brzegu i w głębi lądu nie został odpowiednio przekazany. Obsługa tych dział nie potrafiła odróżnić własnych samolotów od maszyn wroga, zwłaszcza w ciemnościach, i reagowała nerwowo po wielu atakach Luftwaffe przeprowadzonych za dnia. Dowódcy oddziałów desantowych uskarżali się na brak alianckiej osłony powietrznej nad plażami, z kolei dowódcy jednostek lotniczych nie chcieli narażać na ryzyko swoich myśliwców, skoro obsługa alianckich baterii przeciwlotniczych strzelała do wszystkiego, co lata.

Najgorsze obawy Pattona miały się wkrótce spełnić. Jeden z karabinów maszynowych otworzył ogień na widok nadlatujących amerykańskich samolotów transportowych C-47, a w chwilę potem wszyscy przyłączyli się do ostrzału, nawet czołgiści prowadzący ogień z zamontowanych na wieżach czołgów kaemów kalibru 12,7 mm. Była to odruchowa reakcja. Amerykanie nieprzerwanie ostrzeliwali lądujących spadochroniarzy, nawet gdy ci znaleźli się już na ziemi lub w wodzie. Był to jednej z najtragiczniejszych w skutkach przypadków ostrzelania własnych oddziałów przez wojska sprzymierzonych w trakcie tej wojny – zestrzelono dwadzieścia trzy samoloty, trzydzieści siedem poważnie uszkodzono, a ponad czterystu spadochroniarzy zginęło lub odniosło rany. Eisenhower, kiedy w końcu się o tym wszystkim dowiedział, wpadł we wściekłość, obwiniając Pattona o ów incydent.

Jednakże położenie oddziałów Pattona nieco się poprawiło, gdy generał Guzzoni rozkazał Dywizji „Hermann Göring" przemieścić się na wschód i zatrzymać 8. Armię na drodze wiodącej na północ do Mesyny. Wcześniej Brytyjczycy zdobyli Syrakuzy, nie napotkawszy tam poważniejszego oporu. Ale w trakcie następnych kilku dni, kiedy nacierali drogą przebiegającą wzdłuż wybrzeża w kierunku Katanii, walki nabrały dużo bardziej zaciekłego charakteru. W tym czasie Niemcy wzmocnili obronę wyspy 29. Dywizją Grenadierów Pancernych i oddziałami 1. Dywizji Strzelców Spadochronowych. Drogą powietrzną przerzucono dowództwo i sztab XIV Korpusu Pancernego generała Hubego, by kierować na miejscu działaniami jednostek Wehrmachtu. Główne zadanie Hubego, uzgodnione z Guzzonim, polegało na prowadzeniu walk obronnych i opóźniających w celu osłony Mesyny

---

[8] *The Patton Papers*, t. 2, *op. cit.*, s. 280.

i pobliskich cieśnin, aby udało się w razie konieczności ewakuować wojska osi na Półwysep Apeniński i uniknąć kapitulacji takiej jak ta, do której doszło w Tunezji.

Trzynastego lipca Brytyjczycy dokonali następnego zrzutu spadochronowego, tym razem w celu uchwycenia mostu Primosole koło Katanii. Ponownie samoloty transportowe zostały ostrzelane przez flotę inwazyjną, a także przez niemieckie i włoskie działa przeciwlotnicze, co doprowadziło do wielkiego chaosu. Spośród 1856 żołnierzy 1. Brygady Spadochronowej niespełna trzystu dotarło na wyznaczony punkt zborny w pobliżu wspomnianego mostu. Opanowali go następnego poranka i rozbroili założone ładunki wybuchowe. Kontrataki przeprowadzone przez nieco wcześniej przerzucony w ten rejon niemiecki 4. Pułk Piechoty Spadochronowej nieomal doprowadziły do wyparcia brytyjskich spadochroniarzy, ci jednak, mimo utraty jednej trzeciej ludzi, zdołali z trudem utrzymać się na moście.

Brytyjska 151. Brygada, z trzema batalionami Pułku Lekkiej Piechoty z Durham, szła im na odsiecz, podejmując forsowny czterdziestokilometrowy przemarsz w pełnym rynsztunku, w upale dochodzącym do 35 °C. Po drodze została ostrzelana przez niemieckie myśliwce i obrzucona bombami przez amerykańskie samoloty. Dziewiąty batalion pułku z Durham od razu przeszedł do ataku, ponosząc ciężkie straty od ognia dobrze zamaskowanych niemieckich spadochroniarzy, ostrzeliwujących się ze swoich kaemów MG 42, którym Brytyjczycy nadali nazwę „Spandau". „Ze wzgórza, z którego obserwowaliśmy, jak 9. batalion przeprowadza frontalny szturm – napisał jeden z żołnierzy pułku – widok był wstrząsający. Rzeka Simeto dosłownie zabarwiła się na czerwono od krwi [poległych z] 9. batalionu. Do 9.30 było po wszystkim. Udało im się zapobiec wysadzeniu w powietrze mostu przez Niemców"[9].

Innemu batalionowi tego samego pułku powiodło się później sforsowanie owej rzeki przez odkryty bród i zaskoczenie Niemców, niemniej jednak zażarty bój trwał nadal. Brytyjczycy utrzymywali, że niemieccy snajperzy strzelali do noszowych, którzy wynosili rannych z pola walki. Gdy żołnierzom batalionu skończyła się amunicja, dowożono ją na pierwszą linię gąsienicowymi transporterami Bren Carrier. Odór zwłok rozkładających się w upale skłonił kierowców transporterów do określania tego miejsca mianem „cuchnącej doliny". Ostatecznie niemieccy spadochroniarze zostali zmuszeni do odwrotu po nadejściu brytyjskiej 4. Brygady Pancernej.

Gdy toczyły się walki o most Primosole, nieco dalej na zachód brytyjska 51. Górska Dywizja Piechoty zaatakowała Francoforte, typową sycylijską górską wioskę, leżącą nad gajami oliwnymi na tarasowych zboczach, do

---

[9] Joe Kelley, SWWEC.

której wiodła jedyna kręta dróżka, wijąca się jak serpentyna na stromym stoku. Na lewym skrzydle inne oddziały tejże dywizji zdołały zająć po krótkim, zaciętym starciu miejscowość Vizzini. Pewni swego Szkoci z 51. Dywizji przypuścili atak. Wkrótce jednak, pod Gerbini, oczekiwała ich przykra niespodzianka, tam bowiem Niemcy stawili twardy opór na pobliskim lotnisku. Dywizja „Hermann Göring" i 1. Dywizja Strzelców Spadochronowych użyły swoich dział przeciwpancernych kalibru 88 mm z niszczycielskim skutkiem. Brytyjski XIII Korpus został zatrzymany na nadmorskiej równinie, a oddziały XXX Korpusu musiały prowadzić walki o poszczególne wzniesienia. Brytyjskim żołnierzom szybko obrzydły zmagania na skalistych wzgórzach Sycylii i zaczynali z sentymentem wspominać północnoafrykańską pustynię.

Montgomery postanowił przerzucić swój XXX Korpus do strefy Pattona, aby Brytyjczycy mogli ruszyć do natarcia, obchodząc od zachodniej strony szczyt Etny. Alexander zgodził się na to, nie porozumiewając się w tej sprawie z Pattonem, który słusznie się zirytował. Generał major Omar Bradley, dowódca amerykańskiego II Korpusu, był z tego powodu jeszcze bardziej rozdrażniony i powiedział Pattonowi, że nie powinien pozwalać Brytyjczykom na coś podobnego. Ale Patton, zrugany wcześniej przez Eisenhowera za katastrofę desantu powietrznego i brak należytych informacji z kwatery głównej 7. Armii, wolał uniknąć kolejnego konfliktu z przełożonym. Bradley ledwie mógł uwierzyć, że Patton okazał się taki potulny.

Choć Bradleya przezywano „żołnierskim generałem" z powodu demonstrowanej przezeń bezpretensjonalności i swojskiej aparycji, to był on w istocie człowiekiem bezwzględnym i ambitnym. Patton nie wiedział, jak niechętnie odnosi się do niego Bradley. Obydwaj jednak musieli się liczyć ze skutkami pewnego incydentu, który zagrażał wybuchem skandalu. Otóż w walczącej pod komendą Bradleya 45. Dywizji Piechoty, formacji amerykańskiej Gwardii Narodowej, którą Patton przed inwazją na Sycylię zachęcał do przybrania nazwy „dywizja zabójców", pewien sierżant i kapitan dopuścili się masakry ponad siedemdziesięciu nieuzbrojonych jeńców. Patton początkowo wpadł na pomysł, aby zamordowanych nieprzyjacielskich żołnierzy uznać za snajperów albo więźniów zastrzelonych w czasie próby ucieczki. Alianckie władze wojskowe postanowiły zatuszować całą sprawę z obawy, że Niemcy mogą się zemścić na jeńcach wojennych w swoich obozach.

Patton zdołał przekonać Alexandra, że zamiast tylko osłaniać lewą flankę Montgomery'ego, powinien również zdobyć port Agrigento na zachodnim wybrzeżu Sycylii, co usprawniłoby zaopatrywanie wojsk alianckich. Alexander zgodził się, nie odgadując prawdziwych zamiarów Pattona. Ów bowiem postanowił skorzystać z okazji do uderzenia na północny zachód od strony wybrzeża i dalej na północ, przez góry, w kierunku Palermo. Dysponujące wielką liczbą pojazdów i dział samobieżnych wojska amerykańskie mogły przemieszczać się znacznie szybciej niż formacje brytyjskie, którym także najwyraźniej zaczynały dawać się we znaki walki w winnicach na stokach wzniesień i w spalonych słońcem sycylijskich górach. Brytyjczycy nie zrozumieli pewnej kardynalnej zasady, którą Patton wziął sobie do serca po katastrofie pod Kasserine: zawsze należy szybko i w pierwszej kolejności zająć najwyższy punkt w okolicy. Topografia liczyła się nade wszystko.

Siedemnastego lipca Patton dowiedział się, że Alexander i Montgomery oczekują, iż amerykańska 7. Armia ograniczy się zasadniczo do osłaniania brytyjskiej flanki. Jednak Patton nie miał już zamiaru odgrywać drugorzędnej roli. Poleciał do Tunisu na spotkanie z Alexandrem, zabierając z sobą znanego z anglofobii generała Wedemeyera, który miał bardzo dużo do powiedzenia jako przedstawiciel generała Marshalla. Alexander, zakłopotany z powodu własnej wcześniejszej uległości wobec nalegań Montgomery'ego, od razu zezwolił Pattonowi na kontynuowanie rozpoczętego natarcia. Wprawdzie Patton jakby odtąd darzył Alexandra mniejszym respektem, ale teraz miał przyzwolenie dowódcy grupy armii na rzucenie swoich dywizji do ataku.

Generała Pattona, podobnie jak jego żołnierzy, przeraziły ubóstwo, brud, kupy gnoju i choroby, jakie napotkali w sycylijskich miasteczkach i wioskach. „Lud w tym kraju – zapisał w swoim dzienniku – należy do najbardziej wynędzniałych i zacofanych spośród tych, z którymi się zetknąłem"[10]. Wielu Amerykanów uznało, że warunki życiowe na Sycylii są gorsze od tych w Afryce Północnej. Wygłodniali cywile dopraszali się u żołnierzy o jedzenie, a w niektórych miejscowościach zaczynali się o nie między sobą bić; amerykańska żandarmeria polowa rozpędzała takie zajścia, strzelając z pistoletów maszynowych typu Thompson ponad głowami zbuntowanej ciżby, a czasem nawet w jej stronę.

Mimo że w letnim, upalnym, skalistym pejzażu można było natknąć się na miejsca naprawdę piękne, gaje oliwne i cytrusowe, to ludność bytowała w prymitywnych, niemalże średniowiecznych warunkach, a głównym środkiem transportu pozostawały osły i drewniane wozy. Patton zauważył w liście do żony, że „na tej wyspie można kupić każdą kobietę za puszkę fasoli, ale nie ma zbyt wielu nabywców"[11]. Tu wyraźnie się mylił, gdyż liczba przypadków chorób wenerycznych w obu alianckich armiach wzrosła

---

[10] *The Patton Papers*, t. 2, *op. cit.*, s. 291.
[11] *Ibidem*, s. 295 (20 lipca 1943 r.).

niepomiernie. W pewnym brytyjskim szpitalu polowym tylko jednego dnia przyjęto 168 zarażonych[12].

Dziewiętnastego lipca Hitler i Mussolini spotkali się w Feltre w północnych Włoszech. Patos i bezgraniczna pewność siebie, cechujące wcześniej Duce, do tego czasu zupełnie wyparowały. Hitler budził w nim teraz przerażenie, dlatego Mussolini nie odezwał się ani słowem w trakcie dwugodzinnego wykładu niemieckiego przywódcy o słabościach Włoch. Führer, zapewne pod wpływem amfetaminy, którą przyjmował w tym okresie, zdawał się kipieć energią. Duce z kolei jakby się skurczył – w sensie fizycznym i psychologicznym. Niegdyś szczycił się swoją sprawnością fizyczną i uwielbiał wyprężać obnażony tors – co Hitler uważał za zachowanie niegodne męża stanu – teraz zaś cierpiał na bóle żołądka i popadał w melancholię, apatię oraz niezdecydowanie. Mussolini darzył Włochów takimi samymi odczuciami jak później Hitler Niemców: uznał, że jego rodacy nie są nic warci i nie zasłużyli na takiego wodza jak on. Podobnie też jak Hitler nigdy nie wyjechał na front ani nie odwiedził ofiar nieprzyjacielskich bombardowań.

Mussolini nie był w stanie zwierzyć się z trosk nikomu ze swego otoczenia, wobec czego zatracił poczucie realizmu. Udawał wszechwiedzącego, widzącego wszystko dyktatora, a jednak nikt z jego świty nie ośmielił się wyznać mu, że jest znienawidzony przez większość Włochów, którzy nie chcą mieć nic wspólnego z tą wojną. Duce odczuwał przymus wydawania rozlicznych dyrektyw dotyczących dosłownie każdej kwestii, w związku z czym był, wedle słów jednego z sekretarzy partii faszystowskiej, „człowiekiem, któremu okazywano największe nieposłuszeństwo w całej historii”[13]. Włoski rząd przestawał panować nad sytuacją w kraju, a zięć Mussoliniego hrabia Ciano, choć nie odważył mu się otwarcie przeciwstawić, zaczął spiskować przeciwko Duce w nadziei na przejęcie władzy i podjęcie rokowań pokojowych z zachodnimi aliantami.

W trakcie spotkania w Feltre nadeszły wieści, że Amerykanie po raz pierwszy zbombardowali stacje rozrządowe na przedmieściach Rzymu. Mussolini był tym wstrząśnięty, szczególnie kiedy dowiedział się, że nalot wywołał panikę w mieście. Hitler, który obawiał się, iż reżimowi Mussoliniego zagroził upadek, nie tylko zawczasu wydzielił znaczny kontyngent niemieckich wojsk do zajęcia Włoch, ale także przekazał pewną liczbę czołgów włoskim Czarnym Koszulom (milicji faszystowskiej), aby umożliwić im zdławienie wszelkich prób antyfaszystowskiego przewrotu.

Dwudziestego drugiego lipca amerykańska 3. Dywizja generała majora Luciana K. Truscotta wkroczyła do Palermo, zrujnowanej sycylijskiej stolicy,

---

12 Jim Williams, SWWEC.
13 Cyt. za: D. Mack Smith, *Mussolini*, tłum. J.G. Brochocki, Warszawa 1994, s. 341.

a II Korpus Bradleya dotarł na północne wybrzeże koło miejscowości Termini Imerese. Uradowany Patton rozlokował się we wspaniałym pałacu królewskim w Palermo, gdzie posilał się żołnierskim prowiantem podawanym mu na ozdobnej porcelanowej zastawie stołowej w sali jadalnej i popijał go szampanem. Tymczasem Brytyjczycy nadal czynili powolne postępy po obu stronach Etny. Jeden z pułków kanadyjskiej 1. Dywizji zdołał zająć miasteczko Assoro, wdrapując się na pobliskie skały – na podobieństwo zdobycia Quebecu przez generała Jamesa Wolfe'a niemal dwa stulecia wcześniej.

Dwudziestego czwartego lipca zebrała się w Rzymie Wielka Rada Faszystowska. Początkowo padały tylko ostrożne zarzuty, a Mussolini nie pojął, co się szykuje. Sprawiał wrażenie zbolałego, apatycznego, niemalże sparaliżowanego. Posiedzenie trwało przez całą noc. Po dziesięciu godzinach hrabia Dino Grandi, przedwojenny ambasador włoski w Londynie, złożył wniosek w sprawie przywrócenia monarchii konstytucyjnej i demokratycznego parlamentu. Mussolini nie zareagował, co skłoniło niektórych obecnych do przypuszczeń, że Duce po prostu szuka jakiegoś dogodnego dla siebie wyjścia. Wniosek Grandiego przeszedł – zatwierdzony dziewiętnastoma głosami przeciwko siedmiu.

Nazajutrz Mussolini, zapomniawszy się ogolić, udał się na spotkanie z królem Wiktorem Emanuelem III w Willi Sabaudzkiej. Zachowywał się tak, jak gdyby nie zaszło nic nadzwyczajnego. Ale kiedy zaczął mówić, filigranowy król przerwał mu i oznajmił, że marszałek Pietro Badoglio obejmie urząd premiera. Gdy oszołomiony Mussolini opuszczał monarszą rezydencję, został aresztowany przez karabinierów i przewieziony więzienną karetką do silnie strzeżonych koszar. Pod wpływem wiadomości podanych przez radio tej nocy ludzie wylegli na ulice, skandując „Benito è finito" („Koniec z Benito"). Włoski faszyzm zawalił się w ciągu kilku godzin, znikając niby teatralna sceneria, zastąpiona przez inną. Nawet uzbrojeni milicjanci z formacji Czarnych Koszul, wzmocnionych niemieckimi czołgami, nie próbowali przeciwdziałać upadkowi Mussoliniego. W Mediolanie robotnicy wtargnęli do więzień, by uwolnić antyfaszystów.

Usłyszawszy o zamachu stanu w Rzymie, Hitler chciał zrzucić na to miasto dywizję spadochroniarzy, aby jej żołnierze pochwycili nowe włoskie władze oraz rodzinę królewską. Podejrzewał, iż do pozbawienia Mussoliniego władzy przyczynili się jakoś masoni i Watykan. Rommel, Jodl i Kesselring ostatecznie wyperswadowali mu pomysł ataku na Rzym. Führer na pewno nie wierzył w obietnicę marszałka Badoglia, że Włochy będą kontynuowały wojnę. Niemieckie wojska w sile ośmiu dywizji zajęły przełęcz Brenner i najważniejsze obiekty w północnych Włoszech. W toku były już przygotowania do operacji „Alarich" („Alaryk"), czyli do okupacji całego kraju na wypadek kapitulacji Włochów. Hitler rozkazał niemieckim służbom wywiadowczym ustalenie, gdzie przetrzymywano Mussoliniego – i to za pomocą wszelkich metod, łącznie z przekupstwem i skorzystaniem z usług jasnowidzów.

Patton, który zasmakował w sukcesie, stanowczo dążył do zajęcia Mesyny, zanim uczyni to Montgomery. Nieubłaganie popędzał swoich podwładnych, mimo że wielu żołnierzy rozchorowało się pod wpływem intensywnego upału i odwodnienia. Malaria, dyzenteria, denga i leiszmanioza trzewna były przyczyną znacznego odsetka strat niewynikających z działań bojowych. Sama malaria wykluczyła z udziału w walkach dwadzieścia dwa tysiące żołnierzy obu alianckich armii na Sycylii.

Dwudziestego piątego lipca Patton na żądanie Montgomery'ego poleciał do Syrakuz, aby omówić plany natarcia na Mesynę. Brak konkretnych dyrektyw z kwatery naczelnego dowództwa sprzymierzonych zmuszał do przeprowadzenia takich konsultacji. Montgomery pokrętnie przyznał, że jego wojska utknęły na południe od Katanii, i nie czekając na Alexandra, obaj zajęli się omawianiem sytuacji nad mapą rozłożoną na masce sztabowego humbera, którym jeździł Montgomery. Ku zdumieniu Pattona Montgomery zgodził się, żeby oddziały amerykańskie przekroczyły linię graniczną między sojuszniczymi armiami, jeśli miałoby im to ułatwić szybsze dotarcie do Mesyny. W końcu przybył i Alexander w towarzystwie Bedella Smitha, a jego spóźnienie wynikało z nadejścia wieści o doniosłych wydarzeniach w Rzymie. Dowodzący grupą armii Alexander wyraźnie się zirytował, zorientowawszy się, że obaj generałowie doszli do porozumienia bez jego udziału. Ale mimo iż Montgomery w Syrakuzach pogodził się już w duchu z tym, że amerykańska 7. Armia wygra wyścig do Mesyny, to Pattonowi bardzo zależało, aby odnieść w tych zawodach zdecydowane zwycięstwo.

Jego żołnierze, przepoceni i pokryci warstwą kurzu, zdobywali kolejne skaliste wzniesienia. Podobnie jak Brytyjczycy musieli transportować amunicję i inne zaopatrzenie na grzbietach mułów. Dwie niemieckie dywizje grenadierów pancernych zmuszały ich do nieustannych bojów, wysadzając w powietrze mosty i przy każdej okazji podkładając miny i bomby pułapki. Amerykańskich żołnierzy oburzały takie podstępne metody walki, więc czasami mścili się na jeńcach. Pola cuchnęły od rozkładających się zwłok, tak jak niszczone przez aliancką artylerię i bombardowane przez samoloty miasteczka, w których ginęło mnóstwo ludności cywilnej. Pośród rumowisk układano ciała zabitych w stosy, oblewano benzyną i podpalano, aby zapobiec wybuchowi epidemii.

Podczas pierwszego tygodnia sierpnia w batalii o górskie miasto Troina amerykańska 1. Dywizja Piechoty straciła pięciuset żołnierzy. Patton już wcześniej uznał, że jej dowódca Terry Allen jest przemęczony i wkrótce po walkach o Troinę zdymisjonował go, a także jego zastępcę generała brygady Teddy'ego Roosevelta jr. Bradleya, który nie znosił Allena, ten bowiem okazywał mu nieposzanowanie, wielce to uradowało.

Trzeciego sierpnia Patton zwizytował polowy szpital ewakuacyjny nr 15. Był wyraźnie poruszony widokiem rannych, ale nie miał cierpliwości dla ofiar załamania nerwowego. Zapytał pewnego żołnierza z 1. Dywizji, młodego rzemieślnika z Indiany cierpiącego na nerwicę frontową, co mu dolega. „Chyba nie mogę już tego znieść", odpowiedział bezradnie żołnierz. Patton na te słowa wpadł w szał, spoliczkował go rękawiczkami i wywlókł z namiotu. Kopnął go w pośladek, wrzeszcząc: „Posłuchaj mnie, tchórzliwy draniu. Wracasz na front!". Tydzień później dostał podobnego napadu, wizytując 93. szpital ewakuacyjny. Wyciągnął nawet pistolet z kabury, grożąc jednemu z pacjentów, że zastrzeli go za tchórzostwo. Brytyjski reporter obecny na miejscu tego zdarzenia usłyszał, jak Patton powiedział zaraz potem: „Nie ma czegoś takiego jak nerwica frontowa. To wymysł Żydów!"[14].

Aby przyspieszyć tempo natarcia wzdłuż północnego wybrzeża, Patton nakłonił US Navy do wydzielenia dostatecznej liczby barek desantowych do przerzutu batalionu piętnaście kilometrów za niemieckimi liniami. Zarówno Bradley, jak i Truscott stanowczo przeciwstawiali się temu planowi i zgodnie z ich obawami wspomniany batalion uległ niemal całkowitej zagładzie po uchwyceniu kluczowego wzniesienia o nazwie Monte Cipolla. Patton uważał jednak, że ta kosztowna zagrywka była w pełni uzasadniona. Nie miał pojęcia, iż Niemcy już przystąpili do ewakuacji swoich wojsk przez Cieśninę Mesyńską w ramach dobrze zorganizowanej operacji. Niemiecki odwrót zaczął się na dobre 11 sierpnia. Naczelne dowództwo sił sprzymierzonych nie zrobiło niczego, by zapobiec tej akcji. Zamiast tego Tedder nakazał załogom „Latających Fortec" B-17 bombardować węzły kolejowe wokół Rzymu, a Royal Navy i US Navy nie chciały wystawiać na szwank swoich wielkich okrętów nawodnych w potyczkach z artylerią państw osi rozmieszczoną na włoskim wybrzeżu. Później Eisenhower żałował, że nie zdecydował się na przeprowadzenie desantu na północnych brzegach Cieśniny Mesyńskiej; ostatecznie z Sycylii ewakuowano, prawie bez strat, sto dziesięć tysięcy niemieckich i włoskich żołnierzy. W znacznej mierze to alianckie niedopatrzenie wynikało z niechęci generała Marshalla do dokonania zakrojonej na dużą skalę inwazji na kontynentalne Włochy.

Pattona dużo bardziej zajmował fakt, że jego wojska dotarły do Mesyny przed oddziałami Montgomery'ego i rankiem 17 sierpnia wkroczyły triumfalnie do zrujnowanego miasta. Wkrótce jednak na ten sukces padł cień. Rozpętała się prawdziwa burza wokół dwóch opisanych wcześniej incydentów

---

[14] R. Atkinson, *The Day of Battle, op. cit.*, s. 147–148.

w szpitalach polowych, gdyż tego samego dnia Eisenhower dowiedział się o nich w Algierze od amerykańskich korespondentów wojennych. W Stanach Zjednoczonych nic o tym nie wiedziano. Prezydent Roosevelt skierował nawet do porywczego Pattona depeszę gratulacyjną, stwierdzając w niej, że Harry Hopkins zaproponował, aby „po wojnie nadać panu tytuł markiza Etny"[15].

Czynne znieważenie podwładnego przez oficera stanowiło wykroczenie, którym powinien się zająć sąd wojenny, niemniej Eisenhower, choć wściekły na Pattona, nie chciał się go pozbywać. Zdołał nakłonić amerykańskich i brytyjskich dziennikarzy do wyciszenia całej sprawy. Zastanawiając się usilnie nad tym incydentem przez kilka dni i nocy, Eisenhower polecił w końcu Pattonowi przeprosić publicznie, przed obliczem oddziałów, dwóch żołnierzy, których zwymyślał, oraz personel medyczny, który był świadkiem zajść. Niektórzy zgotowali mu owację, ale żołnierze 1. Dywizji Piechoty, nadal urażeni z powodu zdymisjonowania Allena i Teddy'ego Roosevelta, wysłuchali go w milczeniu.

Kampania sycylijska, mimo że z wyspy tej ewakuowano tak liczne wojska osi, na pewno okazała się ważną i potrzebną operacją wojskową. Straty sprzymierzonych były wysokie – brytyjska 8. Armia utraciła 12 800 żołnierzy, a 7. Armia Pattona 8800 ludzi – niemniej jednak osiągnięte zwycięstwo znacznie poprawiło morale w alianckich wojskach i wiązało się z nabyciem cennych militarnych umiejętności w zakresie desantu morskiego i walk w terenie górzystym. Alianci opanowali właściwie cały region śródziemnomorski i zdobyli wiele lotnisk, z których mogli atakować Włochy i bardziej oddalone cele. Inwazja na Sycylię doprowadziła również do upadku Mussoliniego i sprawiła, że Hitler w „Wilczym Szańcu" dostawał napadów szału i panicznego lęku, a także ogarniał go stan przygnębienia. Zniszczenie Hamburga przez RAF wstrząsnęło Führerem bardziej, niż odważył się to przyznać, kolejne ofensywy Armii Czerwonej na froncie wschodnim po bitwie pod Kurskiem wykazały natomiast, jak bardzo brakowało mu wojskowych rezerw.

*

W sierpniu Churchill, Roosevelt i szefowie ich sztabów zebrali się ponownie, tym razem w Quebecu, na konferencji „Quadrant", zorganizowanej przez kanadyjskiego premiera Williama Mackenziego Kinga. Kilka dni wcześniej Churchill poruszył w rozmowie z Rooseveltem kwestię projektu budowy bomby atomowej. Amerykanie usiłowali wykluczyć Brytyjczyków z udziału

---

[15] *The Patton Papers*, t. 2, *op. cit.*, s. 313–314.

w tych pracach badawczych, określanych kryptonimem „Tube Alloys", niemniej Churchill przekonał Roosevelta, że powinny być one kontynuowane jako wspólne amerykańsko-brytyjskie przedsięwzięcie.

Na konferencji w Quebecu omawiano sprawę spodziewanej kapitulacji Włoch w związku z propozycjami składanymi za pośrednictwem Madrytu i Lizbony przez emisariusza Badoglia generała Giuseppego Castellana. Otworzyłoby to korzystne dla aliantów perspektywy. Z włoskich lotnisk można było bombardować Niemcy oraz pola naftowe wokół Ploeszti, jak podkreślał szef amerykańskich sił powietrznych generał „Hap" Arnold. Jednakże Amerykanie nie podzielali entuzjazmu Brytyjczyków wobec planów zakrojonej na szeroką skalę kampanii włoskiej i natarcia w kierunku północnym ku Padowi, mimo że Brooke przekonywał z naciskiem, iż doprowadziłoby to do odciągnięcia niemieckich dywizji z Normandii.

Roosevelt i Marshall nie chcieli, aby ich wojska kontynuowały natarcie po zdobyciu Rzymu, nawet gdyby oznaczało to pozostawianie amerykańskich sił zbrojnych w Italii w bezczynności. Nie bez powodu podejrzewali, że Brytyjczycy wykorzystają kampanię włoską do opóźnienia lądowania we Francji i będą dążyli do pokierowania koalicyjnych wojsk na północny wschód, ku Bałkanom i środkowej Europie. Niestety preferowana przez Churchilla strategia „kąsania" nieprzyjaciela na peryferiach – brytyjski premier domagał się w tym czasie przeprowadzenia desantu na Rodos i wyspy Dodekanezu w celu wciągnięcia Turcji do wojny – zdawała się tylko potwierdzać takie przeczucia. Marshall uparcie obstawał przy tym, żeby siedem dywizji, przewidzianych do udziału w lądowaniu w Normandii, wycofać z Włoch do 1 listopada, jak uzgodniono wcześniej na konferencji „Trident".

Termin inwazji na Normandię, opatrzonej kryptonimem „Overlord", został ustalony na maj 1944 roku. Generał porucznik Frederick Morgan, szef sztabu naczelnego dowództwa alianckiego (któremu nie nadano jeszcze oficjalnej nazwy), już zajął się opracowywaniem wstępnych planów tej operacji. Mając poparcie generała Arnolda, podkreślał pilną potrzebę wcześniejszego osłabienia Luftwaffe. Do tego czasu Churchill dosyć pochopnie trzykrotnie obiecywał generałowi Brooke'owi, że odda w jego ręce dowodzenie siłami inwazyjnymi. Teraz jednak musiał uwzględnić fakt, iż Roosevelt nalegał na powierzenie takiej funkcji Amerykaninowi, gdyż to amerykańskie jednostki miały stanowić większość wojsk inwazyjnych. Poza tym Amerykanie błędnie uważali, że Brooke przeciwstawia się desantowi na Francję.

Brooke był głęboko rozczarowany, kiedy Churchill oznajmił mu ostatecznie, iż nie obejmie dowodzenia operacją „Overlord", i tak naprawdę nigdy nie otrząsnął się z tego ciosu. Jeszcze bardziej zdeprymowało go odkrycie, że Churchill, w zamian za to ustępstwo wobec sojuszników, wywalczył po cichu zgodę na wyznaczenie admirała Louisa Mountbattena na stanowisko szefa SEAC, czyli nowego dowództwa wschodnioazjatyckiego teatru działań wojennych. Dość oczywistym kandydatem do pokierowania operacją „Overlord" wydawał się generał Marshall, choć on sam nie wysuwał swojej kandydatury.

Trzeciego września Churchill wyruszył pociągiem z Quebecu do Waszyngtonu. Dotarł tam w dniu przełomowego wydarzenia. Wytworny generał Castellano, szef sztabu Badoglia, oraz szef sztabu Eisenhowera generał Bedell Smith podpisali w tajemnicy, po trudnych negocjacjach, zgodę na odstąpienie Włoch od wojny. Do tego czasu Niemcy powiększyli swój kontyngent w Italii do szesnastu dywizji, a Włosi nie bez podstaw lękali się niemieckich represji.

O świcie tego samego dnia wojska brytyjskie i kanadyjskie wylądowały koło Reggio di Calabria. Wspierały je okręty nawodne oraz artyleria prowadząca ostrzał zza Cieśniny Mesyńskiej, ale w ten piękny wrześniowy poranek desant nie napotkał zbrojnego oporu, a morze było spokojne. Brytyjczycy nazwali tę akcję „regatami w Cieśninie Mesyńskiej". Wkrótce potem miały miejsce kolejne lądowania na czubku włoskiego „buta" i koło bazy morskiej w Tarencie. Admirał Cunningham zaryzykował przerzucenie 1. Dywizji Powietrznodesantowej do Tarentu na pokładach krążowników Royal Navy. Włoska flota wypłynęła w kierunku Malty, aby tam poddać się aliantom, niemniej samoloty Luftwaffe zdołały zatopić za pomocą jednej z nowych bomb z napędem rakietowym pancernik „Roma", na którego pokładzie zginęło ponad tysiąc trzysta marynarzy.

Na przebiegu całej włoskiej kampanii zaważyły niekorzystnie różne błędne koncepcje i życzeniowe myślenie. Na podstawie przejętych wcześniej przez Ultrę nieprzyjacielskich meldunków w kwaterze głównej dowództwa sił alianckich uznano, że w razie kapitulacji Włoch Niemcy wycofają się na linię Piza–Rimini w północnej Italii. Jednakże Hitler postanowił nieco później, że taki odwrót byłby równoznaczny z pozostawieniem przeciwnikowi Bałkanów i sprzeniewierzeniem się chorwackim, rumuńskim i węgierskim sprzymierzeńcom Rzeszy. Ponadto Włosi, wbrew uprzednim zapewnieniom złożonym Bedellowi Smithowi, nie mieli zamiaru bronić Rzymu przed Niemcami. Zaplanowany zrzut amerykańskiej 82. Dywizji Powietrznodesantowej na Rzym, który miano przeprowadzić równocześnie z głównym desantem pod Salerno, na szczęście odwołano tuż przed startem samolotów ze spadochroniarzami na pokładach. Cała ta jednostka uległaby zagładzie, gdyby wspomniana akcja doszła do skutku.

Ósmego września Hitler, poświęciwszy za dużo czasu na rozmyślania o wypadkach we Włoszech, poleciał do kwatery Mansteina na południu ZSRR, aby omówić kryzysową sytuację na froncie wschodnim. Armia Czerwona przełamała linię frontu na styku Grupy Armii „Środek" Klugego i Grupy Armii „Południe" Mansteina. Kiedy Führer jeszcze tego samego wieczoru powrócił do „Wilczego Szańca", dowiedział się o właśnie ogłoszonym przerwaniu walk we Włoszech oraz o tym, że pierwsze formacje amerykańskiej 5. Armii generała Clarka wylądowały pod Salerno, pięćdziesiąt kilometrów na południowy wschód od Neapolu. Można sobie wyobrazić, w jakim nastroju Hitler się znalazł, usłyszawszy o „zdradzie" Badoglia – choć na dobrą sprawę mógł się spodziewać takiego rozwoju wydarzeń. Nazajutrz zwołał naradę z udziałem Goebbelsa i innych czołowych nazistów. „Führer – zapisał Goebbels w swoim dzienniku – jest zdecydowany uczynić z Włoch *tabula rasa*"[16].

Operacja „Achse" (wcześniej „Alarich") została przeprowadzona błyskawicznie i nader sprawnie. Jednym z głównych zadań feldmarszałka Kesselringa było opanowanie Rzymu. Niemieccy spadochroniarze wmaszerowali do włoskiej stolicy, gdy jej mieszkańcy nadal świętowali, sądząc, że wojna już się dla nich skończyła. Król i marszałek Badoglio zdążyli uciec. Szesnaście niemieckich dywizji rozbroiło wojska włoskie, zgniatając wszelkie przejawy oporu. Wzięto do niewolo około sześciuset pięćdziesięciu tysięcy włoskich żołnierzy, z których większość zapędzono później do robót przymusowych. Niebawem Himmler polecił szefowi niemieckiej tajnej policji w Rzymie Obersturmführerowi SS Herbertowi Kapplerowi zaaresztować osiem tysięcy miejscowych Żydów.

W czasie gdy Niemcy zajmowali Rzym, skierowali też część wojsk do zablokowania możliwego brytyjsko-amerykańskiego desantu nad Zatoką Salerneńską, w dogodnym do lądowania rejonie Morza Tyrreńskiego. Dowództwo zorganizowanej nieco wcześniej niemieckiej 10. Armii objął generał Heinrich von Vietinghoff. Niezwłocznie posłał 16. Dywizję Pancerną, formację odtworzoną po jej rozbiciu pod Stalingradem, by zajęła pozycje na wzgórzach nad wspomnianą wielką zatoką. Tego wieczoru, 8 września, tuż po tym jak alianccy żołnierze na pokładach jednostek desantowych ucieszyli się z wieści o kapitulacji Włoch, niemieckie oddziały znalazły się na wyznaczonych stanowiskach, gotowe powitać ogniem desant, który miał lądować we wczesnych godzinach porannych następnego dnia.

Nieoczekiwanie silny opór zaskoczył wojska sprzymierzonych. Dopiero kiedy trałowce do następnego ranka oczyściły z min korytarz wodny, alianckie okręty mogły na tyle zbliżyć się do brzegu, by zidentyfikować nieprzyjacielskie zgrupowania czołgów i baterie niemieckich dział. Pod Salerno niemal wszystko, co mogło pójść źle, przebiegło w ten właśnie sposób. Dowódca amerykańskiego VI Korpusu generał major Ernest Dawley przyczynił się do dodatkowego spotęgowania zamieszania na brzegu. Nie

---

[16] *BJG*, cz. II, t. IX, s. 460.

zabezpieczył swojej lewej flanki przy pomocy brytyjskich oddziałów w siłach inwazyjnych, póki trzy dni później nie zmusił go do tego Clark, lecz niemieckie siły zostały już wówczas znacznie wzmocnione. Na front pod Salerno przybyły kolejno Dywizja Pancerna „Hermann Göring" i 29. Dywizja Grenadierów Pancernych.

Brytyjczycy i Amerykanie ugrzęźli na porośniętych tytoniem polach, w sadach pełnych jabłoni i brzoskwiń albo na piaszczystych wydmach, gdzie krzaki i zarośla nie dawały osłony. Ewakuacja rannych w zasięgu niemieckich artylerzystów rozlokowanych na pobliskich wzgórzach była trudna za dnia, a sanitariusze musieli radzić sobie na miejscu, korzystając z sulfamidów i doraźnych opatrunków.

Na skraju lewego skrzydła tylko rangersi podpułkownika Williama Darby'ego odnieśli pewien sukces, szybko wdzierając się w głąb lądu i zajmując kluczowe punkty na przełęczy Chiunzi. Ten kręty szlak wiódł z górzystego Półwyspu Sorrentyńskiego do Neapolu. Z uchwyconych pozycji rangersi mogli kierować ogniem ciężkich dział okrętów z zatoki, które strzelając na maksymalną odległość, bombardowały pociskami niemieckie konwoje zaopatrzeniowe i kolumny z wojskiem, nadciągające nadmorską drogą z Neapolu.

Clark, świadom tego, że jego siły inwazyjne nie mogą mieć większych nadziei na wyrwanie się z tej pułapki, skłonił Dawleya rankiem 13 września do skierowania 36. Dywizji Piechoty teksańskiej Gwardii Narodowej do zdobycia wioski na pobliskich wzniesieniach. Niemcy bronili się zawzięcie, dziesiątkując Teksańczyków. Potem było jeszcze gorzej. Generał von Vietinghoff doszedł do wniosku, że dwa alianckie korpusy szykują się do ewakuacji, więc uderzył na południe z Eboli siłami jednostek wyposażonych w czołgi i samobieżne działa pancerne. Rozpętały się zaciekłe walki, a groźba przełamania frontu przez Niemców była tak realna, że Clark istotnie rozważał wycofanie się, Vietinghoff zaś uznał, iż odniósł zwycięstwo.

Natarcie 8. Armii na północy nie nabierało tempa; jej straż przednia nadal znajdowała się w odległości prawie stu kilometrów na południowy wschód. Opóźnienia były spowodowane między innymi przez to, że Niemcy zniszczyli wiele mostów w trakcie odwrotu. Admirał Henry Kent Hewitt, dowódca morskiego zgrupowania uderzeniowego pod Salerno, był przerażony perspektywą zaokrętowania wojsk desantowych z brzegu. Wcześnie rano 14 września zadepeszował do admirała Cunninghama na Malcie, który natychmiast przysłał pancerniki HMS „Warspite" i HMS „Valiant", aby ich ciężkie działa zapewniły dodatkowe wsparcie ogniowe. Poza tym Cunningham rozkazał trzem krążownikom z posiłkami wojskowymi wyruszyć pełną parą z Trypolisu. Jednak tymczasem sytuacja na lądzie nieco się ustabilizowała. Twardo bronili się amerykańscy kanonierzy, strzelając na wprost z haubic 105 mm i zatrzymując niemieckie pancerne natarcie; alianckie dowództwo zareagowało też na żądanie Clarka, aby zasilić alianckie wojska na przyczółku poprzez dokonanie zrzutu jednego z pułków 82. Dywizji Powietrznodesantowej.

Rankiem 15 września w rejon walk przybył na pokładzie niszczyciela generał Alexander. W pełnej zgodzie z admirałem Hewittem odwołał wszelkie plany ewakuacyjne. Przyczółek pod Salerno miał zostać wkrótce wsparty przez bombowce oraz silny i celny ogień alianckiej artylerii okrętowej. Okręty amerykańskiej floty oraz Royal Navy zadały poważne straty niemieckim jednostkom pancernym i artyleryjskim. Niestety w czasie jednego z nocnych nalotów Luftwaffe „Warspite" otworzył ogień z dział kalibru 152 mm do nisko przelatującego samolotu, trafiając niszczyciel HMS „Petard" i powodując na nim poważne uszkodzenia[17].

Bombowce generała majora Jamesa Doolittle'a zniszczyły miasteczko Battipaglia tuż za niemieckimi liniami w takim stopniu, że generał Spaatz przesłał Doolittle'owi wiadomość następującej treści: „Opuszczasz się, Jimmy. Nadal stoi tam jedna rajska jabłoń i jedna stajnia"[18]. Ale wypracowywano nową taktykę bombardowań, którą Amerykanie nazywali „wyprowadzaniem miast na ulice". Oznaczało to w praktyce obracanie atakowanego miasta w gruzy, aby nie mogły przez nie przejechać nieprzyjacielskie transporty z zaopatrzeniem i wojskiem. Miało to stanowić główną taktykę w czerwcu następnego roku w Normandii.

Do tego czasu niemiecki wywiad ustalił miejsce pobytu Mussoliniego. Początkowo przetrzymywano go na wyspie Ponza, następnie na La Maddalenie, wreszcie marszałek Badoglio nakazał przewieźć go w tajemnicy do narciarskiego kurortu w Apeninach na północ od Rzymu, znanego jako Gran Sasso. Hitler, zatrwożony upokorzeniem, jakie spotkało jego sprzymierzeńca, rozkazał przeprowadzenie akcji uwolnienia go. Dwunastego września Hauptsturmführer Otto Skorzeny wylądował na górze Gran Sasso d'Italia wraz z oddziałem specjalnym Waffen-SS w szybowcach. Karabinierzy strzegący Mussoliniego nie stawiali oporu. Mussolini objął serdecznie Skorzeny'ego, mówiąc, że wiedział, iż jego przyjaciel Adolf Hitler nie opuści go w potrzebie. Duce został wywieziony z Włoch samolotem i dostarczony do „Wilczego Szańca". Adiutant Führera z ramienia Luftwaffe określił Mussoliniego mianem „człowieka złamanego" (*„Ein gebrochener Mann"*)[19]. Niemcy

---

[17] R. Crang, SWWEC, „Everyone's War" 2009, nr 20 (zima).
[18] GBP, grudzień 1943 r.
[19] N. von Below, *Byłem adiutantem Hitlera, 1937–1945*, tłum. Z. Rybicka, Warszawa 1990, s. 332.

zaplanowali postawienie go na czele tak zwanej Włoskiej Republiki Socjalnej (Repubblica Sociale Italiana, RSI) dla podtrzymania fikcji uzasadniającej okupację Włoch przez wojska osi.

Dwudziestego pierwszego września oddziały Wolnej Francji wylądowały na Korsyce, z której Niemcy wcześniej się ewakuowali, aby umocnić się w samej Francji. Pod Salerno niemiecki odwrót rozpoczął się trzy dni wcześniej. Kesselring zawczasu rozkazał Vietinghoffowi stopniowe wycofywanie wojsk na linię rzeki Volturno na północ od Neapolu. Tymczasem Clark wreszcie zdymisjonował dowodzącego podległym mu korpusem generała Dawleya, a Brytyjczycy na lewym skraju przyczółka uderzyli na północ, aby uchwycić podstawę Półwyspu Sorrentyńskiego i przygotować się do marszu wzdłuż wybrzeża na Neapol. Po tym jak brytyjski pułk Coldstream Guards opanował w wyniku nocnego ataku jedno ze wzgórz, dowodzący plutonem Michael Howard opisał zastaną scenerię: „Stanęliśmy o świcie. Byli tam pierwsi martwi, na jakich się natknąłem: skurczone, żałosne kukły, leżące sztywno lub poskręcane, z błyszczącymi oczami. Żaden z nich nie mógł mieć więcej niż dwadzieścia lat, a niektórzy przypominali jeszcze dzieci. Ze straszliwą nonszalancją pospychaliśmy ich do ich własnych okopów i przysypaliśmy ziemią"[20].

Dwudziestego piątego września 8. Armia i 5. Armia Clarka połączyły się i ustanowiły ciągłą linię frontu przecinającą w poprzek Włochy. Wojska amerykańskie pod Salerno straciły około 3500 żołnierzy, natomiast brytyjskie 5500 ludzi. Ósma Armia nacierająca w kierunku Adriatyku zdobyła równinną prowincję Foggia wraz z jej lotniskami, aby przeprowadzać z nich naloty na południowe Niemcy, Austrię i pola naftowe koło Ploeszti. Na zachodzie Włoch 5. Armia Clarka obeszła Wezuwiusza a 1 października samochody pancerne Dragonów Królewskich Gwardii wjechały do Neapolu, gdzie wszędzie na ulicach były rozwieszone sznury, na których jednak tym razem nie suszyło się pranie. Neapol pozostał bez wody, ponieważ Niemcy wysadzili w powietrze akwedukty w odwecie za opór stawiany przez podziemie w odpowiedzi na brutalną okupację. Oddziały niemieckie zniszczyły w tym mieście tyle, ile zdołały, między innymi stare biblioteki, kanały ściekowe, elektrownie, fabryki, a przede wszystkim miejscowy port. Bomby z zapalnikami czasowymi, pozostawione w innych ważnych budynkach, wybuchały w trakcie następnych tygodni. Wojna we Włoszech stawała się niemal równie okrutna jak ta na froncie wschodnim.

Po przechwyceniu i rozszyfrowaniu w ośrodku Bletchley Park meldunków, które wskazywały, że Hitler zaplanował ewakuowanie niemieckich wojsk z większej części Włoch, alianci nie przejęli późniejszych,

---

[20]   M. Howard, *Captain Professor. A Life in War and Peace*, London 2006, s. 73.

ujawniających, że w kwaterze głównej Führera zmieniono zdanie w tej kwestii – głównie pod naciskiem Kesselringa, ten bowiem chciał się bronić we Włoszech na południe od Rzymu. Rady Rommla, aby się wycofać, zostały odrzucone, częściowo dlatego, że Hitler obawiał się wpływu, jaki wywarłby taki odwrót na jego bałkańskich sojuszników, ale także dlatego, iż włoska ofensywa sprzymierzonych kulała. Mimo wszystko determinacja nazistowskiego dyktatora, aby utrzymać Włochy, oraz żywione przez niego przekonanie, że Brytyjczycy zaatakują Bałkany i Wyspy Egejskie poskutkowały tym, iż łącznie trzydzieści siedem niemieckich dywizji pozostawało związanych w tym regionie w czasie, gdy Wehrmacht walczył na śmierć i życie na froncie wschodnim.

Goebbels i Ribbentrop namawiali Hitlera do podjęcia rozmów pokojowych ze Stalinem, lecz Führer ze złością odrzucał takie pomysły. Nie miał zamiaru negocjować z pozycji słabszej strony. Generał Jodl i OKW dostrzegali obłąkańczą logikę, która więziła ich w nazistowskim sloganie dążeń do „ostatecznego zwycięstwa". „To, że wygramy, bo musimy zwyciężyć – zanotował wkrótce potem – oznacza, że historia świata utraciła wszelki sens"[21]. A skoro nie było już nadziei na rokowania z pozycji siły, konsekwencje tego były aż nadto jasne. Niemcy miały walczyć aż do samozagłady.

---

[21] Dokumentacja Jodla, 7 listopada 1943 r., BA-MA N 69/17.

ROZDZIAŁ 33

Ukraina i konferencja w Teheranie

wrzesień–grudzień 1943

Po odzyskaniu Charkowa przez Armię Czerwoną 23 sierpnia 1943 roku wojska niemieckie na froncie wschodnim stanęły w obliczu kryzysu na południu Rosji i we wschodniej Ukrainie. Linia obronna nad rzeką Mius została przełamana, a 26 sierpnia Front Centralny Rokossowskiego przebił się na styku Grupy Armii „Południe" i Grupy Armii „Środek". Trzeciego września Kluge i Manstein zwrócili się do Hitlera z prośbą o wyznaczenie naczelnego dowódcy frontu wschodniego. Hitler nie zgodził się na to i nadal twierdził uparcie, że przemysłowy region Donbasu należy utrzymać, nawet gdy okazało się konieczne wycofanie znad Miusu. Ponownie obiecał przysłanie rezerw, ale teraz Manstein już w to nie wierzył. W tym samym dniu wojska brytyjskie wylądowały na południu Półwyspu Apenińskiego.

Pięć dni później, pod wpływem dalekopisowego meldunku Mansteina o skali radzieckiej ofensywy, Hitler udał się samolotem do kwatery dowództwa Grupy Armii „Południe" w Zaporożu. Relacja Mansteina była tak sucha i surowa, że nawet Führer poczuł się zmuszony do zatwierdzenia odwrotu nad Dniepr. Był to ostatni pobyt niemieckiego dyktatora na okupowanych terytoriach Związku Radzieckiego. Po powrocie do „Wilczego Szańca" tego niefortunnego dlań dnia dowiedział się o alianckim desancie pod Salerno i pogłoskach o kapitulacji włoskiej armii.

Na podstawie niechętnie wydanego przez Hitlera polecenia niemiecka armia musiała w wielkim pośpiechu wycofywać się nad Dniepr, aby nie znaleźć się w okrążeniu. Armia Czerwona, mimo że też osłabiona po bitwie pod Kurskiem, natarła z impetem, by uchwycić przyczółki na tej rzece, zanim Niemcom uda się zorganizować skuteczną obronę. Rozległy Dniepr miał stanowić podstawę linii defensywnej, przebiegającej od Smoleńska do

Kijowa i dalej do Morza Czarnego. Podobnie jak większość wielkich rosyjskich rzek płynących z północy na południe Dniepr miał wysoki zachodni brzeg, który tworzył naturalną zaporę obronną.

W trakcie odwrotu przez wschodnią Ukrainę Niemcy próbowali wprowadzać w czyn bezwzględną taktykę spalonej ziemi, ale nie mieli czasu na zniszczenie wszystkiego, co planowali. Niemieccy piechurzy, napychając swoje kieszenie i plecaki, niemal płakali na widok podpalanych składów zaopatrzeniowych. Nękani za dnia przez szturmowe samoloty Ił-2, przeprawiali się przez Dniepr pod osłoną nocy i porannych jesiennych mgieł.

Stalin obiecał Order Bohatera Związku Radzieckiego pierwszemu żołnierzowi, który znajdzie się na zachodnim brzegu Dniepru. Płynąc na pozbijanych z desek i pustych beczek po nafcie prowizorycznych tratwach, w małych łódkach, a nawet wpław, czerwonoarmiści dążyli do zdobycia tego odznaczenia. Ostatecznie udało się to czterem żołnierzom z pistoletami maszynowymi, którzy wdarli się szturmem na zachodni brzeg rzeki. „Zdarzało się – zapisał w swoim dzienniku Wasilij Grossman – że żołnierze transportowali pułkowe działa polowe na drewnianych wrotach i przeprawiali się przez Dniepr na plandekach wypchanych sianem"[1]. Wojska Watutina uchwyciły przyczółki na północ i południe od Kijowa w trzecim tygodniu września. Niebawem radzieccy żołnierze znaleźli się w czterdziestu miejscach za Dnieprem, lecz większość przyczółków miała zbyt niewielkie rozmiary, by wyprowadzić z nich dalsze uderzenia na zachód. Jeden z pododdziałów, którego łódź zatonęła, dotarł do pewnej chłopskiej chaty. Tam powitała ich staruszka: „Dzieci, synkowie, chodźcie do mnie", powiedziała. Gdy rozgrzali się i wysuszyli rozpadające się mundury, napoiła ich samogonem[2].

W wielu miejscach Sowieci ponieśli dotkliwe straty. Specjalne oddziały, podążające za wojskiem, musiały zajmować się zwłokami. „Zbieraliśmy tych, którzy zginęli albo się potopili – wspominał członek jednego z takich oddziałów – i grzebaliśmy ich w okopach, po pięćdziesięciu. Tylu żołnierzy tam padło. Niemiecki brzeg był stromy i silnie ufortyfikowany, a nasi chłopcy nacierali na otwartej przestrzeni"[3].

W celu powiększenia przyczółka w pobliżu miejscowości Wielki Burin na południowy wschód od Kijowa na zachodni brzeg Dniepru zrzucono trzy brygady spadochronowe. Ale radziecki wywiad nie odnotował koncentracji niemieckich jednostek na tym obszarze – dwóch dywizji pancernych

---

[1] RGALI 619/1/953.
[2] R.Z. Sadriedinow w: *Swiaszczennaja wojna. Ja pomniu*, red. A. Drabkin, Moskwa 2010, s. 196.
[3] M.P. Czebykin, „Ja pomniu. Wospominania wietieranow Wielikoj Otieczestwiennoj Wojny", 11 listopada 2004 r., http://www.iremember.ru/pekhotintsi/chebikin-mikhail-petrovich (dostęp: 1.09.2012).

i trzech dywizji piechoty. Wielu spadochroniarzy wylądowało na pozycjach zajmowanych przez niemiecką 19. Dywizję Pancerną i zostało dosłownie zmasakrowanych. Największy sukces udało się osiągnąć na przyczółku pod Liteziem koło Kijowa. Tam dywizje strzeleckie Armii Czerwonej zdołały przeprawić się przez Dniepr na podmokłe tereny, które Niemcy uznali za niemożliwe do przejścia. Korzystając z tej okazji, Watutin podjął wielkie ryzyko, które się opłaciło. Wzmocnił przyczółek jednostkami 5. Korpusu Pancernego Gwardii. Wiele czołgów T-34 ugrzęzło na bagnach, niemniej jednak wystarczająca liczba się przedostała, rozpędzając się do maksymalnej prędkości.

Dalej na północy pod koniec miesiąca Sowieci po zaciekłych zmaganiach odzyskali ostatecznie Smoleńsk. Ofensywa pod Rżewem, która zapoczątkowała parcie Rosjan na zachód w tej części frontu, pozostawiła straszliwe spustoszenia. Australijskiego korespondenta Godfreya Blundena zabrano na objazd po okolicy. „Niektóre chłopskie rodziny złożone ze starców, kobiet i dzieci powróciły i mieszkały w szałasach. Tu i ówdzie wywieszano pranie na sznurach między drzewami, zupełnie jak gdyby normalne było organizowanie dnia przepierki na tej zbezczeszczonej ziemi niczyjej. Jest coś pouczającego w ludzkim uporze, w tym, jak ludzie wracają do swoich dawnych domów, ale nie można się nie zastanawiać, jak przetrwają nadchodzącą zimę". Wstrząsnęło nim odkrycie, że „drobna, pomarszczona staruszka", którą poznał, okazała się w rzeczywistości „trzynastoletnią dziewczynką"[4].

Na południu Front Południowy generała Fiodora Tołbuchina odciął na Krymie niemiecką 17. Armię, wcześniej ewakuowaną z przyczółka kubańskiego na Kaukazie. Wojska Frontu Centralnego, którymi dowodził Rokossowski, wbiły duży klin w linię frontu na zachód od Kurska, a w październiku podeszły do miasta Homel na obrzeżach Białorusi. Dla Stalina i oczywiście dla Watutina najważniejszym celem pozostawała stolica Ukrainy – Kijów. Do końca października Watutin stopniowo przerzucał nocami na przyczółek pod Liteziem jednostki 3. Armii Pancernej generała Pawła Rybałki oraz 38. Armii. Świetne maskowanie, akcje dywersyjne w innych miejscach i fakt, że Luftwaffe nie przeprowadziła należytego rozpoznania lotniczego, doprowadziły do tego, iż Niemcy przeoczyli zagrożenie. Kiedy wspomniane dwie armie zaatakowały z przyczółka, zdołały otoczyć Kijów, który padł 6 listopada, czyli na dzień przed moskiewskimi uroczystościami na cześć rocznicy bolszewickiej rewolucji. Stalina bardzo to ucieszyło. Watutin nie próżnował i rzucił obie armie do boju o Żytomierz i Korosteń. Pomimo jesiennych błot jego wojska już wkrótce dokonały wyłomu we froncie, głębokiego na sto pięćdziesiąt i szerokiego na trzysta kilometrów.

---

[4] GBP.

Kiedy maszerowały naprzód, napotykały zniszczenia i chłopstwo onie-miałe od zaznanych cierpień. „Starcy, słysząc rosyjską mowę – zanotował Wasilij Grossman – wybiegają żołnierzom na spotkanie i płaczą bezgłośnie, nie mogąc wydobyć z siebie ani słowa. Pewna staruszka powiada: »Myśle-liśmy, że będziemy śpiewać i śmiać się na widok naszego wojska, ale tyle smutku w naszych sercach, że z oczu płyną łzy«"[5]. Miejscowi wspominali z odrazą, jak niemieccy żołnierze paradowali nago, nawet przed kobietami i dziewczętami, oraz ich „żarłoczność; potrafili pożreć dwadzieścia jajek za jednym razem albo kilo miodu". Grossman spotkał pewnego chłopczyka, bosego i w łachmanach. Zapytał, gdzie jego ojciec. „Zabity", odpowiedział chłopiec. „A twoja matka?" „Nie żyje". „Masz braci albo siostry?" „Siostrę. Zabrali ją do Niemiec". „Masz jakichś krewnych?" „Nie, wszystkich spalili w partyzanckiej wiosce".

Byli jednak i tacy Ukraińcy, którym nie uśmiechał się powrót radziec-kich rządów. Wielu kolaborowało z Niemcami, organizując paramilitarne milicje, a nawet służąc w niemieckim wojsku lub jako strażnicy w obozach koncentracyjnych. Nacjonaliści z Ukraińskiej Powstańczej Armii (UPA), którzy zwrócili się przeciwko Niemcom, szykowali się teraz do walki party-zanckiej z Armią Czerwoną. Ich najsłynniejszą ofiarą był sam generał Watu-tin, który zmarł w wyniku ran odniesionych w zastawionej zasadzce.

Rzeczywistość wykraczała poza najgorsze przewidywania Grossmana. Po wyzwoleniu Kijowa potwierdziły się pogłoski o masakrze w Babim Jarze. Wcześniej Niemcy usiłowali zatuszować tę zbrodnię, paląc i usuwając ludz-kie szczątki, lecz tych ostatnich było zbyt wiele. Po pierwszej masowej eg-zekucji w 1941 roku w miejscu tym również później dokonywano straceń Żydów, Romów i komunistów. Szacuje się, że do jesieni 1943 roku zabito tam prawie sto tysięcy osób.

Grossman stwierdził, że takie suche statystyki budzą grozę. Nie znając nazwisk zamordowanych, starał się nadać ludzkiego wymiaru tej niewyobra-żalnej zbrodni. „Był to mord wynikły z wielkiego i pradawnego fachowego doświadczenia – pisał – przekazywanego z pokolenia na pokolenie w tysią-cach rodzin rzemieślników i przedstawicieli inteligencji. Był to mord wyni-kły z codziennej tradycji, którą dziadkowie przekazywali wnuczętom, mord zaklęty we wspomnieniach, żałobnej pieśni, poezji ludowej, w życiu, szczęśli-wym i pełnym goryczy; przyniósł on zniszczenie ognisk domowych i cmenta-rzy, śmierć narodu, który żył u boku Ukraińców przez setki lat". Wspomniał o losie bardzo lubianego żydowskiego lekarza o nazwisku Feldman; ów unik-nął egzekucji w 1941 roku, kiedy wstawił się za nim tłum ukraińskich wieś-niaczek, które przebłagały lokalnego niemieckiego komendanta. „Feldman

---

[5] RGALI 1710/1/100.

mieszkał dalej w Browarach i leczył miejscowych chłopów. Został stracony wiosną tego roku. Christia Czuniak łkała, a w końcu zalała się łzami, kiedy mi opowiadała, jak zmuszono tego starca, żeby wykopał sobie grób. Przyszło mu ginąć samotnie. Żaden inny Żyd nie dożył wiosny 1943 roku"[6].

Stalin, nie bez powodu dumny z wielkich sukcesów militarnych Związku Radzieckiego odniesionych w owym roku, wreszcie zgodził się wziąć udział w spotkaniu „wielkiej trójki", z Rooseveltem i Churchillem. Pod koniec listopada 1943 roku mieli zebrać się w Teheranie, mieście okupowanym przez wojska radzieckie i brytyjskie – podobnie jak większość terytorium Iranu, w celu zabezpieczenia pobliskich pól naftowych i szlaków lądowych wiodących na Kaukaz. Stalin wybrał na miejsce spotkania irańską stolicę, aby móc pozostawać w bezpośrednim kontakcie ze Stawką.

W ramach przygotowań do konferencji w Teheranie w październiku od-było się w Moskwie spotkanie ministrów spraw zagranicznych państw ko-alicji. Liczba spraw do omówienia w pałacyku zwanym popularnie Spirido-nowką była ogromna. Brytyjczyków zajmowały takie problemy jak kwestia polska, sprawy powojennych relacji międzynarodowych, traktowania poko-nanych krajów, Europejskiej Komisji Doradczej, mającej zająć się Niemca-mi, procesy zbrodniarzy wojennych oraz postanowienia dotyczące Francji, Jugosławii i Iranu. Cordell Hull, amerykański sekretarz stanu, podkreślał życzenie Roosevelta, aby powołać następczynię zdyskredytowanej Ligi Na-rodów. Było to drażliwą kwestią dla Mołotowa i Maksima Litwinowa, za-stępcy sowieckiego komisarza spraw zagranicznych, gdyż Związek Radziecki został usunięty z Ligi Narodów po napaści na Finlandię w 1939 roku. Pro-jekt Roosevelta, przewidujący powołanie do istnienia wraz z końcem wojny Organizacji Narodów Zjednoczonych, przydałby zwycięskim krajom wio-dącą rolę na arenie międzynarodowej.

Strona radziecka nalegała, aby Brytyjczycy i Amerykanie przedstawili szczegółowe propozycje dotyczące tematów, które zamierzano omawiać w Teheranie. Z kolei sama nie zdradzała własnych planów, uparcie powra-cając do tylko jednej kwestii: „możliwości skrócenia wojny z Niemcami i ich sojusznikami w Europie"[7]. Oznaczało to w praktyce, że dąży do usta-lenia ścisłej daty inwazji na Francję. Podniosła też sprawę wciągnięcia Tur-cji do wojny po stronie alianckiej i zaproponowałą wywarcie nacisku na neutralną Szwecję, by jej rząd zezwolił sprzymierzonym na założenie baz

---

[6] RGALI 1710/1/101.

[7] *Moskowskaja Konfierencja Ministrow Inostrannych Dieł SSSR, SSzA i Welikobritanii*, Moskwa 1984; cyt. za: G. Roberts, *Wojny Stalina. Od drugiej wojny światowej do zimnej wojny 1939– 1953*, tłum. M. Antosiewicz, G. Sowula, Warszawa 2010, s. 208.

powietrznych na swoim terytorium. Zasadniczo wszyscy wyrażali zadowolenie z przebiegu tej narady.

Największy sukces w Moskwie, według Australijczyka Godfreya Blundena, odniosło „małe drewniane pudełko z dwoma wizjerami". Było ono „pod każdym względem podobne do fotoplastykonów, widywanych niegdyś na jarmarkach, tyle że zamiast tańczących dziewcząt oglądało się w nich cykl przerażających stereoskopowych zdjęć zbombardowanych Niemiec"[8]. Ten pomysł *Air Chief Marshala* Harrisa, polegający na prezentowaniu trójwymiarowych fotografii zniszczonych miast, zafascynował w Moskwie generałów Armii Czerwonej.

Blunden usłyszał o tym od samego Harrisa, kiedy spotkał się z nim w siedzibie dowództwa brytyjskiego lotnictwa bombowego. Harris pokazał mu wielki album ze zdjęciami, który polecił specjalnie oprawić w skórę o granatowej barwie mundurów RAF-u, aby wywierać wrażenie na zaproszonych gościach. Każdą z serii fotografii lotniczych w tej samej skali przesłaniał arkusz kalki kreślarskiej z zaznaczonym zarysem dzielnic przemysłowych i mieszkalnych. Na pierwszej z nich wytyczono zakres zniszczeń w Coventry. Potem Harris przewracał karty, pokazując kolejne zaatakowane niemieckie miasta. W pewnej chwili Blunden aż zawołał na widok tych zniszczeń: „Pomieściłoby się tam co najmniej sześć takich miast jak Coventry".

„O nie, myli się pan – odparł Harris z satysfakcją w głosie. – Aż dziesięć". Kiedy doszli do następnego miasta, w którym zniszczenia nie były aż tak wielkie, Harris zauważył: „Jeszcze jeden porządny nalot i wykończymy je na amen".

„Te zdjęcia – napisał Blunden – prezentują nadzwyczaj wymownie, jak naloty dywanowe, po raz pierwszy zastosowane przez Niemcy, przeobraziły się w oręż o niesamowitej mocy. Zniszczenia poczynione w Coventry przed trzema laty, które skłoniły Niemców do wprowadzenia słowa »coventryzacja«, oznaczającego całkowite zniszczenie jakiegoś miasta, wydają się teraz prawie nieznaczne wobec o wiele większych szkód spowodowanych w niemieckich wielkich ośrodkach miejskich".

W tym okresie Amerykanie starali się również wprowadzić nacjonalistyczne Chiny do koalicji, która miała stać się „wielką czwórką". Roosevelt, wiedząc o ambicjach Chiang Kai-sheka w tym względzie, liczył, iż dopomoże to w utrzymaniu Kuomintangu w działaniach wojennych mimo rozczarowania Chińczyków niedostatkiem alianckiego zaopatrzenia dla ich wojsk. Chiang rozgrywał ze Stanami Zjednoczonymi tę samą partię, którą wcześniej grał ze Związkiem Radzieckim: posługiwał się zawoalowaną groźbą zawarcia

---

[8] GBP.

separatystycznego pokoju z Japonią, aby uzyskać większą pomoc. Choć oznaczało to celowe podkreślanie własnej słabości, to ów chiński gambit wywierał pewien skutek, gdyż armie chińskie przynajmniej teoretycznie wiązały na kontynencie azjatyckim ponad milion japońskich żołnierzy. Ale Roosevelt miał też na uwadze powojenny świat, uważając za nieodzowne włączenie Chin do kierownictwa Narodów Zjednoczonych. Była to idea, której Churchill i jego współpracownicy na pewno nie popierali. Sowieci okazali się jeszcze bardziej niechętnie nastawieni do tego pomysłu po tym, jak Chiang wywarł nacisk, by usunąć ich z prowincji Sinkiang, ale na konferencji w Moskwie w zasadzie osiągnięto porozumienie w tej kwestii.

Chiang zmienił swoje nastawienie w pewnej ważnej sprawie. Chciał teraz amerykańskiej pomocy, aby mieć pewność, że Związek Radziecki nie zagarnie obszarów w północnych Chinach po przystąpieniu do wojny z Japonią. Uczyniwszy wcześniej wszystko, co w jego mocy, w celu przekonania Roosevelta, by ten zmusił Stalina do wypowiedzenia wojny Japończykom, Chiang w tym okresie życzył już sobie pokonania Japonii bez radzieckiego udziału. Nie bez przyczyny lękał się, że sowieckie zaangażowanie militarne na Dalekim Wschodzie przyniesie wzmocnienie i dozbrojenie chińskich komunistów.

W czwartym tygodniu listopada 1943 roku Roosevelt i Churchill spotkali się w Kairze, w drodze do Teheranu. Podczas tej naprędce zorganizowanej narady Roosevelt postarał się o to, by Chiang Kai-shek włączył się w obrady od początku, a nie pod ich koniec, jak to sobie wyobrażali Brytyjczycy. Cała sytuacja wyraźnie ich zdenerwowała. „Generalissimus przypominał mi bardzo skrzyżowanie kuny z fretką – zapisał Brooke. – Przebiegła, trochę lisia twarz. Najwyraźniej nie rozumie wojny w jej rozległym wymiarze, ale dąży do tego, żeby wytargować możliwie najwięcej"[9]. Ku jeszcze większemu rozbawieniu brytyjskich generałów małżonka Chiang Kai-sheka, wystrojona w czarną chińską suknię z rozcięciem na udzie, nierzadko się wtrącała, korygując dokonany przez tłumacza przekład tego, co rzekł generalissimus, a następnie przedstawiała własną interpretację wypowiedzianych słów. Stalin, nadal rozdrażniony niepowodzeniem w kwestii Sinkiangu, odmówił przysłania swojego przedstawiciela na tę naradę, argumentując, że Związek Radziecki wciąż pozostaje związany układem o nieagresji z Japonią.

Churchill aż nadto dobrze zdał sobie sprawę, że jego „wyjątkowe relacje" z Rooseveltem wyraźnie się pogorszyły. Wynikało to częściowo z jego własnej niechęci wobec angażowania Wielkiej Brytanii w operację „Overlord" oraz dążeń do zaatakowania w centralnej Europie, nim na ziemie te wkroczą Sowieci. Ponadto Churchillowi przysporzyło kłopotów jego emocjonalne przy-

---

[9] A. Brooke (lord Alanbrooke), *War Diaries, 1939–1945*, London 2001, s. 477 (23 listopada 1943 r.).

wiązanie do tradycji brytyjskiego imperium. Roosevelt, deklarując w pełnej zgodzie z Chiang Kai-shekiem, iż dzieje zachodniego imperializmu w Azji powinny dobiec kresu wraz ze zwycięstwem nad Japonią, obiecał, że Indochiny nie zostaną zwrócone Francji – co rozwścieczyłoby de Gaulle'a, gdyby dowiedział się o takiej inicjatywie. Na kairskiej konferencji atmosfera była daleka od przyjaznej, a czasem przeradzała się w otwartą wrogość. Amerykanie byli zdecydowani nie dać się wyprowadzić na kolejne manowce, zwłaszcza jeśli oznaczać to miało rezygnację z desantu w Normandii na rzecz akcji militarnej na Bałkanach. Brytyjczycy stwierdzili, że Amerykanie stali się głusi na ich argumenty, i zaczynali nabierać podejrzeń co do tego, jak Roosevelt zachowa się w Teheranie, kiedy będzie miał poparcie Stalina w najważniejszych kwestiach.

Roosevelt i Churchill udali się samolotem z Kairu do Teheranu na spotkanie ze Stalinem, które rozpoczęło się 28 listopada. Roosevelt, na wyraźne życzenie sowieckiego przywódcy, zatrzymał się w ambasadzie radzieckiej, naprzeciwko budynków brytyjskiej ambasady po drugiej stronie ulicy. Stalin odwiedził amerykańskiego prezydenta wystrojony w marszałkowski mundur, ze spodniami wetkniętymi w cholewy kaukaskich butów, aby sprawiać wrażenie wyższego. Obaj mężowie stanu przystąpili do wymiany uprzejmości i okazywania pozorów zażyłości, które zwiodły tylko jednego z nich – Roosevelta.

Prezydent usiłował zdobyć przychylność radzieckiego dyktatora kosztem Churchilla. Poruszył kwestię kolonializmu. „Mówię o tym pod nieobecność naszego towarzysza broni Churchilla, gdyż nie lubi on dyskutować na ten temat. Stany Zjednoczone i Związek Radziecki nie są potęgami kolonialnymi i łatwiej porozmawiać nam o tych sprawach"[10]. Wedle tłumacza Stalina w trakcie spotkania w cztery oczy nie palił się on do roztrząsania tego „delikatnego tematu", ale przyznał, że Indie to „czuły punkt" Churchilla[11]. Pomimo wszelkich wysiłków prezydenta, który chciał stworzyć atmosferę wzajemnego zaufania, Stalin nie mógł mu zapomnieć nieprzemyślanej obietnicy otwarcia drugiego frontu w 1942 roku, złożonej tylko po to, aby podtrzymać Związek Radziecki w prowadzeniu działań wojennych.

Jednakże Stalin wypowiadał się twardo na temat Francji po zamieszkach w Libanie, gdzie wojska Wolnych Francuzów starały się umocnić rządy kolonialne. Uznał większość Francuzów za kolaborantów i stwierdził nawet, że Francję „należy ukarać za pomoc, jakiej udziela Niemcom"[12]. Stalin bez wątpienia nadal myślał o tym, jak kapitulacja armii francuskiej w 1940 roku

---

[10] V.M. Berezhkov, *At Stalin's Side. His Interpreter's Memoirs from the October Revolution to the Fall of the Dictator's Empire*, New York 1994, s. 239.
[11] V.M. Berezhkov, *History in the Making. Memoirs of World War II Diplomacy*, Moscow 1983, s. 259.
[12] Cyt. za: G. Roberts, *Wojny Stalina, op. cit.*, s. 212.

przyczyniła się do wyposażenia Wehrmachtu w wiele pojazdów, użytych rok później podczas napaści na Związek Radziecki.

Kiedy późnym popołudniem rozpoczęła się sesja plenarna, głównym przedmiotem obrad była operacja „Overlord". Stalin, przy niemym poparciu Roosevelta, rozprawił się z dążeniami Churchilla do podjęcia działań militarnych na północnym Adriatyku i w środkowej Europie. Podkreślał pierwszorzędne znaczenie „Overlorda" i poparł plany równoczesnego uderzenia na południe Francji. Stanowczo odrzucał pomysły wszelkich innych operacji, uważając je za rozpraszanie sił. Zareagował rozbawieniem na słowa Churchilla, że realizacja jego planu pomoże Armii Czerwonej. Według radzieckiego tłumacza Roosevelt mrugnął porozumiewawczo do sowieckiego przywódcy, gdy ten kruszył papierosy marki Hercegowina Flor, by nabić tytoniem swoją fajkę. Stalin uznał, że może sobie pozwolić na docinki wobec Churchilla w tej sprawie, ponieważ wiedział, iż Amerykanie sprzeciwiają się brytyjskiej koncepcji; zresztą trzymał w ręku wszystkie atuty, gdy przyszło do ustalania alianckiej strategii. Presja, konsekwentnie wywierana przezeń na koalicjantów, aby ci wypełnili obietnicę przeprowadzenia wielkiej inwazji na Francję wiosną 1944 roku, oznaczała, że ich zaangażowanie w północno-zachodniej części Europy pozostawi, zgodnie z obawami Churchilla, Bałkany i centralną Europę na łasce Armii Czerwonej.

Przysłuchując się wymianie zdań trzech przywódców, generał Brooke był pod silnym wrażeniem tego, jak Stalin prowadzi dyskusję. Sowiecki dyktator odnosił się z lekceważeniem do kampanii włoskiej, przypuszczalnie dlatego, że zirytowało go, iż sojusznicy nie zaprosili Związku Radzieckiego do uczestnictwa w przyjęciu kapitulacji Włochów. Okazało się to z ich strony błędem, ponieważ Stalin mógł później powoływać się na ten fakt w rozmowach o przyszłości krajów zajętych przez Armię Czerwoną. Stalin, świadom tego, że zwycięstwa pod Stalingradem i Kurskiem uczyniły ze Związku Radzieckiego supermocarstwo, już przechwalał się osobom ze swojej świty, że „obecnie los Europy Wschodniej został przesądzony. Za zgodą naszych sprzymierzeńców zrobimy tam, co będziemy chcieli"[13].

Zrelacjonowano mu także przemyślenia i reakcje Brytyjczyków oraz Amerykanów. Przed spotkaniem na szczycie Stalin wezwał do siebie syna Berii Sergo i powierzył mu „zadanie, które jest delikatne i odrażające pod względem moralnym"[14]. Chciał wiedzieć o wszystkim, o czym Amerykanie i Brytyjczycy mówią na osobności. Każde ich słowo miało być rejestrowane przez mikrofony ukryte w pokojach sojuszników i co rano Sergo Beria

---

[13] S. Beria, *Beria, mój ojciec. W sercu stalinowskiej władzy*, tłum. J. Waczków, Warszawa 2000, s. 143.
[14] *Ibidem*, s. 139.

winien meldować Stalinowi o wszystkich ich rozmowach. Sowieckiego przy-wódcę zdumiewała naiwność aliantów, rozmawiających tak otwarcie, kie-dy musieli wiedzieć, że są podsłuchiwani. *Wożd* chciał znać nie tylko treść konwersacji, ale i ich ton. Czy mówili o czymś z przekonaniem, czy też bez entuzjazmu, i jak reagował Roosevelt?

Stalin wyraził zadowolenie, gdy Sergo Beria poinformował go o szcze-rym podziwie, jakim darzył radzieckiego wodza Roosevelt, i o tym, że ame-rykański prezydent nie chciał posłuchać rady admirała Leahy'ego, który namawiał go do zaprezentowania twardszej postawy. Ilekroć jednak Chur-chill komplementował Stalina w trakcie konferencji, sowiecki lider przy-pominał o wrogich opiniach wyrażanych przez brytyjskiego premiera w przeszłości. Tajne nagrania z podsłuchu pomogły też Stalinowi w wyko-rzystaniu rozbieżności między Churchillem a Rooseveltem. Najwyraźniej kiedy Churchill prywatnie wyrzekał na Roosevelta, że ów pomaga Stalino-wi w narzuceniu komunistycznych władz Polsce, prezydent odpowiadał, iż Churchill popiera polski rząd antykomunistyczny, zatem nie ma to większego znaczenia.

Polska istotnie stanowiła poważny problem i dla Churchilla, i dla Sta-lina, natomiast Roosevelt przejmował się tylko zdobyciem głosów amery-kańskiej Polonii w wyborach prezydenckich, mających się odbyć w następ-nym roku. Wobec tego z pozoru przyjmował podczas rozmów ze Stalinem twarde stanowisko w tej kwestii, aż do czasu kiedy stały się znane wyniki głosowania w USA. O ile Roosevelt odrzucał wcześniej wszelkie pomysły zmiany polskich granic na podstawie postanowień Karty atlantyckiej, o tyle w tym czasie i on, i Churchill doszli do wniosku, że są zmuszeni do uzna-nia roszczeń Stalina do wschodniej części tego kraju, włączonych w 1939 roku do ZSRR jako „zachodnia Białoruś" i „zachodnia Ukraina". Perspek-tywa rychłego odzyskania tych ziem przez Armię Czerwoną w praktyce czy-niła z ich ponownej sowietyzacji polityczny fakt. Zgodnie z planami Stalina Polska miała uzyskać w zamian niemieckie obszary wschodnie aż po Odrę. Prezydent USA i brytyjski premier wiedzieli, że w żaden sposób nie zdołają zmusić Sowietów do rezygnacji z takiego łupu jak polskie Kresy Wschodnie, lecz to, jak łatwo Roosevelt ustąpił w tej sprawie, utwierdziło Stalina w prze-świadczeniu, że nie będzie większych kłopotów z ustanowieniem w Polsce komunistycznych rządów[15].

Stalinowi udało się też skłonić zachodnich aliantów do określenia kon-kretnej daty inwazji na Francję, ale kiedy Amerykanie i Brytyjczycy byli zmuszeni przyznać, że nie wyznaczyli jeszcze naczelnego dowódcy sił in-wazyjnych, odniósł się pogardliwie do podobnej niefrasobliwości. Zgodził

---

[15] *Ibidem*, s. 104.

się jednakże na rozpoczęcie silnej ofensywy wkrótce po lądowaniu desantu we Francji i zgłosił zamiar przystąpienia do wojny z Japonią od razu po pokonaniu Niemiec. Tego właśnie chciał Roosevelt, choć wielce się tego obawiał Chiang Kai-shek. Po zakończeniu teherańskiej konferencji Stalin uznał, że „wygrał partię"[16]. W rozmowach prywatnych Churchill podobnie oceniał wyniki tego spotkania na szczycie. Był nader zdeprymowany z powodu tego, że Roosevelt we wszystkich sprawach spornych bierze stronę Stalina, w naiwnej wierze, iż zdoła go powściągnąć. „Teraz [Churchill] rozumie, że nie może polegać na poparciu prezydenta – zapisał w swoim dzienniku lekarz Churchilla, lord Moran, po tym jak Churchill podzielił się z nim swymi obawami dotyczącymi przyszłości. – Jeszcze bardziej liczy się to, że zdaje sobie sprawę, iż Rosjanie również to widzą"[17].

Nasłuchawszy się upokarzających docinków na konferencji w Teheranie, Roosevelt stanowczo postanowił mianować naczelnego dowódcę operacji „Overlord" zaraz po powrocie wraz z innymi alianckimi delegatami do Kairu. Polecił Marshallowi wezwać generała Eisenhowera. Kiedy tylko Eisenhower i Roosevelt wsiedli do limuzyny, prezydent zwrócił się do generała: „A więc, Ike, będzie pan dowodził operacją »Overlord«"[18]. Roosevelt uznał zawczasu, że nie może zrezygnować z Marshalla jako swego szefa sztabu ze względu na jego wiedzę na temat wszystkich teatrów wojny, wielki talent organizacyjny, a przede wszystkim umiejętność komunikowania się z Kongresem. Marshalla uważano również za jedynego człowieka potrafiącego utrzymać w ryzach generała MacArthura na Pacyfiku. Marshall był rozczarowany (choć nie tak bardzo jak nieco wcześniej Brooke), ale lojalnie zaakceptował tę decyzję[19]. Eisenhowerowi sprzyjał los, co zdawało się potwierdzać trafność przezwiska nadanego mu przez Pattona – *Divine Destiny* („Wybraniec Bogów"), od inicjałów dwóch jego imion (Dwight David).

Wśród alianckich szefów sztabów w Kairze zapanowała irracjonalna euforia. Wszyscy wydawali się pewni, że wojna zakończy się do marca, a najpóźniej do listopada 1944 roku, i gotowi się byli o to zakładać. Jeśli wziąć pod uwagę, że do rozpoczęcia operacji „Overlord" pozostawało jeszcze ponad pół roku, a Armia Czerwona nadal znajdowała się wiele setek kilometrów od Berlina, był to, ujmując rzecz delikatnie, przejaw przesadnego optymizmu. Z kolei Churchill sprawiał wrażenie całkowicie wyczerpanego trudnymi bataliami dyplomatycznymi w Kairze i Teheranie. W Tunezji zapadł na zapalenie płuc i omal nie umarł. Jego rekonwalescencji w okresie

---

[16] *Ibidem*, s. 105.
[17] Ch. Moran, *Wojna Churchilla 1940–1945*, tłum. P. Bieliński, R. Januszewski, S. Kędzierski, Warszawa 2006, wpis z 28 i 29 listopada 1943 r.
[18] D.D. Eisenhower, *Krucjata w Europie*, tłum. H. Krzeczkowski, Warszawa 1959, s. 285.
[19] A. Brooke (lord Alanbrooke), *War Diaries, 1939–1945, op. cit.*, s. 492 (7 grudnia 1943 r.).

świąt Bożego Narodzenia sprzyjało nieco brandy i nowiny, że okręty Royal Navy zatopiły niemiecki pancernik „Scharnhorst" opodal wybrzeży północnej Norwegii. W lodowatym morzu zginęło wtedy prawie dwa tysiące marynarzy Kriegsmarine.

Zgodnie z tym, co Stalin podkreślał w Teheranie, wojska Watutina musiały odpierać nieustanne kontrataki niemieckiej Grupy Armii „Południe" Mansteina. Manstein, licząc na powtórkę swego spektakularnego sukcesu pod Charkowem sprzed roku, rzucił dwa korpusy pancerne do uderzenia na formacje Watutina w składzie 1. Frontu Ukraińskiego. Chciał odrzucić Sowietów z powrotem za Dniepr, odzyskać Kijów i zamknąć w okrążeniu silne zgrupowanie jednostek Armii Czerwonej koło Korostenia.

Hitler, który w trakcie owych miesięcy wyraźnie się postarzał pod wpływem silnego stresu, coraz bardziej tracił poczucie rzeczywistości. Nie chciał słyszeć o żadnym odwrocie. Nawet faworyzowany przez niego generał Model określił sytuację wojsk niemieckich na froncie wschodnim mianem „walk na wstecznym biegu"[20]. Fatalizm ogarnął niemieckie oddziały wojskowe. Pewien oficer piechoty wzięty do niewoli na froncie leningradzkim przyznawał to w czasie przesłuchania: „Wszystko to świństwo. Beznadzieja"[21]. Ale choć Hitler obwiniał za każde niepowodzenie swoich generałów i brak woli walki, był też poważnie zaniepokojony propagandowymi akcjami działającej pod kontrolą radziecką „antyfaszystowskiej" organizacji złożonej z niemieckich jeńców wojennych, Freies Deutschland (Wolne Niemcy). Skłoniło go to do wprowadzenia 22 grudnia we wszystkich jednostkach Wehrmachtu funkcji narodowosocjalistycznego oficera politycznego, odpowiednika sowieckiego komisarza politycznego czy też *politruka*.

Trzy dni później Mansteina, któremu się wydawało, że ustabilizował sytuację na froncie, czekała bardzo niemiła niespodzianka. Sowieci niezauważenie przerzucili w rejon Brusiłowa 1. Armię Pancerną i 3. Armię Pancerną Gwardii, a w Boże Narodzenie przypuścili atak na Żytomierz i Berdyczów. Wkrótce potem 2. Front Ukraiński Koniewa dalej na południu także przełamał linię frontu, niebawem zaś dwa niemieckie korpusy, nadal trzymające obronę na linii Dniepru na południowy wschód od Kijowa, zostały okrążone w kotle pod Korsuniem. Hitler nie zezwolił na ich wycofanie, a los żołnierzy tych korpusów należał do najokrutniejszych, nawet na tle tego, co przecierpieli Niemcy z innych formacji Wehrmachtu na froncie wschodnim.

---

[20] 27 stycznia 1944 r., *GSWW*, t. IX/1, s. 614.
[21] A. Werth, *Leningrad*, London 1944, s. 81.

ROZDZIAŁ 34

Shoah

1942–1944

Zakres eksterminacyjnych planów Heydricha, nakreślonych na konferencji w Wannsee w styczniu 1942 roku, był wprost niewiarygodny. Jak przyznawał jeden z najbliższych współpracowników Heydricha, człowiek ten odznaczał się „niepohamowanymi ambicjami, inteligencją i bezlitosną energią"[1]. „Ostateczne rozwiązanie" miało dotyczyć, wedle rachub Adolfa Eichmanna, ponad jedenastu milionów Żydów. Liczba ta obejmowała również ludność żydowską z państw neutralnych, takich jak Turcja, Portugalia czy Irlandia, a także z Wielkiej Brytanii, której przecież Niemcy nie pokonały.

W istocie fakt, że plany te nabrały kształtu w ciągu kilku tygodni poprzedzających niepowodzenia Wehrmachtu pod Moskwą i przystąpienie Stanów Zjednoczonych do wojny, zdaje się wskazywać albo na niewzruszoną wiarę nazistów w „ostateczne zwycięstwo", albo też na to, iż poczuli się oni zmuszeni do wypełnienia swego „dziejowego zadania", zanim kolejne porażki militarne miały to uniemożliwić[2]. Prawdopodobnie do głosu doszła kombinacja obu tych motywów. Z pewnością perspektywa rychłego zwycięstwa późnym latem 1941 roku przyczyniła się do gwałtownej radykalizacji nazistowskiej polityki. Kiedy wydarzenia na świecie doszły do punktu krytycznego, nie było już drogi powrotu. W ten sposób „zagłada za pomocą kul" przeobraziła się w „zagładę z użyciem gazu".

---

[1] Słowa Brigadeführera SS Wernera Besta, cyt. za: P. Padfield, *Himmler. Reichsführer SS*, tłum. S. Baranowski, Warszawa 2005, s. 395.

[2] Ch.R. Browning, *The Origins of the Final Solution. The Evolution of Nazi Jewish Policy, September 1939–March 1942*, London 2004, s. 415.

Podobnie jak w wypadku planu zagłodzenia Rosjan i bestialskiego traktowania radzieckich jeńców wojennych, „ostateczne rozwiązanie kwestii żydowskiej" miało dwojaki cel. Poza eliminacją rasowego i ideologicznego wroga chodziło o zapewnienie Niemcom dostatecznych zapasów żywności. Uznawano to za tym bardziej pilne, że wielkie zastępy zagranicznych robotników sprowadzono do Rzeszy, gdzie przymusowo pracowali. Samo „ostateczne rozwiązanie" miało zawierać w sobie równoczesną eksterminację poprzez pracę przymusową oraz niezwłoczne zabijanie ofiar – a obydwoma tymi zadaniami obarczono SS *Totenkopfverbände* (Oddziały Trupiej Czaszki). Jedynymi Żydami, których tymczasowo miano nie likwidować, byli starsi i prominentni Żydzi z pokazowego obozu-getta w Terezinie, a także fachowa siła robocza niezbędna pewnym gałęziom niemieckiego przemysłu oraz pół-Żydzi z mieszanych małżeństw. O ich losie można było zadecydować później.

Obóz zagłady w Chełmnie (Kulmhof) już działał; wkrótce potem uruchomiono obóz w Bełżcu i kompleks obozowy Auschwitz-Birkenau. W Chełmnie komory gazowe na ciężarówkach posłużyły do zabijania Żydów z okolicznych miasteczek. W styczniu 1942 roku przywieziono tam z Austrii i zagazowano również 4400 Romów. Ekipy wyselekcjonowanych Żydów pod strażą Ordnungspolizei (policji porządkowej) zakopywały zwłoki ofiar w lasach. Chełmno miało się stać głównym ośrodkiem masowej zagłady Żydów stłoczonych w getcie łódzkim, oddalonym o pięćdziesiąt pięć kilometrów na południe.

Obóz w Bełżcu, między Lublinem a Lwowem, stanowił, w sensie zastosowanej technologii zabijania, „krok naprzód", gdyż znajdowały się tam komory gazowe, do których wpompowywano tlenek węgla ze spalin stojących w pobliżu pojazdów z pracującymi silnikami. Po „próbnym" mordzie na stu pięćdziesięciu Żydach, dokonanym w styczniu, w połowie marca ruszyło tam zagazowywanie Żydów, głównie galicyjskich. Na obrzeżach Lublina powstał obóz w Majdanku.

Auschwitz, czyli Oświęcim, to miasto w pobliżu Krakowa i nieodległe od Śląska, z dziewiętnastowiecznymi koszarami kawalerii, jeszcze z czasów monarchii austro-węgierskiej. W 1940 roku SS zorganizowało w tych koszarach więzienie, gdzie przetrzymywano Polaków. Był to tak zwany obóz Auschwitz I. Tam właśnie odbyły się we wrześniu 1941 roku pierwsze próby z cyklonem B – cyjanowodorowym granulatem służącym do trucia gryzoni – przeprowadzone głównie na sowieckich jeńcach wojennych.

Pod koniec 1941 roku rozpoczęły się prace w pobliskiej Brzezince (Birkenau) – obozie znanym też pod nazwą Auschwitz II. Dwa wiejskie domy zaadaptowano na prowizoryczne komory gazowe, które zostały uruchomione w marcu 1942 roku. Dopiero w maju zaczęło się zabijanie na większą skalę, lecz do października komendant obozu Rudolf Höss zrozumiał, że dotychczasowe rozwiązania były całkowicie niewydajne, a zbiorowe groby zatruwały pobliskie wody gruntowe. W zimie wybudowano zupełnie nowy system komór gazowych i pieców krematoryjnych.

Choć obóz Auschwitz znajdował się w oddaleniu od innych osiedli, pośród bagnisk, rzek i brzezin, to do miejsca tego wiodła dogodnie przeprowadzona linia kolejowa. Było to jednym z powodów, dla których koncern chemiczny IG Farben zainteresował się zorganizowaniem w tym miejscu zakładów produkcji buny, czyli kauczuku syntetycznego. Himmler, dążąc do germanizacji okolicznego regionu, z entuzjazmem popierał ten pomysł, oferując wspomnianemu koncernowi darmową siłę roboczą – więźniów oświęcimskiego obozu koncentracyjnego. Nawet rozmówił się osobiście na ten temat z Hössem i pośredniczył w jego kontaktach z przedstawicielami IG Farben. Zaskoczony skalą projektu i wielką liczbą niewolniczej siły roboczej, jakiej wymagała jego realizacja, Himmler oznajmił Hössowi, że jego obóz, w którym znajdowało się wówczas dziesięć tysięcy więźniów, będzie musiał trzykrotnie się powiększyć. Zarząd finansowy SS żądał do czterech marek dziennie za każdego więźnia dostarczonego IG Farben. W zamian SS zobowiązało się do przetransportowania z innych obozów najbardziej brutalnych i bezwzględnych kapo, aby ci biciem przymuszali więźniów do jeszcze cięższej pracy.

Budowa gigantycznych zakładów Buna-Werke ruszyła latem 1941 roku, kiedy wydawało się, że niemieckie dywizje na wschodzie podbiją Związek Radziecki. Wobec ciągłego niedostatku siły roboczej Himmler w październiku przejął od Wehrmachtu pierwszą partię dziesięciu tysięcy wziętych do niewoli czerwonoarmistów. Sam Höss stwierdził przed straceniem go za ludobójstwo, że jeńcy ci przybyli do obozu w bardzo złym stanie. „Po drodze nie otrzymywali prawie żadnego pożywienia, podczas przerw w marszu prowadzono ich na położone w pobliżu pola i tam zjadali wszystko, co tylko nadawało się do jedzenia"[3]. Pracując w trakcie najcięższej pory zimowej, w marnej odzieży, a czasem posuwając się do kanibalizmu, wszyscy ci skrajnie wyczerpani i chorzy jeńcy „padali jak muchy – jak napisał Höss. – To już nie byli ludzie – wyjaśniał. – W ciągłym poszukiwaniu pożywienia zupełnie zezwierzęceli"[4]. Nic dziwnego, że nie byli w stanie zbudować więcej niż paru baraków zamiast przewidzianych dwudziestu ośmiu.

Esesowska strategia eksterminacji poprzez pracę była jeszcze mniej wydajna od obozów karnych Gułagu podległych Berii. Jedyną koncesję nazistów

---

[3] R. Höss, *Autobiografia Rudolfa Hössa, komendanta obozu oświęcimskiego*, tłum. W. Grzymski, Warszawa 1989, s. 119–120.
[4] *Ibidem*, s. 122.

na rzecz pragmatycznych rozwiązań stanowiła budowa nowego obozu – Auschwitz III w Monowicach (Monowitz) – sąsiadującego z Buna-Werke, aby niewolnicza siła robocza koncernu IG Farben nie traciła czasu na długie przemarsze do pracy. Esesmańscy strażnicy oraz kapo z tego na poły prywatnego obozu koncentracyjnego również tam bili więźniów, jak gdyby katowaniem mogli ich zmusić do wydajności dalece przekraczającej ich możliwości i siły.

Po wojnie dyrektorzy koncernu IG Farben, w którego skład częściowo wchodziła wytwórnia cyklonu B, twierdzili, że nic nie wiedzieli o masowym mordowaniu Żydów. A jednak wielkim kompleksem fabrycznym Buna-Werke zarządzało dwa i pół tysiąca pracowników z Rzeszy, którzy mieszkali w pobliżu i kontaktowali się ze strażami SS z Auschwitz-Birkenau. Jeden z nich, zaraz po przybyciu, zapytał esesmana o źródło okropnego odoru rozchodzącego się w całej okolicy. Esesman opowiedział, że to bolszewiccy Żydzi „wylatujący przez komin w Birkenau"[5].

W maju 1942 roku, gdy do Auschwitz przybywało coraz więcej transportów z Żydami, SS wywiozło resztę polskich więźniów politycznych z Oświęcimia na roboty przymusowe do Niemiec. Siedemnastego lipca Himmler przyjechał na inspekcję rozrastającego się obozowego kompleksu. Gdy jego limuzyna przemknęła przez bramę obozu Auschwitz I, obozowa orkiestra złożona z żydowskich muzyków zagrała marsz triumfalny z *Aidy* Verdiego.

Reichsführer SS wysiadł z wozu, przystanął, aby posłuchać muzyki, a potem odwzajemnił powitalny salut Hössa. Razem dokonali inspekcji „kompanii honorowej" więźniów w nowiutkich pasiakach. Himmler, w okularach, z charakterystycznym cofniętym podbródkiem, przypatrywał im się chłodno, przechodząc przed ich frontem. Höss udał się za nim do biura zakładów, pokazując najnowsze plany komór gazowych i krematoriów. Potem Himmler wraz ze swą świtą podążył na bocznicę kolejową, aby popatrzeć na wyładunek transportu holenderskich Żydów, a obozowa orkiestra znowu zaczęła grać. „Ludzie początkowo ulegali złudzeniu stwarzanemu przez pozornie panujący porządek i rozbrzmiewającą muzykę – zeznał później radzieckim wojskowym śledczym pewien oficer Wolnej Francji wywieziony do Auschwitz. – Ale wkrótce domyślali się prawdy, czując odór martwych ciał i widząc więźniów pogrupowanych podług ich stanu fizycznego"[6].

---

[5] Słowa Hermanna Müllera, cyt. za: D. Jeffreys, *Hell's Cartel. IG Farben and the Making of Hitler's War Machine*, New York 2008, s. 322.

[6] Z raportu Szykina, zastępcy szefa Głównego Zarządu Politycznego Armii Czerwonej, 9 lutego 1945 r., RGASPI 17/125/323, s. 1–4.

Najpierw oddzielano mężczyzn od kobiet i dzieci, rozłączając rodziny, co wywoływało największe zamieszanie, póki nie poradzili sobie z nim strażnicy z psami i pejczami. Himmler szczególnie chciał zobaczyć proces selekcji dokonywanej na „rampie" przez dwóch lekarzy z SS, którzy do pracy wybierali więźniów wyglądających na silnych i zdrowych, podczas gdy słabych i chorych czekała likwidacja na miejscu. Wytypowani do pracy fizycznej wcale nie mieli więcej szczęścia niż ci, których zabijano od razu. Oni także mieli zostać zagazowani albo umrzeć z przepracowania w ciągu dwóch bądź trzech miesięcy.

Himmler podążył za grupą skierowaną do komór gazowych w bunkrze numer 1 i obserwował przez małe okienko, jak ofiary ginęły. Zerkał też, jaki efekt wywiera taki widok na obozową załogę SS, rok wcześniej wielce poruszony obciążeniem psychicznym nakładanym na personel Einsatzgruppen. Następnie przyglądał się Żydom z roboczego komanda uprzątającym martwe ciała i powiedział Hössowi, że w przyszłości należy palić zwłoki. Himmler, który wzdragał się na samą myśl o masowym zabijaniu zwierząt w rzeźniach, po prostu wykazywał „profesjonalne" zainteresowanie masakrowaniem tego, co uznawał za „ludzkie robactwo". „Tępienie wszy nie jest kwestią światopoglądu [*Weltanschauung*] – pisał później do jednego ze swoich podwładnych. – To sprawa higieny"[7]. W swoich działaniach przypominał aseptycznego dentystę, choć lubował się też w neogotyckich sagach o wojownikach, usiłując przedstawiać SS jako zakon rycerski.

Z obozu Auschwitz-Birkenau jego grupa przejechała krótki odcinek, aby zwizytować Buna-Werke w Auschwitz-Monowitz. Koncern IG Farben ponosi odpowiedzialność za śmierć dziesiątków tysięcy robotników przymusowych, a mimo to wielki kompleks zakładów Buna-Werke nie zdołał wyprodukować syntetycznego kauczuku. Przedsiębiorstwo to finansowało także nieludzkie eksperymenty medyczne, przeprowadzane przez Hauptsturmführera doktora Josefa Mengelego w Auschwitz-Birkenau na dzieciach, zwłaszcza na bliźniętach jednojajowych, lecz również na dorosłych. Poza usuwaniem narządów, sterylizacją i celowym zarażaniem starannie wybranych ofiar wieloma chorobami Mengele testował „prototypowe szczepionki i leki – z których wiele było dostarczanych przez oddział farmaceutyczny firmy Bayer [wchodzącej w skład] IG Farben"[8].

Mengele nie działał sam. Doktor Helmut Vetter, także należący do SS, został zatrudniony w Auschwitz przez IG Farben. Przeprowadzał pseudomedyczne eksperymenty na kobietach. Kiedy koncern poprosił Hössa o dostarczenie stu pięćdziesięciu więźniarek na potrzeby eksperymentów Vettera,

---

[7]   24 kwietnia 1943 r., IMT 1919 PS.
[8]   D. Jeffreys, *Hell's Cartel, op. cit.*, s. 327.

ów zażądał wynagrodzenia w wysokości dwustu marek za każdą z kobiet, ale IG Farben zbiło tę stawkę do stu pięćdziesięciu marek. Wszystkie więźniarki zmarły, co firma potwierdziła w liście do Hössa. Vetter był zachwycony swoją pracą. „Mam okazję do wypróbowania naszych nowych preparatów – pisał do kolegi po fachu. – Czuję się jak w raju"[9]. Zagrażającym życiu ofiar testom farmakologicznym poddawano również więźniów obozów koncentracyjnych w Mauthausen i Buchenwaldzie. Kierownictwu IG Farben szczególnie zależało na odkryciu skutecznej metody kastracji chemicznej, możliwej do zastosowania na okupowanych obszarach Związku Radzieckiego.

Ponadto Himmler energicznie popierał eksperymentalną sterylizację, przeprowadzaną w Auschwitz przez profesora Carla Clauberga. Groteskowe wypaczenie powinności lekarskich w czasach nazizmu, czym splamiło się wielu czołowych niemieckich lekarzy, stanowi przerażający przykład tego, jak perspektywa niemal nieograniczonych możliwości i prestiżu w prowadzeniu tajnych badań medycznych może zdeprawować inteligentnych ludzi. Wspomniani lekarze próbowali usprawiedliwiać swoje nader okrutne eksperymenty, przedstawiając je jako badania prowadzone dla dobra całej ludzkości. Znamienne, że w świadomym bądź nieświadomym utożsamianiu się z profesją medyczną naziści w Niemczech oraz inne dyktatury z tego okresu często czerpały z lekarskiego żargonu, chętnie wspominając zwłaszcza o odcinaniu zrakowaciałych narośli z politycznego „ciała". Przykładem chorego poczucia humoru nazistów i ich zamiłowania do podstępu było to, że partie cyklonu B dostarczano furgonetkami z wymalowanym emblematem Czerwonego Krzyża.

Pomimo składanej przez oficerów SS i szeregowych esesmanów przysięgi dochowania tajemnicy rozchodziły się, czasem osobliwymi drogami, pogłoski o ich poczynaniach w obozach. Późnym latem 1942 roku Obersturmführer SS Kurt Gerstein, lekarz i ekspert w dziedzinie gazu, był tak poruszony tym, co widział podczas inspekcyjnego objazdu, że w zaciemnionym przedziale nocnego ekspresu z Warszawy do Berlina wyznał wszystko, co wiedział o obozach, szwedzkiemu dyplomacie, baronowi Göranowi von Otterowi. Otter powtórzył to w Ministerstwie Spraw Zagranicznych w Sztokholmie, lecz szwedzkie władze, nie chcąc drażnić Niemców, po prostu zataiły te informacje. Jednakże wieści o obozach zagłady niebawem zaczęły docierać do dowództwa aliantów innymi kanałami, głównie za sprawą emisariuszy polskiej Armii Krajowej.

Rudolf Höss, komendant Auschwitz, bardzo różnił się od przedstawicieli intelektualnej elity SS, skupionej głównie w SD. Höss był flegmatycznym

---

[9] *Ibidem*, s. 328.

człowiekiem w średnim wieku, byłym wojskowym, który awansował w hierarchii personelu obozów koncentracyjnych, nie podważając otrzymywanych rozkazów. Primo Levi określił go nie jako „potwora" czy „sadystę", tylko „prymitywnego, tępego, butnego, nudnego drania"[10]. Höss okazywał wielką służalczość zwierzchnikom, przede wszystkim Reichsführerowi SS Himmlerowi, którego uważał za wspaniałe bożyszcze, dorównujące samemu Hitlerowi. Brak wyobraźni, jaki ujawnia się wyraźnie we wspomnieniach Hössa, wydaje się aż niewiarygodny: cenił on wartości rodzinne i wiódł we własnym domu przykładny żywot, a jednocześnie dzień po dniu zajmował się unicestwianiem tysięcy innych rodzin.

Niemal użalając się nad sobą, skarżył się w tychże wspomnieniach na niski poziom esesowskiego personelu przysyłanego do Auschwitz, a zwłaszcza kapo, rekrutowanych spośród kryminalistów. Tych nazywano „zielonymi", ze względu na kolor indentyfikacyjnego trójkąta na ich pasiakach. (Żydzi nosili żółte trójkąty, więźniowie polityczni – czerwone, hiszpańscy republikanie w Mauthausen – granatowe, a homoseksualiści fioletoworóżowe). Owi kapo, a zwłaszcza więźniarki-kryminalistki, którym powierzano pieczę nad oddziałem karnym w Budach, poza granicami obozu, słynęli z okrucieństwa. „Nie przypuszczam, by mężczyźni byli zdolni do takiego bestialstwa – pisał Höss – aby móc postąpić w ten sposób jak »zielone« więźniarki, które mordowały francuskie Żydówki, rozrywały je, zabijały siekierami, dusiły. Było to straszne"[11].

A jednak, mimo swego rzekomego przerażenia z powodu okrucieństw kapo, Höss zorganizował dla strażników płci męskiej obozowy burdel. Był to w istocie barak, gdzie żydowskie więźniarki trzymano dla sadystycznych uciech, zanim i je posłano do komór gazowych. Z kolei względnie uprzywilejowanymi więźniarkami były te z grona świadków Jehowy, przezywane „molami biblijnymi", zsyłane do obozów za to, że ich wiara odrzucała jakąkolwiek formę służby wojskowej. Oficerowie SS wyznaczali je do sprzątania swoich domów i obsługi mes. Jedna z nich pracowała jako niańka, doglądając małych dzieci Hössa. Więźniarki te były tak pilne i sumienne, że esesmani nie narzekali nawet wtedy, gdy przestrzegając swoich pacyfistycznych zasad, odmawiały czyszczenia czy choćby dotykania ich mundurów.

Kobiet na terenie obozu pilnowały strażniczki z psami z tak zwanych *Hundestaffel*. Więźniarki bardziej nawet niż więźniowie bały się warczących czworonogów, które strażniczki od czasu do czasu dla zabawy spuszczały ze

---

[10] Z napisanego przez Leviego wprowadzenia do angielskiego wydania autobiografii Rudolfa Hössa (*Commandant of Auschwitz*, London 2000, s. 19).

[11] R. Höss, *Autobiografia Rudolfa Hössa...*, *op. cit.*, s. 133.

smyczy. Być może właśnie obecność straży z psami odstręczała więzione kobiety od względnie najprostszego sposobu popełnienia samobójstwa, do jakiego uciekali się mężczyźni – czyli „rzucania się na druty" w nadziei, że wartownicy będą celnie strzelali. Uciekające więźniarki najczęściej szczuto psami.

Jak zauważył Höss, kobiety nastręczały pewnych problemów. Jeden z nich dotyczył rozbieralni przed komorami gazowymi, gdzie „wiele kobiet ukrywało swoje niemowlęta w stosach ubrań"[12]. Tak więc kierowano tam do pracy żydowskie ekipy robocze. Musiały one wrzucać znalezione niemowlaki do komory gazowej, zanim jej drzwi zostały zamknięte i zaryglowane.

Hössa intrygowało takie posłuszeństwo okazywane przez członków owych żydowskich roboczych komand, którzy tymczasowo zachowywali życie, idąc na iście faustowski pakt z diabłem. Usiłował ich przedstawiać jako gorliwych wspólników zbrodni. W istocie rozpaczliwe pragnienie przeżycia zagłuszało normalną moralność – zjawisko prawie nieznane w warunkach upodlenia i poniżenia panujących w Auschwitz – a nawet przyćmiewało świadomość własnej nieuchronnie nadciągającej śmierci. Tylko nieliczni członkowie wspomnianych komand ostrzegali nowo przybyłych, co ich niebawem czeka. Naziści stworzyli skrajnie nieludzkie warunki, zdające się potwierdzać słuszność nieskrępowanego darwinizmu, w który rzekomo wierzyli.

Takie dławienie wszelkich instynktów społecznych i rozrywanie międzyludzkich więzi, w połączeniu z wręcz niewyobrażalnym koszmarem katorżniczej pracy, miało na celu stłumienie jakichkolwiek humanitarnych odruchów. „Wszystkie te prace wykonywali z tępą obojętnością – napisał Höss – jak gdyby to było czymś powszednim. Wlokąc zwłoki, jedli lub palili. Nawet przy tak okrutnej pracy jak palenie zwłok leżących już przez dłuższy czas w masowych grobach nie przestawali jeść"[13].

Najbardziej uprzywilejowanymi więźniami byli ci, którzy pracowali w komandzie magazynów, nazywanym „Kanadą", gdzie sortowano wszystkie rzeczy osobiste, odzież, obuwie i okulary, a także związywane w bele ludzkie włosy. Lecz i oni wiedzieli, że są poniekąd żywymi trupami. Ostatecznie jesienią 1944 roku Sonderkommando Kanada, złożone z żydowskich jeńców, podjęło próbę zbrojnego buntu i ucieczki z Auschwitz-Birkenau. W jej trakcie zginęło czterech esesmanów, a 455 więźniów zastrzelono.

Poza obozami eksterminacyjnymi, zorganizowanymi w Chełmnie, Bełżcu i Oświęcimiu-Brzezince, nowe ośrodki masowej zagłady przygotowywano

---

[12] *Ibidem*, s. 147.
[13] *Ibidem*, s. 149.

w Treblince i Sobiborze. Program ten otrzymał kryptonim „*Aktion Reinhard*", na cześć Heydricha, który zginął w wyniku zamachu.

Obergruppenführer Oswald Pohl z Głównego Urzędu Gospodarki i Administracji SS (SS-Wirtschafts- und Verwaltungshauptamt, SS-WVHA) został obarczony odpowiedzialnością za nadzorowanie i koordynowanie tej akcji, co stanowiło trudne zadanie w warunkach rywalizacji różnych nazistowskich frakcji. Pohl, pilny biurokrata, dążył do maksymalnego usprawnienia tego procesu i uczynienia go zyskownym. Wszelkie wartościowe rzeczy więźniów wymagały zgromadzenia i zliczenia, choć korupcja w niektórych obozach zatrważała Himmlera i wprawiała go w konsternację. Z zębów ofiar należało pozyskać złote korony i plomby przed spaleniem lub zakopaniem zwłok. Odzież, obuwie, okulary, walizki i bieliznę gromadzono i wywożono do Rzeszy, gdzie mogły zostać wydane potrzebującym, zazwyczaj tym, którzy stracili cały dobytek wskutek alianckich nalotów bombowych. Włosy, które golono ofiarom, zanim te weszły do komór gazowych, podobno lepiej od wełny trzymały ciepło, więc tkano z nich skarpety dla lotników Luftwaffe i załóg U-Bootów, ale większość ludzkiego włosia poszła na wypchanie materaców. Na marynarzy niemieckich okrętów podwodnych czekały po powrocie z rejsów bojowych prezenty w postaci skrzyń z zegarkami. Ci jednak już niebawem dowiedzieli się, skąd się wzięły te szczodre podarki.

Skuteczne masowe zabijanie wymagało nieprzerwanego, płynnego funkcjonowania całego tego ludobójczego systemu, sprawnego kierowania nagich i uległych ofiar do komór gazowych. Pohlowi nie udało się wszak nigdy rozwikłać pewnego zasadniczego problemu, związanego z wykorzystaniem niewolniczej siły roboczej z obozów koncentracyjnych. Otóż maltretując pracujących przymusowo więźniów i dziesiątkując w ten sposób ich szeregi, nie sposób ich było zmusić do wydajnego wysiłku – co obozowa rzeczywistość nieustannie potwierdzała.

Analiza tego, co działo się w Treblince, dokonana latem 1944 roku przez Wasilija Grossmana, podkreślała znaczenie owej płynności w funkcjonowaniu obozów. Grossmanowi pozwolono uczestniczyć w prowadzonych przez śledczych z Armii Czerwonej przesłuchaniach, którym poddano schwytanych strażników obozowych, przedstawicieli okolicznej polskiej ludności oraz czterdziestu ocalałych więźniów obozu roboczego Treblinka I (Treblinka II była pobliskim obozem zagłady). Od razu uznał to za kluczowy aspekt nazistowskiego systemu eksterminacyjnego. Nigdy wcześniej w dziejach ludzkości tak wielu ludzi nie zginęło z rąk tak nielicznych katów. Personel Treblinki, składający się z około dwudziestu pięciu esesmanów i około setki ukraińskich *Wachmänner*, zdołał wymordować blisko osiemset tysięcy Żydów i „Cyganów" – czyli, jak to ujął Grossman, liczbę odpowiadającą populacji „mniejszej europejskiej stolicy" – w okresie od lipca 1942 do sierpnia 1943 roku.

Najważniejsze dla sprawnego przebiegu ludobójczej operacji były zachowanie tajemnicy i uciekanie się do podstępu. „Ludziom mówiono, że jadą na Ukrainę, aby pracować na roli"[14]. Ofiary nie domyślały się aż do ostatniej chwili swojego prawdziwego losu. Nawet wartownicy w pociągach nie znali ponurej prawdy i nie pozwalano im wchodzić na teren ścisłego obozu.

W Treblince „ślepy tor kolejowej bocznicy upozorowano na stację (...) z kasą biletową, bagażownią i salą restauracyjną. Wszędzie były kierunkowskazy, tablice z napisami »Do Białegostoku«, »Do Baranowicz«. Gdy przyjeżdżał pociąg, w budynku dworca grała orkiestra, a wszyscy muzycy byli dobrze ubrani". Kiedy zaczęły krążyć pogłoski na temat Treblinki, nazwę stacji zmieniono na Ober-Maidan.

Nie wszyscy dawali się na to nabierać. Bystrzy i dociekliwi szybko orientowali się, że coś jest nie tak, zauważając na przykład osobiste przedmioty porzucone na placu przed stacją, który nie został należycie uprzątnięty przez komando robocze po poprzednim transporcie, dostrzegając wysokie ogrodzenie albo to, że tory kolejowe prowadzą donikąd. Esesmani nauczyli się wykorzystywać instynktowny optymizm większości ludzi, rozpaczliwą nadzieję, że w owym miejscu nie może być gorzej niż w getcie lub w obozie przejściowym, z którego wyruszyli. Jednakże sporadycznie ofiary domyślały się, co ich czeka, i rzucały się na strażników otwierających drzwi bydlęcych wagonów. Więźniów uciekających pędem w kierunku lasu zabijano z broni maszynowej.

Ludzie w trzy- lub czterotysięcznym tłumie pochodzącym z nowego transportu, którym kazano pozostawić bagaże na placu, martwili się, czy odnajdą potem swoje rzeczy w panującym zamieszaniu. Podoficer SS polecał donośnym głosem zabrać z sobą kosztowności, dokumenty i przybory do mycia, potrzebne pod natryskami. Niepokój się wzmagał, gdy uzbrojeni strażnicy, czasem obnażając zęby w groźnym uśmiechu, zapędzali całe rodziny za bramę w wysokim na sześć metrów ogrodzeniu z drutu kolczastego, pilnowanym przez posterunki z karabinami maszynowymi. Za nimi, na placu przy stacji, „roboczy oddział" Żydów z Treblinki I już sortował dobytek przywiezionych, dzieląc go na to, co nadaje się do przechowania i odesłania do Niemiec, i na rzeczy do spalenia. Sortowacze musieli uważać, jeśli ukradkiem napychali usta jedzeniem znalezionym w którejś z walizek. Ukraiński strażnik wywlekał wtedy taką nieostrożną osobę, by ją skatować albo zastrzelić.

---

[14] RGALI 1710/1/123.

Na drugim placu, bliżej środka obozu, starzy i chorzy byli odprowadzani do wejścia, nad którym widniał napis „sanatorium", gdzie czekał na nich lekarz w białym kitlu, z przepaską z czerwonym krzyżem na rękawie. Następnie Scharführer SS rozkazywał pozostałemu na placu tłumowi rozdzielić się; kobiety i dzieci miały się rozebrać w barakach po lewej stronie. Wtedy wybuchał wielki lament, gdyż rodziny, co zrozumiałe, obawiały się rozłąki na stałe. Ale esesmani interweniowali stanowczo, wydając ostrym tonem zwięzłe komendy: „Achtung!" („Uwaga!") i „Schneller!" („Szybciej!"), a potem mówiąc: „Mężczyźni zostają! Kobiety i dzieci rozbierają się w barakach po lewej!".

Wszelkie przejawy rozpaczy były zagłuszane przez kolejne wykrzykiwane polecenia, ale i rozniecaną iskierkę nadziei, że nie dzieje się jednak nic strasznego. „Kobiety i dzieci muszą zdjąć obuwie przed wejściem do baraków. Pończochy należy umieścić w pantoflach; dziecięce skarpetki w sandałach, bucikach i pantofelkach. Zachować porządek! (...) Udając się do łaźni, musicie mieć przy sobie dokumenty, pieniądze, ręcznik i mydło. Powtarzam...".

Kobiety w barakach musiały zdjąć ubrania, a potem poddać się goleniu głowy, rzekomo w ramach odwszenia. Nagie, składały dokumenty, pieniądze, biżuterię i zegarki w boksie, gdzie siedział kolejny podoficer SS. Jak zauważył Grossman, „w nagim człowieku od razu słabnie opór, wtedy poddaje się losowi". Mimo wszystko zdarzały się jednak nieliczne wyjątki. Pewien Żyd z warszawskiego getta, powiązany z ruchem oporu, zdołał przemycić granat, który rzucił w stronę jednej z grup esesmanów i Ukraińców. Inny ukrył nóż, którym dźgnął Wachmanna. Postawna młoda kobieta wyrwała karabin zaskoczonemu strażnikowi, by się bronić. Została jednak obezwładniona, a później zabita, po poddaniu jej wcześniej straszliwym torturom.

Gdy ofiary nie miały już większych wątpliwości, że zbliża się nieuchronna śmierć, esesmani w szarych mundurach i strażnicy w czarnych uniformach zaczynali krzyczeć jeszcze głośniej, aby zdezorientować więźniów i zmusić ich do pośpiechu: „Schneller! Schneller!". Zapędzano Żydów na wysypaną piaskiem alejkę między jodłami, które przesłaniały rozciągnięte za nimi kolczaste druty. Ofiary, którym rozkazywano podnieść ręce nad głowę, były poganiane razami pałek, pejczów i kolb pistoletów maszynowych. Niemcy nazywali ten przemarsz „drogą w jedną stronę".

Szczególny sadyzm straży potęgował oszołomienie więźniów, redukując szansę podjęcia buntu w ostatniej chwili. Ale strażnicy czerpali z tego także upiorną, perwersyjną przyjemność. Pewien nadzwyczajnie silny esesman, znany jako „Zepf", chwytał żydowskie dziecko za nogi, „jak maczugę", i rozbijał główkę młodocianej ofiary o ziemię. Zapędzone na trzeci z placów ofiary widziały tam niby-świątynną fasadę z kamienia i drewna, skrywającą komory gazowe. Podobno grupa naiwnych Cyganek, które wciąż nie pojmowały, co je czeka, przyklasnęła w dłonie, podziwiając ten budynek – na co esesmani i ukraińscy strażnicy zaczęli pokładać się ze śmiechu.

Aby zapędzić więźniów do komór gazowych, strażnicy spuszczali ze smyczy psy. Wrzaski ofiar kąsanych przez zwierzęta słyszano ponoć w odległości wielu kilometrów. Jeden ze schwytanych strażników oznajmił Grossmanowi: „Rozumieli, że nadchodzi ich koniec, a poza tym było tam bardzo ciasno. Byli katowani, a psy rozszarpywały ich ciała". Ciszej robiło się dopiero po zamknięciu ciężkich drzwi gazowych komór. Dwadzieścia pięć minut od chwili wpuszczenia gazu do wnętrza tych pomieszczeń otwierano boczne drzwi, a robocze komanda z obozu Treblinka I zaczynały wynosić zwłoki o zażółconych twarzach. Inna grupa żydowskich więźniów przystępowała wtedy do wyrywania obcęgami złotych koronek na zębach zagazowanych. Ludzie z tych komand na ogół żyli nieco dłużej od zabitych, którymi musieli się zajmować, ale i ich los był nie do pozazdroszczenia. „Luksusem było zginąć od kuli", powiedział Grossmanowi jeden z nielicznych ocalałych.

Stłoczone w komorach gazowych ofiary umierały do dwudziestu, czasem nawet do dwudziestu pięciu minut. Główny strażnik, zerkając przez szklany wizjer, czekał aż do chwili, gdy w środku nikt się już nie poruszał. Wtedy otwierano wielkie drzwi naprzeciwko wejścia do komory i wywlekano zwłoki na zewnątrz. Jeśli którakolwiek z ofiar zdradzała jeszcze oznaki życia, podoficer SS dobijał ją szybko strzałem z pistoletu. Potem dawał sygnał grupie więźniów z obcęgami, aby przystąpiła do wyrywania złotych zębów. Na koniec jeszcze inna ekipa robocza tymczasowo zachowywanych przy życiu Żydów z obozu Treblinka I załadowywała ciała zabitych na wozy lub wózki, które transportowały je na miejsce, gdzie parowe koparki wykopały następny rząd masowych grobów.

Tymczasem starzy i schorowani, skierowani do obozowego „sanatorium", byli zabijani za pomocą *Kopfschuss* – strzału z pistoletu w tył czaszki. „Robocze komanda" Żydów z Treblinki I zaciągały ich zwłoki do dołów. Jednakże, podobnie jak w Auschwitz, tym więźniom, których na pewien czas oszczędzano, nie było czego zazdrościć. Narażeni byli bowiem na niewiarygodny sadyzm; do więźniów strzelano, a młode Żydówki gwałcono, by następnie je zabić. Esesmani zmuszali więźniów do śpiewania „hymnu Treblinki", skomponowanego przez jednego z nich. Grossman zanotował również szczegóły na temat Treblinki I, gdzie wśród personelu był „jednooki Niemiec z Odessy, Svidersky, przezywany »panem Młotem«. Uważano go za niezrównanego specjalistę od »chłodnego« zabijania i to właśnie on w ciągu kilku minut zgładził piętnaścioro dzieci w wieku od ośmiu do trzynastu lat, uznanych za niezdolne do pracy"[15].

---

[15] *Ibidem.*

Na początku 1943 roku Himmler zwizytował Treblinkę i rozkazał komendantowi obozu ekshumację oraz spalenie wszystkich ludzkich szczątków. Popioły miały być rozrzucone na wszystkie strony. Wydaje się, że po batalii stalingradzkiej szefostwo SS nagle musiało wziąć pod uwagę konsekwencje odkrycia przez Armię Czerwoną miejsc, gdzie naziści dokonywali masowych mordów. Rozkładające się zwłoki, do czterech tysięcy naraz, układano na kolejowych szynach ponad gigantycznymi paleniskami, nazywanymi „piecami". Ciał było tak dużo, że zacieranie śladów zbrodni trwało nieprzerwanie przez osiem miesięcy.

Ośmiuset Żydów z „roboczych komand", zmuszonych do wykonywania tak makabrycznej pracy, zdecydowało się wziąć odwet na oprawcach. Wiedzieli, że długo nie pożyją, kiedy już wszystkie zwłoki zostaną spalone. Drugiego sierpnia 1943 roku, po długotrwałej fali upałów, wzniecili powstanie pod kierownictwem Zelo Blocha, żydowskiego porucznika armii czeskiej. Uzbrojeni głównie w łopaty i siekiery zaatakowali wieże strażnicze i pomieszczenie dla strażników, zabijając szesnastu esesmanów i *Wachmänner*. Podpalili część obozu i rzucili się na ogrodzenie. Doszło do masowej ucieczki około siedmiuset pięćdziesięciu ludzi, a SS ściągnęło oddziały posiłkowe z psami tropiącymi, przeczesując okoliczne lasy i bagna, nad którymi nieustannie krążyły samoloty obserwacyjne. Wyłapano około pięciuset pięćdziesięciu uciekinierów i zamordowano ich w obozie, innych zabijając od razu po schwytaniu. Zaledwie siedemdziesięciu ocalałych przeżyło do czasu nadejścia Armii Czerwonej w następnym roku.

Bunt ten nie oznaczał jednak końca Treblinki. Zniszczono pozostałe zabudowania, w tym komory gazowe i fałszywą stację kolejową. Rozrzucono ostatnie prochy z palenisk, a potem, w groteskowej próbie upozorowania, że obóz nigdy nie istniał, na całym terenie zasiano łubin. Jednakże, jak zauważył Grossman, chodząc po tamtym miejscu, „ziemia wyrzuca z siebie pogruchotane kości, zęby, ubrania, papiery. Nie chce dochować tajemnicy"[16].

W Treblince cykl zabijania był o wiele intensywniejszy niż ten w Auschwitz--Birkenau. Zdołano tam uśmiercić około ośmiuset tysięcy ludzi w ciągu trzynastu miesięcy, czyli niewiele mniej od miliona ofiar obozu oświęcimskiego w trakcie trzydziestu trzech miesięcy jego istnienia. O ile do Treblinki transportowano głównie polskich Żydów, i tylko nieznaczną ich liczbę z Rzeszy oraz z Bułgarii, o tyle do Auschwitz-Birkenau trafiała żydowska ludność z całej Europy. Poza Żydami z Polski znaleźli się tam także ich pobratymcy z Holandii, Belgii, Francji, Grecji, Włoch, Norwegii, Chorwacji, Słowacji, a później również z Węgier. W Bełżcu zginęło około pięciuset pięćdzie-

---

[16] *Ibidem.*

sięciu tysięcy osób, w większości polskich Żydów. W obozie w Sobiborze, gdzie uśmierconych zostało blisko dwieście tysięcy ludzi, zabijano Żydów z Lubelszczyzny, a ponadto pewną ich liczbę z Holandii, Francji i Białorusi. Kolejnych sto pięćdziesiąt tysięcy głównie polskich Żydów zginęło w Chełmnie, a około pięćdziesięciu tysięcy Żydów z Polski i Francji – w Majdanku.

Szóstego października 1943 roku Himmler przemawiał do reichsleiterów i gauleiterów na konferencji w Poznaniu. Jego wystąpienia wysłuchali także admirał Dönitz, feldmarszałek Milch oraz Albert Speer (choć ten ostatni próbował się tego wypierać do końca życia). Rezygnując tym razem z typowych eufemizmów, którymi określano „ostateczne rozwiązanie kwestii żydowskiej" – takich jak „ewakuacja na wschód" czy „specjalne traktowanie" – Himmler w końcu wyznał ludziom spoza SS, czym się zajął. „Stanęliśmy przed problemem, co powinniśmy zrobić z kobietami i dziećmi. Postanowiłem znaleźć całkowicie jasne rozwiązanie. Nie uważałbym się za usprawiedliwionego, gdybym przeprowadzał eksterminację mężczyzn – to znaczy zabijał ich lub wydawał rozkaz ich zabicia – i pozwalał dorastać dzieciom, które zemszczą się na naszych synach i wnukach. Trzeba było podjąć trudną decyzję wymazania tych ludzi z powierzchni ziemi"[17].

Dwudziestego piątego stycznia 1944 roku, ponownie w Poznaniu, Himmler wygłosił przemówienie do prawie dwustu generałów i admirałów. Oni też powinni byli się dowiedzieć o poświęceniach czynionych przez SS. „Walka rasowa" prowadzona przez jego „ideologiczne oddziały", raz jeszcze wyjaśniał Himmler, nie „dopuszcza, żeby wyrośli mściciele przeciwko naszym dzieciom"[18]. W planach totalnej eksterminacji Żydów nie przewidywano żadnych wyjątków.

Himmler mógł pochwalić się przed swoimi słuchaczami, że jeszcze nigdy w dziejach ludzkości tak nielicznym nie udało się wymordować tak wielu. Dzięki wykorzystaniu świadomych podstępów, niepewności ofiar oraz niewyobrażalnego okrucieństwa skromnej liczebnie grupy prześladowców i katów udało się zapędzić w śmiertelną pułapkę niemal trzy miliony ofiar, które nie potrafiły uwierzyć, że obozy zagłady mogły powstać w Europie – tej rzekomej kolebce cywilizacji.

---

[17] Cyt. za: I. Kershaw, *Hitler, 1941–1945. Nemezis*, tłum. P. Bandel, R. Bartołd, Poznań 2003, s. 199.
[18] BA-B NS 19/4014, cyt. za: *GSWW*, t. IX/1, s. 628–629.

ROZDZIAŁ 35

Włochy – „twarde podbrzusze Europy"

październik 1943–marzec 1944

Aliancka inwazja na kontynentalne Włochy we wrześniu 1944 roku wydawała się dobrym pomysłem wobec upadku włoskiego faszyzmu i perspektywy opanowania tamtejszych lotnisk. Mimo to zaznaczył się wyraźny brak jasności w myśleniu o celach tej kampanii oraz o tym, jak należało je osiągnąć. Alexander, dowódca alianckiej 15. Grupy Armii we Włoszech, nie potrafił odpowiednio koordynować operacji 5. Armii generała Marka Clarka oraz 8. Armii generała Montgomery'ego. Clark wciąż był niezadowolony z powolnego rozwijania się ofensywy Montgomery'ego, który miał przyjść mu z odsieczą pod Salerno, zgodnie z nadsyłanymi optymistycznymi depeszami o treści: „Trzymajcie się, nadchodzimy!"[1]. Co gorsza, Montgomery jakimś cudem zdawał się wierzyć, że to właśnie on ocalił 5. Armię pod Salerno.

Wzajemnym relacjom sprzymierzonych nie pomagało również to, że niski, żylasty „Monty" i wysoki, tyczkowaty Clark mieli obsesję na punkcie własnego wizerunku. Clark, który niebawem rozbudował swoją ekipę służby informacyjnej do pięćdziesięciu osób, upierał się, aby na zdjęciach uwieczniano go z profilu, prezentując jego iście cesarski nos. Niektórzy jego oficerowie nadali mu nawet przezwisko Marek Aureliusz Clarkus[2]. „Monty" natomiast zaczął osobiście rozdawać swoje opatrzone autografem fotografie niczym gwiazdor filmowy.

Ich zwierzchnik, czarujący, lecz nieśmiały „Alex" (Alexander), zdawał się sądzić, że planowanie operacji wojskowych mogło się odbywać w trybie

---

[1] N. Hamilton, *Monty. Master of the Battlefield, 1942–1944*, London 1985, s. 405.
[2] R. Atkinson, *The Day of Battle. The War in Sicily and Italy, 1943–1944*, New York 2007, s. 237.

doraźnym, co z pewnością odpowiadało Churchillowi, który chciał, aby kampania włoska wykroczyła daleko poza ramy przewidziane dla niej przez Amerykanów. Z kolei Montgomery nie lubił przeprowadzać żadnych akcji, o ile nie zostały one zawczasu starannie przygotowane. „Jak na razie – zapisał kąśliwie w swoim dzienniku – nie ma wiadomych mi planów dotyczących dalszego przebiegu wojny we Włoszech, ale już do tego przywykłem!"[3]. Jednak, o czym Alexander wiedział z doświadczenia, Montgomery robił tylko to, do czego miał przekonanie. Jak zauważył jego biograf, Alexander odgrywał rolę „wyrozumiałego męża w trudnym małżeństwie"[4]. Także Eisenhowerowi nie udało się ująć swoich podkomendnych w karby i sprecyzować, co tak naprawdę usiłowali osiągnąć we Włoszech.

Prawdziwe źródło tego problemu tkwiło oczywiście na samym szczycie, a była nim zasadnicza niezgoda w ważnych kwestiach, która niekorzystnie wpływała na aliancką strategię od 1942 roku. Roosevelt i Marshall dążyli stanowczo do tego, aby nic nie opóźniło operacji „Overlord". Z kolei Churchill i Brooke nadal uważali basen śródziemnomorski za najważniejszy teatr działań wojennych w tym okresie, gdzie należało wykorzystać kapitulację wojsk włoskich. W rzeczywistości obaj Brytyjczycy, którzy pozostali niepewni co do szans powodzenia militarnej przeprawy przez kanał La Manche bez uprzedniego zdobycia supremacji w powietrzu, po cichu liczyli na to, że pasmo sukcesów nad Morzem Śródziemnym będzie dobrym pretekstem do odłożenia na późniejszy termin operacji „Overlord". Jedynym wysokim rangą oficerem amerykańskim, który w tej sprawie się z nimi zgadzał, był generał Spaatz, dowódca sił powietrznych USA w strefie śródziemnomorskiej. Spaatz, podobnie jak Harris, uważał, że same tylko bombardowania mogą doprowadzić do wygrania tej wojny w ciągu trzech miesięcy, i „nie sądził, żeby [operacja] »Overlord« była konieczna czy też pożądana"[5]. Chciał kontynuowania ofensywy we Włoszech, sforsowania Padu, a nawet wkroczenia do Austrii, skąd jego bombowce miałyby bliżej do Niemiec.

Churchill bez wątpienia miał słuszność, kiedy wbrew oporowi Marshalla forsował przeprowadzenie operacji „Torch" i „Husky". Jeżeli nawet kierował się przy tym fałszywymi założeniami, to uchronił aliantów przed katastrofalną w skutkach inwazją na Francję w 1943 roku. Teraz jednak zaczynał tracić wiarygodność w oczach Amerykanów, a to za sprawą jego nowej obsesji związanej z odzyskaniem Rodos i innych wysp na Morzu Egejskim, zajętych przez Włochów. Naturalnie generał Marshall podejrzewał, że zamiar

---

[3] N. Hamilton, *Monty, op. cit.*, s. 409.
[4] N. Nicolson, *Alex. The Life of Field Marshal Earl Alexander of Tunis*, London 1973, s. 163.
[5] H.C. Butcher, *My Three Years with Eisenhower. The Personal Diary of Captain Harry C. Butcher, USNR, Naval Aide to General Eisenhower, 1942–1945*, London 1946, s. 384 (23 listopada 1943 r.).

odbijania kolejnych wysepek we wschodniej części Morza Śródziemnego to część sekretnego brytyjskiego planu inwazji na Bałkany. Nic dziwnego, iż stanowczo odmawiał jakiejkolwiek amerykańskiej pomocy czy udziału w realizacji podobnych pomysłów.

Nawet Brooke, który popierał prowadzenie kampanii włoskiej i innych operacji wojskowych w tym regionie, żywił obawy, że coś, co nazwał „szaleństwem Rodosu"[6], zupełnie wytrąciło premiera z równowagi i poczucia rzeczywistości. „Wprowadził się w stan gorączkowego podniecenia w sprawie ataku na Rodos, wyolbrzymiał znaczenie tej wyspy do tego stopnia, że nie potrafił już dostrzec niczego innego i uwziął się, by zdobyć tę jedną wyspę nawet za cenę zepsucia swoich relacji z prezydentem [Rooseveltem] i Amerykanami, a także kosztem całej kampanii włoskiej. (...) Amerykanie już stali się wobec niego skrajnie podejrzliwi, a to jeszcze o wiele bardziej pogorszy sprawy"[7].

Zbyt optymistyczne przewidywania, że alianci wkrótce będą w Rzymie, zainfekowały myślenie nie tylko Churchilla, ale także amerykańskich dowódców. Mark Clark czynił wszystko, aby uzyskać laury zdobywcy Rzymu, i nawet Eisenhower uważał, iż włoska stolica padnie przed końcem października. Alexander nieroztropnie oświadczył, że na Boże Narodzenie znajdzie się we Florencji. A jednak nie brakło świadectw, że Niemcy będą prowadzili twarde walki odwrotowe, bezlitośnie mszcząc się na tych włoskich żołnierzach i partyzantach, którzy czynnie pomagali aliantom.

Na wschód od Neapolu, w pewnej wsi pod Acerrą, szwadron B brytyjskiego 11. Pułku Huzarów zastał miejscową ludność na cmentarzu, gdzie chowano dziesięciu mężczyzn, których Niemcy postawili pod murem i rozstrzelali. „Tuż po tym jak [nasze] samochody pancerne odjechały – zanotowano w księdze pułku – kolejna grupa Niemców nagle wyskoczyła zza cmentarnego muru i ostrzelała z pistoletów maszynowych tłum stojący nad grobami"[8]. Wściekłość Hitlera na Włochów za przejście do obozu przeciwników udzieliła się również szeregowym niemieckim żołnierzom.

Piąta Armia Clarka, nacierająca na północny zachód od strony Neapolu, na pierwszą poważniejszą przeszkodę natrafiła trzydzieści kilometrów dalej nad rzeką Volturno. We wczesnych godzinach porannych 13 października artyleria dywizyjna i korpuśna otworzyły zmasowany ogień ku tej dolinie. Brytyjska 56. Dywizja miała trudności w pobliżu wybrzeża, ale rzeka na głównym odcinku, choć szeroka, nadawała się do sforsowania w bród,

---

[6] A. Brooke (lord Alanbrooke), *War Diaries, 1939–1945*, London 2001, s. 458 (7 października 1943 r.).

[7] *Ibidem*, s. 459.

[8] D. Clarke, *The Eleventh at War. Being the Story of the XIth Hussars (Prince Albert's Own) through the Years 1934–1945*, London 1952, s. 319.

a następnego dnia na przeciwnym brzegu alianci zorganizowali duży przyczółek. Ale niemieckie pozycje nad Volturno były ledwie tymczasowe, gdyż Kesselring już wytyczył zasadniczą linię defensywną, przebiegającą na południe od Rzymu. Podobnie jak Hitler – chciał zatrzymać sprzymierzonych możliwie najdalej na południu Półwyspu Apenińskiego. Opinii Rommla, który dowodził niemieckimi dywizjami na północy Włoch i opowiadał się za wycofaniem tam wszystkich wojsk, nie uwzględniono.

Obie armie sprzymierzonych szybko przekonały się podczas następnej fazy natarcia, że górzyste tereny i pogoda nie odpowiadają wyobrażeniom o „słonecznej Italii", wyrobionym na podstawie przedwojennych afiszy biur turystycznych. Jesień we Włoszech przypominała raczej rosyjskie roztopy – lał nieustanny deszcz, zamieniający grunt w głębokie błota. Brytyjskie mundury polowe i amerykańskie oliwkowe uniformy nie schły czasem całymi tygodniami. Przemarznięte i przemoczone stopy wkrótce zaczęły dokuczać tym, którzy codziennie nie zmieniali skarpet na suche. Późnojesienne ulewy przemieniły rzeki w rwące potoki, a ścieżki w kałuże, wycofujący się Niemcy wysadzali zaś w powietrze wszystkie mosty i zaminowywali wszelkie drogi. Brytyjczycy, choć wynaleźli most składany Baileya, zazdrościli Amerykanom licznych i dobrze wyekwipowanych brygad inżynieryjnych. Ale nawet armii amerykańskiej brakowało sprzętu przeprawowego wobec mnogości przeszkód terenowych w kolejno następujących po sobie górskich dolinach.

Niemcy przeprowadzali odwrót, broniąc się na zabarykadowanych drogach, na pozycjach osłoniętych przez pola minowe i dobrze zamaskowane działa przeciwpancerne. Prowadzenie natarcia wiązało się w tym czasie z wyczekiwaniem, aż kierowca czołgu czy samochodu pancernego wjedzie na minę, albo też zostanie wyeliminowany z walki przez pocisk przeciwpancerny „nadlatujący znikąd". Trzeba było zapomnieć o rozmachu walk manewrowych z czasów zmagań na pustyni. Wąskie drogi w ciasnych dolinach i silnie bronione górskie wsie oznaczały, że to piechota musi szturmować wrogie punkty umocnione. Jednakże niespełna trzydzieści kilometrów na północ od Volturno alianckie natarcie zupełnie stanęło w miejscu.

„Linia Gustawa", stanowiąca część „Linii Zimowej", wybrana przez Kesselringa na rubież obronną, rozciągała się na długości stu czterdziestu kilometrów od miejsca w pobliżu Ortona nad Adriatykiem po Zatokę Gaecką na Morzu Tyrreńskim. Było to w najwęższym miejscu włoskiego „buta" i w okolicach dogodnych do obrony. Głównym punktem umocnionym na Linii Gustawa była naturalna twierdza Monte Cassino. Nieuzasadniony optymizm alianckich dowódców ulotnił się, kiedy nadeszło potwierdzenie Ultry, że Hitler i Kesselring postanowili stawić tam twardy opór. Właśnie wtedy Eisenhower powinien był domagać się dokonania ponownej oceny całej kampanii włoskiej. Ponieważ siedem alianckich dywizji należało odesłać do Anglii, by wzięły udział w operacji „Overlord", sprzymierzeni nie mieli już we Włoszech takiej przewagi liczebnej, która była wymagana do przeprowadzenia większej ofensywy. Churchill i Brooke najwyraźniej uważali, że niepotrzebnie upierali się przy konsekwentnej realizacji porozumienia zawartego podczas majowej konferencji „Trident".

Rozpoznanie terenu niebawem potwierdziło to, na co wskazywały mapy. Dla 5. Armii Clarka jedyna droga do Rzymu wiodła szosą nr 6, która przebiegała przez przełęcz Mignano, strzeżoną z obu stron przez potężne góry. Za nią płynęła rzeka Rapido, nad którą z kolei wznosiło się Monte Cassino.

Na lewym skrzydle brytyjski X Korpus miał przed sobą przeszkodę w postaci rzeki Garigliano. Piątego listopada korpus ten próbował obejść Mignano i zdobyć Monte Camino, lecz Brytyjczycy przekonali się, że tego wielkiego masywu złożonego z serii zdradliwych wzniesień broni 15. Dywizja Grenadierów Pancernych na wysuniętym sektorze Linii Gustawa. Żołnierze brytyjskiej 201. Brygady Gwardii, nie mogąc przełamać niemieckiej defensywy, stwierdzili, że niemożliwe jest okopanie się na tym, co nazwali „górą gołego tyłka". W lodowatym deszczu byli zmuszeni wznosić prowizoryczne schrony z fragmentów skał. Spadające pod ostrym kątem pociski niemieckich moździerzy okazały się wtedy jeszcze groźniejsze, gdyż skalne odłamki rozpryskiwały się na wszystkie strony. Po kilku dniach Clark nie miał wyboru i musiał zgodzić się na wycofanie oddziałów z tego, co w tym czasie określano mianem „Morderczej Góry". Poległych pozostawiono na pozycjach, z bronią wymierzoną w kierunku przeciwnika, a ocalali wycofali się[9].

W wyższych partiach centralnych Apeninów dalej na północny wschód amerykańskie 34. i 45. Dywizje pędziły przed sobą kozy przez górskie łąki, aby detonować pozostawione na nich miny. Przykra prawda była taka, że ani Brytyjczycy, ani Amerykanie nie opanowali jeszcze sztuki prowadzenia walk w górach. W takim terenie ciężarówki nie mogły podjeżdżać ku wysuniętym pozycjom. Muły albo ludzie musieli dźwigać prowiant i amunicję, wdrapując się po stromych, krętych ścieżkach. W drodze powrotnej zaprzęgi mułów często znosiły zabitych ze szczytów. Poganiacze, najczęściej miejscowi węglarze najmowani z dnia na dzień, bali się transportowanych trupów. Rannych udawało się wynosić jedynie nocami na noszach, a schodzenie w ciemności po stromych, śliskich zboczach było trudne i ryzykowne zarówno dla noszowych, jak i dla tych, których dźwigali.

Popołudniem 2 grudnia, pod niebem ciemnym od chmur i w trakcie kolejnej gwałtownej ulewy, dziewięćset dział jednostek artyleryjskich 5. Armii otworzyło intensywny ogień, podczas gdy przemoczeni do suchej nitki

---

[9] R. Atkinson, *The Day of Battle, op. cit.*, s. 260.

piechurzy wspinali się po stokach – Brytyjczycy znowu ku Monte Cassino, a Amerykanie, których atak poprowadziła tak zwana Diabelska Brygada (1st Special Service Force), ku wzgórzu La Difensa. Do świtu następnego dnia wspomniana brygada komandosów zdobyła szczyt i szykowała się do odparcia kontrnatarcia grenadierów pancernych. Przez kolejne doby trwały bezpardonowe zmagania o La Difensa. Amerykanie, doprowadzeni do furii podstępami przeciwnika, nie brali jeńców.

Nieco dalej na południowy zachód Brytyjczycy ostatecznie opanowali Monte Camino, zatem centralną niemiecką pozycję po obu stronach szosy nr 6 można było częściowo oskrzydlić. Clark przerzucił 36. Dywizję na stronę północno-wschodnią, aby przełamać Linię Bernhardta na przedpolach wioski San Pietro. Monte Lungo na południowo-zachodniej stronie przełęczy Mignano musiało być pierwszym celem ataku, ponieważ w przeciwnym razie rozmieszczona tam niemiecka artyleria mogła rozbić główne alianckie uderzenie. Brygada włoskich strzelców alpejskich, pałając żądzą zemsty na swoich byłych sprzymierzeńcach, którzy tak źle potraktowali ich kraj, ruszyła dzielnie do ataku, ale została zdziesiątkowana przez silny ogień karabinów maszynowych. Clark usiłował nawet wprowadzić do walki czołgi, lecz te nie miały większych szans na udane natarcie w tak trudnym terenie, gdzie na skałach pękały ich gąsienice. Po kilku dniach zmagań, okupionych ciężkimi stratami, Monte Lungo zdobyto od zachodu, a wkrótce potem padło również San Pietro. Niemcy po prostu wycofali się na następną linię obrony.

Żołnierze Clarka w połowie grudnia przedstawiali żałosny widok. Byli nieogoleni, mieli długie, zwilgotniałe włosy i oczy podkrążone z wyczerpania. Ich mundury zesztywniały od błota, buty się rozlatywały, ich skóra zaś zbielała i pomarszczyła się od ciągłej wilgoci. Wielu cierpiało z powodu przemoczonych i przemarzniętych nóg. Włoscy wieśniacy z San Pietro, którzy ukryli się przed walkami w jaskiniach, także budzili współczucie. Wyłonili się z pieczar, aby stwierdzić, że z ich domów niewiele pozostało, a grządki warzywne i winnice pozarastały chwastami. Ogień artyleryjski roztrzaskał prawie wszystkie drzewa na stokach wzniesień wokół wsi.

Po adriatyckiej stronie Apeninów 8. Armia Montgomery'ego toczyła jakby zupełnie odrębną wojnę. Koncentracja jej sił przebiegała powoli, aż do czasu opanowania pobliskich portów, działania 8. Armii spowalniały natomiast braki zaopatrzeniowe, zwłaszcza w zakresie dostaw paliwa. Większość zapasów docierających do Bari przeznaczano dla szybko rozbudowywanej 15. Armii Powietrznej Doolittle'a, której jednostki stacjonowały na trzynastu lotniskach w prowincji Foggia.

Montgomery rozumiał, że zasadniczy cel kampanii włoskiej polega na związaniu możliwie największej liczby niemieckich dywizji oraz na bombardowaniu z baz w Foggii Bawarii w południowych Niemczech, Austrii oraz dorzecza Dunaju. Górzyste obszary centralnych Włoch sprzyjały prowadzeniu obrony przez Niemców i niemal wykluczały użycie tam przez sprzymierzonych ich sił pancernych, znacznie większych od tych, którymi dysponowała strona przeciwna. W trakcie walk Niemcy okazali się dużo bardziej bezwzględni niż wcześniej, na pustyni. Wojska hitlerowskie odznaczały się czymś, co jeden z korespondentów wojennych określił mianem „zorganizowanego okrucieństwa"[10]. Niemcy rozstrzelali na przykład cały pluton Kanadyjczyków, który został otoczony, odcięty i dał znać, że się poddaje. Ponadto „każdy cywil, na którego natrafi się w pobliżu pola walki, jest niezwłocznie rozstrzeliwany [przez Niemców], nawet jeśli stoi tam jego dom".

Montgomery chciał się przebić i zaatakować flankę wojsk niemieckich walczących z 5. Armią Clarka, ale ulewne jesienne deszcze w drugim tygodniu listopada opóźniły podjętą przez niego próbę sforsowania rzeki Sangro. Grunt był tak rozmiękły, że brytyjskie czołgi nie mogły po nim przejechać, a warstwa chmur wisiała zbyt nisko, by wsparcie lotnicze, nadal noszące nazwę Pustynnych Sił Powietrznych, było w stanie operować. Wody w Sangro wezbrały do takiego stopnia, że zrywały mosty pontonowe. Dwudziestego siódmego listopada, mimo iż opady deszczu tylko trochę osłabły, nowozelandzka 2. Dywizja przeprawiła się przez tę rzekę „i rozgorzały zacięte walki wręcz o opanowanie pobliskiego wzniesienia"[11].

Montgomery zawezwał na odprawę wszystkich korespondentów wojennych z frontu włoskiego. Przemówił do nich ze schodków swojej przyczepy mieszkalnej, nadal pokrytej pustynnym kamuflażem i zamaskowanej w gaju oliwnym ponad doliną Sangro. Miał na sobie pustynne zamszowe buty, sztruksowe spodnie koloru khaki i rozpiętą pod szyją, owiniętą jedwabnym szalikiem, kurtkę munduru polowego. Jak zapisał australijski korespondent Godfrey Blunden, był „drobnym człowieczkiem z wydatnym nosem i przebiegłymi, chłodnymi błękitnymi oczami, ocienionymi przez siwiejące brwi. Mówił suchym, pedantycznym tonem, troszeczkę przy tym sepleniąc". Jego wystąpienie, w którym wyłożył swe „główne zasady wojenne, (...) było zakłócane tylko przez świergotanie dochodzące z klatki z papużkami nierozłączkami i kanarkami opartej o bok przyczepy"[12].

Na początku grudnia Montgomery wydał kanadyjskiej 1. Dywizji rozkaz przeprowadzenia ataku wzdłuż wybrzeża ku miejscowości Ortona. Dwadzieścia pięć kilometrów za nią leżały Pescara i szosa nr 5, wiodąca przez Apeniny do Rzymu. Dowódca Kanadyjczyków generał major Christopher

---

[10]   GBP, listopad 1943 r.
[11]   N. Hamilton, *Monty, op. cit.*, s. 439.
[12]   GBP.

Vokes, rudowłosy góral, rozkazał swoim żołnierzom przypuścić serię frontalnych ataków na 90. Dywizję Grenadierów Pancernych. Po początkowym powodzeniu natknęli się oni na niemieckie pozycje, osłaniane przez wąwóz przebiegający na południowy zachód od Ortony, zawczasu zaminowany przez Niemców. Przez dziewięć dni Vokes rzucał do natarcia batalion za batalionem, aż jego podwładni nadali mu przydomek „Butcher" („Rzeźnik"). Montgomery słał depesze, dopytując się o przyczynę tak powolnych postępów. Tymczasem Kanadyjczycy przekonali się, że mają przed sobą nie tylko grenadierów pancernych, lecz również 1. Dywizję Spadochronową, której żołnierze byli rozpoznawalni po charakterystycznych owalnych hełmach.

Dwudziestego pierwszego grudnia Kanadyjczycy w końcu przełamali obronę przeciwnika. Niemieccy saperzy na ich oczach wysadzili w powietrze zabytkowe miasteczko, lecz mimo to spadochroniarze bronili się w ruinach przez następny tydzień, na każdym kroku zastawiając pułapki i miny. Zwalisty Vokes płakał ze wściekłości na wieść o stratach w jego dywizji w owym miesiącu – wynosiły 2300 ludzi, z tego pięciuset poległych, a liczne przypadki nerwicy frontowej paraliżowały żołnierzy i odbierały im mowę. Montgomery na pewien czas wstrzymał dalsze ataki.

System zaopatrzenia wojsk Montgomery'ego znalazł się w stanie bezładu. Drugiego grudnia alianci zostali zaskoczeni przez silny nalot Luftwaffe na port w Bari. Zatonęło tam siedemnaście okrętów i statków, w tym jedna jednostka klasy Liberty, SS „John Harvey", z ładunkiem 1350 ton bomb iperytowych na pokładzie. Bomby te, dostarczone w ścisłej tajemnicy, miały być trzymane w zapasie na wypadek, gdyby Niemcy sami użyli broni chemicznej. W porcie zapanował chaos; uległy uszkodzeniu i stanęły w ogniu rurociągi z ropą naftową. Eksplozje, wyrzucając w powietrze wielkie strugi wody, rozerwały na strzępy „Johna Harveya", na którym zginął kapitan tej jednostki wraz z całą załogą. Iperyt zatruł wszystkich tych, których wybuchy wrzuciły do morza, a także wiele osób przebywających w pobliżu portowych doków. Korespondenci wojenni szybko się przekonali, że cenzorzy usuwali z ich relacji wszelkie wzmianki o tym nalocie.

W związku z zachowaniem tajemnicy wokół owego incydentu z iperytem i śmierci wszystkich na pokładzie „Johna Harveya" lekarze opiekujący się rannymi żołnierzami i cywilami z Bari nie rozumieli, dlaczego tak wielu poszkodowanych umiera w takich męczarniach, nie mogąc otworzyć oczu. Upłynęły dwa dni, zanim służby lekarskie ustaliły przyczynę. Życie straciło ponad tysiąc żołnierzy i marynarzy alianckich oraz nieznana liczba Włochów. Sam port pozostał nieczynny aż do lutego 1944 roku. Był to jeden z najbardziej niszczycielskich w skutkach nalotów Luftwaffe w trakcie całej wojny.

Obie armie Alexandra były w tym czasie skazane na prowadzenie kosztownych kampanii w niesprzyjającym, surowym otoczeniu. Południowe

Włochy nie okazały się „szczęśliwym miejscem tej chłodnej zimy 1943 roku", jak zauważył pewien żołnierz gwardii irlandzkiej[13]. Najbardziej cierpieli i biedowali miejscowi cywile, rzucając się na odpadki jedzenia albo niedopałki papierosów wyrzucane przez żołnierzy wojsk sprzymierzonych. Przeżycie stawało się rozpaczliwie trudne. W Neapolu kobiety dorabiały prostytuowaniem się, oferując swoje usługi za dwadzieścia pięć centów albo puszkę konserwy. W Bari na wybrzeżu Adriatyku „za pięć papierosów można było kupić kobietę"[14]. Na nielegalnych domach publicznych wywieszano tablice „Wstęp wzbroniony", ale to wydawało się tylko dodatkowo kusić licznych żołnierzy. Amerykańscy żandarmi, których przezywano „przebiśniegami" ze względu na ich białe hełmy, czerpali wielką przyjemność z nalotów na takie miejsca w poszukiwaniu wojskowych. Choroby weneryczne rozprzestrzeniały się znacznie bardziej niż na Sycylii, a w pewnym okresie zarażony był nimi co dziesiąty aliancki żołnierz. Dopiero wczesną wiosną 1944 roku można było korzystać z penicyliny w ich leczeniu, co uzasadniono potrzebą szybszego odsyłania wykurowanych z powrotem na linię frontu.

Chociaż mnóstwo różnorodnych podkradanych amerykańskich wyrobów przemysłowych przywożonych do portu w Neapolu trafiało na czarny rynek, przeciętni Włosi niemal głodowali. Niemcy wcześniej skonfiskowali zapasy żywności, które i tak zostały już drastycznie ograniczone wskutek niegospodarności faszystowskich władz. Jedynymi jadalnymi produktami pozostawionymi przez niedawnych okupantów były kasztany z górskich lasów, które Niemcy uznali za karmę dla świń. Włosi, pozbawieni pszenicy, mielili je na mąkę. Nadzwyczaj dawał się we znaki brak soli, który uniemożliwiał konserwowanie wieprzowiny, nawet jeśli po przejściu Niemców pozostał komuś prosiak. Nazistowscy dowódcy i urzędnicy zignorowali nawet błagalne prośby ministra rolnictwa we władzach Mussoliniego. Nie było komu uprawiać pól, gdyż Niemcy wywieźli włoskich żołnierzy na roboty przymusowe. Powszechne niedożywienie spowodowało, że dzieci cierpiały na krzywicę. Ale największe śmiertelne żniwo, zwłaszcza w Neapolu, zbierał dur plamisty, czyli tyfus. Wobec skrajnych niedoborów mydła i ciepłej wody wszy rozpleniały się gwałtownie aż do czasu, kiedy Amerykanie sprowadzili znaczne ilości DDT, którego insektobójczemu działaniu poddano lokalną ludność.

Churchill, dochodząc do siebie w Marrakeszu po zapaleniu płuc, na które zachorował podczas bożonarodzeniowych świąt, zaczął się niecierpliwić z powodu statycznego charakteru walk we Włoszech. Z entuzjazmem

---

[13]   J. Kenneally, *The Honour and the Shame*, London 1991, s. 142.
[14]   *Ibidem.*

podchwycił wcześniejszy plan generała Marka Clarka, przewidujący oskrzydlenie niemieckich linii za sprawą desantu morskiego gdzieś bliżej Rzymu. Eisenhowera wyraźnie niepokoił ten zamysł, znany jako operacja „Shingle", ale zarówno on, jak i Montgomery opuszczali śródziemnomorski teatr wojenny i wracali do Londynu, by uczestniczyć w przygotowaniach do operacji „Overlord". Dało to Churchillowi większą swobodę działań i na dobrą sprawę przejął on osobiście dowodzenie. Sam Clark mniej już był w tym czasie przekonany do powodzenia operacji „Shingle", do której wydzielono zaledwie dwie dywizje. Jeśli 5. Armii nie udałoby się przełamać Linii Gustawa, to siły desantowe łatwo mogły znaleźć się w potrzasku.

Operacja polegająca na wysadzeniu na ląd i zaopatrywaniu dwóch dywizji wymagała użycia znacznej liczby środków transportowych – prawie dziewięćdziesięciu okrętów desantowych LST oraz stu sześćdziesięciu barek desantowych. Większość z nich miała wyruszyć do Wielkiej Brytanii w połowie stycznia 1944 roku, aby tam przyszykowano je do operacji „Overlord". Churchill, żonglując i manipulując faktami oraz datami, zdołał przekonać Roosevelta, że operacja „Shingle" nie opóźni lądowania w północno-zachodniej Francji. Choć Brooke w zasadzie popierał ten plan, niepokoiła go myśl o tym, że premier zajmie się odgrywaniem roli naczelnego dowódcy w basenie Morza Śródziemnego. „Winston, tkwiąc w Marrakeszu, ma mnóstwo pomysłów i usiłuje stamtąd wygrać wojnę! – zapisał w dzienniku Brooke, świeżo awansowany do stopnia marszałka polnego. – Modlę się do Boga, żeby powrócił do kraju i znalazł się pod kontrolą"[15].

Churchill, tymczasowo urzędujący w hotelu Mamounia, wezwał do siebie wszystkich starszych rangą oficerów ze śródziemnomorskiego teatru działań wojennych. Zbył wszelkie wątpliwości i uwagi i nie chciał przełożyć na późniejszy termin zaplanowanej na 22 stycznia operacji, aby był czas na jej przećwiczenie. Na miejsce desantu wybrano plaże koło Anzio, sto kilometrów za niemieckimi liniami. Większość obecnych poparła ten plan, głównie ze względu na potrzebę przełamania impasu na froncie włoskim, ale była w pełni świadoma związanego z nim poważnego ryzyka. Churchill lekceważył problemy logistyczne i zdolność Niemców do zorganizowania przeciwuderzenia szybciej, aniżeli alianci zdołają umocnić się na przyczółku. Tak więc wszystko zależało od tego, czy 5. Armii uda się przekroczyć rzekę Rapido, przechwycić silnie bronione miasto Cassino oraz, co było najtrudniejsze, zdobyć górującą nad nim twierdzę Monte Cassino. Forteca ta nie tylko dominowała nad najbliższą okolicą, ale także zapewniała obserwatorom niemieckiej artylerii świetny widok na pobliskie tereny.

---

[15] A. Brooke (lord Alanbrooke), *War Diaries, 1939–1945, op. cit.*, s. 510 (6 stycznia 1944 r.).

Ponownie brytyjski X Korpus miał nacierać na lewym skrzydle, bliżej morza. Clark rozsądnie rozlokował na swojej prawej flance nowo przybyły na front Francuski Korpus Ekspedycyjny, z dwiema dywizjami zaprawionych w bojach żołnierzy z Afryki Północnej. Owi *goumiers* dobrze walczyli w górach. Nie byli obciążeni ciężkim sprzętem, bardzo umiejętnie wykorzystywali wszelkie zagłębienia terenu i obchodzili się bezlitośnie z wrogami, zabijając ich po cichu za pomocą noża lub bagnetu. Główne uderzenie znów miało pójść środkiem, tym razem kilka kilometrów na południe od Cassino, w kierunku doliny Liri. Wiązało się to z forsowaniem rzeki Rapido, której najeżone minami brzegi znajdowały się pod ostrzałem nieprzyjaciela, a następnie z atakowaniem silnych niemieckich umocnień na wzgórzu.

Plan Clarka nie był zbyt błyskotliwy. Kilku dowódców podległych mu dywizji odczuwało zaniepokojenie, ale nie wyrażało na głos swoich wątpliwości. Podejrzewali, że obsesja Clarka dotycząca zdobycia Rzymu przyniesie śmierć wielu ich żołnierzom. Mimo wszystko Clark musiał przystąpić do generalnej ofensywy, aby stworzyć w ten sposób szansę sukcesu desantowi pod Anzio. Trzydziesta szósta Dywizja, wykrwawiona pod Salerno, miała poprowadzić atak II Korpusu na miejscowość Sant'Angelo, górującą nad Rapido i bronioną przez 15. Dywizję Grenadierów Pancernych. Na południe od niej 19 stycznia w nocy brytyjska 46. Dywizja przekroczyła Garigliano. Jej oddziały musiały wszak wycofać się w nieładzie po tym, jak Niemcy przypuścili błyskawiczny kontratak, a ich saperzy otwarli wrota niektórych śluz w górnym biegu rzeki, powyżej miejsca, gdzie zbiegała się z Liri. Rwący rzeczny nurt rozproszył łodzie szturmowe.

Nocą 20 stycznia 36. Dywizja w gęstej nadrzecznej mgle zaczęła zbliżać się do koryta Rapido. Zapanował chaos, kiedy wiele kompanii się pogubiło. Niemieccy saperzy ukradkiem przedostali się przez rzekę i wkopali miny na jej wschodnim brzegu, a gdy atakujący ruszyli naprzód, wlokąc ciężkie pontony szturmowe, jeden z żołnierzy wrzasnął, kiedy wybuch urwał mu stopę. Obsługa moździerzy jednostki grenadierów pancernych na ten odgłos wystrzeliła szybkie serie pocisków. Karabiny maszynowe strzelające po stałym torze podziurawiły wiele zwodowanych pontonów.

Bataliony, które dotarły na przeciwległy brzeg, musiały się wycofać, lecz nazajutrz dowódca dywizji znowu wydał im rozkaz forsowania rzeki. Za drugim razem poszło nieco lepiej, ale Brytyjczycy znaleźli się w pułapce na małych przyczółkach, nieustannie ostrzeliwanych z dział i moździerzy. Ostatecznie niedobitki dywizji, która straciła ponad dwa tysiące żołnierzy, zostały wycofane. Była to niepotrzebna, krwawa bitwa, stanowiąca powód ostrych wzajemnych oskarżeń wtedy i później. Jednakże wobec równoczesnego brytyjskiego ataku na lewym skrzydle Kesselring nabrał przeświadczenia, że nadchodzi przełomowy moment batalii. Rozkazał wyruszyć spod Rzymu swoim dwóm odwodowym dywizjom grenadierów pancernych, 29. i 90., aby wzmocnić nimi Linię Gustawa wzdłuż Garigliano i Rapido. Oznaczało to, że dwie noce później pozostał bez osłony sektor Anzio–Nettuno.

*

Dwudziestego stycznia brytyjska 1. Dywizja Piechoty oraz amerykańska 3. Dywizja, wspierane przez komandosów i trzy bataliony rangersów pułkownika Darby'ego, rozpoczęły zaokrętowanie w portach Zatoki Neapolitańskiej. Jednostki wchodziły na pokłady statków i okrętów przy akompaniamencie grających orkiestr, co przywodziło na myśl paradę zwycięstwa jeszcze przed bitwą. Pierwszy batalion Gwardii Irlandzkiej maszerował przy dźwiękach *Saint Patrick's Day*. „Zdumiewał mnie widok Włochów stojących na chodnikach, wiwatujących i oklaskujących nas po drodze – napisał jeden z żołnierzy tej formacji. – Zrozumiałem, że wielu gwardzistów ma w wiwatującym tłumie dziewczyny; część z nich szła krok w krok za swoimi żołnierzami i podawała im kwiaty oraz błyskotki"[16]. Wymóg dochowania tajemnicy zaniedbano tak rażąco, że większość miejscowych wiedziała, dokąd zmierzają alianccy żołnierze.

Naczelnym dowódcą VI Korpusu oraz operacji „Shingle" był generał major John P. Lucas. Ten życzliwy człowiek sprawiał wrażenie dobrotliwego wujaszka ze swoimi siwymi wąsami i w okularach w drucianych oprawkach; brakło mu wszak instynktu zabójcy. Wyżsi stopniem oficerowie nie potrafili się oprzeć pokusie udzielania mu dobrych rad, prawie zawsze sprzecznych i nieścisłych. Najgorszą podsunął sam generał Clark: „Nie ryzykuj zanadto, Johnny – powiedział Lucasowi. – Ja zrobiłem to pod Salerno i wpakowałem się w kłopoty"[17]. Clark nie wyznaczył mu jasnych zadań. Zasugerował tylko, że Lucas powinien umocnić się na przyczółkach i nie narażać swojego korpusu na niebezpieczeństwo.

Ku zdumieniu wszystkich po radosnym pożegnaniu zgotowanym aliantom przez Włochów Niemcy nie mieli zielonego pojęcia o zaplanowanym desancie pod Anzio i Nettuno. Zostali tym całkowicie zaskoczeni. W istocie kiedy Amerykanie i Brytyjczycy wylądowali tam we wczesnych godzinach porannych 22 stycznia i wypytywali miejscowych ludzi, gdzie są Niemcy, odpowiadano im wzruszeniem ramion i wskazywano w kierunku Rzymu. Udało się schwytać tylko nielicznych jeńców, z których część rekwirowała paszę i żywność dla swoich jednostek w tej spokojnej okolicy, gdzie wcześniej wypoczywali faszystowscy oficjele z rzymskich władz.

---

[16] J. Kenneally, *The Honour and the Shame, op. cit.*, s. 152.
[17] Cyt. za: R. Atkinson, *The Day of Battle, op. cit.*, s. 355.

Mimo że Niemcy nie przygotowali tam typowych rubieży obronnych, to z rozmysłem wyniszczyli okoliczną przyrodę. W latach trzydziestych Mussolini poświęcił znaczne nakłady finansowe na osuszenie Błot Pontyjskich i zasiedlił je stu tysiącami weteranów wielkiej wojny, aby uprawiali odzyskane w ten sposób tereny. Udało się zlikwidować plagę komarów, uprzednio rojących się na tamtym obszarze. Po kapitulacji Włoch dwaj naukowcy na usługach Himmlera zaplanowali odwet na swoich byłych sprzymierzeńcach. Po unieruchomieniu urządzeń pompujących większość owych ziem znowu znalazła się pod wodą; zniszczono też pobliskie śluzy. Następnie rozplenił się tam szczep przenoszących malarię komarów, które potrafiły przeżyć nad słonawymi wodami. Władze niemieckie skonfiskowały też zapasy chininy, więc wybuchła epidemia malarii. W następnym roku okoliczni mieszkańcy nie tylko potracili grunty rolne i domy, ale i ponad pięćdziesiąt pięć tysięcy ludzi zapadło na wspomnianą chorobę. Był to jawny przypadek sięgnięcia po metody wojny biologicznej przez Niemców[18].

Alexander i Clark, nieświadomi zagrożenia, jakie stwarzała malaria, odwiedzili te spokojne z pozoru obszary. Obaj sprawiali wrażenie nieporuszonych brakiem zapału bojowego u starszej kadry oficerskiej, lecz w batalionach pierwszego rzutu zaczęły narastać nerwowość i konsternacja. „Wszyscy mieliśmy paskudne poczucie zawodu – napisał pewien żołnierz Gwardii Irlandzkiej. – Każdy, co do jednego, nastawił się wcześniej na udział w śmiałym natarciu na Rzym. Mogło być trudne i krwawe, ale zdobylibyśmy to miasto. Mogliśmy wykorzystać element zaskoczenia. Niemców nie było. Co na litość boską powstrzymywało naszą dywizję przed atakowaniem?"[19] W szeregach Brytyjczyków zapanowało nieuzasadnione podejrzenie, że celowo się ich wstrzymuje, ponieważ to jankesi chcieli jako pierwsi wkroczyć do Rzymu. W rzeczywistości Lucas wcale nie ponaglał 3. Dywizji generała majora Luciana Truscotta do aktywniejszych działań i to pomimo konieczności uchwycenia wzgórz nieco dalej na północy oraz odcięcia szlaku zaopatrzeniowego niemieckiej 10. Armii, przebiegającego szosą nr 7.

Alianckie lądowanie wywołało panikę w Rzymie i w kwaterze głównej Kesselringa nad doliną Tybru, zwłaszcza że Kesselring wcześniej wprowadził swoje dwie odwodowe dywizje do walk nad rzekami Garigliano i Rapido. Zbudzono go na krótko przed świtem, przekazując te wiadomości, a zaraz potem skontaktował się telefonicznie z Berlinem. Niezwłocznie wprowadzono w życie plan awaryjny, znany pod kryptonimem operacja „Richard", który polegał na ściągnięciu dywizji z północnych Włoch i jednostek

---

[18] R.J. Evans, *The Third Reich at War. How the Nazis Led Germany from Conquest to Disaster*, London 2008, s. 477–478.
[19] J. Kenneally, *The Honour and the Shame, op. cit.*, s. 158.

rezerwowych z innych regionów. Generał kawalerii Eberhard von Macken-sen miał przenieść z Werony kwaterę dowództwa swojej 14. Armii. Z kolei sztab 10. Armii Vietinghoffa otrzymał rozkaz odesłania wszystkich jednostek, które nie brały czynnego udziału w walkach, ku Górom Albańskim oraz Colli Laziali, dominującym nad Błotami Pontyjskimi na równninnych terenach wybrzeża. Kesselringowi zależało przede wszystkim, by rozmieścić na tych wzniesieniach możliwie największą liczbę baterii artyleryjskich. Najpierw jednak wprowadził do akcji swoją „latającą artylerię", a samoloty Luftwaffe zaatakowały „bombami szybującymi" okręty nieprzyjaciela zakotwiczone w pobliżu brzegu. Jedna z tych bomb dosłownie rozerwała na dwie połowy niszczyciel Royal Navy, HMS „Janus". Inna zatopiła oświetlony i wyraźnie oznakowany okręt szpitalny. Dodatkowe zagrożenie dla floty inwazyjnej stanowiły miny.

Dwudziestego czwartego stycznia Brytyjska 1. Dywizja w zachodniej części przyczółka podjęła wreszcie energiczne natarcie, a następnego dnia zajęła miasteczko Aprilia. Trzecia Dywizja Truscotta zaatakowała w kierunku Cisterny, gdzie natknęła się na Dywizję Pancerną „Hermann Göring". Wkrótce potem artylerzyści Kesselringa rozpoczęli niemal nieprzerwane ostrzeliwane pobliskiej równiny. Opieszałość Lucasa, który nie opanował w porę tych wzniesień, miała przynieść katastrofalne skutki. Wykazując niezrozumiały upór, Lucas roztrwonił wielką przewagę. Winę za to ponosili jednak także Clark i Alexander, którzy powinni byli skłonić go do rzucenia naprzód wojsk w ciągu pierwszych czterdziestu ośmiu godzin operacji. Z drugiej strony można stwierdzić, że VI Korpus Lucasa z zaledwie dwiema dywizjami nie dysponował wystarczającymi siłami, by podjąć natarcie w głąb lądu i chronić przy tym swoje flanki, a cała operacja została niewłaściwie zaplanowana.

Do czasu gdy Clark ponownie zwizytował przyczółek 28 stycznia, Niemcy błyskawicznie skoncentrowali siły w rejonie Anzio i zrównoważyli je liczebnie z zaledwie sześćdziesięciotysięcznymi wojskami desantowymi aliantów. Na południe podążały kolejne niemieckie rezerwy. Optymistyczne założenie, iż potęga lotnicza sprzymierzonych uniemożliwi Niemcom wprowadzenie ich do walki, okazało się iluzoryczne, a tymczasem ogień niemieckiej artylerii stawał się coraz silniejszy. Pewna osiemnastoletnia Włoszka zaczęła rodzić, kiedy grupa cywilów i alianckich żołnierzy szukała schronienia przed ostrzałem na cmentarzu. Gdy jej matka wznosiła modły do wszystkich świętych, kapral z Królewskiego Wojskowego Korpusu Medycznego jak gdyby nigdy nic odebrał poród dorodnego chłopca.

Rangersi Darby'ego i 3. Dywizja Truscotta zaatakowały w trakcie następnej nocy, lecz zostały odparte przez niemieckie wojska, kilkukrotnie silniejsze od tych, z jakimi spodziewały się zetrzeć. Ponowny szturm przyniósł rangersom katastrofę – wielu z nich zginęło lub dostało się do niewoli. Później Niemcy z dumą obwozili jeńców po Rzymie na użytek fotoreporterów i operatorów Deutsche Wochenschau (niemieckiej kroniki filmowej). Hitler, obsesyjnie odnoszący się do symbolicznej roli stołecznych miast, czynił wszystko, aby nie utracić stolicy swojego najważniejszego sprzymierzeńca. W rezultacie przydzielił Kesselringowi do obrony Włoch nawet więcej wojsk, aniżeli ów o to prosił.

Alianckie pułkowe punkty pomocy medycznej i odprawy rannych oraz polowe szpitale ewakuacyjne były przepełnione żołnierzami na noszach, gdyż niemiecki ostrzał artyleryjski bardzo się wzmagał. Sama bitwa sprowadzała się do „serii krótkich, zaciętych starć", jak napisał sierżant Gwardii Irlandzkiej. „Tyle było kryjówek w kanałach i głębokich rowach melioracyjnych, że wróg wyskakiwał z nich na człowieka w ciągu paru sekund"[20]. Z powodu gęstej warstwy chmur sprzymierzeni nie mogli już liczyć na wsparcie lotnicze. Amerykanie i Brytyjczycy musieli się okopać i wyczekiwać na spodziewany, wściekły kontratak Mackensena, którego wojska, zasilone przybyłymi rezerwami, liczyły już w tym czasie prawie sto tysięcy żołnierzy.

Desant pod Anzio w żadnym stopniu nie doprowadził do osłabienia linii obronnej niemieckiej 10. Armii nad Garigliano i Rapido. Wielka góra Monte Cassino, z klasztorem benedyktynów na szczycie, stanowiła jej najsilniej umocniony punkt. Ale niecałe dziesięć kilometrów dalej na północny wschód francuski korpus pod dowództwem generała Alphonse'a Juina, złożony z dwóch północnoafrykańskich dywizji, przekroczył rzekę Sacco i opanował Monte Belvedere na Linii Gustawa. W skrajnie zaciekłych górskich bojach Francuzi stracili osiem tysięcy żołnierzy. Tymczasem w dolinie Rapido trwały nieustannie zmagania artyleryjskie.

Trzydziestego stycznia amerykańska 34. Dywizja Piechoty po początkowych niepowodzeniach zdołała przedostać się w bród przez Rapido na północy od Cassino. W ciągu kilku następnych dni walczyła o poszczególne wzgórza wokół Monte Cassino. Jednak zmagania o miasto Cassino i samą pobliską fortecę miały zmienny przebieg, w mroźnej pogodzie i wśród śnieżnych zamieci. Trzydziesta czwarta Dywizja, wyczerpana i zdziesiątkowana w trakcie mężnego natarcia, musiała zostać wkrótce wycofana i zastąpiona przez hinduską 4. Dywizję.

Generał porucznik Bernard Freyberg, dowódca korpusu nowozelandzkiego, przejął kierowanie walkami na tym odcinku. Zwalisty i nieustraszony Freyberg, znany wśród swoich brytyjskich kolegów jako „niedźwiedź

---

[20] *Ibidem*, s. 165.

z maleńkim mózgiem", oceniał zaistniałą sytuację dość prostolinijnie. Doszedł do wniosku, że wielki benedyktyński klasztor na Monte Cassino póki stał cały, był nie do zdobycia. Zamiast starać się oszczędzić tę zabytkową budowlę, zgodnie z wcześniejszymi wskazówkami Eisenhowera i Alexandra, sprzymierzeni powinni zrównać ją z ziemią. Przyjęto na wiarę nieścisłe meldunki, że Niemcy potajemnie przekształcili ów klasztor w fortecę, a raporty o tym, iż pełno w nim uciekinierów, zostały zlekceważone. Generał Juin stanowczo przeciwstawiał się zniszczeniu Monte Cassino, podobnie zresztą jak Clark oraz dowódca amerykańskiego II Korpusu. Jednakże Alexander zdecydowanie poparł Freyberga. Naciski wywierane z Londynu przez Churchilla były zbyt silne.

Czwartego lutego rozpoczął się atak Mackensena na brytyjskie pozycje pod Anzio, a grenadierzy pancerni gnali przed sobą przez pola minowe wielkie stado owiec. Pierwszy batalion Gwardii Irlandzkiej i 6. Pułk Gordon Highlanders wzięły na siebie główny ciężar tego uderzenia, wspartego przez Niemców czołgami PzKpfw IV. Pierwsza Dywizja Piechoty musiała się wycofać, tracąc półtora tysiąca ludzi, z których dziewięćset trafiło do niewoli. Kolejne niemieckie natarcie nastąpiło trzy dni później, skierowane na Aprilię. Raz jeszcze Niemcom nie udało się przebić ku morzu tylko dlatego, że zostali zatrzymani przez zmasowany ogień artylerii, w tym działa okrętów znajdujących się w pobliżu brzegu.

W „Wilczym Szańcu" Hitler, ślęcząc nad szczegółowymi mapami przyczółka pod Anzio, wydał Mackensenowi szczegółowe rozkazy przeprowadzenia potężnego natarcia w celu całkowitego rozbicia nieprzyjacielskiego zgrupowania desantowego. Chciał udzielić przeciwnikowi surowej i przykładnej nauczki, a przy okazji zniechęcić aliantów do większej operacji inwazyjnej nad kanałem La Manche w późniejszym okresie tego roku. Szesnastego lutego walki rozgorzały z nową siłą. Niemieckie 3. Dywizja Grenadierów Pancernych i 26. Dywizja Pancerna ponownie zaatakowały Aprilię oraz odcinek na styku amerykańskiej 45. Dywizji i przybyłej niedawno na front brytyjskiej 56. Dywizji. Dwa dni później również Mackensen wprowadził do walki swoje odwody.

Grenadierzy pancerni nacierali niemal jak za czasów Napoleona – równolegle nadciągającymi kolumnami z Cartoceto. Zostali dostrzeżeni przez obserwatorów alianckiej artylerii i już po kilku minutach baterie dział polowych wojsk sprzymierzonych wstrzeliły się w cele, z niszczycielskimi rezultatami. Amerykanie przezwali drogę, po której nadchodzili Niemcy, „kręgielnią"[21]. Choć straty alianckie były wysokie, to i Mackensen stracił ponad pięć tysięcy żołnierzy.

---

[21] R. Atkinson, *The Day of Battle*, op. cit., s. 426.

Clark, pod presją Alexandra, powrócił na przyczółek pod Anzio, żeby zdjąć Lucasa ze stanowiska dowódcy VI Korpusu i zastąpić go Truscottem. Jak na ironię decyzję taką podjęto tuż po tym, gdy szala zwycięstwa zaczęła się przechylać na stronę sprzymierzonych. Churchill również trochę nie w porę poczynił słynną uwagę na temat Anzio tydzień później podczas narady szefów sztabów w Londynie: „Spodziewaliśmy się wysadzić na ląd żbika, który wypatroszy szkopów. Zamiast tego na brzeg wyległ gigantyczny wieloryb trzepiący wodę płetwą ogonową!"[22].

Dwudziestego dziewiątego lutego Mackensen, działając na podstawie rozkazów Kesselringa i tych nadesłanych z kwatery głównej Führera, wyprowadził następne silne uderzenie. Hitler interesował się kilkunastokilometrowym przyczółkiem pod Anzio równie pilnie jak frontem wschodnim. Nie chciał jednak przyjąć do wiadomości, że jego wojska nie zdołają odnieść zwycięstwa, jeżeli zabraknie im amunicji artyleryjskiej i osłony z powietrza, podczas gdy alianci stawali się coraz silniejsi pod względem *Materialschlacht* – wyposażenia wojskowego. Z kolei Kesselring pojmował, że kampania włoska oznacza punkt zwrotny wojny. Wehrmacht nie był w stanie w dalszym ciągu trwonić wojsk i uzbrojenia w walce z przeciwnikiem, który najwyraźniej dysponował niewyczerpanymi zapasami oręża. Pod Anzio trzy czwarte zabitych i rannych niemieckich żołnierzy padło ofiarą ostrzału artyleryjskiego.

Piętnastego lutego alianci obrócili całą swą niszczycielską moc przeciwko Monte Cassino. Dzień wcześniej wieczorem zrzucono na tamtejszy zabytkowy klasztor ulotki ostrzegające tych wszystkich, którzy szukali w nim schronienia, aby dla własnego dobra możliwie najprędzej opuścili to miejsce. Jednak z powodu zamieszania i żywionych podejrzeń niewielu to uczyniło. Opat nie chciał uwierzyć, że sprzymierzeni są zdolni do takiego barbarzyństwa. Samoloty B-17 Flying Fortress oraz fale bombowców B-25 Mitchell i B-26 Marauder bombardowały na zmianę górski szczyt, a artyleria 5. Armii skoncentrowana w dolinie rzeki Rapido dołożyła swoje. W klasztorze zginęło kilkuset uchodźców.

Plan Freyberga zawiódł w zupełności. Zbyt długo ociągał się on z atakiem po tym, gdy odleciały już alianckie bombowce. Kiedy wreszcie szturm nastąpił, był niewystarczająco silny i źle skoordynowany. Naloty aliantów umożliwiły Niemcom przekształcenie częściowo zniszczonego klasztoru w prawdziwą fortecę. Wysunięte wobec nazistów fałszywe zarzuty okupowania klasztoru zostały zdecydowanie odrzucone przez tamtejszego opata

---

[22] A. Brooke (lord Alanbrooke), *War Diaries, 1939–1945, op. cit.*, s. 527 (29 lutego 1944 r.).

w wywiadzie z generałem wojsk pancernych Fridolinem von Senger und Etterlin, dowódcą XIV Korpusu Pancernego.

Miasto Cassino, bronione w tym czasie przez 1. Dywizję Spadochronową, stało się dla Freyberga głównym celem, ale jego plan przeprowadzenia ataku siłami nowozelandzkiej 2. Dywizji i hinduskiej 4. Dywizji pokrzyżował nieustannie padający deszcz. Użycie czołgów wymagało suchego podłoża, a wszędzie grunt nasiąkł wodą. Kiedy 15 marca deszcz w końcu ustał, Cassino zostało obrzucone bombami przez samoloty i ostrzelane przez artylerię. Wbrew chełpliwym zapewnieniom załóg bombowców 15. Armii Powietrznej nie wykazały się one podczas tego nalotu szczególną precyzją i celnością. Pomyłkowo zbombardowano także pięć innych miejscowości; faktycznie amerykańskie samoloty zrzuciły bomby na swoich sojuszników, przedstawicieli niemal wszystkich narodowości – oddziały dywizji hinduskiej, siedzibę dowództwa brytyjskiej 8. Armii, nowo przybyłych na front włoski Polaków oraz na kwaterę generała Juina – wskutek czego zginęło lub odniosło rany trzystu pięćdziesięciu alianckich żołnierzy i siedemdziesięciu pięciu cywilów.

Niemcy zastosowali typową dla siebie taktykę na wypadek, gdy spodziewali się zmasowanego ataku, pozostawiając do obrony Cassino tylko nieznaczne siły. Większość spadochroniarzy wycofali na drugą lub trzecią linię. Tempu natarcia wojsk Freyberga nie sprzyjał gruz leżący na ulicach oraz wielkie leje po bombach i pociskach. Czołgi Sherman nie mogły się przedrzeć, a potem, wbrew zachęcającym prognozom pogody, znowu nadeszły deszcze.

Niemieccy spadochroniarze bronili zrujnowanego miasta z zabójczą skutecznością. Nowozelandczykom, którzy chcieli sobie powetować klęskę na Krecie, z pewnością nie brakowało odwagi, podobnie jak żołnierzom dywizji hinduskiej, zwłaszcza Gurkhom z 9. Pułku Strzelców. Ku bezsilnej irytacji Clarka Freyberg prowadził jednak walki po swojemu, bez zmysłu taktycznego, uparcie atakując pozycje nieprzyjaciela. Bój toczył się przez osiem dni, a korpus Freyberga stracił dwukrotnie więcej ludzi, niż wynosiły straty niemieckie. Pojedyncze oddziały, które odnotowały lokalne sukcesy – na przykład Gurkhowie, którzy wielkim kosztem opanowali okoliczne wzgórza – dostały rozkaz odwrotu. Wycofany został cały korpus – pobity, rozgoryczony i zniechęcony.

Tymczasem pod Anzio trwały walki, nabierając charakteru typowego dla kampanii włoskiej; wojska alianckie na przyczółku zwiększono do prawie stu tysięcy żołnierzy, a zatem dorównały pod względem liczebności Niemcom na tamtym krwawym odcinku frontu. Pozycyjne zmagania miały swoiście monotonny rytm, zakłócany jedynie przez conocne potyczki patroli. Żołnierze uprawiali jarzyny i odkupywali żywiec od ewakuowanych miejscowych włoskich rodzin; znudzeni, zakładali się o niemal wszystko, od rezultatów wyścigów samochodowych po wyniki meczów baseballowych. Kwitła typowo amerykańska przedsiębiorczość – handlowano bimbrem pędzonym w zaimprowizowanych alembikach. „Przemytnicy alkoholu ze 133. Dywizji Piechoty dodali do pięćdziesięciu funtów sfermentowanych rodzynek nieco wanilii, wytwarzając trunek o nazwie »Paryski pochlej«". Z kolei żołnierze brytyjscy łapali szczury w worki na piasek i ciskali je niczym ładunki wybuchowe w stronę niemieckich okopów[23]. Liczba przypadków samookaleczeń była zatrważająco wysoka i jak się wydaje, wynikała nie tyle z samego lęku, ile z obawy przed strachem. Jak niebawem odnotowali wojskowi psychiatrzy, nerwica frontowa zawsze dawała się bardziej we znaki żołnierzom na przyczółkach – tych nad morzem i nad rzekami, ustępując wyraźnie dopiero wówczas, gdy wznawiano działania manewrowe.

Dwudziestego trzeciego marca, w okresie szczytowego nasilenia walk o Cassino, włoscy partyzanci zorganizowali pod Rzymem zasadzkę na oddział niemieckiego wojska maszerujący przez miasto. Rozwścieczony Hitler rozkazał przeprowadzenie egzekucji dziesięciu osób za każdego zabitego Niemca. Herbert Kappler, szef SD w Rzymie, wyselekcjonował 335 zakładników, polecając stracić ich nazajutrz w Jaskiniach Ardeatyńskich w pobliżu włoskiej stolicy. Prowadzone przez Kapplera obławy Żydów przyniosły skromne rezultaty; zaledwie 1259 z nich schwytano i zesłano do Auschwitz. Większość znalazła schronienie u Włochów, a w ich ratowaniu uczestniczył też Kościół katolicki, mimo że papież nie wypowiedział się oficjalnie przeciwko prześladowaniom ludności żydowskiej.

Po drugiej stronie Adriatyku niemieckie represje w Jugosławii stawały się coraz okrutniejsze. Himmler wyraził zgodę na werbunek bośniackich muzułmanów do 13. Dywizji Górskiej SS „Handschar", aby zwalczali partyzantkę Tity, złożoną rzekomo głównie ze znienawidzonych Serbów. Żołnierze tej jednostki nosili na głowach szare fezy, przyozdobione esesowskim emblematem trupiej główki. W rzeczywistości do partyzantów przyłączali się coraz częściej jugosłowiańscy nacjonaliści wszelkiej maści, natomiast niemal wyłącznie serbscy czetnicy generała Mihailovicia unikali starć z Niemcami po krwawym odwecie okupantów na ludności w październiku 1941 roku. Z kolei komunistyczne oddziały Tity bez skrupułów zaostrzały konflikt zbrojny, licząc na to, że niemieckie zbrodnie spowodują zwiększony napływ ludzi do formacji partyzanckich. Kiedy dla Brytyjczyków stało się jasne, że czetnicy wstrzymują się z podejmowaniem otwartej walki z Niemcami, Kierownictwo Operacji Specjalnych wycofało swoją misję wojskową przy dowództwie czetników i zwiększyło pomoc udzielaną brygadom Tity. Zaopa-

---

[23] R. Atkinson, *The Day of Battle*, op. cit., s. 488–489.

trzenie było dostarczane do Jugosławii drogą powietrzną z bazy SOE w Bari, a 2 marca 1944 roku alianci przystąpili do bombardowania celów w tym kraju, korzystając z lotnisk we włoskiej prowincji Foggia.

Gdy nasiliły się naloty bombowe sprzymierzonych na Niemcy, Hitler pragnął odwetu i sterroryzowania ludności Wielkiej Brytanii, ale mściwe nazistowskie tyrady wprawiały większość przeciętnych Niemców w coraz większe przygnębienie. Pragnęli oni bowiem ochrony przed bombami i nadziei, iż usłyszą, że wojna się wreszcie skończy. Już tylko zagorzali stronnicy nazistowskiej partii pozdrawiali się w tym czasie salutem „Heil Hitler!". Obalenie Mussoliniego we Włoszech rozbudziło w umysłach wielu Niemców niejasne oczekiwania, że coś podobnego wydarzy się również w Rzeszy, ale w istocie oba reżimy, faszystowski i nazistowski, znacznie się od siebie różniły, a ten ostatni dzierżył władzę twardą ręką. W celu dodatkowego wzmocnienia nazistowskiego nadzoru nad Niemcami Hitler mianował Reichsführera SS Heinricha Himmlera ministrem spraw wewnętrznych. Jednakże, ku silnemu niepokojowi Goebbelsa, Hitler jeszcze bardziej odseparował się od narodu niemieckiego i nadal wzbraniał się przed bezpośrednimi kontaktami z pozbawioną domów na skutek bombardowań ludnością cywilną oraz rannymi żołnierzami.

Führer dołożył wszelkich starań – świadomie bądź podświadomie – aby spalić za sobą i za swoim krajem wszystkie mosty. Nie było alternatywy dla zwycięstwa lub całkowitego zniszczenia Niemiec. Zapewniwszy niegdyś rodaków o nieuchronności triumfu nazizmu, teraz bezwstydnie roztaczał przed nimi przerażające widmo klęski, nie przyznając nawet, że cokolwiek się zmieniło czy też że on sam był w jakiś sposób odpowiedzialny za katastrofalny stan rzeczy. Hitler obwiniał za niedawne niepowodzenia militarne zdradzieckich Francuzów z Afryki Północnej, jeszcze bardziej wiarołomnych Włochów oraz reakcyjną generalicję Wehrmachtu, której zabrakło nazistowskiej wiary w wodza i która nie słuchała jego rozkazów.

Wydaje się, że w tych krótkich chwilach kiedy Hitler był w stanie przejrzeć na oczy, potrafił sobie wyobrazić, jak zakończy się ta wojna. Trzeba przyznać, że konsekwentnie wyznawał swoje społeczno-darwinistyczne poglądy, zgodnie z którymi silniejszy ma zawsze rację. Po katastrofie stalingradzkiej zaczął to odnosić do swych pobratymców. Oświadczył Goebbelsowi, że „skoro naród niemiecki okazał się słaby, to nie zasługuje na nic poza tym, by zostać unicestwionym przez silniejszą nację; w takim razie nie można żywić doń współczucia"[24]. Powracał coraz częściej do tej myśli, gdy zbliżał się upadek Rzeszy.

---

[24] TBJG, cz. II, t. VII, s. 296 (8 lutego 1943 r.).

ROZDZIAŁ 36

Radziecka ofensywa wiosenna

styczeń–kwiecień 1944

Czwartego stycznia 1944 roku feldmarszałek von Manstein udał się samolotem do „Wilczego Szańca", aby jasno przedstawić Hitlerowi zagrożenia, przed którym stanęła niemiecka Grupa Armii „Południe". Czwartej Armii Pancernej między Winnicą a Berdyczowem groziło zniszczenie, a jej zagłada spowodowałaby powstanie wielkiej luki między wojskami Mansteina a Grupą Armii „Środek". Jedyne rozwiązanie polegało na wycofaniu oddziałów z Krymu i znad zakola Dniepru.

Hitler nawet nie chciał o tym słyszeć. Opuszczenie Krymu wiązało się z ryzykiem utraty poparcia Rumunii i Bułgarii, poza tym nie wchodziło w rachubę wycofanie sił z północy, gdyż mogłoby to skłonić Finów do odstąpienia od wojny. Führer twierdził, że wrogów Niemiec dzieli tyle nieporozumień, iż ich koalicja nieuchronnie się rozpadnie. Chodziło więc o to, by wytrwać. Wtedy Manstein poprosił wodza o rozmowę na osobności; miał im w niej towarzyszyć jedynie generał Kurt Zeitzler, szef sztabu wojsk lądowych. Hitler dobrze wyczuwał, co się szykuje, i wcale nie był tym zachwycony.

Manstein ponownie zaproponował, aby Hitler przekazał mu dowodzenie frontem wschodnim. Mając na względzie fakt, że kwatera główna Führera nieustannie odmawiała zgody na wycofywanie wojsk, aż do czasu kiedy było już na to za późno, Manstein rzucił uwagę, że niektóre z problemów trapiących niemieckie wojska wynikały ze sposobu dowodzenia nimi. „Nawet ja nie potrafię zmusić feldmarszałków do posłuszeństwa! – odparł na to dyktator z chłodną wściekłością. – Czy wyobraża pan sobie, że panu podporządkują się chętniej?" Manstein odpowiedział, że jego własne rozkazy nie budzą sprzeciwu. Dowiódł swoich racji, ale Hitler nagle przerwał to spotkanie.

Manstein, któremu przebiegłość i elokwencja nie wyszły na dobre, nie osiągnął przy tej okazji niczego poza tym, że Hitler nabrał do niego głębokiej nieufności. Dni Mansteina na stanowisku dowódcy Grupy Armii „Południe" były odtąd policzone[1].

W styczniu 1944 roku, mimo straty 4,2 miliona żołnierzy od początku wojny, niemieckie siły zbrojne znalazły się w szczytowym okresie swojej rozbudowy; służyło w nich wtedy dziewięć i pół miliona ludzi. Z tego prawie dwa i pół miliona walczyło na froncie wschodnim, mając u boku około siedmiuset tysięcy żołnierzy krajów sprzymierzonych – było to nieco więcej niż w chwili rozpoczęcia operacji „Barbarossa" dwa i pół roku wcześniej. Suche dane liczbowe były jednak złudne. Armia niemiecka znacznie się różniła od tej, która uderzyła na Związek Radziecki. Przeciętnie traciła dziennie ekwiwalent pułku, a wielu najlepszych młodszych oficerów i podoficerów ginęło w walkach[2]. Stan liczebny podtrzymywano, przymusowo wcielając Polaków, Czechów, Alzatczyków i folksdojczów do Wehrmachtu i Waffen-SS. Od dziesięciu do dwudziestu procent personelu osobowego stanowili hiwisi i robotnicy przymusowi. Innym nader ważnym czynnikiem było to, że niemiecka armia lądowa nie mogła już liczyć na skuteczne wsparcie ze strony Luftwaffe, gdyż większość samolotów bojowych Niemcy wycofali z frontu do obrony Rzeszy przed alianckimi bombardowaniami[3].

Z kolei Armia Czerwona miała 6,4 miliona żołnierzy, znajdujących się prawie wyłącznie na froncie wschodnim, a ponadto przytłaczającą przewagę w czołgach, działach i samolotach. Jednak nawet w Związku Radzieckim odczuwano niedobór rezerw ludzkich po straszliwych stratach w poprzednich dwóch latach oraz w wyniku masowej mobilizacji do pracy w fabrykach zbrojeniowych. Wiele radzieckich dywizji strzeleckich liczyło zaledwie po dwa tysiące żołnierzy lub nawet mniej. Mimo wszystko Armia Czerwona była w tym okresie nieporównanie lepszą i skuteczniejszą organizacją wojskową niż w czasie klęsk militarnych z 1941 roku. Paraliżujący strach przed karzącą ręką NKWD został zastąpiony przez znacznie rozwinięte poczucie inicjatywy albo wręcz eksperymentowanie na polu walki. Na początku 1944 roku radzieckie cele wojenne były jasno określone: odrzucenie Niemców spod Leningradu, odzyskanie Białorusi i wyzwolenie pozostałych obszarów Ukrainy[4].

---

[1] E. von Manstein, *Stracone zwycięstwa. Wspomnienia 1939–1944*, tłum. J. Bańbor, Warszawa 2003, s. 499–519.
[2] *GSWW*, t. IX/1, s. 805.
[3] *Ibidem*, s. 671.
[4] D.M. Glantz, J. House, *When Titans Clashed. How the Red Army Stopped Hitler*, Lawrence, KS 1995, s. 179–181.

Po udanej operacji żytomiersko-berdyczowskiej, przeprowadzonej przez 1. Front Ukraiński Watutina, który skutecznie odparł wszelkie kontrataki wojsk Mansteina, przedstawiciel Stawki marszałek Żukow dążył do rozbicia silnego niemieckiego zgrupowania nad Dnieprem w okolicach Korsunia. Dwudziestego czwartego stycznia Korpusy XI i XLII, których Hitler nie pozwolił Mansteinowi wycofać, zostały zaskoczone i odcięte przez 5. Gwardyjską Armię Pancerną i 6. Armię Pancerną ze składu 2. Frontu Ukraińskiego Koniewa. Manstein, zdecydowany wyprowadzić okrążone korpusy z kotła po niepowodzeniu wcześniejszej odsieczy pod Stalingradem, skoncentrował cztery dywizje pancerne.

Wielkiemu rywalowi Żukowa generałowi Koniewowi równie mocno zależało na zniszczeniu czterech niemieckich dywizji piechoty oraz 5. Dywizji Pancernej SS „Wiking", zanim inne formacje przyszłyby im w sukurs. Koniew, który wedle opisu syna Berii „miał złe oczka, ogoloną głowę podobną do makówki, pyszałkowaty wyraz twarzy", dorównywał Żukowowi bezwzględnością[5]. Rozkazał 2. Armii Lotniczej udzielić jego wojskom wsparcia poprzez zrzucenie mnóstwa bomb zapalających na drewniane zabudowania miasteczek i wiosek obwodu czerkaskiego. Miało to wypędzić niedożywionych niemieckich żołnierzy z chat na siarczysty mróz.

Siedemnastego lutego okrążone niemieckie formacje próbowały się przebijać, brnąc przez głębokie śniegi. Koniew przewidział to i uruchomił przygotowaną zapadnię. Jego czołgi T-34, wyposażone w szerokie gąsienice, mogły pokonywać śnieżne zaspy. Ich załogi ścigały osłabionych niemieckich piechurów, miażdżąc ich gąsienicami. Następnie przeszła do natarcia kawaleria na kozackich konikach, tnąc szablami uniesione w górę ręce tych nieprzyjaciół, którzy próbowali się poddać. Podobno tylko tego jednego dnia zginęło około dwudziestu tysięcy Niemców. Stalin był pod takim wrażeniem mściwości Koniewa, że nadał mu rangę marszałkowską. Zapewne awansowany na marszałka zostałby także Watutin, gdyby 29 lutego nie wpadł w zasadzkę zorganizowaną przez ukraińskich nacjonalistów, którzy śmiertelnie go ranili. Żukow objął dowodzenie 1. Frontem Ukraińskim i kontynuował atak na północną flankę Grupy Armii „Południe", a tymczasem 3. Front Ukraiński Malinowskiego i 4. Front Ukraiński Tołbuchina rozbiły lub zmusiły do odwrotu niemieckie jednostki w zakolu Dnrepu[6].

Hitler z jeszcze większą niechęcią odniósł się do myśli o wycofaniu wojsk spod Leningradu. Wszelkie nadzieje na zniszczenie tej „kolebki bolszewi-

---

[5] S. Beria, *Beria, mój ojciec. W sercu stalinowskiej władzy*, tłum. J. Właczków, Warszawa 2000, s. 194.

[6] Zob. J. Erickson, *The Road to Berlin. Stalin's War with Germany*, London 1983, s. 177–179.

zmu" już dawno się rozwiały, lecz on obawiał się, że taki odwrót dałby Finom wyczekiwany pretekst do zawarcia pokoju ze Związkiem Radzieckim. Niemieccy żołnierze nie rozumieli, dlaczego muszą pozostawać na bagiennych obszarach koło Leningradu, zwłaszcza gdy rozeszły się pogłoski o tym, że Armia Czerwona poczyniła znaczne postępy na południu.

Spodziewając się rychłego nieprzyjacielskiego ataku, niemieckie władze wojskowe zajęły się przesiedlaniem ludności cywilnej północnej Rosji na dalekie zaplecze, aby w ten sposób udaremnić Armii Czerwonej wcielanie jej do armii w trakcie ofensywy. „Nasz samochód minął ciało kobiety leżące na śniegu – zanotował Godfrey Blunden w pobliżu Wielkich Łuków. – Kierowca się nie zatrzymał. Takie widoki są codziennością w ogarniętej wojną strefie Rosji. Owa kobieta pewnie wypadła z szeregu w trakcie marszu do Niemiec i została zastrzelona albo zmarła z zimna. Któż się kiedykolwiek dowie, kim była? Tylko jedną z wielu milionów poległych Rosjan"[7].

Czternastego stycznia 1944 roku Fronty Leningradzki, Wołchowski i 2. Front Nadbałtycki rozpoczęły serię ataków mających na celu zniesienie oblężenia Leningradu. W trakcie poprzednich dwóch miesięcy potajemnie, po nocach przetransportowano morzem 2. Armię Uderzeniową ze składu Frontu Leningradzkiego na przyczółek w Oranienbaum na bałtyckim wybrzeżu, na zachód od Leningradu. Następnie, kiedy Zatoka Fińska pokryła się grubą taflą lodu, przerzucono tam jeszcze dwadzieścia dwa tysiące żołnierzy, sto czterdzieści czołgów i trzysta osiemdziesiąt dział[8].

W gęstej, mroźnej mgle Armia Czerwona i Flota Bałtycka rozpoczęły niezwykle silny ostrzał z 21 600 dział oraz 1500 baterii wyrzutni rakietowych Katiusza. Ziemia drżała tak bardzo od dwustu dwudziestu tysięcy pocisków artyleryjskich wystrzelonych w ciągu stu minut, że w oddalonym o dwadzieścia kilometrów Leningradzie z sufitów sypał się tynk. „Pociski wyrzucały w górę cały wał, z ziemi, dymu i kurzu, z błyskami ognia w jego środku", napisał pewien żołnierz z obsługi moździerza[9]. Atak z przyczółka oranienbaumskiego doprowadził do połączenia się z wojskami nacierającymi ze Wzgórz Pułkowskich na południowo-zachodnim skraju Leningradu. Feldmarszałek Georg von Küchler, dowódca Grupy Armii „Północ", nie spodziewał się tak sprawnie skoordynowanego uderzenia. Ale niemieckie *Kampfgruppen* (improwizowane grupy bojowe) broniły się z typową dla nich skutecznością. Jedna z armat 88 mm niszczyła kolejne radzieckie czołgi

---

[7] GBP, grudzień 1943 r.

[8] Bardziej szczegółowy opis tej operacji zob. Ch. Bellamy, *Wojna absolutna. Związek Sowiecki w II wojnie światowej*, tłum. M. Antosiewicz, M. Habura, P. Laskowicz, Warszawa 2010, s. 461–477.

[9] P. Zołotow, *Zapiski minomiotczika, 1942–1945*, Moskwa 2009, s. 107.

z solidnego bunkra. Nacierająca sowiecka piechota czuła swąd zwęglonych ciał tych, którzy spłonęli w pojazdach.

Czerwonoarmiści nie zastali ludności w wyzwalanych wsiach, gdyż ta została ewakuowana na niemieckie tyły. Trwało natarcie w kierunku miejscowości Puszkin (do 1918 roku Carskie Sioło) i Peterhof (Pietrodworiec). Zwłoki Niemców, którzy padli twarzami w śnieg, były rozjeżdżane przez gąsienice atakujących czołgów T-34. Niektórzy żołnierze śpiewali podczas szturmu, inni się modlili. „Przyłapałem się na tym, że sam próbuję przypomnieć sobie modlitwy, których uczono mnie w dzieciństwie – zapisał pewien oficer – ale żadnej nie pamiętałem"[10]. Kiedy radzieccy żołnierze dotarli do Gatczyny, zastali tamtejszy pałac „zasrany"[11]. Zamieszkujący tam wcześniej Niemcy nie wychodzili na mróz, by załatwiać potrzeby fizjologiczne. Z kolei brytyjski korespondent Alexander Werth twierdził, że czerwonoarmiści przekonali się ze wzburzeniem, iż część pałacu w Gatczynie służyła wcześniej jako burdel dla niemieckich oficerów[12].

Rankiem 22 stycznia Küchler poleciał do „Wilczego Szańca", aby uzyskać od Hitlera przyzwolenie na wycofanie się z Puszkina, lecz wyprawa ta nie miała większego sensu, gdyż odwrót już trwał. Następnego dnia ostatni niemiecki pocisk artyleryjski spadł na Leningrad. Dwudziestego siódmego stycznia 1944 roku, po ośmiuset osiemdziesięciu dniach, oblężenie tego miasta ostatecznie się zakończyło. W Leningradzie oddano salut armatni z okazji zwycięstwa, jednak na świętowanie położyły się cieniem myśli o tych wszystkich, którzy tam zginęli. Ocalałych przytłaczało nieuzasadnione poczucie winy za to, że przeżyli.

Wśród frontowców panowało silne pragnienie zemsty na wrogu. Wasilij Czurkin opisał w swoim dzienniku, jak po wkroczeniu do wsi Wyrica żołnierze „złapali czterech rosyjskich wyrostków w niemieckich mundurach. Od razu ich zastrzelono, tak wielka była nienawiść do wszystkiego, co niemieckie. A przecież tamci chłopcy byli niewinni. Niemcy zatrudniali ich jako wozaków na tyłach. Dali im szynele i kazali je nosić"[13].

Hitler niebawem zdymisjonował Küchlera; zastąpił go feldmarszałek Model, którego Führer najchętniej posyłał na najbardziej zagrożone odcinki, lecz i to nie zatrzymało radzieckiego natarcia, w trakcie którego Sowieci przemieścili się naprzód o ponad dwieście kilometrów. Zagraniczne formacje Waffen-SS, w tym złożony z Belgów Legion Waloński Léona Degrelle'a, zostały zepchnięte do Narwy. Dalej na południe w centralnym sektorze

---

[10]   *Ibidem*, s. 112.
[11]   *Ibidem*, s. 119.
[12]   A. Werth, *Leningrad*, London 1944, s. 188.
[13]   WCD, 8 lutego 1944 r.

frontu przebiegającego przez Białoruś nie zaszły większe zmiany w pierwszych miesiącach 1944 roku. Ale niemiecka kampania antypartyzancka na Białorusi dorównywała okrucieństwem walkom na froncie. Niemiecka 9. Armia zapędziła pięćdziesiąt tysięcy białoruskich cywilów, uznanych za niezdolnych do pracy, na ziemię niczyją, w praktyce skazując ich na śmierć[14].

W zachodniej części Ukrainy wojska niemieckie nadal doznawały klęsk, nie mając czasu na otrząśnięcie się pomiędzy kolejnymi radzieckimi ofensywami. Czwartego marca dowodzony przez Żukowa 1. Front Ukraiński przełamał niemieckie linie siłami dwóch armii pancernych i skierował się ku granicy rumuńskiej. Inna armia pancerna sforsowała Dniestr i wkroczyła do północno-wschodniej Rumunii.

Hitler wyjechał z „Wilczego Szańca" w Prusach Wschodnich 22 lutego, w trakcie trwającej tam budowy betonowych schronów, gdyż kwatera główna wodza pod Kętrzynem znalazła się w zasięgu radzieckiego lotnictwa. Przeniósł się do Berghofu, bliżej swoich coraz bardziej chwiejnych sojuszników ze środkowo-południowej Europy. Na początku marca, dowiedziawszy się o potajemnych rokowaniach nawiązanych przez admirała Miklósa Horthyego z zachodnimi aliantami, postanowił uporać się z problemem „zdrady", jakiej dopuściły się Węgry. Hitler zamierzał zająć zbrojnie ten kraj, internować Horthyego i rozprawić się z węgierskimi Żydami.

Osiemnastego marca Horthy przybył do pałacu Klessheim w towarzystwie czołowych przedstawicieli swojego rządu. Sądził, podobnie jak ludzie z jego otoczenia, że został wezwany, by przedyskutować zgłoszony przez Budapeszt wniosek o wycofanie wojsk węgierskich z frontu wschodniego w celu obrony granicy karpackiej przed Armią Czerwoną. Jednakże Hitler po prostu przedłożył Horthyemu ultimatum. Ten, choć oburzony otwartymi groźbami niemieckiego dyktatora, skierowanymi nawet pod adresem jego rodziny, nie miał wyboru. Wrócił pociągiem do Budapesztu praktycznie ubezwłasnowolniony, a towarzyszył mu Obergruppenführer SS Ernst Kaltenbrunner, szef RSHA. Nazajutrz na Węgrzech powołano marionetkowy rząd, a wojska niemieckie wkroczyły do tego kraju. W ślad za nimi przybyli „eksperci" od Eichmanna, aby zorganizować obławę na siedemset pięćdziesiąt tysięcy węgierskich Żydów i wywieźć ich do obozu Auschwitz-Birkenau.

Dziewiętnastego marca, w chwili gdy niemieckie oddziały wkraczały do Budapesztu, Hitler urządził w Berghofie dziwaczną ceremonię. Wezwał wszystkich feldmarszałków Wehrmachtu, aby złożyli mu deklaracje swej lojalności. Nestor niemieckiej generalicji feldmarszałek Gert von Rundstedt zaczął od odczytania oświadczenia, podpisanego zawczasu przez wszystkich

---

[14] *GSWW*, t. IX/1, s. 689–690.

obecnych. Führer wydawał się poruszony tym jakże sztucznym przedstawieniem, które sprawiło, że feldmarszałków zaniepokoił stan jego zdrowia psychicznego.

Hitlera i Goebbelsa wprawiała w coraz większe zdenerwowanie „antyfaszystowska" propaganda Związku Oficerów Niemieckich (Bund Deutscher Offiziere, BDO). Chodziło o działalność grupy prominentnych niemieckich jeńców w Związku Radzieckim, sterowaną przez NKWD, na której czele stali generał artylerii Walther von Seydlitz-Kurzbach i inni wyżsi rangą oficerowie wzięci do niewoli pod Stalingradem. Seydlitz, w tym czasie usposobiony zdecydowanie antynazistowsko, zaproponował we wrześniu kierownictwu NKWD, że zorganizuje z niemieckich jeńców wojennych trzydziestotysięczny korpus, który można będzie przerzucić do Niemiec, aby tam pozbawił Hitlera władzy. Beria, dowiedziawszy się o tym, błędnie podejrzewał, że to misterna i nader ambitna próba doprowadzenia do masowej ucieczki[15].

Wspomniane uroczyste złożenie przysięgi lojalności przez feldmarszałków zakrawało na pusty gest, zwłaszcza że 30 marca Manstein, dowodzący Grupą Armii „Południe", i Kleist, dowódca Grupy Armii „Środek", zostali ponownie zawezwani do Berghofu, gdzie pozbawiono ich zajmowanych stanowisk. „Ciężkim przewinieniem", jakiego się dopuścili, była prośba o wyrażenie zgody na odwrót podległych im wojsk, aby te uniknęły kolejnego okrążenia.

Zaledwie nieco ponad tydzień później oddziały niemieckie i rumuńskie, zamknięte w pułapce na Krymie przez wojska 4. Frontu Ukraińskiego, musiały się wycofywać po niszczycielskim ataku na Przesmyk Perekopski. Dziesiątego kwietnia niemieckie formacje w Odessie ewakuowały się przez morze. Po upływie kolejnego miesiąca i kilku dni skapitulowało dwadzieścia pięć tysięcy niemieckich i rumuńskich żołnierzy, którzy pozostali w Sewastopolu. Formacje Wehrmachtu zostały zatem całkowicie wyparte znad Morza Czarnego i odrzucone ku bagiennemu Polesiu na polskich kresach. Na południu Armia Czerwona odzyskała niemal wszystkie radzieckie obszary i wkroczyła na obce terytoria. Na północy wojska Frontu Leningradzkiego dotarły do granicy estońskiej. Dla Stalina następny cel był oczywisty. Gdyby powiódł się plan odcięcia całej niemieckiej Grupy Armii „Środek" na Białorusi, oznaczałoby to największe zwycięstwo w tej wojnie, zwłaszcza jeśli zbiegłoby się w czasie z aliancką inwazją na Normandię.

Po nocach bombowce Lancaster z jednostek RAF-u nadal przeprowadzały ciężkie naloty na Berlin w ramach walk na otwartym przez Brytyjczyków

---

[15] CChIDK 451p/3/7.

powietrznym „drugim froncie" – choć za cenę straty wielu samolotów i załóg. W Niemczech Göring już nie pokazywał się publicznie. Hitler rozpaczał z powodu tego, że Luftwaffe jest niezdolna do prawdziwie niszczycielskiego odwetowego uderzenia na Anglię, a mimo to nie mógł się zmusić do zdjęcia swego starego towarzysza ze stanowiska szefa sił powietrznych. Niemniej jednak plan generała RAF-u Harrisa, przewidujący „zrujnowanie Berlina od jednego końca po drugi", co miało doprowadzić do wygrania tej wojny, jawił się jako wymysł jego uporczywej wyobraźni. Zniszczenia, będące skutkiem powietrznej bitwy o Berlin, okazały się ogromne, lecz miasto to nie spłonęło do szczętu.

Szczytowy okres nasilenia nalotów amerykańskiego lotnictwa i jednostek RAF-u nastąpił w trakcie „wielkiego tygodnia" pod koniec lutego 1944 roku. Wprowadzenie myśliwców eskortowych dalekiego zasięgu typu Mustang wpłynęło radykalnie na zredukowanie amerykańskich strat, a ciężkie bombowce zaatakowały wytwórnie paliw syntetycznych i zakłady lotnicze w Ratyzbonie, Fürth, Grazu, Steyr, Gotha, Schweinfurcie, Augsburgu, Aschersleben, Bremie i Rostocku. Długo potrwało, zanim dowództwo sił powietrznych w Waszyngtonie uznało, że doktryna nalotów przeprowadzanych za dnia przez pozbawione myśliwskiej osłony bombowce była błędna, ale mustangi z silnikami Rolls-Royce'a wreszcie okazały się odpowiednimi maszynami eskortowymi. Zastosowana nowa taktyka przyczyniła się też w wielkim stopniu do niezbędnego osłabienia Luftwaffe przed operacją „Overlord".

Pomimo prowadzonej przez aliantów kampanii bombardowań produkcja samolotów w Niemczech, tu i ówdzie przeniesiona do podziemnych sztolni, zwiększyła się. Ale po zaciętych powietrznych bataliach w Luftwaffe pozostało niewielu doświadczonych pilotów. Nowicjusze, po skróconych na skutek braków paliwa kursach w szkołach pilotażu, trafiali prosto do bojowych jednostek lotniczych i padali ofiarą alianckich myśliwców. W Luftwaffe, podobnie zresztą jak w lotnictwie Cesarskiej Marynarki Wojennej, zaniedbano wymóg odsyłania najlepszych pilotów na tyły jako instruktorów pilotażu i walk powietrznych. Zamiast tego nieustannie kierowano ich do walki, aż zupełnie wyczerpani popełniali błędy, przypłacając to życiem. Do czasu alianckiej czerwcowej inwazji na kontynent Luftwaffe była już tylko cieniem swej dawnej potęgi.

ROZDZIAŁ 37

Na Pacyfiku, w Chinach i w Birmie
1944

Po opanowaniu wysp Tarawa i Makin w listopadzie 1943 roku oraz wyciągnięciu odpowiednich wniosków z przebiegu walk o nie Nimitz zaczął planować zdobycie Wysp Marshalla, leżących dalej na północy. Jego pierwszym celem był atol Kwajalein w centrum wspomnianego archipelagu. Wprawdzie niektórych amerykańskich dowódców niepokoiła spora liczba japońskich baz lotniczych w tamtym rejonie, niemniej jednak Nimitz twardo obstawał przy swoim zamiarze.

Stosunek sił na Oceanie Spokojnym zdecydowanie zmienił się do tego czasu na korzyść US Navy. Zdumiewające tempo amerykańskiego programu budowy nowych okrętów okazało się znacznie wyższe nawet od tego, czego obawiał się admirał Yamamoto jeszcze przed uderzeniem na Pearl Harbor. Ponadto Stany Zjednoczone dogoniły, a potem wyprzedziły Japończyków pod względem techniki lotniczej. Lotnictwo Cesarskiej Marynarki Wojennej przystąpiło do wojny, dysponując dużo lepszym myśliwcem (typu Zero) od wszystkich, jakie podówczas mieli Amerykanie, lecz zaniedbano wymóg modernizacji tego samolotu. Tymczasem amerykańska marynarka wojenna wprowadziła do użycia nowe maszyny, zwłaszcza znakomite grummany F6F Hellcat, i nieustannie eksperymentowała z nowatorskimi technologiami.

Trzydziestego pierwszego stycznia 1944 roku nawodne zgrupowanie uderzeniowe, Task Force 58, którym dowodził kontradmirał Marc A. Mitscher, zaatakowało Wyspy Marshalla, znacznie wyprzedziwszy zasadnicze siły inwazyjne. Podczas tego ataku sześćset pięćdziesiąt maszyn tego zgrupowania zniszczyło z zaskoczenia niemal wszystkie japońskie samoloty na archipelagu, a pancerniki ostrzelały pasy startowe. Amerykanie przysposobili się zawczasu do przeprowadzenia długotrwałego i potężnego przygotowania artyleryjskiego oraz wprowadzili o wiele silniej opancerzone amfibie. W rezultacie desant na Kwajalein i sąsiednie wyspy, rozpoczęty 1 stycznia, pociągnął za sobą znacznie mniejsze straty w ludziach – zginęło zaledwie trzystu czterdziestu czterech żołnierzy, podczas gdy na Tarawie aż 1056.

Zachęcony pomyślnym przebiegiem tej operacji admirał Nimitz postanowił zaraz potem uderzyć na atol Enewetak (Eniwetok Atoll), leżący prawie sześćset pięćdziesiąt kilometrów dalej na zachód. Zdecydował się ponownie wykorzystać w tym celu zespół szybkich lotniskowców, aby wyeliminować japońskie zagrożenia z powietrza. W przypadku Enewetak sprowadzało się to do ataku na wielką japońską bazę sił morskich i powietrznych w Truk (obecnie Chuuk), o 1240 kilometrów dalej na zachód, na Karolinach. Gdy dziewięć lotniskowców admirała Mitschera znalazło się w takiej odległości od Truk, by możliwe było przeprowadzenie ataku, do akcji weszły kolejne fale myśliwców i bombowców nurkujących. W ciągu trzydziestu ośmiu godzin piloci samolotów US Navy zniszczyli na ziemi dwieście japońskich maszyn i wespół z amerykańskimi okrętami nawodnymi zatopili czterdzieści jeden japońskich statków i okrętów o łącznej wyporności ponad dwustu tysięcy ton. Japońska Połączona Flota nie mogła już od tamtej pory korzystać z bazy w Truk, a Amerykanie szybko zajęli Enewetak i sąsiednie wyspy.

*

Generał MacArthur, wicekról strefy południowo-zachodniego Pacyfiku, zorganizował swoją bazę w Brisbane i stopniowo rozbudowywał wojska, aby wypełnić złożone zobowiązanie odzyskania Filipin. Z końcem roku zebrał pod swą komendą 6. i 8. Armię, 5. Armię Powietrzną oraz VII Flotę, znaną jako „armada MacArthura".

MacArthur podejrzewał, i nie bez powodów, że choć zgodnie z oficjalną strategią plany uderzenia na Filipiny traktowano równie poważnie jak działania Nimitza na środkowym Pacyfiku, to w istocie US Navy miała odegrać na Oceanii pierwszoplanową rolę. Jej koncepcję ofensywy ku Wyspom Japońskim zdecydowanie popierał szef sztabu amerykańskich sił powietrznych Henry „Hap" Arnold. Wprowadzano właśnie do służby nowe bombowce B-29 Superfortress, o zasięgu około 2300 kilometrów, które mogły atakować Japonię bezpośrednio z Wysp Mariańskich.

W tej sytuacji MacArthur nie miał wyboru i musiał kontynuować swoją ofensywę w kierunku zachodnim, wzdłuż północnych wybrzeży nowogwinejskich, w nadziei że naczelne dowództwo przydzieli mu siły i zasoby nieodzowne do odzyskania Filipin. Jednakże MacArthur nagle postanowił zająć, wcześniej, aniżeli to zaplanowano, Wyspy Admiralicji, leżące dwieście czterdzieści kilometrów dalej na północ. Rozpoznanie lotnicze wskazywało, że Japończycy opuścili tamtejsze lotnisko. Było to nadzwyczaj ryzykowne przedsięwzięcie, zwłaszcza że wydzielono do jego przeprowadzenia skromne liczebnie siły inwazyjne, niemniej jednak się opłaciło. Japończycy musieli zrezygnować z planów obrony Madangu na północnym wybrzeżu Nowej Gwinei, natomiast amerykańskie okręty wojenne mogły odtąd korzystać z dogodnej naturalnej zatoki na Wyspach Admiralicji i odciąć japoński szlak zaopatrzeniowy wiodący do Nowej Gwinei.

Świeże dywizje wojsk lądowych nadal powoli dostosowywały się do warunków, w jakich toczyły się walki na wyspach Pacyfiku. Nocne warty reagowały nerwowo na odgłosy dżungli lub przesadnie na celowe sztuczki Japończyków, mające na celu ich zastraszenie, co prowadziło do chaosu. Oddziały 24. Dywizji, strzegące kwatery głównej dowództwa I Korpusu generała porucznika Roberta Eichelbergera w Hollandii (obecnie Jayapura) na zachodnim skraju Nowej Gwinei, wdały się nawet pomyłkowo w bratobójczą walkę, otwierając ogień z broni maszynowej i obrzucając się granatami, mimo że Japończyków wcale nie było w pobliżu. Eichelberger określił to mianem „kompromitującego popisu"[1], jednak wymóg strzelania wyłącznie na rozkaz wciąż nie był przestrzegany w wielu amerykańskich jednostkach, i to pomimo nieustannych utyskiwań starszych oficerów na „przypadkowe strzelaniny".

Chiang Kai-shek był aż nadto świadom tego, że dwutorowa amerykańska strategia wspierania operacji MacArthura i US Navy czyniła z Chin trzecioplanowy, marginalny teatr działań wojennych. Dowiedział się po konferencji w Teheranie, że odwołano operację „Buccaneer", czyli plany desantu na wybrzeżach Zatoki Bengalskiej, gdyż amfibie i barki desantowe były potrzebne do operacji „Overlord". Naczelne dowództwo w Waszyngtonie było w tym okresie zainteresowane przekształceniem Chin w rodzaj niezatapialnego lotniskowca, z którego samoloty mogłyby atakować Japonię. I to jednak nieco traciło na znaczeniu po zdobyciu Marianów i budowie na wspomnianych wyspach baz powietrznych dla superfortec B-29.

W dodatku Chiang żywił podejrzenia, że gdy alianci skoncentrują się na inwazji na Francję, Japończycy podejmą przeciwko nim wielką ofensywę, zanim Stanom Zjednoczonym uda się przerzucić wojska z Europy na Daleki Wschód. Przestrzegł przed tym Roosevelta w depeszy z 1 stycznia 1944 roku. Generała Stilwella także niepokoiły ponawiane przez Japończyków

---

[1] Eichelberger, cyt. za: J. Ellis, *The Sharp End. The Fighting Man in World War II*, London 1993, s. 19.

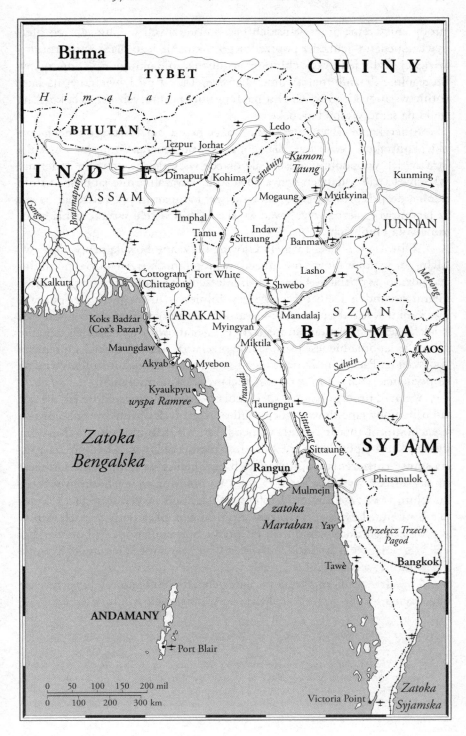

Birma

TYBET

CHINY

Himalaje

BHUTAN

Ledo

INDIE

Tezpur Jorhat

Kumon Taung

Dimapur Kohima

Czinduin

Kunming

ASSAM

Mogaung Myitkyina

Ganges

Brahmaputra

Imphal

JUNNAN

Tamu

Indaw

Sittaung Banmawi

Kalkuta

Cottogram Fort White

(Chittagong)

Lasho

Shwebo

Mekong

Koks Badźar

(Cox's Bazar)

ARAKAN

SZAN

Mandalaj

Maungdaw

Myingyan

BIRMA

Akyab Myebon

Miktila

LAOS

Kyaukpyu

wyspa Ramree

Irawadi

Saluin

Taungngu

Zatoka

Bengalska

Sittaung

Sittaung

SYJAM

Rangun

Phitsanulok

Mulmejn

zatoka

Martaban Yay

Przełęcz Trzech

Pagod

Tawè

Bangkok

ANDAMANY

Port Blair

Zatoka

Syjamska

Victoria Point

| 0 | 50 | 100 | 150 | 200 mil |

| 0 | 100 | 200 | 300 km |

próby zniszczenia amerykańskich baz powietrznych w Chinach, po ofensywie Zhejiang–Jiangxi z poprzedniego roku. Ale jego plany modernizacji większej liczby jednostek chińskiej armii znacznie okrojono. Japończyków szczególnie drażniły naloty amerykańskiej 14. Armii Powietrznej na bazę lotnictwa morskiego w Xinzhu na Tajwanie, po których przyszła kolej na ataki na same Wyspy Japońskie.

Amerykanie i Brytyjczycy lekceważyli przestrogi dotyczące silnej japońskiej kontrakcji – częściowo dlatego, że chiński generalissimus już wcześniej straszył ich w podobny sposób, ale przede wszystkim z powodu nader niewłaściwej analizy danych wywiadowczych. Uważali armię japońską za niezdolną do przeprowadzenia poważniejszej kampanii i przypuszczali nawet, iż Japończycy zaczną wycofywać wojska z Chin w celu wzmocnienia garnizonów na Filipinach[2].

W istocie Cesarska Kwatera Główna już zaaprobowała plany ofensywy „Ichi-gō" w południowych Chinach, w której miało wziąć udział pół miliona ludzi, oraz operacji „U-gō", czyli uderzenia z północnej Birmy na Indie siłami osiemdziesięciu pięciu tysięcy żołnierzy. Już w pierwszej połowie 1943 roku wydział operacyjny Cesarskiej Kwatery Głównej pracował nad „dalekosiężnym planem strategicznym"[3]. Stanowiło to milczące uznanie faktu, że Japonia nie jest już w stanie przełamać amerykańskiej supremacji morskiej na Pacyfiku. Zamiast tego miała wznowić działania ofensywne na kontynencie azjatyckim w celu rozbicia wojsk Kuomintangu.

Cesarz Hirohito pragnął spektakularnego zwycięstwa, które jak uważał, umożliwiłoby Japonii wynegocjowanie korzystnych warunków pokojowych z zachodnimi mocarstwami. Generał Yasuji Okamura, głównodowodzący wojskami japońskimi w Chinach, uznawał ofensywę „Ichi-gō" za jedyną szansę zniszczenia wojsk chińskich nacjonalistów, zanim silne formacje amerykańskie wylądują w 1945 roku na południowo-zachodnim wybrzeżu Chin. Dwa zasadnicze cele ofensywy „Ichi-gō", wytyczone przez Cesarską Kwaterę Główną, sprowadzały się do zniszczenia amerykańskich lotnisk w Chinach oraz doprowadzenia za sprawą „naziemnej operacji oczyszczającej"[4] do połączenia japońskich wojsk z Chin z tymi w Wietnamie, Syjamie (Tajlandii) i na Malajach.

Dwudziestego czwartego stycznia generał Tōjō ograniczył owe cele do zniszczenia lotnisk amerykańskich sił powietrznych w Chinach, na co ce-

---

[2] H.J. van de Ven, *War and Nationalism in China, 1925–1945*, London – New York 2003, s. 46.
[3] T. Hara, *The Ichigō Offensive*, w: M. Peattie, E. Drea, H.J. van de Ven, *The Battle for China. Essays on the Military History of the Sino-Japanese War of 1937–1945*, Stanford 2011, s. 393–394.
[4] *Ibidem*, s. 397.

sarz wyraził zgodę. Plan opanowania pasa ziem przebiegającego z Mandżurii przez Chiny aż do Indochin, Syjamu i Malajów nadal jednak kusił japońskich sztabowców. Panowanie przez Amerykanów w powietrzu nad Morzem Południowochińskim w połączeniu z działaniami amerykańskich okrętów podwodnych oznaczało poważne zagrożenie dla japońskich szlaków morskich. Wobec tego przejęcie szlaku lądowego uznano za kluczowe zadanie.

W Birmie obie strony szykowały się do działań zaczepnych. Generał porucznik Renya Mutaguchi, dowódca liczącej sto pięćdziesiąt sześć tysięcy żołnierzy japońskiej 15. Armii, uległ obsesji na punkcie podboju Indii. Inni starsi rangą japońscy oficerowie, zwłaszcza ci z 33. Armii operującej w północno-wschodniej Birmie, odnosili się do tego bardzo sceptycznie. Chcieli zaatakować od zachodu wojska chińskich nacjonalistów nad rzeką Saluin i zniszczyć amerykańską bazę lotniczą w Kunmingu.

Brytyjczycy zwykle wspominają kampanię birmańską 1944 roku przez pryzmatów przemarszów kolumn Czinditów w dzikiej dżungli oraz dzielnej obrony Imphalu i Kohimy, która pod przywództwem Slima zakończyła się zwycięstwem. Amerykanie, o ile w ogóle pamiętają o walkach w Birmie, przywołują wspomnienia o „Vinegar Joe" Stilwellu i Maruderach Merrilla. Z kolei dla Chińczyków była to kampania w prowincji Junnan i na północnych obszarach Birmy. Ich najlepsze dywizje odegrały tam ważną rolę w czasie, gdy należało je wykorzystać do obrony południowych Chin przeciwko wojskom prowadzącym ofensywę „Ichi-gō", które rozbiły wojska Kuomintangu i dopomogły w późniejszym zwycięstwie komunistów w wojnie domowej.

Dziewiątego stycznia wojska hinduskie i brytyjskie z 14. Armii nacierające wzdłuż wybrzeży Arakanu zdobyły Maungdaw. Znowu chciały zająć wyspę Akyab wraz z jej lotniskiem, ale ponownie zostały zmuszone do odwrotu, kiedy japońska 55. Dywizja zagroziła ich odcięciem. Tymczasem Stilwell wkroczył do północno-wschodniej Birmy na czele chińskich dywizji zgrupowania X-Force, przeszkolonego i wyekwipowanego przez Amerykanów w Indiach. Planował zdobycie węzła komunikacyjnego, jakim była Myitkyina, wraz z tamtejszym lotniskiem. Alianci chcieli unieszkodliwić lokalną japońską bazę, gdyż operujące z niej samoloty atakowały bezpośredni szlak powietrzny do Chin przebiegający ponad Himalajami. Po opanowaniu Myitkyiny szosę do Ledo można było natomiast połączyć z Drogą Birmańską i na nowo otworzyć szlak lądowy do Kunmingu i Chongqingu. Uderzenie przeprowadzone na południe przez chińskie dywizje X-Force miało również na celu połączenie sił z Chińskim Korpusem Ekspedycyjnym, znanym lepiej jako Y-Force, nacierającym z prowincji Junnan nad rzeką Saluin ku Birmie.

Y-Force liczyły niespełna dziewięćdziesiąt tysięcy ludzi, ponad dwukrotnie mniej, niż to planowano. Główną przyczynę takie stanu rzeczy stanowił niedobór broni i innego sprzętu wojskowego. Czternasta Armia Powietrzna Chennaulta przejmowała zdecydowaną większość zaopatrzenia przerzucanego drogą powietrzną nad Himalajami, a ponieważ często nie realizowano zaplanowanych dostaw siedmiu tysięcy ton zaopatrzenia miesięcznie, w rezultacie chińskim dywizjom przypadało niewiele. Stilwell przyrównał zadanie ich uzbrojenia do „prób nawożenia czterdziestohektarowego pola łajnem wróbli"[5]. Relacje między Chennaultem a Stilwellem jeszcze bardziej się zepsuły. Chennault, usiłując uzasadnić swoje pierwszeństwo w przydziałach zaopatrzenia, twierdził, że jego samoloty zatopiły latem 1943 roku japońskie transportowce o łącznym tonażu czterdziestu tysięcy BRT, podczas gdy faktycznie liczba ta tylko nieznacznie przekraczała trzy tysiące ton[6].

Wojska Stilwella na północnym wschodzie kraju zasilono jedyną amerykańską jednostką bojową znajdującą się podówczas w kontynentalnej Azji. Był to 5307. Pułk Improwizowany, oficjalnie określany kryptonimem „Galahad", a przezwany przez pewnego reportera „Maruderami Merrilla" od nazwiska jego dowódcy, generała brygady Franka Merrilla. Sztabowcy w Waszyngtonie byli pod takim wrażeniem wyczynów Orde'a Wingate'a, że przystali na zorganizowanie amerykańskiej wersji Czinditów. Członkowie lokalnego plemienia górali z północno-wschodniej Birmy, nazywani leśnikami z Kaczin, wyszukiwali kandydatów do tej formacji, tak jak wcześniej do brytyjskich wojsk kolonialnych.

Wojska Stilwella odrzuciły doświadczoną japońską 18. Dywizję ku dolinie Hukawng, ale nie udało im się zamknąć jej w pułapce. Jednakże Japończycy przystąpili do jeszcze bardziej pospiesznego odwrotu, kiedy Czindici wylądowali 5 marca w szybowcach daleko na południu i przecięli linię kolejową wiodącą do japońskiej bazy i lotniska w Myitkyinie. Operacja „Thursday" należała do przeprowadzonych z największym rozmachem akcji na nieprzyjacielskich tyłach podczas wojny na Dalekim Wschodzie. Była o wiele lepiej przygotowana i wspierana w porównaniu z pierwszym wypadem Czinditów za japońskie linie.

Szesnasta Brygada pod dowództwem brygadiera Bernarda Fergussona stanęła przed zadaniem „bardzo żmudnego" przemarszu z Ledo do Indaw. W linii prostej miasta te dzieliło trzysta sześćdziesiąt kilometrów, ale w istocie trzeba było kluczyć między wysokimi wzgórzami i brnąć przez gęstą dżunglę, gdzie poprzez zarośla rzadko widziało się niebo. Pokonanie jednego z pięćdziesięciopięciokilometrowych etapów zajęło aż siedem dni. Tro-

---

[5] Cyt. za: T.H. White, *In Search of History. A Personal Adventure*, New York 1978, s. 142.
[6] R.H. Spector, *Eagle against the Sun. The American War with Japan*, London 2001, s. 350.

pikalne ulewy sprawiły, że wezbrały rzeki i strumienie, a Czindici „nie schli przez cztery tygodnie". Fergusson zanotował: „Cztery tysiące ludzi i siedemset zwierząt szło gęsiego na przestrzeni stu pięciu kilometrów, od końca do końca kolumny, ponieważ ścieżki i dróżki były takie wąskie"[7].

Dwie inne brygady plus jeszcze dwa bataliony przerzucono szybowcami i samolotami transportowymi typu C-47 po utworzeniu w dżungli prowizorycznego lądowiska. Uczyniono to z użyciem lekkich spychaczy przewiezionych na pokładach wielkich amerykańskich szybowców transportowych Waco. Muły, dwudziestopięciofuntowe działa polowe (kalibru 87,6 mm), armaty przeciwlotnicze Bofors i cały pozostały ciężki sprzęt także dotarł na miejsce drogą powietrzną. Jednego z oszalałych ze strachu mułów trzeba było zastrzelić na pokładzie samolotu C-47 w trakcie przelotu, a większość poniesionych strat okazała się skutkiem lądowania pierwszej fali szybowców w przygodnym terenie. Buldożer po prostu spychał wraki na skraj lotniska, z rozkładającymi się we wnętrzu ciałami tych, którzy zginęli, gdyż nikt nie miał czasu na ich pochowanie. Odór nie stanowił zbyt zachęcającego powitania dla następnych przybywających oddziałów.

Po przygotowaniu lądowisk owe bazy w dżungli otoczono drutem kolczastym i pozycjami obronnymi, szykując się na nieuchronne japońskie kontrataki. Pewien sztabowiec z dowództwa brygady zauważył, że „niesamowite było lądowanie dakotą [C-47] na oświetlonym racami pasie startowym na terytorium wroga"[8]. Ataki Japończyków nabrały samobójczo-metodycznego charakteru, ponieważ zjawiali się oni niezmiennie w tym samym miejscu o identycznej porze. Z poczucia urażonej dumy co rusz ponawiali próby, bez względu na ponoszone straty. Ogień z gniazd karabinów maszynowych za każdym razem kosił ich w pobliżu zasieków, a zalegające na drutach kolczastych zwłoki poległych Japończyków przyciągały roje much.

Niebawem hurricane'y RAF-u zaczęły operować z Broadwayu – największej lokalnej bazy. Dwudziestego czwartego marca wylądował tam amerykański bombowiec B-25, przywożąc Wingate'a. Przed lotem powrotnym dwaj amerykańscy korespondenci wojenni poprosili go o podwiezienie, a on wziął ich z sobą mimo protestów pilota, który zwracał uwagę na przeciążenie samolotu. Maszyna rozbiła się w dżungli, a wszyscy na jej pokładzie zginęli.

Dalej na północny wschód zgrupowanie „Galahad", którego żołnierze byli wyczerpani, chorzy i niedożywieni, brnęło w zatrważających warunkach ku Myitkyinie. Monsunowe ulewy, pijawki, wszy i typowe schorzenia

---

[7] Słowa brygadiera Bernarda Fergussona, IMW 2586, cyt. za J. Thompson, *Forgotten Voices of Burma. The Second World War's Forgotten Conflict*, London 2009, s. 158.

[8] Porucznik Richard Rhodes-James, 111. Brygada, IWM 19593.

rozwijające się w dżungli – nawet malaria mózgowa – zbierały swoje żniwo, podobnie jak zakażenia, zapalenie płuc i zapalenie opon mózgowych. Zmarłych grzebano, ale szakale szybko dokopywały się do zwłok. Zaopatrywanie ludzi Merrilla z powietrza było prawie niemożliwe w terenie pełnym głębokich jarów, porośniętych bambusowym gąszczem nie do przebycia i miskantem chińskim, pośród stromych grzbietów gór Kumon, dochodzących do tysiąca ośmiuset metrów.

Również Czindici byli wyzuci z sił i morzeni przez głód, a wielu z nich chorowało, ale tym razem chorych i rannych, o ile tylko przebywali w pobliżu lotniska, ewakuowano lekkimi samolotami; nie pozostawiając ich na miejscu, jak w trakcie poprzedniej operacji. Tych, którzy odnieśli zbyt ciężkie rany i nie nadawali się do transportu, dobijano „śmiertelną dawką morfiny" albo strzałem z rewolweru, aby nie wpadli żywcem w ręce Japończyków.

Niemal wszyscy cierpieli z powodu wycieńczenia, jedząc standardowe racje żywnościowe typu K, które były nie dość kaloryczne. Wyczerpanie fizyczne i napięcie nerwowe osiągnęły taki stopień, że z końcem operacji wielu żołnierzy doznawało psychicznych zaburzeń. „Widywało się ludzi, którzy wariowali – zanotował szef służby medycznej w 111. Brygadzie. – Niektórzy nawet umierali we śnie. Gurkhowie okazali się w naszej brygadzie najodporniejsi. Lud ten dorasta w bardzo surowych warunkach w Nepalu i jest przyzwyczajony do trudności i katastrof"[9].

Stilwell zupełnie nie zdawał sobie sprawy z tego, z jakimi przeciwnościami zmagali się Czindici i ile osiągnęli, odcinając Myitkyinę od południa i zachodu. Łączność między Stilwellem a Brytyjczykami prawie nie funkcjonowała, co prowadziło do jeszcze większych wzajemnych zadrażnień. Znany z chorobliwej anglofobii Stilwell wydawał się, w opinii jednego z ówczesnych komentatorów, „toczyć nieustanną »wojnę o niepodległość« [Ameryki]"[10].

Kiedy wojska Stilwella przedzierały się ku Myitkyinie, decydujące batalie kampanii birmańskiej rozgrywały się dalej na północy zachód. Generał Mutaguchi postawił przed swoją 15. Armią niesłychanie ambitne zadania. Pod wpływem Subhasa Chandry Bosego uwierzył, że z pomocą tak zwanej Indyjskiej Armii Wyzwoleńczej, do której rekrutowano hinduskich jeńców wojennych z japońskich obozów, „marsz na Delhi" bez trudu obali w Indiach brytyjskie rządy. Jednakże Mutaguchi poważnie zlekceważył problemy natury logistycznej, związane z ofensywą podjętą przez jego trzy dywizje.

Zaplanował zdobycie w pierwszej kolejności dobrze zaopatrzonej brytyjskiej bazy w Imphalu i wykorzystanie tego, co nazywał „zapasami Chur-

---

[9] Major Desmond Whyte, RAMC, 111. Brygada, IWM 12570.
[10] Cyt. za: L. Allen, *Burma. The Longest War, 1941–1945*, London 1984, s. 320–321.

chilla". Po pobiciu hinduskiej dywizji w Imphalu zamierzał przeciąć linię kolejową z Bengalu do Asamu, którym to szlakiem zaopatrywano chińskie dywizje Stilwella, aby w ten sposób zmusić je do odwrotu na wyjściowe pozycje pod Ledo. Następnie chciał zniszczyć lotniska w Asamie, z których dostarczano zaopatrzenie dla 14. Armii Slima i skąd samoloty transportowe startowały do lotów ponad Himalajami do Chin.

Ósmego marca, trzy dni po tym jak Czindici wylądowali na głębokim zapleczu Japończyków, 15. Armia Mutaguchiego przystąpiła do przeprawy przez rzekę Czinduin (Kyindwin Myit). Slim polecił dowództwu IV Korpusu ściągnięcie dywizji na pozycje obronne na równinie koło Imphalu. Mimo że taki odwrót wpłynął demoralizująco na jego żołnierzy, Slim dostrzegł potrzebę rozciągnięcia linii zaopatrzeniowych Japończyków i skrócenia własnych. Logistyka miała odegrać główną rolę w walkach na takim terenie. Slim rozkazał załogom amerykańskich samolotów transportowych zasilenie hinduskiej 5. Dywizji i już *post factum* zwrócił się do Połączonego Komitetu Szefów Sztabów w Waszyngtonie o zgodę na to.

Z kolei Brytyjczycy nie pojmowali, że Kohimie, miastu oddalonemu o osiemdziesiąt kilometrów na północ od Imphalu, zagroziły znacznie większe siły japońskie, aniżeli sobie to wcześniej wyobrażali. Mogło dojść do odcięcia IV Korpusu, co stanowiło groźbę dla innej bazy zaopatrzeniowej oraz lotniczej w Dimapurze. Japońska 31. Dywizja nacierała szybko znad Czinduinu na północ ku Kohimie, przemieszczając się głównie ścieżkami w dżungli. Zaskoczyło to Brytyjczyków, którzy nie spodziewali się, że jest to możliwe bez transportu motorowego. Ale indyjska 50. Brygada Spadochronowa zatrzymała nieprzyjaciela, tocząc bohaterskie tygodniowe walki wokół Sangshak.

Kohima to w istocie niewielka górska mieścina, położona na wysokości tysiąca pięciuset metrów wśród wzgórz Naga. Stały tam białe kolonialne bungalowy i kaplica misjonarzy z dachem z czerwonej blachy falistej, w otoczeniu lasów i sinych gór w oddali. Zastępca miejscowego komisarza miał na Garrison Hill kort tenisowy z nawierzchnią z utwardzonej gliny, a miejsce to stało się ziemią niczyją w śmiertelnym boju, który się wywiązał.

Dzielna postawa 50. Brygady Spadochronowej dała Slimowi dość czasu na przerzucenie niektórych odwodów. Ale 6 kwietnia, kiedy pojawili się tam Japończycy, Kohimy broniły tylko 4. Pułk Królewski z Zachodniego Kentu, oddział radźputów, jednostka strzelców z nieodległego Asamu, bateria artylerii górskiej i nieliczni saperzy. Wojska japońskie odcięły te siły, okrążając miasto i opanowując drogę do Dimapuru.

Walki o Garrison Hill i wspomniany kort tenisowy były wyjątkowo zażarte. O dziwo, Japończycy przed atakiem zakrzyknęli po angielsku: „Poddajcie się!", co tylko wzmogło determinację obrońców. Wojska brytyjskie nie dawały pardonu. Po tym jak Japończycy zadźgali bagnetami rannych jeńców w Arakanie, dowódca jednej z kompanii 4. Pułku stwierdził: „Wyzbyli się wszelkich praw do traktowania ich po ludzku i uważaliśmy ich za szczury, które trzeba wyniszczyć. (...) Byliśmy przyparci do muru i zamierzaliśmy sprzedać życie tak drogo, jak tylko się da"[11].

Czynili to, używając kaemów typu Bren, granatów i karabinów i zadając przeciwnikowi kolosalne straty. „Sam impet ataków groził rozbiciem batalionu – wspominał dowódca kompanii sztabowej. – Na zewnętrznej linii obrony zalegały stosy zwłok Japończyków"[12]. Brytyjczycy ginęli głównie od ognia snajperów i lekkiej artylerii. Ich ranni leżeli pod gołym niebem we wszystkich okopach. Dotkliwie brakowało wody, którą trzeba było zrzucać na spadochronach w metalowych kanistrach. Tymczasem Japończykom kończył się ryż wskutek błędnego założenia Mutaguchiego, że uda się łatwo przejąć brytyjskie zapasy. Ich desperacka, wręcz szaleńcza odwaga wynikała z pragnienia zdobycia jakiegoś pożywienia.

Brytyjska 2. Dywizja, podążająca drogą z Dimapuru wraz z czołgami 3. Pułku Karabinierów (Gwardii Dragonów Księcia Walii), zaczęła się przebijać przez pierścień okrążenia, aby przyjść z odsieczą obrońcom Kohimy. Kiedy jej żołnierze dotarli ostatecznie na Garrison Hill, miejsce to przypominało pobojowiska z lat pierwszej wojny światowej – zniszczone drzewa, okopy pozasypywane w wyniku artyleryjskiego ognia, odór śmierci. Lecz choć zdziesiątkowany 4. Pułk doczekał się odsieczy, to zmagania o Kohimę trwały jeszcze prawie przez cztery tygodnie. Potem jednak nadeszła pora deszczowa, co oznaczało, że do Japończyków dociera coraz bardziej skąpe zaopatrzenie. Trzynastego maja przerwali walkę, a wielu z nich zginęło w trakcie odwrotu.

Dwa dni wcześniej, 11 maja, chińskie dywizje Y-Force w prowincji Junnan rozpoczęły przeprawę przez rzekę Saluin, aby połączyć się z X-Force Stilwella. Dowództwo japońskiej 56. Dywizji, broniącej się na linii Saluin, przejrzało zawczasu te plany[13]. Już wcześniej przeprowadzała ona wypady za tę rzekę, aby odrzucić Chińczyków z powrotem do Junnanu, ale zwiększona liczebność wojsk Kuomintangu, wspieranych przez część 14. Armii Powietrznej Chennaulta, wskazywała na ich przygotowania do poważniejszej ofensywy. Znalazło to potwierdzenie w przechwyconych meldunkach. Ja-

---

[11] Major John Winstanley, kompania B 4. baonu pułku Queen's Own Royal West Kent, IWM 17955.

[12] Major Harry Smith, kompania sztabowa 4. baonu pułku Queen's Own Royal West Kent, IWM 19090.

[13] T. Asano, *Japanese Operations in Yunnan and North Burma*, w: M. Peattie, E. Drea, H.J. van de Ven, *The Battle for China, op. cit.*, s. 365–366, 369–371.

pończycy, którzy zdobyli chińską księgę kodów, byli w stanie rozszyfrowywać wszystkie radiodepesze z Kunmingu i Chongqingu. Chociaż osiągnęli pewne sukcesy w kontratakach na oddziały forsujące Saluin, to wojska chińskie były tam zbyt silne.

Siedemnastego maja Stilwell przeprowadził szturm siłami desantu szybowcowego, wydzielonego ze zgrupowania „Galahad", na lotnisko w Myitkyinie i opanował je. „To dopiecze Angolom" – zapisał triumfalnie w swoim dzienniku[14]. Ale Japończycy szybko wzmocnili trzystuosobowy garnizon w tym mieście i wkrótce Amerykanie znaleźli się w oblężeniu. Wojska japońskie zgromadziły tam bardzo znaczne zapasy amunicji. Tymczasem ludzie Merrilla, wyczerpani walkami i owrzodzeni z powodu nabytych w dżungli zakażeń, zaczęli słabnąć. Niektórzy cierpieli na tak poważną dyzenterię, że wycinali otwory w siedzeniach spodni, aby oszczędzić sobie fatygi z częstym ich ściąganiem.

Stilwell nie okazywał zbytniego współczucia ani swoim żołnierzom, ani też Czinditom. Jego wzmocnione chińskie dywizje otoczyły miasto i teraz to Japończycy zostali okrążeni. Dwudziestego czwartego czerwca równoczesny atak oddziałów chińskich oraz Czinditów ze znacznie osłabionej 77. Brygady pod wodzą brygadiera Michaela Calverta pozwolił na zajęcie kluczowego pod względem taktycznym miasteczka Mogaung nieco dalej na zachodzie. A jednak dopiero na początku sierpnia japoński dowódca w Myitkyinie popełnił *seppuku*, niedobitki zaś jego oddziałów przedostały się przez Irawadi do dżungli. Ostatecznie droga z Ledo do Chin została otwarta, a amerykańskie samoloty transportowe mogły odtąd latać znacznie krótszą i mniej niebezpieczną trasą, prawie podwajając tonaż zaopatrzenia przewożonego do Chin.

Gdy trwała wielka batalia pod Imphalem z 15. Armią Mutaguchiego, pułki sprzymierzonych przeszły do przeciwuderzenia. Ale Brytyjczycy, podobnie jak Amerykanie, byli zdumieni i zatrwożeni talentem Japończyków do przeobrażania wzgórz w wielkie podziemne schrony. Pewien nowo przybyły podoficer, który znalazł się w 2. Pułku Obrony Pogranicza, usłyszał od sierżanta ze swojego plutonu takie słowa: „Chryste Panie, te małe dranie potrafią się okopywać. Znikają pod ziemią, zanim nasze chłopaki skończą zacierać cholerne dłonie"[15].

Przewidywania generała Slima, że monsun utrudni Japończykom dowóz zaopatrzenia w o wiele większym stopniu niż wojskom alianckim, okazały się trafne. Jego 14. Armia mogła polegać na zrzutach, podczas gdy

---

[14] R.H. Spector, *Eagle against the Sun, op. cit.*, s. 359.
[15] Słowa porucznika K. Coopera, cyt. za: J. Ellis, *The Sharp End, op. cit.*, s. 84.

podwładni Mutaguchiego przymierali głodem. Generał porucznik Nobu-ro Tanaka, który przybył 23 maja, żeby objąć dowództwo 33. Dywizji na południu, zapisał w dzienniku: „Oficerowie i szeregowcy wyglądają strasznie. Pozapuszczali włosy i brody i przypominają dzikusów z gór. (...) Nie mają prawie nic do jedzenia – są niedożywieni i bladzi"[16]. Do czerwca jego dywizja straciła siedemdziesiąt procent stanu osobowego. Niektórzy z jego żołnierzy całymi dniami żywili się tylko zielskiem i jaszczurkami. W wielu przypadkach atakowali w płonnej nadziei na znalezienie puszek z konserwowaną wołowiną w nieprzyjacielskich okopach[17].

Japońscy żołnierze byli równie podatni jak alianci na nerwicę frontową i psychozy, ale tylko niewielu z nich ewakuowano na tyły. Ci, którzy nie potrafili znieść psychicznego obciążenia, popełniali samobójstwo. Japończycy mieli rozmaite określenia na paraliżujący ich strach, takie jak „stracić nogi" czy „samurajskie dreszcze" na drżączkę nie do opanowania. Zazwyczaj radzili sobie z lękiem, uciekając się do jednej ze skrajnych metod: albo głębokiego fatalizmu, godząc się, że muszą zginąć, albo psychologicznego wyparcia, wmawiając sobie, iż nic im się nie stanie. W chwili wstąpienia do wojska większość z nich dostawała od matek szarfy „tysiąca szwów", które rzekomo miały chronić ich przed kulami. Kiedy jednak klęska Japonii stawała się coraz bardziej realna, fatalizm zapanował w armii niemal powszechnie, gdyż regulamin służby polowej zabraniał japońskim żołnierzom, nawet tym ciężko rannym, poddawania się wrogowi.

Generał Mutaguchi popadł w obłęd. Wydawał rozkazy przeprowadzania kolejnych ataków, ignorowane przez dowódców podległych mu dywizji. Trzeciego lipca ofensywa na Imphal została odwołana. Japoński odwrót przez Czinduin był istnym koszmarem. Maszerujący naprzód alianccy żołnierze mijali pozostawionych rannych Japończyków, atakowanych przez larwy. Najczęściej litościwie ich dobijali. Piętnasta Armia Mutaguchiego straciła pięćdziesiąt pięć tysięcy ludzi, z których około połowa padła ofiarą wygłodzenia albo chorób. Zarówno generał Masakazu Kawabe, dowódca Terytorialnej Armii Birmańskiej, jak i Mutaguchi zostali zdymisjonowani. Straty alianckie w czasie walk pod Imphalem i Kohimą wynosiły 17 587 zabitych i rannych.

W Chinach ofensywa „Ichi-gō" zaczęła się w kwietniu. Była to największa operacja kiedykolwiek podjęta przez Cesarską Armię Japońską, a wzięło w niej udział pięćset dziesięć tysięcy żołnierzy z liczącej łącznie sześćset

---

[16] Cyt. za: W. Fowler, *We Gave Our Today. Burma, 1941–1945*, London 2009, s. 147.
[17] H. Kawano, *Japanese Combat Morale*, w: M. Peattie, E. Drea, H.J. van de Ven, *The Battle for China, op. cit.*, s. 349.

dwadzieścia tysięcy ludzi Armii Ekspedycyjnej w Chinach. Ale tym razem Japończycy nie panowali w powietrzu. Faktycznie z początkiem 1944 roku układ sił zaczynał się odwracać. Chińscy nacjonaliści dysponowali stu siedemdziesięcioma samolotami, a amerykańska 14. Armia Powietrzna – dwustu trzydziestoma maszynami, natomiast lotnictwo Cesarskiej Marynarki Wojennej zaledwie setką; resztę wycofano z Chin, aby uzupełnić katastrofalne straty poniesione na Pacyfiku. Chennault uważał, że wystarczy mu samolotów do obrony baz, jednak naczelne dowództwo w Tokio zatwierdziło plan dwukrotnego zwiększenia sił powietrznych, przeznaczonych do użycia w zbliżającej się operacji[18].

Głównym celem ofensywy „Ichi-gō" było – przed czym przestrzegał między innymi Chiang Kai-shek – zniszczenie lotnisk 14. Armii Powietrznej. Pierwsza jej faza, tak zwana ofensywa „Kogō", została przeprowadzona przez japońską 1. Armię na północy, poważnie wzmocnioną przez oddziały Armii Kwantuńskiej z Mandżukuo. Japończycy nie atakowali baz wojsk komunistycznych Mao Zedonga w Yan'anie na zachodzie kraju, te bowiem zachowywały bierność, ograniczając się do likwidowania kolaborantów. Japończyków interesowało tylko rozbicie nacjonalistów.

W kwietniu 1. Armia uderzyła na południe, przekraczając Huang He, aby spotkać się z częścią 11. Armii, nacierającej ku północy z okolicy Wuhanu. Doprowadziło to do opanowania linii kolejowej z Pekinu do Hankou i pierwszego odcinka przebiegającego przez Chiny korytarza. Wojska chińskich nacjonalistów w prowincji Hunan wycofywały się w nieładzie i popłochu. Oficerowie uciekali, rekwirując wojskowe ciężarówki, wozy drabiniaste oraz woły i wywożąc nimi swoje rodziny oraz wszystkie łupy zagrabione w prowincjonalnych miasteczkach. Rozwścieczeni chłopi, obrabowani z żywności i nędznego dobytku, rozbrajali oficerów i żołnierzy. Wielu z nich pozabijali, niektórych grzebiąc żywcem.

Ich nienawiść do lokalnych władz oraz wojska była zupełnie zrozumiała. Dotkliwa susza w roku 1942, której skutki zostały nasilone przez różnego rodzaju rekwizycje żywności przeprowadzane przez nacjonalistów oraz cyniczne nadużycia, jakich dopuszczali się lokalni urzędnicy i właściciele ziemscy, doprowadziły owej zimy i na wiosnę 1943 roku do straszliwego głodu. Szacuje się, że zmarły wtedy trzy miliony spośród trzydziestu milionów ludności wspomnianej prowincji.

Najgorsze obawy Chiang Kai-sheka się spełniały, a najlepiej wyekwipowane z jego dywizji uczestniczyły, wskutek nalegań Amerykanów, w kampanii w Birmie i Junnanie. Po tym jak Chennault zagarnął lwią część

---

[18] M. Hagiwara, *Japanese Air Campaigns in China*, w: M. Peattie, E. Drea, H.J. van de Ven, *The Battle for China*, op. cit., s. 250–251.

dostaw, a Stilwell przydzielił resztę zgrupowaniom X-Force i Y-Force, niewiele pozostało dla wyposażenia innych armii Kuomintangu. Tym w centralnych i południowych Chinach brakowało broni i amunicji, a w wielu przypadkach nie wypłacano żołdu. Kiedy Chiang poprosił Roosevelta o pożyczkę w wysokości miliarda dolarów na utrzymanie swoich wojsk, w Waszyngtonie od razu uznano to za formę szantażu, sądząc, iż przywódca chińskich nacjonalistów chciał te pieniądze dla siebie jako zapłatę za dalsze prowadzenie wojny przez Chiny[19].

W styczniu niechęć Chianga wobec planów militarnego zaangażowania Y-Force na froncie nad Saluin, żywiona z obawy przed japońską ofensywą, skłoniła Roosevelta do zagrożenia wykluczeniem Chin z programu Lend-Lease. Z kolei już po rozpoczęciu przez Japończyków ofensywy „Ichi-gō" Roosevelt nie chciał, aby 14. Armia Powietrzna Chennaulta albo niedawno przerzucone do Azji nowe bombowce B-29 w składzie 20. Grupy brytyjskiego Bomber Command wspierały z powietrza wojska chińskich nacjonalistów, mimo że to właśnie działania lotnictwa Chennaulta w znacznej mierze sprowokowały Japończyków do operacji zaczepnych. Roosevelt, pomimo całego swego poparcia dla Kuomintangu, był cyniczny i nieufny wobec każdego pomysłu, który w bliskiej perspektywie nie przyspieszał triumfu amerykańskiej zbrojnej potęgi. Przekonany, że Narody Zjednoczone pod wodzą Ameryki i Związku Radzieckiego zdołają później rozwiązać wszelkie problemy międzynarodowe, niebezpiecznie lekceważył powojenne konsekwencje takiego nastawienia.

Pierwszego czerwca, gdy trzystutysięczna chińska armia z prowincji Henan przeszła do chaotycznego odwrotu, rozpoczęło się japońskie natarcie z Wuhanu na Changshę. Główny cel tego ataku stanowiła amerykańska baza lotnicza w Guilinie, na południe od Changshy i Hengyangu. Japoński wywiad otrzymywał od swoich agentów, mających kontakty z mnóstwem prostytutek świadczących swe usługi personelowi USAAF-u w tym mieście, bardzo szczegółowe informacje. Generał Xue Yue, kantoński dowódca, którego wojska już trzykrotnie z powodzeniem broniły Changshy, był wielce rozczarowany. Jego oddziały nie doczekały się obiecanego amerykańskiego zaopatrzenia, a mimo to wymagano od nich, by osłaniały bazy 14. Armii Powietrznej. Nawet Theodore White, najbardziej zjadliwy krytyk chińskich nacjonalistów, pisał: „Xue bronił tego miasta tak jak dawniej, tymi samymi jednostkami i z zastosowaniem tej samej taktyki, ale jego formacje były o trzy lata starsze, ich broń o trzy lata bardziej zużyta, a jego żołnierze o trzy lata bardziej głodni w porównaniu z ich ostatnim zwycięstwem"[20].

---

[19] E.L. Dreyer, *China at War, 1901–1949*, London 1995, s. 284–285.
[20] T.H. White, A. Jacoby, *Thunder Out of China*, New York 1946, s. 183.

Chennault nie wahał się rzucić swoich myśliwców typu Mustang i bombowców B-25 do nocnych ataków na japońskie kolumny maszerujące drogą z Changshy. Jego bazy w okolicy oraz koło Hengyangu znalazły się w niebezpieczeństwie. Lotnicy 14. Armii Powietrznej, którzy przeprowadzali po trzy lub cztery misje bojowe dziennie, posilając się kawą i kanapkami, na pewno czynili wszystko, co mogli. Impet japońskiego natarcia jeszcze wzrósł, kiedy 15 czerwca superfortece B-29 operujące z bazy lotniczej Chengtu dalej na zachodzie podjęły serię ciężkich nalotów na Wyspy Japońskie. Owe powietrzne ataki raptownie osłabły, gdy zaczęło brakować paliwa lotniczego.

Generał Xue zastosował analogiczną taktykę jak wcześniej pod Changshą, ustępując nieprzyjacielowi na centralnym odcinku, by następnie oskrzydlić go i wyjść na jego tyły. Jego niedożywionym żołnierzom brakło jednak sił do powstrzymania Japończyków, natomiast kłótnie w gronie dowódców doprowadziły do katastrofy. Japończycy za cenę minimalnych strat zdobyli Changshę i całą artylerię Xue. Dowódca chińskiej 4. Armii, który zbiegł wraz z konwojem wojskowych ciężarówek wiozących jego dobytek i łupy, na rozkaz Chiang Kai-sheka został aresztowany i rozstrzelany. Południowo-zachodnie Chiny stanęły otworem przed wojskami japońskimi, a 26 czerwca padła baza amerykańskiego lotnictwa w Hengyangu.

Chociaż Japończycy nasilili swoją ofensywę, aby zniszczyć amerykańskie bazy lotnicze w kontynentalnych Chinach, to nie mieli pojęcia, że ich starania niebawem straciły, w ujęciu strategicznym, większe znaczenie. Piąta Flota admirała Spruance'a była najpotężniejszym zgrupowaniem morskim na świecie, licząc pięćset trzydzieści pięć okrętów wojennych. Podążała ku Marianom, aby przekształcić je w lotniska, z których superfortece B-29 mogłyby bombardować Japonię. W składzie V Floty znalazły się studwudziestosiedmiotysięczne Siły Ekspedycyjne wiceadmirała Turnera.

Japońskie pozycje na Saipanie, największej spośród Wysp Mariańskich, która stanowiła pierwszy cel ataku, już od pewnego czasu były bombardowane przez lotnictwo operujące z baz stałych na lądzie. Do pierwszych dni czerwca japońskie siły powietrzne na Marianach zostały znacznie zredukowane, niemniej jednak liczący trzydzieści dwa tysiące żołnierzy garnizon nadal był dużo silniejszy, aniżeli spodziewali się tego Amerykanie. Zgrupowanie uderzeniowe admirała Mitschera, Task Force 58, prowadziło przez dwa dni ostrzał z dział siedmiu pancerników, zanim do akcji weszła piechota morska, jednak owa kanonada nie przyniosła większego efektu. Pociski rozbiły dobrze widoczne cele w rodzaju zakładów przetwórstwa trzciny cukrowej, ale nie trafiły w pobliskie bunkry.

Rankiem 15 czerwca pierwsze oddziały 2. i 4. Dywizji Piechoty Morskiej przystąpiły do lądowania na Saipanie w opancerzonych amfibiach, ostrzeliwane przez japońską artylerię, moździerze i silny ogień z broni maszynowej. Zakładano, że amfibie szybko znajdą się na plażach i podejmą dalszy atak, ale tylko nielicznym udało się dotrzeć do brzegu. Natrafiły na zbyt wiele przeszkód i nie miały dostatecznie grubego opancerzenia przedniego, chroniącego przed japońskimi pociskami. Jednakże przynajmniej desantująca piechota uniknęła tak dotkliwych strat jak w poprzednich akcjach, gdy musiała brnąć przez przybrzeżne fale. Do zapadnięcia zmroku na wyspie dwudziestodwukilometrowej długości zorganizowano przyczółek, na którym znalazło się prawie dwadzieścia tysięcy żołnierzy. Japończycy przeprowadzili dwa samobójcze kontrataki z udziałem piechoty, lecz amerykańskie niszczyciele strzelały w powietrze pociskami oświetlającymi i *marines* mogli prowadzić zabójczy ogień.

Tej samej nocy, 2400 kilometrów dalej na zachód, załoga okrętu podwodnego USS „Flying Fish" dostrzegła część Cesarskiej Marynarki Wojennej koło Filipin, w cieśninie San Bernardino. Jednostka ta wynurzyła się, aby nadać meldunek ostrzegawczy dla dowództwa amerykańskiej V Floty. Japońska I Flota Operacyjna wiceadmirała Jisaburō Ozawy miała zostać wzmocniona gigantycznymi pancernikami „Yamato" i „Musashi". Ozawa planował skoncentrowanie do decydującej bitwy niemal całych sił nawodnych Japonii na Oceanie Spokojnym – dziewięciu lotniskowców z czterystu trzydziestoma samolotami, pięciu pancerników, trzynastu krążowników i dwudziestu ośmiu niszczycieli. Z kolei admirał Spruance dysponował piętnastoma szybkimi lotniskowcami i ośmiuset dziewięćdziesięcioma jeden samolotami Task Force 58 Mitschera, podczas gdy Ozawa jeszcze nie wiedział, że większość japońskiego lotnictwa z baz lądowych w tym rejonie została wyeliminowana z walki. Jednakże największą słabością zgrupowania Ozawy było niedoświadczenie jego pilotów. Tylko nieliczni z nich mieli za sobą półroczną służbę, a większość zaliczyła nieco ponad dwa miesiące lotów ćwiczebnych.

Spruance wysłał zespół uderzeniowy Mitschera z zadaniem przechwycenia floty Ozawy dwieście dziewięćdziesiąt kilometrów na zachód od Marianów, ale następnie wycofał je z powrotem w pobliże Saipanu, na wypadek gdyby Japończycy rozdzielili swoje siły. Załogi samolotów zwiadowczych Ozawy wypatrzyły amerykańskie zgrupowanie 18 czerwca, a nazajutrz wczesnym rankiem Ozawa nakazał wystartować pierwszej grupie uderzeniowej złożonej z sześćdziesięciu dziewięciu maszyn. Samoloty te zostały wykryte przez radary niszczycieli, stanowiących straż przednią zgrupowania Mitschera. Myśliwce typu Hellcat, przeprowadzające nalot na Guam, zostały wezwane do powrotu na macierzyste lotniskowce, natomiast załogi amerykańskich bombowców dostały rozkaz zniszczenia pasów startowych na lotniskach na Guam, w razie gdyby piloci Ozawy próbowali tam lądować. Amerykanie wykorzystali swoją zdecydowaną przewagę liczebną. Na ich piętnastu lotniskowcach znajdowało się dosyć samolotów, by myśliwce mogły nieprzerwanie zapewniać osłonę okrętom.

O 10.36 patrol hellcatów natknął się na nadlatujące japońskie bombowce i przeszedł do ataku. Amerykanie zestrzelili czterdzieści dwie z sześćdziesięciu dziewięciu maszyn wroga, tracąc zaledwie jeden myśliwiec. Gdy później nadciągnęła druga fala stu dwudziestu ośmiu samolotów, piloci myśliwscy US Navy zniszczyli siedemnaście kolejnych japońskich maszyn. Ozawa, nie potrafiąc pogodzić się z porażką, rzucił do ataku następne dwie fale samolotów. Łącznie uległo zestrzeleniu dwieście czterdzieści japońskich maszyn startujących z pokładów lotniskowców oraz prawie pięćdziesiąt innych, nadlatujących z Guam. Amerykańskie okręty nawodne doznały tylko paru nieznacznych uszkodzeń, a okręty podwodne US Navy zatopiły dwa nieprzyjacielskie krążowniki – „Shōkaku" i flagową jednostkę Ozawy, „Taihō".

Kiedy większość samolotów Ozawy nie powróciła, japoński wiceadmirał wyciągnął z tego fatalny w skutkach, błędny wniosek. Uznał, że liczne z nich musiały wylądować na Guam i wkrótce znajdą się z powrotem na pokładach lotniskowców, wobec czego pozostawał wraz ze swoją flotą na miejscu. Wiceadmirał Mitscher uzyskał zgodę Spruance'a na podjęcie następnego dnia pościgu. Ostatecznie późnym popołudniem 20 czerwca jeden z rozpoznawczych samolotów Mitschera namierzył japońską flotę. Nieprzyjaciel znajdował się na skraju zasięgu amerykańskiego lotnictwa i niebawem miał zapaść zmierzch, ale taka okazja do ataku mogła się nie powtórzyć. Lotniskowce ustawiły się pod wiatr, a z ich pokładów w ciągu dwudziestu minut zdołało wystartować dwieście szesnaście samolotów. Hellcaty szybko się rozprawiły z myśliwcami Ozawy, strącając sześćdziesiąt pięć z nich, natomiast bombowce nurkujące i samoloty torpedowe zatopiły lotniskowiec „Hiyō" oraz dwa tankowce, powodując znaczne uszkodzenia na innych japońskich okrętach.

Pomimo zagrożenia ze strony okrętów podwodnych Mitscher kazał pozapalać na swoich jednostkach wszystkie światła i reflektory oraz wystrzelić race, ażeby ułatwić lądowanie powracającym samolotom. Jeden z pilotów przyrównał scenerię do „hollywoodzkiej premiery, chińskiego Nowego Roku i 4 Lipca [narodowego święta w USA] w jednym"[21]. Wielu maszynom kończyło się paliwo. Łącznie osiemdziesiąt rozbiło się podczas lądowania albo musiało wodować – Amerykanie stracili w taki sposób czterokrotnie więcej samolotów niż w trakcie samego ataku. Było to kosztowne zakończenie bitwy, niemniej „wielkie polowanie na indyki na Marianach", jak lubili

---

[21] S.E. Morison, *History of United States Naval Operations in World War II*, t. 8: *New Guinea and the Marianas*, Annapolis, MD 2011, s. 302.

określać ją lotnicy US Navy, doprowadziło do zniszczenia ponad czterystu japońskich samolotów oraz trzech lotniskowców. Straty Japończyków mogły być jeszcze większe, jeśli Spruance nie unikałby ryzyka, trzymając zgrupowanie uderzeniowe Mitschera w pobliżu Saipanu.

Na przebiegu walk o samą wyspę zaważyła postawa generała porucznika Hollanda Smitha, porywczego dowódcy z Korpusu Piechoty Morskiej, który zdymisjonował pewnego generała amerykańskich wojsk lądowych dowodzącego 27. Dywizją, będącą formacją Gwardii Narodowej. Wściekły z powodu powolnego, przesadnie ostrożnego i źle skoordynowanego ataku, który wstrzymywał działania jego dwóch dywizji *marines*, Holland Smith zapewnił sobie poparcie admirała Spruance'a. Zasadniczy problem tkwił w tym, że Korpus Piechoty Morskiej nawykł do innych, bardziej bezpośrednich akcji militarnych.

Mimo wszystko Japończycy zostali zmuszeni do wycofania się na północny skraj wyspy, a rano 7 lipca ich niedobitki przeprowadziły największy samobójczy atak w tej wojnie. Ponad trzy tysiące japońskich żołnierzy i marynarzy, uzbrojonych w bagnety, miecze i granaty, uderzyło na dwa bataliony 27. Dywizji. Amerykańscy *marines* i piechurzy nie strzelali wystarczająco szybko, nim doszło do starć wręcz. Bitwa zakończyła się dwa dni później. Straty amerykańskich sił inwazyjnych wynosiły czternaście tysięcy zabitych i rannych, natomiast wojska japońskie pozostawiły na wyspie zwłoki trzydziestu tysięcy swoich żołnierzy. Ponadto około siedmiu tysięcy z dwunastu tysięcy japońskich cywilów popełniło samobójstwo, najczęściej rzucając się ze skał do morza. Apele, kierowane do nich przez tłumaczy przy użyciu głośników, aby się nie zabijali, na ogół nie znajdowały posłuchu.

Po Saipanie przyszła kolej na desanty na Tinian i Guam. Tinian zdobyto za sprawą śmiałej, zaskakującej akcji, gdy dwa pułki amerykańskiej piechoty morskiej niespodziewanie dla Japończyków znalazły się na brzegu, podczas gdy po drugiej stronie wyspy trwały działania pozorujące. Na Guam, pierwszym odzyskanym terytorium zamorskim Stanów Zjednoczonych na Pacyfiku, doszło do następnego japońskiego samobójczego kontrataku. Ale tym razem Japończycy natknęli się na skoncentrowane baterie artylerii, strzelające ogniem na wprost. Lotniska na Guam zostały zdobyte przed końcem lipca, a wkrótce potem bataliony inżynieryjne i Seabees (oddziały budowlane US Navy) przystąpiły do ich rozbudowy, aby mogły tam lądować superfortece B-29. Mariany stanowiły dużo lepszą bazę od kontynentalnych Chin do przeprowadzania nalotów bombowych na Japonię. Nie zagrażały im japońskie wojska lądowe, zaś wyposażenie i uzbrojenie, części zamienne oraz paliwo lotnicze docierały tam morzem, a nie ponad Himalajami. Sztabowcy z kwatery głównej Cesarskiego Sztabu Generalnego w Tokio rozumieli już jasno, że wojna na Pacyfiku weszła w końcową fazę.

ROZDZIAŁ 38

Wiosna nadziei

maj–czerwiec 1944

Po wynikających ze wszelkich przyczyn opóźnieniach szczegółowe planowanie operacji „Overlord" rozpoczęto w pośpiechu w styczniu 1944 roku. Wiele cennej pracy włożył w to już wcześniej zespół kierowany przez generała porucznika Fredericka E. Morgana, szefa sztabu naczelnego dowództwa alianckiego, określanego akronimem COSSAC (Chief of Staff to the Supreme Allied Commander). Ponieważ jednak grupa ta dopiero czekała na wyznaczenie zwierzchnika, czyli głównodowodzącego, pojawiały się trudności z podejmowaniem pewnych kluczowych decyzji.

Zarówno Eisenhower, naczelny dowódca sprzymierzonych, jak i Montgomery, dowodzący 21. Grupą Armii, zareagowali podobnie na opracowane przez COSSAC wstępne plany desantu w Normandii. Doszli do wniosku, że trzy dywizje wyznaczone do tego zadania to za mało, poza tym wojskom alianckim potrzebnych było więcej dogodnych plaż do lądowania. Należało rozszerzyć obszar objęty desantem aż po podstawę półwyspu Cotentin. Eisenhower nalegał również, aby powierzono mu pełną kontrolę nad siłami powietrznymi sprzymierzonych. Oznaczało to zakłócenie kampanii bombardowań Niemiec, co nie wprawiło w zbytni zachwyt „baronów lotnictwa bombowego" – Harrisa i Spaatza.

Generał porucznik Bedell Smith, szef sztabu Eisenhowera, zawzięcie spierał się z Montgomerym. Przesunięcie w czasie terminu operacji inwazyjnej wiązało się w sporym stopniu z brakiem dostatecznej liczby barek desantowych oraz obniżeniem zapału Brytyjczyków do angażowania się w taką akcję. Operacja „Overlord" nabierała realnych kształtów i miała nastąpić niebawem, choć Brooke i Churchill nadal po cichu żywili obawy dotyczące widoków na jej powodzenie. Wyżsi rangą brytyjscy oficerowie, zaznajomieni z planami strategicznymi, nie mogli oprzeć się wrażeniu, że trudno skojarzyć amerykańską politykę pokonania Niemiec w pierwszej kolejności z masowym angażowaniem ludzi, środków transportowych, broni i innego sprzętu na Pacyfiku. W Waszyngtonie zaczynały przeważać wpływy US Navy i MacArthura. Za cichym przyzwoleniem generała „Hapa" Arnolda w rejon Oceanu Spokojnego przerzucono nawet nowe bombowce strategiczne B-29 Superfortress do ataków na Tokio, podczas gdy przeprowadzająca naloty na Niemcy 8. Armia Powietrzna Iry C. Eakera nie otrzymała takich maszyn.

Inny problem, z którym Bedell Smith starał się uporać w trakcie krótkiej wizyty Eisenhowera w Stanach Zjednoczonych, wiązał się z operacją „Anvil", czyli inwazją na południu Francji. Eisenhower uważał, że USA poczyniły „bardzo znaczną inwestycję", uzbrajając francuską armię, a tej „należało otworzyć furtkę do Francji"[1]. Jednakże niedostatek barek desantowych, częściowo spowodowany forsowanym przez Churchilla lądowaniem pod Anzio, oznaczał, że równoczesna inwazja na południu Francji musiała redukować siły wydzielone do operacji „Overlord". Bedell Smith zgadzał się z Brytyjczykami, że operację „Anvil" trzeba odwołać albo przynajmniej przesunąć ją na później. Z kolei Eisenhower bardzo się denerwował na jakąkolwiek wzmiankę o tym, że „»Anvil« trzeba [będzie] poświęcić"[2]. Mimo uporu, prezentowanego przezeń w tej sprawie, był zmuszony uznać, iż akcja ta ma drugorzędny charakter.

Perspektywa oczekiwanej od dawna inwazji na Francję, choć stanowiła wspólny aliancki cel, wywoływała też napięcia wśród samych Francuzów. Ani Roosevelt, ani Churchill nie mieli jasnego wyobrażenia o warunkach panujących we Francji, o powszechnym tam poparciu dla de Gaulle'a oraz jego ludzi, tworzących w praktyce nieformalny rząd tymczasowy. Francuska Krajowa Rada Ruchu Oporu uznała jego przywództwo i nawet francuscy komuniści opowiadali się za nim. Jednakże Roosevelt nie wyzbył się głębokiej nieufności wobec de Gaulle'a, a nieco lepiej usposobionymi doń Brytyjczykami wstrząsnęły marcowe wypadki w Algierze. Odbył się tam sąd nad Pierre'em Pucheu, byłym ministrem spraw wewnętrznych rządu Vichy, który w 1941 roku zatwierdzał przeprowadzane przez Niemców egzekucje zakładników spośród uwięzionych komunistów. Pucheu zjawił się w Algierze z zamiarem przystąpienia do walki z Niemcami. Generał Giraud zaopa-

---

[1] H.C. Butcher, *My Three Years with Eisenhower. The Personal Diary of Captain Harry C. Butcher, USNR, Naval Aide to General Eisenhower, 1942–1945*, London 1946, s. 403 (18 stycznia 1944 r.).
[2] Bedell Smith do Eisenhowera, 5 stycznia 1944 r., akta COSSAC, dokumenty W. Bedella Smitha, cyt. za: D.K.R. Crosswell, *Beetle. The Life of General Walter Bedell Smith*, Lexington 2010, s. 557.

trzył go w rodzaj glejtu – dokument, który okazał się świstkiem papieru, co zniweczyło wszelkie nadzieje zwolenników Girauda na odegranie poważniejszej roli politycznej.

Komuniści i ich stronnicy w Algierze niezwłocznie zażądali wydania wyroku skazującego. De Gaulle zatwierdził wyrok śmierci w tym pierwszym procesie przedstawiciela władz Vichy. Uznał, że nie ma większego wyboru. „Bezlitosna wojna domowa"[3] we Francji pomiędzy znacznie powiększoną vichystowską milicją a rosnącym w siłę podziemnym ruchem oporu groziła linczami i samosądami po wyzwoleniu tego kraju. Taki chaos, jak obawiał się de Gaulle, dałby Amerykanom powód do narzucenia Francji Alianckiego Zarządu Wojskowego na Okupowanych Terytoriach, określanego akronimem AMGOT (Allied Military Government of Occupied Territory).

Francuskie ugrupowania podziemne w równej mierze dążyły do wyzwolenia Francji siłami Francuzów i działały coraz bardziej niezależnie i samodzielnie w przededniu zbliżającej się inwazji sprzymierzonych. Na płaskowyżu Glières koło Annecy w Górnej Sabaudii czterystu pięćdziesięciu partyzantów, w tym pięćdziesięciu sześciu hiszpańskich republikanów, podjęło heroiczną, choć beznadziejną walkę z dwoma tysiącami członków Gardes Mobiles, Francs-Gardes i milicjantami oraz pięcioma batalionami wojsk niemieckich.

We Włoszech generał Mark Clark wraz ze swoją amerykańską 5. Armią z jeszcze większą determinacją dążył do zdobycia Rzymu przed rozpoczęciem operacji „Overlord". Jednakże pomimo alianckiej supremacji w powietrzu, która uniemożliwiała Niemcom za dnia korzystanie z transportu motorowego i kolejowego, opór stawiany we Włoszech przez wojska Wehrmachtu pod dowództwem Kesselringa okazał się o wiele twardszy nawet od tego, czego oczekiwał Hitler.

Krwawy pat w Apeninach wywierał demoralizujący wpływ na oddziały alianckie. Dochodziło do licznych przypadków nerwicy frontowej i samookaleczania się przez żołnierzy. W brytyjskich jednostkach we Włoszech odnotowano prawie trzydzieści tysięcy dezercji i samowolnych oddaleń się bez przepustki, a podobne rzeczy działy się tam i w amerykańskich dywizjach.

Zjawisko nerwicy frontowej rzadko natomiast występowało wśród pięćdziesięciu sześciu tysięcy żołnierzy 2. Korpusu Polskiego pod dowództwem generała Władysława Andersa. Po nieudanej marcowej próbie zdobycia Monte Cassino przez Nowozelandczyków Freyberga i oddziały hinduskie zadanie to powierzono Polakom. Ci jasno dali do zrozumienia swoim brytyjskim sojusznikom, że nie zamierzają łatwo oddawać pola Niemcom.

---

[3] Cyt. za: J. Lacouture, *De Gaulle. The Rebel, 1890–1944*, New York 1990, s. 508.

Polacy nie tylko łaknęli odwetu; wiedzieli, że muszą odnieść spektakularne zwycięstwo, aby dopomóc sprawie odtworzenia wolnej Polski. Stalin nie ukrywał wrogości wobec ich władz na uchodźstwie, zwłaszcza po odkryciu w Katyniu masowych grobów polskich oficerów wymordowanych przez NKWD. Radziecki przywódca planował utworzenie marionetkowego rządu komunistycznego, gdy Armia Czerwona szykowała się do ponownego wkroczenia na polskie ziemie.

Wznowione natarcie na Cassino było częścią operacji „Diadem", generalnej ofensywy zaplanowanej przez Alexandra. Wzięło w niej udział prawie pół miliona żołnierzy z dziesięciu krajów. Piąta Armia Clarka na zachodzie, na wybrzeżu Morza Tyrreńskiego, wraz z Korpusem Francuskim w górach oraz brytyjską 8. Armią pod dowództwem generała porucznika Olivera Leese'a, który zastąpił Montgomery'ego, miały rozbić wojska Kesselringa na Linii Gustawa. Alexander polecił przeprowadzenie różnych działań pozorujących i maskujących. W sektorach przewidzianych do przeprowadzenia natarcia wzniesiono w widocznych miejscach bunkry, a meldunki radiowe i atrapy amfibii sprawiały wrażenie, że alianci szykują następny desant morski. Siły Truscotta na przyczółku bardzo poważnie wzmocniono. Plan Alexandra przewidywał atak na Linię Gustawa, aby Niemcy podciągnęli tam swoje odwody, a następnie uderzenie korpusu Truscotta na północy wschód ku Valmontone i odcięcie niemieckiej 10. Armii Vietinghoffa.

Clarka wprawiło to we wściekłość. Nie interesowało go zamknięcie w pułapce 10. Armii. „Zdobycie Rzymu to jedyny ważny cel" – oznajmił Truscottowi[4]. Clark, nieomal ulegając paranoi, zdawał się sądzić, że plan Alexandra to podstępna sztuczka Brytyjczyków, zmierzająca do uniemożliwienia mu triumfalnego wkroczenia do Rzymu, aby zaszczyt ten przypadł brytyjskiej 8. Armii. Składane przez Alexandra zapewnienia, że 5. Armia będzie mogła zająć Rzym, najwyraźniej tylko wzmogły podejrzliwość Clarka. Rozkazy dowództwa grupy armii były nader jasne, jednak Clark w skrytości ducha nie miał zamiaru ich wykonać.

Jedenastego maja o 23.00 aliancka artyleria – działa dwudziestopięciofuntowe, haubice 105 mm, armaty polowe kalibru 140 mm oraz stupięćdziesięciopięciomilimetrowe działa „Long Tom" – otworzyły ogień, czemu towarzyszył ogłuszający huk i rozbłyski z luf na całym horyzoncie. Polacy od razu ruszyli do ataku, ale ku swej konsternacji przekonali się, że Niemcy tej nocy wzmocnili na pierwszej linii frontu swoje bataliony. Siły nieprzyjaciela zostały zatem niemal podwojone, a polskie oddziały poniosły straszliwe straty. Podobnie doszło do zdziesiątkowania hinduskiej 8. Dywizji na

---

[4] Cyt. za: R. Atkinson, *The Day of Battle. The War in Sicily and Italy, 1943–1944*, New York 2007, s. 516.

ich lewym skrzydle, przeprawiającej się przez rzekę Rapido w pobliżu ufortyfikowanej osady Sant'Angelo, gdzie wcześniej, na początku roku, bardzo ucierpiała amerykańska 36. Dywizja. Ostatecznie saperom udało się przerzucić pontonowe mosty, a Gurkhowie, wspierani przez czołgi, opanowali wspomnianą miejscowość. Ale brytyjski przyczółek był niewielki, a Monte Cassino górowała nad okolicą.

Amerykański II Korpus operujący w pobliżu wybrzeża natrafił na twardy opór nad rzeką Garigliano. Francuskie dywizje kolonialne pod komendą Juina, rozlokowane między Amerykanami a Brytyjczykami, także natknęły się na zabójczo skuteczną obronę. Juin postanowił więc zmienić taktykę – najpierw zdobyć Monte Majo za sprawą nagłego ataku przy silnym wsparciu artyleryjskim. Przypłacił to utratą blisko dwóch tysięcy zabitych i rannych żołnierzy, lecz Linia Gustawa została przełamana. Jego *goumiers* parli naprzód, złaknieni krwi i łupów. „Większość nosiła sandały, wełniane skarpety, rękawice z obciętymi palcami dla łatwiejszego pociągania za spust oraz pasiaste dżelaby; mieli brody, miskowate hełmy i trzydziestocentymetrowe noże zatknięte za pasami"[5]. Noże te służyły do odcinania palców i uszu zabitym Niemcom, zbieranych jako trofea. Owi *goumiers* byli wyśmienitymi górskimi wojownikami, ale terroryzowali też włoską ludność cywilną; krążyły opowieści o brutalnych gwałtach, jakich się dopuszczali, lecz francuscy oficerowie na ogół zbywali takie doniesienia wzruszeniem ramion, traktując to jako rzecz normalną na wojnie.

Clark wściekał się, że jego amerykańskie korpusy, nadal powstrzymywane pod Monte Cassino przez niemiecką 1. Dywizję Strzelców Spadochronowych, nie czyniły tak szybkich postępów jak Francuzi i pogardzana przezeń brytyjska 8. Armia. Jednakże odwaga Polaków i zarysowująca się stopniowo groźba okrążenia zmusiły niemieckich spadochroniarzy do wycofania się. Osiemnastego maja biało-czerwona polska flaga załopotała nad ruinami wielkiego benedyktyńskiego opactwa. Polacy okupili to zwycięstwo stratą czterech tysięcy zabitych i rannych.

Niemiecki odwrót na Linię Hitlera, rozciągającą się od dziesięciu do dwudziestu kilometrów za Linią Gustawa, nie przebiegał gładko. Oddziały Juina nie dawały Niemcom wytchnienia, a kiedy 8. Armia ostatecznie dotarła do wąskiej doliny Liri, stało się jasne, że nad drugą linią obrony zawisło zagrożenie. Kesselring, rozpaczliwie próbując ją utrzymać, przerzucił dywizje z 14. Armii Mackensena znad przyczółka pod Anzio. Była to chwila, na którą wyczekiwał Alexander.

Szósty Korpus Truscotta, stopniowo rozbudowany do siedmiu dywizji, w tym czasie przeważał już liczebnie nad całą armią Mackensena. Dwudziestego

5 *Ibidem*, s. 528.

drugiego maja Clark poleciał na przyczółek pod Anzio, żeby zademonstrować światu, iż to on, a nie Alexander, kieruje całą operacją. Następnego poranka dywizje Truscotta zaatakowały na kierunku północno-wschodnim ku Valmontone, zgodnie z rozkazami Alexandra. Straty były znaczne, ale nazajutrz, odkrywszy, że Niemcy się wycofali, II Korpus na wybrzeżu połączył siły z wojskami na przyczółku w okolicach Anzio. Clark, wraz z grupą korespondentów wojennych i fotoreporterów w dżipach, objeżdżał pole bitwy, aby ci uwiecznili owo wydarzenie.

Dwudziestego piątego maja 1. Dywizja Pancerna korpusu Truscotta dotarła w pobliże Valmontone, a w trakcie następnej doby Truscott mógł odciąć niemieckiej 10. Armii drogę odwrotu. Jednakże tego samego popołudnia otrzymał od Clarka rozkazy przesunięcia osi natarcia na północny zachód, w kierunku Rzymu. Polecenie to wprawiło w głębokie zaniepokojenie Truscotta i dowódców jego dywizji, lecz ostatecznie Truscott lojalnie podporządkował się dyspozycjom Clarka, który z kolei ukrywał swoje zamiary przed Alexandrem. Clark ulegał tak wyraźnej obsesji, iż można przypuszczać, że nieco utracił kontakt z rzeczywistością. Podejmowane przezeń później próby uzasadnienia swoich poczynań były chaotyczne i pełne sprzeczności. Swego czasu stwierdził nawet, iż przestrzegał Alexandra, że jeżeli jednostki 8. Armii postarają się zająć Rzym przed jego wojskami, to wyda swoim żołnierzom rozkaz otwarcia do nich ognia.

Clark nie tylko zawziął się, by odebrać Alexandrowi wszelkie laury należne zwycięzcom, lecz także umniejszał rolę odegraną przez Truscotta. Druga wojna światowa stanowiła pole do popisu dla wielu megalomanów. Dążenie Clarka, aby wkroczyć do Rzymu w glorii zdobywcy, zanim rozpocznie się operacja „Overlord", należało do skrajnych przejawów takiego egotyzmu. Marszałek polny Brooke pewnego razu tak zapisał w swoim dzienniku: „Zdumiewające, jak wielu małostkowych i małodusznych ludzi może być powiązanych z kwestią dowodzenia"[6]. Alexander określił postawę Clarka mianem „niewytłumaczalnej", ale zaraz potem postarał się ją objaśnić: „Mogę tylko przypuszczać, że bliska pokusa zdobycia Rzymu i związanego z tym rozgłosu skłoniła go do zmiany kierunku natarcia"[7].

Kiedy wojska Alexandra toczyły główną batalię w kampanii włoskiej, znacznie ważniejsze dla wyniku wojny wydarzenia szykowały się w północno-zachodniej Europie. „Overlord" miała być największą operacją desantową w historii, z użyciem ponad pięciu tysięcy okrętów i statków, ośmiu tysięcy

---

[6] A. Brooke (lord Alanbrooke), *War Diaries, 1939–1945*, London 2001, s. 561.
[7] H. Alexander (Earl Alexander of Tunis), *The Alexander Memoirs, 1940–1945*, London 1962, s. 127.

samolotów oraz ośmiu dywizji w składzie wojsk pierwszej fali inwazyjnej. Panowała znaczna nerwowość, nazywana „drżączką D-Day" (*D-Day jitters*). Starsi brytyjscy oficerowie zachowali bolesne wspomnienia z Dunkierki i innych akcji ewakuacyjnych, by nie wspomnieć o katastrofalnym w skutkach desancie pod Dieppe. Ale planowanie operacji „Neptune" – fazy „Overlord" związanej z przerzutem wojsk za kanał La Manche – było nader drobiazgowe i skrupulatne. Po otrzymaniu pisemnych rozkazów, których tekst zajmował kilkaset stron, kanadyjska 3. Dywizja na poły żartobliwie nadała szykowanej operacji kryptonim „Overboard" („Za burtą").

Niemcy oczekiwali inwazji, jednak nie wiedzieli, w jakim miejscu do niej dojdzie. Brytyjczycy przeprowadzili serię wyszukanych działań pozorujących, określanych ogólnym mianem „planu Fortitude". „Fortitude North" miał na celu przekonanie Niemców, że „brytyjska 4. Armia" wyląduje w Norwegii, a Hitler, ku rozpaczy swojej generalicji, upierał się przy utrzymywaniu tam ponadczterystutysięcznego garnizonu okupacyjnego. „Fortitude South", czyli rozmieszczenie licznych atrap czołgów, samolotów, a nawet barek desantowych w południowo-wschodniej Anglii, skłaniał Niemców do myślenia, że druga inwazja zostanie przeprowadzona w Pas--de-Calais przez 1. Grupę Armii generała Pattona – alianckiego dowódcę, którego obawiali się najbardziej.

Wykorzystując podwójnych agentów i schwytanych oraz nakłonionych do współpracy szpiegów, podjęto akcję „Double Cross", aby przekonać Niemców, że lądowanie w Normandii ma stanowić tylko wstępną czy też dywersyjną operację desantową, a główny atak nastąpi na północny wschód od Boulogne-sur-Mer. Niemiecki wywiad wojskowy, znacznie zawyżając w swoich szacunkach siły i liczbę żołnierzy, którymi dysponowali alianci, połknął haczyk. Później, gdy wyszedł na jaw zakres działań zmierzających do zwiedzenia przeciwnika i odkryto spisek oficerów, którzy w lipcu próbowali zgładzić Hitlera, Gestapo zaczęło podejrzewać, że oficerowie niemieckiego wywiadu celowo dali się wyprowadzić w pole w ramach zdradzieckich knowań, mających na celu doprowadzenie do klęski Rzeszy w tej wojnie.

Sztabowcy planujący operację „Overlord" przewidzieli, że o jej sukcesie bądź fiasku zadecydują krytyczne dni bezpośrednio poprzedzające lądowanie. Alianci mogli nie być w stanie przerzucać na przyczółki swoich wojsk w takim tempie jak Niemcy szykujący się do przeciwuderzenia. Rozwiązanie tego problemu podsuwała taktyka wypracowana podczas walk we Włoszech, polegająca na odcięciu strefy walk od zaplecza poprzez niszczenie wszelkich szlaków i węzłów komunikacyjnych na nieprzyjacielskich tyłach: mostów, linii kolejowych, stacji rozrządowych i głównych skrzyżowań dróg. Zamierzano odizolować objęty inwazją obszar Normandii i maksymalnie utrudnić Niemcom przerzut rezerw zza Sekwany na wschód i przez Loarę na południe. Jednakże aby ukryć przed nieprzyjacielem główny rejon inwazji, należało przeprowadzić akcje dywersyjne na całym północnym wybrzeżu Francji i dalej – w Holandii, a nawet w Danii.

Na upartym generale RAF-u Harrisie plany te nie zrobiły większego wrażenia. Wmówił sobie, że jeśli jego bombowce typu Lancaster nadal będą niszczyły Berlin i inne niemieckie miasta, wówczas inwazja na Francję stanie się zbyteczna. Usiłował także przekonywać, że załogi bombowców nie są w stanie przeprowadzać precyzyjnych uderzeń na takie stosunkowo małe cele jak linie kolejowe. Generał Spaatz domagał się kontynuowania realizacji swojego „planu naftowego", czyli ataków na rafinerie i składy benzyny syntetycznej oraz nalotów bombowych na niemieckie wytwórnie lotnicze. Morale 8. Armii Powietrznej nie było jednak wysokie. Prawie dziewięćdziesiąt amerykańskich załóg rozmyślnie wylądowało w Szwecji lub w Szwajcarii, gdzie zostały internowane do czasu zakończenia wojny. Dowództwo USAAF-u chełpliwie zapewniało o celności dokonywanych dziennych bombardowań, podczas gdy w istocie naloty te były tylko nieznacznie skuteczniejsze od nalotów przeprowadzanych przez brytyjskie lotnictwo bombowe nocami. Amerykańskim samolotom zdarzało się nawet pomyłkowe zrzucanie bomb na miasta szwajcarskie.

Eisenhower postanowił przywołać „bombowych baronów" do porządku za pośrednictwem swego zastępcy, generała armii (*Air Chief Marshal*) Teddera. W dowództwie RAF-u panowała wzajemna nienawiść, więc Tedder zwrócił się do Eisenhowera o wykorzystanie zwierzchności, mając pełne poparcie Roosevelta. Harris i Spaatz zostali nieco usadzeni. Churchill z przerażeniem odkrył, że alianccy stratedzy szykują się do systematycznego niszczenia francuskich miast, gdyż było to jedynym sposobem na zablokowanie ważniejszych drogowych węzłów komunikacyjnych. Francuzi musieli zareagować oburzeniem na wielkie straty wśród ludności cywilnej i obracanie ich miast w gruzy na skutek owych bombardowań. Sprzeciwił się wobec tego elementu „planu ataków na transporty" w rozmowach z Eisenhowerem, a potem z Rooseveltem, ten ostatni jednak poparł argument naczelnego dowódcy wojsk alianckich, iż ocali to życie wielu żołnierzy sprzymierzonych. Churchill zwrócił się z prośbą o wyznaczenie „górnego limitu" dziesięciu tysięcy ofiar cywilnych, lecz nawet na tę teoretyczną granicę nie było zgody. Ostatecznie w nalotach poprzedzających D-Day, czyli lądowanie w Normandii, zginęło około piętnastu tysięcy francuskich cywilów, a dziewiętnaście tysięcy innych odniosło poważne obrażenia.

Inną kwestią, która absorbowała Churchilla, była sprawa generała Charles'a de Gaulle'a. Brytyjscy i amerykańscy dowódcy nie chcieli powierzać sekretów operacji „Overlord" francuskim przywódcom w Algierze, ponieważ wiedzieli, że Niemcy złamali staroświeckie francuskie szyfry. Jednakże Eisenhower nalegał na dopuszczenie do grona wtajemniczonych generała Marie-Pierre'a Kœniga. Kœnig, jako zwierzchnik wszystkich ugrupowań francuskiego ruchu oporu, przemianowanych w tym czasie na Francuskie Siły Wewnętrzne (Forces Françaises de l'Intérieur, FFI), miał polecić tym oddziałom zbrojnego podziemia przeprowadzenie akcji sabotażowych na linie komunikacyjne i transport tuż przed alianckim lądowaniem. Przewidziano też udział w inwazji pewnej liczby francuskich okrętów wojennych, dywizjonów lotniczych i jednostek wojsk lądowych.

Roosevelt chciał przypomnieć swoim podwładnym, że sprzymierzeni nie po to przystępowali do wyzwolenia Francji, aby wynieść tam do władzy generała de Gaulle'a. Taka nieprzejednana postawa prezydenta przygnębiała wielu amerykańskich polityków i urzędników państwowych, a Churchill czynił, co w jego mocy, żeby przekonać Roosevelta, iż trzeba współdziałać z de Gaulle'em. Niemniej jednak Roosevelt nadal zamierzał narzucić Francji rządy wojskowe do czasu rozpisania tam wyborów i nalegał na wprowadzenie okupacyjnej waluty. Wydrukowane banknoty miały tak nieprzekonujący wygląd, że żołnierze przyrównywali je do „talonów na cygara".

W końcu Roosevelt niechętnie zgodził się, aby Churchill zaprosił de Gaulle'a do Londynu, a do Algieru wysłano dwa samoloty typu York, które miały przywieźć francuskiego generała do Anglii. Początkowo de Gaulle odmawiał udania się tam, gdyż Roosevelt nie chciał rozmawiać o ustanowieniu we Francji po jej wyzwoleniu rządów cywilnych. Duff Cooper, przedstawiciel Churchilla w Algierze, ostrzegł jednak de Gaulle'a, że ułatwi tylko sprawę Rooseveltowi, jeżeli nie poleci do Londynu. Trzeciego czerwca Francuski Komitet Wyzwolenia Narodowego w Algierze oficjalnie przyjął nazwę Rządu Tymczasowego Republiki Francuskiej, a de Gaulle w ostatniej chwili wyraził zgodę na to, by towarzyszyć Cooperowi w drodze do Anglii.

Tymczasem na południe od Rzymu pragnienia Clarka miały się ziścić. Jedna z amerykańskich dywizji piechoty zdołała wedrzeć się w lukę w ostatniej linii niemieckiej obrony i doprowadzić do jej przełamania. Kesselring niezwłocznie wydał rozkaz do odwrotu. Hitler zezwolił, by ogłoszono Rzym miastem otwartym, i nie polecił, żeby je zniszczono. Było to z jego strony nie tyle przejawem miłosierdzia czy też zamiłowania do rzymskich zabytków i dzieł sztuki, ile efektem skupienia przezeń uwagi na strefie kanału La Manche oraz myśli, że już niebawem uda mu się zrównać z ziemią Londyn za pomocą latających bomb.

Czwartego czerwca w Rzymie Mark Clark wezwał podległych mu dowódców na odprawę w pałacu Campidoglio, zebrawszy tam także wszystkich korespondentów wojennych we Włoszech. Pozując reporterom do zdjęć, rozradowany Clark trzymał w ręku mapę i wskazywał na niej kierunek północny, gdzie wycofywali się Niemcy; dowódcy jego korpusów na ten widok aż wzdragali się z zażenowania. Ale rzymski triumf „Marka Aureliusza Clarkusa" okazał się krótkotrwały. Wkrótce po świcie 6 czerwca pewien oficer sztabowy wszedł do jego apartamentu w hotelu Excelsior w Rzymie i obudził go, przynosząc wiadomość o alianckim desancie w Normandii. „No i co pan na to? – zapytał z goryczą w głosie Clark. – Nie pozwolili, żeby w gazetach zamieszczano choćby przez jeden dzień nagłówki o zdobyciu przez nas Rzymu"[8].

*

Hitler niecierpliwie czekał na tę inwazję, przekonany, że alianckie oddziały desantowe rozbiją się o Wał Atlantycki. To umożliwiłoby wyeliminowanie Brytyjczyków i Amerykanów z wojny, a wtedy rzuciłby całe niemieckie siły zbrojne przeciwko Armii Czerwonej. Feldmarszałek Rommel, któremu powierzył kierowanie obroną północnej Francji, wiedział jednak, że Wał Atlantycki istnieje bardziej jako slogan propagandowy niż rzeczywisty system obronny. Jego zwierzchnik, feldmarszałek Gerd von Rundstedt, uważał ową linię umocnień za „tandetny blef"[9].

Zapoznawszy się z aliancką potęgą lotniczą w Afryce Północnej, Rommel zdawał sobie sprawę, że podciąganie rezerw i zaopatrzenia będzie we Francji wyjątkowo trudne. Wdał się w spór z generałem wojsk pancernych Leo Geyrem von Schweppenburgiem, dowódcą Grupy Pancernej „Zachód", oraz Guderianem, który w tym okresie zajmował stanowisko inspektora generalnego wojsk pancernych. Obaj chcieli zatrzymać dywizje pancerne w lasach na północ od Paryża, gotowe do potężnego przeciwuderzenia, które zepchnęłoby aliantów do morza – czy to w Normandii, czy w departamencie Pas-de-Calais. Ale Rommel podejrzewał, że jednostki te zostałyby zdziesiątkowane przez dywizjony myśliwsko-bombowych samolotów Typhoon i P-47 Thunderbolt podczas przemarszu w rejon walk. Wolał więc rozmieścić czołgi bliżej przypuszczalnej strefy lądowania.

Hitler, w swoim dążeniu do utrzymania pełnej kontroli za sprawą polityki „dziel i rządź", nie wyraził zgody na utworzenie we Francji jednolitego dowództwa. W rezultacie nie było tam naczelnego dowódcy, któremu podporządkowane byłyby także lokalne formacje Luftwaffe i Kriegsmarine. Führer nalegał nawet, aby większość niemieckich dywizji pancernych

---

[8] V.A. Walters, *Silent Missions*, New York 1978, s. 97, cyt. za: R. Atkinson, *The Day of Battle*, *op. cit.*, s. 575.
[9] Generał piechoty Blumentritt, zeznanie z 6 sierpnia 1945 r., NA II 407/427/24231.

we Francji znalazła się pod bezpośrednimi rozkazami OKW i nie można ich było użyć bez jego osobistego rozkazu. Rommel nie ustawał w staraniach, zmierzających do rozbudowy umocnień na plażach, zwłaszcza w sektorze 7. Armii w Normandii, gdzie – o czym był stopniowo coraz bardziej przekonany – miał nastąpić desant. Z kolei Hitler wciąż zmieniał zdanie w tej kwestii, zapewne częściowo po to, by móc później utrzymywać, że przewidywał prawidłowo. W regionie Pas-de-Calais, bronionym siłami 15. Armii, znajdowało się najwięcej wyrzutni pocisków typu V, gdyż była to najkrótsza droga przez kanał La Manche, a i alianckim myśliwcom z baz w hrabstwie Kent łatwiej przyszłoby zapewnienie osłony powietrznej wojskom inwazyjnym lądującym na owym obszarze.

Niemieckie służby kontrwywiadowcze nie miały wątpliwości, że do inwazji dojdzie lada chwila, o czym świadczyły wzmożona aktywność francuskiego ruchu oporu i liczba meldunków radiowych, niemniej jednak dowództwo Kriegsmarine na podstawie analizy raportów meteorologicznych doszło do wniosku, iż ze względu na złą pogodę desant jest wykluczony w dniach od 5 do 7 czerwca. W nocy 5 czerwca niemiecka marynarka wojenna odwołała nawet własne rejsy patrolowe na kanale La Manche. Rommel, zapoznawszy się z takimi prognozami, postanowił złożyć urodzinową wizytę swej żonie w Niemczech, a potem udać się do Hitlera w Berghofie i nakłonić Führera do przekazania mu większej liczby dywizji pancernych.

Stan zachmurzenia i morza stanowił największą troskę Eisenhowera w pierwszym tygodniu czerwca. Pierwszego czerwca szef jego służby meteorologicznej nagle uprzedził go, że okres upalnej pogody rychło się skończy. Tego samego dnia pancerniki, mające zapewnić desantowi wsparcie artyleryjskie, opuściły bazę w Scapa Flow. Wszystko było gotowe do rozpoczęcia inwazji rankiem 5 czerwca, ale 4 czerwca prognozy pogody nadal były tak złe, że Eisenhower musiał wydać rozkaz przełożenia operacji na późniejszą porę. Wkrótce świeże dane wykazały, że pogoda może się poprawić w nocy 5 czerwca. Kiedy na kanale La Manche nie ustawały sztormy i przewalały się wysokie fale, Eisenhower stanął przed strasznym dylematem. Czy powinien zawierzyć prognozom? Generał Miles Dempsey, który miał dowodzić podczas inwazji brytyjską 2. Armią, uznał decyzję Eisenhowera o przystąpieniu do działań za najodważniejszy akt w całej wojnie[10].

Nerwowe napięcie nieco osłabło, gdy Eisenhower wreszcie się zdecydował, a Montgomery poparł podjęte przezeń postanowienie. Dalsza zwłoka oznaczała przesunięcie terminu inwazji o kolejne dwa tygodnie, co wynikało z cyklu morskich pływów. Odbiłoby się to katastrofalnie na morale

---

[10] Dempsey o Eisenhowerze: rozmowa z Clive'em Duncanem, któremu autor chciałby wyrazić gorące podziękowania za ten szczegół, zamieszczony w liście z 7 września 2011 roku.

wojska i zapewne wytrąciłoby aliantom z ręki atut, jakim było zaskoczenie przeciwnika. Dwutygodniowa zwłoka spowodowałaby w istocie, że zaplanowana operacja zbiegłaby się w czasie z najgorszym sztormem, jaki miał miejsce na kanale La Manche od czterdziestu lat. Tak więc operacja „Overlord" wcale nie musiała się powieść tylko z uwagi na aliancką dominację w powietrzu i na morzu.

Wczesnym wieczorem 5 czerwca Francuzi na falach rozgłośni BBC nadali cykl haseł stanowiących sygnał dla ruchu oporu, aby przystąpił do akcji. Obciążeni ekwipunkiem spadochroniarze z amerykańskich 82. i 101. Dywizji Powietrznodesantowych oraz brytyjskiej 6. Dywizji Powietrznodesantowej zaczęli wchodzić na pokłady samolotów i szybowców transportowych. Na południe od wyspy Wight w konwojach inwazyjnych zgrupowano wszelkiego rodzaju okręty i statki oraz przeróżne barki desantowe. Żołnierze tłoczyli się przy relingach i spoglądali ze zdumieniem na szare, lekko wzburzone wody kanału La Manche, na których jak okiem sięgnąć kołysały się jednostki pływające flot kilkunastu krajów, w tym trzysta okrętów wojennych: pancerniki, kanonierki, niszczyciele i korwety.

Armadę tę poprzedziło dwieście siedemdziesiąt siedem trałowców, płynących w zapadającym zmroku na południe, ku wybrzeżom Normandii. Admirał Ramsay bał się, że załogi tych jednostek z kadłubami z drewna poniosą ciężkie straty. Bombowe Liberatory i latające łodzie Sunderland brytyjskiego lotnictwa morskiego nieprzerwanie penetrowały morskie akweny od południowej Irlandii po Zatokę Biskajską, wypatrując U-Bootów. Ku wielkiemu zakłopotaniu admirała Dönitza ani jednemu niemieckiemu okrętowi podwodnemu nie udało się przedostać na wody kanału La Manche, by zaatakować aliancką flotę inwazyjną.

Setki samolotów transportowych przewożących spadochroniarzy i holujących szybowce zatoczyło nad La Manche wielki łuk, aby nie przelatywać ponad flotą inwazyjną i nie ryzykować, że dojdzie do tragicznej pomyłki, jaka wydarzyła się wcześniej podczas desantu na Sycylię. Mimo to trzy samoloty C-47 Skytrain zostały zestrzelone przez alianckie okręty już po zrzuceniu spadochroniarzy na półwysep Cotentin[11].

Zrzuty spadochronowe nie przebiegały zgodnie z planem. Silny niemiecki ogień przeciwlotniczy i fale samolotów transportowych nad wybrzeżem spowodowały, że formacje się rozproszyły. Często popełniano błędy nawigacyjne. Tylko nieliczne maszyny dotarły nad wyznaczone strefy zrzutu, a wielu spadochroniarzy musiało wędrować przez dziesiątki kilometrów w poszukiwaniu swoich oddziałów. Niektórzy ginęli od nieprzyjacielskie-

---

[11]   B. Goff, HMS „Scylla", SWWEC, „Everyone's War", nr 20, zima 2009.

go ostrzału, zrzuceni na niemieckie pozycje. Inni wpadali do rzek i bagien, gdzie obciążeni sprzętem i zaplątani w swoje spadochrony, potonęli. A jednak przy tym znaczne rozproszenie zrzutów przyniosło i niezamierzony skutek, gdyż Niemcy nie byli pewni, co stanowi prawdziwy cel alianckiej operacji, i odnieśli wrażenie, iż w Normandii doszło do wielkiej akcji dywersyjnej przed głównym atakiem w rejonie Pas-de-Calais. Tylko jedna misja bojowa – mająca na celu opanowanie mostu Pegasus na rzece Orne – przyniosła efektowny sukces. Piloci wylądowali tam szybowcami dokładnie w wyznaczonym miejscu, a wspomniany most udało się zdobyć w ciągu niewielu minut.

Przed brzaskiem 6 czerwca na niemal wszystkich lotniskach w Anglii rozlegał się huk uruchamianych silników, gdy dywizjony bombowców, myśliwców i samolotów myśliwsko-bombowych zaczęły startować, by lecieć ściśle wytyczonymi korytarzami powietrznymi w celu uniknięcia kolizji i zderzeń. Lotnicy wywodzili się z niemal wszystkich krajów antyniemieckiej koalicji: Wielkiej Brytanii, Stanów Zjednoczonych, Kanady, Australii, Nowej Zelandii, Republiki Południowej Afryki, Rodezji, Polski, Francji, Czechosłowacji, Belgii, Norwegii, Holandii i Danii. Niektóre z dywizjonów bombowych, wyposażonych głównie w halifaksy i stirlingi, wystartowały wcześniej do misji dywersyjnych, zrzucając paski folii aluminiowej[12] oraz manekiny na spadochronach, które wybuchały po zetknięciu z ziemią.

Załogi trałowców i sam admirał Ramsay wprost nie mogli uwierzyć w swoje szczęście, gdy jednostki te powróciły po wykonaniu zadania, przy czym obeszło się bez choćby jednego wystrzału. Wzburzone morze, które sprawiło, że okręty Kriegsmarine pozostały w portach, okazało się dla alianckich trałowców największym błogosławieństwem. Marynarze z tychże życzyli powodzenia niszczycielom, które podpłynęły bliżej lądu, aby przed świtaniem zająć pozycje do prowadzenia ostrzału artyleryjskiego. Krążowniki i pancerniki rzuciły kotwice znacznie dalej od brzegu.

Sto trzydzieści tysięcy żołnierzy stłoczonych na okrętach niewiele spało tej nocy. Niektórzy uprawiali hazard, inni próbowali nauczyć się kilku zwrotów po francusku, inni rozmyślali o rodzinnych domach, pisali listy pożegnalne, czytali Biblię. Zaraz po pierwszej nad ranem oddziałom, zwłaszcza tym na jednostkach US Navy, wydano pożywne śniadanie, po którym zajęli się nerwowym sprawdzaniem ekwipunku, paląc przy tym nieustannie. Około godziny czwartej dostali rozkaz zbiórki na pokładach. Schodzenie po linowych drabinkach do barek desantowych, które kołysały się i chwiały na wysokiej fali, było niebezpiecznym przedsięwzięciem, zwłaszcza że tak wielu ludzi było przeciążonych dźiganą bronią i amunicją.

---

[12] Zakłócała ona działanie nieprzyjacielskich radarów (przyp. tłum.).

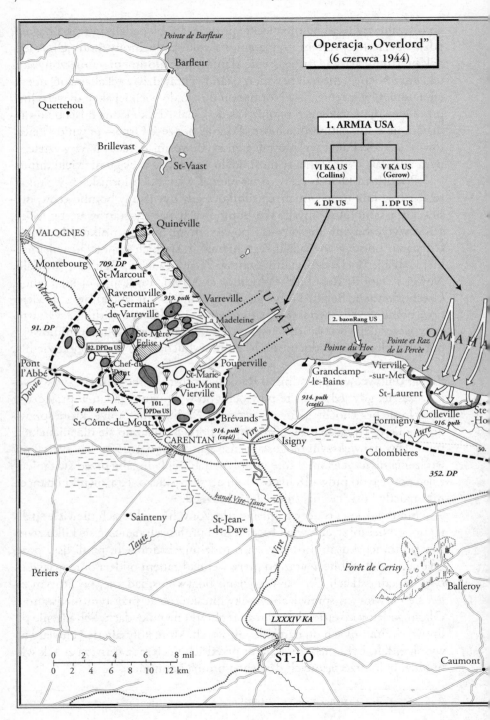

Pointe de Barfleur

Barfleur

Quettehou

Brillevast

St-Vaast

VALOGNES

Montebourg

Quinéville

709. DP
St-Marcouf

Ravenouville
St-Germain-
-de-Varreville

919. pulk

Varreville

La Madeleine

91. DP

Ste-Mère-
Eglise

82. DPDes US

Pont
l'Abbé

Chef-du-
Pont

St-Marie-
du-Mont
Vierville

Pouperville

101.
DPDes US

6. pulk spadoch.

St-Côme-du-Mont

Brévands

914. pulk
(część)

CARENTAN

Isigny

Saiteny

St-Jean-
de-Daye

Périers

kanał Vire-Taute

Operacja „Overlord"
(6 czerwca 1944)

1. ARMIA USA

VI KA US
(Collins)

V KA US
(Gerow)

4. DP US

1. DP US

UTAH

2. baonRang US

Pointe du Hoc

Pointe et Raz
de la Percèe

Grandcamp-
le-Bains

Vierville-
-sur-Mer

St-Laurent

OMAHA

914. pulk
(część)

Colleville

916. pulk

Ste-
Ho

Formigny

Aure

Colombières

30.

352. DP

Forêt de Cerisy

Ballonroy

Taute

Vire

LXXXIV KA

ST-LÔ

Caumont

| 0 | 2 | 4 | 6 | 8 mil |
| 0 | 2 | 4 | 6 | 8 | 10 | 12 km |

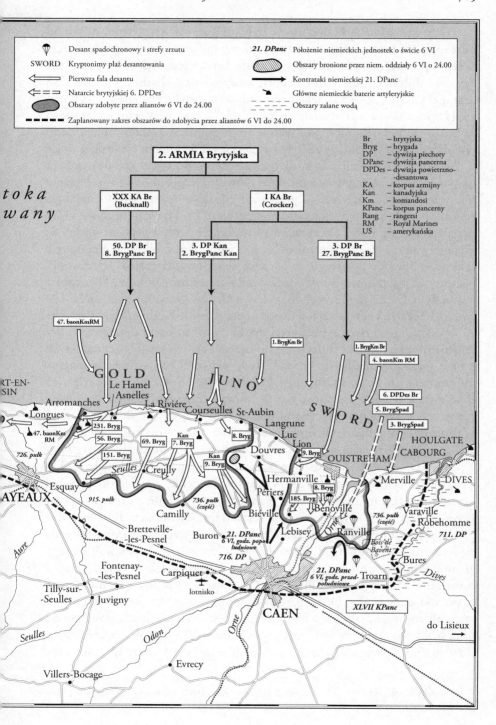

Gdy wszystkie barki desantowe były już gotowe, ich sternicy odbili od burt okrętów i statków transportowych, aby dołączyć do zataczającej kręgi kolejki, podążając za światełkami na rufach poprzedzających je jednostek. Pewien żołnierz z 1. Dywizji Piechoty, który zszedł do barki z pokładu USS „Samuel Chase", opisywał, jak „światełko to znikało i wyłaniało się na nowo, kiedy wznosiliśmy się i opadaliśmy na falach"[13]. Już niebawem, wymiotując za burty, do hełmów albo pod własne nogi, żołnierze pożałowali, że zjedli tak obfity posiłek. Pokłady zaczęły być śliskie od wymiocin i morskiej wody.

Kiedy na zachmurzonym niebie zaczęła się pojawiać szarawa poświata, pancerniki otworzyły ogień z dział głównych kalibru 356 mm. Krążowniki i niszczyciele natychmiast przyłączyły się do tej kanonady. Generał porucznik Joseph Reichert, dowódca niemieckiej 711. Dywizji Piechoty, który przypatrywał się temu z wybrzeża, zauważył, że „cały horyzont wydał się nieprzerwanym ciągiem płomieni"[14]. Do tego czasu zrobiło się już na tyle jasno, by Niemcy dostrzegli, jak wielka jest flota inwazyjna przeciwnika. Na stanowiskach dowodzenia rozdzwoniły się telefony polowe. Dalekopisy terkotały w kwaterze głównej dowództwa Grupy Armii B w La Roche-Guyon nad Sekwaną oraz w sztabie Rundstedta w Saint-Germain pod Paryżem.

Podczas gdy trwał ostrzał artyleryjski z morza, barki desantowe z wyrzutniami rakietowymi zbliżyły się do brzegu, ale większość wystrzelonych z nich pocisków spadła do wody. Wtedy nadszedł najbardziej dramatyczny moment dla załóg shermanów DD (Duplex Drive), które zaczęły zjeżdżać z trapów barek desantowych do morza, dużo bardziej wzburzonego niż w czasie wcześniejszego testowania tych pływających czołgów. Nierzadko opuszczony poniżej obrotowej wieży brezentowy ponton ulegał zniszczeniu zalany przez falę, a wielu czołgistów utonęło wraz ze swoimi wozami.

Na plaży „Utah" u podstawy półwyspu Cotentin amerykańska 4. Dywizja Piechoty dotarła do brzegu, odnotowując straty o wiele mniejsze od oczekiwanych, i podjęła marsz w głąb lądu, aby przyjść z odsieczą spadochroniarzom z 82. i 101. Dywizji Powietrznodesantowej. Tworząca długi łuk plaża „Omaha", ze skałami oblepionymi przez wodorosty, okazała się natomiast znacznie trudniejsza do zdobycia, aniżeli spodziewali się tego alianci. Poważne problemy wynikły, zanim jeszcze wylądowali tam pierwsi żołnierze z 1. i 29. Dywizji Piechoty. Choć ostrzał z morza był intensywny, to pociski spadały zbyt blisko brzegu, by odnieść większy skutek, a bombardowanie lotnicze przyniosło tylko stratę czasu. Zamiast nadlatywać ponad linią brzegową, co przy złej widoczności ułatwiłoby zadanie celowniczym, dowódcy amerykańskiego lotnictwa uparli się przy nalocie znad morza, aby

---

[13] H.A. Reynolds, *The First Wave*, „American Valor Quarterly", wiosna–lato 2009, s. 15–22.
[14] FMS B-403.

nie można było strzelać do samolotów z boku. Przelatując nad dopływającymi do brzegu barkami, lotnicy postanowili wstrzymać się przez chwilę ze zrzutem bomb, żeby nie spuścić ich na swoich żołnierzy, i ostatecznie spadły one na pola i wsie w głębi lądu. Niemieckie umocnienia na brzegu morza, bunkry i stanowiska ogniowe, nie doznały uszczerbku. Na plaży zabrakło nawet lejów po bombach, w których mogła się skrywać atakująca piechota. W rezultacie oddziały pierwszej fali desantu poniosły bardzo ciężkie straty, a ogień nieprzyjacielskich karabinów maszynowych i lekkich dział siał spustoszenie na barkach desantowych opuszczających rampy. Wiele z tych barek utknęło na mieliznach.

„Niektóre łodzie wracały po wysadzeniu desantu – pisał żołnierz 1. Dywizji Piechoty – inne znalazły się częściowo pod wodą, ale nadal płynęły. Niektóre ugrzęzły z rufą ponad wodą, z pracującymi na największych obrotach silnikami, co jednak nic nie dawało. Pewne zawracały na krótko i próbowały od nowa. (...) Widziałem barki przewrócone na burtę, do góry dnem, z których żołnierze spadali do wody. Widziałem te poważnie uszkodzone przez pociski artylerii rykoszetujące od fal. Widziałem też takie bez żołnierzy i częściowo zalane przez wodę, jakby porzucone, obmywane przez morską pianę. Ludzie byli pomiędzy nimi, szukając żałosnej ochrony, jaką te barki dawały"[15].

Wstrząśnięci żołnierze tkwili nieruchomo przy urwiskach, póki oficerowie nie zmusili ich do działania ostrzeżeniami, że zginą na plażach, jeśli nie przedostaną się dalej i nie zaczną zabijać Niemców. Siły obrońców zostały wzmocnione niewielką częścią 352. Dywizji Piechoty, bynajmniej jednak nie były tak liczne, jak to się twierdzi w niektórych relacjach. Na szczęście dla Amerykanów główne rezerwy 352. Dywizji, liczące prawie trzy tysiące żołnierzy, we wczesnych godzinach porannych zostały skierowane do akcji przeciwko zrzucanym na spadochronach, wybuchającym manekinom, a potem rozbite przez jedną z brytyjskich brygad, która nacierała ukośnie od plaży „Gold". Tak czy owak rzeź i chaos na „Omaha" w czasie owego poranka skłoniły generała Bradleya do rozważenia pomysłu całkowitej ewakuacji wojsk z tej plaży. W samą porę nadeszły jednak wieści o tym, że niektórym oddziałom udało się bez większych strat wdrapać na przybrzeżne urwiska, a „Omaha" można jednak opanować. Wspólna akcja nielicznych czołgów typu Sherman atakujących bunkry i amerykańskich oraz brytyjskich niszczycieli, które podpłynęły niebezpiecznie blisko i ostrzeliwały z imponującą precyzją niemieckie pozycje, ostatecznie przechyliła szalę zwycięstwa na stronę sił inwazyjnych.

---

[15] H.A. Reynolds, *The First Wave*, op. cit.

Na plaży „Gold" brytyjska 50. Dywizja nie traciła czasu, posuwając się w głąb lądu. O zmroku jedna z brygad zatrzymała się pod Bayeux, a nazajutrz rano zdobyła to miasto, nie ponosząc przy tym strat. Kanadyjska 3. Dywizja natrafiła na dużo większe trudności w sektorze „Juno", gdzie Niemcy ufortyfikowali nadmorskie wsie i przekopali sieć tuneli. Na plaży „Sword", rozciągającej się do niewielkiego portu w Ouistreham, brytyjska 3. Dywizja miała kłopoty z niespodziewanie wysoką falą przypływu, która opóźniła lądowanie czołgów. Pola minowe po obu stronach dróg i ogień artylerii, który sprawił, że szosy zostały zatarasowane przez płonące pojazdy, poskutkowały tym, iż zaplanowany szybki atak na miasto Caen także się opóźnił. Zacięta obrona, prowadzona przez załogi wielkiego kompleksu niemieckich schronów, dodatkowo pogarszała sytuację wspomnianej jednostki. Na jej skrzydle brytyjska 6. Dywizja Powietrznodesantowa opanowała wyznaczony obszar między rzekami Orne a Dives, niszcząc mosty, aby zapobiec niemieckiemu pancernemu kontruderzeniu ze wschodu.

Plan Montgomery'ego przewidywał zajęcie Caen i okolic, by możliwie szybko utworzyć tam lotniska, lecz opór Niemców, ukrytych w solidnych normandzkich zabudowaniach gospodarczych i ostrzeliwujących się z broni maszynowej oraz dział przeciwpancernych, okazał się dużo trudniejszy do przełamania, niż się spodziewano. Poza tym aliancki wywiad przeoczył niemiecką 21. Dywizję Pancerną, która już znalazła się w pobliżu Caen. Nadto w planie Montgomery'ego tkwiła pewna osobliwa sprzeczność. Z jednej strony chciał on zająć zabytkowe Caen w trakcie pierwszych dwudziestu czterech godzin walk, co wyraźnie stanowiło nazbyt optymistyczne założenie. Z drugiej zaś nakazał zniszczenie Caen przez potężny nalot ciężkich bombowców 6 czerwca, choć gruzy blokujące ulice mogły tylko utrudnić zadanie jego żołnierzom i ułatwić je obrońcom. W trakcie owego nalotu nie zginął prawie żaden Niemiec, natomiast bombardowanie przyniosło straszliwe cierpienia wstrząśniętej ludności cywilnej tego miasta.

Alianccy dowódcy obawiali się potężnego niemieckiego pancernego przeciwnatarcia, co wyjaśnia ich przesadną ostrożność. Na szczęście sprzyjał im fakt, że Hitler zwlekał z decyzją o wprowadzeniu do walki swoich formacji czołgów aż do późnego popołudnia 6 czerwca. I o ile dowódcy wojsk lądowych przeceniali skuteczność nalotów przeprowadzanych przez ciężkie bombowce, o tyle nie docenili sukcesów odnoszonych przez dywizjony myśliwsko-bombowe, grasujące ponad zapleczem strefy walk, gotowe atakować wszystkie niemieckie kolumny pancerne zmierzające w rejon inwazji. Pierwsza Dywizja Pancerna SS „Leibstandarte SS Adolf Hitler", 12. Dywizja Pancerna „Hitlerjugend", a przede wszystkim elitarna Szkolna Dywizja Pancerna (Panzer Lehr) doznały poważnego uszczerbku na skutek ataków przeprowadzanych przez samoloty typu Typhoon i P-47 Thunderbolt.

Kanadyjska 3. Dywizja uznała za konieczne zajęcie okolicznych wiosek i szybkie podciągnięcie na pierwszą linię swoich armat przeciwpancernych w celu wzmocnienia obrony. Ale brytyjska 3. Dywizja Piechoty nacierała opieszale – choć niektóre jej oddziały stanowiły chlubny wyjątek. W sumie jednak brytyjska 2. Armia na wschodniej flance nie zdołała opanować wyznaczonych terenów do czasu, gdy można to było osiągnąć za cenę stosunkowo nieznacznych strat. Po tym jak Rommel rzucił Grupę Pancerną „Zachód" przeciwko Brytyjczykom i Kanadyjczykom, zgodnie z przewidywaniami generała Morgana upłynąć miał cały miesiąc, nim wojska Montgomery'ego zdobyły miasto będące ich pierwszym celem. Brak miejsca w brytyjskim sektorze na przyczółku uniemożliwiał RAF-owi założenie tam przyfrontowych lotnisk i spowalniał koncentrowanie sił. Zaskakuje, w świetle fiaska zajęcia lotnisk w Caen lub Carpiquet, że Montgomery nadał Eisenhowerowi 8 czerwca meldunek takiej treści: „Jestem bardzo zadowolony z zaistniałej sytuacji"[16].

Pierwsza Armia Bradleya na zachód od Caen i na półwyspie Cotentin napotkała słabszy opór, ale za to o wiele trudniejszy teren. Marszałek polny Brooke zawczasu przestrzegał przed problemami z normandzkimi *bocage*, poletkami otoczonymi przez bardzo wysokie, gęste żywopłoty wyrastające z solidnych ziemnych wałów, wśród których przebiegały ścieżki. Sam Brooke zaznajomił się z osobliwościami takiej topografii w 1940 roku, lecz ci, którzy nie zetknęli się wcześniej z tak osobliwym pejzażem, wyobrażali sobie, że Normandia przypomina zachodnią Anglię z niskimi żywopłotami, przez jakie czołgi Sherman przejadą z łatwością. Jednakże pierwszym problemem napotkanym przez amerykańskie wojska były bagniska i obszary pod wodą. Spadochroniarze wpadali w bagna, często z fatalnym skutkiem, a większość podstawy półwyspu Cotentin, który przyszło im zdobywać, stanowiły tereny podmokłe.

Po opanowaniu przyczółka na plaży „Omaha" generał porucznik Leonard „Gee" Gerow rozkazał swoim dywizjom podjęcie możliwie najszybciej marszu w głąb lądu. Pierwsza Dywizja Piechoty uderzyła na południe i wschód, aby 7 czerwca połączyć się z Brytyjczykami w Port-en-Bessin. Dwudziesta dziewiąta Dywizja Piechoty, ta sama, która poniosła dotkliwe straty podczas akcji desantowej, skierowała swój odwodowy pułk na zachód, ku Isigny-sur-Mer. Bradley liczył na szybkie połączenie przyczółków na plażach „Omaha" i „Utah", lecz dwie dywizje powietrznodesantowe nadal toczyły zażarte walki nad rzekami Merderet i Douve oraz wokół Sainte--Mère-Église,

---

[16] N. Hamilton, *Monty. Master of the Battlefield, 1942–1944*, London 1985, s. 621.

póki 4. Dywizja Piechoty, wsparta przez bataliony czołgów, nie przypuściła natarcia z „Utah".

Kiedy Niemcy musieli wycofać się z południowo-wschodniego skraju półwyspu Cotentin, amerykańska 101. Dywizja Powietrznodesantowa zdołała zająć miasteczko Carentan, głównie za sprawą zamieszania, do jakiego doszło po niemieckiej stronie. Trzynastego czerwca 17. Dywizja Grenadierów Pancernych „Götz von Berlichingen" przypuściła kontratak. Bradley wiedział o jej zbliżaniu się dzięki meldunkom przejętym przez Ultrę i szybko rzucił przeciwko niej 2. Dywizję Pancerną. Amerykańscy spadochroniarze na południe od Carentan przeprowadzali na poły partyzancki odwrót w kierunku tego miasta, póki nie zjawił się generał brygady Maurice Rose, dowodzący swoimi shermanami z otwartego pojazdu półgąsienicowego. Grenadierzy pancerni z SS uciekli w popłochu. Nazajutrz nastąpiło połączenie obu alianckich przyczółków.

Niemcy oczekiwali silnego uderzenia na południe od Carentan, ale Bradleyowi przyświecał dużo istotniejszy cel: opanowanie półwyspu Cotentin z portem Cherbourg na jego krańcu. Czternastego czerwca 9. Dywizja Piechoty, którą właśnie przetransportowano na kontynent, oraz 82. Dywizja Powietrznodesantowa przeprowadziły atak w poprzek podstawy wspomnianego półwyspu. Ponaglane przez dowódcę VII Korpusu generała majora Josepha Lawtona Collinsa, znanego jako „Lightning Joe", po czterech dniach dotarły do wybrzeża atlantyckiego. Następnie VII Korpus, którego trzy dywizje operowały na półwyspie, zaatakował w kierunku północnym, mając silne wsparcie z powietrza, i zdobył Cherbourg 26 czerwca. Hitler wpadł w szał, gdy się dowiedział, że generał porucznik Karl-Wilhelm von Schlieben poddał się nieprzyjacielowi.

Alianci, którym pogoda tak sprzyjała w pierwszym dniu inwazji, wkrótce mieli wielce ucierpieć z jej powodu. Potężny sztorm na kanale La Manche zniszczył sztuczny port „Mulberry" uruchomiony na plaży „Omaha", wyrzucając na brzeg statki i barki desantowe. Amerykanom nagle dotkliwie zabrakło amunicji artyleryjskiej, co pokrzyżowało ich natarcie na południe w czasie operacji cherbourskiej.

Koncentracja sił brytyjskich także stanęła w miejscu i wytworzyła się sytuacja patowa. Niemiecki opór pod Caen wzmógł się wraz z przybyciem tam Dywizji SS „Hitlerjugend". Co gorsza, nisko wiszące chmury uziemiły lotnictwo sprzymierzonych. Brytyjska 50. Dywizja wraz z 8. Brygadą Pancerną uderzyły na południe z Bayeux, lecz natknęły się na gwałtowne kontrataki Dywizji Panzer Lehr koło Tilly-sur-Seulles i Lingèvres.

Dziesiątego czerwca Montgomery spotkał się z Bradleyem w Port-en--Bessin. Rozłożywszy mapę na przodzie swego wozu sztabowego, „Monty" wyjaśnił, że nie chce przeprowadzać bezpośredniego szturmu na Caen. Zamierzał okrążyć to miasto siłami 51. Dywizji Górskiej, która zaatakowałaby z sektora 6. Dywizji Powietrznodesantowej na wschód od Orne. Równocześnie 7. Dywizja Pancerna ukradkiem przemieściłaby się na południe zza prawej flanki jego wojsk na skraj amerykańskiego sektora koło Caumont, by następnie zawrócić na wschód w kierunku Villers-Bocage i wyjść na tyły Dywizji Panzer Lehr. Był to śmiały plan i pod wieloma względami dobry, gdyby tylko wprowadzono go w życie bezzwłocznie i z użyciem odpowiednich sił. Ostatecznie okazał się tylko rodzajem silniejszego rozpoznania walką, któremu w dodatku w skandaliczny sposób nie zapewniono wsparcia.

Trzynastego czerwca czołówki, składające się z zaledwie jednej grupy bojowej w sile pułku, dotarły do Villers-Bocage, nie poprzedzała ich jednak osłona jednostek zwiadu. W rezultacie czołgi Cromwell z formacji Sharpshooters (4. Pułku Londyńskiej Królewskiej Gwardii Przybocznej) wpadły w zabójczą pułapkę, zastawioną przez czołgi Tiger pod wodzą asa niemieckich wojsk pancernych Michaela Wittmanna ze 101. batalionu czołgów ciężkich. To, w połączeniu z niespodziewanym pojawieniem się niemieckiej 2. Dywizji Pancernej na odsłoniętej południowej flance brytyjskiej 7. Dywizji Pancernej, zmusiło atakujących do niesławnego odwrotu. Mieszkańcy francuskiego miasteczka, którzy dzień wcześniej tak radośnie witali „Szczury pustyni", pozostali bez dachu na głową, gdyż bombowce RAF-u obróciły ich domy w sterty gruzu.

Montgomery chciał mieć pod swą komendą w Normandii trzy ze swoich dywizji, z którymi walczył na pustyni – 7. Pancerną, 50. Northumbryjską i 51. Górską (Highland). Kilka z ich zasłużonych w bojach pułków walczyło dzielnie w Normandii, ale morale, a czasem i dyscyplina w wielu innych nie były należyte. Żołnierze tych jednostek od zbyt dawna uczestniczyli we frontowych zmaganiach i woleli nie podejmować ryzyka. Taka „zmyślna" ostrożność spowalniała ich postępy. W przypadku brytyjskich pułków pancernych lęk przed świetnie zamaskowanymi niemieckimi działami przeciwpancernymi był zupełnie zrozumiały, skoro armata 88 mm była w stanie wyeliminować z walki aliancki wóz bojowy z odległości ponad półtora kilometra. Do tego tylko niespełna jedna trzecia brytyjskich czołgów miała świetne działo siedemnastofuntowe (kalibru 76,2 mm), które na pewnym dystansie umożliwiało podjęcie w miarę skutecznej walki z „tygrysami" i „panterami". Po fiasku pod Villers-Bocage pewność siebie żołnierzy brytyjskiej 7. Dywizji Pancernej bardzo wyraźnie osłabła. Nie powiódł się również atak 51. Dywizji Górskiej na wschód od Caen. Montgomery był tak zatrwożony niepowodzeniem wspomnianej dywizji, że zdymisjonował jej dowódcę i rozważał odesłanie tej jednostki z powrotem do Anglii na doszkalanie. Dopiero pod sam koniec kampanii normandzkiej Highlanders odzyskali wcześniejszą znakomitą reputację.

Także formacje wojsk amerykańskich prezentowały się w walce bardzo różnie, przy czym dotyczyło to nawet jednostek w składzie tych samych dywizji. W niedoświadczonych dywizjach załamywało się psychicznie wielu żołnierzy, a liczba przypadków szoku nerwowego w źle wyszkolonych i słabo dowodzonych rezerwach była wręcz katastrofalnie wysoka. Przybycie nocą na front, do nowej jednostki, w której nie znało się nikogo – i najczęściej po rozpaczliwie niedostatecznym przeszkoleniu – musiało oddziaływać demoralizująco. Inni żołnierze trzymali się z daleka od żółtodziobów, ci bowiem zjawiali się na miejscu ich kolegów, którzy polegli i których nadal opłakiwali.

Wszelkie myśli o tym, że Niemcy musieli już zrozumieć, iż przegrali tę wojnę, rozwiewały się brutalnie wobec nader skutecznej obrony prowadzonej przez wojska niemieckie, uciekające się do mnóstwa zabójczych sztuczek, jakich wyuczyły się na froncie wschodnim. Poza elitarnymi formacjami alianckimi, takimi jak oddziały spadochroniarzy czy rangersów, większość żołnierzy po stronie sprzymierzonych stanowili zmobilizowani, uzbrojeni cywile, którzy pragnęli tylko tego, by wojna się zakończyła i aby mieć ją już za sobą. Trudno było oczekiwać, że dorównają zapałem bojowym Niemcom – indoktrynowanym od wczesnej młodości i wychowywanym na nazistowskich wojowników, a w owym czasie przekonywanym też przez propagandę Goebbelsa, że jeśli nie zdołają się utrzymać w Normandii, to ich rodziny, domy i cała ojczyzna przepadną z kretesem.

Najbardziej sfanatyzowana była 12. Dywizja SS „Hitlerjugend". Jej oficerowie wpajali podwładnym przed walką, że każdy żołnierz Waffen-SS, który podda się, nie odniósłszy poważnej rany, zostanie uznany za zdrajcę. W razie gdyby żołnierze Dywizji „Hitlerjugend" dostali się żywi w ręce wroga, mieli się nie zgadzać na transfuzję „obcej" krwi i umrzeć za Führera. Trudno sobie wyobrazić brytyjskich czy amerykańskich jeńców wojennych, którzy chcieliby z własnej woli umierać za króla Jerzego VI, Churchilla czy prezydenta Roosevelta. Oczywiście nie wszyscy niemieccy żołnierze byli tak wierni sprawie nazistowskiej. Wielu z frontowych dywizji piechoty po prostu chciało przeżyć i powrócić do swoich narzeczonych i rodzin.

Zaraz po tym jak Amerykanie zdobyli Cherbourg, rozpoczęła się zażarta batalia pośród żywopłotów i bagien w południowej części półwyspu. Były to krwawe zmagania, okupione wysokimi stratami, gdy dywizje Bradleya rozciągnięte na obszarze od Caumont po wybrzeże Atlantyku parły naprzód, by wyjść na otwarte przestrzenie, gdzie amerykańskie dywizje pancerne mogły zademonstrować w pełni swoją potęgę.

Niemieccy generałowie twierdzili, zapewne słusznie, że stosowana przed Bradleya taktyka atakowania siłami rzadko większymi od batalionu, wspieranymi przez nieliczne czołgi i niszczyciele czołgów, nie nastręcza im większych problemów. Dowódca niemieckiej 3. Dywizji Strzelców Spadochronowych chełpił się wręcz, że to świetny poligon ćwiczebny dla jego własnych niedoświadczonych żołnierzy, spośród których wielu przeniesiono z jednostek Luftwaffe i szkół lotniczych, uzupełniając nimi poniesione straty. Wykorzystując stosunkowo nieduże zespoły bojowe, złożone z podododdziałów piechoty, saperów, instalujących miny i bomby pułapki, samobieżnych dział szturmowych oraz dobrze uplasowanych armat przeciwpancernych, wojska niemieckie zadawały atakującym Amerykanom znacznie większe straty od tych, jakie same ponosiły. Ich główny problem wiązał się z niedostatkiem amunicji i innego zaopatrzenia, ponieważ alianckie samoloty atakowały wszystkie transporty na tyłach.

Celem Bradleya było zdobycie Saint-Lô i opanowanie drogi z Périers do Saint-Lô, skąd chciał wyprowadzić zasadniczą ofensywę, podczas gdy Montgomery podjął ponowną próbę okrążenia Caen. Nie wiedział jednak, że Rommel i Rundstedt 17 czerwca zwrócili się do Hitlera z prośbą o zgodę na wycofanie ich wojsk na łatwiejszą do obrony linię za rzeką Orne, poza zasięg dział alianckiej artylerii okrętowej. Führer, po krótkiej wizytacji we Francji, w trakcie której usiłował narzucić swoją wolę niemieckiej generalicji, nie chciał nawet słyszeć o niczym podobnym. Jego obłędny upór i ciągłe ingerowanie w decyzje frontowych dowódców zaciążyły w decydującym stopniu nie tylko na przebiegu kampanii w Normandii, ale i na losie całej Francji.

Hitler, pogrążający się w swoim iluzorycznym świecie, nabrał przekonania, że latające bomby V-1, które Niemcy zaczęli odpalać na Londyn, rzucą Wielką Brytanię na kolana, a nowe niemieckie myśliwce odrzutowe rychło zniszczą alianckie siły powietrzne. Rommel, który wiedział, że to tylko mrzonki, namawiał go do zakończenia wojny. Hitler odparł, że alianci nie będą negocjować – i tu miał rację. Po krótkim wypadzie do Francji powrócił do Berghofu. Pięć dni później niemieckie wojska na froncie wschodnim poniosły największą klęskę w całej wojnie.

ROZDZIAŁ 39

Operacja „Bagration" i walki w Normandii

czerwiec–sierpień 1944

W czasie, kiedy w OKH i kwaterze głównej Führera trochę lekceważono prawdopodobieństwo radzieckiego uderzenia na Białorusi, we frontowych jednostkach niemieckiej Grupy Armii „Środek" narastało zaniepokojenie. Dwudziestego czerwca 1944 roku atmosferę podgrzewały „upał towarzyszący latu w pełni i odległy grzmot"[1], gdy na niemieckich tyłach doszło do szczytowego nasilenia działań partyzanckich. Dziesięć dni wcześniej niemiecki nasłuch przechwycił radziecki radiogram z rozkazem wzmożenia aktywności na zapleczu 4. Armii. W tej sytuacji Niemcy przeprowadzili wielką akcję antypartyzancką, operację „Kormoran". Wzięła w niej udział niesławna brygada Kamińskiego, która postępowała z ludnością cywilną na okupowanych obszarach z wręcz średniowiecznym okrucieństwem, a rażące niezdyscyplinowanie w tej jednostce stanowiło afront dla przywiązanych do wojskowych tradycji niemieckich oficerów.

Moskwa wydała konkretne polecenia wielkim partyzanckim oddziałom w lasach i wśród bagien Białorusi. Miały w pierwszej kolejności atakować linie kolejowe, a następnie, już po rozpoczęciu ofensywy, nękać oddziały Wehrmachtu. Polegało to na zajmowaniu mostów, blokowaniu szlaków zaopatrzeniowych przebiegających przez lasy za pomocą ściętych drzew oraz atakowaniu i spowalnianiu zmierzających na front niemieckich posiłków wojskowych.

O świcie 20 czerwca na pozycje 25. Dywizji Grenadierów Pancernych spadły godzinne bombardowanie i krótkotrwały szturm. Potem wszystko znowu ucichło. Był to albo rozpoznawczy atak, albo też próba wywołania

---

[1] Podporucznik Rudolf F., 6. Dywizja Piechoty, 23 czerwca 1944 r., BfZ-SS 27 662 A.

wśród Niemców niepokoju. W kwaterze głównej Führera nie wierzono, że radziecka letnia ofensywa nastąpi w sektorze Grupy Armii „Środek". Oczekiwano raczej natarcia na północ od Leningradu, przeciwko Finom, oraz kolejnego potężnego uderzenia na południe od bagien nad Prypecią, ku Polsce i Bałkanom.

Hitler uważał, że strategia Stalina polegała na atakowaniu sojuszników Niemiec – Finów, Węgrów, Rumunów i Bułgarów – aby wyeliminować ich z wojny, podobnie jak się to stało z Włochami. Te jego podejrzenia zdawały się znajdować potwierdzenie, gdy najpierw ruszyły do ataku wojska Frontu Leningradzkiego, a następnie Frontu Karelskiego. Ale Stalin, w tym czasie na tyle roztropny, by przedkładać pragmatyzm ponad mściwość, nie zamierzał całkowicie niszczyć Finlandii. Oznaczałoby to bowiem konieczność zaangażowania przeciwko Finom zbyt licznych wojsk, potrzebnych gdzie indziej. Chciał po prostu wykluczyć Finów z walk i odzyskać ziemie, utracone, ale wcześniej odebrane im w 1940 roku. Poza tym liczył na to, że operacje na północy odwrócą uwagę Hitlera od Białorusi.

Armia Czerwona skutecznie zastosowała działania maskujące, które miały wskazywać na wielką koncentrację wojsk na Ukrainie, podczas gdy w istocie Sowieci potajemnie przerzucali czołgi i armie na północ. Było to o tyle ułatwione, że formacje Luftwaffe praktycznie znikły z frontu wschodniego. Aliancka strategiczna ofensywa bombowa, a potem inwazja na Normandię, doprowadziły do zredukowania wsparcia powietrznego dla niemieckich armii polowych na wschodzie do minimalnego poziomu. Dominacja radzieckiego lotnictwa prawie całkowicie uniemożliwiała Niemcom przeprowadzanie lotów rozpoznawczych, więc do kwatery dowództwa Grupy Armii „Środek" w Mińsku docierało niewiele informacji o gigantycznej koncentracji sowieckich sił. Łącznie Stawka zebrała tam około piętnastu armii, liczących ogółem 1 670 000 żołnierzy z niemal sześcioma tysiącami czołgów i dział samobieżnych oraz ponad trzydziestoma tysiącami armat, haubic, ciężkich moździerzy i baterii wyrzutni katiusza. Wojska te były wspierane przez ponad siedem i pół tysiąca samolotów.

Siły niemieckiej Grupy Armii „Środek" prezentowały się przy tej potędze nader skromnie. Niektóre odcinki frontu były tak słabo obsadzone, że nieliczne straże musiały po nocach trzymać sześciogodzinne warty. Niemieccy żołnierze i oficerowie nie mieli pojęcia o gorączkowych przygotowaniach, jakie się odbywały za sowieckimi liniami. Leśne ścieżki poszerzano z myślą o wielkich opancerzonych pojazdach, na moczarach układano wyłożone balami drogi dla czołgów, przewożono pontony, utwardzając też dno brodów na przeprawach, a nawet budując mosty tuż pod powierzchnią wody w rzekach.

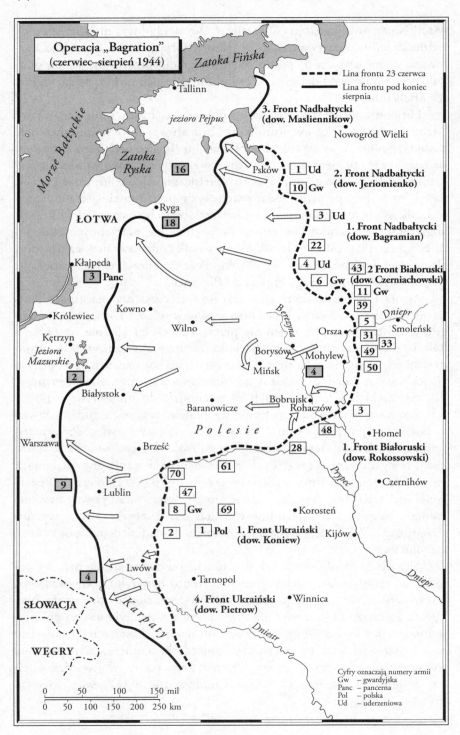

Operacja „Bagration”
(czerwiec–sierpień 1944)

Zatoka Fińska

Tallinn

jezioro Pejpus

**3. Front Nadbałtycki
(dow. Masliennikow)**

Nowogród Wielki

Morze Bałtyckie

Zatoka
Ryska

16

Psków

1 Ud

10 Gw

**2. Front Nadbałtycki
(dow. Jeriomienko)**

ŁOTWA

Ryga

18

3 Ud

**1. Front Nadbałtycki
(dow. Bagramian)**

22

Kłajpeda

3 Panc

4 Ud

6 Gw

43 **2 Front Białoruski
(dow. Czerniachowski)**

11 Gw

39

Berezyna

Dniepr

Królewiec

Kowno

5

Orsza

Smoleńsk

31

Kętrzyn

Wilno

33

49

50

*Jeziora
Mazurskie*

Borysów

Mohylew

2

Mińsk

4

Białystok

Baranowicze

Bobrujsk

Rohaczów

3

P o l e s i e

48

Homel

28

**1. Front Białoruski
(dow. Rokossowski)**

Warszawa

Brześć

Prypeć

9

61

Czernihów

70

Lublin

47

8 Gw

69

Korosteń

2

1 Pol

**1. Front Ukraiński
(dow. Koniew)**

Kijów

4

Lwów

Tarnopol

Dniepr

SŁOWACJA

**4. Front Ukraiński
(dow. Pietrow)**

Winnica

K a r p a t y

WĘGRY

Dniestr

- - - Lina frontu 23 czerwca
——— Lina frontu pod koniec
sierpnia

Cyfry oznaczają numery armii
Gw – gwardyjska
Panc – pancerna
Pol – polska
Ud – uderzeniowa

0   50   100   150 mil
0   50   100 150 200 250 km

Konieczność rozmieszczenia tak wielkich sił opóźniła datę rozpoczęcia ofensywy o trzy dni. Dwudziestego drugiego czerwca, w trzecią rocznicę operacji „Barbarossa", 1. Front Nadbałtycki i 3. Front Białoruski przeprowadziły rozpoznanie walką. Właściwa operacja „Bagration", której kryptonim nadał sam Stalin na cześć gruzińskiego księcia, bohatera z roku 1812, zaczęła się na dobre nazajutrz.

Plan Stawki przewidywał obejście Witebska w północnej części wybrzuszenia linii frontu w sektorze Grupy Armii „Środek" oraz Bobrujska nieco dalej na południu, a następnie wyprowadzenie z tych sektorów ukośnych uderzeń i zamknięcie w ich kleszczach Mińska. Na północnej flance 1. Front Nadbałtycki generała Iwana Bagramiana oraz 3. Front Białoruski młodego generała Iwana Czerniachowskiego przypuściły szybkie uderzenie, aby zamknąć w okrążeniu wojska nieprzyjaciela na łuku witebskim, zanim Niemcy zdążą zareagować. Postanowiono nawet zaniechać przygotowania artyleryjskiego, poza wybranymi odcinkami, gdzie zostało uznane za nieodzowne. Fale „szturmowików" Ił-2 wspierały z powietrza radzieckie pancerne szpice. Niemiecka 3. Armia Pancerna została całkowicie zaskoczona. Witebsk znajdował się w środku wrażliwego na ataki wybrzuszenia w linii frontu, którego centralny sektor był broniony tylko przez dwie słabe dywizje polowe Luftwaffe. Bezradny dowódca niemieckiego korpusu dostał rozkaz utrzymania Witebska jako ufortyfikowanego punktu, choć nie miał sił wystarczających do wypełnienia takiego zadania.

W centrum, od Orszy po Mohylew, gdzie mieściła się carska kwatera główna w latach pierwszej wojny światowej, 4. Armia generała piechoty Kurta von Tippelskircha także niczego się nie spodziewała. „Za nami prawdziwie czarny dzień – pisał w liście do rodziny pewien kapral z 25. Dywizji Grenadierów Pancernych – taki, którego szybko nie zapomnę. Rosjanie zaczęli od najcięższego z możliwych ostrzału artyleryjskiego. Trwał przez około trzy godziny. Z całych sił próbowali przełamać front. Parli niepowstrzymanie. Naprawdę musiałem ratować się ucieczką, żeby nie wpaść w ich łapy. Ich czołgi nacierały z czerwonymi flagami"[2]. Tylko oddziały 25. Dywizji Grenadierów Pancernych i 78. Dywizji Szturmowej z działami samobieżnymi zażarcie odpierały ataki na wschód od Orszy.

Następnego dnia Tippelskirch poprosił o zezwolenie na podjęcie odwrotu nad północny Dniestr, lecz kwatera główna Führera nie wyraziła zgody. Dysponując zaledwie kilkoma rozproszonymi dywizjami złożonymi

---

[2] Kapral Julfried K., 125. baon rozpoznawczy 25. Dywizji Grenadierów Pancernych, 24 czerwca 1944 r., BfZ-SS 45 402.

z wyczerpanych żołnierzy, Tippelskirch postanowił zignorować obłąkańcze rozkazy utrzymania obrony, potwierdzone przez służalczego wobec Hitlera dowódcę grupy armii feldmarszałka Ernsta Buscha, stacjonującego w Mińsku. Niemieccy frontowi dowódcy zdali sobie sprawę, że jedynym sposobem ocalenia ich jednostek jest przedstawianie nieprawdziwego stanu rzeczy w meldunkach sytuacyjnych i dziennikach wojennych w celu uzasadnienia odwrotów.

Niemiecka 12. Dywizja Piechoty na froncie pod Orszą wycofała się w ostatniej chwili. Kiedy pewien major zapytał oficera saperów, po co taki pośpiech z wysadzaniem mostu, przez który właśnie przeszedł jego batalion, zagadnięty podał mu lornetkę i wskazał za rzekę. Obróciwszy się, major dostrzegł kolumnę czołgów T-34, która już podchodziła na odległość strzału. Orsza i Mohylew nad Dnieprem zostały okrążone i zdobyte przez Sowietów po trzech dniach. Niemcy musieli pozostawić tam kilkuset rannych. Niemiecki generał, który dostał rozkaz bronienia się w Mohylewie do końca, znalazł się na skraju załamania nerwowego.

Na radzieckich tyłach największe problemy nastręczały przymusowe przestoje długich kolumn pojazdów wojskowych. Czołgu, który uległ awarii, nie udawało się tak łatwo wyminąć z powodu bagien i lasów po obydwu stronach dróg. Czasami dochodziło do tak wielkiego zamieszania, że „pułkownik mógłby kierować ruchem na skrzyżowaniach", jak wspominał później jeden z oficerów Armii Czerwonej[3]. Wskazał też, jak bardzo poszczęściło się radzieckim wojskom wobec minimalnej aktywności Luftwaffe, gdyż pojazdy zablokowane na drogach stanowiłyby dla niemieckich samolotów łatwe cele.

Na południowej flance 1. Front Białoruski generała Rokossowskiego przystąpił do natarcia poprzedzonego potężnym przygotowaniem artyleryjskim, które zaczęło się o czwartej rano. Wybuchy wyrzucały w górę fontanny ziemi. Podłoże na wielkiej przestrzeni było podziurawione lejami i zryte przez pociski. Drzewa padały pokotem, a niemieccy żołnierze, kuląc się odruchowo w schronach, drżeli wraz z gruntem poruszającym się jak podczas trzęsienia ziemi.

Północne zgrupowanie wojsk Rokossowskiego przełamało obronę na odcinku pomiędzy 4. Armią Tippelskircha a 9. Armią odpowiedzialną za sektor bobrujski. Generał piechoty Hans Jordan, dowódca 9. Armii, podciągnął rezerwy w postaci 20. Dywizji Pancernej. Ale gdy tej samej nocy dywizja ta rozpoczęła kontruderzenie, rozkazano jej wycofać się na południe od Bobrujska. Przełamanie dokonane przez drugie zgrupowanie Rokossow-

---

[3] Słowa porucznika Degana, cyt. za: P. Adair, *Hitler's Greatest Defeat. The Collapse of Army Group Centre, June 1944*, London 1994, s. 106.

skiego, na którego czele operował 1. Korpus Pancerny, okazało się o wiele bardziej niebezpieczne, zagrażało bowiem okrążeniem Bobrujska oraz odcięciem lewego skrzydła 9. Armii. Przeprowadzone przez Rokossowskiego zaskakujące uderzenie na skraju bagiennego Polesia odniosło sukces zbliżony do tego, który był udziałem Niemców w 1940 roku, gdy zaatakowali przez Ardeny.

Hitler nadal nie chciał się zgodzić na odwrót, więc 26 czerwca feldmarszałek Busch poleciał do Berchtesgaden, by złożyć mu raport w Berghofie. Towarzyszył mu Jordan, którego Führer zamierzał przesłuchać w związku z rozkazami wydanymi 20. Dywizji Pancernej. Kiedy jednak Busch i Jordan znajdowali się daleko od swoich sztabów na froncie wschodnim, niemal cała 9. Armia skapitulowała. Nazajutrz obydwu zdymisjonowano, a feldmarszałek Model niezwłocznie został wezwany na pomoc przez Hitlera. Jednakże, mimo opisanej klęski i zagrożenia Mińska, w OKW nie miano pojęcia o skali radzieckich ambicji.

Model, jeden z nielicznych dowódców frontowych, który z powodzeniem potrafił przeciwstawić się Hitlerowi, zdołał przeprowadzić nieodzowny odwrót na linię Berezyny w okolicach Mińska. Führer pozwolił też skierować 5. Dywizję Pancerną na północny wschód od tego miasta, w okolicach Borysowa. Dotarła tam 28 czerwca, lecz wkrótce została zaatakowana z powietrza przez szturmowe Iły-2. Wzmocniona przez batalion czołgów Tiger i nieliczne oddziały SS, rzeczona dywizja zajęła stanowiska po obu stronach szosy przebiegającej z Orszy przez Borysów do Mińska. Oficerowie i szeregowcy tej formacji nie mieli większego rozeznania w ogólnej sytuacji, choć słyszeli pogłoski, że Armia Czerwona gdzieś nieco dalej na północy sforsowała już Berezynę.

W trakcie tej nocy czołowe oddziały radzieckiej 5. Gwardyjskiej Armii Pancernej starły się z grenadierami pancernymi niemieckiej dywizji. Batalion czołgów typu Panther wsparł obronę, ale na północy wojska Czerniachowskiego wdarły się między 3. Armię Pancerną a 4. Armię. Niemcy zaczęli cofać się w nieładzie, nieustannie atakowani przez „szturmowiki" i pod ostrzałem radzieckiej artylerii. Niemieckie transporty pędziły w popłochu ku ostatniemu ocalałemu mostowi na Berezynie, tarasując sobie wzajemnie drogę, aby przedostać się na drugi brzeg, zanim most zostanie trafiony przez nieprzyjaciela. Miejscem przeprawy Napoleona przez Berezynę podczas straszliwego odwrotu w roku 1812 były okolice nieco na północ od Borysowa.

Witebsk już płonął, gdy oddziały niemieckiego LIII Korpusu wycofywały się w bezskutecznej próbie przebicia się przez pierścień okrążenia i dołączenia do 3. Armii Pancernej. Magazyny i składy paliwowe stanęły w ogniu i buchały z nich kłęby czarnego dymu. Niemcy stracili prawie trzydzieści tysięcy ludzi, zabitych lub wziętych do niewoli. Owa katastrofa zachwiała też wiarą wielu ocalałych – w Führera i dalszy sens tej wojny. „Iwan przebił się o poranku – pisał w liście do domu pewien kapral z 206. Dywizji Piechoty. – Krótka przerwa [w walkach] pozwala mi na napisanie listu. Mamy rozkaz oderwania się od nieprzyjaciela. Moi drodzy, sytuacja jest rozpaczliwa. Już w nikogo nie wierzę, jeżeli ma to wyglądać tak jak tutaj"[4].

Dalej na południe wojska Rokossowskiego zamknęły w okrążeniu niemal całą 9. Armię i miasto Bobrujsk, które niebawem zdobyły. „Kiedy wkraczaliśmy do Bobrujska – zapisał Wasilij Grossman, znajdujący się wtedy w 120. Dywizji Strzeleckiej Gwardii, którą znał jeszcze spod Stalingradu – niektóre budynki się paliły, a inne leżały w gruzach. Do Bobrujska wiodła droga odwetu! Nasze auto z trudem przeciska się między spalonymi i powyginanymi niemieckimi czołgami oraz działami samobieżnymi. Żołnierze przechodzą ponad zwłokami Niemców. Ciała, całe ich setki, zalegają na szosie, leżą w rowach, pod sosnami wśród zielonego jęczmienia. Gdzieniegdzie pojazdy muszą po nich przejeżdżać, tak gęsto trup się ściele. Ludzie się uwijają, grzebiąc je, ale zwłok tak dużo, że nie sposób uporać się z tym w ciągu dnia. Dzień jest męcząco upalny i bezwietrzny, a ludzie chodzą i jeżdżą, przyciskając chusteczki do nosów. Wrzał tu kocioł śmierci – bezlitosna, straszliwa zemsta na tych, którzy nie złożyli broni i przebijali się na zachód"[5].

Po rozbiciu Niemców wyłonili się cywile. „Nasi, których wyzwoliliśmy, opowiadają nam swoje historie i płaczą (płaczą głównie starsi) – napisał w liście młody czerwonoarmista. – A młodzi są w takim świetnym humorze, że śmieją się bez przerwy, nie zamykają im się usta. Śmieją się i gadają"[6].

Dla Niemców odwrót ten przebiegł katastrofalnie. Pojazdy wszelkiego rodzaju trzeba było porzucać, ponieważ skończyło się w nich paliwo. Nawet przed radzieckim atakiem przydział na każdy z nich ograniczono do dziesięciu–piętnastu litrów na dzień. Prowadzona przez generała Spaatza strategia nalotów bombowych na zakłady naftowe w Rzeszy z pewnością sprzyjała Armii Czerwonej na froncie wschodnim, a także wojskom zachodnich aliantów w Normandii. Ranni Niemcy, którym poszczęściło się na tyle, że ich ewakuowano, cierpieli katusze na ciągnionych przez konie wozach, trzęsących się i podskakujących na wybojach. Wielu zmarło z upływu krwi, zanim dotarli do punktów opatrunkowych. W związku z tym, że wobec braku sanitariuszy drastycznie zredukowano na froncie niesienie pierwszej pomo-

---

[4] Kapral Alfons F., 206. Dywizja Piechoty, 28 czerwca 1944 r., BfZ-SS 56 601 C.
[5] Dokumentacja W. Grossmana, RGALI 1710/3/50.
[6] Z listów Władimira Coglina do matki, w: *Sochrani moi pis'ma*, red. I. Altman, Moskwa 2007, s. 260–275.

cy, poważne rany oznaczały niemal pewną śmierć. Tych, których udało się wywieźć z linii frontu, zabrano do szpitali wojskowych w Mińsku, ale właśnie Mińsk był głównym celem radzieckiej ofensywy.

Po lasach niedobitki niemieckich formacji uciekały na zachód. Brakowało im wody, a wielu żołnierzy cierpiało w upale z powodu odwodnienia. Wszyscy oni byli narażeni na skrajnie silny stres, lękając się zasadzek organizowanych przez partyzantów oraz schwytania przez Armię Czerwoną. Sowieckie bombowce i działa nękały wycofujących się Niemców, zwalając drzewa, które trafione pociskami, rozsypywały się na drzazgi. Okrucieństwo i brutalność walk były tak wielkie, że poległo w ich trakcie aż siedmiu generałów ze składu Grupy Armii „Środek".

Nawet Hitler musiał wyzbyć się swego nawyku określania mianem twierdz zupełnie nieprzystosowanych do prowadzenia w nich obrony miasteczek w strefie frontowej. Właśnie z tego powodu dowódcy liniowi starali się unikać bronienia się w miastach. Do końca czerwca radziecka 5. Gwardyjska Armia Pancerna przedzierała się naprzód i przystąpiła do okrążania Mińska od północy. Zapanował tam prawdziwy chaos, gdy kwatera główna Grupy Armii „Środek" i wszystkie niemieckie placówki na tyłach przystąpiły do pospiesznej ewakuacji. Ciężko rannych w szpitalach pozostawiono ich własnemu losowi. Mińsk został zdobyty od południa 3 lipca, a większość niemieckiej 4. Armii znalazła się w pułapce między owym miastem a Berezyną.

Nawet pewien Obergefreiter służby medycznej, który nie mógł mieć wglądu w mapy sztabowe, wyraźnie dostrzegał gorzką ironię sytuacji, w jakiej znalazły się oddziały niemieckie. Pisał on: „Wróg postępuje teraz tak jak my w czterdziestym pierwszym [roku]: okrążenie za okrążeniem"[7]. Żołnierz tej samej rangi z Luftwaffe zauważył w liście do żony mieszkającej w Prusach Wschodnich, że znalazł się już zaledwie dwieście kilometrów od miejsca jej pobytu. „Jeśli Rosjanie nie zmienią kierunku swojego natarcia, to już niedługo staną u twoich drzwi"[8].

Mszczono się w Mińsku, zwłaszcza na byłych żołnierzach Armii Czerwonej, którzy podjęli służbę w formacjach pomocniczych Wehrmachtu, czyli tak zwanych hiwisach. Dochodziło do samosądów w reakcji na okrutne represje na Białorusi, gdzie zginęła w czasie okupacji jedna czwarta ludności. „Pewien partyzant, drobny człowieczek – pisał Grossman – zatłukł drągiem dwóch Niemców. Błagał straże kolumny [jeńców], żeby mu tych Niemców wydali. Był przekonany, że to właśnie oni zabili jego córkę Olę

---

[7] Starszy kapral Otto H., 6. kompania sanitarna, 13 lipca 1944 r., BfZ-SS 24 740.
[8] Starszy kapral Otto L., komendantura lotniska typu E 209/XVII, 10 lipca 1944 r., BfZ-SS L 55 922.

i dwóch synów. Pogruchotał im wszystkie kości, porozbijał czaszki, a kiedy ich tłukł, płakał i wrzeszczał: »A masz – za Olę! A masz – za Kolę!«. Gdy już nie żyli, oparł ich zwłoki o pień drzewa i okładał je nadal"[9].

Zmechanizowane wojska Rokossowskiego i Czerniachowskiego kontynuowały atak, a dywizje strzeleckie maszerujące za nimi niszczyły zamknięte w okrążeniu siły niemieckie. Radzieccy dowódcy poznali do tego czasu korzyści wynikające z prowadzenia energicznego natarcia w momencie, gdy nieprzyjaciel znajdował się w pełnym odwrocie. Nie chciano dać Niemcom wytchnienia i nie pozwalano na zorganizowanie nowych linii obrony. Piąta Armia Pancerna Gwardii skierowała się na Wilno, natomiast inne formacje ruszyły w kierunku Baranowicz. Wilno zostało zdobyte 13 lipca po zaciętych walkach, w których uczestniczyli także żołnierze Armii Krajowej. Następny cel stanowiło Kowno. Niemieckie obszary Prus Wschodnich były już bardzo blisko.

Stawka zaplanowała wtedy uderzenie ku Zatoce Ryskiej, aby zamknąć w pułapce wojska Grupy Armii „Północ" w Estonii i na Łotwie. Owa grupa armii walczyła rozpaczliwie o utrzymanie korytarza wiodącego na zachód, równocześnie stawiając opór ośmiu radzieckim armiom napierającym od wschodu. Tymczasem na południe od poleskich bagien 13 lipca wojska 1. Frontu Ukraińskiego marszałka Koniewa rozpoczęły ofensywę, która przeszła do historii pod nazwą operacji lwowsko-sandomierskiej. Po rozbiciu słabej niemieckiej defensywy formacje Koniewa ruszyły dalej, by otoczyć Lwów. W szturmie na to miasto pomagało im dziesięć dni później trzy tysiące żołnierzy polskiej podziemnej Armii Krajowej pod dowództwem pułkownika Władysława Filipkowskiego. Ale od razu po zdobyciu Lwowa NKWD, które zajęło siedzibę Gestapo i przejęło pozostawioną tam dokumentację, aresztowało oficerów AK, zmuszając żołnierzy tej organizacji do wstąpienia w szeregi podległej komunistom 1. Armii Wojska Polskiego[10].

Po opanowaniu Lwowa wojska 1. Frontu Ukraińskiego Koniewa ruszyły na zachód ku Wiśle, jednakże największy strach budziły w Niemczech myśli o zbliżaniu się sowieckich formacji do Prus Wschodnich – prowincji „starej Rzeszy". Jedyną nadzieję pokładano, podobnie jak w Normandii, w „broni odwetowej", zwłaszcza w pociskach rakietowych V-2. „Efekt ich użycia powinien być wielokrotnie potężniejszy niż V-1" – pisał w liście do rodziny pewien Obergefreiter Luftwaffe, ale nie tylko on lękał się, że alianci odpowiedzą na to zastosowaniem gazów bojowych[11]. Nieliczni doradzali

---

[9] Dokumentacja W. Grossmana, RGALI 1710/3/47.
[10] L. Rees, *World War II behind Closed Doors. Stalin, the Nazis and the West*, London 2009, s. 274.
[11] Starszy kapral Otto L., komendantura lotniska typu E 209/XVII, 10 lipca 1944 r., BfZ-SS L 55 922.

nawet swoim bliskim w rodzinnych domach nabycie w razie konieczności masek gazowych. Inni zaczęli żywić obawy, że sami Niemcy „mogą zacząć używać gazów (jako ostatniej deski ratunku)".

Niektóre niemieckie oddziały zajmowały kolejne linie obrony w daremnej nadziei na powstrzymanie nieprzyjacielskiej ofensywy. „Rosjanie atakują bez ustanku – pisał Gefreiter kompanii budowlanej wcielony do piechoty. – Bombardowanie trwa od piątej rano. Chcą się przebić. Ataki ich lotnictwa szturmowego są dobrze zgrane z ogniem artyleryjskim. Uderzenie następuje za uderzeniem. Siedzę w naszym solidnym bunkrze i piszę pewnie swój ostatni liścik"[12]. Prawie każdy niemiecki żołnierz modlił się w duchu o to, by powrócić żywym do rodzinnego domu, ale niewielu tak naprawdę w to wierzyło.

Wypadki następowały po sobie w takim tempie, jak zauważył inny Obergefreiter wcielony do jednej z zaimprowizowanych grup bojowych, że „już nie ma mowy o [jednolitym] froncie". I dalej: „Mogę wam tylko przekazać, że obecnie jesteśmy niedaleko od Prus Wschodnich, a najgorsze pewnie dopiero nastąpi"[13]. W samych Prusach Wschodnich ludność cywilna z coraz większym zaniepokojeniem przypatrywała się wzmożonemu ruchowi na drogach. Pewna kobieta, mieszkająca w pobliżu wschodniej niemieckiej granicy, obserwowała przechodzące koło jej domu „kolumny żołnierzy i uciekinierów z Tylży, które były ciężko bombardowane"[14]. Naloty radzieckiego lotnictwa zmuszały cywilów do chowania się w piwnicach i zabijania deskami rozbitych okien. Warsztaty i fabryki praktycznie przestały działać, ponieważ tylko nieliczne kobiety przychodziły do pracy. Zakazano wyjazdów dalej niż o sto kilometrów. Gauleiter Prus Wschodnich Erich Koch chciał zapobiec masowej ucieczce ludności na zachód, oznaczającej niewiarę w zwycięstwo Niemiec.

Natarcie wojsk Koniewa postępowało szybko z okolic Lublina, a na zachodnich obrzeżach tego miasta Sowieci wyzwolili obóz koncentracyjny w Majdanku. Grossman towarzyszył w tym czasie generałowi Czujkowowi, którego stalingradzka armia, przemianowana na 8. Armię Gwardii, wkroczyła do Lublina. Czujkowa troskało głównie to, że mógł nie zostać wyznaczony do przeprowadzenia ofensywy na Berlin, który był dla niego równie ważny jak Rzym dla generała Marka Clarka. „To całkiem logiczne i rozumne – przekonywał Czujkow. – Pomyśleć tylko: *stalingradcy* szturmujący Berlin!"[15] Grossman, zdegustowany egomanią dowódców i rozżalony

---

[12] Kapral Heinrich R., 735. baon budowlany, 26 lipca 1944 r., BfZ-SS 03 707 D.
[13] Starszy kapral Karl B., 332. Grupa Pułkowa, 28 lipca 1944 r., BA-MA H 34/1.
[14] Erika S., miejscowość Nieman, 28 lipca 1944 r., BA-MA H34/1.
[15] P.I. Trojanowski, *Na wośmi frontach*, Moskwa 1982, s. 183.

z powodu tego, że to Konstantin Simonow, a nie on sam, miał opisać obóz w Majdanku, wyjechał do Treblinki, gdzie właśnie dokonano makabrycznego odkrycia.

Simonow wraz z bardzo liczną grupą zagranicznych korespondentów został wysłany do obozu w Majdanku przez Główny Zarząd Polityczny Armii Czerwonej, aby dać tam świadectwo nazistowskim zbrodniom. Stanowisko Stalina w tej kwestii, ujęte sloganem „Nie dzielmy zabitych", było jasne. Miano nie wspominać o Żydach jako o specjalnej kategorii osób szczególnie prześladowanych przez nazistów. Ofiary Majdanka należało określać wyłącznie jako radzieckich i polskich obywateli. Hans Frank, zwierzchnik nazistowskiego Generalnego Gubernatorstwa, był przerażony, kiedy szczegółowe informacje na temat ludobójstwa w Majdanku pojawiły się w zagranicznej prasie. Tempo radzieckiego natarcia zaskoczyło SS, nie pozwalając esesmanom na zatarcie świadectw popełnionych zbrodni. Do Franka i innych czołowych nazistów po raz pierwszy dotarło, że po wojnie czeka ich stryczek.

SS miało więcej czasu w Treblince. Dwudziestego trzeciego lipca, gdy w oddali słychać już było huk artylerii Koniewa, komendant obozu Treblinka I otrzymał rozkaz zlikwidowania ostatnich ocalałych tam więźniów. Esesmanom i ukraińskim strażnikom wydano sznapsa, nim przystąpili do zabijania pozostałych w obozie ofiar. Jedynym więźniem, który przeżył tę masakrę, był Maks Lewit, stolarz z Warszawy. Raniony na początku strzelaniny znalazł się pod ciałami innych więźniów. Udało mu się przeczołgać do lasu, skąd nasłuchiwał odgłosów nieregularnych salw. Jeden z młodocianych Rosjan z Treblinki zakrzyknął przed śmiercią: „Stalin nas pomści!"[16]

Na krótko przed tym jak w trakcie operacji „Bagration" zostały rozbite jego armie na wschodzie, Hitler przerzucił stamtąd do Normandii II Korpus Pancerny SS: 9. Dywizję Pancerną SS „Hohenstaufen" i 10. Dywizję Pancerną SS „Frundsberg". Na podstawie przejętych i rozszyfrowanych niemieckich meldunków alianccy dowódcy w Normandii zostali ostrzeżeni, czego mogą się spodziewać. Eisenhower nader się niecierpliwił, gdyż następny atak Montgomery'ego na Caen po walkach o Villers-Bocage miał się rozpocząć dopiero 26 czerwca. Nie wynikało to z winy „Monty'ego"; silny sztorm na kanale La Manche opóźnił koncentrowanie sił do operacji znanej pod kryptonimem „Epsom". Montgomery zamierzał ponownie uderzyć na zachód od Caen, a następnie zawrócić i otoczyć to miasto.

Dwudziestego piątego czerwca jeszcze dalej na zachód nastąpił atak dywersyjny, gdy XXX Korpus starł się na nowo z Dywizją Panzer Lehr;

---

[16] RGALI 1710/1/123.

49. Dywizja, zwana „Dywizją Niedźwiedzi Polarnych" od wizerunku na jej insygniach, zdołała wyprzeć Dywizję Panzer Lehr z miejscowości Tessel i Rauray, gdzie walki miały szczególnie bezwzględny charakter. Odkąd 12. Dywizja Pancerna SS „Hitlerjugend" dopuściła się mordów na jeńcach, obie strony nie okazywały litości. Tuż przed atakiem na las koło Tessel sierżant Kuhlmann, dowódca plutonu moździerzy 6. baonu Królewskiego Pułku Lekkiej Piechoty z Yorkshire (KOYLI), zapisał treść rozkazów w swoim polowym notatniku. Na samym końcu zanotował: „n.b.j. [nie brać jeńców] poniżej rangi majora"[17]. Inni także zapamiętali ów rozkaz o tym, by nie dawać pardonu, oraz to, że niemiecka propaganda zaczęła nazywać 49. Dywizję „rzeźnikami-niedźwiedziami polarnymi"[18]. Meldunki przejęte przez Ultrę potwierdziły, że Dywizja Panzer Lehr poniosła „ciężkie straty"[19].

Montgomery przedstawił Eisenhowerowi operację „Epsom" jako „ostateczną rozgrywkę", podczas gdy w istocie miał zamiar prowadzić tę batalię w typowy dla siebie, kunktatorski sposób. W oficjalnej historii kampanii włoskiej zauważono później, że Montgomery „miał nadzwyczajny dar przekonującego łączenia śmiałych zapowiedzi z bardzo ostrożnymi poczynaniami"[20]. Znalazło to potwierdzenie zwłaszcza w Normandii.

Nowo przybyły VIII Korpus wyprowadził zasadnicze uderzenie siłami szkockiej 15. Dywizji i 43. Dywizji Wessex, natomiast 11. Dywizja Pancerna wyczekiwała w gotowości na wykorzystanie przełamania frontu. Operacja została zainicjowana przez kanonadę artylerii dywizyjnej i korpuśnej oraz ostrzał z dział głównych pancerników operujących na wodach przybrzeżnych. Szkocka 15. Dywizja szybko posuwała się naprzód, ale 43. Dywizja na lewym skrzydle musiała odpierać kontrataki niemieckiej 12. Dywizji Pancernej SS. O zmroku Szkoci dotarli do doliny rzeki Odon. Choć ruch wojsk był spowolniony natłokiem pojazdów na wąskich normandzkich drogach, natarcie nadal trwało. Nazajutrz żołnierze 2. batalionu 5. Pułku Szkockiego, roztropnie ignorując obowiązujące założenia taktyczne, przeprawili się małymi grupami przez Odon i zdobyli most na tej rzece.

Dwudziestego ósmego czerwca generał porucznik Richard O'Connor, który wcześniej uciekł z obozu jenieckiego we Włoszech, a w tym czasie dowodził VIII Korpusem, chciał przeprowadzić głęboki wypad siłami 11. Dywizji Pancernej i opanować przyczółek nad rzeką Orne, za Odon. Generał

---

17 Chciałbym wyrazić wdzięczność S.W. Kuhlmannowi za przesłanie mi 5 lutego 2011 roku fotokopii notatnika polowego jego ojca, w którym znalazło się przytoczone zalecenie.
18 G. Steer, 1/4 KOYLI, SWWEC 2002.1644.
19 27 czerwca 1944 r., TNA KV 9826.
20 C.J.C. Molony, *The Mediterranean and Middle East*, t. VI, cz. 1, London 1984, s. 511; cyt. za: R. Atkinson, *The Day of Battle. The War in Sicily and Italy, 1943–1944*, New York 2007, s. 300.

Miles Dempsey, dowódca brytyjskiej 2. Armii, wiedział z rozszyfrowanych meldunków wroga o zjawieniu się w strefie walk II Korpusu Pancernego SS i za radą Montgomery'ego postanowił uniknąć ryzyka. Być może zadziałałby energiczniej, gdyby orientował się, jakie niecodzienne wydarzenia rozgrywały się po niemieckiej stronie.

Oto bowiem Hitler wezwał Rommla do Berghofu – co było zupełnie niezwykłe w warunkach toczącej się bitwy. Zamieszanie zostało dodatkowo spotęgowane śmiercią dowódcy 7. Armii generała pułkownika Friedricha Dollmanna – który oficjalnie zmarł na atak serca, choć większość niemieckich oficerów podejrzewała, że popełnił samobójstwo po kapitulacji garnizonu Cherbourga. Nie konsultując się z Rommlem, Hitler polecił przejąć komendę nad 7. Armią dowódcy II Korpusu Pancernego SS, Obergruppenführerowi SS Paulowi Hausserowi. Tenże, wcześniej otrzymawszy rozkaz przeprowadzenia kontrataku na nacierające brytyjskie wojska siłami Dywizji Pancernych SS „Hohenstaufen" i „Frundsberg", musiał przekazać dowodzenie swemu zastępcy i pospieszyć do nowej kwatery głównej w Le Mans.

Dwudziestego dziewiątego czerwca 11. Dywizja Pancerna, pod świetnym dowództwem generała Philipa „Pipa" Robertsa, zdołała opanować czołgami ze swojej szpicy Wzgórze 112 – kluczowy punkt na obszarze między Odon a Orne. Następnie odpierała przeciwuderzenia 1. Dywizji Pancernej SS „Leibstandarte SS Adolf Hitler", a także części 21. Dywizji Pancernej i 7. Brygady Moździerzy wyposażonej w wielolufowe wyrzutnie pocisków rakietowych Nebelwerfer, które wydawały odgłosy podobne do ryku osłów. Niemcy rozumieli znaczenie Wzgórza 112. Następca Haussera Gruppenführer Wilhelm Bittrich dostał pilny rozkaz zaatakowania w ciągu godziny drugiej nieprzyjacielskiej flanki siłami II Korpusu Pancernego SS, wzmocnionego przez grupę bojową wydzieloną z 2. Dywizji Pancernej SS „Das Reich". Tak więc na brytyjską 2. Armię spadło uderzenie siedmiu niemieckich dywizji pancernych, w tym niecałych pięciu dywizji pancernych SS. W tym samym czasie cała niemiecka Grupa Armii „Środek" na Białorusi liczyła – i to po wzmocnieniu – zaledwie trzy dywizje pancerne. Ironiczna uwaga Ilii Erenburga o tym, że alianci w Normandii walczyli z popłuczynami niemieckiej armii, nie mogła być bardziej odległa od prawdy.

Montgomery, przed czym zresztą ostrzegano go, nim rozpoczęła się inwazja na Normandię, miał przed sobą większość nieprzyjacielskich dywizji pancernych, a to z tej prostej przyczyny, że brytyjska 2. Armia na wschodnim skrzydle zgrupowania sprzymierzonych znajdowała się stosunkowo najbliżej Paryża. Gdyby Brytyjczykom i Kanadyjczykom udało się przełamać front, wówczas niemiecka 7. Armia nieco dalej na zachodzie i wszystkie wojska w Bretanii zostałyby odcięte.

Siła niemieckiego oporu w sektorze brytyjskim zmusiła Montgomery'ego do skorygowania planów przewidujących zajęcie płaskich obszarów na południe od Caen w celu zorganizowania tam lotnisk. Starał się on przedstawić bolesną konieczność jako sukces, twierdząc, że powstrzymuje niemieckie dywizje pancerne, aby stworzyć Amerykanom okazję do przedarcia się dalej na zachód. Nie przekonało to jednak ani jego amerykańskich sojuszników, ani też RAF-u, którym rozpaczliwie brakowało lotnisk polowych.

Pomimo swojej werbalnej bojowości, wykazanej w rozmowie z Eisenhowerem, Montgomery dał do zrozumienia generałowi majorowi George'owi Erskine'owi z 7. Dywizji Pancernej, że na „ostatecznej rozgrywce" bynajmniej mu nie zależało. „Całkowita zmiana, jeśli chodzi o nas – zanotował w dzienniku oficer wywiadu ze sztabu Erskine'a tuż przed operacją »Epson« – ponieważ Monty nie chce, żebyśmy szli naprzód. Zadowolony z tego, że 2. Armia ściągnęła na siebie wszystkie dywizje pancerne nieprzyjaciela, teraz chce na froncie tylko zajęcia Caen, a Amerykanie mieliby nacierać na porty Bretanii. A więc VIII Korpus zaatakuje, ale w bardzo ograniczonym zakresie"[21].

Niemieckie kontruderzenie popołudniem 29 czerwca wymierzone było głównie przeciwko szkockiej 15. Dywizji po zachodniej stronie wybrzuszenia w linii frontu. Szkoci walczyli dobrze, lecz największe szkody w nowo przybyłym korpusie pancernym SS wyrządziła Royal Navy. Dempsey, bojąc się silniejszego kontrataku od południowo-wschodniej strony Wzgórza 112, rozkazał O'Connorowi wycofać czołgi. Następnego dnia Montgomery zatrzymał ofensywę, gdyż VIII Korpus stracił ponad cztery tysiące żołnierzy. Raz jeszcze brytyjskie dowództwo nie wykorzystało energicznie uzyskanego sukcesu. Tragedią okazało się to, że prowadzone przez kilka następnych tygodni walki o odzyskanie Wzgórza 112 miały kosztować Brytyjczyków o wiele więcej zabitych niż ewentualna obrona tego wzniesienia.

Zarówno Rommel, jak i generał Geyr von Schweppenburg byli przerażeni na widok skutków ognia artylerii okrętowej, prowadzącej ostrzał dywizji „Hohenstaufen" i „Frundsberg" z odległości trzydziestu kilometrów. Leje po pociskach miały czterometrową średnicę i dwa metry głębokości. Uznali za jeszcze pilniejszą konieczność przekonanie Hitlera, że trzeba wycofać wojska za rzekę Orne. Geyr doznał wstrząsu na wieść o stratach poniesionych w tych walkach obronnych, wcześniej opowiadając się za użyciem swoich formacji pancernych do potężnego przeciwuderzenia. Tymczasem wprowadzono je do walki, aby „usztywniały gorset" słabych niemieckich dywizji

---

[21] Z niepublikowanego dziennika Mylesa Hildyarda, zapis z 22 czerwca 1944 r. (ze zbiorów prywatnych).

piechoty, a potem zabrakło Niemcom dostatecznej liczby jednostek piechoty na froncie, by umożliwić wycofanie formacji pancernych w celu uzupełnienia ich stanu. Zatem Montgomery, rzekomo „nadając ton" działaniom
na polu bitewnym, jak sam utrzymywał, w istocie uwikłał się w walki pozycyjne na skutek problemów, które trapiły armię niemiecką.

Geyr sporządził wysoce krytyczny raport na temat niemieckiej strategii w Normandii, zalecając prowadzenie bardziej elastycznej obrony i wycofanie jego pancernych wojsk za rzekę Orne. Uwagi dotyczące ingerencji OKW, wyraźnie skierowane pod adresem samego Hitlera, doprowadziły
do rychłego zdymisjonowania Geyra. Zastąpił go generał wojsk pancernych
Heinrich Eberbach. Następnym kozłem ofiarnym w niemieckim dowództwie okazał się sam feldmarszałek von Rundstedt, który zawczasu uprzedzał
Keitla, że nie zdoła zatrzymać Anglosasów w Normandii. „Powinniście doprowadzić do zakończenia całej tej wojny", powiedział Keitlowi[22]. Na miejsce Rundstedta, który w dodatku zaaprobował treść wspomnianego raportu
Geyra, został wyznaczony feldmarszałek Günther von Kluge. Hitler życzył
sobie zastąpienia innym dowódcą także Rommla, to jednak wywołałoby katastrofalne dla Niemców reperkusje w Rzeszy i za granicą.

Kluge zjawił się w kwaterze Rommla w zamku La Roche-Guyon nad
Sekwaną i poczynił szydercze uwagi na temat dotychczasowego sposobu
prowadzenia batalii. Na to Rommel się wściekł i poradził mu wybrać się na
front i osobiście zapoznać z sytuacją. Przez następne dni Kluge wizytował
linię frontu i doznał wstrząsu pod wpływem swych obserwacji. Rzeczywisty
obraz był zupełnie inny od tego, który mu odmalowano w kwaterze głównej Führera, gdzie twierdzono, że Rommel z przesadnym pesymizmem traktował fakt alianckiej przewagi w powietrzu.

Trochę dalej na zachód amerykańska 1. Armia Bradleya wplątała się
w krwawe zmagania na bagnach na południe od półwyspu Cotentin i pośród poprzedzielanych żywopłotami poletek na północ od Saint-Lô. Nieustanne, prowadzone siłami pojedynczych batalionów ataki na oddziały niemieckiego II Korpusu Spadochronowego przynosiły Amerykanom
ciężkie straty. „Niemcom niewiele zostało – zauważył z kąśliwym respektem dowódca jednej z amerykańskich dywizji – ale cholernie dobrze umie-
ją z tego korzystać"[23].

Wykorzystując doświadczenia zebrane na froncie wschodnim, Niemcy
potrafili nadrabiać braki liczebne, słabość własnej artylerii, a przede wszyst-

---

[22] Słowa przytoczone przez Blumentritta, ETHINT 73.
[23] Cyt. za: M. Blumenson, *The Duel for France, 1944. The Men and Battles That Changed the
Fate of Europe*, New York 2000, s. 23.

kim niedostatek samolotów. Kopali małe schrony w ziemnych wałach gęstych żywopłotów, co było trudnym i mozolnym zadaniem, związanym z koniecznością wyrąbywania starych, splątanych korzeni, gdzie organizowali gniazda karabinów maszynowych na pierwszej linii obrony. Dalej z tyłu znajdowała się zasadnicza linia defensywna, na której ulokowano na tyle dużo oddziałów, by można je było niezwłocznie rzucić do przeciwuderzenia. Jeszcze dalej, zazwyczaj na wzniesieniach i pagórkach, Niemcy ustawiali działo 88 mm do niszczenia czołgów Sherman wspierających szturmy piechoty. Wszystkie stanowiska i pojazdy były pieczołowicie maskowane, wskutek czego alianckie myśliwce bombardujące nie mogły zbyt wiele pomóc atakującym. W tej sytuacji Bradley i podlegli mu dowódcy zdawali się na ogień artylerii – przesadnie, jak uważała miejscowa francuska ludność, co nie powinno zbytnio dziwić.

Sami Niemcy określali walki pośród *bocage* mianem „brudnej wojny w krzakach"[24]. Na dnie lejów po pociskach wkopywali miny, a te urywały nogi amerykańskim żołnierzom, którzy szukali w nich osłony w trakcie boju. Na ścieżkach zagrzebywali w podłożu to, co Amerykanie zwali „minami kastrującymi" lub też „podskakującymi Elżbietkami" (*Bouncing Betty*) – ładunki wybuchowe, który wylatywały w górę i rozrywały się na wysokości krocza. Niemieccy czołgiści i kanonierzy nabrali wprawy w celowaniu do drzew; pocisk eksplodujący w koronie drzewa rozbijał je na drzazgi, rażące wszystkich chowających się poniżej.

Taktyka amerykańska zwykle polegała na zdawaniu się na siłę „ognia marszowego" w trakcie natarcia piechoty, czyli nieustannego ostrzeliwania prawdopodobnych pozycji nieprzyjaciela. Rezultatem tego było kolosalne zużycie amunicji. Niemcy musieli walczyć poniekąd „wydajniej". Schowany za drzewem niemiecki strzelec wyczekiwał, aż nieprzyjacielski piechur go minie, a potem strzelał mu w plecy. Wtedy inni Amerykanie wybiegali na otwartą przestrzeń, zaś wrogie pododdziały moździerzy ostrzeliwały ich granatami, które wybuchały w powietrzu, by odłamki poraniły leżących na ziemi. Z premedytacją strzelano do sanitariuszy przybywających rannym na pomoc. Wcale nierzadko jeden z Niemców wyłaniał się z podniesionymi – na znak poddania – rękami, a kiedy Amerykanie chcieli wziąć go do niewoli, ten nagle rzucał się w bok, by obsługa ukrytego w pobliżu kaemu skosiła alianckich żołnierzy. Nic dziwnego, że po takich incydentach niewielu Amerykanów brało jeńców.

W niemieckiej armii nie uznawano czegoś takiego jak wyczerpanie walkami; przypadki załamywania się żołnierzy były traktowane jako przejaw

---

[24] *„Schmutziger Buschkrieg"*: P. Lieb, *Konventioneller Krieg oder NS-Weltanschauungskrieg? Kriegführung und Partisanenbekämpfung in Frankreich 1943/44*, München 2007, s. 176.

tchórzostwa. Tych, którzy usiłowali uniknąć udziału w bojach i sami zadawali sobie rany, po prostu rozstrzeliwano. W porównaniu z tym w wojsku amerykańskim, brytyjskim i kanadyjskim panowały nader „oświecone" warunki. Większość przypadków neuroz i psychoz we wspomnianych armiach była rezultatem bojów pośród normandzkich *bocage*; ich ofiarą padali najczęściej rezerwiści, wprowadzeni do walk bez należytego przeszkolenia i niegotowi do zastąpienia kolegów, którzy padli w bojach. Do końca kampanii w Normandii u około trzydziestu tysięcy żołnierzy amerykańskiej 1. Armii stwierdzono zaburzenia psychiczne. Naczelny lekarz US Army szacował, że w amerykańskich formacjach liniowych około dziesięciu procent ludzi wymagało pomocy psychiatrycznej[25].

Psychiatrzy z armii brytyjskiej i amerykańskiej pisali po wojnie, jak bardzo uderzyła ich niewielka liczba przypadków nerwicy frontowej wśród niemieckich jeńców, choć przecież ci ucierpieli szczególnie od alianckich bombardowań i ostrzału artyleryjskiego. Wspomniani lekarze doszli do wniosku, że propaganda nazistowskiego reżimu od 1933 roku prawie na pewno dopomogła w przygotowaniu niemieckich żołnierzy do wojny. Analogicznie można by stwierdzić, że wielkie trudności codziennego życia w Związku Radzieckim zahartowały wszystkich tych, którzy służyli w Armii Czerwonej. Od wojsk demokracji zachodnich nie można było oczekiwać podobnej odporności.

Choć Rommel i Kluge zakładali, że alianci w Normandii będą próbowali przełamywać front w brytyjsko-kanadyjskim sektorze pod Caen, przypuszczali również, że Amerykanie podejmą atak w pobliżu atlantyckiego wybrzeża. Jednakże Bradley skupił się na Saint-Lô, na wschodnim skraju rejonu koncentracji jego sił, jako na celu głównego uderzenia.

Po rozczarowujących rezultatach ofensywy „Epsom" Montgomery nie kwapił się z poinformowaniem o swoich dalszych zamierzeniach Eisenhowera, którego coraz bardziej drażniło pozorne samozadowolenie „Monty'ego". Montgomery nigdy nie potrafił przyznać, że któraś z kampanii nie przebiegała zgodnie z jego „planem generalnym". Mimo to był świadom niechęci narastającej w sztabie Eisenhowera oraz w Londynie wobec braku czynionych przezeń postępów. Ponadto dobrze zdawał sobie sprawę z tego, jak dotkliwie brakowało jego krajowi rezerw ludzkich. Churchill żywił obawy, że w razie wyczerpania sił militarnych Wielka Brytania będzie miała niewiele do powiedzenia w powojennych układach.

---

[25] Na temat ofiar psychoz i nerwicy frontowej wśród amerykańskich żołnierzy podczas drugiej wojny światowej por. A.J. Glass, *Lessons Learned*, w: *Neuropsychiatry in World War II*, t. 2, red. A.J. Glass, Washington 1973, s. 1015–1023.

W próbie przełamania frontu bez narażania się na stratę wielu żołnierzy Montgomery był gotów zadać kłam swemu ulubionemu powiedzonku. Podczas odprawy z udziałem korespondentów wojennych, jaka miała miejsce poprzedniej jesieni we Włoszech, stwierdził kategorycznie, że „ciężkie bombowce nie mogą bezpośrednio uczestniczyć w lądowej bitwie na linii frontu"[26]. Szóstego lipca 1944 roku zażądał jednak od RAF-u pomocy w zdobyciu Caen. Eisenhower, zdesperowany z powodu braku postępów, poparł go w pełni, a nazajutrz spotkał się w związku z tym z generałem RAF-u Harrisem. Harris zgodził się na wysłanie jeszcze tego samego wieczoru czterystu sześćdziesięciu siedmiu czterosilnikowych bombowców typu Lancaster i Halifax w celu przeprowadzenia nalotu na północne przedmieścia Caen, bronione przez 12. Dywizję SS „Hitlerjugend". Ale atak ten się nie powiódł wskutek nieudanego podejścia nad cel.

Tak jak podczas uderzenia na plażę „Omaha" celowniczy w samolotach opóźnili o chwilę zrzut bomb, aby mieć pewność, że te nie spadną na wysunięte oddziały alianckie. W efekcie większość bomb trafiła w centrum zabytkowego normandzkiego miasta. Straty niemieckie były stosunkowo nieznaczne w porównaniu z tymi wśród francuskich cywilów – anonimowych ofiar walk w Normandii. W kampanii w tym regionie doszedł do głosu straszny paradoks: anglosascy dowódcy, dążąc do ograniczenia strat własnych, szafowali życiem francuskiej ludności cywilnej, nie szczędząc zrzucanych na jej miasta bomb burzących.

Brytyjczycy i Kanadyjczycy przeszli do ataku następnego przedpołudnia. Zwłoka ta dała Dywizji „Hitlerjugend" prawie dwanaście godzin na pozbieranie się i w rezultacie stawiła ona zaciekły opór, zadając szturmującym dotkliwe straty. Potem Niemcy nieoczekiwanie ulotnili się z miasta, otrzymawszy rozkazy wycofania się na południe od Orne. Brytyjczycy szybko opanowali północną część i centrum Caen. Ale nawet ten jakże połowiczny aliancki sukces nie rozwiązał zasadniczego problemu 2. Armii. Wciąż brakowało miejsca do budowy wysuniętych lotnisk polowych oraz rozmieszczenia na przyczółku reszty kanadyjskiej 1. Armii, oczekującej w Wielkiej Brytanii na przerzut do Normandii.

Montgomery nader niechętnie przystał na zaproponowany przez Dempseya plan wykorzystania wszystkich trzech dywizji pancernych – 7., 11. oraz niedawno przetransportowanej na kontynent Dywizji Pancernej Gwardii – do przebicia się w kierunku Falaise z przyczółka na wschodnim brzegu Orne. Wątpliwości żywione przez Montgomery'ego wynikały w sporej mierze z jego antykawaleryjskich uprzedzeń wobec „buszujących" formacji pancernych. Będąc typowym wojskowym konserwatystą, nie tak sobie

---

[26] Słowa Montgomery'ego cytowane za GBP.

wyobrażał typową, zorganizowaną ofensywę, niemniej jednak nie mógł sobie pozwolić na kolejne straty wśród piechoty i musiał coś począć. Uskarżali się na niego i docinali mu nie tylko Amerykanie. Dowództwo RAF-u było rozwścieczone. O zwolnieniu Montgomery'ego przebąkiwali zastępca Eisenhowera generał lotnictwa (*Air Chief Marshal*) Tedder oraz generał RAF-u (*Air Marshal*) Coningham, który nie darował „Monty'emu" tego, że ów przypisywał sobie całą sławę za zwycięstwo w Afryce Północnej i prawie nie wspominał o zasługach Powietrznych Sił Pustynnych.

Operacja „Goodwood", podjęta 18 lipca, stanowiła najbardziej jaskrawy przykład „łączenia śmiałych zapowiedzi z bardzo ostrożnymi poczynaniami" w całej karierze Montgomery'ego. Roztaczał on przed Eisenhowerem perspektywy rozstrzygającego przełamania frontu, na co naczelny dowódca odparł: „Traktuję te perspektywy z najwyższym optymizmem i entuzjazmem. Wcale nie będę zaskoczony, jeśli osiągnie pan zwycięstwo, w porównaniu z którym wybrane »klasyczne bitwy« wydadzą się potyczkami patroli"[27]. Montgomery roztoczył podobne widoki przed marszałkiem polnym Brookiem w Londynie, ale już następnego dnia postawił przed Dempseyem i O'Connorem znacznie skromniejsze cele, czyli przebycie jednej trzeciej drogi do Falaise i tam dalsze rozeznanie się w sytuacji. Niestety podczas odpraw dla oficerów dano do zrozumienia, że chodzi o akcję zaczepną nawet na większą skalę niż pod Al-Alamajn, a przedstawicieli prasy poinformowano, iż może dojść do przełamania frontu w „rosyjskim stylu", w którego wyniku 2. Armia przemieści się naprzód o sto sześćdziesiąt kilometrów. Zdumieni dziennikarze zwracali uwagę, że tyle właśnie dzieli linię frontu od Paryża.

RAF, któremu nadal brakowało lotnisk na bezpośrednim zapleczu rejonu walk, znów szykował się do użycia bombowców. Tak więc 18 lipca o godzinie wpół do szóstej rano 2600 samolotów RAF-u i USAAF-u zrzuciło 7567 ton bomb na siedmiokilometrowy odcinek frontu. Na nieszczęście wywiad 2. Armii nie zdołał ustalić, że niemiecka obrona przebiegała w pięciu równoległych liniach aż po wzniesienia Bourgébus, które należało zdobyć, jeśli 2. Armia miała nacierać na Falaise. Co gorsza, trzem dywizjom pancernym wyznaczono bardzo skomplikowaną marszrutę, wiodącą przez składane mosty Baileya nad kanałem Caen i rzeką Orne na znajdujący się za nimi niewielki przyczółek, gdzie brytyjska 51. Dywizja Górska już ułożyła gęste pola minowe. Nie chcąc alarmować nieprzyjaciela, O'Connor dopiero w ostatniej chwili wydał rozkaz oczyszczenia korytarzy wiodących przez te pola, zamiast polecić usunąć wszystkie miny. Ale Niemcy i tak dobrze wiedzieli o zbliżającym się ataku. Zauważyli przygotowania do niego z wyso-

---

[27] 14 lipca 1944 r., PDDE, s. 2004.

kich hal fabrycznych dalej na wschodzie oraz za sprawą zwiadu lotniczego. Ultra rozszyfrowała meldunki wskazujące, iż Luftwaffe wie o szykującej się operacji, a mimo to 2. Armia nie zmieniła przyjętego planu.

Żołnierze wdrapywali się na czołgi, aby w zadziwieniu i podnieceniu przyjrzeć się dziełu zniszczenia czynionemu przez bombowce, ale zatory na drogach, które narastały na zapleczu ze względu na wąskie przejazdy przez pola minowe, spowodowały fatalne spowolnienie ataku. Faktycznie opóźnienia były tak znaczne, że O'Connor musiał zatrzymać przewożoną ciężarówkami piechotę, aby czołgi mogły przejechać pierwsze. Jedenasta Dywizja Pancerna nacierała w szybkim tempie po przedostaniu się przez pas pól minowych, lecz wkrótce wpadła w zasadzkę, którą zorganizowały dobrze zamaskowane niemieckie oddziały, zaczajone z działami przeciwpancernymi wśród kamiennych zabudowań gospodarczych w wioskach. Likwidacją tych baterii wroga powinna się była zająć piechota, ta jednak nie towarzyszyła czołgom, z których bardzo wiele uległo zniszczeniu. Dywizja straciła również we wczesnym etapie bitwy przydzielonego jej oficera łącznikowego z lotnictwa, nie była więc w stanie wezwać na pomoc krążących w powietrzu dywizjonów myśliwców bombardujących typu Typhoon. Następnie jednostka znalazła się pod niszczycielskim ostrzałem dział 88 mm ze wzgórz Bourgébus oraz spadło na nią kontrnatarcie 1. Dywizji Pancernej SS. Tego dnia brytyjskie 11. Dywizja Pancerna i Dywizja Pancerna Gwardii straciły łącznie ponad dwieście czołgów.

Generał Eberbach spodziewał się wcześniej, że brytyjskie formacje pancerne przebiją się przez jego zbyt rozciągnięte zgrupowanie obronne i ledwie mógł uwierzyć swemu szczęściu. Druga Armia wespół z Kanadyjczykami zdołała następnego dnia posunąć się nieco naprzód i zdobyć kilka miejscowości, opanowując większe obszary na południe od Caen, niemniej jednak Bourgébus pozostały w niemieckich rękach. Niebawem spadły ulewne deszcze. Montgomery miał wymówkę, by przerwać natarcie, ale jego reputacja i tak doznała uszczerbku.

Amerykanie i ludzie z RAF-u byli jeszcze bardziej rozdrażnieni jego przedwczesnymi zapewnieniami i wyrazami samozadowolenia po bitwie, skoro osiągnięto tak niewiele. Z drugiej strony niesławna operacja „Goodwood" utwierdziła i Klugego, i Eberbacha w przekonaniu, że głównego uderzenia w Normandii wciąż można się było spodziewać wzdłuż szosy do Falaise. W rezultacie, kiedy generał Bradley w końcu pięć dni później rozpoczął operację „Cobra", Kluge początkowo nie rzucił przeciwko uczestniczącym w niej wojskom żadnej ze swoich dywizji pancernych. Zaś 20 lipca, czyli tego przedpołudnia, gdy w Normandii zaczęły padać deszcze, w „Wilczym Szańcu" koło Kętrzyna eksplodowała bomba.

ROZDZIAŁ 40

Berlin, Warszawa i Paryż

lipiec–październik 1944

Od chwili wybuchu wojny niemiecka armia była jedyną organizacją w Rzeszy teoretycznie zdolną do zorganizowania spisku dążącego do obalenia Hitlera i nazistowskiego reżimu. Oficerowie Wehrmachtu mieli dostęp do Führera, a pod swoją komendą siły wojskowe, które mogły zapewnić bezpieczeństwo nowym władzom. Z dość mglistych planów, snutych przez niektórych generałów w 1938 roku i w początkowym okresie wojny, przewidujących usunięcie niemieckiego dyktatora, nic nie wyszło; dały o sobie znać bojaźliwość albo wypaczone ideały, nakazujące zachowanie posłuszeństwa i honoru.

Konkretniejsze plany zabicia Hitlera zrodziły się tuż w trakcie stalingradzkiej klęski zimą 1942 roku. Dyskusje na ten temat odbyły się w kwaterze dowództwa Grupy Armii „Środek" w kręgu przyjaciół generała majora Henninga von Tresckowa. Pierwsza próba zamachu miała miejsce w marcu 1943 roku, kiedy to ładunki wybuchowe dostarczone przez admirała Canarisa przemycono na pokład samolotu Focke-Wulf Condor, z którego korzystał Hitler. Jednak detonator nie zadziałał, przypuszczalnie z powodu silnego mrozu, a bombę, ukrytą w butelce likieru Cointreau, wyniesiono z maszyny po lądowaniu. Nie udały się także dwie następne próby tego rodzaju podjęte w owym roku; jedną z nich miał przeprowadzić kapitan Axel von dem Bussche, niedoszły zamachowiec samobójca podczas zaplanowanej przez Führera inspekcji nowych wzorów umundurowania.

Pułkownik Claus Schenk von Stauffenberg nadał nowego rozmachu poczynaniom spiskowców, gdy dostał przydział służbowy do kwatery głównej Ersatzheer, czyli Armii Rezerwowej, przy Bendlerstrasse na północnym skraju berlińskiego Tiergarten. Jego zamysł polegał na przeprowadzeniu zamachu w ramach operacji „Walkiria" – planu alarmowego opracowanego z myślą o krytycznej sytuacji na froncie wschodnim jeszcze w zimie 1941 roku. W lipcu roku 1943 generał major Friedrich Olbricht zaczął wprowadzać do planów „Walkirii" drobne zmiany, aby ruch oporu w niemieckim wojsku mógł to wykorzystać, gdy będzie gotowy do działań. Plan ów powstał na wypadek buntu zagranicznych robotników przymusowych, zakwaterowanych w Berlinie i w pobliżu stolicy. Tamtej jesieni Henning von Tresckow i Stauffenberg uzupełnili go tajnymi rozkazami, które miano ogłosić po śmierci Hitlera. Zasadniczo chodziło o wykluczenie udziału SS w zaprowadzaniu porządku oraz powierzenie całej odpowiedzialności za utrzymanie wewnętrznego ładu w Rzeszy Armii Rezerwowej.

Konspiratorzy stanęli w obliczu licznych przeszkód. Sympatyzujący ze spiskiem oficerowie otrzymali przydziały z dala od Berlina, poza tym rychło wyszło na jaw, że generał pułkownik Friedrich Fromm, który stanął na czele Armii Rezerwowej, to nie ktoś, na kim można było bezwzględnie polegać. Ponadto spiskowcy nie żywili specjalnych złudzeń. Wiedzieli, że reprezentują drobną mniejszość Niemców, mogąc liczyć na minimalne tylko poparcie ludności. Po zamachu zostaliby uznani w całym kraju za zdrajców, a w razie niepowodzenia spisku naziści zemściliby się srodze na nich i ich rodzinach. W swoim światopoglądzie, nierzadko ukształtowanym pod wpływem silnej wiary religijnej, konspiratorzy skłaniali się ku politycznemu konserwatyzmowi: kilku z nich popierało Hitlera aż do czasu rozpoczęcia operacji „Barbarossa". Rząd, któremu pragnęli powierzyć władzę, miał więcej wspólnego z kajzerowskimi Niemcami aniżeli z nowoczesną demokracją. Propozycje pokojowe, jakie zamierzali złożyć zachodnim aliantom, były zupełnie nierealistyczne, gdyż przewidywały kontynuowanie walki na froncie wschodnim ze Związkiem Radzieckim oraz utrzymanie w niemieckich rękach niektórych z okupowanych terytoriów. Jednakże mimo nikłych perspektyw na powodzenie ich akcji odczuwali silny moralny przymus przeciwstawienia się zbrodniczemu reżimowi.

Praktyczny problem sprowadzał się do tego, że Stauffenberg, który w praktyce kierował spiskiem, był również jedynym człowiekiem mającym okazję do podłożenia bomby w siedzibie Hitlera. Stracił oko i dłoń w Tunezji, co utrudniało uzbrojenie bomby na krótko przed jej zdetonowaniem, niemniej jako szef sztabu Fromma pozostawał jedynym członkiem ścisłego kręgu konspiratorów, który bywał służbowo w wojennych kwaterach głównych Führera.

Kilku oficerów zostało wciągniętych do spisku z grona krewnych i przyjaciół zamachowców, albo też wywodzili się z 17. Pułku Kawalerii bądź 9. Pułku Piechoty w Poczdamie, czyli jednostki, która przejęła tradycje pruskiej gwardii. Niektórzy odmówili przystąpienia do konspiracji, argumentując, że „zmienianie koni na środku rzeki" byłoby zbyt niebezpieczne dla Niemiec w tej fazie wojny[1]. Inni powoływali się na złożoną Hitlerowi przysięgę wierności. Nie dawali posłuchu twierdzeniom, że wódz, na skutek swych zbrodniczych poczynań, nie może już wymagać posłuszeństwa.

Dziewiątego lipca krewny Stauffenberga podpułkownik Cäsar von Hofacker odwiedził Rommla w La Roche-Guyon. Zadał mu pytanie, jak długo niemieckie wojska w Normandii mogą jeszcze się bronić, a Rommel ocenił, że przez parę tygodni. Była to nader ważna informacja dla spiskowców, którzy uważali, że ucieka cenny czas na podjęcie rokowań z Amerykanami i Brytyjczykami. Inne szczegóły wspomnianej rozmowy pozostają jednak kwestią sporną. Nie jest jasne, czy Hofacker namawiał Rommla do przyłączenia się do antyhitlerowskiej konspiracji, a tym bardziej czy Rommel się na to zgodził. Wydaje się wszakże, iż Rommel faktycznie poprosił Hofackera o sporządzenie szkicu listu do Montgomery'ego z namową do omówienia warunków przerwania walk na froncie zachodnim.

Zgodnie z przewidywaniami Stauffenberga najmniej można było polegać na najstarszych rangą oficerach. Feldmarszałek von Manstein, a nawet Kluge, który wcześniej przymykał oko na poczynania grupy konspiratorów pod kierownictwem Henninga von Tresckowa w dowództwie Grupy Armii „Środek", sprzeciwili się otwartemu wystąpieniu przeciwko nazistom. Ale spiskowcy byli pewni, że Kluge przyłączy się do nich po śmierci Hitlera. We Francji szef sztabu Rommla, generał porucznik Hans Speidel, należał do głównych konspiratorów, a choć Rommel był przeciwny pomysłowi zabicia Führera, to jak liczono, także dołączyłby do grona spiskowców już po zamachu. Siedemnastego lipca przelatujący spitfire ostrzelał jednak wóz sztabowy Rommla, gdy ten wracał z frontu do La Roche-Guyon, i w ten sposób Rommel praktycznie został wyłączony z udziału w konspiracji.

Plan Stauffenberga zdecydowanie za bardzo opierał się na istniejących strukturach dowódczych – co było wielce ryzykowne w warunkach upolitycznienia Wehrmachtu przez nazistów. Miało to zaważyć na przebiegu przewrotu, oto bowiem dowódcą batalionu wartowniczego „Grossdeutschland" w Berlinie był w tym czasie major Otto Ernst Remer. Stauffenberga ostrzegano, że Remer to zaprzysięgły nazista. Ale generał Paul von Hase, inny konspirator i zarazem przełożony Remera, wyrażał przekonanie, iż posłucha on jego rozkazów. Podczas zamachu stanu spiskowcy liczyli na ćwiczebną jednostkę pancerną w Krampnitz oraz inne jednostki stacjonujące w pobliżu Berlina. Jednakże nie zadbali przy tym o zajęcie najważniejszych rozgłośni radiowych i nadajników w Berlinie i w okolicach stolicy.

---

[1] *GSWW*, t. IX/1, s. 855.

Pech pokrzyżował kilka prób zamachu, a źle pojęty maksymalizm zniweczył akcję w „Wilczym Szańcu" zaplanowaną na 15 lipca. Nieobecni byli tam wtedy Himmler i Göring, więc konspiratorzy w Berlinie poradzili Stauffenbergowi poczekanie na kolejną okazję. Ponieważ przebieg walk w Normandii naglił spiskowców, postanowili jednak skorzystać z ostatniej szansy. Wszystko ustalono na 20 lipca.

Udawszy się samolotem z Berlina do Kętrzyna, Stauffenberg wziął udział w naradzie sytuacyjnej, która odbywała się w sosnowym baraku. W odpowiedniej chwili Stauffenberg wyszedł do ubikacji wraz ze swoją teczką, a tam uruchomił zapalniki dwóch bomb wniesionych do „Wilczego Szańca". Trwało to dosyć długo ze względu na obrażenia, jakich Stauffenberg doznał wcześniej na froncie tunezyjskim, a zanim udało mu się w pełni z tym uporać, przywołano go z powrotem na naradę. Po tym jak odpowiedział na pytania na temat Armii Rezerwowej, wsunął teczkę z jedną tylko uzbrojoną bombą pod ciężki stół, przy którym stał Hitler. Kiedy wszyscy przy stole pochylili się nad rozłożoną na blacie mapą, Stauffenberg dyskretnie wymknął się z baraku. Wyjeżdżał w chwili, kiedy podłożona bomba wybuchła.

Stauffenberg, przeświadczony, że Hitler zginął, odleciał do Berlina. Niepewność, zamieszanie i nieprzewidziane komplikacje w stolicy przyczyniły się do fiaska zamachu stanu. Konspiratorzy na pewno popełnili wiele błędów w trakcie planowania akcji i jej przeprowadzania, niemniej wobec faktu, że Hitler przeżył eksplozję, i tak nie mieli najmniejszych szans na powodzenie puczu.

Mussolini zjawił się „Wilczym Szańcu" tego samego popołudnia 20 lipca, składając tam od dawna zaplanowaną wizytę. Został powitany przez Führera, który w szaleńczo radosnym nastroju nalegał na pokazanie Ducemu miejsca jego cudownego ocalenia. Niemiecki dyktator mówił bez ustanku o swym przekonaniu, iż uratowała go boska interwencja, aby mógł dalej prowadzić wojnę. Z kolei Mussolini był „nie całkiem niezadowolony z tego zamachu bombowego, gdyż dowodziło to, że zdrada nie ogranicza się tylko do Włoch"[2].

W przemówieniu do narodu, wygłoszonym późnym wieczorem, Hitler przyrównał ten zamach do „ciosu nożem w plecy" z 1918 roku. Uznał odtąd, że jedyną przyczyną, za sprawą której Niemcy nie pokonały Związku Radzieckiego, było rozmyślne, nieustanne sabotowanie jego rozkazów przez wojskowy korpus oficerski. Analogiczne teorie spiskowe odniesiono do niepowodzeń w Normandii, a te do dziś krążą w niektórych niemieckich książkach i na neonazistowskich stronach internetowych. Wedle tychże Speidel,

---

[2] D. Mack Smith, *Mussolini*, tłum. J.G. Brochocki, Warszawa 1994, s. 387.

który dowodził Grupą Armii „B" od 6 czerwca w miejsce Rommla, ten bowiem udał się wtedy do Niemiec, z rozmysłem utrudniał wprowadzenie do walki dywizji pancernych. We wspomnianych źródłach Speidel jest określany mianem „raka zdrady w niemieckich siłach zbrojnych na zachodzie".

Wszystko, co nie udało się Niemcom 6 czerwca, bywa przypisywane Speidlowi. Zarzuca mu się, że owego przedpołudnia skierował 21. Dywizję Pancerną w pościg za widmowym nieprzyjacielem po zachodniej stronie rzeki Orne, podczas gdy w istocie to lokalny dowódca wydał rozkaz zaatakowania brytyjskiego desantu spadochronowego w tamtym rejonie. Speidla oskarża się też o powstrzymywanie przejścia 12. Dywizji Pancernej SS „Hitlerjugend", 2. Dywizji Pancernej oraz 116. Dywizji Pancernej w kierunku obszaru objętego inwazją. Rzekomo na tym miał polegać jego współudział w spisku; chciał zatrzymać 2. i 116. Dywizję Pancerną, aby formacje te dopomogły zamachowcom z 20 lipca w opanowaniu Paryża półtora miesiąca później.

Speidel rzeczywiście należał do grupy czołowych konspiratorów, niemniej jednak utrzymywanie, że sabotował całe działania obronne w Normandii 6 czerwca, zakrawa na niedorzeczność. Po 20 lipca cudem ustrzegł się najbardziej krwawych gestapowskich prześladowań, co częściowo wyjaśnia, dlaczego naziści później obrzucali go różnymi inwektywami. W latach pięćdziesiątych piastował wysokie stanowiska w zachodnioniemieckiej Bundeswehrze, a potem był nawet dowódcą wojsk lądowych NATO w Europie. Naziści i neonaziści uznali to za nagrodę za zdradziecką pomoc aliantom w Normandii. W owej przewrotnej legendzie o „ciosie nożem w plecy" w czasach drugiej wojny światowej zdrajcami stali się nie Żydzi i komuniści, jak w 1918 roku, lecz arystokraci i oficerowie Sztabu Generalnego.

Gestapo i SS, owładnięte gorączkową żądzą odwetu na armii lądowej, a przede wszystkim jej Sztabie Generalnym, rozpoczęły obławę na ludzi powiązanych ze spiskowcami i na ich krewnych. W sytuacji gdy niemieckie wojska cofały się na wszystkich frontach, a Hitler obwiniał sztabowych „zdrajców" za własne błędy na wschodzie, nawet wpływy feldmarszałków skurczyły się dramatycznie. Dla nazistów oznaczało to zwycięstwo na „froncie wewnętrznym". Za swe główne zadanie uznali „nie maksymalizację wysiłku wojennego, tylko zmianę struktury władzy w samej Rzeszy na niekorzyść tradycyjnych elit"[3]. Łącznie w Niemczech zaaresztowano ponad pięć tysięcy podejrzanych o przeciwstawianie się reżimowi oraz członków ich rodzin[4].

Zgodnie z obawami konspiratorów większość Niemców była wstrząśnięta zamachem na Hitlera w tak krytycznym okresie wojny. Żołnierze

---

[3] *GSWW*, t. IX/1, s. 829.
[4] *Ibidem*, s. 912.

z Normandii w listach do rodzinnych domów deklarowali lojalność albo stali się ostrożniejsi w wyrażaniu poglądów, ale niektórzy z tych z frontu wschodniego, zwłaszcza z jednostek Grupy Armii „Środek", dużo bardziej otwarcie wspominali o konieczności zmian. „Generałowie, którzy dokonali zamachu na Führera – pisał 26 lipca pewien Gefreiter – wiedzą bardzo dobrze, że zmiany we władzach są niezbędne, ponieważ ta wojna dla nas, Niemców, nie rokuje żadnych nadziei. Zatem byłoby ulgą dla całej Europy, gdyby trzej panowie, Hitler, Göring i Goebbels, mieli odejść. Wraz z tym konflikt zakończyłby się, gdyż ludzkości potrzebny jest pokój. Wszystko inne to kłamstwo. (...) Nasze życie nie jest nic warte, dopóki nic się nie zmieni"[5]. Inni także czynili tak krytyczne uwagi na temat reżimu, że z pewnością zostaliby aresztowani, gdyby tylko ich listy trafiły w ręce cenzorów.

Dwudziestego trzeciego lipca naziści wymusili wprowadzenie w Wehrmachcie „niemieckiego pozdrowienia", czyli hitlerowskiego salutu, w miejsce tradycyjnego wojskowego salutowania. Wywołało to głęboką odrazę u tych wszystkich, którzy nie zaliczali się do grona zdeklarowanych stronników nazizmu. „Dzięki niemieckiemu powitaniu wygramy tę wojnę!" – napisał z gryzącą ironią pewien lekarz wojskowy[6]. Doszło do nieuniknionej polaryzacji opinii, głoszonych przez wierzących w nazistowską sprawę i tych, którzy spodziewali się nieszczęść. Dwudziestego ósmego lipca w biuletynie OKW poinformowano w końcu o ewakuacji czterech większych miast na wschodzie, w tym Lublina i Brześcia. „Na pewno nie wygląda to dobrze – pisał do żony plutonowy przydzielony do 12. Dywizji Pancernej – ale to jeszcze nie powód, żeby tracić odwagę. Przedwczoraj doktor Goebbels w ważnym przemówieniu wspomniał o nowych zmianach (nowym uzbrojeniu, zarządzeniach Himmlera w Armii Rezerwowej, pełnym zaangażowaniu w wysiłek wojenny), które nawet w napiętej sytuacji na wschodzie odniosą pozytywne skutki. O tym wszyscy jesteśmy przekonani"[7].

Nowiny o wyznaczeniu Himmlera na zwierzchnika Armii Rezerwowej i o nowej fali poboru do wojska nie zachwyciły bynajmniej wszystkich niemieckich żołnierzy frontowych. „Niedługo zaczną powoływać [do wojska] niemowlaki – napisał 26 lipca pewien kanonier w liście do rodziny. – Tu, na froncie, prawie nie widuje się nikogo poza smarkaczami i starcami"[8].

Jednakże inni bali się trzeźwo spojrzeć na rzeczywistość. Wierzyli tylko w to, że rozpaczliwa sytuacja zmusi ich do jeszcze większych starań na rzecz

[5] Kapral Heinrich R., 735. baon budowlany, 5 lipca 1944 r., BfZ-SS 03 707 D.
[6] Doktor K., 8. Szpital Polowy, 8. Dywizja Strzelców, BA-MA RH 13 v.53.
[7] Podoficer Werner F., 12. Dywizja Pancerna, 28 lipca 1944 r., BfZ-SS 23 151 E.
[8] E.H., 26 lipca 1944 r., BA-MA H 34/1.

obrony ich rodzin w kraju. „Najdrożsi – pisał do bliskich pewien Obergefreiter powtarzając slogany nazistowskiej propagandy – nie lękajcie się,
nie pozwolimy Rosjanom wkroczyć do naszej ojczyzny. Lepiej walczyć do
ostatniego żołnierza, bo nie zniesiemy wdarcia się tych hord do Niemiec.
Co oni zaczęliby wyprawiać z naszymi kobietami i dziećmi – nie, do tego
nie wolno dopuścić. Byłoby to dla nas wielką hańbą i stąd nasze hasło: na-
silić walkę aż do jej zwycięskiego zakończenia!"[9]

Gdy w Rzeszy zapanowała nazistowska gorączka po nieudanym zamachu
stanu, wkrótce po załamaniu militarnym na froncie wschodnim doszło do
podobnej katastrofy na zachodzie. Dwudziestego piątego lipca generał Bradley rozpoczął operację „Cobra" od uderzenia z odcinka na północ od szosy
z Saint-Lô do Périers. Akcja ta miała się zacząć dzień wcześniej, ale została przesunięta po tym, jak amerykańskie samoloty zrzuciły bomby na własne wysunięte oddziały. O dziwo, ów tragiczny incydent obrócił się ostatecznie na korzyść aliantów. Feldmarszałek von Kluge uznał bowiem, że to
tylko działania pozorowane, mające odwrócić jego uwagę od innej ofensywy, prowadzonej przez Montgomery'ego wzdłuż drogi do Falaise. W trakcie drugiej próby silny południowy wiatr zwiał chmury kurzu w stronę amerykańskich wojsk czekających na sygnał do natarcia, a bombowce zrzuciły
ładunki, celując w te właśnie tumany pyłu, co spowodowało kolejne straty.
Mimo to Bradley nie rezygnował.

Z początku ofensywa zdawała się rozwijać powoli, więc generał major
Collins wcześnie wprowadził do walki swoje formacje pancerne. Dowództwa czterech dywizji pancernych wysforowały się naprzód razem z czołgami
Sherman i piechotą w półgąsienicowych transporterach, a także saperami
ze spychaczami. W końcu i Niemcy zaznali smaku błędnego koła niepowodzeń. Łączność urywała się w czasie pospiesznego odwrotu, dowódcy nie
wiedzieli, co się dzieje, w pojazdach wyczerpywało się paliwo, a żołnierzom
nie dostarczano amunicji. Podczas wycofywania się Niemców ostrzeliwały
ich alianckie myśliwce, zaś silnie uzbrojone samoloty myśliwsko-bombowe P-47 Thunderbolt przelatywały nad pancernymi kolumnami, gotowe
do zaatakowania wszystkiego, co wyglądało na zastawioną zasadzkę. Gdy
Kluge ostatecznie zdał sobie sprawę, gdzie tak naprawdę doszło do głównego przełamania frontu, przerzucił w kierunku zachodnim 2. i 116. Dywizję
Pancerną, lecz te przybyły na miejsce za późno, a ich kontruderzenia okazały się spóźnione.

W Londynie brytyjski Gabinet Wojenny niepokoił się skutkami ataków
z użyciem latających bomb V-1. Dwudziestego czwartego lipca jego człon-

---

[9]   Starszy kapral M., 195. Dywizyjny Pułk Zaopatrzeniowy, 27 lipca 1944 r., BA-MA H 34/1.

kowie dowiedzieli się, że liczba ofiar wynosiła „przeszło trzydzieści tysięcy, w tym ponad cztery tysiące zabitych"[10]. Przez kilka następnych dni ministrowie omawiali też zagrożenie ze strony rakiet V-2, które jak wiedzieli, wkrótce miały być gotowe.

Trzydziestego lipca Montgomery przeprowadził pospiesznie przygotowaną operację „Bluecoat", aby osłonić lewe skrzydło wojsk Bradleya. Nazajutrz amerykańskie kolumny pancerne dotarły do Avranches i przekroczyły przepływającą za tym miastem rzekę Sélune. W ten sposób wyszły z Normandii i nie napotkały na swojej drodze oporu. Następnego dnia, 1 sierpnia, formalnie powołano do istnienia 3. Armię pod dowództwem generała George'a Pattona. Ów dostał rozkazy zajęcia portów na wybrzeżu Bretanii, niemniej Patton dobrze wiedział, że gdyby ruszył w przeciwnym kierunku, to droga nad Sekwanę stoi przed nim otworem.

Choć niemieckie dowództwo na froncie zachodnim rozpaczliwie domagało się uzupełnień, to przerzut II Korpusu Pancernego SS do Normandii przekonał dowódców Wehrmachtu na froncie wschodnim, że ich teatr działań wojennych jest traktowany drugorzędnie. „Skutki wielkich starć zbrojnych na zachodzie i wschodzie wzajemnie na siebie oddziaływały – przyznał Jodl w trakcie powojennego przesłuchania. – Wojna na dwa fronty stanęła przed oczami z całą surowością"[11]. Dla wielu niemieckich żołnierzy na froncie wschodnim stres, na jaki byli narażeni, stawał się nie do zniesienia.

Załamania nerwowe były w tym okresie znacznie częściej poruszanym problemem w listach do rodzin. Pewien kanonier z baterii ciężkiej artylerii pisał: „Na duszy coraz mi ciężej, kiedy na przykład ucinam sobie przyjacielską pogawędkę z towarzyszem broni, a pół godziny później widzę, że zostały z niego tylko ochłapy mięsa, jak gdyby nigdy nie istniał; albo kiedy kolega leży przede mną w kałuży własnej krwi i błaga mnie wzrokiem o pomoc, bo najczęściej już nie może się odezwać, ból odbiera mu mowę. To jest straszne... Ta wojna wykańcza człowieka nerwowo"[12].

W ostatnich dniach lipca radzieckie 1. Armia Pancerna Gwardii i 13. Armia zdołały sforsować Wisłę na południe od Sandomierza i zdobyć kilka przyczółków, które połączono z sobą pomimo rozpaczliwych niemieckich kontrataków. W OKH aż nadto dobrze pojmowano skutki przeprawienia się Armii Czerwonej na zachodni brzeg Wisły. Następna ofensywa

---

[10] Cyt. za: A. Roberts, *Masters and Commanders. How Roosevelt, Churchill, Marshall and Alanbrooke Won the War in the West*, London 2008, s. 504.

[11] Zapis przesłuchań Keitla i Jodla, FMS A-915.

[12] Kapral Karl B., 460. dyon artylerii przeciwpancernej, 20 lipca 1944 r., BfZ-SS 25 345 D.

miała doprowadzić do wyjścia Sowietów nad Odrę, skąd do Berlina pozostawało już zaledwie około osiemdziesięciu kilometrów.

„Jak co roku dostaliśmy w lecie tęgie lanie – zauważył cynicznie podporucznik jednej z niemieckich lekkich baterii przeciwlotniczych. – Rosjanie wyprowadzili niespodziewane uderzenie z Lublina na Dęblin. Poza bateriami przeciwlotniczymi i kilkoma rozbitymi jednostkami nic nie stało na ich drodze. Po wysadzeniu w powietrze mostu zajęliśmy nowe pozycje w okopach na drugim [zachodnim] brzegu Wisły". On także nie potrafił uwierzyć, że armię niemiecką można było zaskoczyć i pobić w taki sposób. „Jesteśmy wściekli na te świnie, które ponoszą odpowiedzialność za kryzys na froncie wschodnim"[13].

Z drugiej strony żołnierze z niektórych baterii przeciwlotniczych odczuwali dumę ze swoich wyczynów podczas walk. „Wokoło naliczyliśmy aż czterdzieści sześć zniszczonych przez nas czołgów! – przechwalał się pewien Obergefreiter z 11. Dywizji Piechoty. – Sami zestrzeliliśmy dziesięć opancerzonych samolotów szturmowych [Ił-2] w ciągu pięciu dni"[14]. Armia Czerwona w istocie poniosła gigantyczne straty w trakcie operacji „Bagration": łącznie 770 888 żołnierzy, w tym sto osiemdziesiąt tysięcy „nieodwracalnie"[15]. Wprawdzie straty niemieckiej Grupy Armii „Środek" nie były aż tak wysokie i wynosiły 399 102 zabitych, rannych i zaginionych, ale ludzi tych nie było kim zastąpić, podobnie jak nie dało się uzupełnić utraconych dział i czołgów, porzuconych na ponadpięćsetkilometrowym szlaku odwrotu. Ogółem tylko w ciągu trzech miesięcy Wehrmacht stracił na froncie wschodnim 589 425 poległych[16].

Nieco dalej na północy 28 lipca radziecka 2. Armia Pancerna zaatakowała Dywizję Pancerno-Spadochronową „Hermann Göring" i 73. Dywizję Piechoty w odległości zaledwie czterdziestu kilometrów od Warszawy. Na podejściach do polskiej stolicy rozgorzały zaciekłe walki. Żołnierze Armii Czerwonej, których nie informowano o niedawnych wydarzeniach i stosunku Stalina do Polski, nie bardzo wiedzieli, jak traktować ten kraj. „Polacy są dziwni – pisał jeden z nich w liście do domu. – Jak nas witają? Bardzo trudno na to odpowiedzieć. Przede wszystkim bardzo się nas boją (nie mniej niż boją się Niemców). Postępują zupełnie inaczej od tego, co przyjęte w Rosji. To oczywiste, że nie chcieli Niemców, ale nas także nie witają

---

13 Podporucznik Hans R., 783. dyon artylerii przeciwlotniczej (lekkiej), 30 lipca 1944 r., BfZ-SS L49 812.

14 F.-H.B., 11. Dywizja Piechoty, 30 lipca 1944 r., BfZ-SS 34 427.

15 Na temat radzieckich strat poniesionych w trakcie operacji „Bagration" por. G.F. Krivosheev, *Soviet Casualties and Combat Losses in the Twentieth Century*, London 1997, s. 144–146.

16 Straty Wehrmachtu por. R. Overmans, *Deutsche militärische Verluste im Zweiten Weltkrieg*, München 1999, s. 238 i 279; cyt. za: *GSWW*, t. IX/1, s. 66, 805.

chlebem i solą. (...) Oczywiście częstokroć zbija ich z tropu rosyjskie nieokrzesanie i nieszczerość"[17].

Chociaż liczba mieszkańców Warszawy uległa w okresie wojny poważnemu zmniejszeniu, to w tym czasie nadal dochodziła do miliona. Dwudziestego siódmego lipca niemiecki zarządca wydał rozkaz, aby następnego dnia stawiło się do robót fortyfikacyjnych sto tysięcy mężczyzn. Owo wezwanie zostało powszechnie zignorowane. Dwa dni później zjawił się w mieście Jan Nowak-Jeziorański, emisariusz londyńskich władz na uchodźstwie. Rozmawiał z Janem Stanisławem Jankowskim, Delegata Rządu RP na Kraj i wicepremierem w jednej osobie, i usłyszał od niego o zbliżającym się powstaniu zbrojnym. Nowak-Jeziorański ostrzegł Jankowskiego, że państwa zachodnie nie będą w stanie pomóc, i spytał, czy datę wybuchu powstania można przesunąć na później. Jankowski odrzekł, że nie ma większego wyboru. Przeszkolona i uzbrojona młodzież rwie się do walki. Młodzi Polacy pragną wolności i nie chcą jej nikomu zawdzięczać.

Jednocześnie Jankowski uważał, że jeśli władze londyńskie nie wezwą ludzi do powstania, uczynią to komuniści z podziemnej Armii Ludowej. W Warszawie przebywało zaledwie czterystu komunistów, niemniej gdyby zdobyli główne gmachy w mieście i wywiesili na nich czerwone sztandary na powitanie wkraczającej armii radzieckiej, uznaliby się za uprawnionych do objęcia władzy w Polsce. Jeśli zaś Armia Krajowa pozostałaby bezczynna, Sowieci mogliby oskarżyć ją o kolaborowanie z Niemcami i ukrywanie broni, aby stawiać później opór Armii Czerwonej. AK groziło zniszczenie, bez względu na to, czy doszłoby do powstania, czy też nie[18].

Tego samego dnia radio moskiewskie obwieściło, że „nadszedł już czas na działanie" i wezwało ludność Warszawy do powstania „i przystąpienia do walki z Niemcami"[19]. Jednakże Sowieci i Armia Krajowa nie podjęli prób nawiązania wzajemnych kontaktów. Tak jak pod Monte Cassino Polacy byli zdecydowani pokazać światu, że mają prawo do życia w wolnym kraju, nawet mimo nader niefortunnego położenia geograficznego między Niemcami a Związkiem Radzieckim.

Wiedzieli już, że nie należy liczyć na brytyjskich czy amerykańskich sojuszników w sporze z Sowietami. Brutalne realia polityczne drugiej wojny światowej zmuszały Amerykanów i Brytyjczyków do współdziałania ze

---

[17] Z listu Efraima Genkina do rodziny, w: *Sochrani moi pis'ma*, red. I. Altman, Moskwa 2007, s. 276–282 (18 sierpnia 1944 r.).

[18] Treść rozmowy Jana Stanisława Jankowskiego z Janem Nowakiem-Jeziorańskim por. W. Bartoszewski, *Abandoned Heroes of the Warsaw Uprising*, tłum. A Ptak, M. Pawica, Kraków 2008, s. 17.

[19] MPW.

Stalinem, gdyż to Armia Czerwona przetrąciła kark Wehrmachtowi za cenę kolosalnych poświęceń i strat. Wymowne było milczenie zachodnich aliantów wobec radzieckich prób obciążenia winą Niemców za masakrę katyńską. Stalin lekceważąco określał czterystutysięczną polską Armię Krajową mianem „bandytów" i traktował ją podobnie jak ukraińską partyzantkę spod znaku UPA, która w zorganizowanej zasadzce zabiła generała Watutina. Niebawem zaczął wmawiać zachodnim koalicjantom, że AK zamordowała dwustu czerwonoarmistów. Prawda wyglądała tak, że każda niezależna polska organizacja była w jego oczach antyradziecka. Polskie „władze przyjaźnie nastawione do ZSRR", których powołania żądał, musiały całkowicie podporządkować się Kremlowi.

Generał Tadeusz Bór-Komorowski, komendant Armii Krajowej, wydał rozkaz wzniecenia powstania o „godzinie W", czyli 1 sierpnia o siedemnastej. Wydaje się, iż uważał, że wojska radzieckie lada chwila wkroczą do Warszawy. Łatwo wszak obwiniać go o to, nie uwzględniając panującej wtedy w tym mieście atmosfery nerwowego wyczekiwania. Prawie dwadzieścia pięć tysięcy członków AK w Warszawie oraz drugie tyle ochotników i przyjezdnych paliło się do podjęcia walki. Słyszeli już o prześladowaniu ich towarzyszy broni przez NKWD na obszarach zajętych przez Armię Czerwoną i wiedzieli, że nie ma co ufać sowieckiemu przywódcy. Rozumieli, że „jeżeli Stalin wykorzystał dokonaną przez siebie masakrę [na polskich oficerach w 1940 roku] jako powód do zakończenia relacji z polskimi władzami [w Londynie], jak można było oczekiwać, iż uda się z nim wynegocjować cokolwiek w dobrej wierze?"[20].

Pierwszym celem akcji zbrojnej AK było zaatakowanie niemieckich koszar w celu zdobycia broni. Okazało się to niełatwe, zwłaszcza za dnia, gdyż Niemcy spodziewali się zbrojnej insurekcji. Starówka i centrum Warszawy zostały szybko opanowane przez powstańców, ale dzielnice nad Wisłą, gdzie skoncentrowano większość niemieckich oddziałów do obrony miasta przed wojskami radzieckimi, pozostały niezdobyte. Po pewnym czasie bojownicy AK opanowali gmach PAST-y (Polskiej Akcyjnej Spółki Telefonicznej) ze stylizowaną wieżycą, oblewając go benzyną i podpalając. Załoga tego budynku poddała się; wzięto stu piętnastu jeńców, przejmując ich broń.

Powstańcy z Armii Krajowej nosili biało-czerwone opaski, które wyróżniały czynnie uczestniczących w walkach. Niebawem wielu z nich zaczęło nosić zdobyczne niemieckie hełmy, malując na nich białe i czerwone paski. Polscy komuniści oraz Żydzi, którzy ukrywali się od czasu powstania w getcie, przyłączyli się do zmagań. Piątego sierpnia AK zaatakowała obóz

---

[20] T. Snyder, *Skrwawione ziemie. Europa między Hitlerem a Stalinem*, tłum. B. Pietrzyk, Warszawa 2011, s. 326.

na skraju zburzonego getta, zabijając straże z SS i uwalniając pozostałych przy życiu trzystu czterdziestu ośmiu żydowskich więźniów[21].

Masowo przyłączali się do powstańców ochotnicy. Zgodnie z opracowanymi zawczasu planami lekarzy i pielęgniarki kierowano do punktów opatrunkowych i szpitali polowych, a miejscowi księża służyli jako wojskowi kapelani. Metalowcy przekwalifikowali się na zbrojmistrzów, wytwarzając prowizoryczne miotacze ognia oraz pistolety maszynowe typu Błyskawica, zaprojektowane na podstawie brytyjskiego stena. W warsztatach znajdujących się w piwnicach domów produkowano granaty z puszek po konserwach i inne chałupnicze bomby, wykorzystując najczęściej materiał wybuchowy pochodzący z niemieckich niewypałów. Zostały zorganizowane służby zaopatrzeniowe, a byłe restauracje działały jako kuchnie polowe. Oddziały propagandowe drukowały ulotki i powstańcze gazetki – „Biuletyn Informacyjny" i „Rzeczpospolitą Polskę" – a także afisze rozlepiane w całym mieście, które wzywały: „Po jednej kuli na każdego Niemca!"[22]. Powstańcy mieli nawet własną rozgłośnię radiową, która nadawała, pomimo wszelkich podejmowanych przez Niemców prób jej zniszczenia, do samego końca, do 2 października.

Młode kobiety pracowały w roli noszowych. Chłopcy za młodzi, by walczyć, zgłaszali się na ochotnika na gońców. Pewien dziewięciolatek wdrapał się na niemiecki czołg, żeby wrzucić do środka granaty; Niemcy i Polacy zamarli na ten widok w bezruchu. „Kiedy zeskoczył – wspominał naoczny świadek – popędził do bramy [kamienicy] i tam wybuchł płaczem"[23]. Odwaga i poświęcenie, jakimi wykazało się to dziecko, były bezprzykładne.

Czwartego sierpnia Stalin niechętnie zgodził się przyjąć delegację polskich władz emigracyjnych. Premier Stanisław Mikołajczyk nie najlepiej przeprowadził to spotkanie, ale niemal na pewno nie miało to większego wpływu na jego wynik. Stalin twierdził uparcie, że przybyli powinni rozmawiać z marionetkowym „Polskim Komitetem Wyzwolenia Narodowego" (PKWN). Już wcześniej polecił, aby ten tymczasowy rząd przewieziono na polskie terytorium pociągiem towarowym Armii Czerwonej. Na siedzibę tych władz wyznaczono Lublin, w związku z czym znane były na Zachodzie jako „lubelscy Polacy" – w odróżnieniu od „Polaków z Londynu".

Lubelski PKWN naturalnie zaakceptował wytyczoną przez Stalina granicę, odpowiadającą tej z paktu Ribbentrop-Mołotow oraz, w przybliżeniu, linii Curzona, od nazwiska brytyjskiego ministra spraw zagranicznych

---

[21] *Ibidem*, s. 330–331.
[22] *Brok: Eugeniusz Lokajski 1908–1944, fotoreporter*, oprac. D. Niemczyk, Warszawa 2007 (CD-Rom).
[23] W. Bartoszewski, *Abandoned Heroes...*, *op. cit.*, s. 50.

George'a Curzona, który zaproponował ją w 1919 roku. Lubelskie władze
działały pod ścisłym nadzorem Nikołaja Bułganina oraz czołowego funkcjonariusza radzieckich organów bezpieczeństwa państwowego Iwana Sierowa,
tego samego, który po radzieckiej agresji na Polskę z 17 września 1939 roku
kierował masowymi deportacjami i likwidacją Polaków na Kresach Wschodnich. Bułganin i Sierow mieli też oko na marszałka Rokossowskiego, w połowie Polaka, dowodzącego wojskami 1. Frontu Białoruskiego działający-
mi na obszarach polskich. Wydaje się, że nastawienie Stalina do Polaków
można określić słowami: „Wróg mojego wroga nadal jest moim wrogiem".

Przestawszy się niemal zajmować polskimi władzami w Londynie,
Churchill był głęboko poruszony dzielnością Armii Krajowej i czynił, co
w jego mocy, by jej pomóc. Czwartego sierpnia zadepeszował do Moskwy
i poinformował Stalina, że samoloty RAF-u rozpoczną zrzuty broni i innego zaopatrzenia dla powstańców w Warszawie. Jeszcze tego samego dnia załogi bombowców, złożone głównie z lotników polskich i południowoafry-
kańskich, podjęły niebezpieczne loty nad Polskę.

Dziewiątego sierpnia Stalin, przypuszczalnie dla zachowania pozorów,
obiecał Mikołajczykowi, że Związek Radziecki również wspomoże powstańców, mimo iż powstanie wybuchło za wcześnie. Twierdził, że niemieckie przeciwuderzenie odrzuciło jego wojska spod Warszawy. Częściowo odpowiadało to prawdzie, ale bardziej liczył się fakt, że po wielkich postępach w ramach
operacji „Bagration" czołowe formacje Armii Czerwonej były wyczerpane
i brakło im paliwa, a ich pojazdy rozpaczliwie wymagały napraw. Tak czy
owak, Stalin już wkrótce dowiódł, że nie ma zamiaru udzielać realnej pomocy ani też pomagać w funkcjonowaniu alianckiego mostu powietrznego. Żadnemu alianckiemu samolotowi nie zezwalano na lądowanie na zajętych przez
Sowietów terytoriach, choć jednego razu załodze amerykańskiego bombowca umożliwiono zatankowanie tam paliwa. Radzieckie samoloty zrzucały powstańcom trochę broni, ale w zasobnikach bez spadochronów, co sprawiało, że
okazywała się bezużyteczna. Stalinowi po prostu zależało na utrzymaniu pewnych pozorów, aby później mieć argumenty na odparcie ewentualnej krytyki.

Niemcy ściągnęli do Warszawy swoje najzacieklejsze formacje antypartyzanckie, znane z sadyzmu i popełnionych okrucieństw. Wśród tychże
znalazły się Brygada Szturmowa SS „RONA" Kamińskiego, będąca częścią
kozackiego XV Korpusu Kawalerii, oraz oddział złożony z kryminalistów
pod dowództwem Brigadeführera SS Oskara Dirlewangera, który parado-
wał z małpką na ramieniu, gdy kierował dokonywaną przez podwładnych
rzezią[24]. Owa *Korpsgruppe* znajdowała się pod zwierzchnictwem Obergrup-

---

[24] O zbrodniach formacji Dirlewangera w Warszawie por. H. Friessner, *Verratene Schlachten*,
Hamburg 1956, s. 205.

penführera SS Ericha von dem Bacha-Zelewskiego, tego samego, który wcześniej z poruczenia Himmlera nadzorował masakry białoruskich Żydów i oznajmił Reichsführerowi przy tej okazji, że jego zabójcy cierpieli wskutek silnego stresu. W Warszawie jego ludzie najwyraźniej już się nie skarżyli. Rannych w polskich lazaretach palono żywcem przy użyciu miotaczy ognia. Dzieci były zabijane dla zabawy. Sanitariuszki z AK chłostano, gwałcono, a następnie mordowano. Himmler popierał zamysł fizycznego i propagandowego unicestwienia Warszawy wraz z jej ludnością. W tym czasie najwyraźniej zdawał się uznawać Polaków za równie niebezpiecznych jak Żydów. Około trzydziestu tysięcy niebiorących udziału w walkach warszawiaków pozabijano na samej tylko stołecznej Starówce.

We Francji w pierwszym tygodniu sierpnia Kanadyjczycy, Brytyjczycy i polska 1. Dywizja Pancerna prowadzili trudne walki wzdłuż drogi do Falaise. Trzecia Armia Pattona zdobyła Rennes i wkroczyła do Bretanii. Szóstego sierpnia Hitler zmusił feldmarszałka von Klugego do rzucenia niemieckich dywizji pancernych do skazanego na niepowodzenie przeciwnatarcia na Mortain, w nadziei że oddziałom tym uda się dotrzeć do Avranches na wybrzeżu i odciąć wojska Pattona. Wobec determinacji i odwagi wykazanych przez Amerykanów podczas obrony Mortain plan ten z czysto wojskowego punktu widzenia okazał się szaleństwem i w bardzo znacznej mierze przyspieszył klęskę niemieckiej armii w Normandii. Hitler popychał Klugego ku jeszcze większej katastrofie, rozkazując mu wznowienie działań ofensywnych, ale do tego czasu pancerne czołówki Pattona zawróciły na wschód w kierunku Sekwany i wyszły na głębokie niemieckie tyły, zagrażając bazie zaopatrzeniowej Klugego. Niemieckiej 7. Armii i 5. Armii Pancernej zagroziło całkowite okrążenie pod Falaise.

Piętnastego sierpnia, kiedy kocioł pod Falaise zaczął się kurczyć, w ramach operacji „Anvil" (przemianowanej na „Dragoon") sto pięćdziesiąt jeden tysięcy alianckich żołnierzy wylądowało na Lazurowym Wybrzeżu między Marsylią a Niceą. Większość z tych wojsk przerzucono z frontu włoskiego. Marszałek polny Alexander, bardzo niezadowolony z powodu konieczności wydzielenia siedmiu dywizji do tej operacji desantowej, określił „Dragoon" mianem „strategicznie bezużytecznej" akcji zbrojnej[25]. Podobnie jak Churchill wolał skierować te siły na Bałkany i Wiedeń. Ale Brytyjczycy niesłusznie sprzeciwiali się przeprowadzeniu operacji „Dragoon". Lądowanie sprzymierzonych na południu Francji zmusiło Niemców do szybkiego odwrotu, a tym samym oszczędziło francuskiej ludności większych zniszczeń i cierpień.

---

[25] H. Alexander (Earl Alexander of Tunis), *The Alexander Memoirs, 1940–1945*, London 1962, s. 136.

Droga odwrotu formacji niemieckich z kotła pod Falaise nie została im odcięta z wielu powodów, przede wszystkim jednak dlatego, że Bradley, który podówczas objął dowodzenie 12. Grupą Armii, i Montgomery, dowódca 21. Grupy Armii, nie utrzymywali należytej łączności ani też nie określili jasnych celów. Montgomery, zgodziwszy się na „krótkie okrążenie" pod Falaise, i sądząc, że kanadyjska 1. Armia szybko się tam przebije, nie skoncentrował dostatecznych sił do tej akcji. Bardziej zajmowało go wyjście nad Sekwanę, w której kierunku skierował większość jednostek pod swoją komendą. Wyczuwał, że ma czas na zorganizowanie „wielkiego okrążenia" i schwytanie w potrzask Niemców na podejściach do tej rzeki. W rezultacie „szyjka butelki" kotła pod Falaise pozostała niedomknięta. Polskiej 1. Dywizji Pancernej wskutek skandalicznego zaniedbania nie udzielono należytego wsparcia, gdy musiała stawiać czoło niedobitkom dywizji pancernych SS i innych niemieckich formacji, usiłujących wydostać się z okrążenia.

Jedyną aliancką jednostką próbującą zamknąć im wyjście była francuska 2. Dywizja Pancerna (2ème Division Blindée) pod komendą generała Philippe'a Leclerca. Leclerc energicznie protestował u swoich amerykańskich przełożonych, kiedy wcześniej przeniesiono jego dywizję z 3. Armii Pattona. Zarówno Leclerc, jak i de Gaulle chcieli, aby ta wyposażona w amerykański sprzęt francuska jednostka wkroczyła do Paryża jako pierwsza, zgodnie z tym, co obiecywał Eisenhower. Ale generał Gerow, dowódca korpusu, odnosił się nader nieprzychylnie do francuskich trosk natury politycznej. Nie wiedział wszak, iż francuscy żołnierze przy każdej okazji podkradali benzynę, gromadząc jej zapas, który miał im umożliwić uderzenie na Paryż nawet bez jego rozkazu.

Kwestia wyzwolenia Paryża nie była traktowana przez Eisenhowera priorytetowo. Oswobadzanie francuskiej stolicy oznaczałoby bardzo poważne rozproszenie sił wojskowych i zapasów, i to akurat w chwili, gdy Eisenhower chciał uniemożliwić Niemcom ucieczkę ku granicom Rzeszy. Dywizje Pattona przedarły się na niemieckie tyły w trakcie dynamicznej, „kawaleryjskiej" akcji formacji zmechanizowanych, w których Patton się specjalizował. Kiedy wizytował sztab 7. Dywizji Pancernej pod Chartres, spytał dowódcę tej jednostki, kiedy zamierza zająć wspomniane miasto. Ów odrzekł, że nadal walczyli tam Niemcy, a więc pewnie zabierze to nieco czasu. Patton przerwał mu: „Niemców nie ma. Teraz mamy godzinę trzecią. Chcę zdobycia Chartres o piątej, bo inaczej pańska dywizja będzie miała nowego dowódcę"[26].

Dziewiętnastego sierpnia, w przeddzień walk w kotle pod Falaise, generał de Gaulle przybył z Algieru do kwatery głównej Eisenhowera. „Musimy maszerować na Paryż – oświadczył naczelnemu dowódcy. – Zorganizowa-

---

[26] Cyt. za wspomnieniami generała majora Alberta W. Kennera, szefa służb medycznych SHAEF, OCMH-FPP.

ne siły muszą tam zaprowadzić porządek"[27]. Nie powinny dziwić obawy de Gaulle'a, że komunistyczna partyzantka wywoła w stolicy powstanie i spróbuje powołać rewolucyjne władze. Tymczasem sam potajemnie wysyłał swoich urzędników do okupowanego Paryża, aby utworzyli szkieletową administrację i organizowali ministerstwa.

Nazajutrz w Rennes de Gaulle dowiedział się, że w stolicy zaczęła się insurekcja. Natychmiast posłał generała Juina do Eisenhowera z listem, w którym nalegał, ażeby skierowano do Paryża dywizję Leclerca. Paryscy policjanci zastrajkowali pięć dni wcześniej, protestując przeciwko niemieckiemu rozkazowi ich rozbrojenia. Z Londynu generał Kœnig wysłał do Francji Jacques'a Chabana-Delmasa, by ów przekonał podziemny ruch oporu, że należy jeszcze zaczekać ze zbrojną rewoltą. Komuniści pod wodzą pułkownika Henriego Rol-Tanguya, lokalnego lidera Francuskich Sił Wewnętrznych (FFI), chcieli jednak wyzwolić Paryż sami. Dziewiętnastego sierpnia paryska policja, uzbrojona w pistolety, ale bez mundurów, zajęła gmach prefektury i wywiesiła na nim trójbarwny francuski sztandar.

Generał porucznik Dietrich von Choltitz, dowódca niemieckiego garnizonu w Paryżu, poczuł się zmuszony do wyprowadzenia wojska na ulice i rozgorzały bardzo chaotyczne starcia. Hitler rozkazał Choltitzowi bronić miasta do końca i zniszczyć je, ale oficerowie przekonali tego ostatniego, że z militarnego punktu widzenia niczego to nie da. Dwudziestego sierpnia grupa stronników de Gaulle'a opanowała Hôtel de Ville, realizując swą taktykę zajmowania najważniejszych gmachów i siedzib urzędów państwowych. Z kolei komuniści, wierząc własnej propagandzie, wedle której władza „leży na ulicy", nie zorientowali się w porę, że zostali wymanewrowani.

Patriotyczny zapał, wyrażający się w wywieszaniu w oknach narodowych flag i spontanicznym intonowaniu *Marsylianki*, przeobraził się w gorączkowy ferwor. Ulice barykadowano, aby utrudnić Niemcom poruszanie się po mieście, organizowano zasadzki na niemieckie ciężarówki, tu i ówdzie rozbrajając i zabijając żołnierzy okupanta. Szwedzki konsul generalny wynegocjował rozejm. Choltitz zgodził się uznać grupy FFI za regularne oddziały wojskowe i zezwolił im na pozostanie w zajętych budynkach. W zamian ruch oporu miał się powstrzymać od atakowania niemieckich koszar i sztabów. Komuniści, twierdząc, że nie są należycie reprezentowani, wypowiedzieli ten tymczasowy układ. Chabanowi-Delmasowi udało się jedynie nakłonić ich do zaczekania przez jeden dzień ze wznowieniem szturmów.

Kiedy niedobitki niemieckich wojsk z Normandii zaczęły uciekać za Sekwanę, do kanadyjskiej 1. Armii i 2. Armii brytyjskiej dołączyły belgijska 1. Brygada Piechoty, czeska Brygada Pancerna oraz Królewska Brygada Holenderska

---

[27] Z rozmowy z generałem de Gaulle'em, OCMH-FPP.

(im. Księżniczki Ireny). Dowodzona przez Montgomery'ego 21. Grupa Armii, w której skład wchodziły wojska co najmniej siedmiu krajów, zaczynała przypominać wymarzone przez Roosevelta Narody Zjednoczone.

Dwudziestego drugiego sierpnia, gdy FFI podchwyciła rozkaz Rola-Tanguya „*Tous aux barricades!*" („Wszyscy na barykady!"), Eisenhower i Bradley nabrali przekonania, że jednak będą zmuszeni skierować wojska na Paryż. Eisenhower wiedział, że trzeba będzie przedstawić to generałowi Marshallowi oraz Rooseveltowi w kategoriach czysto militarnych. Prezydent zezłościłby się na myśl, że to amerykańskie oddziały wyniosły de Gaulle'a do władzy we Francji. Z kolei de Gaulle starał się w ogóle nie zauważać, że Stany Zjednoczone mają cokolwiek wspólnego z wyzwoleniem Paryża.

Bradley poleciał samolotem łącznikowym typu Piper Cub, aby przekazać Leclercowi dobre wieści, iż może nacierać na stolicę. Żołnierze Leclerca zareagowali na to wielką radością. Rozkazy generała Gerowa, nakazujące im wymarsz następnego poranka, zignorowano; francuska 2. Dywizja Pancerna wyruszyła jeszcze tej samej nocy. Po ostrych walkach na obrzeżach Paryża stoczonych 24 sierpnia Leclerc nakazał niewielkiej kolumnie pojazdów wjechać do miasta bocznymi uliczkami. Kiedy tylko oddział ten dotarł nocą na Place de l'Hôtel de Ville, rowerzyści roznieśli wieść o tym po całej stolicy i uderzono w wielki dzwon katedry Norte Dame. Generał von Choltitz i jego oficerowie zrozumieli w lot, co to oznaczało.

Nazajutrz rano francuska 2. Dywizja Pancerna i amerykańska 4. Dywizja Piechoty wkroczyły do Paryża witane przez wiwatujące tłumy, mimo że wciąż gdzieniegdzie dochodziło w mieście do starć. W istocie było to tylko kilka zaciętych potyczek w pobliżu budynków zajmowanych przez Niemców – Choltitz chciał zachować pozory stawiania oporu przed podpisaniem kapitulacji. De Gaulle na widok aktu kapitulacyjnego zirytował się bardzo, zauważywszy, że podpis Rola-Tanguya widniał powyżej tego złożonego przez Leclerca, jednak ostatecznie strategia gaullistów zatriumfowała. Postawili wybrane osoby na czele ministerstw i w ten sposób tymczasowy rząd Republiki Francuskiej znalazł się w zasadzie w ich rękach. I komuniści, i Roosevelt zostali postawieni przed faktem dokonanym.

Paryż ocalono, a tymczasem Warszawa ginęła. Wiwaty, trójkolorowe flagi, wręczane w prezencie butelki z trunkami i szczodre obcałowywanie wyzwolicieli – wszystko to wydawało się w stolicy Polski czymś nie z tego świata. Trwały barbarzyńskie i bezmyślne mordy dokonywane na ludności przez formacje pomocnicze SS, a Armia Krajowa miała coraz mniej szans na zwycięstwo. „W walczącej Warszawie – pisał polski poeta – nikt nie płacze"[28].

---

[28]   Jan Lissowski, w: *Brok: Eugeniusz Lokajski 1908–1944*, *op. cit.*

Polacy ostrzeliwali się z piwnic i kanałów ściekowych, gdy niemiecka artyleria i stukasy systematycznie burzyły ich miasto. Oddziały okupanta, atakujące kolejne kwartały ulic, odzyskały Starówkę. Niszczono jeden po drugim znane warszawskie zabytki, zwłaszcza kościoły. Nie było wody do gaszenia pożarów, a w szpitalach polowych brakowało medykamentów do leczenia poparzonych. Ranni umierali w mękach.

Dyscyplina w powstańczych oddziałach była zadziwiająco wysoka; pijaństwo prawie się nie zdarzało. Kierownictwo Armii Krajowej wydało rozkaz niszczenia składów alkoholu. Niektórzy powstańcy wobec niedostatku wody obmywali spirytusem stopy. Przeżycie i utrzymanie obrony zależało od przejęcia zasobników zrzucanych na spadochronach, z których bardzo liczne spadały na pozycje Niemców, gdyż tereny w rękach AK kurczyły się coraz bardziej. Alianckie bombowce z cennymi ładunkami dla powstańców nie nadlatywały codziennie, lecz tylko wówczas, gdy w polskim programie rozgłośni BBC nadawano popularnego *Mazura kajdaniarskiego* („Do mazura stań wesoło...")[29].

Powstańcom brakowało broni przeciwpancernej, poza nielicznymi pancerzownicami typu PIAT pochodzącymi ze zrzutów, a mimo to niszczyli niemieckie czołgi i wozy opancerzone butelkami z benzyną i granatami domowego wyrobu. Barykady wraz z ich obrońcami były miażdżone gąsienicami czołgów. Tynk ze zburzonych budynków mieszał się z dymem płonących krokwi. Jednakże inni, stosunkowo niedaleko od Warszawy, cierpieli jeszcze bardziej niż powstańcy.

Oto bowiem gdy Armia Krajowa wznieciła powstanie w stolicy, w łódzkim getcie nadal przebywało sześćdziesiąt siedem tysięcy Żydów. Wiedząc o błyskawicznych postępach Armii Czerwonej w trakcie operacji „Bagration", sądzili, że nadchodzi dla nich chwila wyzwolenia. Ale po tym jak armia radziecka zatrzymała się na wschodnim brzegu Wisły, Himmler uznał, że nie ma czasu do stracenia. Zdecydowaną większość łódzkich Żydów wywieziono na śmierć do Auschwitz-Birkenau.

Już w styczniu 1941 roku hrabia Stefan Zamoyski, adiutant generała Sikorskiego, zażądał od dowództwa lotnictwa bombowego RAF przeprowadzenia nalotu na obóz Auschwitz. Generał Portal nie wyraził na to zgody, argumentując, że brytyjskie lotnictwo zrzucało bomby nie na tyle precyzyjnie, aby można było liczyć na zniszczenie linii kolejowych wiodących do Oświęcimia. Z końcem czerwca 1944 roku, kiedy potwierdzono istnienie komór gazowych w Auschwitz, ponowiono usilne prośby, kierowane pod adresem alianckich władz w Londynie i Waszyngtonie, ażeby zbombardowano szlaki kolejowe prowadzące do tego obozu.

---

[29] Wspomnienia Romana Lotha, w: *ibidem.*

Auschwitz-Birkenau był wówczas ostatnim wielkim nazistowskim obozem śmierci, który nadal funkcjonował. Na ów okres przypadło szczytowe nasilenie masowej zagłady węgierskich Żydów; zabito ich w ciągu kilku miesięcy czterysta trzydzieści tysięcy. W sierpniu zginęli w Auschwitz ostatni Żydzi z łódzkiego getta, a po nich Żydzi ze Słowacji oraz ci rzekomo uprzywilejowani z Terezina. Był to końcowy etap „ostatecznego rozwiązania", przeprowadzony na polecenie Himmlera przed ewakuacją i zniszczeniem obozów.

Harris nadal znajdował się pod wpływem obsesyjnego przeświadczenia, że najlepszym rozwiązaniem dla wszystkich, w tym dla nazistowskich więźniów, byłoby przyspieszenie końca wojny za sprawą strategicznych bombardowań Niemiec. Przekonywał również, że obóz w Auschwitz mógł stanowić cel nalotu dziennego, a więc było to zadanie dla USAAF-u. Amerykanie odmówili, ale o dziwo, poczynając od 20 sierpnia, alianckie samoloty z baz lotniczych w Foggii podjęły bombardowania zakładów w Monowicach, wchodzących w skład obozu Auschwitz III, gdyż produkowano tam metanol – a tym samym wspomniane zakłady zaliczono do wytwórni paliw syntetycznych, atakowanych w ramach planu Spaatza. Rzeczone naloty rzeczywiście zniweczyły nadzieje koncernu IG Farben na produkcję buny (kauczuku syntetycznego) i paliw w Auschwitz. Po zakończeniu operacji „Bagration" Armia Czerwona podeszła zbyt blisko obozu. Pracowników IG Farben ewakuowano na zachód[30].

W okolicach Warszawy wojska sowieckie pozostawały prawie bezczynne. Stalinowi wyraźnie zależało na upadku powstania. Im więcej Niemcy zabiliby potencjalnych przywódców powojennej Polski, tym lepiej dla niego. Wreszcie 2 października, po sześćdziesięciu trzech dniach powstania, generał Komorowski skapitulował. Bach-Zelewski, bez wiedzy Himmlera, uznał ocalałych powstańców za kombatantów, gwarantując im status jeńców wojennych. Liczył na to, że zwerbuje ich do walki z Armią Czerwoną, jednak żaden powstaniec nie przyłączył się do Niemców. Mimo iż Bach-Zelewski obiecywał, że nie będzie dalszego niszczenia Warszawy, Himmler wkrótce potem wydał rozkaz całkowitego spalenia i wyburzenia tego miasta. Zachowano tylko obóz na zgliszczach getta, gdzie przetrzymywano jeńców z Armii Krajowej. Polacy nie mieli złudzeń, znalazłszy się pomiędzy dwoma bezlitosnymi systemami totalitarnymi, które w walce z sobą wzrosły w potęgę. Inny poeta z szeregów AK napisał: „Czekamy na ciebie, czerwona zarazo, byś wybawiła nas od czarnej śmierci"[31].

---

[30] O bombardowaniu zakładów IG Farben w obozie Auschwitz III por. D. Jeffreys, *Hell's Cartel. IG Farben and the Making of Hitler's War Machine*, New York 2008, s. 288–289.

[31] T. Snyder, *Skrwawione ziemie, op. cit.*, s. 336–337 (fragment ostatniego wiersza poety Józefa Szczepańskiego, pseudonim „Ziutek", który zginął w powstaniu warszawskim w wieku dwudziestu jeden lat).

ROZDZIAŁ 41

Operacja „Ichi-gō" i bitwa w zatoce Leyte

lipiec–październik 1944

Dwudziestego szóstego lipca 1944 roku, kiedy Amerykanie przełamali front w Normandii, Armia Czerwona wyszła nad Wisłę, a piechota morska Stanów Zjednoczonych kończyła zdobywanie Marianów, do Pearl Harbor wpłynął krążownik USS „Baltimore", na którego maszcie powiewała prezydencka flaga. Na nabrzeżu czekała grupa admirałów w odprasowanych białych mundurach.

Admirał Nimitz wszedł na pokład, aby poinformować prezydenta Roosevelta, że właśnie wylądował samolot generała Douglasa MacArthura, który przyleciał z Brisbane. Pół godziny później MacArthur, celowo opóźniwszy swój przylot, by nadać mu szczególnej rangi, podjechał wielkim otwartym wozem sztabowym otoczony postronnymi osobami. Pozdrawiając zebrany tłum, wkroczył na pokład okrętu niby gwiazda przedstawienia.

Zapewne MacArthur był chorobliwym egocentrykiem, pochłoniętym obsesją na punkcie własnej rozdmuchanej legendy. Nie krył swej pogardy dla prezydenta, którego uważał niemalże za komunistę. Nie widział też powodu, dla którego sam miałby uznawać zwierzchność generała George'a C. Marshalla, ponadto bardzo nie odpowiadał mu fakt, iż admirał Nimitz nie znalazł się pod jego, MacArthura, komendą. Mimo to MacArthur wiedział dobrze, czego potrzebuje do ochrony własnych wpływów i prestiżu, nawet jeśli wiązało się to ze schowaniem dumy do kieszeni i byciem miłym dla Franklina Delano Roosevelta.

MacArthur uznał tę zaplanowaną konferencję za wydarzenie polityczne, w którym Roosevelt odgrywał rolę naczelnego wodza z myślą o nadchodzących listopadowych wyborach. Na szczęście podbój Papui-Nowej Gwinei przez wojska MacArthura przebiegał sprawniej, aniżeli on sam się tego spodziewał, a jego oddziały usadowiły się już w Hollandii na zachodnim krańcu tego kraju. Zbliżała się chwila wypełnienia jego osobistej misji, czyli odzyskania Filipin, na które obiecał powrócić. „Czekają tam na mnie" – pompatycznie oświadczył reporterom. To, że jako jedyny spośród najwyższych rangą dowódcą i szefów sztabów opowiadał się za całkowitym wyzwoleniem Filipin, nie zniechęcało go w najmniejszym stopniu. Niektórzy podejrzewali, że gryzło go trochę sumienie po opuszczeniu Corregidoru i Bataanu, choć uczynił to na rozkaz prezydenta. Ale Filipiny stanowiły ważną część jego życia, nie wspominając nawet o majątku, po tym, jak jego przyjaciel, filipiński prezydent Manuel Quezón, przekazał mu w darze pół miliona dolarów.

Kilku czołowych amerykańskich dowódców godziło się z pomysłem wyzwolenia Luzonu, głównej wyspy Filipin, która mogła posłużyć za odskocznię do późniejszego uderzenia na Formozę (Tajwan). Wiązano to z ideą wykorzystania Chin jako najważniejszej bazy do nalotów bombowych na Japonię. Inni, przede wszystkim admirał King, twierdzili, że można ominąć Luzon i od razu zaatakować Formozę.

MacArthur, wykorzystując zarówno osobisty urok, jak i niezbyt subtelne metody perswazji, zdołał przekonać prezydenta Roosevelta, że należy oswobodzić Filipiny, choćby tylko z pobudek honorowych. Roosevelt, mając świadomość, że jego odmowa w tej kwestii zostałaby źle przyjęta przez prasę i amerykańską opinię publiczną przed zaplanowanymi na listopad wyborami, pozwolił się do tego nakłonić. Niektórzy dają do zrozumienia, że obaj zawarli przy okazji cichy układ: MacArthur miał otrzymać możliwość powrotu na Filipiny w zamian za to, że powstrzyma się od krytykowania Roosevelta w Stanach Zjednoczonych. Jednakże Marshall oraz szef amerykańskich sił powietrznych „Hap" Arnold wiedzieli, że realizacja wymarzonej przez MacArthura operacji bynajmniej nie przyspieszyłaby zakończenia wojny na Pacyfiku. Po opanowaniu Marianów Amerykanie dysponowali teraz bazami lotniczymi do bezpośrednich ataków na Wyspy Japońskie. Nieco wcześniej ujawnione szczegóły „marszu śmierci" na Bataanie wywołały falę oburzenia i nawoływań do bombardowania Japonii.

Ostatecznie po tym jak admirał William „Bull" Halsey przeprowadził serię uderzeń na Filipiny siłami III Floty i zespołu szybkich lotniskowców Mitschera, Kolegium Połączonych Szefów Sztabów ustaliło na konferencji „Ocatogon" w Quebecu, że MacArthur może zacząć swoją operację. Pierwszym etapem miał być, przeprowadzony w październiku, atak na wyspę Leyte w północno-wschodnich Filipinach. Wszelkie wstępne akcje zbrojne zostały odwołane – z jednym wyjątkiem: zdobycia wyspy Peleliu leżącej w archipelagu Palau, około ośmiuset kilometrów na wschód od Leyte. Inwazji na Formozę zaniechano z wielu powodów, a jednym z nich była katastrofalna sytuacja w kontynentalnych Chinach i trwająca tam japońska ofensywa „Ichi-gō".

Dramatyczne wypadki w Paryżu i Warszawie trudno było sobie wyobrazić tym, którzy prowadzili głównie morską wojnę po drugiej stronie globu, tak jak palmy, namorzyny i ciemnobłękitny Pacyfik pozostawały niewyobrażalne dla ludzi toczących śmiertelną walkę na kontynencie europejskim.

Zmagania na wyspach Pacyfiku z japońskimi żołnierzami, którzy nie chcieli się poddać, nasuwały amerykańskim dowódcom myśli o użyciu gazów bojowych do likwidacji nieprzyjaciela w schronach i tunelach, ale Roosevelt sprzeciwił się takiemu pomysłowi. Generalnie US Navy nabrała biegłości w ocenie, które archipelagi i atole można pomijać w ofensywie na Oceanie Spokojnym. Amerykanie, dobrze wiedząc o koszmarnych warunkach, w jakich wegetowali japońscy żołnierze na oddalonych od siebie wyspach, pozostawiali ich tam w spokoju, aby zagłodzili się na śmierć.

Blokada prowadzona przez amerykańskie okręty podwodne przynosiła straszliwe skutki. Japończycy dopiero co zaczęli wprowadzać system konwojów, poza tym brakowało im transportowców. Wynikało to głównie z faktu, że dowództwo Cesarskiej Marynarki Wojennej wolało kierować środki i zasoby na budowę okrętów klas głównych (pancerników, krążowników i lotniskowców). Żołnierzom japońskim, pozostawionym na pastwę losu przez Cesarską Kwaterę Główną w Tokio, nie wolno było się poddawać. Rozkazywano im po prostu przejście na „samowystarczalność", co oznaczało, że nie mogą liczyć ani na dostawy, ani na odsiecz. Ocenia się, że sześćdziesiąt procent spośród 1,74 miliona japońskich żołnierzy, którzy zginęli w tej wojnie, padło ofiarą chorób i głodu[1]. Niezależnie od skali zbrodni wojennych popełnionych na przedstawicielach innych nacji japońscy dowódcy i sztabowcy powinni byli zostać potępieni przez swoich rodaków za zbrodnie na własnych żołnierzach – coś takiego stanowiło jednak rzecz nie do pomyślenia w tak konformistycznym społeczeństwie.

Japończycy w miarę możliwości zabierali żywność miejscowej ludności, ale na obszarach wiejskich chłopom często udawało się ukrywać produkty spożywcze tak zmyślnie, by zachować je dla siebie. Jednakże ludzie w miastach, mniejszych i większych, ucierpieli bardziej, podobnie jak robotnicy przymusowi i alianccy jeńcy wojenni. Japońscy oficerowie i szeregowcy posuwali się do kanibalizmu, żywiąc się nie tylko zwłokami wrogów. Ludzkie mięso uważano za niezbędne źródło pożywienia i organizowano „wyprawy łowieckie" w celu zdobywania go. W Nowej Gwinei Japończycy zabijali, ćwiartowali i zjadali przedstawicieli lokalnej ludności oraz robotników przymusowych, a także wielu australijskich i amerykańskich jeńców, określanych

---

[1] O japońskich stratach w wyniku głodu por. A. Fujiwara, *Uejini shita eireitachi*, Tōkyō 2001, s. 135–138; cyt. za: L. Collingham, *The Taste of War. World War II and the Battle for Food*, London 2011, s. 10 i 303.

mianem „białych świń" – w odróżnieniu od azjatyckich „czarnych świń"[2]. Gotowali i spożywali mięsiste części ciała oraz mózgi i wątroby ofiar. Choć japońscy dowódcy zabraniali swoim podwładnym zjadania zmarłych i poległych ziomków, japońskich żołnierzy takie zakazy nie powstrzymywały przed tym procederem. Sporadycznie wybierali na ofiarę któregoś z kolegów, najczęściej tego, który nie chciał jeść ludzkiego mięsa, albo uprowadzali jakiegoś żołnierza z innej jednostki. Japończycy odcięci w nieco późniejszym okresie wojny na Filipinach przyznawali, że bali się „nie partyzantów, tylko własnych żołnierzy"[3].

Japońskie rekwizycje i konfiskaty płodów rolnych doprowadziły do głodu w różnych częściach południowo-wschodniej Azji, Holenderskich Indiach Wschodnich (późniejszej Indonezji) i na Filipinach. Rabunki wyniszczały rolnictwo, gdyż pozostawało mało ziarna na następne zasiewy. Birma, będąca wcześniej regionalnym ryżowym spichlerzem, z końcem wojny ledwie produkowała płody rolne na własne potrzeby. W Indochinach lokalne władze reprezentujące Vichy za zgodą swoich japońskich zwierzchników ustalały ceny i normy przymusowych dostaw. Jednakże oddziały armii japońskiej wędrowały od wioski do wioski i zabierały wszystko, zanim jeszcze zjawiali się francuscy urzędnicy.

W północnych Indochinach wynikła jeszcze bardziej katastrofalna sytuacja, ponieważ tamtejszych chłopów zmuszano do uprawy juty, a skoro Japończycy konfiskowali niemal wszystkie transporty żywności, prawie nie docierał tam ryż z południa kraju. W rezultacie chłopstwo Tonkinu[4] cierpiało z powodu głodu, w którego wyniku w latach 1944–1945 zmarło ponad dwa miliony osób. Japończycy nie mieli zamiaru udzielać pomocy temu regionowi, głównie ze względu na rosnące tam poparcie dla komunistycznego Việt Minhu, kierowanego przez Ho Chi Minha. Organizacji tej – jak na ironię, z perspektywy wydarzeń późniejszych dziesięcioleci – udzielało pomocy i dostarczało broni amerykańskie Biuro Służb Strategicznych (Office of Strategic Services, OSS). Roosevelt, w porozumieniu ze Stalinem uzgodnionym na konferencji teherańskiej, postanowił nie dopuścić, aby Francja odzyskała tę kolonię, ale ów zamysł upadł wraz ze śmiercią amerykańskiego prezydenta tuż przed końcem wojny w Europie.

Japoński reżim, zdominowany przez wojskowych, przyjął założenie, że to Niemcy zwyciężają w wojnie europejskiej, a Amerykanom zabraknie odwagi do podjęcia otwartej walki. Wykazując zdumiewający brak wyobraź-

---

[2] M. Ogawa, *Kyokugen no naka no ningen. Shi no shima Nyūginia*, Tōkyō 1983, s. 167.
[3] H. Nogi, *Kaigun Tokubetsu Keisatsutai. Anbontō BC-kyū senpan no shuki*, Tōkyō 1975, s. 207; cyt. za: Y. Tanaka, *Hidden Horrors. Japanese War Crimes in World War II*, Oxford 1996, s. 114.
[4] Dzisiejszy północny Wietnam (przyp. tłum.).

ni, japońscy przywódcy uważali, że nadal mogą liczyć na wynegocjowanie korzystnych warunków pokojowych pomimo amerykańskiego oburzenia za napaść na Pearl Harbor. Na skutki tych skrajnie błędnych rachub nałożyła się nieelastyczna strategia dowództwa wojskowego w Tokio. Podczas gdy cesarscy wyżsi oficerowie odrzucali wszelkie innowacje, wojska amerykańskie, zasilone inteligentnymi i dynamicznymi ludźmi z rozmaitych kręgów społecznych, uczyły się bardzo szybko nowinek technologicznych i taktycznych. Nade wszystko zaś gwałtownie rozwijający się przemysł militarny w Stanach Zjednoczonych produkował gigantyczne ilości uzbrojenia; samych tylko lotniskowców Amerykanie zwodowali do końca 1944 roku prawie setkę.

Niektórzy historycy przekonują, że z powodu katastrofalnych strat japońskiej floty handlowej wielka armia Japończyków w kontynentalnych Chinach nie mogła zostać użyta do walki z zachodnimi aliantami na innych teatrach wojny, a zatem kwestia, czy wojska Chiang Kai-sheka faktycznie ją wiązały, ma się nijak do rzeczy. W istocie część japońskich wojsk lądowych i większość lotnictwa morskiego przerzucono z Chin w inne regiony, niemniej jednak nadal zwolennicy wspomnianej powyżej tezy utrzymują, że cała pomoc, udzielana przez sprzymierzonych Chinom, poszła na marne. Twierdząc tak, nie bierze się pod uwagę, że gdyby nie opór chińskich armii, stawiony wcześniej Japończykom, oraz wytrwanie przez nie w działaniach wojennych, to japońskie siły na innych obszarach mogłyby być znacznie potężniejsze.

Przebieg japońskiej ofensywy „Ichi-gō", rozpoczętej w kwietniu 1944 roku, zdawał się potwierdzać najbardziej pesymistyczne opinie na temat bojowych zdolności chińskich nacjonalistów. Nawet oficerowie Chianga popadali w rozpacz. „Dostaliśmy rozkaz odwrotu – zanotował pewien kapitan. – Na tyły napływały masy ludzi, koni, wozów. Panował bałagan. Naraz ujrzałem Huang Qixianga, naszego generała, którzy przejechał koło nas w piżamie i tylko jednym bucie. Wydawało się to takie przygnębiające. Skoro generałowie uciekają, dlaczego zwykli żołnierze mieliby się zatrzymać i podjąć walkę? Japończycy rzucili na nas czołgi, a my nie mieliśmy czym z nimi walczyć"[5].

Cała sprzeczność azjatyckiej polityki USA, zakładającej maksymalne wykorzystanie Chin przy udzielaniu temu krajowi minimalnego poparcia, przyniosła efekty przeciwne do zamierzonych. Skoncentrowawszy się niemal całkowicie na Birmie i otwarciu lądowej drogi do Chin, a także skupiając wysiłki na uzbrojeniu i przeszkoleniu znajdujących się tam dywizji Kuomintangu, Stilwell uzyskał niewiele dla armii Chiang Kai-sheka, zmagających się z Japończykami w samych Chinach. Amerykanie aż nadto zdawali sobie

---

[5] Słowa Al Ying Yunpinga, cyt. za: M. Hastings, *Nemesis. The Battle for Japan, 1944–1945*, London 2007, s. 12.

sprawę, że żołnierze chińskich wojsk nacjonalistycznych są zbyt osłabieni z powodu niedożywienia, by skutecznie walczyć, nawet gdyby otrzymali odpowiednią broń. Nieuczciwe było zatem obwinianie ich za to, że nie obronili amerykańskich baz lotniczych, zwłaszcza że właśnie amerykańskie naloty bombowe na Wyspy Japońskie i inne cele sprowokowały Japończyków do akcji zaczepnych w Chinach. Roosevelt nie chciał wykorzystywać samolotów B-29 do wspierania chińskich oddziałów lądowych. Jedyny wyjątek od tej reguły uczyniono w listopadzie i grudniu, kiedy bombowce typu Superfortress zniszczyły japońskie składy zaopatrzeniowe w Hankou.

Zdarzało się, że chińskie wojska walczyły dobrze. Pod Hengyangiem okrążona 10. Armia, korzystając ze skutecznego wsparcia udzielonego przez myśliwce i bombowce Chennaulta, zatrzymała Japończyków na ponad sześć tygodni. Pewien amerykański korespondent opisał żołnierzy próbujących przyjść 10. Armii z odsieczą. „Co trzeci miał karabin. (...) Ani jednego motocykla, żadnej ciężarówki w całej kolumnie [wojska]. Nie było ani jednego działa. Sporadycznie juczne zwierzęta dźwigały część ładunku. (...) Ludzie ci szli w milczeniu, z tą zadziwiającą goryczą chińskich żołnierzy, którzy spodziewają się tylko klęski, (...) mieli stare strzelby, żółte i brunatne mundury w strzępach. Każdy niósł po dwa granaty zatknięte za pasem; na szyi każdy z żołnierzy miał rodzaj niebieskiej pończochy, wypchanej jak pęto kiełbasy bolońskiej suchymi ziarnami ryżu, ich jedynymi polowymi racjami prowiantu. Ich stopy w sandałach z łyka były spękane i opuchnięte"[6]. Tak prezentowały się żałośnie wyekwipowane alianckie wojska, które w Waszyngtonie potępiano za to, że nie powstrzymały największej japońskiej ofensywy lądowej w całej wojnie na Dalekim Wschodzie.

Utrata Hengyangu 8 sierpnia oznaczała, że przed Japończykami stanęła otworem droga ku innym bazom amerykańskiego lotnictwa – w Guilin i Liuzhou. Relacje między Amerykanami a chińskim generalissimusem – i nie tylko – stały się tak napięte, że groziły zerwaniem. Chennault zarzucał Stilwellowi, iż nie słuchał ostrzeżeń o zbliżającej się ofensywie „Ichi-gō", natomiast Stilwell oskarżał Chennaulta o to, że w ogóle do niej doszło i o zabieranie większości zaopatrzenia transportowanego ponad Himalajami, wskutek czego prawie nic nie pozostawało dla chińskich wojsk lądowych. Na pewno wcześniejsze zapewnienia Chennaulta, że jego 14. Armia Powietrzna zdoła pokonać nacierających Japończyków, okazały się bezpodstawne. Stilwell domagał się zdymisjonowania Chennaulta, na co jednak Marshall nie wyraził zgody. Marshall i generał Arnold odrzucili także żądanie Chennaulta, by przekazywano mu wszystkie bombowce B-29 Superfortress kierowane do strategicznych sił powietrznych.

---

[6]   T.H. White, A. Jacoby, *Thunder Out of China*, New York 1946, s. 187.

Administracja Roosevelta i amerykańska prasa, które w 1941 roku idealizowały Chiang Kai-sheka i zbrojny opór stawiany Japończykom przez wojska Kuomintangu, teraz zwróciły się przeciwko chińskim nacjonalistom, okazując im przesadną niechęć. Niezdolność zrozumienia zasadniczych problemów Chin i niewątpliwych słabości Chińczyków zaowocowały przyjęciem przez Amerykanów nowej, nielogicznej polityki w tym regionie świata. Stilwell, Departament Stanu i OSS, zirytowani na Chianga i jego nacjonalistów, zaczęli idealizować Mao Zedonga oraz chińskich komunistów.

W lipcu Roosevelt polecił Chiangowi mianowanie Stilwella naczelnym wodzem wszystkich wojsk chińskich, w tym oddziałów komunistycznych. Chiński generalissimus nie miał zamiaru czynić niczego podobnego, zwłaszcza że Amerykanie myśleli o uzbrojeniu komunistów, ale mógł tylko grać na czas. Otwarta odmowa groziła przerwaniem gospodarczej i militarnej pomocy udzielanej Chinom przez USA. Ofensywa „Ichi-gō", choć zabójcza dla armii Kuomintangu, wielce dopomogła chińskim komunistom, ponieważ większość japońskich sił, które wzięły w niej udział, przerzucono z północnych Chin i Mandżurii. Następnie komuniści skorzystali na klęsce nacjonalistów, przemieszczając własne oddziały na obszary, które wojska Kuomintangu musiały opuścić.

Amerykanie, w skazanej na niepowodzenie próbie skłonienia obu stron – nacjonalistów i komunistów – do współdziałania, zażądali prawa skierowania grupy ekspertów do kwatery głównej Mao w Yan'anie. Owa „misja Dixie" przybyła tam w lipcu i odniosła korzystne wrażenie – zgodnie z intencjami Mao. Amerykanie, którym pokazano niewiele i poważnie ograniczono grono tych, z którymi rozmawiali, nie mieli pojęcia o dążeniu Mao do całkowitego zniszczenia chińskich nacjonalistów ani o krwawych czystkach – „wykorzenianiu zdrajców pośród nas [chińskich komunistów] i wprowadzaniu maoistowskiej ideologii w partyjnych szeregach"[7]. Zaprowadzono rządy terroru poprzez organizowanie masowych wieców, na których denuncjowano podejrzanych; ci ostatni byli przy takiej okazji publicznie znieważani. Zeznania wymuszano torturami – fizycznymi i psychicznymi – oraz za pomocą prania mózgów. Reżim Mao, z jego obsesyjnym dążeniem do stłamszenia swobodnej myśli i wymuszaniem „samokrytyki", okazał się jeszcze bardziej krwawy od stalinizmu. Mao nie posługiwał się tajną policją. Przeciętni obywatele byli zmuszani do „polowania na czarownice" i uczestnictwa w dręczeniu oraz mordowaniu rzekomych zdrajców. Kult osoby Mao przewyższył nawet kult Stalina.

---

[7] Kuisong Yang, *Nationalist and Communist Guerrilla Warfare*, w: M. Peattie, E. Drea, H.J. van de Ven, *The Battle for China. Essays on the Military History of the Sino-Japanese War of 1937–1945*, Stanford 2011, s. 324.

Komunistyczni działacze i wojskowi dowódcy żyli w strachu przed popełnieniem jakiegoś błędu czy niedopatrzenia. W tym okresie, kiedy charakter działań wojennych w Chinach zaczął odbiegać od typowych akcji partyzanckich, obawiali się przede wszystkim oskarżeń o przeciwstawianie się maoistowskiej ideologii, która potępiała prowadzenie konwencjonalnej walki zbrojnej od czasu katastrofalnej „bitwy stu pułków". Mao nadal wolał nie wystawiać na ryzyko swoich wojsk, które chciał zachować do późniejszych zmagań z nacjonalistami, mimo że liczebność jego armii szybko się zwiększała. Z końcem roku 1944 chińscy maoiści rozbudowali stan swoich regularnych formacji wojskowych do dziewięciuset tysięcy żołnierzy, natomiast lokalne siły chłopskiej milicji liczyły łącznie około dwóch i pół miliona ludzi[8].

Sytuacja w Chinach podczas ofensywy „Ichi-gō" stawała się na tyle rozpaczliwa, że Chiang chciał ściągnięcia z powrotem dywizji Y-Force znad Saluin, aby pomogły w powstrzymaniu japońskiego natarcia. Ponieważ zbiegło się to w czasie z krytyczną fazą kampanii birmańskiej, Roosevelt, Marshall i Stilwell zareagowali na taki pomysł oburzeniem, jednakże nadal nie zamierzali uznać swojej odpowiedzialności za katastrofalne położenie wojsk Kuomintangu. Marshall sporządził bardzo lakoniczną notę, utrzymaną w ultymatywnym tonie, polecając chińskiemu generalissimusowi natychmiastowe mianowanie Stilwella na głównodowodzącego i wzmocnienie frontu nad Saluin.

Stilwell nie ukrywał radości, zapoznawszy się z treścią tego dokumentu. Dosłownie wprosił się na spotkanie generalissimusa z generałem majorem Patrickiem J. Hurleyem, nowym emisariuszem Roosevelta. Stilwell z poczuciem triumfu zapisał w swoim dzienniku: „Wręczyłem ten wianuszek papryki Orzeszkowi [Chiangowi], a potem wycofałem się z westchnieniem ulgi. Harpun trafił tego małego drania prosto w splot słoneczny i przebił go na wylot". Z kolei Hurley był przerażony tonem owej noty i utratą zaufania Chińczyków do Amerykanów, którą miała spowodować. Chiang Kai-shek skrył swoje wzburzenie. Powiedział tylko: „Rozumiem" – i zakończył spotkanie[9].

Później generalissimus przekazał Rooseveltowi za pośrednictwem Hurleya posłanie, domagając się odwołania Stilwella. Chiang stwierdził, że jest w zupełności gotów zaakceptować któregoś z amerykańskich generałów na

---

[8]   Na temat represji i tortur, a także kultu Mao por. J. Chang, J. Halliday, *Mao. The Unknown Story*, London 2007, s. 288–305.

[9]   Na temat spotkania Stilwella i Hurleya z Chiang Kai-shekiem por.: Ch.F. Romanus, R. Sunderland, *Stilwell's Command Problems*, Washington 1959, s. 379–384; B.W. Tuchman, *Stilwell and the American Experience in China, 1911–45*, New York 1971, s. 493–494; R.H. Spector, *Eagle against the Sun. The American War with Japan*, London 2001, s. 368–369.

czele chińskich wojsk – byle nie Stilwella. Roosevelt nie uważał już jednak udziału Chin za niezbędny czynnik wiodący do zwycięskiego zakończenia wojny z Japonią, gdyż Stalin zobowiązał się, iż Związek Radziecki uderzy na Mandżurię zaraz po pokonaniu Niemiec. W tej sytuacji brał pod uwagę tylko to, jak ewentualna awantura z Chińczykami mogła wpłynąć na jego notowania w kraju na progu listopadowych wyborów prezydenckich.

W tym czasie amerykańska prasa zwróciła się przeciwko reżimowi Kuomintangu, opisując go jako dyktatorski, niekompetentny, skorumpowany i nepotyczny. W gazetach zarzucano mu unikanie walki z Japończykami i obojętność wobec cierpień chińskiego ludu, zwłaszcza w okresie wielkiego głodu w Henanie sprzed roku. W „New York Timesie" pisano, że popieranie chińskich nacjonalistów uczyniło z Ameryki „wspólniczkę nieoświeconego, bezwzględnego autokratycznego reżimu"[10]. Wpływowi autorzy, tacy jak Theodore White, szkalowali Chiang Kai-sheka i przedstawiali go w niekorzystnym świetle na tle komunistów[11]. W ówczesnej erze liberalizmu spod znaku Nowego Ładu wielu urzędników amerykańskiego Departamentu Stanu wyrażało zbliżone poglądy.

Sondaże opinii publicznej w Stanach Zjednoczonych przeprowadzane podczas kampanii przedwyborczej wykazywały, że niewielka przewaga Roosevelta nad Thomasem Deweyem szybko topniała. W tej sytuacji Roosevelt, z obawy przed niekorzystnym wpływem możliwej klęski chińskich nacjonalistów na wynik tej kampanii, postanowił odwołać Stilwella do Waszyngtonu, starając się przy tym stworzyć wrażenie, że Stilwell starał się zrobić wszystko, aby oświecić Chiang Kai-sheka, ale uczynić więcej już nie był w stanie. Prawdę o tym, jak to Chińczyków pozostawiono bez pomocy w czasie ofensywy „Ichi-gō", skrupulatnie skrywano, nie wspominając też ani słowem o kłótniach Stilwella z Chiangiem, Chennaultem i Mountbattenem.

Generał Marshall, który swego czasu wyznaczył Stilwella na jego stanowisko w Chinach i przymykał oko na jego winę w doprowadzeniu tam do katastrofalnej sytuacji, sporządził szkic odpowiedzi na żądanie Chiang Kai-sheka. „Wymagane jest pełne i szczere wyjaśnienie przyczyn odwołania generała Stilwella – napisał Marshall w dokumencie, który Roosevelt miał wysłać Chiangowi. – Naród amerykański będzie wstrząśnięty i wprawiony w zakłopotanie tym aktem; wyrażam żal z powodu szkody, jaką nieuchronnie wyrządzi to sympatii Amerykanów wobec Chin"[12].

---

[10] Cyt. za: B.W. Tuchman, *Stilwell and the American Experience in China*, op. cit., s. 646.
[11] Por.: H.J. van de Ven, *War and Nationalism in China, 1925–1945*, London – New York 2003, s. 3; T.H. White, A. Jacoby, *Thunder Out of China*, op. cit.
[12] Cyt. za: H.J. van de Ven, *War and Nationalism in China*, op. cit., s. 60.

W swoim posłaniu dla Chiang Kai-sheka Roosevelt ostatecznie nie zdecydował się na zamieszczenie tej ledwie zamaskowanej przez Marshalla groźby ujawnienia okoliczności odwołania Stilwella, niemniej dołożył starań, aby pewne informacje w tej sprawie dostały się do amerykańskiej prasy. W każdym razie Stilwell przedstawił własną wersję wydarzeń korespondentom w Chongqingu przed swoim wyjazdem z Chin. Zadbał też o to, żeby jego sympatycy w Stanach Zjednoczonych potępili Chianga jako odrażającego wojskowego dyktatora i zarzucili mu bierność wobec Japończyków oraz gromadzenie zapasów amerykańskiej broni do walki z chińskimi komunistami. Nie podejrzewano, że to właśnie Mao celowo szykuje swoje wojska do otwartej wojny domowej i po cichu dogaduje się z Japończykami.

Generał major Albert C. Wedemeyer, który dotąd pełnił służbę jako szef sztabu Mountbattena, zastąpił Stilwella w październiku, wkrótce po tym jak Japończycy wznowili ofensywę. Niedola uchodźców dorównywała tej, która stała się udziałem pobitych chińskich żołnierzy. Zupełnie zdemoralizowane i wygłodniałe armie Chianga znowu poszły w rozsypkę, a wojska japońskie zdobyły kolejne bazy lotnicze, zniszczone przez Amerykanów tuż przed ich opuszczeniem. Ci ostatni zaczynali się już przyzwyczajać do wysadzania w powietrze wszystkich baraków, hangarów i magazynów oraz do niszczenia za pomocą półtonowych bomb pasów startowych, by uniemożliwić nieprzyjacielowi ich wykorzystanie.

Położenie było na tyle rozpaczliwe, że Wedemeyer zgodził się na powrót do Chin dywizji ze zgrupowania Y-Force i wystarał się o niezwłoczny przerzut wszystkich formacji sił powietrznych wspierających kampanię birmańską. Japońskie natarcie i tak jednak wytraciło impet. W ramach ofensywy „Ichi-gō" Japończycy osiągnęli zamierzone cele, poza tym nadchodziła zima. Trzynaście amerykańskich lotnisk zostało unieszkodliwionych, Japończycy wyeliminowali z walki ponad trzysta tysięcy żołnierzy Kuomintangu, a ich armie w Chinach połączyły się z japońskimi oddziałami z Indochin[13].

Utrata całego wsparcia lotniczego stanowiła nader przykrą niespodziankę dla generała Slima w czasie, gdy jego 14. Armia miała forsować wielką rzekę Irawadi. Niektórzy spośród brytyjskich oficerów podejrzewali, że znany z anglofobii generał Wedemeyer i tak nie pali się do pomagania sojusznikom, skoro ci już odegrali swoją rolę w otwarciu wiodącej do Chin Drogi Birmańskiej.

---

[13] Skutki ofensywy „Ichi-gō" por. T. Asano, *Japanese Operations in Yunnan and North Burma*, w: M. Peattie, E. Drea, H.J. van de Ven, *The Battle for China, op. cit.*, s. 361.

Gdy MacArthur cieszył się z zaaprobowania przez Roosevelta planów inwazji na Luzon, co oznaczało jego zwycięstwo nad koncepcjami admirała Kinga, trwały przygotowania do poprzedzającego tę akcję desantu na Leyte. Ale admirał Nimitz wcześniej nie zgodził się na odwołanie ataku na wyspę Peleliu, na której znajdowało się główne japońskie lotnisko w archipelagu Palau. Amerykańscy dowódcy zakładali, że zdobycie Peleliu zajmie 1. Dywizji Piechoty Morskiej zaledwie trzy do czterech dni.

Piętnastego września rozpoczął się morski desant, poprzedzony tradycyjnym ostrzałem z ciężkich dział pancerników i nalotem bombowców nurkujących z pokładów lotniskowców. Otwarły się obłe dzioby okrętów desantowych LST, a z ich pokładów zjechało do wody kilkaset amfibii obładowanych żołnierzami piechoty morskiej. Peleliu, wyspa o długości niespełna osiemdziesięciu kilometrów i szerokości zaledwie niecałych trzech, przypominała na mapie czaszkę krokodyla z lekko rozwartą paszczą. Składały się na nią łańcuch ostrych koralowych wzniesień wzdłuż północno-zachodniego brzegu, płaski interior z lotniskiem oraz namorzynowe bagna na południowo-wschodnim skraju. Wyspę okalała rafa koralowa, która uniemożliwiała barkom desantowym dotarcie do samego brzegu. Tylko amfibie były w stanie się przez nie przedostać.

Dla amerykańskiej piechoty morskiej, która stoczyła większość bitew na wyspach Pacyfiku, walki o Peleliu okazały się najgorsze. Panował upał, dochodzący czasem do czterdziestu sześciu stopni Celsjusza. Woda w manierkach niemal się gotowała, lecz żołnierze pili ją i tak. Pragnienie i odwodnienie stanowiły poważny problem. Na samej wyspie brak wody tak dotkliwie dawał się we znaki, że na pokładach okrętów floty inwazyjnej napełniano nią brudne beczki po nafcie i następnie przewożono je na brzeg. Woda ta miała posmak rdzy i ropy naftowej, lecz innej nie było. Wskutek ukropu wielu żołnierzy zemdlało przed upływem pierwszej doby.

Marines dotarli na skraj lotniska, a niebawem usłyszeli hałas czyniony przez czołgi. Początkowo przypuszczali, że to amerykańskie wozy bojowe. Kiedy zrozumieli, iż z kryjówek wyłonił się tuzin japońskich czołgów, rozpętało się istne piekło. Piechurzy mieli z sobą niewiele broni przeciwpancernej, ale pewna liczba shermanów oraz samolotów myśliwsko-bombowych wkrótce zamieniły przestarzałe nieprzyjacielskie pojazdy pancerne w kopcące wraki.

Amerykańscy żołnierze przybyli na wyspę w nadziei, że Japończycy rychło rzucą się do *banzai* – zbiorowego samobójczego szturmu, jak to czynili na innych wyspach, a to oznaczałoby szybkie zakończenie walk na Peleliu. Ale wróg zmienił taktykę. Okopywanie się w twardym koralowym podłożu było niemożliwe. Co więcej, ostre kawałki korali leciały pod wpływem eksplodujących pocisków artyleryjskich na wszystkie strony, co znacznie

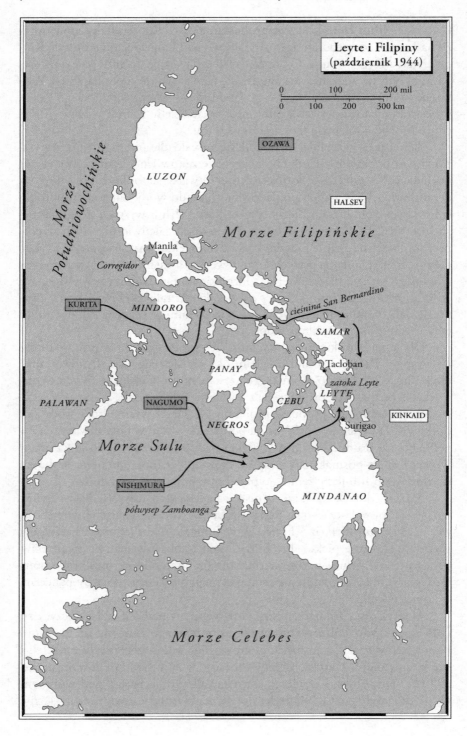

potęgowało siłę rażenia tych ostatnich. Jedyne schronienie dawały leje po bombach. Wszędzie wokół zalegali ranni, a wobec tego, że cała okolica znajdowała się pod ostrzałem japońskich karabinów maszynowych, ich ewakuacja wiązała się z jeszcze większymi stratami. W końcu pewien młody oficer zmusił opornego kierowcę amfibii, przystawiając mu pistolet do głowy, do zebrania z pola walki tych, którzy na nim padli.

Koralowe wzniesienia za lotniskem, rozciągające się wzdłuż północno-wschodniej części wyspy, były poprzecinane tunelami łączącymi naturalne pieczary. Japończycy rozmieścili tam działa polowe za stalowymi przesuwanymi przesłonami. Zainstalowali nawet elektryczne wentylatory, aby rozpraszały kordytowe opary podczas strzelania. Aby uporać się z obrońcami, żołnierze amerykańskiej piechoty morskiej musieli wpierw przedostać się za lotnisko i zniszczyć bunkier oraz koszary, przekształcone w betonową fortecę. W opinii wielu boje na Guadalcanalu przypominały przy tym wakacyjny wypad.

Rankiem 16 września cztery bataliony przypuściły szturm przez ziemię niczyją na terenie lotniska. Żołnierze biegli naprzód zgięci wpół i padali gromadnie pod ogniem przeciwnika. Ostatecznie jednak udało im się opanować zabudowania i zlikwidować broniących się tam Japończyków. Pierwsza Dywizja Piechoty Morskiej straciła od chwili rozpoczęcia desantu ponad tysiąc ludzi. Jeszcze większe trudności nadeszły wraz ze zdobywaniem koralowego wzniesienia wysokiego na sześćdziesiąt do dziewięćdziesięciu metrów, które nazywano „Wzgórzem Rozkrwawionego Nosa" (Bloody Nose Ridge). Tej nocy amerykańscy żołnierze prawie nie zmrużyli oka. W ciemnościach Japończycy skradali się ku ich liniom, pojedynczo lub w parach, aby zadźgać obsługę kaemów bądź moździerzy na stanowiskach, albo wdrapywali się na korony drzew i przywiązywali się do nich, by wraz z nadejściem świtu prowadzić stamtąd ostrzał snajperski.

Zajmowanie Wzgórza Rozkrwawionego Nosa było mozolne, a najbardziej przydatne okazały się w tym granaty i miotacze ognia. Jaskinie zapewniały Japończykom możliwość wzajemnego osłaniania się i wsparcia ogniowego, walki zaś toczyły się z taką zaciętością, że większość wyspy udało się opanować dopiero z końcem września. Do tego czasu straty 1. Dywizji Piechoty Morskiej wzrosły do 6526 ludzi, w tym 1252 zabitych. Z kolei 81. Dywizja, ściągnięta na pomoc, utraciła kolejnych 3278 żołnierzy. A przecież w istocie nie było konieczne zdobywanie Peleliu. Był to jeden z niewielu błędów Nimitza.

Innego błędu dopuścił się admirał Halsey w największym starciu morskim tej wojny, ale na szczęście dla amerykańskiej Floty Pacyfiku japoński admirał nie wykorzystał okazji, która się nadarzyła. Japończycy spodziewali się ataku na Filipiny i zamierzali, kiedy już do niego dojdzie, wydać tam przeciwnikowi decydującą bitwę.

Pozostałe pancerniki japońskiej Połączonej Floty stacjonowały w pobliżu głównego źródła ropy naftowej, znajdującego się w Holenderskich Indiach Wschodnich. Amerykańskie okręty podwodne zatopiły zbyt wiele tankowców, by Japończycy mieli w tej mierze jakiś wybór. Ocalałe z dotychczasowych bitew pancerniki trzymali w pobliżu Wysp Japońskich. Admirał Shigeru Fukudome, który w październiku przetrwał na Okinawie kilka silnych ataków lotnictwa amerykańskiej III Floty, był zatrwożony nadzwyczaj ciężkimi stratami wśród swoich niedostatecznie wyszkolonych pilotów, w trakcie tych batalii uległo bowiem zestrzeleniu ponad pięćset japońskich samolotów. Przyrównał swych lotników do „zbyt wielu jaj ciskanych o kamienny mur nieustraszonych formacji wroga"[14]. Jednakże Japończycy ze wszech miar starali się zachować twarz, więc usiłowali przedstawić wspomnianą klęskę jako zwycięstwo. Podali do wiadomości informację o zatopieniu aż dwóch pancerników i jedenastu lotniskowców nieprzyjaciela, choć faktycznie w starciu tym straty alianckie ograniczyły się do zaledwie dwóch uszkodzonych krążowników. Cesarz Hirohito wezwał swoich poddanych do świętowania z tej okazji. Dowództwo Cesarskiej Marynarki Wojennej ukryło przed generalicją armii lądowej prawdę o rzeczywistym przebiegu owej batalii. W rezultacie marszałek polny Hisaichi Terauchi uznał, że można jednak bronić wysp Leyte oraz Luzon, i zdołał nakłonić Cesarską Kwaterę Główną do stosownej korekty planów.

Generał MacArthur, pewny wówczas, że spełnia się jego przeznaczenie, wszedł na pokład krążownika USS „Nashville" towarzyszącego transportowcom przewożącym wydzieloną do przeprowadzenia inwazji amerykańską 6. Armię. Osłaniała je VII Flota wiceadmirała Thomasa C. Kinkaida, z osiemnastoma lotniskowcami eskortowymi i sześcioma starymi pancernikami. Jak można się domyślić, VII Flotę ochrzczono mianem „armady MacArthura". Podchodziła ona do Leyte od południa. Z kolei III Flota Halseya, z szesnastoma szybkimi lotniskowcami, czterema szybkimi pancernikami oraz osiemdziesięcioma jeden krążownikami i niszczycielami w swoim składzie, strzegła wód na północny wschód od Filipin. Ogółem amerykańska marynarka wojenna posłała w morze do operacji wokół Leyte dwieście dwadzieścia pięć okrętów wojennych.

Ani Halsey, ani Kinkaid nie spodziewali się, że Japończycy staną tam do walki. Logika zdawała się podpowiadać, iż raczej skoncentrują siły do odparcia inwazji na Luzon. W istocie tak się przedstawiał pierwotny japoński plan, ale lądowanie wojsk przeciwnika na Filipinach groziło odcięciem Ja-

---

[14] Słowa Fukudome, cyt. za: R.H. Spector, *Eagle against the Sun, op. cit.*, s. 424.

ponii od złóż ropy naftowej na Jawie i Sumatrze. Cesarska Kwatera Główna nie mogła zlekceważyć takiego zagrożenia. Halsey był na tyle pewny zwycięstwa, że odesłał jeden ze swoich zespołów lotniskowców do nowej, wielkiej bazy US Navy w lagunie atolu Ulithi na Karolinach, aby zainstalowano na nich nowe uzbrojenie i wyposażenie.

Wczesnym rankiem 20 października flota inwazyjna i jednostki eskortowe wpłynęły w cieśniny wiodące do zatoki Leyte. Tego samego przedpołudnia rozpoczęło się wyokrętowanie czterech dywizji, które przebiegało bez zakłóceń. We wczesnych godzinach popołudniowych generał MacArthur zszedł na brzeg wraz z nowym prezydentem Filipin. Zadbawszy o to, by obecni byli przy tej okazji dziennikarze, kamerzyści kronik filmowych i fotoreporterzy, MacArthur brodził w płytkiej wodzie i obwieścił: „Narodzie filipiński, wróciłem! Z łaski Boga Wszechmogącego nasze wojska stanęły znowu na filipińskiej ziemi". W trakcie swojej akcji propagandowej z poprzedniego roku, dorównującej niemal rozmachem kampanii prezydenckiej, MacArthur nakazał przemycanie na Filipiny ulotek, pudełek z zapałkami, paczek papierosów i znaczków ze swoją podobizną, flagami amerykańską i filipińską oraz sloganem: „Powrócę". Rozprowadzano je wśród członków licznego ruchu oporu na tych wyspach, a większość Filipińczyków znała powyższe słowo po angielsku, zanim jeszcze nastąpiło lądowanie alianckich sił.

Walki na Leyte wkrótce się nasiliły. Ponownie szturmujące plutony natykały się dobrze zamaskowane gniazda karabinów maszynowych i okopy, ponosząc znaczne straty. Kapitan James Carruth z 302. batalionu inżynieryjnego przyszedł w sukurs 77. Dywizji, nacierając w opancerzonym spychaczu, który przysypywał albo odsłaniał japońskie okopy i stanowiska kaemów, a czasem wychylał się z szoferki, żeby ostrzelać z pistoletu maszynowego typu Thompson któregoś z pozbawionych nagle osłony japońskich żołnierzy.

Dwudziestego trzeciego października, kiedy MacArthura honorowano podczas kolejnej ceremonii w prowincjonalnym mieście Tacloban, flota inwazyjna u brzegów Filipin wyruszyła na „otwarte wody". Oto bowiem załogi dwóch amerykańskich okrętów podwodnych wypatrzyły japońską Połączoną Flotę płynącą w jej kierunku.

Admirał Soemu Toyoda, dowódca Połączonej Floty, dysponował silnym zespołem pancerników i ciężkich krążowników. Jego siły zostały nawet wzmocnione dwoma pancernikami klasy „Yamato" – największymi tego typu jednostkami na świecie, o wyporności sześćdziesięciu ośmiu tysięcy ton i uzbrojonymi w działa kalibru 450 mm. Wobec tego, że Toyoda pozostał prawie bez samolotów i pilotów po katastrofalnym starciu koło Formozy, zdecydował się na wykorzystanie swoich dwóch lotniskowców w roli wabika, mającego odciągnąć amerykańską flotę spod Leyte. Potem zamierzał uderzyć na nieprzyjacielskie transportowce i ich eskortę.

Zapewne ów plan Toyody okazał się zanadto złożony. Admirał rozdzielił swe siły na cztery zespoły. Mające zwabić przeciwnika zgrupowanie lotniskowców operowało na północy. Dwie eskadry miały się połączyć w cieśninie Surigao, do czego jednak ostatecznie nie doszło, gdyż ich dowódcy wzajemnie się nie znosili. Były wreszcie tak zwane Siły Centralne, największy z zespołów pod dowództwem wiceadmirała Takeo Kurity, z superpancernikami „Yamato" i „Musashi" w składzie. Toyoda liczył na przebicie się przez archipelag Filipin i dotarcie w rejon cieśniny San Bernardino na północ od Leyte. Właśnie ta eskadra nadciągająca z kierunku Brunei na północnym wybrzeżu Borneo została zauważona przez załogi amerykańskich okrętów podwodnych.

Wysławszy meldunek o nawiązaniu kontaktu z nieprzyjacielem, wspomniane okręty podwodne niezwłocznie przystąpiły do ataku torpedowego, zatapiając okręt flagowy Kurity, ciężki krążownik „Atago", poważnie uszkadzając inny krążownik, „Takao", i posyłając na dno trzeci, „Maya". Cokolwiek wystraszony admirał Kurita, w granatowym mundurze galowym i białych rękawiczkach, zszedł z pokładu nabierającego wody „Atago" i rozkazał wywiesić swoją banderę na maszcie pancernika „Yamato".

Dwudziestego czwartego października podekscytowany admirał Halsey szykował się do boju. Wydał rozkaz flotylli lotniskowców Mitschera, by zaatakowała zespół Kurity, lecz wtedy radary wykryły formację około dwustu japońskich samolotów z baz lądowych zmierzających w kierunku amerykańskiego zgrupowania. Pokładowe myśliwce typu Hellcat szybko wzbiły się w powietrze i zestrzeliły siedemdziesiąt z tych maszyn. Podczas owego starcia pewien amerykański pilot strącił aż dziewięć nieprzyjacielskich samolotów. Jednakże jeden z japońskich bombowców zdołał się przedrzeć. Jego bomba przebiła pokład lotniskowca USS „Princeton" i wywołała pożar na tym okręcie, który spowodował eksplozję paliwa i torped pod pokładem.

O 10.30 amerykańskie myśliwce bombardujące Curtiss SB2C Helldiver o charakterystycznym kształcie płata nośnego oraz bombowo-torpedowe avengery uderzyły z powietrza na potężną eskadrę nawodną admirała Kurity, w której płynęły silnie opancerzone pancerniki „Yamato" i „Musashi". Avengery zdołały uszkodzić i spowolnić okręt „Musashi", trafiając go torpedami w nieco wrażliwy dziób. Kolejne fale amerykańskich samolotów uzyskały siedemnaście bezpośrednich trafień bombami i łącznie dziewiętnaście torpedami, praktycznie unieruchamiając „Musashiego". Trębacz odegrał japoński hymn narodowy, gdy okręt zaczął nabierać przechyłu, a banderę powierzono najlepszemu pływakowi załogi, który wyskoczył za burtę. Niebawem gigantyczny pancernik, większy nawet od niemieckiego „Bismarcka", wywrócił się do góry dnem, a na jego pokładzie utonęło ponad tysiąc marynarzy. „Yamato" i dwa inne japońskie pancerniki także doznały uszkodzeń, uniemożliwiających rozwijanie pełnej prędkości, natomiast dziewięć krążowników i niszczycieli poszło na dno lub zostało wyeliminowanych z walki.

Admirał Kurita, obawiając się wpływania do cieśniny San Bernardino za dnia i niezbyt pewien, co robić dalej, polecił swoim okrętom zawrócić. Gdy Halsey dowiedział się o tym od swych pilotów, którzy optymistycznie poinformowali go o większych stratach przeciwnika od tych, jakie faktycznie zadali Japończykom, doszedł do wniosku, że nieprzyjaciel przystąpił do ucieczki. W trakcie tego popołudnia Halsey nadał depeszę, w której obwieścił, że wydzielił ze swojej III Floty cztery pancerniki, pięć krążowników i czternaście niszczycieli, tworząc z nich zgrupowania uderzeniowe – Task Force 34 (TF-34). Admirał Kinkaid w pobliżu Leyte, admirał Nimitz w Pearl Harbor i admirał King w Waszyngtonie zaaprobowali to posunięcie, przypuszczając, że TF-34 będzie strzegł cieśniny San Bernardino. Ale o 17.30 Halsey odebrał meldunek, z którego wynikało, że japońskie zgrupowanie lotniskowców po raz ostatni widziano w odległości 260 mil morskich na północ od wspomnianej cieśniny. W nadanym raporcie pilot nieumyślnie zawyżył liczbę pancerników w eskadrze pod dowództwem wiceadmirała Jisaburō Ozawy do czterech. Nieświadom tego, że Ozawa celowo płynął po trójkącie, aby przeciwnik dostrzegł jego okręty, porywczy Halsey rzucił się na przynętę.

Kinkaid i MacArthur spodziewali się, iż III Flota dopomoże w osłanianiu wojsk inwazyjnych. Z kolei Halsey chciał działać w duchu rozkazu Nimitza, który poinstruował go, że w razie gdyby nadarzyła się okazja do zniszczenia znacznej części nieprzyjacielskiej floty, należy to uznać za najważniejsze zadanie. Halsey pamiętał również krytykę pod adresem admirała Raymonda Spruance'a za to, że ów nie podążył śladem japońskich lotniskowców koło Marianów. Wobec tego wyruszył w pościg całością sił III Floty, nie pozostawiwszy zespołu TF-34 do ochrony wód cieśniny San Bernardino. Halsey połknął haczyk zastawiony przez nieprzyjaciela pomimo przestróg ze strony dowódców podległych mu zgrupowań nawodnych.

Gdy zapadł zmrok, admirał Kinkaid rozmieścił pancerniki VII Floty na skraju cieśniny Surigao. Na podstawie rozpoznania lotniczego i przechwyconych japońskich meldunków wiedział, że niebawem zostanie zaatakowany przez dwie pozostałe eskadry nawodne Toyody. Nadal przypuszczał, że podejść do Leyte w cieśninie San Bernardino pilnie strzegły okręty zespołu TF-34. Pięć z sześciu starych pancerników Kinkaida było wyremontowanymi ofiarami nalotu na Pearl Harbor. Resztę jego sił w zastawionej zasadzce stanowiły niszczyciele. Zawczasu rzucono do walki szybkie kutry typu PT (Patrol Torpedo), ale ich atak torpedowy, przeprowadzony na krótko przed północą, nie przyniósł rezultatów.

Japońska eskadra bojowa, złożona z czterech niszczycieli, dwóch pancerników oraz krążownika, wpłynęła wprost w zastawione w nocy sidła. Amerykańskie i australijskie niszczyciele przemknęły koło niej w ciemnościach, odpalając torpedy. Następnie, stosując stary, ale wysoce skuteczny manewr, sześć leciwych pancerników ustawiło się w rzędzie w poprzek cieśniny. Radary kierujące ogniem głównej artylerii okrętowej zapewniały celność potężnym salwom burtowym. Tylko jeden japoński niszczyciel uszedł z pogromu. Wszystkie pozostałe okręty, w tym pancerniki „Fusō" i „Yamashiro", zatonęły wtedy lub później. W zespole Kinkaida tylko jeden kontrtorpedowiec doznał poważniejszych uszkodzeń. Dowódca drugiej z japońskich eskadr bojowych, ten sam, który nie połączył sił ze znienawidzonym rywalem, postanowił nie narażać się na podobny los.

Admirał Kinkaid był, co zrozumiałe, zadowolony z przebiegu i wyniku tej nocnej bitwy. Zanim jednak udał się na spoczynek – a było to około czwartej nad ranem 25 października – zapytał swojego szefa sztabu, czy należy jeszcze o czymś pomyśleć. Ów odrzekł, że nie zawadziłoby upewnić się, czy okręty TF-24 Halseya nadal strzegą cieśniny San Bernardino na północ od Leyte. Kinkaid przyznał mu rację i wysłano odpowiednią depeszę. W związku z opóźnieniem z jej rozszyfrowaniem Halsey odebrał ją dopiero po trzech godzinach. Odpowiedział: „Nie. TF-34 wraz ze mną ściga nieprzyjacielskie lotniskowce". Informacja ta była dość niepokojąca, lecz oto o 7.20 Kinkaid dostał meldunek nadany z pokładu jednego z małych lotniskowców eskortowych znajdujących się opodal Leyte. Na okręty te spadł silny atak. Pancerniki admirała Kurity, między innymi „Yamato", zawróciły i przeszły przez cieśninę San Bernardino, nie napotykając tam oporu. Nad całą flotą inwazyjną MacArthura zawisło zagrożenie.

Wezwania o pomoc, kierowane do Halseya i III Floty, nie wywołały spodziewanej reakcji. Halsey, który bynajmniej nie uznał swojego błędu, zamierzał kontynuować pościg. Samoloty już wcześniej wystartowały z pokładów lotniskowców Mitschera do uderzenia na okręty Ozawy, do tego czasu zatapiając dwa japońskie lotniskowce oraz niszczyciela. W wynikłej trudnej sytuacji Halsey był gotów przystać jedynie na odwołanie złożonego z lotniskowców zespołu uderzeniowego, który miał zasilić zgrupowanie w atolu Ulithi. Nawet Nimitz, starający się nie ingerować w poczynania podlegających mu dowódców w trakcie toczącej się bitwy, wysłał o 9.45 depeszę z zapytaniem o miejsce pobytu Task Force 34. „Bull" Halsey szalał; jego zawziętość wzrastała z każdą godziną.

Tymczasem Kinkaid skierował niektóre ze swoich pancerników na północ, by pomogły osłonie złożonej z lotniskowców eskortowych i niszczycieli, mającej przed sobą potężną eskadrę bojową Kurity. Rzeczone okręty liniowe US Navy były niedostatecznie szybkie, aby się naprawdę przydać, jednak –

co zdumiewające – ich wsparcie nie okazało się potrzebne. Wykazując się wielkimi umiejętnościami i odwagą, piloci samolotów do zwalczania okrętów podwodnych z lotniskowców eskortowych – maszyn, które nie przenosiły bomb ani torped – przeprowadzili serię pozorowanych nalotów, odciągając uwagę załóg pancerników Kurity. W pewnym momencie „Yamato" obrócił się w niewłaściwym kierunku w celu uniknięcia pozorowanego ataku torpedowego i do chwili, nim ruszył, żeby ponownie dołączyć do reszty okrętów, pozostał daleko w tyle.

Przez cały ten czas amerykańskie niszczyciele wyłaniały się zza zasłony dymnej, aby odpalić torpedy. Amerykanom sprzyjała też nawałnica połączona z ulewą. Na jednym z lotniskowców eskortowych, USS „Gambier Bay", wybuchł pożar, utracono również trzy niszczyciele, ale generalnie zespół nawodny US Navy doznał – jeśli wziąć pod uwagę okoliczności, w jakich się znalazł – zaskakująco nieznacznego uszczerbku. Nagle, ku zdumieniu i radosnej uldze załóg pozostałych lotniskowców eskortowych i niszczycieli, ujrzano, że okręty Kurity zawracają na północ. Kurita, który do tego czasu nie dowiedział się jeszcze od Ozawy, że Halsey ruszył za nim w planowany pościg, obawiał się, iż sam może zostać zaatakowany od tyłu przez III Flotę. Jego łącznościowcy przechwycili nadany otwartym tekstem meldunek, w którym Kinkaid domagał się od Halseya powrotu. W godzinach przedpołudniowych Kurita postanowił wycofać się przez cieśninę San Bernardino.

Halsey, który do owej pory zatopił wszystkie cztery lotniskowce Ozawy, w końcu się opamiętał. Odesłał swoje szybkie pancerniki z powrotem na południe, lecz te nie zdążyły odciąć Kuricie drogi ucieczki. Halsey usprawiedliwiał własne poczynania rozkazem Nimitza, aby ścigać nieprzyjacielską flotę w celu jej zniszczenia, ale wciąż nie chciał przyznać, iż podążył w ślad za niewłaściwym zgrupowaniem. Amerykańska prasa określiła przeprowadzony przez niego pościg mianem „Battle of Bull's Run" (bitwy szarżującego byka)[15]. Nimitz nie wyciągnął konsekwencji wobec swojego śmiałego dowódcy. Bitwa w zatoce Leyte, jak uznali sami Japończycy, i tak przyniosła decydujące zwycięstwo Amerykanom. Flota japońska straciła podczas niej wszystkie cztery lotniskowce, gigantyczny pancernik „Musashi" i dwa inne pancerniki, dziewięć krążowników oraz dwanaście niszczycieli.

Owego przedpołudnia, 25 października, pod sam koniec bitwy Japończycy zastosowali nową broń – samobójcze ataki pilotów I Floty Powietrznej z baz na Luzon. Nazwano ich kamikadze, czyli „boskim wiatrem", przywołując pamięć o tajfunie z XIII wieku, który zniszczył flotę inwazyjną

---

[15] Halsey nosił przydomek „Bull", czyli „Byk", ale ukuta przez prasę nazwa stanowiła także aluzję do dwóch krwawych bitew stoczonych podczas wojny secesyjnej nad strumieniem Bull Run w stanie Wirginia (Battle of Bull Run) (przyp. red.).

Kubilaj-chana. Lotnictwo Cesarskiej Marynarki Wojennej miało pewien atut: większość z jego pozostałych przy życiu pilotów nie była zdolna do prowadzenia walk powietrznych, więc wszystkim, czego wymagano od tych młodych ludzi, było nakierowanie swych samolotów na nieprzyjacielski okręt, zwłaszcza pokład startowy lotniskowca. Amerykanie stracili w rezultacie takich ataków jeden lotniskowiec eskortowy, a trzy inne uległy poważnym uszkodzeniom, niemniej jednak wstrząs wywołany przez kamikadze przyniósł Japonii skutki przeciwne do zamierzonych. Ujawniony fanatyzm Japończyków bez wątpienia przyczynił się do podjęcia decyzji o użyciu broni atomowej przeciwko ich krajowi przed upływem kolejnego roku zamiast przeprowadzenia konwencjonalnej inwazji na Wyspy Japońskie.

ROZDZIAŁ 42

Niespełnione oczekiwania

wrzesień–grudzień 1944

W ostatnich dniach sierpnia 1944 roku porażka niemieckich wojsk w Normandii oraz wyzwolenie Paryża przez aliantów wywołały na zachodzie euforyczne nastroje i przewidywania, że wojna zakończy się „przed Bożym Narodzeniem". Wrażenie to zostało spotęgowane przez błyskawiczne natarcie wojsk sprzymierzonych w kierunku Renu. Trzeciego września brytyjska Dywizja Pancerna Gwardii wkroczyła do Brukseli, gdzie ludność witała ją równie ekstatycznie jak ta w Paryżu tydzień wcześniej. Trzecia Armia Pattona zbliżała się do Metzu.

Dzień po wyzwoleniu Brukseli Antwerpia została zdobyta przez 11. Dywizję Pancerną, która wcześniej przebyła pięćset pięćdziesiąt kilometrów w ciągu sześciu dób. Na jej prawym skrzydle amerykański VII Korpus zamknął w pułapce koło Mons znaczne siły niemieckie wycofujące się z Normandii i Pas-de-Calais. Amerykanie zabili dwa tysiące żołnierzy nieprzyjaciela, a trzydzieści tysięcy wzięli do niewoli. Wśród tychże musieli znaleźć się i ci, którzy w odpowiedzi na działania belgijskiego ruchu oporu podpalili domy w pobliżu Mons i zlikwidowali sześćdziesięciu cywilów. Również inne zbrodnie i grabieże, jakich dopuszczały się głównie oddziały Waffen-SS, zdarzały się na obszarze Belgii w ostatnich dniach niemieckiego odwrotu[1].

Wydawało się w owym czasie, że amerykańska 1. Armia niebawem zdobędzie Akwizgran, pierwsze wielkie miasto w Niemczech. Wielu jego mieszkańców uciekało w popłochu na wschód. Wydarzenia następowały po sobie

---

[1] W.I. Hitchcock, *Liberation. The Bitter Road to Freedom, Europe 1944–1945*, London 2008, s. 61–63.

lawinowo i można było odnieść wrażenie, iż niemiecki opór wkrótce się załamie. Alianci nie sądzili, że opuszczony przez wojska Wał Zachodni, który sami zwali Linią Zygfryda, okaże się poważniejszą przeszkodą. Hitler odwołał ze stanowiska głównodowodzącego frontu zachodniego feldmarszałka von Rundstedta, a feldmarszałek Model, który, by przytoczyć słowa generała Omara Bradleya, „cudem jakby stworzył nowy kręgosłup niemieckiej armii"[2], powstrzymał panikę. Göring skierował na front sześć pułków strzelców spadochronowych oraz dziesięć tysięcy osób ze składu Luftwaffe, w tym personel naziemny, a nawet szkolonych pilotów, prowadzone kursy ćwiczebne przerwano bowiem z powodu braków paliwa. Z ludzi tych zostały utworzone główne formacje 1. Armii Spadochronowej generała pułkownika Kurta Studenta rozmieszczonej w południowej Holandii.

Właśnie wtedy przesadny optymizm sprzymierzonych zderzył się z niedoborami paliwa na froncie, które nadal trzeba było przewozić aż z Cherbourga cysternami i ciężarówkami „Red Ball Express"[3]. Rozmach alianckiej ofensywy zależał od dostarczonego formacjom frontowym tonażu zaopatrzenia oraz odpowiedniej proporcji paliwa i amunicji w planie dostaw. Kanadyjskiej 1. Armii nie udało się do tej pory zdobyć portów nad kanałem La Manche, twardo bronionych z rozkazu Hitlera. Zatem jedyne rozwiązanie stanowiło uruchomienie portu w Antwerpii. Jednak mimo tego, że brytyjska 2. Armia opanowała to miasto wraz z niemal niezniszczonym portem, Montgomery nie zdołał zająć terenów i wysepek w pobliżu ujścia Skaldy do Morza Północnego. Zlekceważył przestrogi admirała Ramsaya, iż miny oraz niemieckie baterie przybrzeżne na tych wyspach, w szczególności na Walcheren, czyniły te wody niedostępnymi dla alianckiej żeglugi i w praktyce wykluczały korzystanie z arcyważnego antwerpskiego portu.

Winę za to ponosili też Eisenhower i Naczelne Dowództwo Alianckich Sił Ekspedycyjnych (Supreme Headquarters Allied Expeditionary Force, SHAEF), gdyż nie nalegali na Montgomery'ego, by oczyścił z nieprzyjaciół ujście Skaldy, zanim spróbuje podjąć natarcie w kierunku Renu. Niemcy mieli czas na wzmocnienie garnizonów na wspomnianych wyspach. W rezultacie wywiązały się o nie długotrwałe i trudne walki, połączone z desantem morskim, który później musieli przeprowadzić Kanadyjczycy w celu naprawienia tego błędu. W operacji stracili 12 873 żołnierzy, a strat owych można się było ustrzec, gdyby kłopotliwymi obszarami zajęto się bezpośrednio po zdobyciu Antwerpii. Skalda została oczyszczona z min 9 listopada,

---

[2] O.N. Bradley, *Żołnierska epopeja*, tłum. E. Niemirska, Warszawa 1989, s. 445.
[3] Nazwa jednej z największych operacji logistycznych w czasie drugiej wojny światowej, opierającej się na systemie konwojów drogowych, które dostarczały zaopatrzenie walczącym wojskom alianckim (przyp. tłum.).

natomiast pierwsze statki zawinęły do portu antwerpskiego dopiero 26 listopada. Ta zwłoka w bardzo znacznej mierze utrudniła aliantom koncentrację sił przed nadejściem zimy.

Montgomery nadal złościł się z powodu podjętej przez Eisenhowera decyzji o nacieraniu szerokim frontem w kierunku Renu i Niemiec. Poleganie na przewadze liczebnej zawsze było obowiązującą amerykańską doktryną, więc owa koncepcja nie powinna była zaskakiwać „Monty'ego". Ale był on także głęboko przeświadczony o tym, że Eisenhower nie sprawdził się jako dowódca wojsk w polu i że to on sam, Montgomery, powinien pokierować operacjami na froncie zachodnim. Chciał, ażeby jego 21. Grupa Armii i 12. Grupa Armii Bradleya wyruszyły wspólnie na północ od Ardenów i okrążyły Zagłębie Ruhry. Jednakże Eisenhower na naradzie 23 sierpnia nalegał, aby 3. Armia Pattona połączyła się z amerykańską 7. Armią oraz francuską 1. Armią, nadciągającymi z południowej Francji.

Eisenhower, wciąż poirytowany na Montgomery'ego z powodu jego samowoli w czasie walk w Normandii, nie miał zamiaru zmieniać przyjętego planu. Jedyne ustępstwo z jego strony polegało na przydzieleniu 21. Grupie Armii większych rezerw i zapasów oraz na zatrzymaniu 3. Armii Pattona nad Mozelą. Reakcja Pattona była łatwa do przewidzenia. „Monty robi, co mu się żywnie podoba, a Ike tylko mu potakuje" – zapisał w swoim dzienniku[4]. Awansowanie Montgomery'ego na marszałka polnego rozsierdziło nie tylko Pattona; Churchill zatwierdził ten awans, aby przypodobać się brytyjskiej prasie, gdy Eisenhower objął 1 września kierowanie operacjami sprzymierzonych na froncie zachodnim. Patton wyruszył wraz ze swymi wojskami naprzód i przekroczył Mozelę, lecz ufortyfikowane miasto Metz okazało się o wiele twardszym orzechem do zgryzienia, aniżeli to sobie wyobrażał.

Mimo że Eisenhower objął zwierzchnictwo nad siłami sprzymierzonych w polu, to w tych nader ważnych dniach trudno było mówić o sprawnym dowodzeniu, czy choćby o efektywnym komunikowaniu się alianckich dowódców. Eisenhower nabawił się urazu kolana i utknął w kwaterze głównej SHAEF, która wciąż znajdowała się w Granville na atlantyckim wybrzeżu Normandii. Montgomery denerwował się z powodu opóźnień w odpowiadaniu na jego sygnały. Tak więc kiedy Eisenhower udał się samolotem do Brukseli, Montgomery był w złym nastroju, gdy spotkał się z przejściowo niepełnosprawnym naczelnym dowódcą w jego samolocie na poboczu pasa startowego. Wymachiwał kopiami depesz i wygłosił tyradę na temat tego, co myśli o proponowanej strategii. Eisenhower wyczekał, aż Montgomery zaczerpnie oddech, potem nachylił się, położył mu rękę na kolanie i powiedział cicho: „Spokojnie, Monty! Nie wolno ci mówić do mnie w taki sposób.

---

[4] *The Patton Papers*, t. 2: *1940–1945*, red. M. Blumenson, Boston 1974, s. 548.

Jestem twoim szefem". Montgomery, skutecznie usadzony, wymamrotał: „Przepraszam, Ike"[5].

Montgomery'emu nadzwyczaj zależało na tym, aby to on pierwszy sforsował Ren i wraz z tym otworzył możliwość przeprowadzenia wielkiej ofensywy w głąb Niemiec, którą, jak sądził, powinien pokierować. Doprowadziło to do jednej z najbardziej sławnych klęsk alianckich podczas tej wojny. Bradleya wprawił w zdumienie brawurowy plan Montgomery'ego, przewidujący przekroczenie dolnego Renu pod Arnhem za sprawą serii powietrznych desantów. Uderzyło go, a także innych, że to pomysł zupełnie nie w stylu ostrożnego „Monty'ego". „Gdyby nabożny abstynent Montgomery wtoczył się pijany jak bela do Naczelnego Dowództwa Alianckich Sił Ekspedycyjnych – zapisał później – nie byłbym bardziej zdumiony aniżeli proponowanym przez niego awanturnictwem"[6]. Ale Montgomery miał pewien argument, którego Bradley nie uznawał. Oto na Londyn zaczęły spadać rakiety V-2, wystrzeliwane z północnej Holandii, a brytyjski Gabinet Wojenny chciał wiedzieć, czy nie dałoby się temu jakoś zaradzić.

Siedemnastego września zaczęła się operacja „Market Garden". Złożyły się na nią spadochronowe i szybowcowe desanty przeprowadzone przez brytyjskie, amerykańskie i polskie formacje powietrznodesantowe, które miały opanować ciąg mostów na dwóch kanałach, na Mozie, rzece Waal i na Renie. Ostrzeżenia, że w pobliżu Arnhem stacjonują wrogie jednostki, zidentyfikowane jako dywizje pancerne SS, zlekceważono. Prześladowana przez pecha i złą pogodę akcja desantowa nie powiodła się, głównie dlatego, że strefy zrzutu znajdowały się zbyt daleko od wyznaczonych celów, łączność radiowa katastrofalnie szwankowała, a Niemcy zareagowali znacznie szybciej, niż się spodziewano. Wynikało to z faktu, że energiczny Model niezwłocznie podjął przeciwdziałanie, a także z uwagi na to, iż 9. i 10. Dywizja Pancerna SS rzeczywiście znajdowały się blisko Arnhem.

Powodzenie planu Montgomery'ego zależało od błyskawicznego natarcia XXX Korpusu Horrocksa po jedynej dostępnej szosie i nadejściu z odsieczą oddziałom powietrznego desantu, jednak niemiecki opór w kluczowych punktach uniemożliwił utrzymanie impetu ataku. Pomimo bohaterskiej brawury wszystkich uczestniczących w operacji alianckich formacji spadochronowych, a zwłaszcza amerykańskiej 82. Dywizji Powietrznodesantowej forsującej rzekę Waal za dnia, XXX Korpus nie zdołał dotrzeć do strefy zrzutu brytyjskiej 1. Dywizji Powietrznodesantowej. Dwudziestego siódmego września alianccy spadochroniarze broniący przyczółka w Arnhem mu-

---

[5] Relacja generała majora M.A.P. Grahama, cyt. za: Ch. Wilmot, *The Struggle for Europe*, Ware (Hertfordshire) 1997, s. 560.
[6] O.N. Bradley, *Żołnierska epopeja, op. cit.*, s. 445.

sieli się poddać z powodu braku wody, żywności, a przede wszystkim amunicji. Niedobitki 1. Dywizji Powietrznodesantowej trzeba było ewakuować nocą przez dolny Ren. Niemcy wzięli do niewoli prawie sześć tysięcy jeńców, z których połowa była ranna. Łączne straty sprzymierzonych w tej operacji wynosiły prawie piętnaście tysięcy ludzi.

Na froncie wschodnim Armia Czerwona powiększyła ogromne zdobycze terytorialne, będące efektem operacji „Bagration", dzięki następnej ofensywie nieco dalej na południu, która rozpoczęła się 20 sierpnia. Generał Guderian, nowy szef sztabu niemieckich wojsk lądowych, wyznaczony przez Hitlera na to stanowisko po lipcowym zamachu w Kętrzynie, próbował wzmocnić wojska Grupy Armii „Środek" pięcioma dywizjami pancernymi i sześcioma dywizjami piechoty ze składu Grupy Armii „Południowa Ukraina". Generałowi pułkownikowi Ferdinandowi Schörnerowi pozostały zaledwie jedna dywizja pancerna i jedna dywizja grenadierów pancernych, wspierające niemieckie dywizje piechoty i formacje rumuńskie rozciągnięte na froncie od Morza Czarnego, wzdłuż Dniestru aż po wschodnie rubieże Karpat.

Stawka wydała dyspozycje marszałkom Malinowskiemu i Tołbuchinowi. Dowodzone przez nich fronty, 2. i 3. Ukraiński, miały wyeliminować Rumunię z udziału w wojnie oraz zdobyć złoża ropy naftowej w okolicach Ploeszti. Rumuńskie oddziały zaczęły iść w rozsypkę już w pierwszym dniu radzieckiej ofensywy. Niemiecka 6. Armia, którą Hitler usiłował odtworzyć w miejsce tej rozbitej pod Stalingradem, także została okrążona i zniszczona. Grupa Armii „Południowa Ukraina" straciła ponad trzysta pięćdziesiąt tysięcy ludzi, zabitych lub wziętych do niewoli. Rumunia przystąpiła do rokowań rozejmowych ze Związkiem Radzieckim, a Bułgaria uczyniła to samo dwa tygodnie później. Południowy sektor frontu wschodniego załamał się dużo szybciej, niż spodziewali się tego i Niemcy, i Sowieci.

Dla Niemców najdotkliwszym ciosem była utrata rumuńskiej nafty. Ponadto wszystkim ich wojskom okupacyjnym na Bałkanach, zwłaszcza tym w Jugosławii i Grecji, zagroziło odcięcie. Gdy siły radzieckie przedzierały się przez Karpaty, Słowacja i ostatnie pozostające w dyspozycji Hitlera złoża ropy nad Balatonem na Węgrzech stanęły otworem przed Armią Czerwoną.

Drugiego września, tego samego dnia kiedy wojska sowieckie zajęły Bukareszt i okolice Ploeszti, również Finlandia, zgodnie z przewidywaniami Stalina, przyjęła warunki pokojowe narzucone jej przez Związek Radziecki. Sowiecki przywódca nadal próbował doprowadzić do odcięcia na bałtyckim wybrzeżu niemieckiej Grupy Armii „Północ", dowodzonej w tym czasie przez znanego z brutalności Schörnera, zaprzysięgłego nazistę, który lubował się w wieszaniu dezerterów i defetystów. Przeprowadzone na rozkaz

Guderiana kontrnatarcie przebiło, za cenę kolosalnych strat, korytarz ku Zatoce Ryskiej. Schörner pokierował walkami odwrotowymi 16. i 18. Armii wokół Rygi. Ale radzieckie uderzenie za zachód, w kierunku Kłajpedy, odcięło Grupę Armii „Północ" na Półwyspie Kurlandzkim.

„Jesteśmy umysłowo i duchowo u kresu sił – napisał pewien żołnierz z baterii przeciwlotniczej strzegącej kwatery dowództwa 16. Armii. – Mogę tylko opłakiwać tak wielu kolegów, którzy polegli, nie wiedząc, o co walczą"[7]. Część wojsk Grupy Armii „Północ" ewakuowano drogą morską, ale ćwierć miliona żołnierzy miało pozostać w Kurlandii, nie mogąc uczestniczyć w obronie Rzeszy, ponieważ Hitler nie chciał zrezygnować ze zbytecznego już Niemcom skrawka obcego terytorium.

W czasie tych przełomowych wydarzeń Churchill w towarzystwie marszałka polnego Brooke'a, admirała Cunninghama, nowego szefa sztabu sił morskich, oraz generała RAF-u Portala płynął przez Atlantyk na pokładzie liniowca „Queen Mary". Kolejna aliancka konferencja w Quebecu rozpoczęła się 13 września. Brooke bardzo się trapił z powodu Churchilla. Uważał, że premier nadal jest chory i nie wydobrzał do końca po przebytym zapaleniu płuc. Poza tym Churchill nie potrafił wyzbyć się pomysłów, które mogły tylko rozdrażnić Amerykanów. Nadal chciał desantu na Sumatrze i odebrania Japończykom tamtejszych złóż ropy naftowej, a także zdobycia Singapuru. Utracił natomiast wszelkie zainteresowanie przebiegiem kampanii birmańskiej.

Churchill myślał również o lądowaniu alianckich wojsk na skraju Adriatyku, na wybrzeżach Istrii, ażeby zająć Triest i zrealizować swój wymarzony projekt – wkroczenia do Wiednia przed Armią Czerwoną. Pod wpływem tych mrzonek brytyjski premier, podobnie jak Alexander i generał Mark Clark, opowiadał się za ofensywą na froncie włoskim, daleko za Linią Gotów – między Pizą a Rimini. Gdy jego sztabowcy argumentowali, że włoski teatr wojny nabrał w tym czasie drugorzędnego znaczenia, Churchill uznał, iż wojskowi po cichu zmówili się przeciwko niemu. Nie mógł pogodzić się z myślą, że nawet gdyby wojska Alexandra wdarły się do doliny Padu, to dalsze natarcie na północny wschód przez okolice Lublany w Alpach ku Wiedniowi byłoby zupełnie niemożliwe wobec twardego oporu stawianego przez Niemców w górach.

Ostatecznie konferencja „Ocatogon" w Quebecu wcale nie poszła tak źle, jak obawiał się tego Brooke. O dziwo, sam Brooke dokonał wolty, popierając wiedeńską strategię Churchilla, choć później powstydził się takiego braku rozsądku. Zapewne jeszcze dziwniejsze było to, że generał Marshall

---

[7]   Szeregowy W.W., 91. Pułk Przeciwlotniczy, 16. Oddział Naczelnej Komendy Armii Lądowej, BA-MA RH 13 v. 53.

zaproponował wydzielenie Brytyjczykom barek desantowych i amfibii do lądowania w Istrii, choć Amerykanie nie zamierzali angażować się w żadną kampanię militarną w środkowo-południowej Europie.

Napięcie wzrosło jednak, kiedy admirał King ujawnił, iż nie chce, aby Royal Navy, w tym czasie nie w pełni wykorzystywana na Atlantyku, odegrała poważniejszą rolę na Oceanie Spokojnym. King podejrzewał, i nie bez powodu, że Churchillowi pilno do zwiększonego zaangażowania się na Dalekim Wschodzie, aby Wielka Brytania mogła tam odzyskać swoje kolonialne posiadłości. Jednak King zachowywał się tak agresywnie na spotkaniu Połączonego Komitetu Szefów Sztabów – posunął się wręcz do określenia Royal Navy mianem „kuli u nogi" – że nie uzyskał poparcia ani generała Marshalla, ani admirała Leahy'ego[8].

Piętnastego września Roosevelt i Churchill, podejmując jedną z najbardziej nieprzemyślanych decyzji podczas tej wojny, zgodzili się na realizację planu Morgenthaua, amerykańskiego sekretarza skarbu, przewidującego rozparcelowanie Niemiec i przeobrażenie ich w „kraj o zasadniczo rolniczym i wiejskim charakterze"[9]. W istocie Churchill odniósł się do tego planu nader niechętnie, kiedy po raz pierwszy o nim usłyszał, ale gdy uzgodniono pożyczkę w wysokości sześciu i pół miliarda dolarów w ramach programu Lend-Lease, zgłosił swoje poparcie.

Planowi Morgenthaua stanowczo natomiast przeciwstawiał się Anthony Eden. Przewidział, że demokratyczny Zachód będzie w przyszłości potrzebował demokratycznych Niemiec jako zapory przeciwko sowieckiemu zagrożeniu. Na szczęście po pewnym czasie Roosevelt się opamiętał, aczkolwiek dopiero pod wpływem ostrej krytyki w amerykańskiej prasie. Ale szkoda już wynikła. Goebbels otrzymał propagandowy prezent, dzięki któremu mógł przekonywać naród niemiecki, że nie powinien oczekiwać miłosierdzia od zachodnich aliantów, nie mówiąc już o Sowietach. Kiedy alianckie władze okupacyjne kolportowały później proklamację generała Eisenhowera, w której ogłoszono: „Przybywamy jako zwycięzcy, ale nie prześladowcy", niemiecka ludność cywilna czytała ją ze zdumieniem – z „rozdziawionymi ustami"[10].

Bardzo niewiele mówiło się w Quebecu o relacjach ze Związkiem Radzieckim, gdzie Churchill wkrótce się wybierał na drugą konferencję moskiewską, i wręcz zdumiewająco mało o Polsce oraz powstaniu warszawskim,

---

[8] A. Roberts, *Wodzowie i dowódcy. Jak Roosevelt, Churchill, Marshall i Brooke wygrali wojnę na Zachodzie*, tłum. P. Chojnacki, Warszawa 2011, s. 541.

[9] M. Gilbert, *Druga wojna światowa*, tłum. J. Kozłowski, Poznań 2000, s. 630.

[10] GBP, 2 kwietnia 1945 r.

które nadal trwało. Roosevelt i Churchill mieli zupełnie odmienne opinie na temat Stalina i jego reżimu. Roosevelt w dalszym ciągu nie przejmował się powojennym zagrożeniem ze strony komunizmu. Żywił przekonanie, że zdoła oczarować Stalina, i powiadał, że tak czy owak Związek Radziecki składa się z tak wielu nacji, iż państwo to rozpadnie się po pokonaniu wspólnego wroga, czyli Niemiec. Z kolei Churchill, choć nader niekonsekwentny pod wieloma względami, nieprzerwanie uznawał zajęcie środkowej i południowej Europy przez Armię Czerwoną za główne zagrożenie dla pokoju w erze powojennej. W opisywanym czasie, przekonawszy się, jak nieznaczne były szanse uprzedzenia wojsk sowieckich za sprawą ofensywy wyprowadzonej z Włoch w kierunku północno-wschodnim, podjął jedną z najbardziej skandalicznych i niestosownych prób w dziejach dyplomacji.

Wieczorem 9 października w gabinecie Stalina na Kremlu brytyjski premier i radziecki przywódca spotkali się na osobności; towarzyszyli im tylko tłumacze. Churchill otworzył dyskusję, proponując, aby zacząć od „najbardziej uciążliwej kwestii – Polski"[11]. Usiłowania premiera, by spoufalić się z sowieckim tyranem, nie były ani zbyt subtelne, ani skuteczne. Wydaje się, że Stalin od razu zaczął się dobrze bawić, wyczuwając, co się szykuje. Churchill stwierdził wówczas, że powojenna granica polska została „ustalona", choć z polskim rządem na uchodźstwie dotąd nie porozumiano się w sprawie decyzji podjętych za jego plecami w Teheranie. Wynikało to z faktu, że Roosevelt nie chciał drażnić polskiego elektoratu w Ameryce przed wyborami prezydenckimi. Kiedy premier Mikołajczyk dowiedział się o tym w czasie kolejnego spotkania, na które nalegał Churchill, był wstrząśnięty do głębi takim podstępnym postępowaniem sojuszników. Odrzucił wszelkie argumenty Churchilla, podobnie jak groźby zmuszenia Polaków do uznania granicznej linii Curzona na wschodzie. Wkrótce potem podał się do dymisji. Stalin ignorował protesty polskich władz emigracyjnych. Dla niego prawdziwymi władzami Polski był „rząd lubelski" (PKWN), popierany przez 1. Armię Polską generała Zygmunta Berlinga – choć wielu służących w niej radzieckich oficerów uważało za farsę udawanie, że są Polakami. Rzecz w tym, iż w odróżnieniu od korpusu armijnego generała Andersa, wojska te znalazły się na polskim terytorium. Zawładnięcie przeważało nad prawami, o czym Stalin wiedział aż za dobrze. Podobnie zresztą jak Churchill, który mimo to ciągnął ową rozgrywkę, nie mając w niej większych widoków na sukces.

Kiedy temat rozmowy przeszedł na kwestię bałkańską, Churchill przedstawił, jak sam stwierdził, „mizerny" dokument, znany później jako podsta-

---

[11] TNA PREM 3/434/2, s. 4–5, cyt. za: L. Rees, *World War II behind Closed Doors. Stalin, the Nazis and the West*, London 2009, s. 309.

wa „porozumienia procentowego". Był to w istocie spis krajów z zaproponowanym podziałem wpływów – radzieckich i anglosaskich – na ich obszarach.

Rumunia: ZSRR 90 procent; pozostali sojusznicy 10 procent.
Grecja: Wielka Brytania (w porozumieniu z USA) 90 procent; ZSRR 10 procent.
Jugosławia: 50/50 procent.
Węgry: 50/50 procent.
Bułgaria: ZSRR 75 procent; alianci zachodni 25 procent.

Stalin przypatrywał się temu dokumentowi przez pewien czas, a potem zwiększył sowieckie wpływy w Bułgarii do „90 procent", co potwierdził „ptaszkiem", postawionym w górnym lewym rogu kartki swoim słynnym niebieskim ołówkiem. Następnie odsunął kartkę po blacie stołu w stronę Churchilla. Churchill z dość niestosowną, fałszywą skromnością zauważył, że mogłoby zostać „uznane za cokolwiek cyniczne, gdyby odniosło się wrażenie, iż załatwiliśmy te sprawy, tak doniosłe dla milionów ludzi, na poczekaniu". Zapytał, czy nie należałoby raczej spalić tego dokumentu.

„Nie, proszę go zatrzymać" – odpowiedział Stalin beztrosko. Churchill złożył kartkę i schował ją do kieszeni[12].

Premier zaprosił Stalina na kolację w ambasadzie brytyjskiej, a ów, ku szczeremu zdumieniu oficjeli z Kremla, przyjął to zaproszenie. Był to pierwszy przypadek, kiedy wódz zdecydował się na odwiedziny w obcej ambasadzie. Podczas rzeczonej kolacji los środkowej Europy i Bałkanów zaprzątał myśli wszystkich obecnych. W trakcie spożywania jednego z dań goście posłyszeli grzmot armatniego salutu z okazji zdobycia Segedynu na Węgrzech. W przemówieniu wygłoszonym po posiłku Churchill powrócił do sprawy polskiej: „Wielka Brytania przystąpiła do tej wojny dla ratowania wolności i niepodległości Polski – stwierdził. – Naród brytyjski ma poczucie moralnej odpowiedzialności za naród polski i jego duchowe cnoty. Ważne też jest to, że Polska jest krajem katolickim. Nie wolno dopuścić, aby wydarzenia wewnętrzne w tym kraju skomplikowały nasze stosunki z Watykanem".

„A ile dywizji ma papież?" – wtrącił Stalin. Ten lakoniczny, sławny wtręt dowodził, że sowiecki przywódca nie oddaje tego, co zdobył[13]. Wkroczenie Armii Czerwonej automatycznie prowadziło do ustanowienia w danym kraju władz „usposobionych przyjaźnie do Związku Radzieckiego". Zdumiewać musi, że Churchill, pomimo całego swego zaciekłego antybolszewizmu,

---

[12] V.M. Berezhkov, *At Stalin's Side. His Interpreter's Memoirs from the October Revolution to the Fall of the Dictator's Empire*, New York 1994, s. 304.
[13] *Ibidem*, s. 309–310.

uważał, iż owa wyprawa do Moskwy zakończyła się sukcesem, a Stalin osobiście poważa go, a może nawet i polubił. Bywało, że Churchill dorównywał prezentowaną naiwnością Rooseveltowi.

Jednakże brytyjskiemu premierowi udało się ostatecznie uzyskać zgodę Stalina na interwencję w Grecji, aby ocalić ją przed „bolszewickim potopem", jak później twierdził[14]. Trzeci Korpus generała porucznika Ronalda Scobiego postawiono w stan gotowości dla zapobieżenia wszelkim próbom przejęcia władzy przez zdominowane przez komunistów ugrupowanie EAM-ELAS po wycofaniu się Niemców. Churchill, nadzwyczaj dobrze odnoszący się do greckiej rodziny królewskiej, zamierzał ustanowić w Atenach rząd przyjazny wobec Wielkiej Brytanii.

Choć marszałek polny Brooke omawiał sytuację militarną z generałem Aleksiejem Antonowem i innymi przedstawicielami Stawki, temat pokonania Wehrmachtu ledwie się wyłonił w rozmowach przywódców w Quebecu i w Moskwie. Rzesza była atakowana z obu stron. Na podobieństwo Wału Zachodniego tworzono Wał Wschodni (*Ostwall*). W Prusach Wschodnich cała dorosła ludność, mężczyźni i kobiety, została zapędzona przez gauleitera Ericha Kocha i oficjeli z partii nazistowskiej do kopania umocnień polowych. Uczyniono to bez porozumienia z wojskiem, a większość tych okopów i nasypów okazała się nieprzydatna.

Piątego października Armia Czerwona uderzyła na Kłajpedę. Dopiero dwa dni później wydano rozkaz ewakuacji tamtejszej ludności cywilnej, wkrótce jednak odwołany. Kochowi nie spodobał się pomysł ewakuowania cywilów, a Hitler go w tym poparł, ponieważ akcja ta wywarłaby defetystyczny wpływ na całą populację Rzeszy. Wybuchła panika i w rezultacie wiele kobiet z dziećmi nie wydostało się z Kłajpedy. Mnóstwo osób potopiło się w wodach Niemna w trakcie prób ucieczki z płonącego i plądrowanego miasta.

Szesnastego października Stawka wydała rozkaz wojskom 3. Frontu Białoruskiego pod dowództwem generała Czerniachowskiego do wkroczenia do Prus Wschodnich między Gąbinem[15] a Gołdapią. Guderian posłał pancerne odwody na zagrożony front, aby odrzuciły jednostki Armii Czerwonej. Po sowieckim odwrocie odkryto scenę zbrodni. Wiele kobiet i dziewcząt z miejscowości Nemmersdorf zgwałcono i zamordowano, a ciała niektórych ofiar podobno odnaleziono ukrzyżowane na wrotach stodoły. Goebbels w pośpiechu wysłał tam fotoreporterów. Rozniecając oburzenie, nie przepuścił okazji do pokazania narodowi niemieckiemu, dlaczego

---

[14] Cyt. za: A. Roberts, *Wodzowie i dowódcy, op. cit.*, s. 564.
[15] Obecnie Niestierow, do 1945 roku Ebenrode (przyp. tłum.).

musi walczyć do samego końca. Wydaje się, że zrazu ta akcja propagandowa przyniosła skutki raczej odwrotne do zamierzonych. Kiedy jednak trzy miesiące później inwazja na Prusy Wschodnie zaczęła się na dobre, koszmarne zdjęcia opublikowane w nazistowskiej prasie na nowo odmalowały się w pamięci Niemców.

Jeszcze przed wypadkami w Nemmersdorfie liczne Niemki lękały się tego, co mogło je czekać. Mimo iż po wojnie twierdziło się inaczej, to jednak znaczna część ludności cywilnej Rzeszy sporo wiedziała o masakrach, jakich na froncie wschodnim dopuszczali się Niemcy. Wyobrażano sobie, że po wkroczeniu Armii Czerwonej do Rzeszy zemsta będzie straszna. „Wiadomo, że Rosjanie nadciągają w naszym kierunku – napisała we wrześniu pewna młoda matka – więc nie zamierzam na nich czekać; wolę zabić się sama i pozabijać dzieci"[16].

Ogłoszone 18 października przez Himmlera powołanie pospolitego ruszenia, czyli *Volkssturmu*, rozbudziło w niektórych wolę oporu, lecz większość Niemców wprawiło w przygnębienie. Uzbrojenie tych oddziałów miało być żałosne – różne stare karabiny, zdobyte na obcych wojskach we wcześniejszym okresie wojny, oraz ręczne pancerzownice, znane jako pancerfausty. Ponieważ wszyscy sprawni Niemcy w wieku poborowym już służyli w wojsku, szeregi *Volkssturmu* zapełniono starcami i młodocianymi. Formację tę rychło zaczęto nazywać „gulaszem" (*„Eintopf"*), gdyż składała się z „nieświeżego mięsa i zieleniny". W związku z tym, że władze nie wydały członkom *Volkssturmu* umundurowania, jeśli nie liczyć opasek, wielu powątpiewało, czy nieprzyjaciel uzna ich za kombatantów, zwłaszcza wobec wcześniejszego okrutnego traktowania partyzantów przez Wehrmacht na wschodzie. Po pewnym czasie Goebbels zorganizował w Berlinie wielką paradę przed kamerami kroniki filmowej, a w jej trakcie powołani musieli złożyć przysięgę na wierność Adolfowi Hitlerowi. Weterani frontu wschodniego nie wiedzieli, czy śmiać się, czy płakać podczas oglądania tego spektaklu.

Hitler, przekonany, że 3. Armia Pattona stanowi najpoważniejsze zagrożenie, rozkazał przerzut większości niemieckich dywizji pancernych do Zagłębia Saary. Utworzono z nich nową 5. Armię Pancerną pod dowództwem generała pułkownika Hasso von Manteuffla – co było dość zniechęcające, gdyż dwie poprzednie 5. Armie Pancerne zostały rozbite. Rundstedt, domyślając się, że Amerykanie najpierw skoncentrują siły do ataku na Akwizgran, skierował tam większość dywizji piechoty, które zdołał zebrać.

[16] Cyt. za: D. Vogel, *Der Deutsche Kriegsalltag im Spiegel von Feldpostbriefen*, w: *Andere Helme – andere Menschen? Heimaterfahrung und Frontalltag im Zweiten Weltkrieg*, red. D. Vogel, W. Wette, Essen 1995, s. 48–49.

Amerykańska 1. Armia dowodzona przez generała porucznika Court-neya Hodgesa uderzyła na Akwizgran, a jej żołnierze mieli silne poczucie tego, że wreszcie wdarli się na niemieckie terytorium. Zdobyli dziewięt-nastowieczny gotycki zamek „w stylu Bismarcka", z mnóstwem żelaznych przyborów i masywnymi meblami, leżący zaledwie kilkaset metrów za gra-nicą. Posiadłość ta należała do bratanka byłego naczelnego dowódcy nie-mieckich wojsk lądowych, feldmarszałka von Brauchitscha. Australijski korespondent Godfrey Blunden opisał tę pierwszą batalię na niemieckich ziemiach zachodnich. „Stoczono ją w jasnym blasku promieni słonecznych, pod bezchmurnym niebem, na którym obserwacyjne samoloty Piper Cub krążyły jak latawce. Stoczono ją na tle bardzo pięknego pejzażu, pośród zie-leniących się pól z przyciętymi żywopłotami, łagodnych lesistych pagórków i małych wsi z kościołami ze strzelistymi wieżami"[17].

· Ale odkąd Model objął dowodzenie obroną Wału Zachodniego, nie-miecki opór stężał. Alianci pożałowali, że logistyczny kryzys z początków września zatrzymał ich tuż przed tymi umocnieniami. Pewien oficer sztabo-wy z kwatery głównej 1. Armii zauważył: „Wtedy mogłem je przejść ze swo-im psem i z córką"[18]. Tymczasem teraz wojska sprzymierzonych natknęły się na polowe umocnienia wykopane przez zmuszoną do robót ludność cywil-ną, wiejskie domki zamienione w schrony i betonowe bunkry z żelaznymi włazami. Ściągnięto na pomoc czołgi Sherman, aby się z nimi uporały, strze-lając pociskami kumulacyjnymi. Kiedy tylko amerykańska piechota zlikwi-dowała załogę bunkra granatami, a czasami miotaczami ognia, wzywała sa-perów, którzy zaspawywali włazy za pomocą acetylenowych palników, ażeby uniemożliwić innym niemieckim żołnierzom ponowne wykorzystanie takie-go opuszczonego schronu.

Dwunastego października Hodges wydał ultimatum, żądając bezwarun-kowej kapitulacji; w przeciwnym razie Akwizgran miał być zrównany z zie-mią przez bomby i pociski artyleryjskie. Uchodźcy powiedzieli alianckim oficerom, że od pięciu do dziesięciu tysięcy cywilów odmówiło opuszczenia miasta pomimo rozkazów partii nazistowskiej. Hitler wydał rozporządzenie, zgodnie z którym dawna stolica Karola Wielkiego i niemieckich cesarzy mia-ła się bronić do końca. Pierwsza Armia Hodgesa otoczyła Akwizgran; oddzia-ły, które zamknęły pierścień okrążenia, musiały odpierać zaciekłe niemieckie kontrataki, a cała sytuacja nasuwała pewne zwodnicze i dość mylące porów-nania z bitwą stalingradzką. Skoncentrowany ogień amerykańskiej artylerii rozbijał względnie łatwo nieprzyjacielskie przeciwuderzenia. Wiele alianckich dział strzelało niemieckimi pociskami zdobytymi we Francji.

---

[17] GBP, 4 października 1944 r.
[18] *Ibidem.*

Broniący miasta garnizon stanowił zbieraninę oddziałów piechoty, grenadierów pancernych, Luftwaffe, SS, piechoty morskiej i ochotników z Hitlerjugend. Uszkodzenia w miejskiej zabudowie były znaczne, a gmach ratusza uległ całkowitemu zniszczeniu. Gruzy i rozbite szkło na ulicach, ziejące otwory okienne i pozrywane przewody telefoniczne nadawały Akwizgranowi „złowrogi wizerunek pokonanego miasta"[19]. Na szczęście amerykańscy artylerzyści i piloci myśliwców bombardujących P-47 Thunderbolt zgodnie z otrzymanymi rozkazami unikali ostrzeliwania wspaniałej miejscowej katedry.

Bezlitosne zmagania o każdy dom trwały przez cały październik. Wdrapując się na dachy zdobytych budynków, Amerykanie ostrzeliwali sąsiednie zabudowania pancerzownicami typu Bazooka. Wychodzenie na ulice było zbyt niebezpieczne. Trzydziesta Dywizja poniosła takie straty, że pewien rezerwista w stopniu szeregowca, który przybył na front na początku bitwy, zaledwie trzy tygodnie później dowodził już plutonem awansowany na sierżanta.

Akwizgran był bogatym, głównie mieszczańskim ośrodkiem miejskim. Amerykańscy żołnierze przeszukiwali mieszkania pełne masywnych mebli, portretów Hindenburga i kajzera, ozdobnych tureckich fajek z pianki morskiej, zdobionych kufli do piwa oraz zbiorowych fotografii członków bractw uczelnianych. Ale Niemcy zaminowywali budynki, rozciągając tuż nad podłogą druty połączone z ładunkami wybuchowymi, które Amerykanie zwali „szkrabami w becikach" (*„bundling babies"*). Pewien amerykański szeregowiec stwierdził ze złością: „Nie rozumiem tego. Oni wiedzą, że najprawdopodobniej zginą. Dlaczego się nie poddają?"[20]. Żołnierze wrzucali granaty do prawie wszystkich opustoszałych pokojów przed wejściem do środka, gdyż niemieccy obrońcy chowali się tam, gotowi otworzyć ogień. Kilku z nich, strzeliwszy Amerykaninowi w plecy, wyskakiwało następnie z ukrycia z podniesionymi rękami na znak, że się poddają – zupełnie jak gdyby była to jakaś dziecinna zabawa. Nic dziwnego, że amerykańscy żołnierze traktowali wielu jeńców dość brutalnie.

Pewnego razu czterech niemieckich chłopców, z których najmłodszy miał osiem lat, zaczęło strzelać z porzuconych karabinów do obsługi amerykańskiego działa polowego. Wysłano patrol, aby ustalił, skąd padły strzały. „Dowódca amerykańskiego patrolu był tak wkurzony poczynaniami tych dzieciaków, że spuścił lanie najstarszemu z nich, a potem zameldował, że bity chłopak stał na baczność i zachowywał się w trakcie tej kary jak żołnierz"[21].

---

[19] *Ibidem.*
[20] *Ibidem.*
[21] GBP, 20 października 1944 r.

Amerykańskie władze wojskowe zdołały zorganizować ewakuację niemieckich cywilów z piwnic i schronów przeciwlotniczych jeszcze w trakcie trwających walk. Zauważano, że pod wpływem nazistowskiej propagandy ludzie ci niespokojnie zerkali na czarnoskórego kierowcę ciężarówki, który przewoził ich do obozu zbiorczego. Spośród cywilów starano się wyławiać członków partii nazistowskiej, ale było to nadzwyczaj trudne. Większość narzekała na złe traktowanie ich przez niemieckich żołnierzy broniących miasta, z powodu tego, że nie usłuchali polecenia opuszczenia Akwizgranu. Zdarzali się dezerterzy, którym udało się zdobyć cywilne ubranie. Jeden z jeepów wpadł w zasadzkę pod miastem, co rozbudziło obawy związane z pogłoskami o działaniach nazistowskiego ruchu partyzanckiego – Werwolfu.

W dodatku amerykańskie władze wojskowe nie bardzo wiedziały, co począć z około trzema tysiącami polskich i rosyjskich robotników przymusowych, wśród których znalazły się „wielkie kobiety o twarzach pozbawionych wyrazu, w starych złachmanionych spódnicach, z chustami na głowach, niosące szmaciane tobołki"[22]. Niektórzy z tych cudzoziemskich robotników uzbrojeni w noże już zajęli się napadami na niemieckie domostwa, domagając się żywności, a czasem po prostu rabując. Mieli powody do mściwości, ale amerykańska żandarmeria schwytała siedmiuset czy ośmiuset sprawców takich wykroczeń i zamknęła ich w prowizorycznym areszcie wojskowym. Był to zaledwie przedsmak komplikacji związanych z obecnością w Niemczech szacunkowej liczby ośmiu milionów przesiedleńców.

Nazistowski reżim nie zamierzał tolerować żadnych przejawów niezdyscyplinowania w Rzeszy. Od czasu nieudanego lipcowego zamachu, który w rezultacie doprowadził do znacznego rozszerzenia władzy Martina Bormanna, sekretarza partii nazistowskiej, a także Goebbelsa i Himmlera, ideologię narodowosocjalistyczną w coraz większym stopniu zaszczepiano w Wehrmachcie. Wykluczyło to jakiekolwiek nowe próby usunięcia Hitlera. Poza symboliką, w rodzaju zastąpienia tradycyjnego wojskowego salutu „niemieckim pozdrowieniem", wzrosła w siłach zbrojnych liczba NSFO (Nationalsozialistischer Führungsoffizier), czyli narodowosocjalistycznych oficerów politycznych. Szeregowi żołnierze i oficerowie napotkani bez przydziału na tyłach oraz ci, którzy wycofywali się bez rozkazu, byli odtąd w o wiele większym stopniu narażeni na rozstrzelanie, a esesowskie straże rewidowały sztabowców wchodzących na teren kwatery głównej Führera.

Represje zaczęły się też wzmagać w wojsku radzieckim. W celu uzupełnienia poniesionych gigantycznych strat do Armii Czerwonej przymusowo wcielano Ukraińców, Białorusinów, Polaków i mężczyzn z krajów nadbał-

---

[22] *Ibidem.*

tyckich, które ponownie znalazły się pod sowieckim panowaniem. „Litwini nienawidzą nas jeszcze bardziej niż Polacy – napisał 11 października pewien czerwonoarmista w liście do domu – a my odpłacamy im tym samym"[23]. Wspomniani dopiero co powołani pod broń żołnierze dezerterowali najczęściej. „Służby specjalne [Smiersz] miały na mnie oko, jako na syna człowieka represjonowanego podczas czystek – wyjaśniał później pewien sierżant. – W mojej jednostce było wielu Azjatów, którzy często uciekali, albo na tyły, albo do Niemców. Kiedyś zbiegła cała grupa. Po tym nam, Rosjanom, kazano mieć baczenie na Uzbeków. Byłem wtedy sierżantem, a oficer polityczny powiedział do mnie tak: jak ktoś z twojej drużyny ucieknie, zapłacisz za to życiem. Mogli mnie rozstrzelać. Pewnego razu zbiegł jeden Białorusin. Złapali go i przywieźli do jednostki. Pracownik służb specjalnych powiedział mu: jak będziesz dzielnie walczył, zatuszujemy całą tę sprawę. Ale uciekł znowu i znów go schwytali. Powiesili go. Nie rozstrzelali, tylko powiesili jako dezertera. Ustawili nas w szeregu przy leśnej drodze. Nadjechała ciężarówka z zamontowaną na niej szubienicą. Czekista [enkawudzista] odczytał na głos rozkaz: »Stracony za zdradę ojczyzny«. Powiesili go, a potem czekista jeszcze go zastrzelił"[24].

Niemcy, wycofując się z Białorusi po klęsce Grupy Armii „Środek", nie mieli złudzeń co do losu miejscowych cywilów, którzy wcześniej byli wobec nich przyjaźnie nastawieni. Obergefreiter służby medycznej, który zbiegł w porę i uniknął okrążenia, zastanawiał się: „Co się stanie z tymi biedakami, którzy musieli pozostać, to znaczy z miejscowymi?"[25]. Niemieccy żołnierze dobrze wiedzieli, że NKWD i Smiersz pojawią się w ślad za frontowymi formacjami, aby przesłuchiwać kolaborantów.

Gdy wojska sowieckie wkraczały do Rumunii, jeden z oficerów zauważył, że w jego kompanii służyli niemal bez wyjątku ukraińscy chłopi z obszarów, które wcześniej znajdowały się pod „przejściową okupacją" wroga. „Większość z nich nie paliła się do walki i trzeba ich było do tego przymuszać. Pamiętam, jak przechadzałem się po okopach. Kopali wszyscy poza jednym żołnierzem, który miał przygotować stanowisko ogniowe dla maxima [ciężkiego karabinu maszynowego]. Stał bezczynnie. Zapytałem go, o co chodzi. Padł przede mną na kolana i zaczął skamleć: »Zlitujcie się nade mną! Mam trójkę dzieci. Ja chcę żyć!«. Cóż mogłem mu odrzec? Wszyscy pojmowaliśmy, że piechura na froncie czeka tylko jedno z dwojga: szpital

---

[23] E. Genkin, w: *Sochrani moi pis'ma*, red. I. Altman, Moskwa 2007, s. 276–282.
[24] Relacja M.P. Czebykina, „Ja pomniu. Wospominania wietieranow Wielikoj Otieczestwiennoj Wojny", 14 grudnia 2010, http://www.iremember.ru/pekhotintsi/chebikin-mikhail-petrovich (dostęp: 1.09.2012).
[25] Kapral Hans W., 2. Szpital Polowy przy 529. baonie (rezerwowym), 30 sierpnia 1944 r., BfZ-SS 24 231.

albo grób"[26]. Wspomniany oficer, podobnie jak większość innych w Armii Czerwonej, żywił przekonanie, że wartościowe kompanie składają się głównie z żołnierzy rosyjskich lub syberyjskich. „Przed szturmem zawsze wybierałem paru ludzi spośród godnych zaufania rosyjskich żołnierzy, a kiedy kompania ruszała do ataku, ci zostawali w okopie i wykopywali z niego tych wszystkich, którzy próbowali się schować albo nie chcieli iść naprzód"[27].

Daleko na tyłach zaczął się masowy odwet na tych mniejszościach etnicznych, które radośnie witały Niemców w 1941 i 1942 roku. W grudniu 1943 roku Beria deportował dwieście tysięcy krymskich Tatarów do Uzbekistanu. Około dwudziestu tysięcy tych muzułmanów służyło w niemieckich mundurach, więc pozostałe dziewięćdziesiąt procent musiało za nich cierpieć, mimo że wielu innych Tatarów walczyło dzielnie w Armii Czerwonej. Osiemnastego maja przeprowadzono na nich obławę, nie dając im czasu na przygotowania do wyjazdu. Około siedmiu tysięcy zmarło w drodze, a znacznie więcej na wygnaniu – z głodu. Wyłapano także blisko trzysta dziewięćdziesiąt tysięcy Czeczeńców, zwożąc ich na stacje kolejowe ciężarówkami marki Studebaker, przekazanych przez Amerykanów Armii Czerwonej w ramach programu Lend-Lease; w trakcie wywózki zginęło siedemdziesiąt osiem tysięcy ofiar. Stalin wziął się za ludność swojego kraju, zanim zaczął zaprowadzać własne porządku w państwach nieprzyjacielskich oraz u Polaków, którzy byli jego sojusznikami – przynajmniej w teorii.

U Stalina i jego generałów niepokój wzbudzały marne walory bojowe nowych poborowych, gdyż niemiecki opór tężał. W bitwach obronnych w Karpatach, w obronie wschodnich obszarów Węgier i Słowacji, wojska ostatnich sprzymierzeńców Hitlera zaskoczyły swą bitnością radzieckich weteranów, zwłaszcza po błyskawicznym załamaniu się armii rumuńskiej. „Węgrzy rzeczywiście nastręczali nam wielkich problemów w Siedmiogrodzie – zanotował oficer Armii Czerwonej. – Walczyli bardzo odważnie, do ostatniej kuli i ostatniego żołnierza. Wcale się nie poddawali"[28].

Malinowski na czele wzmocnionego 2. Frontu Ukraińskiego usiłował zamknąć wojska przeciwnika w wielkim kotle na wschodzie Węgier. Ale choć tak zwana operacja debreczyńska rozpoczęła się od śmiałego uderzenia 6 października, to została skontrowana przez przeciwuderzenie przeprowadzone dwa tygodnie później przez niemiecki III Korpus Pancerny i XVII Korpus. Pod naciskiem Stawki Malinowski wyprowadził następny atak nieco na południe od Segedynu i w kierunku Budapesztu, przełamu-

[26] E.M. Awrotinski, „Ja pomniu. Wospominania wietieranow Wielikoj Otieczestwiennoj Wojny", 20 listopada 2010, http://iremember.ru/pekhotintsi/avrotinskiy-efim-mironovich. html (dostęp: 1.09.2012).
[27] *Ibidem*.
[28] *Ibidem*.

jąc obronę węgierskiej 3. Armii. Niemniej jednak znaczne siły Malinowskiego powstrzymano na przedpolach stolicy Węgier za sprawą kontrnatarcia trzech niemieckich dywizji pancernych oraz Dywizji Grenadierów Pancernych „Feldherrnhalle". Batalia o Budapeszt przeobrażała się w jedną z najbardziej zaciekłych bitew tej wojny.

Po kapitulacji Rumunii i Bułgarii węgierski regent admirał Miklós Horthy nawiązał potajemne kontakty ze Związkiem Radzieckim. Mołotow zażądał, aby Węgry niezwłocznie wypowiedziały wojnę Niemcom. Jedenastego października przedstawiciele Horthyego podpisali w Moskwie stosowne porozumienie. Cztery dni później Horthy poinformował o tym niemieckiego posła w Budapeszcie i w wystąpieniu radiowym ogłosił zawarcie rozejmu. Niemcy, wiedząc już o posunięciach Horthyego, zareagowali szybko. Na rozkaz Hitlera Otto Skorzeny, ten sam zwierzchnik jednostki specjalnej z SS, który uwolnił Mussoliniego, poczynił zawczasu przygotowania do pochwycenia Horthyego w jego naddunajskiej rezydencji, Cytadeli. Niemcy zamierzali zastąpić regenta osobą Ferenca Szálasiego, zawzięcie antysemickiego przywódcy pronazistowskiego ruchu strzałokrzyżowców.

Ową operacją, której nadano kryptonim „Panzerfaust", miał pokierować Obergruppenführer SS von dem Bach-Zelewski, który właśnie krwawo stłumił powstanie w Warszawie. Skorzeny przekonał Bacha-Zelewskiego, żeby nie stosować znanej z Warszawy brutalnej taktyki i nie wymuszać posłuszeństwa Węgrów niszczeniem Cytadeli. Zamiast tego rankiem 15 października, tuż przed tym jak Horthy obwieścił zawieszenie broni, ludzie Skorzeny'ego zorganizowali uliczną zasadzkę i uprowadzili syna regenta, Miklósa, po strzelaninie z jego obstawą. Miklós Horthy został skrępowany, przewieziony samolotem do Wiednia, a stamtąd trafił do obozu koncentracyjnego w Mauthausen, gdzie już więziono takich prominentów jak Francisco Largo Caballero, były premier republikańskiej Hiszpanii.

Horthyemu oznajmiono bez ogródek, że jeśli będzie obstawał przy „zdradzie", jego syn zostanie stracony. Admirał, choć w stanie załamania nerwowego pod wpływem takiej groźby, mimo wszystko wygłosił radiowe przemówienie. Zaraz potem strzałokrzyżowcy zajęli gmach rozgłośni i zaprzeczyli słowom regenta, deklarując zdecydowanie Węgier, by kontynuować walkę z Sowietami. Później owego popołudnia Ferenc Szálasi przejął władzę w kraju. Horthy nie mógł już wiele zrobić. Znalazł się w areszcie domowym w Niemczech[29].

Wcześniej Horthy przerwał prowadzoną tamtego lata przez Eichmanna deportację ludności żydowskiej, głównie do Auschwitz; dotąd zgładzono

---

[29] Por. I. Kershaw, *Hitler, 1941–1945. Nemezis*, tłum. P. Bandel, R. Bartołd, Poznań 2003, s. 395–408.

437 402 węgierskich Żydów. Ale mimo że Himmler wstrzymał program masowej eksterminacji wraz ze zbliżaniem się Armii Czerwonej, to pozostałych przy życiu Żydów zmuszano do niewolniczej pracy i – wobec braku transportu kolejowego – do marszu ku Rzeszy. Wiele tysięcy ofiar, dręczonych, bitych i zakatowanych przez esesmanów i strzałokrzyżowców, zginęło w trakcie tej drogi. I choć Szálasi wstrzymał w listopadzie marsze śmierci, ponad sześćdziesiąt tysięcy Żydów więziono nadal w ciasnym budapeszteńskim getcie. Większość jego stronników była wtedy zdecydowana na przeprowadzenie własnej wersji „ostatecznego rozwiązania kwestii żydowskiej". Niesławny działacz ruchu strzałokrzyżowców, duchowny Alfréd Kun, który później przyznał się do zamordowania pięciuset osób, zwykle wydawał taką oto komendę: „W imię Chrystusa – ognia!"[30].

Bojówkarze strzałokrzyżowców, czasami ledwie czternasto- lub szesnastoletni, wyprowadzali z getta grupy Żydów, kazali im rozbierać się do bielizny i maszerować mroźnymi uliczkami na naddunajskich brzegach do miejsc straceń. Często strzelali tak niecelnie, że wiele ofiar zdołało wskoczyć do lodowatej rzeki i odpłynąć. Pewnego razu niemiecki oficer powstrzymał przeprowadzenie zbiorowej egzekucji i odesłał Żydów do domów, choć pewnie ocalił ich w ten sposób tylko na krótko.

Mimo iż niektórzy podoficerowie węgierskiej żandarmerii przyłączali się do liczącej cztery tysiące ludzi milicji strzałokrzyżowców, by dręczyć i mordować Żydów, to inni pomagali tym ostatnim. Zdarzali się nawet tacy strzałokrzyżowcy, którzy ułatwiali Żydom ucieczkę – dowodzi to fałszywości wszelkiego zbytniego generalizowania. Jeden z takich dobroczyńców, doktor Ara Jerezian, został po wojnie uhonorowany przez Yad Vashem – izraelski instytut pamięci ofiar Holokaustu.

Najaktywniej na rzecz ratowania Żydów działał Szwed Raoul Wallenberg, który mimo że przebywał na Węgrzech półoficjalnie, wydał dziesiątki tysięcy dokumentów stwierdzających, iż zaopatrzone w nie osoby znajdują się pod ochroną władz szwedzkich. Później, w czasie oblężenia Budapesztu, strzałokrzyżowcy wdarli się na teren szwedzkiej ambasady i zamordowali kilka osób z jej personelu w odwecie za ich poczynania. Oprócz Szwedów także dyplomata szwajcarski Carl Lutz, Portugalczyk Carlos Branquinho, przedstawiciele Międzynarodowego Czerwonego Krzyża oraz nuncjusz papieski wystawiali podobne glejty, aby pomóc prześladowanym węgierskim Żydom.

Ambasady Salwadoru i Nikaragui dostarczyły kilkuset certyfikatów obywatelstwa, jednak do najbardziej niezwykłego wybiegu uciekli się pracownicy ambasady hiszpańskiej. Hiszpański chargé d'affaires Ángel Sanz-

---

[30] K. Ungváry, *Battle for Budapest. 100 Days in World War II*, London 2010, s. 241.

-Briz wiedział, że reżimowi Szálasiego rozpaczliwie zależało na oficjalnym uznaniu go przez rząd Franco. Podsycał w członkach węgierskich władz takie złudzenia, równocześnie przeciwstawiając się zbrodniczym poczynaniom strzałokrzyżowców bardziej nawet energicznie od pracowników szwedzkiej ambasady. Ostatecznie Sanz-Briz został zmuszony do opuszczenia Węgier, niemniej przekazał uprawnienia nowemu rzekomemu „chargé d'affaires" Giorgiowi Perlasce, który w istocie był włoskim antyfaszystą. Perlasca zebrał pięć tysięcy Żydów w schronisku pod nadzorem Hiszpanów; rząd Franco w Madrycie nie miał pojęcia, co wyprawiano na Węgrzech w jego imieniu. Jeszcze bardziej brawurowy fortel był dziełem Miksy Domonkosa, członka lokalnej Rady Żydowskiej, który podrobił na dokumentach zapewniających nietykalność osobisty podpis nadinspektora węgierskiej żandarmerii. Wszystkie te starania na rzecz ratowania Żydów nasiliły się wraz ze zbliżaniem się Armii Czerwonej do Budapesztu, gdyż strzałokrzyżowcy dopuszczali się z każdym dniem coraz większych okrucieństw[31].

Osiemnastego października, tuż po zdobyciu Akwizgranu przez 1. Armię, Eisenhower przewodniczył naradzie w kwaterze dowództwa 21. Grupy Armii w Brukseli, podczas której omawiano dalszą strategię. Wybór miejsca tej konferencji był dość znamienny, gdyż Montgomery rozzłościł swoich amerykańskich kolegów nieobecnością na poprzednim podobnym spotkaniu 22 września w siedzibie dowództwa SHAEF w Wersalu. Wysłał wtedy w zastępstwie generała porucznika Freddiego de Guinganda, o wiele bardziej lubianego szefa sztabu i „sympatycznego rozjemcę", jak określał go Bradley. Tym razem „Monty" nie mógł uchylić się od uczestnictwa.

Jedną z opcji było „przesiedzenie" nadchodzącej zimy: czekanie, aż ze Stanów Zjednoczonych przybędą następne dywizje i zostaną zgromadzone spore zapasy zaopatrzenia, dostarczone przez Antwerpię po uruchomieniu tamtejszego portu. Inna możliwość polegała na przeprowadzeniu dużej ofensywy jeszcze w listopadzie, z wykorzystaniem dostępnych zasobów. Bierna strategia na froncie zachodnim raczej nie wchodziła realnie w rachubę, gdyż obawiano się, że Stalin zarzuci koalicjantom niechęć do podejmowania walki. Montgomery ponownie zgłosił propozycję silnego natarcia na północ od Zagłębia Ruhry, lecz pomysł ten znów został odrzucony. Eisenhower, zdecydowanie popierany w tej kwestii przez Bradleya, opowiadał się za podwójnym uderzeniem siłami 1. i 9. Armii na północy oraz 3. Armii Pattona atakującej Zagłębie Saary. Montgomery'emu polecono wykonanie zwrotu na południe od Nijmegen, między Renem a Mozą. Taka koncentracja sił na północ i południe od Ardenów pozostawiała bardzo słabo

[31] *Ibidem*, s. 236–252.

broniony sektor centralny. Dla osłony tego odcinka frontu Bradley ściągnął VIII Korpus generała majora Troya Middletona, który wcześniej likwidował ostatnie gniazda niemieckiego oporu w Bretanii.

W samym Akwizgranie walki ciągnęły się do końca trzeciego tygodnia października. Trzydziestego października na Kolonię spadł następny ciężki nalot bombowców Harrisa. Zniszczenia na niemieckiej kolei wiązały się z tym, że brakowało pociągów do ewakuacji ludzi, którzy przeżyli w ruinach tego miasta. W Kolonii miała miejsce jedyna w Rzeszy próba stawienia zbrojnego oporu nazistom przez cywilów, a tamtejsi komuniści i zagraniczni robotnicy zdobywali broń, napadając na pojedynczych policjantów. Buntownicy, tocząc walki partyzanckie, atakowali posterunki policji i zdołali nawet zabić szefa miejscowego Gestapo, nim zginęli w trakcie okrutnej akcji odwetowej[32].

Alianckie bombardowania przybierały na sile. RAF i USAAF nie miały już zbytniego powodu, by lękać się Luftwaffe, choć Spaatz żywił obawy, że nowe odrzutowe myśliwce Me 262 nagle pojawią się na niebie i zestrzelą jego bombowce. Około sześćdziesięciu procent bomb zrzuconych łącznie na Niemcy spadło na tej kraj w ostatnich dziewięciu miesiącach wojny[33]. Hitlerowski minister uzbrojenia Albert Speer uznał, że straty w sferze ekonomicznej infrastruktury w Niemczech „przekroczyły krytyczny, niemożliwy do naprawienia poziom dopiero jesienią 1944 roku, przede wszystkim z powodu rozbicia sieci transportu i łączności w rezultacie alianckiej kampanii »całodobowych« nalotów bombowych, rozpoczętej w październiku"[34]. Pomimo sceptycyzmu Harrisa w tej kwestii realizacja planu Spaatza, przewidującego atakowanie rafinerii i wytwórni benzolu, również zaczynała wyraźnie paraliżować działania niemieckich sił zbrojnych, zwłaszcza Luftwaffe. Tylko produkcja uzbrojenia nadal utrzymywała się na wysokim poziomie, głównie za sprawą energii i talentu organizacyjnego Speera.

W istocie wytrwałość Harrisa w przeprowadzaniu bombardowań dywanowych ośrodków Zagłębia Ruhry także przywiodła do unieruchomienia tamtejszych zakładów produkujących benzol – do listopada przestały pracować wszystkie lokalne wytwórnie paliw syntetycznych. Różnica między strategiami RAF-u i amerykańskiej 8. Armii Powietrznej tkwiła bardziej w sferze ich prezentacji niż skutków. Choć dowództwo USAAF-u zawsze określało swoje naloty mianem bombardowań precyzyjnych, to rzeczywistość wielce odbiegała od teorii. Atakowanie takich celów jak „stacje rozrządowe" było zasadniczo eufemizmem, skrywającym zrzucanie bomb na

---

[32] I. Kershaw, *Führer. Walka do ostatniej kropli krwi*, tłum. G. Siwek, Kraków 2012, s. 203–204.
[33] *Ibidem*, s. 115.
[34] *Ibidem*, s. 185–186.

przyległe do tych stacji miasta. Przede wszystkim z powodu złej widoczności w miesiącach zimowych ponad siedemdziesiąt procent bomb zużywanych przez 8. Armię Powietrzną zrzucano „na ślepo", niemal tak samo jak czyniły to samoloty Bomber Command. Harris po prostu nie owijał w bawełnę, że nie bombardował ośrodków miejskich, i pogardzał każdym, kto się przed tym wzdragał. Tyle tylko, że zupełnie błędne okazały się powtarzane przezeń zapewnienia, iż same naloty bombowe doprowadzą do zakończenia wojny.

Od kryzysowych dni roku 1942 Wielka Brytania przeznaczyła tak wiele zasobów – finansowych, przemysłowych i ludzkich – na rozbudowę swojego lotnictwa bombowego, że rozwijanie tego rodzaju sił zbrojnych nabrało niemal niepohamowanego rozmachu. I trwało, mimo iż wiele nalotów przeprowadzonych przez brytyjskie bombowce pod koniec wojny miało niewielkie uzasadnienie logistyczne, nie wspominając już o aspekcie moralnym. Obsesyjny Harris uznał za punkt honoru zniszczenie wszystkich większych i mniejszych miast w Niemczech do końca wojny. Dwudziestego siódmego listopada zbombardowano Fryburg Bryzgowijski na skraju Schwarzwaldu, a nalot ten przyniósł śmierć trzem tysiącom ludzi i zniszczenie zabytkowego, średniowiecznego centrum tego miasta. Był to rzeczywiście węzeł komunikacyjny na zapleczu frontu i uzasadniony cel ataku w świetle dyrektywy „Pointblank", jednak bynajmniej nie jest pewne, że nalot ten skrócił wojnę o dzień, godzinę czy choćby o minutę.

Bombardowania, podobnie jak skoncentrowany ostrzał artyleryjski, ujawniły pewien niepokojący paradoks związany z prowadzeniem działań wojennych przez państwa demokratyczne. Ze względu na silną presję, wywieraną w rodzimych krajach przez prasę i opinię publiczną, dowódcy dążyli do maksymalnego ograniczenia strat własnych. Wobec tego uciekali się do wykorzystania najbardziej niszczycielskich broni i materiałów wybuchowych, co musiało prowadzić do śmierci większej liczby cywilów za liniami przeciwnika. Wielu Niemców nawoływało do odwetu. Latające bomby V-1 nie rzuciły Wielkiej Brytanii na kolana, także rakiety V-2 jakoś nie wpływały na zmianę przebiegu wojny, więc rozeszły się pogłoski o V-3. „Modlitwa za naszego Führera i za naród to także oręż – napisała pewna Niemka. – Pan Bóg nie może opuścić naszego wodza"[35].

Ósmego listopada generał Patton, nie chcąc już dłużej wyczekiwać na poprawę pogody, rozpoczął ofensywę 3. Armii na Zagłębie Saary bez wsparcia lotniczego. „O 5.05 przebudziło mnie przygotowanie artyleryjskie – zapisał owego dnia w dzienniku. – Salwa z ponad czterystu dział zabrzmiała

---

jak trzaśnięcie drzwiami w pustym domu"[36]. Jego XX Korpus podjął silny szturm na ufortyfikowane miasto Metz. Chmury się rozwiały i do akcji weszły myśliwce bombardujące, ale ulewne deszcze sprawiły, że poziom wody w Mozeli rekordowo się podniósł. Patton opowiadał Bradleyowi, jak jedna z jego kompanii saperów przez dwa frustrujące i pracowite dni usiłowała przerzucić most pontonowy na drugi brzeg tej rwącej rzeki. Jeden z pierwszych pojazdów, który po tym moście przejechał, samobieżny niszczyciel czołgów, zahaczył o linowe złącze i zerwał je. Most rozleciał się i popłynął z nurtem. „Cała cholerna kompania wpadła w błoto – relacjonował Patton – a żołnierze darli się jak małe dzieci"[37].

Pogoda była równie niesprzyjająca dalej na północy, na odcinku 1. i 9. Armii. Samoloty IX Zgrupowania Lotnictwa Taktycznego generała majora Elwooda „Pete'a" Quesady atakowały mosty na Renie, aby uniemożliwić Niemcom podciągnięcie odwodów. Piątego listopada jeden z pilotów myśliwskich ze zdumieniem ujrzał, jak cały most wylatuje w powietrze i wpada do wód Renu po tym, jak udało mu się przypadkowo trafić pociskiem w ładunki wybuchowe, zainstalowane przez niemieckich saperów na wypadek przełamania frontu przez wojska alianckie.

Bardzo złe warunki meteorologiczne nie ulegały zmianie; padało przez trzynaście dni z rzędu. Czternastego listopada Bradley przejeżdżał przez Ardeny, przysypane cienką warstwą pierwszego śniegu. Zmierzał do siedziby dowództwa 1. Armii w belgijskim kurorcie Spa, gdzie niegdyś, w czasie pierwszej wojny światowej, mieściła się kwatera niemieckiego naczelnego dowództwa. Teraz sztabowcy Hodgesa siedzieli przy prowizorycznych biurkach pod wielkimi żyrandolami, a latające bomby V-1 i pociski rakietowe V-2 przecinały niebo, lecąc na Londyn i Antwerpię.

Wczesnym rankiem 16 listopada raporty meteorologiczne zapowiadały lepszą pogodę, choć Hodges już wcześniej zdecydował, że niezależnie od nich i tak przystąpi do ataku. Niedługo po świcie słońce wyłoniło się zza chmur po raz pierwszy od kilku tygodni. Wszyscy wpatrywali się w nie z pewnym niedowierzaniem. Zaraz po dwunastej w południe „Latające Fortece" i liberatory z 8. Armii Powietrznej oraz lancastery z dywizjonów Bomber Command wzbiły się w powietrzne, by wybić lukę w umocnieniach Wału Zachodniego. Bradley, podenerwowany po katastrofie, jaka wydarzyła się na wstępie operacji „Cobra", zadbał o to, żeby dołożono wszelkich starań, aby bomby nie spadły przypadkowo na własne wojska oczekujące sygnału do ataku. Ale choć tym razem obyło się bez takiej tragicznej i okupionej stratami pomyłki, nacierająca amerykańska piechota i formacje pancerne rychło

---

[36] *The Patton Papers*, t. 2, *op. cit.*, s. 571.
[37] Cyt. za: O.N. Bradley, *Żołnierska epopeja, op. cit.*, s. 468.

się przekonały, iż Niemcy zawczasu przygotowali „diabelskie ogrody", rozciągnięte daleko wszerz i w głąb.

Pierwsza Armia miała atakować z Akwizgranu przez las Hürtgen ku rzece Rur. Należało opanować zapory na południe od Düren, które Niemcy mogli zniszczyć w celu zniweczenia wszelkich prób sforsowania wspomnianej rzeki. Pokładając nadzieje w potędze bombardowania lotniczego i artyleryjskiego, zarówno Bradley, jak i Hodges nie przypuszczali, jaka koszmarna przeprawa czeka ich wojska. Rozgorzały walki o wiele bardziej krwawe i zaciekłe od tych toczących się wśród normandzkich *bocage*.

Las Hürtgen, rozciągający się na południowy wschód od Akwizgranu, był mrocznym skupiskiem gęstych sosnowych zagajników, gdzie trzydziestometrowe sosny porastały strome zbocza. Żołnierze nieustannie gubili się w tych budzących grozę gęstwinach. Uznali ten region za „widmowy, nawiedzony, odpowiedni dla czarownic"[38]. Miała to być bitwa piechoty, jednak rzucone do niej bataliony, pułki i dywizje okazały się źle przeszkolone i nieprzygotowane na to, co je tam czeka. Rozpadliny i gęsto rosnące drzewa uniemożliwiały użycie czołgów lub niszczycieli czołgów, które dotąd wspierały alianckich żołnierzy w walkach; obszar nie sprzyjał też działaniom amerykańskiej artylerii czy myśliwców bombardujących. Z kolei dla niemieckiej 275. Dywizji Piechoty, świetnej w maskowaniu, korzystaniu z podziemnych schronów, min i pułapek, był to teren idealny do prowadzenia obrony.

Znaczne straty ponoszone przez aliancką piechotę od D-Day, czyli dnia desantu w Normandii, powodowały, że frontowe plutony składały się w znacznym stopniu z ledwie przeszkolonych rekrutów. Bradleya irytował nie tyle marny poziom ich wojskowych umiejętności, ile fakt, że niewielu żołnierzy trafiających na europejski teatr działań wojennych w ogóle przeszło jakiekolwiek szkolenie. Dowiedział się, że generał MacArthur gromadzi najlepsze wojska do swojej kampanii filipińskiej. Wyglądało na to, że w Waszyngtonie nawet z pozoru nie przejmowano się już wymogiem pokonania Niemiec w pierwszej kolejności. Departament Wojny zredukował liczbę poborowych kierowanych co miesiąc do wojsk Eisenhowera z osiemdziesięciu tysięcy do sześćdziesięciu siedmiu tysięcy[39].

Obowiązujący w armii amerykańskiej system uzupełnień był nader nieelastyczny – a ten w wojskach brytyjskich tylko nieznacznie lepszy. Po walkach okupionych ciężkimi stratami każdy w mundurze wojskowym na tyłach mógł nagle znaleźć się w ośrodku uzupełnień wespół z nastoletnimi

---

[38] R.F. Weigley, *Eisenhower's Lieutenants. The Campaigns of France and Germany, 1944–1945*, Bloomington 1990, s. 365.

[39] O.N. Bradley, *Żołnierska epopeja, op. cit.*, s. 475.

poborowymi, właśnie przewiezionymi ze Stanów Zjednoczonych. Trzeba przyznać, że dokładano wielkich starań w celu usprawnienia tego systemu, aby nowo przybyli na front przynajmniej nie wchodzili do walki już pierwszej nocy, nie wiedząc, gdzie się znaleźli albo z kim walczą. Mimo to byli rozpaczliwie niegotowi na to, co ich oczekiwało. Dopiero po przetrwaniu swej pierwszej walki zaczynali poniekąd tworzyć „tkankę bliznowatą" wokół odczuwanego lęku, która dawała im pewną szansę na przeżycie kolejnej batalii.

Niemiecka taktyka była bezlitośnie prosta. Zależało im na zadaniu przeciwnikowi maksymalnych strat. Niemieccy żołnierze zdawali się przejawiać diaboliczne uzdolnienia w przygotowywaniu wszelkiego rodzaju pułapek i potrzasków, w rodzaju min z drutami rozciąganymi tuż nad ziemią i niesławnych przeciwpiechotnych *Schu-mine*, które urywały stopę pod wpływem nacisku na grunt. Wszystkie leśne przecinki i ścieżki były zaminowane i zatarasowane przez ścięte drzewa. Takie zatory zabezpieczano przy użyciu bomb-pułapek, a żołnierze z baterii moździerzy i dział znali dokładnie ich umiejscowienie.

Kolejne ataki kończyły się fiaskiem. „Drużyny i plutony gubiły się – relacjonował jeden z pechowców z 28. Dywizji – granaty moździerzowe spadały pomiędzy grupy szturmowe niosące ładunki wybuchowe, które eksplodowały i rozrywały żołnierzy; nieustanny grzechot karabinów maszynowych rozlegał się echem wśród drzew, kiedy ktokolwiek się poruszył. Pewien żołnierz z uzupełnień, szlochając histerycznie, próbował wygrzebać sobie palcami jamę w ziemi. Późnym popołudniem cały batalion wycofał się na wyjściowe pozycje"[40].

Co gorsza, ciągle padało. Z drzew nieustannie kapało, podłoże było podmokłe, a okopy wypełnione wodą. Wobec braku przeciwdeszczowych kombinezonów czy peleryn oraz tego, że tylko nieliczni pamiętali lekcje wojny okopowej sprzed ćwierćwiecza, amerykańscy żołnierze ciągle cierpieli z powodu przemoczonych stóp. Bardzo wielu nabawiło się dyzenterii. Jeszcze większe zaniepokojenie wzbudzał dramatyczny wzrost – zapewne nasilony złowieszczą atmosferą lasu Hürtgen – liczby ucieczek z linii frontu pod wpływem panicznego strachu, a także samookaleczeń, przypadków załamania nerwowego, samobójstw i dezercji. Szeregowiec Eddie Slovik z 28. Dywizji w Hürtgen był jedynym amerykańskim żołnierzem rozstrzelanym przez pluton egzekucyjny US Army podczas całej tej wojny. W Wehrmachcie niemal nie wierzono w „wyrozumiałość" aliantów. W wojsku niemieckim w tym okresie rozstrzeliwano bowiem bez ceregieli nie tyl-

---

[40] Cyt. za: P. Fussell, *The Boys' Crusade. The American Infantry in Northwestern Europe, 1944–1945*, New York 2003, s. 87.

ko schwytanych dezerterów, ale bywało, że i, z rozkazu Himmlera, także ich rodziny.

Kolejni amerykańscy oficerowie byli zwalniani ze stanowisk, gdy nie potrafili zmusić swoich żołnierzy do podjęcia ataku. W 8. Dywizji w jednym z batalionów zdymisjonowano prawie wszystkich oficerów, a ich następców spotkał taki sam los. W tej straszliwej, krwawej, toczonej wśród błot batalii Amerykanie musieli wycofywać z linii frontu kolejne dywizje. Żołnierze, wyczerpani fizycznie i psychicznie, patrzyli tępo przed siebie, nie mrugając powiekami; nazywano to nieoficjalnie „spojrzeniem sprzed dwóch tysięcy lat"[41]. Łącznie w lesie Hürtgen Amerykanie stracili trzydzieści trzy tysiące ludzi, czyli ponad jedną czwartą żołnierzy uczestniczących w tych zmaganiach[42].

Hodgesa ostro krytykowano za brak wyobraźni, przejawiony w próbach prowadzenia walki w tak niekorzystnych warunkach, które uwypuklały amerykańskie słabości i zalety oddziałów niemieckich. A jednak przez las Hürtgen prowadził jedyny szlak do miejscowości Schmidt i zapór na Rur, które trzeba było zdobyć przed forsowaniem tej rzeki. Nawet na mniej zalesionych obszarach na północ od Akwizgranu niemieckie jednostki broniły się w ufortyfikowanych miejscowościach do czasu, gdy pozostawały z nich tylko ruiny. Gdy oficer amerykańskiego wywiadu spytał schwytanego młodego niemieckiego podporucznika, czy ów nie żałuje, że w jego kraju dochodzi do takich zniszczeń, ten tylko wzruszył ramionami: „Po wojnie prawdopodobnie i tak nie będzie nasz – odpowiedział. – Dlaczegóż ma nie zostać zniszczony?"[43]. Jeszcze dalej na północy brytyjska 2. Armia, zawracająca na południe spod Nijmegen, napotkała w gęstych lasach Reichswaldu warunki zbliżone do tych, w jakich walczyli żołnierze Hodgesa w Hürtgen. Walijska 53. Dywizja straciła pięć tysięcy ludzi w trakcie dziewięciu dni[44].

Wojska sprzymierzonych znacznie dalej na południu odniosły dużo większy sukces. Dziewiętnastego listopada francuska 1. Armia generała Jeana de Lattre de Tassigny przełamała front w pobliżu Bramy Burgundzkiej (Trouée de Belfort) i dotarła nad górny Ren. Trzy dni później w północnym sektorze, gdzie operowała 6. Grupa Armii generała Jacoba L. Deversa, XV Korpus generała Wade'a H. Haislipa przebił się w okolicach Saverne, a 23 listopada francuska 2. Dywizja Pancerna wkroczyła do Strasburga, tym samym wypełniając obietnicę złożoną uroczyście na północnoafrykańskiej pustyni.

---

[41] J. Ellis, *The Sharp End. The Fighting Man in World War II*, London 1993, s. 252.
[42] Por. P. Fussell, *The Boys' Crusade, op. cit.*, s. 83.
[43] O.N. Bradley, *Żołnierska epopeja, op. cit.*, s. 471.
[44] J. Ellis, *The Sharp End, op. cit.*, s. 169.

Bardzo ukontentowany z tego powodu generał de Gaulle wyruszył następnego dnia w długą, okrężną wyprawę na spotkanie ze Stalinem w Moskwie. Towarzyszyli mu szef jego prywatnego gabinetu Gaston Palewski, minister spraw zagranicznych Georges Bidault oraz generał Juin.

Podróż potrwała żenująco długo, ponieważ przestarzały dwusilnikowy samolot szefa francuskiego rządu co rusz ulegał awariom. W końcu Francuzi dolecieli do Baku, gdzie przesiedli się na pociąg, podstawiony przez władze radzieckie. Ulokowano ich w staromodnych wagonach wielkiego księcia Mikołaja, naczelnego wodza wojsk carskich podczas pierwszej wojny światowej. Jazda przez zaśnieżone stepy tak bardzo się dłużyła, że de Gaulle zauważył kąśliwie, iż ma nadzieję, że w czasie ich nieobecności nie dojdzie do rewolucji.

De Gaulle'owi zależało na ustanowieniu dobrych relacji ze Stalinem, częściowo dlatego, iż liczył na utrzymanie pod swoim nadzorem francuskiej partii komunistycznej. Nie rozczarował się pod tym względem. Stalin nie chciał tymczasowo żadnych rewolucyjnych rozruchów we Francji. Komunistyczne powstanie w tym kraju mogło skłonić Roosevelta do odcięcia pomocy materialnej dostarczanej Związkowi Radzieckiemu w ramach układu Lend-Lease albo – czego sowiecki przywódca obawiał się najbardziej – wykorzystania go jako pretekstu, by dogadać się z Niemcami. Stalin wiedział, jak bardzo nieufnie Roosevelt odnosił się do Francuzów. Innym celem de Gaulle'a było uzyskanie poparcia Stalina dla pomysłu uczestnictwa Francji w konferencji pokojowej, aby nie wykluczyli jej z niej Amerykanie.

Po przybyciu do Moskwy francuska delegacja musiała znieść jeden z ponurych bankietów wydawanych przez Stalina na Kremlu, podczas których zmuszał on swoich marszałków i ministrów do obiegania stołu, aby trącić się z nim kieliszkiem. Potem Stalin wznosił toasty, grożąc im egzekucją w okrutnym przejawie swego wisielczego humoru. De Gaulle opisał go w pamiętnych słowach jako „komunistę w stroju marszałka, dyktatora lubującego się w knowaniach, zdobywcę roztaczającego aurę jowialności"[45]. Celem Stalina w trakcie tych rozmów było uzyskanie oficjalnego uznania dla marionetkowych władz polskich w Lublinie. Wyraźnie liczył, iż kwestia ta wywoła rozłam w sojuszu państw zachodnich. De Gaulle grzecznie i stanowczo odmówił. W pewnym momencie Stalin zwrócił się do Gastona Palewskiego i powiedział ze złośliwym uśmieszkiem: „Widzę, że Polakiem nigdy nie przestaje się być, *monsieur* Palewski"[46].

Stalin był gotów wykazać się szczodrością, albo tym, co sam uważał za szczodrość, choć gardził Francuzami za ich klęskę z roku 1940, która tak

---

[45] Ch. de Gaulle, *Mémoires de guerre*, t. 3: *Le Salut, 1944–1946*, Paris 1959, s. 61.
[46] H. Alphand, *L'Étonnement d'être. Journal, 1939–1973*, Paris 1977, s. 180.

bardzo pokrzyżowała jego ówczesne plany. (Jako kolejny przytyk pod adresem de Gaulle'a nakazał Ilii Erenburgowi sprezentować mu egzemplarz swojej powieści zatytułowanej *Upadek Paryża*). Mimo wszystko Stalin, świadom urazy, jaką de Gaulle żywił wobec Roosevelta, wyczuwał już wcześniej, że Francja może być przydatną kartą atutową w jego przyszłych kontaktach z zachodnią koalicją. Sowiecki przywódca nie ufał ani Brytyjczykom, ani Amerykanom. Najbardziej lękał się tego, że w nadchodzących czasach mogą oni ponownie uzbroić Niemcy. Wiedział, że de Gaulle chce nie tylko całkowitego pokonania Niemiec, ale i ich rozczłonkowania. Sam życzył sobie tego samego, choć nie popierał roszczeń de Gaulle'a do Nadrenii w powojennym układzie europejskim.

Opisana wizyta miała w sumie udany przebieg, pomimo tego, że Bidault bardzo się upił na wspomnianym bankiecie. Porozumienie francusko--radzieckie zostało podpisane o czwartej nad ranem, tuż przed odjazdem francuskiej delegacji. Zaszła konieczność wypracowania kompromisowej formuły w sprawie marionetkowych władz polskich, jednak de Gaulle przynajmniej wiedział, że nie będzie miał kłopotów z francuskimi komunistami. Ich przywódca Maurice Thorez, który przedostał się do Francji w trakcie jego nieobecności, nie wydał swoim ludziom rozkazu wyjścia na barykady czy też organizowania nowych strajków. Zażądał krwi, znoju, zwiększonej wydajności i narodowej jedności w celu pokonania Niemiec. Komunistów z francuskiego ruchu oporu wprawiło to w zdumienie, ale nazajutrz ich organ prasowy potwierdził słowa Thoreza. Kreml najwyraźniej zainterweniował. De Gaulle wraz z towarzyszącymi mu osobami wrócił do Francji 17 grudnia; wtedy właśnie doszło do zupełnie nieoczekiwanego kryzysu. Armie niemieckie przedarły się przez Ardeny i – jak sądzono – zmierzały w kierunku Paryża.

ROZDZIAŁ 43

Ardeny i Ateny

listopad 1944–styczeń 1945

W listopadzie 1944 roku żołnierze VIII Korpusu generała majora Troya H. Middletona nudzili się niezmiernie na froncie ardeńskim. Do generała Bradleya dotarła skarga miejscowego leśniczego, iż „żołnierze amerykańscy, którym śniła się pieczona na rożnie wieprzowina, urządzali polowanie na dzika w nisko lecących samolotach", strzelając do zwierzyny z pistoletów maszynowych typu Thompson[1]. Wrzucano także granaty do górskich potoków, aby urozmaicić monotonię żołnierskich racji żywnościowych upolowanymi w ten sposób pstrągami.

Od czasu chaotycznego sierpniowego odwrotu wojsk niemieckich na Wał Zachodni Hitlerowi marzyła się powtórka jego wielkiego triumfu z roku 1940. Znowu pokładał nadzieje w samozadowoleniu aliantów, w wyzyskaniu czynnika zaskoczenia oraz tempie natarcia, które miało doprowadzić do osiągnięcia zasadniczego celu – odzyskania Antwerpii. W owej zredukowanej wersji niegdysiejszego Mansteinowskiego *Sichelschnitt* zakładano odcięcie kanadyjskiej 1. Armii, 2. Armii brytyjskiej, 9. Armii generała porucznika Williama H. Simpsona oraz większości amerykańskiej 1. Armii Hodgesa. Führerowi śniła się nawet następna Dunkierka, jednak jego generałowie byli przerażeni podobnymi fantazjami. Guderian chciał wzmocnienia frontu wschodniego przed rozpoczęciem ofensywy zimowej przez Sowietów. Ale w strategii Hitlera, zbliżonej do rachub cesarza Hirohito związanych z ofensywą „Ichi-gō", chodziło o uzyskanie błyskotliwego taktycznego zwycięstwa w celu wyeliminowania z dalszego udziału w wojnie

---

[1] O.N. Bradley, *Żołnierska epopeja*, tłum. E. Niemirska, Warszawa 1989, s. 466.

przynajmniej jednego z nieprzyjacielskich krajów, by następnie negocjować warunki pokojowe z pozycji siły.

Popołudniem 20 listopada Hitler wsiadł do swojego *Sonderzug* (pociągu specjalnego) podstawionego na zamaskowanej leśnej bocznicy, na zawsze opuszczając już wschodniopruski „Wilczy Szaniec". Zdrowie Führera szwankowało; wymagał poddania się operacji krtani, co dało mu wymówkę do wyjazdu z zagrożonych Prus Wschodnich. Od dość dawna cierpiał na silną depresję, najwyraźniej świadom katastrofy, jaka zawisła nad Niemcami. Goebbels usiłował go namówić do wygłoszenia przez radio orędzia do narodu, ponieważ krążyły pogłoski, że wódz ciężko zachorował, popadł w obłąkanie, a nawet, że zmarł. Hitler uparcie nie chciał się na to zgodzić.

Ożywiała go jedynie perspektywa odwetu, więc gorączkowo wyczekiwał rozpoczęcia ardeńskiej kontrofensywy. Z pomocą sztabowców z OKW sporządził nader drobiazgowe rozkazy. Początkowo kryptonim *„Wacht am Rhein"* („Straż nad Renem") posłużył do zasugerowania nieprzyjacielowi, iż Niemcy szykują się do działań obronnych, tymczasem rzeczywistym kryptonimem uderzenia w Ardenach była *„Herbstnebel"* („Jesienna Mgła"). Nacierające armie miały wyjść nad Mozę w ciągu czterdziestu ośmiu godzin i zdobyć Antwerpię przed upływem dwóch tygodni. Hitler oznajmił niemieckim dowódcom, że zamknie w pułapce kanadyjską 1. Armię i wyeliminuje Kanadę z wojny, co z kolei skłoni Stany Zjednoczone do zastanowienia się nad zawarciem pokoju.

Feldmarszałek von Rundstedt, gotowy do przeprowadzenia ograniczonego w skali przeciwuderzenia i likwidacji wybrzuszenia w linii frontu pod Akwizgranem, pojmował, że taki cel jak odzyskanie Antwerpii jest zupełnie nierealny. Nawet gdyby utrzymywała się na tyle zła pogoda, by uniemożliwić działania lotnictwa sprzymierzonych, i nawet jeśli udałoby się zdobyć alianckie składy paliwa, to Niemcom po prostu brakowało sił do utrzymania wyłomu w liniach przeciwnika. Przypominało to wszystko obsesję Hitlera na punkcie kontrataku pod Avranches z początku sierpnia, do którego zmusił wówczas feldmarszałka von Klugego. Spektakularne i niespodziewane dla wroga uderzenie nie mogło nic dać, jeżeli nie wchodziło w grę wyzyskanie jego skutków. Rundstedt czuł się później głęboko urażony, dowiedziawszy się, że alianci nazwali niemiecki kontratak w Ardenach „ofensywą Rundstedta", jak gdyby był to jego plan.

Trzeciego listopada, kiedy Jodl przedstawił plany operacji dowódcom, wprawiły one tych wszystkich, którzy mieli nią bezpośrednio pokierować, czyli Rundstedta – głównodowodzącego na froncie zachodnim, Modela – dowódcę Grupy Armii „B", Oberstgruppenführera „Seppa" Dietricha – dowódcę 6. Armii Pancernej SS, a także generała pułkownika Hasso von Manteuffla, pod którego komendą znajdowała się 5. Armia Pancerna, w osłupienie. W trakcie odpraw w przededniu samej batalii sześć tygodni później wielu młodszych niemieckich oficerów i szeregowców nabrało przeświadczenia, bądź też wmawiało sobie, że wraz z pociskami rakietowymi V-2 wystrzeliwanymi na Anglię kontrofensywa ta okaże się punktem zwrotnym wojny, na który od tak dawna oczekiwali.

Dwudziestego ósmego listopada, gdy trwały krwawe zmagania w deszczu i deszczu ze śniegiem na północnym odcinku niemieckiej granicy, Eisenhower odwiedził Montgomery'ego w kwaterze głównej tego ostatniego w Belgii. Jeszcze zanim aliancki naczelny dowódca usiadł nad mapą w jego przyczepie, Montgomery zaczął przemawiać władczym tonem na temat braku sukcesów w toczących się bataliach. Licząc ponownie na wykorzystanie pozornej niezdolności Eisenhowera do otwartego sprzeciwienia mu się, Montgomery uznał, że uzyskał zgodę na objęcie zwierzchniego dowództwa nad wszystkimi wojskami sprzymierzonych na północ od Ardenów. Ale Bradley, który nie miał zamiaru przekazywać części swojej grupy armii pod komendę Montgomery'ego, zdołał wkrótce potem nakłonić Eisenhowera do zmiany zdania. Siódmego grudnia Eisenhower, Montgomery i Bradley spotkali się w Maastricht. Montgomery usłyszał wtedy, że przeprowadzenie przezeń ofensywy wzmocnionymi siłami na północy nie wchodzi już w grę. Bradley z pewnością musiał się bardzo starać, by nie uśmiechać się z zadowolenia.

Kiedy Eisenhower i dowódcy podległych mu grup armii spierali się o to, czy skoncentrować wojska do następnego ataku na północ lub na południe od Ardenów, wywiadowi sprzymierzonych nagle zniknęła z oczu niemiecka 6. Armia Pancerna SS. Nieco wcześniej stacjonowała w okolicach Kolonii i przypuszczano, że wespół z 5. Armią Pancerną Manteuffla szykuje się do przeciwuderzenia na amerykańską 1. Armię, gdy tylko ta przekroczy rzekę Rur. W Maastricht Eisenhower w rozmowie z Bradleyem poruszył kwestię sektora ardeńskiego, osłanianego jedynie przez VIII Korpus Middletona, ale Bradley się tym nie przejmował. Wyjaśnił, że celowo osłabił lewą flankę z myślą o wzmocnieniu zaplanowanych ofensyw na północy i południu. Żaden z dowódców obecnych na naradzie w Maastricht nie spodziewał się przeprowadzenia przez nieprzyjaciela przeciwuderzenia na wielką skalę. Niemcom rozpaczliwie brakowało paliwa do czołgów, a gdyby nawet się przebili, to gdzie skierowaliby się dalej? Wprawdzie oficerowie wywiadu przebąkiwali, że Niemców interesowałoby odzyskanie Antwerpii, ale żaden czołowy dowódca aliancki nie potraktował tego zbyt poważnie. Montgomery zamierzał nawet wyjechać na święta bożonarodzeniowe do Anglii.

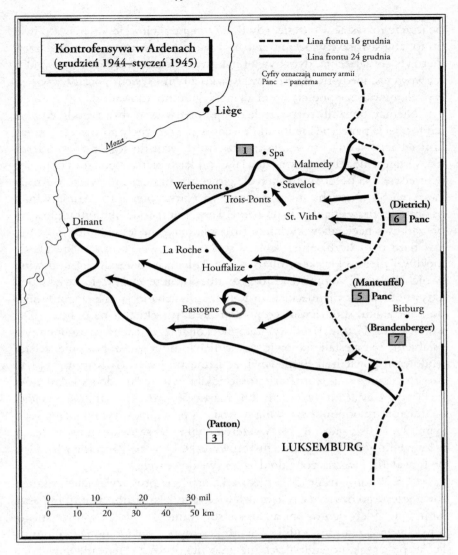

Kontrofensywa w Ardenach
(grudzień 1944–styczeń 1945)

- - - - - Lina frontu 16 grudnia
———— Lina frontu 24 grudnia

Cyfry oznaczają numery armii
Panc – pancerna

Liège

Moza

Spa

Malmedy

Werbemont

Stavelot

Trois-Ponts

St. Vith

(Dietrich)
6 Panc

Dinant

La Roche

Houffalize

(Manteuffel)
5 Panc

Bastogne

Bitburg

(Brandenberger)
7

(Patton)
3

LUKSEMBURG

```
0        10        20        30 mil
0   10   20   30   40   50 km
```

Piętnastego grudnia Hitler wraz ze świtą udał się swoim pociągiem do kwatery polowej „Adlerhorst" („Orle Gniazdo") w Ziegenbergu, w pobliżu Bad Nauheim. Siedziba dowództwa Rundstedta mieściła się w pobliskim zamku. Ku zgrozie niemieckiej generalicji zainstalowała się tam również kierowana przez Martina Bormanna kancelaria partii narodowosocjalistycznej, a sam Bormann utyskiwał, że za mało tam miejsca dla wszystkich jego maszynistek[2]. Nazistowska biurokracja, w Berlinie i na prowincji, wydawała

---

[2] I. Kershaw, *Führer. Walka do ostatniej kropli krwi*, tłum. G. Siwek, Kraków 2012, s. 199.

się jeszcze rozrastać w okresie, gdy Rzeszy zagrażała już klęska, niewątpliwie po to, aby stworzyć wrażenie, że partia nadal kontroluje rozwój wydarzeń. Piętrzyły się zalecenia, dyrektywy i nakazy dotyczące wszelkich spraw, akurat wówczas, kiedy transport, a w związku z tym i system pocztowy w Rzeszy załamywały się pod ciężarem alianckich bombardowań.

Niemcy opóźnili rozpoczęcie swojej ofensywy o dwa tygodnie, gdyż ich formacje pancerne i jednostki piechoty nie osiągnęły gotowości na czas. Hitler chciał skoncentrowania trzydziestu dywizji do tego przeciwuderzenia. Ostatecznie zebrano dwadzieścia w wojskach pierwszego rzutu oraz pięć w rezerwie. Na północnym skrzydle głównych sił uderzeniowych 6. Armia Pancerna SS Dietricha miała nacierać na Antwerpię, a 15. Armia winna osłaniać jej prawą flankę. Piąta Armia Pancerna na odcinku południowym początkowo nacierała w kierunku Brukseli, mając na lewej flance 7. Armię.

Bardzo nieliczni amerykańscy starsi oficerowie, którzy obawiali się możliwej niemieckiej kontrofensywy w Ardenach, narażali się na drwiny swoich kolegów. Wprawdzie rozpoznanie lotnicze zauważyło zwiększoną aktywność wojsk niemieckich za Renem, ale uznano ją za przygotowania do kontrataku, spodziewanego po sforsowaniu rzeki Rur na północy. Dowództwo 12. Grupy Armii wyrażało przekonanie, że Niemcy zostali na tyle osłabieni, iż przestali stanowić poważniejsze militarne zagrożenie. Kiedy Middleton powiedział Bradleyowi, że jednostki jego VIII Korpusu są bardzo rozciągnięte na stutrzydziestopięciokilometrowym odcinku Ardenów, szef jego grupy armii stwierdził: „Nie martw się, Troy. Oni tam nie przyjdą". Middleton dysponował czterema dywizjami piechoty, w tym dwiema świeżymi, 99. i 106., oraz 28. i 4., wyczerpanymi i wykrwawionymi w walkach w lesie Hürtgen. W odwodzie miał również 9. Dywizję Pancerną i 14. Grupę Kawalerii, przeznaczoną do działań zwiadowczych.

O 5.30 rano 16 grudnia niemiecka artyleria otworzyła ogień. Skutek równoczesnego ostrzału z tysiąca dziewięciuset dział wzdłuż frontu był oszałamiający. Zdezorientowani amerykańscy żołnierze wyskakiwali ze śpiworów, chwytali za broń i kulili się na dnie okopów, póki kanonada nie ustała. Ale po jej zakończeniu ujrzeli niesamowitą poświatę. Ten „nieprawdziwy świt" był w istocie „sztucznym blaskiem księżycowym" – snopami światła niemieckich reflektorów przeciwlotniczych odbijającymi się od spodniej warstwy chmur. Niemieccy piechurzy w zimowych, białych kurtkach maskujących, nacierający w mroźnej mgle i wśród wysokich drzew ardeńskich lasów, wyglądali jak zjawy. Chociaż pojedyncze wysunięte oddziały alianckie stawiły dzielny opór, to na większość jednostek dwóch niedoświadczonych amerykańskich dywizji na północnym skrzydle spadło uderzenie czołówek paru armii pancernych. Łączność uległa zerwaniu, jednak na linii frontu kompanie niezaprawionej jeszcze w bojach 99. Dywizji Piechoty, wspierane przez część 2. Dywizji, podjęły zacięte walki odwrotowe z Dywizją Grenadierów Ludowych oraz 12. Dywizją SS „Hitlerjugend". Nieco dalej na południe dwa pułki amerykańskiej 106. Dywizji Piechoty znalazły się w okrążeniu.

Szpicę południowego zgrupowania Dietricha stanowił 1. Pułk Pancerny SS z dywizji, którą wcześniej Dietrich dowodził – „Leibstandarte SS Adolf Hitler". Pułk ten, wzmocniony przez sześćdziesięcioośmiotonowe czołgi typu Königstiger (PzKpfw VI B), walczył pod komendą Obersturmbannführera Joachima Peipera, dowódcy słynącego ze szczególnej bezwzględności. Kiedy jego kolumna pancerna natrafiła na wysadzony w powietrze most, a na wąskiej drodze zapanował chaos, Peiper po prostu pokierował swoje czołgi przez pole minowe, tracąc na nim sześć z nich, niemniej nadrabiając stracony czas.

Z powodu przerwania polowych linii telefonicznych wskutek ostrzału artylerii i ogólnego zamieszania, w kwaterze głównej 1. Armii Hodgesa w Spa zakładano na podstawie nielicznych otrzymanych meldunków, że Niemcy przeprowadzili po prostu lokalny kontratak. Hodges wydał nawet rozkaz 2. Dywizji Piechoty, aby kontynuowała próby podejścia do zapór wodnych na Rur, nie zdając sobie sprawy, iż jednostka ta już uwikłała się w zupełnie inne zmagania.

Generałowi Eisenhowerowi w siedzibie SHAEF w Wersalu nie zakłócano radosnego dnia. Dowiedział się on bowiem nieco wcześniej, że na pewno otrzyma awans – piątą generalną gwiazdkę. Musiała go dręczyć myśl, iż jego podkomendny, Montgomery, został awansowany już na początku września. Eisenhower zajął się odpisywaniem na listy i wziął udział w ślubie swojego ordynansa, który pobrał się z kobietą z Żeńskiej Służby Pomocniczej (Women's Army Corps, WAC), zatrudnioną w roli kierowcy w jego dowództwie. Oczekiwał wizyty Bradleya na kolacji; zamierzał podzielić się z nim dostawą świeżych ostryg.

Kiedy Bradley przybył, obaj udali się do sali odpraw, aby omówić kwestię uzupełnień. Przerwał im tę naradę jeden ze sztabowców, przynosząc wieści o niemieckim przełamaniu frontu w sektorze ardeńskim. Bradley uważał, że to musi być ograniczona akcja, mająca na celu zakłócenie szykowanego przez Pattona ataku, jednak Eisenhowera nie zawiodło instynktowne przeczucie. Ocenił, iż to coś poważniejszego. Polecił Bradleyowi udzielić jakiegoś wsparcia VIII Korpusowi Middletona. W odwodzie znajdowały się 7. Dywizja Pancerna na północy oraz 10. Dywizja Pancerna w zgrupowaniu Pattona na odcinku południowym. Jak można się było spodziewać, taka zmiana planów nie wprawiła Pattona w zachwyt, niemniej obie wspomniane dywizje otrzymały rozkaz wymarszu. Eisenhower i Bradley udali się na posiłek, ale Bradley miał uczulenie na ostrygi i zadowolił się jajecznicą. Potem rozegrali pięć partii brydża w dwoma oficerami sztabowymi z SHAEF.

Nazajutrz Bradley, który zaczął się obawiać, że jednak błędnie ocenił zaistniałą sytuację, popędził służbowym packardem do swej kwatery polowej w Luksemburgu. Tam dosłownie wbiegł po schodach do sali narad i rzucił okiem na wielką mapę na ścianie. Duże czerwone strzałki oznaczały niemieckie natarcie. „Skąd, u diabła, ten sukinsyn wytrzasnął wszystkie te wojska?" – pytał z niedowierzaniem[3]. Nadal były trudności z uzyskaniem dokładnych informacji. Dalekopisowe połączenie z kwaterą 1. Armii w Spa uległo zerwaniu. Kiedy adiutant Eisenhowera Harry Butcher dotarł do siedziby dowództwa 12. Grupy Armii w Verdun, zauważył, że panująca tam atmosfera przypomina nastroje po klęsce pod Kasserine.

Z kolei w szefostwie 3. Armii rwano się do walki. Dla Pattona kontrofensywa w Ardenach nie stanowiła aż takiego zaskoczenia. Stwierdził: „Świetnie. Powinniśmy otworzyć front i przepuścić ich aż do Paryża. Potem odetniemy ich od zaplecza"[4]. Na północnym odcinku w kwaterze dowództwa 9. Armii wciąż nie pojmowano do końca, co Niemcy zamierzają. Wyjątkowo silne ataki Luftwaffe na formacje tej armii skłaniały do przypuszczeń, iż to „akcja dywersyjna przed większą kontrofensywą w strefie 1. Armii". Alianccy sztabowcy powiadali, że „wszystko zależy od tego, jakie siły Rundstedt ma do dyspozycji"[5]. W kwaterze głównej 1. Armii Hodges albo naprawdę zachorował, jak to się twierdzi w niektórych źródłach, albo też załamał się pod wpływem stresu. To właśnie on bowiem zlekceważył wcześniejsze ostrzeżenia szefa swoich służb wywiadowczych. Tak czy owak już następnego dnia wziął się znowu w garść.

W siedzibie SHAEF 17 grudnia Eisenhower przeanalizował wraz ze sztabowcami wszelkie dostępne informacje, próbując przejrzeć niemieckie zamierzenia i odpowiednio na nie zareagować. Przypuszczano, że Niemcy po prostu starali się wbić klin między 12. a 21. Grupę Armii. Jedynymi rezerwami, jakie pozostały aliantom na bezpośrednim zapleczu frontu, były amerykańskie 82. i 101. Dywizje Powietrznodesantowe, odpoczywające koło Reims po operacji „Market Garden". Po uważnym przestudiowaniu mapy wybrano okolice Bastogne. Trzy kolejne dywizje z Anglii otrzymały rozkaz przygotowania się do niezwłocznego przerzutu na kontynent. Ostatecznie 82. Dywizja Powietrznodesantowa została skierowana do Werbomont, bliżej Spa.

---

[3] Z dziennika Ch.B. Hansena, 17 grudnia 1944 r., dokumentacja Hansena, USAMHI.
[4] H.C. Butcher, *My Three Years with Eisenhower. The Personal Diary of Captain Harry C. Butcher, USNR, Naval Aide to General Eisenhower, 1942–1945*, London 1946, s. 613.
[5] GBP, 17 grudnia 1944 r.

Mylne przypuszczenie, że celem niemieckiej ofensywy była francuska stolica, zataczało coraz szersze kręgi, wywołując alarmistyczne pogłoski. Tymczasem kluczowym elementem niemieckiego planu był desant 6. Pułku Strzelców Spadochronowych pułkownika Friedricha von der Heydtego, który miał uchwycić przeprawę na Mozie, co przyspieszyłoby postępy czynione przez atakujące wojska. Desant ten został zakłócony głównie przez aliancki ogień przeciwlotniczy, a większość spadochroniarzy Heydtego wylądowała poza wyznaczoną strefą zrzutu. Heydte zebrał tak nieliczny oddział, że mógł on tylko ukryć się w pobliżu mostu i obserwować rozgrywające się wydarzenia, oczekując na przybycie pancernych czołówek. Jednakże ten rozproszony na znacznym obszarze zrzut na pewno pogłębił jeszcze zamieszanie panujące po alianckiej stronie.

Niemcy mieli też plan akcji dywersyjnej. Hitler osobiście poinstruował dowódcę oddziałów specjalnych SS Ottona Skorzeny'ego, by ten przeniknął na tyły przeciwnika wraz z niewielkim oddziałem mówiących po angielsku ochotników przebranych w amerykańskie mundury i przemieszczających się w zdobycznych pojazdach US Army. Grupa ta miała zająć inny most na Mozie i generalnie siać zamęt na alianckich tyłach. Główny zespół Skorzeny'ego utknął w gigantycznych drogowych korkach i nie zdołał się przez nie przebić, co wszak udało się kilku pomniejszym grupkom. Osiemnastego grudnia trzej niemieccy dywersanci w jeepie zostali zatrzymani przez aliancki posterunek na szosie. Nie znali hasła. Żołnierze amerykańscy przeszukali ich i odkryli nazistowskie uniformy pod oliwkowymi amerykańskimi mundurami. Choć wspomniani Niemcy zostali schwytani, a ich misja skończyła się fiaskiem, to przed późniejszą egzekucją wywołali dodatkowe zamieszanie, oznajmiając podczas przesłuchania, iż zmierzali do Wersalu, aby zlikwidować generała Eisenhowera.

Eisenhower nie mógł przez pewien czas opuszczać swojej kwatery, pilnie strzeżonej przez wartowników z pistoletami maszynowymi. Krążyły plotki, że członkowie niemieckich oddziałów specjalnych polowali także na Bradleya i Montgomery'ego. Każdy szeregowiec i oficer, bez względu na rangę, był zatrzymywany na punktach kontroli przez amerykańskich żandarmów i wypytywany na temat geografii USA, baseballu oraz różnych innych sprawy, znanych głównie Amerykanom. W Paryżu wprowadzono godzinę policyjną, a SHAEF ogłosiła na dwie doby ciszę informacyjną, co jeszcze bardziej rozznieciło różne domysły.

Ludność zaczynała nabierać przeświadczenia, że Niemcy niebawem ponownie zajmą Paryż. Francuscy kolaboranci przebywający w więzieniu Fresnes przygadywali strażnikom, twierdząc, iż Niemcy rychło wrócą i wypuszczą ich na wolność. Strażnicy odpowiadali na to, że wraz z członkami ruchu oporu pozabijają kolaborantów, zanim wróg stanie u bram stolicy. Histeria dotarła aż do Bretanii, gdzie instytucjom na tyłach polecono przygotować się do ewakuacji. Kapitan Michael R.D. Foot z SAS (Secret Air Service), poważnie ranny, na rekonwalescencji w szpitalu w Rennes, zapytał brytyjską pielęgniarkę o przyczynę wynikłego zamieszania. „Pakujemy się" – odpowiedziała. „Ale co z rannymi, którzy nie nadają się do transportu?" – spytał. „Na pewno zakonnice z sąsiedztwa zaopiekują się wami" – odrzekła mu na to[6].

Opowiadano sobie i inne, bliższe prawdy historie. Siedemnastego grudnia, w drugim dniu ofensywy, esesmani Peipera z formacji „Leibstandarte SS Adolf Hitler" zabili z zimną krwią sześćdziesięciu dziewięciu jeńców wojennych, a potem, podczas tak zwanej masakry w Malmedy, zastrzelili i pozostawili na śniegu kolejnych osiemdziesięciu sześciu. Dwaj jeńcy uciekli i dotarli do alianckich linii. Żądza zemsty wzmagała się, gdy relację z tego zdarzenia przekazywano z ust do ust, i w rezultacie stracono wielu niemieckich jeńców. Pomimo całego tego rozgorączkowania dość wcześnie pojawiły się oznaki, że nie wszystko układa się zgodnie z niemieckimi planami. Niektóre z niedoświadczonych oddziałów 99. Dywizji Piechoty i zaprawionej w bojach 2. Dywizji Piechoty zdołały powstrzymać natarcie 12. Dywizji SS „Hitlerjugend". Potem wycofały się w należytym porządku na naturalną pozycję obronną na wzniesieniach Elsenborn. Szósta Armia Pancerna SS Dietricha nie czyniła spodziewanych postępów, ale przynajmniej zdobyła jeden z pomniejszych alianckich składów paliwowych. Na szczęście dla sprzymierzonych jego wojskom nie udało się zdobyć wielkiego zapasu koło Stavelot, gdzie znajdowało się ponad osiemnaście milionów litrów paliwa.

Utrzymywały się idealne – z niemieckiego punktu widzenia – warunki meteorologiczne, a nisko wiszące chmury uniemożliwiały działania alianckiemu lotnictwu. Piąta Armia Pancerna Manteuffla nieco dalej na południe radziła sobie lepiej od 6. Armii Pancernej SS Dietricha. Po przebiciu obrony bezradnej 28. Dywizji Piechoty zmierzała ku Bastogne. Z kolei doświadczona amerykańska 4. Dywizja Piechoty na południowej flance dzielnie opierała się atakom niemieckiej 7. Armii.

Eisenhower zwołał na 19 grudnia naradę w Verdun. Kryzys ardeński z pewnością wykazał w największym stopniu jego zalety jako naczelnego dowódcy. Wbrew wcześniejszej krytyce jego skłonności do kompromisów i przychylania się do opinii generałów, z którymi się komunikował, tym razem zademonstrował trzeźwy osąd i inicjatywę. Twierdził, że nadarzyła się świetna okazja do maksymalnego osłabienia przeciwnika na otwartej przestrzeni zamiast atakowania jego pozycji obronnych za polami minowymi. Alianckie zadanie polegało na udaremnieniu niemieckim czołówkom pan-

---

[6] Rozmowa autora z M.R.D. Footem, 2 grudnia 2009 r.

cernym sforsowania Mozy. Nieprzyjaciela należało zatrzymać aż do czasu, gdy zmieni się pogoda, a następnie napuścić na niego siły powietrzne. Aby to się powiodło, trzeba było wpierw wzmocnić sektor, w którym wróg chciał się przebić – i dopiero potem przejść do przeciwnatarcia.

Patton, dokładnie informowany o aktualnej sytuacji przez szefa swojego wywiadu, już polecił swym sztabowcom sporządzenie awaryjnego planu, przewidując ewentualność rezygnacji z silnego ataku na Zagłębie Saary na rzecz uderzenia na południowe skrzydło nacierającego niemieckiego ugrupowania. Cieszyła go perspektywa opuszczenia „zagnojonych, podmokłych wsi" Lotaryngii[7]. Niemiecka ofensywa przywodziła mu na myśl wielką akcję zaczepną Ludendorffa z marca 1918 roku – *Kaiserschlacht*. Patton sprawiał wrażenie spokojnego, gdy Eisenhower zwrócił się do niego w tej fazie kryzysu.

„Kiedy może pan zaatakować?" – zapytał go naczelny wódz sił alianckich.

„Dwudziestego drugiego grudnia, siłami trzech dywizji: Czwartej Pancernej, Dwudziestej Szóstej i Ósmej" – odpowiedział Patton. Dla niego była to doniosła chwila. Wszyscy zebrani dowódcy armii i grup armii oraz szefowie ich sztabów patrzyli nań zdumieni. Wspomniany manewr wymagał zwrotu przeprowadzonego przez większość sił armii Pattona o dziewięćdziesiąt stopni, co wiązało się z koszmarem wytyczania na nowo przecinających się linii zaopatrzeniowych. „Zrobiło się niezłe zamieszanie" – zanotował Patton z satysfakcją w swoim dzienniku[8]. Ale Eisenhower uznał, że trzy dywizje to za mało, na co Patton odparł z typową dla niego pewnością siebie, że uda mu się pobić Niemców trzema dywizjami, a jeśli będzie musiał czekać dłużej, to utraci atut w postaci czynnika zaskoczenia. Ostatecznie Eisenhower wyraził zgodę.

Następnego przedpołudnia, 20 grudnia, Bradley, jak można było oczekiwać, zdenerwował się na wiadomość, że Eisenhower postanowił przekazać pod komendę Montgomery'ego amerykańskie 9. i 1. Armię. Rzecz w tym, że Montgomery mógł stale kontaktować się z dowództwami tychże armii, natomiast kwatera główna 12. Grupy Armii w Luksemburgu była odcięta na południu przez wybrzuszenie w linii frontu, powstałe wskutek niemieckiej kontrofensywy. Eisenhower został namówiony do takiej zmiany przez swojego szefa sztabu Bedella Smitha, częściowo w rezultacie chaosu, jaki zapanował w 1. Armii, a także obaw, iż Hodges mógł się zupełnie załamać. Bradley, początkowo zaskoczony przez niemiecką kontrofensywę, lękał się, że takie posunięcie zostanie potraktowane jako wotum nieufności dla jego własnych umiejętności dowódczych. Przede wszystkim jednak zadręczała

---

[7] *The Patton Papers*, t. 2: *1940–1945*, red. M. Blumenson, Boston 1974, s. 589 (9 grudnia 1944 r.).

[8] *Ibidem*, s. 599–600.

go myśl, iż rozbudzi to w Montgomerym aspiracje do objęcia zwierzchnictwa nad wszystkimi wojskami sprzymierzonych w polu. W trakcie trudnej i nerwowej rozmowy telefonicznej Bradley zagroził nawet złożeniem dymisji. Eisenhower, mimo długoletniej przyjaźni, która łączyła go z Bradleyem, nie ustąpił. „Cóż, Brad, to mój rozkaz" – stwierdził na zakończenie[9].

Z kolei Patton był w swoim żywiole, przegrupowując wojska, wzmacniając batalionami niszczycieli czołgów swoje formacje pancerne i szykując się do ataku. Amerykańska 101. Dywizja Powietrznodesantowa dotarła do Bastogne tuż przed pojawieniem się tam 5. Armii Pancernej Manteuffla. W istocie słabe alianckie linie obronne były już tam ostrzeliwane przez nieprzyjaciela z broni ręcznej, gdy na miejsce zajeżdżały ciężarówki z wojskiem. Spadochroniarze luzowali wycofujących się w pośpiechu amerykańskich piechurów, którzy oddawali im amunicję. Pewien oficer z 10. Dywizji Pancernej, stwierdziwszy, jak mało amunicji pozostało, pojechał do składu zaopatrzeniowego i powrócił stamtąd ciężarówką obładowaną nabojami i granatami, podając je przemaszerowującym obok spadochroniarzom. Gdy odgłosy strzelaniny przybrały na sile, żołnierze przystąpili do kopania jam i rowów strzeleckich w zasypanej śniegiem ziemi.

Podobnie jak niemal wszystkie amerykańskie jednostki podczas zmagań w Ardenach, 101. Dywizja Powietrznodesantowa nie była należycie wyekwipowana do walk w warunkach zimowych. Ze względu na problemy logistyczne w trakcie poprzednich trzech miesięcy absolutne pierwszeństwo w dostawach zapewniono materiałom pędnym i amunicji. Większość żołnierzy nadal miała letnie umundurowanie i cierpiała strasznie z powodu zimna, zwłaszcza nocami, kiedy temperatura znacznie spadała. Nie wolno było rozpalać ognisk, gdyż te ściągały od razu ogień niemieckiej artylerii i moździerzy. Liczba odmrożeń stóp wzrosła alarmująco, a przypadłość ta eliminowała z walk duży odsetek ludzi. Ostrzeliwani w okopach, stojąc za dnia w lepkim błocie, które w nocy zamarzało, żołnierze rzadko mieli okazję do zdjęcia butów i osuszenia skarpet. Nie było gdzie się umyć ani ogolić. Wielu zapadło na dyzenterię, a nie mogąc opuszczać okopów, musieli się wypróżniać w hełmy albo w pudełka po racjach żywnościowych. Dokonywano jeszcze straszniejszych odkryć. Dziki z okolicznych lasów zjadały trzewia niepogrzebanych ofiar walk; żołnierzom, którzy jeszcze przed batalią ardeńską urządzali chaotyczne polowania na te zwierzęta, musiało się przewracać w żołądkach na myśl o tym. Większość zobojętniała na widok zwłok, a personel służby zajmującej się rejestracją polowych mogił nie miał innego wyjścia i musiał się do tego przyzwyczaić.

---

[9] Cyt. za: D.K.R. Crosswell, *Beetle. The Life of General Walter Bedell Smith*, Lexington 2010, s. 816.

Mimo że Patton nadal opowiadał się za planem wpuszczenia Niemców dalej, aby później tym łatwiej ich rozbić, pogodził się z decyzją Bradleya, że kluczowego węzła drogowego, jakim było Bastogne, należy bronić za wszelką cenę. Sto Pierwszej Dywizji Powietrznodesantowej zapewniono wsparcie dwóch bojowych zgrupowań pancernych, dwóch kompanii niszczycieli czołgów oraz batalionu artylerii, któremu brakowało pocisków do dział. Całą nadzieję pokładano w poprawie pogody, aby samoloty transportowe C-47 mogły zrzucać na spadochronach okrążonym oddziałom zasobniki z amunicją i innymi zapasami.

Montgomery także nie próżnował. Kiedy tylko uświadomił sobie, co zagraża jego tyłom, przerzucił XXX Korpus Horrocksa na pozycję obronną na północno-zachodnim brzegu Mozy, by zabezpieczyć tamtejsze mosty. Tak się złożyło, że Eisenhower miał w tym samym czasie plan wysadzenia mostów na Mozie, aby Niemcy nie opanowali tych przepraw.

Zaraz po tym jak Montgomery dowiedział się od Eisenhowera, że przekazano pod jego komendę 1. Armię, pojechał do Spa. Przybył do kwatery Hodgesa, by przytoczyć słowa jednego z jego sztabowców, „niczym Chrystus mający oczyścić świątynię"[10]. Najwyraźniej Hodges początkowo znajdował się w stanie szoku, niezdolny do podjęcia jakiejkolwiek decyzji. Wyszło na jaw, że od dwóch dni nie porozumiał się z Bradleyem, wobec czego Eisenhower postąpił słusznie, wzywając na pomoc „Monty'ego".

To, co Patton nazwał „wyprawą po kasztany", mogło się zacząć, zgodnie z decyzją Eisenhowera, 22 grudnia. „Powinniśmy wedrzeć się głęboko w trzewia wroga i przeciąć jego linie zaopatrzeniowe – napisał do żony. – Przeznaczenie wzywa mnie pospiesznie, kiedy robi się gorąco. Może Bóg naznaczył mnie do tego"[11].

Jednakże bieg wydarzeń już przybierał obrót korzystny dla Amerykanów dzięki determinacji i odwadze żołnierzy US Army. Na północnym skraju strefy przełamania V Korpus, dowodzony przez zaprzyjaźnionego od dawna z Eisenhowerem „Gee" Gerowa, bronił pasma wzniesień Elsenborn siłami zbieraniny oddziałów piechoty, niszczycieli czołgów, saperów i przede wszystkim artylerii. Wojskom tym udało się odeprzeć atak 12. Dywizji Pancernej SS „Hitlerjugend" w nocy 20 grudnia oraz następnego dnia. Ogółem na opuszczonych przez nieprzyjaciela pozycjach naliczono po tym starciu zwłoki siedmiuset osiemdziesięciu dwóch niemieckich żołnierzy[12].

---

[10] Cyt. za: N. Hamilton, *Montgomery. Master of the Battlefield, 1942–1944*, London 1985, s. 213.
[11] List z 21 grudnia 1944 r., *The Patton Papers*, t. 2, *op. cit.*, s. 603.
[12] H.R. Winton, *Corps Commanders of the Bulge. Six American Generals and Victory in the Ardennes*, Lawrence, KS 2007, s. 135.

Montgomery nie pojmował, z jaką zaciętością i brawurą formacje amerykańskie broniły skrajów strefy przełamania frontu. Zamiast tego skupił się tylko na bałaganie zastanym w dowództwie 1. Armii oraz na własnej roli w uporządkowaniu chaosu. Marszałek polny Brooke bardzo się obawiał o zachowanie „Monty'ego", gdy ów ostatecznie otrzyma upragnione dowództwo, a bieg wypadków potwierdzał słuszność tych niepokojów.

Podczas spotkania z Bradleyem w pierwszym dniu bożonarodzeniowych świąt Montgomery stwierdził, że sytuacja pogorszyła się od czasów walk w Normandii, ponieważ nie uwzględniano jego rad. Bradley aż kipiał ze złości, ale słuchał tego w milczeniu. Wykazując się niezrównaną próżnością, Montgomery uznał, podobnie jak wcześniej w Normandii, że milczenie to oznacza zgodę na wszystko, co powiedział.

Bradley udał się na spotkanie z Montgomerym, aby skłonić go do niezwłocznego przeprowadzenia przeciwuderzenia. Tym razem jednak Montgomery prawie na pewno miał rację, nie spiesząc się z tym. Błyskawiczna reakcja Pattona niewątpliwie zaskoczyła Niemców, lecz rzucając do ataku zaledwie trzy dywizje, a nie sześć, jak chciał Eisenhower, doprowadził do przedłużenia czasu walk o Bastogne zamiast szybszego ich rozstrzygnięcia. Montgomery, z typowym dla siebie kunktatorstwem, wolał najpierw zablokować wyłom i dopiero później go zlikwidować. Nie określił dokładnej daty, kiedy miało to nastąpić, gdyż musiał mieć pewność, iż poprawa pogody pozwoli na wprowadzenie do walki alianckich sił powietrznych.

Tymczasem pogoda jeszcze się pogorszyła, znacznie ograniczając działania lotnictwa. Poza nalotem na Trewir, w którym wzięły udział również ciężkie bombowce Harrisa, samoloty aliantów nie wskórały wiele i wcale nie z powodu bierności czy niedostatecznej współpracy. Coningham, Nowozelandczyk, który w tym czasie dowodził 2. Armią Lotnictwa Taktycznego RAF-u, znakomicie się dogadywał z Quesadą. Niebo zaczęło się przejaśniać dopiero 23 grudnia. Dwa dni później nadeszła „zimna Gwiazdka, wyborna pogoda do zabijania Niemców" – jak napisał w swoim dzienniku Patton[13]. Alianckie lotnictwo nie zaprzepaściło tej okazji. Thunderbolty P-47 i typhoony RAF-u przeprowadziły serię dobrze zgranych nalotów szturmowych, a myśliwce owego dnia odpierały akcje samolotów Luftwaffe, które wykonały dziewięćset lotów bojowych. Sprzymierzeni szybko wywalczyli panowanie w powietrzu. Po tygodniu Niemcy przeprowadzali już tylko około dwustu lotów bojowych dziennie.

Amerykańskie wojska lądowe wielce podziwiały lotników IX Taktycznych Sił Powietrznych Quesady za ich brawurę, lecz ci ostatni znani też byli z pomyłek nawigacyjnych i błędnego rozpoznawania. W październi-

---

[13] *The Patton Papers*, t. 2, *op. cit.*, s. 606 (25 grudnia 1944 r.).

ku, gdy rzucono ich do ataku na konkretne umocnienia Wału Zachodniego w Niemczech, żaden z pilotów nie odszukał wyznaczonego celu. Jedna z maszyn zrównała nawet z ziemią belgijską osadę górniczą Genk, zabijając tam i raniąc osiemdziesięciu cywilów. Trzydziestej Dywizji dostało się bardzo od własnych lotników, gdy dotarła do Malmedy. Był to trzynasty przypadek od chwili desantu w Normandii, gdy alianckie wojska lądowe zostały zaatakowane przez własne lotnictwo, a amerykańscy żołnierze zaczęli nawet nazywać lotników Quesady „amerykańską Luftwaffe"[14]. Zdawało się to potwierdzać trafność niemieckiego dowcipu, wedle którego od czasu walk w Normandii „jeśli nadlatują Brytyjczycy, to się chowamy, jeżeli Amerykanie – chowają się wszyscy, a jeśli Niemcy, to nie czyni tego nikt".

Pierwszego stycznia 1945 roku Luftwaffe na rozkaz Göringa maksymalnie nasiliła działania, a osiemset myśliwców zebranych w całych Niemczech przeprowadziło uderzenia na alianckie lotniska. Aby wykorzystać element zaskoczenia, nadleciały lotem koszącym, poniżej strefy penetrowanej przez radary sprzymierzonych. Wymóg zachowania ścisłej tajności do czasu rozpoczęcia owej operacji, noszącej kryptonim „Bodenplatte", sprawił jednak, że wielu niemieckich pilotów otrzymało nieprecyzyjne rozkazy, a jednostek niemieckiej artylerii przeciwlotniczej w ogóle nie powiadomiono o tej akcji[15]. Szacuje się, że prawie setka maszyn Luftwaffe została wtedy zestrzelona przez własne baterie przeciwlotnicze. Łącznie alianci stracili około stu pięćdziesięciu samolotów, a Niemcy blisko trzysta, przy czym dwustu czternastu pilotów zginęło bądź trafiło do niewoli. Oznaczało to dla Luftwaffe ostateczne upokorzenie. Od tej pory potędze powietrznej sprzymierzonych nic już poważniej nie zagrażało.

Kiedy 27 grudnia 1944 roku pierścień okrążenia wokół Bastogne został ostatecznie przełamany, na Montgomery'ego zaczęto wywierać naciski, aby do 3 stycznia przeszedł do kontrataku. Brytyjski marszałek polny nadal jednak pochłonięty był obsesyjnie kwestiami związanymi z kompetencjami poszczególnych dowódców. Brooke miał powody do niepokoju; oto bowiem „Monty" zaczął pouczać Eisenhowera tonem, jakim wcześniej rozmawiał z Bradleyem. „Zdaje mi się – zapisał Brooke w swoim dzienniku – że Monty, z wrodzonym brakiem taktu, łajał Ike'a za rezultaty niesłuchania jego, Monty'ego, rad! Za dużo »A nie mówiłem?« jak na wypracowanie pożądanych przyjacielskich stosunków między nimi"[16]. Ponownie Eisenhower nie

[14] J. Ellis, *The Sharp End. The Fighting Man in World War II*, London 1993, s. 72.
[15] H.R. Winton, *Corps Commanders of the Bulge*, op. cit., s. 213–215.
[16] A. Brooke (lord Alanbrooke), *War Diaries, 1939–1945*, London 2001, s. 638 (23–30 grudnia 1944 r.).

zareagował szorstko, a to skłoniło Montgomery'ego do napisania nieszczęsnego „pisma uzupełniającego", w którym wyłożył własne poglądy w dziedzinie strategii i stwierdził, że powinno się przekazać właśnie jemu dowodzenie 12. Grupą Armii Bradleya.

Generała Marshalla rozdrażniło również nastawienie brytyjskiej prasy, wtórującej Montgomery'emu i nawołującej do utworzenia zupełnie niezależnego brytyjskiego dowództwa. W związku z tym napisał do Eisenhowera, przekonując go, by nie szedł na żadne ustępstwa. To, w połączeniu z pismem od Montgomery'ego, skłoniło Eisenhowera do sporządzenia szkicu depeszy do Połączonego Komitetu Szefów Sztabów, w którym zasadniczo stwierdził, że jeśli Montgomery nie zostanie zastąpiony, najlepiej przez Alexandra, on sam, Eisenhower, ustąpi ze stanowiska. Szef sztabu Montgomery'ego de Guingand dowiedział się o tym ultimatum. Przekonał Eisenhowera, by ów wstrzymał się z wysyłaniem go przez dobę, a sam pospieszył do Montgomery'ego z przygotowanym już wcześniej tekstem przeprosin, w którym proszono Eisenhowera o podarcie rzeczonego, wcześniejszego pisma od „Monty'ego". Montgomery został usadzony, ale tylko na pewien czas.

Wprowadzenie przez Eisenhowera do walk o Ardeny 3. Armii Pattona wywołało liczne skutki uboczne nieco dalej na południu. Devers musiał przejąć część frontu Pattona, co oznaczało konieczność przerzucenia wojsk z południa i wycofania ich z okolic Strasburga w celu wzmocnienia linii obronnych. De Gaulle, którego opinii w tej kwestii nie zasięgnięto zawczasu, zaprotestował gwałtownie, dowiedziawszy się o tym. Perspektywa oddania przeciwnikowi Strasburga zaledwie ponad miesiąc od chwili wyzwolenia tego miasta zagrażała stabilności rządu de Gaulle'a. Implikacje polityczne były o wiele głębsze, aniżeli uświadamiał to sobie Eisenhower.

Trzeciego stycznia, pod wpływem nalegań Churchilla, w kwaterze głównej Eisenhowera w Wersalu odbyła się konferencja z udziałem de Gaulle'a, Churchilla i Brooke'a. Eisenhower przyznał, że Strasburg ostatecznie można utrzymać, a de Gaulle tak się zagalopował, iż niezwłocznie opracował szkic oficjalnego komunikatu. Szef jego gabinetu Gaston Palewski zaniósł ten dokument do ambasady brytyjskiej, aby najpierw pokazać go Duffowi Cooperowi, ambasadorowi Wielkiej Brytanii. Wedle tego chełpliwego oświadczenia to „de Gaulle zwołał naradę wojskową, do uczestnictwa w której dopuszczono premiera [Churchilla] oraz Eisenhowera"[17]. Duff Cooper zdołał nakłonić Palewskiego do złagodzenia tonu treści tego komunikatu.

---

[17] DCD, 4 stycznia 1945 r.

Zaopatrywane z powietrza Bastogne doczekało się odsieczy, jednak zaraz po tym jak Niemcy zrozumieli, że nie dotrą nawet do Mozy, skoncentrowali ataki na tym mieście. Tymczasem Hitler postanowił przeprowadzić następną kontrofensywę w Alzacji, pod kryptonimem „Nordwind". Była to w zasadzie operacja dywersyjna i nie dała Niemcom wiele.

Przeciwnatarcie Montgomery'ego zaczęło się ostatecznie 3 stycznia. Walki były zaciekłe, a ich prowadzenie utrudniały zaspy śniegu, niemniej jednak ich wynik raczej nie budził wątpliwości. Cztery dni później znowu doszedł do głosu egoizm Montgomery'ego, gdy ów zwołał konferencję prasową. Churchill udzielił na nią zgody, ponieważ Montgomery obiecał mu, że przyniesie ona zacieśnienie alianckiej jedności. Faktycznie jej skutek był odwrotny. Montgomery, choć pochwalił bojowość amerykańskich żołnierzy i podkreślał swoją lojalność wobec Eisenhowera, dał do zrozumienia, iż prawie samodzielnie pokierował stoczoną batalią, do której Brytyjczycy wnieśli kolosalny wkład. Przerażeni Churchill i Brooke niezwłocznie „przedyskutowali wszelkie szkody wyrządzone przez wywiad prasowy Monty'ego"[18]. Churchill sporządził oświadczenie dla brytyjskiego parlamentu, podkreślając, że była to bitwa Amerykanów, a udział w niej Brytyjczyków był znikomy. Ale wzajemne relacje sprzymierzonych i tak doznały uszczerbku.

Sojusz brytyjsko-amerykański ucierpiał w tym okresie także pod wpływem wydarzeń w południowo-wschodniej Europie oraz determinacji Churchilla, by uchronić Grecję przed rządami komunistów. Niemiecki krach militarny na Bałkanach, przyspieszony w październiku postępami Armii Czerwonej w Rumunii i na Węgrzech, doprowadził do wybuchu w Grecji otwartej wojny domowej. Wypadki w Grecji potwierdzały, że druga wojna światowa powoli przechodzi w nowy, utajony globalny konflikt.

Straszliwa okupacja, naznaczona głodem i ruiną gospodarki kraju, przyczyniła się do silnej radykalizacji nastrojów greckiej ludności, przed wojną konserwatywnej pod względem społecznym. Właśnie ten instynktowny zwrot w lewo, często bez wyraźnej podbudowy ideologicznej, zapewnił masowe poparcie ruchowi EAM-ELAS. Organizacja EAM, choć kierowana przez komunistów, charakteryzowała się wieloma sprzecznościami politycznymi, znajdującymi odzwierciedlenie w odmiennych światopoglądach, a zwłaszcza w zapatrywaniach na socjalizm i wolność. Reforma rolna i emancypacja kobiet stanowiły źródła największych sporów. Zasadniczo zgadzano się jedynie co do tego, że tradycyjny system polityczny, a zwłaszcza monarchia, nie nadaje się do rozwiązania problemów, w których obliczu stanęła Grecja. Nawet sami przywódcy komunistyczni nie zgadzali się

---

[18] A. Brooke (lord Alanbrooke), *War Diaries, op. cit.*, s. 644 (8 stycznia 1945 r.).

z sobą i nie mieli pewności, czy dążyć do przejęcia władzy metodami demokratycznymi, czy też zdobyć ją za pomocą siły zbrojnej.

Na kilka miesięcy przed „nieformalnym" porozumieniem z Churchillem na temat stref wpływów Stalin wysłał do Grecji misję wojskową. Jej członkom kazano ostrzec Grecką Partię Komunistyczną (Kommunistikó Kómma Elládas, KKE), aby „liczyła się z geopolitycznymi realiami i współpracowała z Brytyjczykami"[19]. Fakt ten jasno tłumaczy, dlaczego Stalin musiał skrywać rozbawienie, zapoznając się z przedstawionym mu przez Churchilla w jego kremlowskim gabinecie „układem procentowym".

Pomimo przestróg Stalina w EAM-ELAS dominowały silne nastroje antybrytyjskie, ponieważ Churchill popierał greckiego króla Jerzego II, zdecydowanego na powrót do kraju zaraz po opuszczeniu Grecji przez Niemców. Brytyjscy oficerowie z Kierownictwa Operacji Specjalnych (SOE) zdołali nieco wcześniej wynegocjować zakończenie walk między EAM-ELAS a niekomunistycznym ugrupowaniem EDES. Potem, w kwietniu 1944 roku, EAM ogłosiła „rewolucyjne wybory", usiłując tym samym uzyskać jakiś rodzaj legalnych uprawnień do przejęcia władzy. Nie trzeba dodawać, że w wyborach tych mogli zwyciężyć wyłącznie kandydaci EAM. Jorgos Papandreu odrzucił propozycje składane mu przez EAM, nie chcąc odgrywać roli figuranta ani listka figowego w rządzie sterowanym zakulisowo przez komunistów. Zamiast tego stanął na czele greckich władz na uchodźstwie z siedzibą w Kairze. Jednakże innych polityków centrolewicy przekonano do udziału w wyborach.

EAM-ELAS nasiliła prześladowania tych, którzy jej się przeciwstawiali, określając ich mianem zdrajców lub wrogów ludu. Kolaboranckie władze w Atenach za namową Niemców zorganizowały bataliony bezpieczeństwa do walki z EAM-ELAS. Na terror odpowiedziano terrorem. Począwszy od marca, bataliony te wraz z żandarmerią toczyły w Atenach okrutne walki z partyzantami ELAS. Wielu ze schwytanych bojowników ELAS zesłano do Niemiec na roboty przymusowe. Bataliony bezpieczeństwa próbowały się jakoś zrehabilitować, gdy Niemcy szykowali się do opuszczenia Grecji. Częściej ułatwiano ucieczki więzionym. Do Kairu docierały informacje zapewniające greckie władze emigracyjne oraz Brytyjczyków, że bataliony bezpieczeństwa nie będą im utrudniały wyzwolenia kraju i powitają ich z otwartymi rękami.

Na początku września oferta pokojowa została również wystosowana do EAM-ELAS, która jednak ją odrzuciła, mimo że większość ludności prag-

---

[19] M. Mazower, *Inside Hitler's Greece. The Experience of Occupation 1941–44*, New Haven 1993, s. 268. Przytoczony w niniejszym fragmencie opis wydarzeń w Grecji powstał głównie na podstawie wspomnianego, znakomitego opracowania autorstwa Mazowera.

nęła zakończenia walk. Rozgorzały na nowo starcia uliczne. Wojska niemieckie, które nadal znajdowały się na obszarze Grecji, obawiały się odcięcia przez nacierającą nieco dalej na północy Armię Czerwoną, a żołnierze nieniemieckiej narodowości, przymusowo wcieleni do Wehrmachtu, zaczęli masowo dezerterować. Odwrót rozpoczął się na początku października, przy czym wielu kolaborantów uciekało wraz z okupantami na północ, aby uchronić się przed krwawym odwetem *andartes*, czyli greckich partyzantów. EAM--ELAS usiłowała zaprowadzić porządek tam, gdzie była to w stanie uczynić, choćby tylko po to, aby odegrać rolę władz tymczasowych, ale w różnych regionach Grecji sytuacja przedstawiała się bardzo odmiennie. Dwunastego października, po zdjęciu flagi ze swastyką, która powiewała na Akropolu, ostatni Niemcy opuścili Ateny. Rozradowane tłumy wyległy na ulice, a EAM-ELAS zorganizowała wielką demonstrację, w czasie której ludzie skandowali: *„Laokratia!"* („Rządy ludu!").

Brytyjskie oddziały III Korpusu generała porucznika Ronalda Scobiego witano serdecznie, gdy niebawem przybyły do Grecji. Brytyjska polityka wobec Grecji uwarunkowana była jednak częściowo monarchistycznymi sympatiami Churchilla, nieznajomością lokalnych warunków i miejscowych realiów politycznych, a przede wszystkim żywionym przez premiera zamiarem niedopuszczenia do tego, by Grecja znalazła się w radzieckiej strefie wpływów. Jorgos Papandreu, który stanął na czele rządu jedności narodowej, gdzie początkowo znalazło się kilku członków EAM, wprowadził do swej administracji znanych prawicowców powiązanych z batalionami bezpieczeństwa. Churchill nie był w nastroju na kompromisy, zwłaszcza po porozumieniu zawartym ze Stalinem. Udzielił Scobiemu – najbardziej wyrobionemu politycznie spośród swoich generałów – niedwuznacznych wskazówek, nakazując mu ostro reagować na wypadek jakichkolwiek napaści na brytyjskich żołnierzy. Drugiego grudnia przedstawiciele EAM w składzie greckiego rządu ustąpili z zajmowanych stanowisk w proteście przeciwko rozkazom rozbrajania *andartes*. Władze planowały utworzenie gwardii narodowej, do której przyjmowano wielu członków znienawidzonych batalionów bezpieczeństwa. Podczas masowej demonstracji, zwołanej następnego dnia przez EAM na ateńskim placu Syntagma, policja otworzyła ogień – albo pod wpływem napięcia nerwowego, albo też w odpowiedzi na strzały. Lewica twierdziła, że była to świadoma prowokacja, która miała doprowadzić do wybuchu walk. Zaatakowano posterunki policyjne w mieście. Brytyjskim żołnierzom nie czyniono krzywdy, niemniej jednak Scobie wysłał oddziały do zaprowadzenia porządku w Atenach. Te zostały ostrzelane przez bojowników ELAS. Doszło do eskalacji starć, a gdy sytuacja wymknęła się spod kontroli, beaufightery i spitfire'y RAF-u zaatakowały z powietrza pozycje ELAS – co okazało się kardynalnym błędem. ELAS przystąpiła do masowego zabijania „reakcyjnych" rodzin w stolicy, biorąc zakładników w Atenach i Salonikach.

Harold Macmillan, nadal sprawujący funkcję ministra-rezydenta w regionie śródziemnomorskim, oraz Rex Leeper, brytyjski ambasador, przekonali Churchilla, że król nie powinien powracać do Grecji, zanim nie odbędzie się tam plebiscyt. Churchill niechętnie zgodził się na wysuniętą przez nich propozycję ustanowienia regenta w osobie arcybiskupa Damaskina. Grecki król Jerzy zareagował na to wybuchem wściekłości, sprzeciwiając się zarówno pomysłowi regencji, jak i nominacji Damaskina. Amerykańska prasa zaczęła ostro potępiać brytyjską politykę. W naiwnej wierze, iż bojownicy ruchu oporu walczący z Niemcami to szlachetni bojownicy o wolność, Amerykanie przymykali oko na krwawe represje, których dopuszczali się zwolennicy Tity w Jugosławii, a także na prześladowania polskiej Armii Krajowej przez Stalina. Amerykańscy dziennikarze nadal atakowali Churchilla jako imperialistę, lekceważącego zasadę samostanowienia narodów zawartą w Karcie atlantyckiej. Zamiast pięciu tysięcy brytyjskich żołnierzy, którzy, jak początkowo sądzono, mieli przywrócić porządek w Grecji, ostatecznie przerzucono tam osiemdziesiąt tysięcy ludzi w celu rozbrojenia formacji partyzanckich. Admirał King usiłował protestować przeciwko wykorzystaniu okrętów i barek desantowych do transportowania wojsk z Włoch do Grecji.

Churchill zetknął się też z surową krytyką w Izbie Gmin, lecz niewzruszone przekonanie, że tylko on sam może ocalić Grecję od komunizmu, skłoniło go do udania się samolotem do Aten w Wigilię. Miasto to uznano za strefę objętą walkami, więc Churchill rozlokował się na pokładzie krążownika HMS „Ajax" zakotwiczonego opodal Zatoki Falerońskiej. Na okręt ów przybył arcybiskup Damaskin, wysoki i majestatyczny dostojnik w szatach liturgicznych. Churchill, wcześniej nastawiony nieprzychylnie do Damaskina, poznawszy się z nim osobiście, od razu uległ jego czarowi. Nazajutrz Churchill, Anthony Eden, Macmillan oraz ich pomocnicy zostali przewiezieni w opancerzonych pojazdach pod silną eskortą przez pogrążone w walkach ulice do gmachu brytyjskiej ambasady. Budynek ten, wedle słów jednego z historyków, „przypominał obleganą placówkę w czasach powstania sipajów", a żona ambasadora „prowadziła domostwo z odwagą i energią godną dramatu z epoki wiktoriańskiej"[20].

Konferencja mająca doprowadzić do przerwania ognia rozpoczęła się tego samego popołudnia w siedzibie greckiego Ministerstwa Spraw Zagranicznych. Spotkaniu przewodniczył Damaskin, a wzięli w nim udział także delegaci różnych greckich ugrupowań oraz przedstawiciele amerykańscy,

---

[20] M. Hastings, *Finest Years. Churchill as Warlord, 1940–45*, London 2009, s. 536.

francuscy i sowieccy. Churchill zaczepił rosyjskiego pułkownika Gieorgija Popowa i wyjaśnił mu bez ogródek, że zaledwie kilka tygodni wcześniej odbył bardzo owocne rozmowy z marszałkiem Stalinem. Popow nie miał wyboru i był zmuszony mu się podporządkować.

Zebrani musieli czekać na reprezentantów ELAS, zatrzymanych u wejścia, gdyż nie byli skłonni oddać broni. Ostatecznie jedynym uzbrojonym człowiekiem na tym spotkaniu był brytyjski premier, który przyniósł z sobą mały pistolet schowany w kieszeni. Churchill wymienił powitalne uściski dłoni z „trzema zapyziałymi desperatami", jak określił potem przybyłych bojowników[21]. Otworzył naradę, oświadczając, że to, czy Grecja będzie monarchią, czy też republiką, zależy wyłącznie od Greków. Następnie wraz z pozostałymi nie-Grekami wstał i opuścił pomieszczenie, powierzając kierowanie obradami Damaskinowi.

Następnego dnia Churchill dowiedział się, że rozmowy miały nerwowy, chwilami wręcz burzliwy przebieg. W pewnym momencie były dyktator generał Nikolaos Plastiras wykrzyknął do jednego z komunistycznych delegatów: „Siadaj, rzeźniku!". Damaskin ogłosił ustąpienie Papandreu ze stanowiska premiera i objęcie tej funkcji przez generała Plastirasa, który jednak musiał się jej zrzec, kiedy wyszło na jaw, że w czasie okupacji wysunął swoją kandydaturę na szefa kolaboranckich władz.

Walki w Atenach przeciągnęły się do nowego roku, a wtedy *andartes* wycofali się z miasta, nie mogąc sprostać przewadze silnych wojsk brytyjskich. To niechlubne zwycięstwo Brytyjczyków doprowadziło do wyniesienia do władzy w Grecji rządu, który nie mógł zasługiwać na miano liberalnego. Grecka wojna domowa, w której obie strony dopuszczały się okrucieństw, potrwała z mniejszym lub większym natężeniem do 1949 roku. Jednakże interwencja upartego Churchilla przynajmniej uchroniła ten kraj od losu jego wschodnioeuropejskich sąsiadów z północy, zmuszonych przez ponad cztery dekady do znoszenia radzieckiej tyranii.

Na tyłach zachodnich aliantów, w Belgii, również doszło to poważnych rozruchów. Radość z wyzwolenia we wrześniu 1944 roku przeszła w trakcie jesieni w nastroje rozgoryczenia i rozżalenia. Rząd na uchodźstwie pod kierownictwem Huberta Pierlota wrócił do Belgii i okazał się niezdolny do uporania się z problemami tego kraju. Wcześniej pół miliona Belgów wywieziono do pracy przymusowej w Niemczech, więc w samej Belgii wystąpiły dotkliwe braki siły roboczej. Wydobycie węgla spadło do jednej dziesiątej w porównaniu z poziomem przedwojennym, co oznaczało nieustanne przerwy w dostawach elektryczności przez większość dni. Sieć kolei nie działała, częściowo wskutek alianckich bombardowań, ale

---

[21] *Ibidem*, s. 537.

także w rezultacie zniszczeń poczynionych przez Niemców w trakcie ich pospiesznego odwrotu[22].

Najbardziej kontrowersyjną kwestię stanowiły aresztowania i karanie kolaborantów oraz zdrajców. Dziewięćdziesiąt tysięcy członków belgijskiego ruchu oporu wyrażało oburzenie z powodu nieudolności ministrów, którzy spędzili wojnę na wygnaniu, a po powrocie nie potrafili zrozumieć surowej rzeczywistości okupacyjnej i gniewu na tych, którzy się wtedy dorobili. Alianckie władze wojskowe oceniały, że około czterystu tysięcy Belgów kolaborowało z Niemcami, jednak aresztowano zaledwie sześćdziesiąt tysięcy z nich. Wielu zresztą odzyskało wolność z końcem roku, a ci, którzy stanęli przed sądem, dostali wyjątkowo łagodne wyroki.

Eisenhower próbował przywrócić spokój. Drugiego października wydał rozkaz, w którym składając hołd członkom belgijskiego ruchu oporu za ich dzielność, nakazał im jednak złożenie broni. Komunistyczny odłam podziemia, Front de l'Indépendence, był zdecydowany przeciwstawić się legalnym władzom. Pierlot ostrzegał SHAEF o krążących plotkach na temat szykowanego przez komunistów powstania, na co Brytyjczycy w pośpiechu uzbroili belgijską policję. W listopadzie rozmieszczono w Belgii brytyjskie wojska, aby chroniły najważniejsze gmachy, podczas gdy komuniści zorganizowali wielką demonstrację, przywożąc na nią protestujących i strajkujących.

Dla belgijskiej ludności cywilnej wojenne nieszczęścia jeszcze się nie skończyły. Latające bomby V-1 i rakiety V-2 spadające na Liège i głównie na Antwerpię zabijały i raniły wiele osób. Na licznych obszarach objętych owej jesieni walkami rodziny zawczasu uciekły z domów, lecz w trakcie grudniowej kontrofensywy w Ardenach mało kto zdążył zbiec przed błyskawicznym niemieckim atakiem[23].

Kampfgruppe Peipera z 1. Dywizji Pancernej SS mordowała nie tylko amerykańskich jeńców. Mściła się też na Belgach, którzy z taką satysfakcją patrzyli na odwrót Niemców trzy miesiące wcześniej. Rankiem nazajutrz po masakrze w Malmedy oddziały Peipera wkroczyły do Stavelotu i rozstrzelały tam dziewięciu cywilów. Wtedy jednak okazało się, że zostały zablokowane przez wojska amerykańskie od północy, a część amerykańskiej 30. Dywizji wysadziła w powietrze mosty na ich tyłach.

Dowodzeni przez Peipera żołnierze Waffen-SS, nastawieni na natarcie ku Mozie, wyładowywali swoją wściekłość na napotykanych po drodze ludziach. W trakcie kolejnych dni zabili około stu trzydziestu mężczyzn, kobiet i dzieci, mordując pojedyncze rodziny i większe grupy. W sumie

---

[22] Por. W.I. Hitchcock, *Liberation. The Bitter Road to Freedom, Europe 1944–1945*, London 2008, s. 64–69.

[23] Por. *ibidem*, s. 81–90.

podczas walk w Ardenach zginęło blisko trzy tysiące cywilów – z tego oczywiście wielu od alianckich bomb i pocisków artyleryjskich. W Malmedy, na skutek pomyłkowego ataku samolotów IX Taktycznych Sił Powietrznych na własne oddziały, poległo oprócz trzydziestu siedmiu amerykańskich żołnierzy także dwustu dwóch cywilów. Ci, którzy utknęli w ogniu walk pod Sankt Vith, Houffalize, Sainlez, La Roche-en-Ardenne i w innych miejscowościach, próbowali chować się w piwnicach, lecz domy zawalały się na ich głowy lub płonęli żywcem od fosforowych bomb i pocisków. Nie więcej niż dwadzieścia osób cywilnych straciło życie w Bastogne od ostrzału niemieckiej artylerii – miasto to nie stało się bowiem celem alianckich nalotów powietrznych.

Niemcy rabowali bez skrupułów, ale i żołnierze alianccy okazali się pod tym względem niewiele lepsi. Czasem taki zabór mienia bywał uzasadniony, gdy oddziały znalazły się w okrążeniu bez zapasów żywności lub kiedy rekwirowały koce, by chronić się przed zimnem, albo prześcieradła, służące za maskujące płachty wśród śniegów. Częściej jednak cynicznie korzystano z okazji stwarzanych przez działania wojenne. Zniszczenia domów i innych budynków były czymś znacznie gorszym. Miasto Sankt Vith zostało zrównane z ziemią, a ocalałym, podobnie jak w wielu innych miejscowościach, nie pozostało nic.

Ardeńska kontrofensywa ostatecznie przyniosła Niemcom dotkliwą klęskę. Stracili połowę czołgów i dział, ponosząc też ciężkie straty w ludziach – 12 652 zabitych, 38 600 rannych i trzydzieści tysięcy zaginionych; większość z tych ostatnich trafiła do alianckiej niewoli. Amerykanie w trakcie tych zmagań stracili 10 276 poległych, 47 493 rannych i 23 218 zaginionych żołnierzy.

Ludność Belgii ucierpiała poważnie, ale większość Holendrów miała się jeszcze gorzej. Nawet ci na terenach wyzwolonych przez sprzymierzonych głodowali, a kanadyjscy, brytyjscy i amerykańscy żołnierze napotykali żebrzących o jedzenie albo kobiety proponujące im seks w zamian za żywność. Sytuację znacznie pogorszyło zalanie ziem ornych po rozmyślnym zniszczeniu grobli, co miało ułatwić Niemcom prowadzenie obrony.

Holandia na północ od Mozy miała pozostać pod niemiecką kontrolą do samego końca wojny, a poczynania okupantów pogarszały tam klęskę głodu. Kiedy zastrajkowali kolejarze, aby pomóc w ten sposób wojskom sprzymierzonych w czasie operacji „Market Garden", Arthur Seyss-Inquart, Austriak stojący na czele Komisariatu Rzeszy w okupowanej Holandii, w odwecie wstrzymał całkowicie import żywności do kraju. Ludność musiała jeść cebulki tulipanów i resztki buraków cukrowych, których Niemcy nie zabrali. Dzieci zapadały na krzywicę, a niedożywienie narażało wszystkich na różne schorzenia, zwłaszcza dur brzuszny i dyfteryt. Seyss-Inquart wsławił się wcześniej okrucieństwami w okupowanej Polsce, zanim przybył do Holandii niedługo po jej podboju w maju 1940 roku. Poza Grecją właśnie Holandia była najbardziej skrupulatnie ograbianym krajem zachodniej Europy. Już w październiku 1944 roku stało się jasne, że za sprawą poczynań Niemców sytuacja na tym obszarze była tragiczna[24].

Holenderskie władze emigracyjne zwróciły się do Churchilla z prośbą o zezwolenie Szwecji na przesłanie żywności do okupowanego kraju, ale brytyjski premier zdecydowanie zaoponował. Uważał, że Niemcy po prostu sami przejmą te artykuły spożywcze. Z kolei zarówno Eisenhower, jak i brytyjscy sztabowcy uważali, że w tym wypadku należy jednak podjąć ryzyko, w trakcie zimy Szwedzi przetransportowali więc statkami do Amsterdamu dwadzieścia tysięcy ton żywności. Dzięki temu zachowało życie wiele osób, które w przeciwnym razie zmarłyby z głodu, lecz była to ledwie kropla w morzu potrzeb. Brytyjskie dowództwo, choć odnoszące się ze współczuciem do Holendrów, nie miało zamiaru zaprzestać minowania niemieckich wód przybrzeżnych i pozwolić nieprzyjacielowi na korzystanie z Kanału Kilońskiego.

Królowa Wilhelmina, zdecydowana pomóc swemu głodującemu narodowi, starała się interweniować u Roosevelta i Churchilla. Aby zapobiec gigantycznej katastrofie demograficznej, zażądała zmiany alianckiej strategii i inwazji na północną Holandię zamiast koncentrowania wysiłków na atakowaniu Zagłębia Ruhry. Wobec przewidywań, że silne niemieckie zgrupowanie w Holandii będzie walczyło do końca, zapewne zalewając przy tym dalsze obszary tego kraju, uznano jednak, że takie rozwiązanie tylko opóźniłoby zadanie klęski Niemcom.

Wreszcie w kwietniu 1945 roku Churchilla na tyle poważnie zaalarmowały doniesienia o radykalizacji nastrojów holenderskiej ludności pod wpływem komunistycznej agitacji, że skłonił się ku udzieleniu nieograniczonej pomocy. Niemcy mieli zostać uprzedzeni, iż wszelkie próby zatrzymania bądź przejmowania dostaw żywności dostarczanych do północnej Holandii drogą morską lub zrzucanych tam z powietrza zostaną uznane za zbrodnie wojenne. Ale do czasu nadejścia tej pomocy umarło z głodu co najmniej dwadzieścia dwa tysiące Holendrów. Rzeczywista liczba ofiar była prawdopodobnie dużo większa, gdyż nie uwzględniono w tych szacunkach zmniejszonej podatności niedożywionych ludzi na różne choroby.

Zima pośród śniegu, mrozu i w podmokłych okopach była też straszna dla alianckich żołnierzy, mimo że nie cierpieli z powodu głodu. Wyzię-

---

[24] Na temat warunków panujących w tym czasie w Holandii por.: *ibidem*, s. 98–122, oraz L. Collingham, *The Taste of War. World War II and the Battle for Food*, London 2011, s. 175–179.

bienie organizmu i odmrożenia stóp eliminowały z walki co najmniej tyle samo ludzi co zbrojne działania wroga. Dla kanadyjskiej 1. Armii po zaciekłych i krwawych zmaganiach u ujścia Skaldy zima nad holenderską częścią Mozy okazała się niemal równie trudna i zabójcza, gdyż Niemcy bronili się tam w groblach trzy-, czterometrowej wysokości. „Dla atakujących Kanadyjczyków jedyne inne podejście [ku nieprzyjacielskim pozycjom] wiodło przez zalane pola między groblami, »płaskie jak tutejsze patelnie«, jak to ujął pewien dowcipny artylerzysta. Nic ich tam nie chroniło"[25].

Kanadyjskie jednostki miały niebezpiecznie niskie stany osobowe, gdyż rząd Mackenziego Kinga nie ośmielał się wysyłać swoich żołnierzy za granicę, by tam walczyli wbrew własnej woli. Ekwiwalent pięciu dywizji pozostał w Kanadzie, ograniczając się do pilnowania niemieckich jeńców wojennych. To rzecz jasna wzbudzało silne rozżalenie tych kanadyjskich ochotników, którzy marzli wśród błot i lodów tej zimy, najwilgotniejszej od 1864 roku. Przemoczone kombinezony i siatki maskujące nie wysychały, a buty po prostu gniły. Warunki bytowe były wprost nie do opisania; unieruchomione armie zanieczyszczały odchodami zajmowane pozycje i pola na bezpośrednim zapleczu.

Morale brytyjskich żołnierzy też nie przedstawiało się najlepiej, co po części wynikało ze zmęczenia wojną, cynizmu i pragnienia zachowania życia, gdy zbliżał się koniec walk. Dezercje stały się poważnym problemem: około dwudziestu tysięcy żołnierzy oddaliło się samowolnie ze swoich jednostek. Zapędzanie żołnierzy do ataku robiło się coraz trudniejsze, zwłaszcza że mieli za przeciwnika 1. Armię Spadochronową pod dowództwem Kurta Studenta, broniącą się umiejętnie i zaciekle. Starsi stopniem oficerowie byli aż nadto świadomi kłopotów z utrzymaniem stanu osobowego w jednostkach, które choć nie dawały się we znaki w takim stopniu jak w formacjach kanadyjskich, to i tak były poważne. Amerykanie odnosili się z pogardą wobec niechęci Brytyjczyków do zbierania ofiar z pola walki, natomiast Brytyjczycy – podobnie zresztą jak Niemcy – krytykowali Amerykanów za to, że nie chcieli podejmować ataku, nie zużywszy wcześniej ogromnej liczby pocisków artyleryjskich. Ale i brytyjska piechota nie paliła się do tego, by nacierać bez wsparcia ze strony ciężkich dział. W istocie całe wojska koalicji, te na froncie zachodnim i wschodnim, rozwinęły z biegiem lat wojny „psychologiczne uzależnienie od wsparcia artylerii i lotnictwa"[26].

---

[25] Cyt. za: J. Ellis, *The Sharp End, op. cit.*, s. 363.
[26] M. Hastings, *Armageddon. The Battle for Germany, 1944–45*, London 2007, s. 171.

ROZDZIAŁ 44

Znad Wisły ku Odrze

styczeń–luty 1945

W pierwszych latach wojny, czy to w trakcie kampanii francuskiej w 1940 roku, czy też w Związku Radzieckim rok później, wielu niemieckich żołnierzy pisało w listach do rodzin: „Bogu dzięki, że ta wojna nie toczy się w naszej ojczyźnie"[1]. Do stycznia 1945 roku stało się jednak całkiem jasne, że agresja Wehrmachtu na inne kraje przywiodła ostatecznie do konieczności obrony samej Rzeszy. Noworoczne przemówienie radiowe Hitlera dodało otuchy niewielu Niemcom. Führer nie wspomniał w nim o Ardenach, co wskazywało na fiasko tej wielkiej kontrofensywy. Mało też mówił o *Wunderwaffe* – owym głównym nazistowskim motorze podtrzymującym w narodzie nadzieje w obliczu katastrofalnej rzeczywistości. Przemówienie Hitlera było tak bezbarwne, że liczni Niemcy sądzili, iż zostało zawczasu nagrane albo nawet, że ktoś udawał wodza. Wobec braku wiarygodnych informacji przybrały na sile pogłoski o nadciągającej klęsce.

Mimo że Guderian, ówczesny szef sztabu wojsk lądowych, usiłował ostrzec Hitlera o grożącym załamaniu frontu wschodniego na odcinku wzdłuż Wisły aż do Prus Wschodnich, Führer nie chciał tego słuchać. Odrzucił też dane wywiadowcze odnoszące się do radzieckich sił, które tym razem okazały się dość precyzyjne. Od Bałtyku po Adriatyk Armia Czerwona miała 6,7 miliona żołnierzy, czyli ponad dwukrotnie więcej od stanu wojsk osi w chwili rozpoczęcia operacji „Barbarossa".

Chwilowo Hitlera najbardziej niepokoiła sytuacja na froncie koło Budapesztu i Balatonu. Pomimo bezpośredniego zagrożenia nad Wisłą każdą naradę wojskową w jego kwaterze głównej rozpoczynano od położenia armii na

---

[1] BA-MA MSg 2/5275 v., 1 czerwca 1940 r.

Węgrzech. Pod presją Stalina Tołbuchin, dowodzący 3. Frontem Ukraińskim, rzucał co rusz swoje wojska do ataków na umocnienia na południu od Budapesztu. Stalinowi zależało na tym, aby za sprawą zbrojnych działań unieważnić październikową propozycję Churchilla, która przewidywała równy podział wpływów na Węgrzech między Sowietami a zachodnimi aliantami.

Pewien węgierski oficer opisał martwych radzieckich żołnierzy wśród zasieków z drutu kolczastego. Okazało się, że jeden z nich jeszcze nie skonał. „Ten młody mężczyzna, z ogoloną głową i szerokimi mongolskimi kośćmi policzkowymi, leży na plecach. Porusza tylko ustami. Stracił obie nogi i przedramiona. Jego kikuty przysypała gruba warstwa ziemi, wymieszana z krwią i gnijącymi liśćmi. Nachyliłem się nad nim. »Budapesst... Budapesst...« – szepce w ostatnim tchnieniu. W głowie kołacze mi się jedyna myśl: pewnie »Budapesst« roi mu się jako miasto bogatych łupów i pięknych kobiet. Potem, zaskakując tym nawet siebie samego, wyciągam pistolet, przeładowuję, przyciskam lufę do skroni konającego i strzelam"[2]. Jednakże pomimo zadawania nieprzyjacielowi kolosalnych strat w ludziach Niemcy i Węgrzy wiedzieli, że nie uda im się powstrzymać fali wrogich wojsk.

Szálasi, przywódca strzałokrzyżowców, który objął rządy na Węgrzech w miejsce admirała Horthyego, chciał się wycofać i ogłosić Budapeszt miastem otwartym, ale Hitler, który nie zamierzał z własnej woli opuszczać stolic, upierał się, by Budapesztu bronić do końca. Szálasiemu chodziło wszak przede wszystkim nie tyle o ocalenie tego miasta, ile o uchronienie się przed buntem ludności, wśród której nie miał większego poparcia. Dowódca niemieckiego garnizonu generał pułkownik Hans Friessner podzielał te obawy i wezwał specjalistę od tłumienia buntów w osobie Obergruppenführera SS Karla Pfeffera-Wildenbrucha. Niemcy nie zasięgnęli opinii węgierskiego Sztabu Generalnego, pomimo wcześniejszych ustaleń w tej kwestii, i potraktowali sojuszników nader lekceważąco.

Specjalny wysłannik Hitlera Edmund Veesenmayer domagał się ścisłego wypełnienia instrukcji Führera, wedle której Budapesztu należało bronić do ostatniej cegły. Nie ma znaczenia, powiadał, jeśli Budapeszt ulegnie „dziesięciokrotnemu zniszczeniu, o ile dzięki temu uda się ocalić Wiedeń"[3]. Sam Friessner chciał wycofania wojsk z Pesztu na płaskim wschodnim brzegu Dunaju i skupienia się na obronie Budy, z jej wzniesieniami i fortecą na wysokim zachodnim brzegu tej rzeki. Hitler stanowczo się na to nie zgodził i zastąpił Friessnera generałem wojsk pancernych Hermannem Balckiem.

---

[2] G. Thuróczy, *Kropotov nem tréfál*, Debrecen 1993, s. 103.
[3] Cyt. za: K. Ungváry, *Battle for Budapest. 100 Days in World War II*, London 2010, s. 32. Relacja Ungváryego z oblężenia Budapesztu należy do najlepszych i najpewniejszych źródeł historycznych na ten temat.

Znad Wisły ku Odrze
(12–31 stycznia 1945)

SZWECJA

Morze Bałtyckie

GRUPA
ARMII
„PÓŁNOC"

KURLANDIA

2. FRONT
NADBAŁTYCKI

1. FRONT
NADBAŁTYCKI

Kłajpeda

Tylża

Piława
Hel
Królewiec
Wystruć
Mamonowo

3. FRONT
BIAŁORUSKI

Koszalin
Gdańsk
Elbląg
Malbork

Kołobrzeg

GRUPA ARMII „WISŁA"

Olsztyn
Kętrzyn

Grudziądz

Narew

Szczecin
Stargard
Piła
Bydgoszcz
Toruń

2. FRONT
BIAŁORUSKI

Schwedt
Gorzów Wlkp.
2. APancGw

Odra

Wisła

Berlin
Kostrzyn
Skwierzyna
Poznań
Warszawa
Warta

1. FRONT
BIAŁORUSKI

Frankfurt
nad Odrą
Międzyrzecz
Sochaczew
1. APancGw
Magnuszew

Gubin

Odra

Łódź
8. AGw
Puławy

Głogów
Ścinawa
4. APancGw
Radomsko

Nysa Łużycka

Zgorzelec
Wrocław
3. APancGw
Kielce
Lublin

Sandomierz
Baranów Sand.

GRUPA
ARMII
„ŚRODEK"
Opole
Katowice

Wisła

1. FRONT
UKRAIŃSKI

Racibórz
Kraków

Oświęcim

0 20 40 60 80 100 mil
0   50   100   150 km

----- Przyczółki Armii Czerwonej

Obszary zajęte przez wojska radzieckie

APancGw – armia pancerna gwardii
AGw   – armia gwardyjska

Wielu mieszkańców Budapesztu nie miało pojęcia, że węgierska stolica znalazła się w takim niebezpieczeństwie. Budapeszteńska rozgłośnia radiowa, jak gdyby nigdy nic, od tygodnia nadawała kolędy. Choinki przyozdabiano antyradarowymi paskami folii aluminiowej, zrzucanymi przez alianckie bombowce, a teatry i kina pracowały normalnie. Dwudziestego szóstego grudnia Budapeszt został otoczony. Oddziały 3. Frontu Ukraińskiego wyszły też nad Balaton na południowym zachodzie i dotarły do miasta Esztergom na północny zachód od stolicy. Ogółem siedemdziesiąt dziewięć tysięcy niemieckich i węgierskich żołnierzy znalazło się w potrzasku w Budzie na zachodnim brzegu Dunaju i w Peszcie na wschodnim. Wśród niemieckich formacji były 8. Dywizja Kawalerii SS „Florian Geyer" i 22. Dywizja Kawalerii SS „Maria Theresia", Dywizja Grenadierów Pancernych „Feldherrnhalle", 13. Dywizja Pancerna oraz niedobitki wielu innych formacji, a nawet jednostka karna, 500. *Strafbataillon.*

Hitler zareagował na ten kryzys w pierwszy dzień Bożego Narodzenia. Węgierskie złoża ropy naftowej stanowiły dla niego ostatnie dostępne źródło naturalnych paliw. Tak więc, ku rozpaczy Guderiana, wydał rozkaz przerzutu IV Korpusu Pancernego SS, w którego składzie znajdowały się Dywizja „Totenkopf" i Dywizja „Wiking", z okolic na północ od Warszawy na Węgry, aby przełamać pierścień okrążenia.

W Peszcie zapanował chaos od razu po wybuchu walk na przedmieściach. Tysiące cywilów starało się uciec, póki jeszcze był na to czas, a wielu z nich dostawało się pod ostrzał prowadzony przez obie strony. Dla pięćdziesięciu tysięcy Żydów w Budapeszcie nadejście Armii Czerwonej stanowiło nadzieję ratunku, ale tylko nielicznym z nich udało się przeżyć, choć Adolf Eichmann wydostał się samolotem z miasta 23 grudnia. O los ludności cywilnej nikt się zawczasu nie zatroszczył. Wkrótce mieszkańcy Budapesztu zaczęli prosić o jedzenie obsługę wojskowych kuchni polowych. Nie było bieżącej wody, gazu ani elektryczności. Brak wody doprowadził do groźnego w skutkach gromadzenia się nieczystości z powodu zatkania kanałów ściekowych.

Węgierscy studenci, a nawet uczniowie zgłaszali się na ochotnika albo byli przymusowo wcielani do zaimprowizowanych jednostek, takich jak szturmowy batalion uniwersytecki. Ale poza pancerzownicami typu Panzerfaust wydano im niewiele broni. Większość z nich nienawidziła faszystowskich strzałokrzyżowców – zresztą wielu członków tej organizacji uciekło – a jednak nie mogli się pogodzić z myślą, że ich miasto wpadnie w ręce bolszewików. Jednocześnie coraz większa liczba oficerów i szeregowców regularnej armii węgierskiej zaczęła przechodzić na stronę radziecką. Dla ułatwienia identyfikacji wydawano im przepaski i opaski na czapki wykonane z czerwonego jedwabiu pochodzącego z czasz spadochronów ze zdobycznych niemieckich zasobników.

Chociaż większość strzałokrzyżowców zbiegła z Budapesztu jeszcze przed oblężeniem tego miasta, to jednak pozostały w stolicy dwa tysiące najbardziej sfanatyzowanych bojówkarzy. Najwyraźniej jednak poświęcali więcej czasu na zabijanie Żydów, którzy jeszcze znajdowali się w mieście, aniżeli na walkę z nieprzyjacielem. O dziwo, Obergruppenführer SS Pfeffer-Wildenbruch zabronił niemieckim żołnierzom uczestniczenia w tych zabójstwach, choć inni wysocy rangą nazistowscy oficjele z radością odnieśli się do tego, że sami Węgrzy zajęli się entuzjastycznym wypełnianiem makabrycznego zadania. Coraz więcej głodujących Żydów decydowało się na samobójstwo. W pierwszym tygodniu stycznia 1945 roku strzałokrzyżowcy pojmali licznych Żydów znajdujących się pod ochroną Szwedów, argumentując, że skoro rząd w Sztokholmie nie uznał reżimu Szálasiego, to na Węgrzech nie uznaje się dokumentów wydanych przez szwedzkie władze. Strzałokrzyżowcy przeprowadzili obławę, pobili schwytanych Żydów do nieprzytomności, a później powlekli ich grupami na miejsce straceń na brzegu Dunaju.

Czternastego stycznia duchowny ojciec András Kun zaprowadził zgraję strzałokrzyżowców do żydowskiego szpitala w Budzie. Tam wymordowali chorych, pielęgniarki i wszystkie pozostałe zastane osoby – łącznie sto siedemdziesięcioro ludzi. Dokonali też innych masowych mordów, zabijając nawet węgierskich oficerów, którzy się im przeciwstawili. Podobno liczni z podopiecznych Kuna dopuścili się zbiorowych gwałtów na zakonnicach.

Na wieść o snutych przez strzałokrzyżowców planach ataku na getto w Peszcie Raoul Wallenberg zawiadomił generała majora Gerharda Schmidhubera, lokalnego niemieckiego dowódcę, że jeśli nie zapobiegnie masakrze, to odpowiedzialność za nią spadnie na niego. Schmidhuber wysłał oddziały Wehrmachtu do getta, aby uprzedziły akcję strzałokrzyżowców. Kilka dni później budapeszteńskie getto zostało wyzwolone przez Armię Czerwoną.

Trzydziestego grudnia, po odrzuceniu przez Niemców wezwań do kapitulacji, rozpoczął się potężny szturm Budapesztu przez wojska Malinowskiego, poprzedzony trzydniowym przygotowaniem artyleryjskim i ciężkimi nalotami bombowymi. W piwnicach miejskich budynków, gdzie stłoczyła się ludność, para wodna skraplała się i spływała po ścianach. Pfeffer-Wildenbruch nie usłuchał apelów i nie ewakuował cywilów autobusami. W ciągu następnych dwóch tygodni oddziały radzieckie, wykorzystując znaczną przewagę liczebną, spychały niemieckich i węgierskich obrońców, którym kończyła się amunicja, nad Dunaj. Do kwatery dowództwa IX Korpusu Górskiego SS na zamku w Budzie docierały coraz pilniejsze prośby o zaopatrzenie, ale zrzucane na spadochronach zasobniki często spadały poza niemieckie linie obronne. Te z zasobników, w których znajdowała się żywność, przejmowali wygłodniali cywile, mimo że groziła za to natychmiastowa egzekucja.

Malinowski, rozumiejąc, że Peszt zostanie zdobyty w ciągu najbliższych dni, odesłał rumuński 7. Korpus Armijny na północny odcinek frontu węgierskiego. Pragnął, aby zdobycie Budapesztu przypadło w udziale wyłącznie wojskom radzieckim. Siedemnastego stycznia rozpoczął ostateczny szturm w kierunku Dunaju. Rychło większość zachodniego Pesztu nad Dunajem stała w ogniu, a żar bijący z płonących budynków parzył tych, którzy przebiegali ulicami. Większość węgierskich jednostek nie chciała wycofać się za rzekę, aby zginąć w obronie Budy, więc coraz liczniejsze grupki żołnierzy chowały się w tych niewielu miejscach, gdzie nie było pożarów, aby poddać się Armii Czerwonej. Nawet oficerowie nie słuchali rozkazów.

Sowieckie „szturmowiki", czyli samoloty Ił-2, ostrzeliwały wycofującego się w nieładzie przeciwnika na pozostałościach mostów Łańcuchowego i Elżbiety. „Mosty te znajdowały się nieustannie pod zmasowanym ostrzałem – zanotował pewien kawalerzysta z SS – ale ludzie mimo wszystko podążali naprzód. Chaotyczna masa samochodów i ciężarówek, furmanek nakrytych derkami, przerażonych koni, cywilnych uchodźców, zawodzących kobiet, matek z zapłakanymi dziećmi i wielu, bardzo wielu rannych spieszyła w stronę Budy"[4]. Wielu cywilów zginęło na tych mostach, gdyż znajdowali się na nich jeszcze wtedy, gdy zostały wysadzone w powietrze w momencie zbliżania się wojsk radzieckich. Podobny los spotkał członka węgierskiego ruchu oporu, który usiłował rozbroić ładunki wybuchowe na moście Elżbiety.

Z końcem grudnia IV Korpus Pancerny SS był gotowy, by przystąpić do walk na froncie naddunajskim. Nagłe kontrnatarcie, przeprowadzone w Nowy Rok, spadło na radziecką 4. Armię Gwardyjską i nieomal doprowadziło do przełamania sowieckich linii. Kolejny atak dalej na południu był tydzień później dziełem niemieckiego III Korpusu Pancernego. Wtedy to po raz pierwszy niemieccy czołgiści wykorzystali noktowizory na podczerwień. Ponownie jednak po początkowym błyskotliwym sukcesie owo pancerne uderzenie zostało powstrzymane, gdy Malinowski szybko przerzucił w zagrożony rejon sześć korpusów z 2. Frontu Ukraińskiego.

Znacznie mniejsza Buda, zasypana śniegiem poczerniałym od sadzy z pożarów zza rzeki, była łatwiejsza do obrony. Radzieckie szturmy na stromych wzniesieniach odpierano, a gniazda niemieckich kaemów MG 42 usytuowanych w kluczowych punktach zadawały Sowietom ciężkie straty. Obok regularnych oddziałów, takich jak 8. Dywizja Kawalerii SS czy niedobitki Dywizji „Feldherrnhalle", w walkach uczestniczyli miejscowi ochotnicy,

---

[4] H. Bayer, *Kavallerie-Divisionen der Waffen-SS*, Heidelberg 1980, s. 347.

między innymi z batalionu alarmowego „Vannay" i z uniwersyteckiego baonu szturmowego, którzy świetnie znali okolicę. Naddunajskiej skarpy u podnóża Wzgórza Zamkowego broniły resztki węgierskiej 1. Dywizji Pancernej, której żołnierze nie spodziewali się, że Sowieci zaatakują po cienkim lodzie, nadwątlonym dziurami po pociskach. Ale niebawem nadeszły ostrzejsze mrozy i po lodzie dawało się przechodzić; w każdym razie czyniły to grupki węgierskich dezerterów uciekających z Budy, aby poddać się Sowietom w Peszcie.

W styczniu radzieckie ataki się nasiliły, a wzięły w nich udział czołgi wyposażone w miotacze ognia i drużyny szturmowe z miotaczami płomieni. Niemieckie i węgierskie straty wzrosły znacznie, rannych upychano zaś w zaimprowizowanych szpitalach, gdzie panowały okropne warunki. Niektórych układano nawet na korytarzach w budynkach zamienionych na punkty dowodzenia. Pewien młody żołnierz, który miał dostarczyć meldunek, poczuł, jak połę jego płaszcza schwyciła czyjaś dłoń. Obejrzał się za siebie. „Była to dziewczyna w wieku osiemnastu do dwudziestu lat, z jasnymi włosami i piękną twarzą. Błagała mnie szeptem: »Weź pistolet i zastrzel mnie«. Przypatrzyłem się jej uważniej i z przerażeniem zdałem sobie sprawę (...), że nie ma obu nóg"[5].

Nawet po nieudanej próbie odsieczy Hitler zabraniał, by choć słowem wspominać o przebijaniu się z okrążenia. Budapesztu nadal miano bronić do końca. Dowództwo niemieckiej Grupy Armii „Południe", podobnie jak Manstein po fiasku nadejścia z odsieczą wojskom pod Stalingradem, wiedziało, że oznacza to skazanie budapeszteńskiego garnizonu na zagładę. Aż do 5 lutego niemieckie szybowce, pilotowane przez nastoletnich ochotników z Narodowosocjalistycznego Korpusu Lotniczego (Nationalsozialistisches Fliegerkorps, NSFK), lądowały na błoniach Vérmező, dostarczając amunicję, paliwo i nieco żywności. Ale wszystko to nie wystarczało. Sowieckie czołgi niebawem rozjechały gąsienicami działa przeciwnika, do których zabrakło pocisków. Około trzystu tysięcy ludzi, w tym uciekinierzy, stłoczyło się na ostatnim bastionie, jakim było Wzgórze Zamkowe. Do tego czasu zjedzono już wszystkie konie formacji kawaleryjskich i zapanował powszechny głód. Rozpanoszyły się też wszy, a pierwsze przypadki tyfusu wywoływały głęboki lęk. Trzeciego lutego, pod wpływem błagalnych próśb nuncjusza papieskiego, aby przerwać cierpienia ludności, Obergruppenführer Pfeffer-Wildenbruch nadał do kwatery głównej Führera depeszę, w której domagał się zgody na przebijanie się z okrążenia. Prośba ta została ponownie odrzucona dwa dni później.

---

[5] Wspomnienia Dénesa Vassa, cyt. za: K. Ungváry, *Battle for Budapest, op. cit.*, s. 141.

Oddziały radzieckie, korzystając ze wskazówek węgierskich zbiegów i członków lewicowego podziemia, przystąpiły do likwidacji niektórych z okrążonych garnizonów na Wzgórzu Zamkowym. Jedenastego lutego zaczęto wywieszać białe flagi. Tu i ówdzie jednostki węgierskie rozbrajały Niemców, którzy chcieli kontynuować walkę. Wieczorem zdawało się, że opór ustał, ale Pfeffer-Wildenbruch postanowił przebijać się wbrew rozkazom Hitlera. Niedobitki 13. Dywizji Pancernej i 8. Dywizji Kawalerii „Florian Geyer" w pierwszym rzucie oraz resztki Dywizji „Feldherrnhalle" i 22. Dywizji Kawalerii SS w drugim zamierzały owej nocy przedzierać się na północny zachód w pojazdach, które im pozostały. Nadano radiogram do sztabu Grupy Armii „Południe" z żądaniem wyznaczenia precyzyjnego kierunku tego kontrataku. Dowództwo Armii Czerwonej spodziewało się jednak takiej akcji i odgadło, jaką drogą najprawdopodobniej podąży przeciwnik. Zakończyło się to straszliwą masakrą żołnierzy i cywilów. W chaosie, który zapanował, kilka tysięcy ludzi zdołało uciec na wzgórza na północ od miasta, lecz większość utknęła w pułapce. Sowieci przeważnie zabijali Niemców, a oszczędzali Węgrów. Około dwudziestu ośmiu tysięcy żołnierzy wzięło udział w tej próbie przebicia się z Budy. Tylko zaledwie nieco ponad siedmiuset dotarło do niemieckich linii.

Dwunastego lutego w mieście zapanowała śmiertelna cisza, przerywana tylko pojedynczymi strzałami i wybuchami. Pisarz Sándor Márai wybrał się na przechadzkę po Budzie i wstrząsnęło nim to, co ujrzał. „Istnienia niektórych ulic trzeba się było domyślać – zapisał w swym diariuszu. – Tu był róg domu z kawiarnią Flórián, tam ulica, przy której kiedyś mieszkałem – po budynku nie pozostało ani śladu – ta sterta gruzu na skrzyżowaniu ulicy Statisztika i bulwaru Małgorzaty była jeszcze przed kilkoma dniami czteropiętrowym blokiem z wieloma mieszkaniami i kafejką"[6].

Tuż po stoczonej bitwie czerwonoarmiści dobijali rannych Niemców – niektórych wywlekano i miażdżono gąsienicami czołgów – a także wszystkich schwytanych esesmanów i hiwisów, błędnie określanych mianem „własowców". Każdemu w niemieckim mundurze, kto nie znał języka niemieckiego, także groziła śmierć. Rozstrzelano natomiast tylko nielicznych węgierskich jeńców. Niemal wszyscy mężczyźni, nawet komuniści z ruchu oporu, którzy walczyli ze strzałokrzyżowcami, zostali zapędzeni do przymusowych robót. Książę Pál Esterházy musiał zakopywać martwe konie w Peszcie.

NKWD i Smiersz dawały upust typowo stalinowskiej paranoi, podejrzewając wszystkich, którzy mieli kontakty z zagranicą – w tym syjonistów –

---

[6] S. Márai, *Budai séta*, w: *idem, Napló: 1945–1957*, Budapest 1990, s. 96; cyt. za: *ibidem*, s. 234.

o szpiegostwo. Raoul Wallenberg został aresztowany 19 stycznia wraz z patologiem sądowym Ferencem Orsósem, który dawniej wszedł w skład grupy zagranicznych ekspertów sprowadzonych przez Niemców do Katynia, gdzie ekshumowano zwłoki Polaków. Przypuszczalnie również Wallenberg zapoznał się z treścią raportu o masakrze katyńskiej, a Sowieci podejrzewali go o bliskie kontakty z Brytyjczykami, Amerykanami i służbami wywiadowczymi innych państw. Pojmany przez Smiersz, został stracony w lipcu 1947 roku[7].

Trwały rabunki na masową skalę; miały one charakter zarówno indywidualny, jak i oficjalny. Zabrano dzieła sztuki, w tym bardzo znane, należące do Żydów. Plądrowanie odbywało się nawet w siedzibach ambasad krajów neutralnych, gdzie włamywano się do sejfów. Cywile na ulicach byli zatrzymywani pod groźbą użycia broni i okradani z zegarków, portfeli i dokumentów. Żydów, którzy przeżyli, łupiono tak samo jak ludność nieżydowską. Niektórzy sowieccy żołnierze ciągnęli zrabowane przedmioty w dziecięcych wózkach.

Chociaż czerwonoarmiści odnosili się z większą wyrozumiałością do jeńców węgierskich niż do Niemców, to nie okazali litości Węgierkom, kiedy Malinowski oddał Budapeszt na pastwę swoich żołnierzy, aby uczcić osiągnięte zwycięstwo. „W wielu miejscach gwałcą kobiety – zapisał pewien piętnastolatek w swoim dzienniku. – Kobiety wszędzie się chowają"[8]. Pielęgniarki z polowych lazaretów gwałcono, a następnie zabijano. Wśród pierwszych ofiar znalazły się studentki uniwersytetu. Niektórzy relacjonowali, że najatrakcyjniejsze kobiety były więzione przez dwa tygodnie i zmuszane do nierządu. Biskup József Grősz dowiedział się, że „siedemdziesiąt procent kobiet, od dwunastoletnich dziewcząt po przyszłe matki w dziewiątym miesiącu ciąży, [zostało] zgwałconych"[9]. Inne, bardziej wiarygodne doniesienia wskazywały, że ofiarą gwałtów padło dziesięć procent budapesztenek.

Węgierscy komuniści apelowali do Armii Czerwonej, wspominając o „gwałtownej, obłędnej nienawiści", której skutków zaznali nawet ich towarzysze. „Pijani żołnierze gwałcili matki na oczach ich dzieci i mężów. Dziewczęta nawet w wieku dwunastu lat odbierano ojcom i matkom, by

---

[7] Na temat Wallenberga w powiązaniu z masakrą katyńską por. K. Ungváry, *Battle for Budapest, op. cit.*, s. 281; o jego aresztowaniu przez Smiersz i późniejszej egzekucji: S. Beria, *Beria, mój ojciec. W sercu stalinowskiej władzy*, tłum. J. Waczków, Warszawa 2000, s. 168–169.

[8] Słowa László Deseodiaryego, cyt. za: K. Ungváry, *Battle for Budapest, op. cit.*, s. 234; por. także L. Rees, *World War II behind Closed Doors. Stalin, the Nazis and the West*, London 2009, s. 322–329.

[9] Cyt. za: K. Ungváry, *Battle for Budapest, op. cit.*, s. 285.

gwałciło je po dziesięciu–piętnastu żołnierzy, często zarażonych chorobami wenerycznymi. Po pierwszej grupie przychodziły inne, które czyniły to samo. (...) Kilku towarzyszy straciło życie, próbując ochronić swoje żony i córki"[10]. Nawet Mátyás Rákosi, sekretarz generalny Węgierskiej Partii Komunistycznej, bezskutecznie interweniował u radzieckich władz. Jednakże nie wszyscy czerwonoarmiści byli gwałcicielami; niektórzy odnosili się do węgierskich rodzin, a zwłaszcza do dzieci, z wielką łagodnością.

Ucierpiało prawie każde miasto na Węgrzech, choć może nie w takim stopniu jak Budapeszt. Żołnierze radzieckiej 9. Armii Gwardyjskiej narzekali, że kierunek jej natarcia nie zapewniał „ani kobiet, ani łupów", jak zanotował pewien oficer z jednostki moździerzy, który określił swoich podwładnych jako „niewiarygodnie dzielnych chłopaków, ale i niesłychanych szubrawców. (...) Wyjście szybko się znalazło. Kolejne grupy żołnierzy wysyłano do Mór, gdzie zajmowali domy i tamtejsze kobiety, które nie uciekły ani się nie ukryły. Dostawali na to godzinę. A po nich przybywała następna grupa. Wykorzystywali kobiety w wieku od piętnastu lat do pięćdziesiątki. Czynili w domach zupełny pogrom, zrzucali wszystko na podłogę, rozbijali i niszczyli, poszukując zegarków kieszonkowych i tych na rękę. Jeśli znaleźli wino, oczywiście je wypijali. W Mór nie brakło piwnic, ale kiedy wkraczaliśmy do tego miasta, wszystkie je opróżniono, rozbijając beczki i rozlewając wino. Tam właśnie natknęliśmy się na dwóch żołnierzy, którzy utopili się w winie"[11].

Ucztowanie odbywało się także na wyższych szczeblach. Marszałek polny Alexander, który przyleciał do Belgradu na rozmowy z Titą, stamtąd udał się następnie na Węgry, na spotkanie z marszałkiem Tołbuchinem, dowódcą 3. Frontu Ukraińskiego. Zwalisty Tołbuchin ugościł go wystawnym bankietem, a nawet polecił jednej z radzieckich sanitariuszek spać w jego pokoju. Jednakże Alexander „nie uznał tego za stosowne, więc spędziła noc pod [jego] drzwiami". Tuż przed obiadem, kiedy Alexander i Tołbuchin pozostali sami, sowiecki marszałek przyjrzał się odznaczeniom swojego gościa. Wśród nich dostrzegł carski Order Świętej Anny ze skrzyżowanymi mieczami, którym Alexandra udekorowano, gdy służył jako oficer łącznikowy podczas pierwszej wojny światowej. „Też mam taki – westchnął Tołbuchin, dotykając orderu – ale nie wolno mi go nosić"[12].

Tołbuchin był nader odprężony, jeśli uwzględnić fakt, że 6. Armia Pancerna SS przerzucona z Ardenów właśnie dotarła na Węgry. Przybyła tam

---

[10] Cyt. za: *ibidem*, s. 287.

[11] P. Zołotow, *Zapiski minomiotczika, 1942–1945*, Moskwa 2009, s. 187–188.

[12] H. Alexander (Earl Alexander of Tunis), *The Alexander Memoirs, 1940–1945*, London 1962, s. 132–133.

zbyt późno, by wspomóc obrońców Budapesztu, mimo to Hitler rozkazał im wejść do walki 13 lutego 1945 roku w ramach operacji „Frühlingserwachen", czyli „Wiosenne Przebudzenie". Nie miał zamiaru ocalić budapeszteńskiego garnizonu, a tylko chciał go wzmocnić i bronić węgierskich pól naftowych nad Balatonem. Niemieckie kontruderzenie zakończyło się niepowodzeniem. Gdy Hitler usłyszał, że dywizje Waffen-SS wycofały się bez rozkazu, tak się rozeźlił, iż nakazał Himmlerowi odebrać żołnierzom dywizyjne naramienne opaski, nawet te zdobiące mundury jednostki „Leibstandarte SS Adolf Hitler". Była to upokarzająca kara. Jak zauważył Guderian z odcieniem *Schadenfreude* (radości z cudzego pecha), „wiele sympatii wśród wojsk SS z pewnością [Himmler] sobie przy tej okazji nie zaskarbił"[13].

Himmler należał do tych osób z otoczenia Hitlera, które lekceważyły przestrogi Guderiana o przygotowywanej przez Sowietów potężnej ofensywie w Polsce, uważając je za „gigantyczny blef". Jednak przewidywania szefa Sztabu Generalnego niemieckich wojsk lądowych potwierdziły się w drugiej połowie stycznia. Stalin udawał wobec zachodnich aliantów, że przyspieszył termin tego uderzenia, ażeby dopomóc Amerykanom uwikłanym w walki w Ardenach, ale faktycznie nie odpowiadało to prawdzie. Ardeńskie zmagania przybrały obrót zdecydowanie korzystny dla sprzymierzonych już w czasie Bożego Narodzenia. Stalin kierował się bardziej pragmatycznymi przesłankami. Formacje czołgowe Armii Czerwonej mogły skutecznie operować na twardym, przemarzniętym gruncie, a sowieccy meteorolodzy uprzedzali Stawkę, że w późniejszym okresie stycznia wystąpią „ulewne deszcze i mokre śniegi"[14]. Stalin miał jeszcze jeden, bardziej cyniczny powód, aby rozpocząć ofensywę wcześniej. Chciał bowiem opanować całą Polskę przed konferencją koalicji w Jałcie, zaplanowaną na początek lutego, czyli już za trzy tygodnie.

Wzdłuż Wisły w gotowości do uderzenia stały wojska 1. Frontu Białoruskiego, w tym czasie pod dowództwem marszałka Żukowa, i 1. Frontu Ukraińskiego pod komendą marszałka Koniewa. Rokossowski zirytował się, kiedy został zastąpiony przez Żukowa, ale Stalin nie chciał, aby to Rokossowskiemu, Polakowi z pochodzenia, przypadła w udziale chwała zdobywcy Berlina. Zamiast tego Rokossowski otrzymał dowództwo 2. Frontu Białoruskiego do ataku na Prusy Wschodnie od południa, podczas gdy 3. Front Białoruski generała Czerniachowskiego miał wkroczyć tam ze wschodu.

Dwunastego stycznia zmasowana artyleria Koniewa (na kilometr terenu przypadało po trzysta dział) rozpoczęła huraganową kanonadę. Jego 3. i 4. Armia Pancerna Gwardii, wyposażone w T-34 oraz ciężkie czołgi IS-2, wyruszyły z przyczółka sandomierskiego na zachód ku Odrze, kieru-

---

[13]   H. Guderian, *Wspomnienia żołnierza*, tłum. J. Nowacki, Warszawa 1958, s. 327.
[14]   RGWA 38680/1/3, s. 40.

jąc się na Kraków oraz Wrocław. Stalin wyjaśnił Koniewowi, że chce zająć Śląsk bez poważniejszego zniszczenia tamtejszych zakładów przemysłowych i kopalń. Trzynastego stycznia Czerniachowski uderzył na Prusy Wschodnie. Rokossowski zaatakował następnego dnia, nacierając z przyczółków na północnym brzegu Narwi. Również Żukow rozpocząć działania zaczepne 14 stycznia.

Po przełamaniu niemieckiej linii frontu główną przeszkodą naturalną na drodze wojsk Żukowa okazała się Pilica. Każdy z dowódców wiedział, że najbardziej liczy się tempo natarcia, aby Niemcy nie mieli szans na przegrupowanie. Pewien pułkownik dowodzący jedną z gwardyjskich brygad pancernych nie chciał nawet czekać na dowóz sprzętu przeprawowego. Przypuszczając, że rzeka jest w danym miejscu płytka, po prostu rozkazał czołgistom skruszyć lód ogniem dział i przejechać po rzecznym dnie, co musiało stanowić przerażające przeżycie dla kierowców wozów bojowych. Na prawym skrzydle frontu Żukowa 47. Armia obeszła ruiny Warszawy, a 1. Armia Wojska Polskiego wkroczyła na stołeczne przedmieścia.

Hitler nie posiadał się ze wściekłości na wieść o kapitulacji słabego niemieckiego garnizonu. Uznał to za kolejny dowód zdrady w Sztabie Generalnym, a trzech sztabowców zabrano w związku z tym na Gestapo. Nawet Guderian musiał poddać się przesłuchaniom prowadzonym przez Kaltenbrunnera. Führer powrócił do Berlina z kwatery głównej w Ziegenbergu, by osobiście pokierować swoimi armiami na froncie wschodnim – z łatwymi do przewidzenia, katastrofalnymi rezultatami. Nie pozwalał żadnemu z frontowych generałów na odwrót, a wobec tempa radzieckiego natarcia i zerwania łączności po stronie niemieckiej wszelkie wiadomości, na których podstawie podejmował decyzje, okazywały się nieaktualne. Nim jego rozkazy dotarły na front, były już zazwyczaj o dobę spóźnione.

Poza tym Hitler wtrącał się w dowodzenie, nie informując o tym Guderiana. Postanowił przerzucić z Prus Wschodnich Korpus „Grossdeutschland", by wesprzeć front nadwiślański, ale czas, jaki to zabrało, oznaczał wyłączenie z walki tej silnej formacji na kilka arcyważnych dni. Ku rozpaczy Guderiana Führer wciąż nie zgadzał się na ściągnięcie dywizji uwięzionych w Kurlandii w celu wzmocnienia obrony Rzeszy. To samo dotyczyło zbyt licznego niemieckiego kontyngentu okupacyjnego w Norwegii. Z perspektywy Guderiana najgorsza była wszak decyzja Hitlera o przemieszczeniu 6. Armii Pancernej SS na front węgierski.

Czerniachowski przekonał się, że niemiecka obrona na linii defensywnej w okolicach Wystruci (Insterburga) w Prusach Wschodnich była o wiele mocniejsza, niż się spodziewał. W tej sytuacji przeprowadził sprytny manewr, przejściowo wycofując z pierwszej linii 11. Armię Gwardyjską, przerzucając ją pod osłoną trzech innych armii i kierując do ataku na północnym skrzydle, bronionym dużo słabiej. W połączeniu z atakiem 43. Armii, która sforsowała Niemen koło Tylży, to przełamanie frontu wywołało panikę na niemieckich tyłach.

Armie Rokossowskiego nadciągające z południa zmierzały w kierunku ujścia Wisły, aby w ten sposób całkowicie odciąć wojska nieprzyjaciela w Prusach Wschodnich. Dwudziestego stycznia Stawka nagle wydała Rokossowskiemu rozkaz równoczesnego zwrócenia się na północny wschód i udzielenia pomocy Czerniachowskiemu. Niecałe dwa dni później 3. Gwardyjski Korpus Kawalerii na prawej flance wkroczył do Olsztyna, a nazajutrz pierwsze czołgi 5. Gwardyjskiej Armii Pancernej generała pułkownika Wasilija Wolskiego ominęły Elbląg i dotarły na brzeg Zalewu Wiślanego – wydłużonej, skutej lodem zatoki, oddzielonej od wód otwartego Bałtyku piaszczystą Mierzeją Wiślaną. Prusy Wschodnie zostały niemal odcięte. Nieco na zachód od ujścia Wisły znajdował się obóz koncentracyjny w Sztutowie (Stutthof). Obozowe straże, przerażone zbliżaniem się Armii Czerwonej, zabiły trzy tysiące Żydówek, strzelając do nich albo zapędzając je na cienki lód, aby potopiły się w lodowatej wodzie.

Wschodniopruski gauleiter Erich Koch nadal nie zezwalał na ewakuowanie ludności cywilnej. Mieszkańcy słyszeli w oddali kanonadę artyleryjską, kiedy rozpoczęła się radziecka ofensywa, ale podania o wyjazd były odrzucane przez lokalnych nazistowskich bonzów. Najczęściej owi oficjale z czasem sami pouciekali, pozostawiając ludność swojemu losowi. Wycofujący się niemieccy żołnierze ostrzegali mieszkańców farm i wiosek, mówiąc im, żeby możliwie najszybciej opuszczali rodzinne strony. Niektórzy, zwłaszcza najstarsi ludzie, nie mogąc się pogodzić z perspektywą porzucenia własnych domów, postanawiali pozostać na miejscu. Wobec tego, że niemal wszystkich mężczyzn wcielono do Volkssturmu, na kobiety – którym czasami pomagali zatrudnieni w gospodarstwach francuscy jeńcy wojenni – spadło zadanie przygotowania chłopskich wozów i załadowania ich kocami oraz żywnością dla siebie i swoich dzieci. Rozpoczęły się „wędrówki", jak to nazywano, przez ośnieżone pola, w temperaturze, która spadała do minus dwudziestu stopni Celsjusza.

Uchodźcy ze wschodniopruskiej stolicy w Królewcu sądzili, że udało im się wydostać z zagrożonej strefy pociągiem, ale kiedy dotarli do Olsztyna, zostali wywleczeni z wagonów przez radzieckich żołnierzy z 3. Gwardyjskiego Korpusu Kawalerii, zachwyconych tym, że wpadły im w ręce bogate łupy oraz kobiety. Większość z tych, którzy próbowali uciekać drogami, dogoniły sowieckie wojska. Część ofiar zginęła na swoich wozach, zmiażdżonych gąsienicami radzieckich czołgów. Innych spotkał jeszcze gorszy los.

Leonid Rabiczew, porucznik łączności z 31. Armii, opisał sceny, jakie rozegrały się koło Gołdapi. „Wszystkie szosy były zapchane przez starców, kobiety i dzieci, liczne rodziny przemieszczające się powoli na wozach, pojazdami albo pieszo na zachód. Nasze oddziały czołgów, piechoty, artylerii i łączności dopędziły ich i torowały sobie drogę, spychając konne wozy z dobytkiem do rowów na poboczach. Potem tysiące żołnierzy odpędzało staruszki i dzieci. Zapominając o honorze i o wycofujących się niemieckich jednostkach, rzucali się na kobiety i dziewczęta. Kobiety, matki z córkami, leżały po prawej, a na lewo od szosy i przed każdą Niemką stała grupa śmiejących się mężczyzn ze spuszczonymi spodniami. Te już zakrwawione i nieprzytomne odciągano na bok. Dzieci, które próbowały bronić matek, zostały zastrzelone. Rozlegały się salwy śmiechu, ryki i szyderstwa, wrzaski i jęki. A dowódcy żołnierzy – majorowie i podpułkownicy – stali sobie na szosie. Niektórzy się zaśmiewali, ale inni tak wszystko organizowali, żeby wszyscy ich podwładni, co do jednego, wzięli w tym udział. To nie rytuał inicjacyjny i nie miało to nic wspólnego z zemstą na przeklętych okupantach; to tylko piekielny, diaboliczny zbiorowy gwałt. Było to oznaką wyzbycia się wszelkich hamulców i okrutnej logiki oszalałego tłumu. Siedziałem wstrząśnięty w szoferce jednej z naszych półtoratonowych ciężarówek, podczas gdy mój kierowca Demidow stał w jednej z kolejek. Przyszedł mi do głowy opis Kartaginy u Flauberta. Pułkownik, który jeszcze przed chwilą kierował procederem, nie mógł pohamować pokusy i dołączył do jednej z kolejek, a major rozstrzeliwał świadków – dzieci i starców, którzy wpadli w histerię"[15].

W końcu żołnierzom rozkazano się pospieszyć i wracać do pojazdów, które blokowały przejazd następnej jednostce z tyłu. Później, po dogonieniu kolejnej kolumny uchodźców, Rabiczew znów był świadkiem podobnych scen. „Jak okiem sięgnąć, widać zwłoki kobiet, starców i dzieci pośród stosów ubrań i wywróconych wozów. (...) Zapadał zmrok. Dostaliśmy rozkaz znalezienia noclegu w jednej z niemieckich wsi opodal szosy. Pojechałem ze swoim plutonem do osady dwa kilometry od szosy. We wszystkich izbach ciała dzieci, starych ludzi i kobiet, zgwałconych i zastrzelonych. Byliśmy tak zmęczeni, że nie zwracaliśmy na nie uwagi. Bardzo wyczerpani padliśmy pośród zwłok i usnęliśmy"[16].

„Sowieccy żołnierze gwałcili każdą Niemkę w wieku od ośmiu do osiemdziesięciu lat – zauważyła radziecka korespondentka wojenna Natalia Gesse, bliska przyjaciółka Sacharowa. – Była to armia gwałcicieli. Nie tylko dlatego, że byli oszalali z żądzy; stanowiło to także formę zemsty"[17].

---

[15] L. Rabiczew, *Wojna wsio spiszet. Wospominania oficera-swiazista 31-oj armii, 1941–1945*, Moskwa 2009, s. 193–195.

[16] *Ibidem*.

[17] Relacja Natalii Gesse w: *Russia Speaks. An Oral History from the Revolution to the Present*, red. R. Lourie, New York 1991, s. 254–255.

Zbyt pobieżne wydaje się przypisywanie takiego bezlitosnego postępowania jedynie fizycznym popędom czy też mściwości. Przede wszystkim było wielu oficerów i żołnierzy, którzy nie brali udziału w gwałtach i byli przerażeni poczynaniami swoich towarzyszy broni. Ideowych komunistów szokowało takie zachowanie, a ścisły nadzór sprawowany nad radzieckim społeczeństwem czynił tak rażące rozluźnienie dyscypliny trudnym do wyobrażenia. Ale skrajnie surowe warunki życia na froncie doprowadziły do wytworzenia się nowej, żołnierskiej braci czy też społeczności, a wielu czerwonoarmistów zaczęło wyrażać zaskakująco otwarcie swą głęboką niechęć do kołchozów oraz ucisku będącego częścią radzieckiej codzienności. Żołnierze gorzko wyrzekali na bezsensowność ofiar ginących w trakcie wielu nieudanych ataków, a także na poniżanie, które musieli wcześniej znosić. Byli wysyłani na ziemię niczyją, gdzie musieli rozbierać poległych towarzyszy z mundurów, a nawet z bielizny, w którą następnie ubierano nowych poborowych. Tak więc mimo że ujawniło się silne pragnienie odwetu na Niemcach, którzy napadli na ojczyznę radzieckich żołnierzy i zabijali ich rodziny, dochodziło również do głosu odreagowywanie ucisku, które warunkowało też postępki japońskich oddziałów. Pokusa psychicznego uwolnienia się od wspomnień o wcześniejszych upokorzeniach i cierpieniach bywała przemożna, a wyżywano się najczęściej na bezbronnych kobietach wroga.

Pod rządami Stalina idee miłości i seksualnej swobody zostały bezwzględnie zdławione w politycznej atmosferze dążeń do „odindywidualizowania osobników". W radzieckich szkołach nie było wychowania seksualnego. Sowieckie państwo usiłowało tłumić libido u swoich obywateli, tworząc coś, co pewien rosyjski pisarz określił jako rodzaj „koszarowego erotyzmu", o wiele bardziej prymitywnego i przesyconego okrucieństwem niż „najbardziej plugawa zagraniczna pornografia"[18]. A to, w połączeniu z jakże brutalizującym wpływem rzezi na froncie wschodnim i propagandą nawołującą do zbiorowej zemsty, doszło z wielką siłą do głosu po wkroczeniu wojsk radzieckich do Prus Wschodnich.

Nikt nie wykazywał się większym okrucieństwem od „*sztrafników*", czyli mających minimalne szanse przeżycia skazańców z karnych batalionów. Trafiło do nich mnóstwo zatwardziałych przestępców z obozów Gułagu. (Na polecenie Berii do wojska nie wcielano ludzi skazanych za wykroczenia polityczne). Nawet ich przełożonym udzielała się ich skrajna bezwzględność. „Przestępca to zawsze przestępca, na tyłach czy na froncie – napisał pewien lekarz wojskowy z kompanii karnej. – Na froncie, w roli *sztrafnika*, ich przestępcza natura zawsze dojdzie do głosu. A więc w naszej kompanii było we-

---

[18] Słowa Jurija Polakowa, cyt. za: *Sex and Russian Society*, red. I. Kon, J. Riordan, Bloomington, IN 1993, s. 26.

soło. Pewna młoda Niemka przybiegła do mnie w Halsbergu i zakrzyknęła po niemiecku: »Zgwałciło mnie czternastu!«, a ja pomyślałem sobie na to: jaka szkoda, że czternastu, a nie dwudziestu ośmiu; szkoda, że cię nie zastrzelili, ty niemiecka suko. (...) My, oficerowie kompanii karnej, przymykaliśmy oko na wszystko; nie było nam żal Niemców i pozwalaliśmy *sztrafnikom* wyczyniać z cywilami wszystko, na co mieli ochotę"[19].

Rabunki szły w parze z bezmyślnym niszczeniem. Żołnierze palili domy, a potem stwierdzali, że nie ma gdzie się schować przed zimnem. Rabiczew opisał plądrowanie w Gołdapi. „Wszystko ze sklepów wyrzucano na chodniki przez rozbite szyby wystawowe. Tysiące par butów, talerzy i radioodbiorników, wszelkiego rodzaju sprzęty domowe i aptekarskie oraz żywność wymieszały się z sobą. Z okien mieszkań wylatywały na ulice ubrania, poduszki, kołdry, obrazy, gramofony i instrumenty muzyczne. Wszystko to zatarasowało przejazdy. I właśnie wtedy niemiecka artyleria i moździerze otworzyły ogień. Kilka zapasowych niemieckich dywizji szybko wyparło nasze zdemoralizowane wojska z miasta. Ale dowództwo frontu już powiadomiło o zdobyciu tego pierwszego niemieckiego miasta. Nie było wyjścia. Trzeba było zdobywać je ponownie"[20].

Aleksander Sołżenicyn, młody oficer artylerii, który walczył w Prusach Wschodnich, przyrównał sceny rabunku do „gwarnego bazaru", gdzie sowieccy żołnierze przymierzali obszerne pantalony pozostawione przez Niemki[21]. „Niemcy porzucali wszystko – zapisał pewien czerwonoarmista po zdobyciu Gołdapi. – A nasi, niczym wielka horda barbarzyńców, wtargnęli do domów. Wszystko się pali, nawet poduszki, a pierze lata w powietrzu. Każdy, od szeregowca do pułkownika, wynosi zdobycz. Pięknie umeblowane mieszkania, luksusowe domostwa zostały zniszczone w ciągu kilku godzin i zamieniły się w rudery, w których porozrywane kotary leżą umazane powidłami z potłuczonych słojów. (...) To miasto ukrzyżowano". Trzy dni później dopisał: „Żołnierze zamienili się w nieujarzmione bestie. Na polach zalegają setki zastrzelonych sztuk bydła, a na drogach świnie i kury z odrąbanymi łbami. Domy splądrowano i podpalono. To, czego nie da się zabrać, jest rozbijane i niszczone. Niemcy mają rację, że uciekają od nas jak od zarazy"[22].

---

[19] Relacja N.A. Winokura, „Ja pomniu. Wospominania wietieranow Wielikoj Otieczestwiennoj Wojny", 9 czerwca 2010, http://www.iremember.ru/mediki/vinokur-nikolay-abramovich (dostęp: 1.09.2012).

[20] L. Rabiczew, *Wojna wsio spiszet, op. cit.*, s. 143.

[21] A. Solzhenitsyn (Sołżenicyn), *Prussian Nights*, New York 1983, s. 67.

[22] Z listów Efraima Genkina do rodziny, w: *Sochrani moi pis'ma*, red. I. Altman, Moskwa 2007, s. 321 (22 stycznia 1945 r.).

W posiadłości myśliwskiej Rominten[23] (w Puszczy Rominckiej), niegdyś należącej do pruskiego rodu królewskiego, a potem przejętej przez Göringa, radziecka piechota potłukła wszystkie lustra. Jeden z piechurów wymalował obelżywe rosyjskie słowo na płótnie pędzla Rubensa, przedstawiającym nagą Afrodytę.

Źródłem obłąkańczej wściekłości sowieckich żołnierzy był przede wszystkim zastany w Prusach Wschodnich poziom życia, standard domów, nawet tych chłopskich, niewyobrażalnie wysoki jak na warunki panujące w Związku Radzieckim. Prawie wszyscy zastanawiali się z goryczą: dlaczego napadli na nas i rabowali nasz kraj, skoro takie u nich dostatki? Polowa cenzura wojskowa, zaalarmowana treścią kontrolowanych listów pisanych przez żołnierzy do rodzin, w których opisywali, na co się natknęli, przekazywała je NKWD. Sowieckie władze zaczęły się niepokoić z powodu zataczającej coraz szersze kręgi refleksji, iż cała ta propaganda o „robotniczym raju", jakże lepszym od straszliwych warunków panujących w krajach kapitalistycznych, to kłamstwo. Czołowi bolszewicy pamiętali aż za dobrze, że do buntu dekabrystów w 1825 roku doszło pod wpływem obrazów dużo lepszego życia, ujrzanych przez rosyjskie armie, które wkroczyły do zachodniej Europy w 1814 roku.

Pierwszy Front Białoruski Żukowa ścigał uciekającego nieprzyjaciela nieprzerwanie, dniem i nocą. Kierowcy w czołgach często zasypiali ze skrajnego wyczerpania, ale entuzjazm towarzyszący pościgowi dodawał im sił. Umykających niemieckich żołnierzy koszono ogniem broni maszynowej, a jeśli czołgi dopędziły nieprzyjacielski wóz sztabowy z oficerami w środku, to po prostu miażdżyły go gąsienicami.

Osiemnastego stycznia 8. Armia Gwardyjska generała Czujkowa przypuściła atak na Łódź, pięć dni przed zaplanowanym terminem. Czujkow nie był zbyt zadowolony, kiedy otrzymał zadanie przeprowadzenia wojskami swojej stalingradzkiej armii szturmu na przekształcony w twierdzę Poznań. Umiejętność prowadzenia ulicznych walk na niedużo się tam zdała. Dopiero po miesiącu ostrzału z dział najcięższej artylerii i atakach piechoty z ładunkami wybuchowymi i miotaczami ognia garnizon Poznania skapitulował.

Na południowej flance wojsk nacierających znad Wisły oddziały Koniewa zajęły Kraków. Na szczęście Niemcy obawiając się okrążenia opuścili to zabytkowe miasto nie stawiając większego oporu. Dwudziestego siódmego stycznia w godzinach popołudniowych patrol zwiadowczy radzieckiej 107. Dywizji Strzeleckiej wyłonił się z ośnieżonego lasu i natknął na najbardziej koszmarny symbol nowożytnej historii.

---

[23] Obecnie Krasnolesie (przyp. tłum.).

32. Generalissimus Chiang Kai-shek wraz z małżonką w towarzystwie generała Stilwella

33. MacArthur, Roosevelt i Nimitz w Pearl Harbor, 26 lipca 1944 roku

34. Lądowanie oddziałów amerykańskich na wyspie Bougainville'a,
6 kwietnia 1944 roku

35. Awaryjne lądowanie samolotu Hellcat na pokładzie lotniskowca

36. Niemiecki jeniec w Paryżu, 26 sierpnia 1944 roku

37. Sanitariuszki z noszami. Zdjęcie z powstania warszawskiego

38. Pomoc medyczna podczas bombardowań Berlina

39. Churchill w Atenach wraz z arcybiskupem Damaskinosem,
grudzień 1944 roku

40. Wojska brytyjskie rozpoczynają okupację Aten

41. Plaża „Czerwona" na Iwo Jimie, luty 1945 roku

42. Filipińskie kobiety uratowane podczas bitwy o Manilę, luty 1945 roku

43. Radzieccy żołnierze w płonącym niemieckim miasteczku

44. Ludność cywilna oczekuje na wejście do schronu
pod wieżą przeciwlotniczą w Berlinie

45. Radziecka kontrolerka ruchu drogowego na szosie prowadzącej do Berlina

46. Cywile uprzątają gruzy w zbombardowanym Dreźnie, luty 1945 roku

47. Samolot transportowy C-46 podchodzi do lądowania w Kunmingu

48. Japońscy piloci kamikadze pozują do pamiątkowego zdjęcia

49. Galeria Marmurowa w zniszczonej Kancelarii Rzeszy

50. Niemieccy ranni w Berlinie, 2 maja 1945 roku

51. Akt kapitulacji Japonii
na pokładzie USS „Missouri",
2 września 1945 roku

52. Bezdomni cywile na Okinawie

Zaledwie 10 dni wcześniej, wobec zbliżających się wojsk Armii Czerwonej, pięćdziesiąt sześć tysięcy więźniów obozu Auschwitz uznanych za zdolnych do marszu popędzono na zachód. Ci, którzy przetrwali ten marsz śmierci, stanowiący zapewne jeszcze gorsze doświadczenie niż wszystkie koszmary, jakie przecierpieli wcześniej, trafili do innych obozów koncentracyjnych, gdzie liczba ofiar nędzy, głodu i chorób wzrosła dramatycznie w trzech ostatnich miesiącach wojny[24]. Doktor Mengele zebrał wszystkie zapiski poświęcone pseudomedycznym eksperymentom i wyjechał do Berlina. Osoby z kierownictwa zakładów IG Farben zniszczyły dokumentację w Auschwitz III. Komory gazowe i krematoria w Birkenau (Brzezince) wysadzono w powietrze. Wydane zostały rozkazy likwidacji wszystkich więźniów zbyt osłabionych, by poruszać się o własnych siłach, jednak z jakiegoś powodu esesmani zabili tylko kilkuset z pozostawionych na miejscu ośmiu tysięcy. Skupili się bardziej na usuwaniu dowodów popełnionych zbrodni, lecz tych przetrwało bardzo wiele, w tym 368 820 męskich garniturów, 836 255 damskich płaszczy i sukienek, nie wspominając już o siedmiu tonach ludzkich włosów.

Dowództwo 60. Armii niezwłocznie poleciło całemu swemu personelowi medycznemu udać się do Auschwitz i zatroszczyć się o ocalałych, a sowieccy oficerowie zajęli się przesłuchiwaniem wybranych więźniów. Adam Kuryłowicz, były prezes przedwojennego polskiego Związku Zawodowego Kolejarzy, zesłany do obozu oświęcimskiego 24 lipca 1941 roku, wspominał, jak po raz pierwszy wypróbowano komorę gazową na osiemdziesięciu żołnierzach Armii Czerwonej i sześciuset polskich więźniach[25]. Pewien węgierski profesor opowiedział o „eksperymentach medycznych". Wszystkie te informacje przesłano Gieorgijowi F. Aleksandrowowi, szefowi wydziału propagandowego armii radzieckiej, ale poza krótkim artykułem w organie prasowym czerwonoarmistów w innych krajach dowiedziano się o tym wszystkim dopiero po zakończeniu wojny. Prawdopodobnie skrywanie owych informacji wynikało z polityki partii bolszewickiej, zgodnie z którą nie należało wydzielać Żydów jako odrębnej kategorii ofiar nazizmu. Na podkreślanie zasługiwały tylko cierpienia „narodu radzieckiego".

Ze Śląska i Prus Wschodnich uciekało coraz więcej ludności, a niebawem rodzinne strony zaczęli opuszczać też mieszkańcy Pomorza. Nazistowscy urzędnicy oceniali, że do 29 stycznia „około czterech milionów

---

[24] R. Hilberg, *The Destruction of the European Jews*, New York 1985, s. 254.
[25] Słowa Kuryłowicza z raportu sporządzonego przez Szykina, 9 lutego 1945 r., RGASPI 17/125/323, s. 1–4.

z ewakuowanych obszarów" podążało w głąb Rzeszy[26]. Liczba ta wydaje się zaniżona, gdyż wzrosła do siedmiu milionów w ciągu następnych dwóch tygodni i do 8,35 miliona do 19 lutego. Potężna ofensywa Armii Czerwonej doprowadziła do najbardziej skoncentrowanej w czasie migracji w dziejach ludzkości. Taka czystka etniczna w zupełności odpowiadała Stalinowi wobec jego planów przesunięcia granic Polski na zachód, nad Odrę.

Kilkaset tysięcy cywilów nadal pozostawało w Królewcu i na półwyspie Sambia, a także w pierścieniu okrążenia wraz z 4. Armią w okolicach Mamonowa (Heiligenbeil) i na brzegach Zalewu Wiślanego. Kriegsmarine podejmowała usilne próby wywiezienia możliwie wielu uchodźców z niewielkiego portu w Piławie (Pillau); zaczęła się też ewakuacja ludności z miast portowych wschodniego Pomorza. Jednakże radzieckie okręty podwodne storpedowały na Bałtyku wiele dużych statków, w tym liniowiec pasażerski „Wilhelm Gustloff", który zatonął w nocy 30 stycznia. Nikt nie wie, ile osób znajdowało się na pokładzie, ale liczbę ofiar szacuje się na 5300 do 7400 osób.

Pomimo ryzyka związanego z morskimi rejsami wyczerpane i wygłodniałe Niemki z dziećmi na rękach wyczekiwały na łodzie i kutry, często na próżno. W Królewcu racje żywnościowe były tak mizerne – wydawano niecałe sto osiemdziesiąt gramów chleba dziennie na osobę – że niektórzy brnęli przez śniegi i zdawali się na łaskę czerwonoarmistów, najczęściej jednak nie znajdowali u nich litości. W samym mieście gorliwie przeprowadzano egzekucje dezerterów. Zwłoki osiemdziesięciu niemieckich żołnierzy wystawiono na widok publiczny na kolejowym Dworcu Północnym, opatrzone tablicą z napisem: „Okazali się tchórzami, ale i tak zginęli"[27].

Tempo sowieckiego natarcia ku Odrze sprawiło, że formacje Armii Czerwonej wyprzedziły wielu niemieckich żołnierzy, wędrujących na zachód w pojedynkę lub w grupach. Dywizje strzeleckie NKWD, odpowiedzialne za bezpieczeństwo na zapleczu frontu, musiały toczyć zaciekłe boje. Gdy wojska Koniewa zmierzały w kierunku Wrocławia, zaczęła się tam paniczna ucieczka ludności cywilnej; tłumy wdzierały się do pociągów, a inni brnęli pieszo przez głęboki śnieg. Wielu, o ile nie większość tych ostatnich zmarło z zimna. Niektórzy docierali w bezpieczne okolice, niosąc na rękach przemarznięte zwłoki dziecka. Oblężenie Wrocławia, które miało potrwać do końca wojny, zostało zorganizowane przez fanatycznego gauleitera Karla Hankego, sprawującego rządy terroru: wydawał rozkazy egzekucji nieposłusznych żołnierzy i zmuszał ludność cywilną, w tym nieletnich, do odśnieżania torów kolejowych pod silnym ogniem radzieckiej artylerii.

---

[26] BA-B R55/616, s. 158.
[27] Tkaczenko (członek Smierszy) do Berii, GARF 9401/2/93, s. 324.

Armie Żukowa szybko przeszły przez Wielkopolskę – zachodnią dzielnicę Polski, wcieloną do Rzeszy jako Warthegau ("Kraj Warty"). Uciekający Niemcy byli ograbiani z mienia przez Polaków, zdecydowanych pomścić los, jakiego sami zaznali trakcie okupacji. Utrzymanie tempa natarcia 1. i 2. Gwardyjskiej Armii Pancernej w kierunku Odry było możliwe dzięki temu, że na ich prawym skrzydle cztery inne radzieckie armie maszerowały przez południowe Pomorze. Największe problemy nastręczał im nie tyle niemiecki opór, ile trudności z dowozem zaopatrzenia; służby logistyczne rozpaczliwie usiłowały dotrzymywać kroku czołowym formacjom, gdyż z powodu zniszczenia szlaków kolejowych mogły korzystać wyłącznie z fatalnych, oblodzonych dróg. Gdyby nie amerykańskie ciężarówki, dostarczane w ramach układu Lend-Lease, Armii Czerwonej w żaden sposób nie udałoby się dotrzeć do Berlina przed Amerykanami.

"Nasze czołgi rozjeżdżały i miażdżyły wszystko – pisał jeden z sowieckich żołnierzy. – Ich gąsienice zgniatały wozy, samochody, konie i wszystko inne na swojej drodze. Hasło »Naprzód, na zachód!« zostało zastąpione sloganem »Naprzód, na Berlin!«"[28]. Po drodze złupiono miasto Skwierzyna (Schwerin an der Warthe). "Wszystko płonie – zapisał Wasilij Grossman w swoim notatniku. – Jakaś staruszka wyskoczyła z okna palącego się budynku". Pożary rozświetlały sceny rabunku dokonywanego przez czerwonoarmistów. Grossman odnotował też "przestrach w oczach kobiet i dziewcząt. Straszne rzeczy wyprawia się z Niemkami. (...) Radzieckie dziewczyny z wyzwolonych obozów także bardzo się nacierpiały"[29].

W bardzo szczegółowym raporcie na temat działań wojsk 1. Frontu Ukraińskiego ujawniono potem, że młode kobiety oraz dziewczęta wywiezione ze Związku Radzieckiego na roboty przymusowe w Rzeszy również padały ofiarą zbiorowych gwałtów. Pragnęły odzyskać wolność, lecz doznały wstrząsu, zmaltretowane przez ludzi, których uważały za swoich towarzyszy i braci. Generał Cygankow zakończył ów raport takimi wnioskami: "Wszystko to tworzy żyzny grunt dla niezdrowych, złych nastrojów wśród wyzwolonych obywateli radzieckich; wywołuje niezadowolenie i nieufność przed ich powrotem do ojczyzny". Ale nie wspomniał o konieczności zacieśnienia dyscypliny w sowieckim wojsku. Doradzał zamiast tego, aby zarząd polityczny oraz Komsomoł skoncentrowały wysiłki na "lepszym prowadzeniu pracy politycznej i kulturalnej z repatriowanymi radzieckimi obywatelami", żeby zapobiec ich powrotowi do kraju z niepochlebnymi myślami o Armii Czerwonej[30].

---

[28] WCD, 23 stycznia 1945 r.
[29] Dokumentacja W. Grossmana, RGALI 1710/3/51, s. 231.
[30] RGASPI 17/125/314, s. 40–45.

Zdarzały się też nieczęste chwile prawdziwej radości. Wasilij Czurkin, który przeszedł cały bojowy szlak spod Leningradu, gdzie brał udział w straszliwych zmaganiach na skutym lodem jeziorze Ładoga, zimą roku 1944/1945 walczył w składzie 1. Frontu Białoruskiego Żukowa. „Zbliżamy się do Berlina – zapisał w diariuszu pod koniec stycznia – pozostało tylko sto trzydzieści pięć kilometrów. Opór niemiecki jest słaby. W powietrzu widać tylko nasze samoloty. Minęliśmy obóz koncentracyjny. Baraki, w których więziono nasze kobiety, są ogrodzone kilkoma rzędami drutu kolczastego. Wielki tłum więźniarek wybiegł przez ogromną bramę. Biegły ku nam, płacząc i krzycząc. Nie mogły uwierzyć, że to się wydarzyło, nie wiedziały o niczym aż do ostatniej chwili. Ten widok był bardzo poruszający. Sam jednak najbardziej się wzruszyłem, kiedy jeden z żołnierzy odnalazł swoją siostrę. Podbiegła do niego, kiedy go rozpoznała. Jakże się wyściskali i płakali na oczach wszystkich. Całkiem jak w baśni"[31].

Trzydziestego stycznia, w dwunastą rocznicę objęcia władzy w Niemczech przez nazistów i zarazem w dniu, kiedy Hitler wygłosił przez radio ostatnie orędzie do narodu niemieckiego, w Berlinie wybuchła panika. Czołówki pancerne Żukowa zbliżały się do Odry, odległej od Berlina zaledwie o sześćdziesiąt kilometrów. Tej samej nocy radziecka 89. Gwardyjska Dywizja Strzelecka opanowała niewielki przyczółek, przechodząc na zachodni brzeg rzeki po lodzie, nieco na północ od Kostrzyna. Nazajutrz wczesnym rankiem żołnierze 5. Armii Uderzeniowej także przekroczyli Odrę i zajęli miejscowość Kienitz. Trzeci przyczółek został zdobyty na południe od Kostrzyna. W Berlinie zapanowała konsternacja, tym większa, że Ministerstwo Propagandy w tym czasie wmawiało niemieckiej ludności, że walki nadal toczą się pod Warszawą. Dla nazistów pozory pozostawały dużo ważniejsze od ludzkich cierpień, nawet tych, które spadły na ich rodaków. W trakcie jednego tylko miesiąca, w styczniu 1945 roku, straty Wehrmachtu wzrosły do 451 742 zabitych – mniej więcej tylu amerykańskich żołnierzy poległo podczas całej drugiej wojny światowej.

Naprędce formowano oddziały z lokalnych jednostek Volkssturmu, pewnej liczby kaukaskich ochotników (których później aresztowano, kiedy odmówili strzelania do swoich pobratymców w armii radzieckiej), członków Hitlerjugend oraz szkolnych batalionów złożonych z nastolatków – te miały zasilić Dywizję Grenadierów Pancernych „Feldherrnhalle" okrążoną w Budapeszcie. Pułk wartowniczy Dywizji „Grossdeutschland", który (jeszcze jako batalion) zdławił przewrót w lipcu poprzedniego roku, został przewieziony autobusami na wzgórza Seelow. Skarpa ta, górująca nad nad-

---

[31] WCD, 31 stycznia 1945 r.

odrzańskimi równinami zalewowymi, miała stanowić ostatnią linię obrony na przedpolach Berlina.

Rano 3 lutego amerykańska 8. Armia Powietrzna przeprowadziła najcięższy z nalotów na niemiecką stolicę, a wskutek tego bombardowania zginęły trzy tysiące ludzi. Bomby spadły na Kancelarię Rzeszy i Kancelarię NSDAP kierowaną przez Bormanna, siedziba zaś kierownictwa Gestapo przy Prinz Albrecht Strasse oraz gmach Trybunału Ludowego doznały poważnych uszkodzeń. Roland Freisler, przewodniczący tegoż trybunału, który wsławił się publicznym znieważaniem spiskowców po nieudanej próbie lipcowego zamachu, zginął przysypany gruzem w piwnicach owego gmachu.

Tymczasem Żukow stanął w obliczu dylematu typowego dla zwycięskich dowódców po błyskawicznych ofensywach. Czy Armia Czerwona powinna starać się szturmować Berlin, póki w nieprzyjacielskim obozie panuje zamieszanie i nie zorganizowano jeszcze obrony, czy też należy pozwolić żołnierzom odpocząć, uzupełniając stan jednostek i remontując czołgi? Wśród podkomendnych Żukowa spierano się żywo w tej sprawie; Czujkow, dowodzący 8. Armią Gwardii, przekonywał gorączkowo, że atakować trzeba niezwłocznie. Kwestia ta została ostatecznie rozstrzygnięta 6 lutego przez Stalina, telefonującego z Jałty na Krymie. Polecił on Żukowowi przed uderzeniem na Berlin połączyć siły z wojskami Rokossowskiego i zlikwidować „nadbałtycki balkon" na Pomorzu, na północnej flance radzieckiego ugrupowania, gdzie Himmler, ku rozpaczy Guderiana i innych wyższych rangą oficerów, objął osobiste dowodzenie wojskami Grupy Armii „Wisła".

ROZDZIAŁ 45

Filipiny, Iwo Jima, Okinawa i naloty na Tokio

listopad 1944–czerwiec 1945

Wkrótce po triumfalnym lądowaniu generała MacArthura na Leyte w październiku 1944 roku jego 6. Armia uwikłała się w zmagania znacznie cięższe, niż się tego spodziewano. Japończycy wzmocnili garnizon na tej wyspie i szybko osiągnęli przewagę w powietrzu. Lotniskowce admirała Halseya odpłynęły, a grunt po monsunowych deszczach, w trakcie których spadło prawie dziewięćset milimetrów deszczu, był zbyt podmokły, aby budować na nim lotniska. Choć Japończycy wcześniej zamierzali zachować siły wojskowe do obrony Luzonu, głównej filipińskiej wyspy, to Cesarska Kwatera Główna nalegała na to, by więcej odwodów rzucić do walki o Leyte. Przebazowano tam samoloty nawet z odległej Mandżurii, lecz do tego czasu Amerykanom udało się jednak uruchomić pięć lotnisk polowych, a w rejon Filipin powróciła flotylla lotniskowców Halseya.

Boje na Leyte przeciągnęły się do grudnia, po części z powodu przesadnej ostrożności generała porucznika Waltera Kruegera, który dowodził 6. Armią. Najbardziej zacięte walki toczyły się o „Wzgórze Złamanego Karku" (Breakneck Ridge) koło Carigary na północy wyspy, zaciekle bronione przez oddziały japońskie. Jednakże Kruegerowi dopomógł fatalny japoński kontratak na amerykańskie lądowiska. Z końcem grudnia Amerykanie oszacowali, że na Leyte zginęło sześćdziesiąt tysięcy Japończyków. Dziesięć tysięcy z nich utonęło wraz z transportowcami zatopionymi u wybrzeży wyspy. Po stronie amerykańskiej poległo około trzech i pół tysiąca żołnierzy, a dwanaście tysięcy zostało rannych. MacArthur, który nigdy nie grzeszył zbytnią skromnością, określił to mianem „zapewne największej klęski w annałach japońskiej armii".

Upór japońskiego naczelnego dowództwa w kwestii wzmacniania garnizonu Leyte oddziałami z Luzonu uczynił inwazję na tę ostatnią wyspę – a akcja owa została ostatecznie zaplanowana na 9 stycznia 1945 roku – dużo łatwiejszą. Najpierw jednak należało zdobyć Mindoro, wyspę nieco na południe od Luzonu, i wybudować tam kolejne lotniska. Lądowanie i działania wojsk amerykańskich przebiegały dość pomyślnie, niemniej morska eskadra uderzeniowa ucierpiała znacznie od ataków kamikadze.

Generał Yamashita, dowódca wojsk japońskich na Luzonie, który wcześniej sprzeciwiał się strategii wzmacniania obrony Leyte, wiedział, że nie może liczyć na pobicie nieprzyjacielskich sił zmierzających w jego kierunku. Miał wycofać się wraz ze stu pięćdziesięcioma dwoma tysiącami żołnierzy, czyli większością swoich wojsk, na wzniesienia w północno-środkowej części Luzonu. Mniejsze, trzydziestotysięczne zgrupowanie dostało zadanie obrony baz powietrznych wokół Clark Field, a inne, liczące osiemdziesiąt tysięcy żołnierzy, rozmieszczone na wzgórzach koło Manili, mogło odciąć dopływ wody do filipińskiej stolicy[1].

MacArthur zamierzał zaatakować Luzon z zatoki Lingayen na północny zachód od wyspy, a pomocniczy desant chciał wysadzić na południe od Manili. W ogólnych zarysach przypominało to japoński plan inwazji sprzed trzech lat. W pierwszym tygodniu stycznia jego flota eskortowa poniosła poważne straty w rezultacie samobójczych ataków japońskich samolotów, nadlatujących znad wyspy na niewielkim pułapie. Na dno poszły jeden lotniskowiec eskortowy i duży niszczyciel, a znacznych uszkodzeń doznały kolejny lotniskowiec, a także pięć krążowników, pancerniki USS „California" i „New Mexico" oraz wiele innych okrętów. Liczne grupy kamikadze zostały zestrzelone przez artylerię przeciwlotniczą i myśliwce eskortowe, ale nie sposób było zapobiec wszystkim takim atakom. Jednostki desantowe uniknęły poważniejszych strat, a same oddziały inwazyjne lądowały 9 stycznia, nie napotykając żadnego oporu. Filipińscy partyzanci zawczasu poinformowali amerykańskie dowództwo, że w okolicy nie ma Japończyków, wobec czego mijało się z celem bombardowanie sektora wyznaczonego na przeprowadzenie desantu, jednak kontradmirał Jesse B. Oldendorf uznał za konieczne ścisłe wypełnienie otrzymanych rozkazów. Ostrzał artyleryjski spowodował wielkie zniszczenia na tamtejszych osiedlach i farmach, nie czyniąc żadnej szkody nieprzyjacielowi.

Podczas gdy I Korpus na lewym skrzydle napotkał na wzgórzach silny opór Japończyków, XIV Korpus na prawej flance na południu nacierał przez płaskie obszary w kierunku Manili. Generał Krueger podejrzewał, że

---

[1] R.H. Spector, *Eagle against the Sun. The American War with Japan*, London 2001, s. 520–523.

MacArthur naciskał go, domagając się zwiększenia tempa ofensywy, gdyż pragnął powrócić do Manili na swoje urodziny, które wypadały 26 stycznia. To przypuszczalnie niesłuszny zarzut. MacArthurowi zależało na uwolnieniu alianckich jeńców przetrzymywanych w japońskich obozach oraz, w miarę możliwości, na zajęciu portu manilskiego, zanim Japończycy zdążą go zniszczyć. Oddział amerykańskich rangersów, świetnie wspomagany przez filipińskich partyzantów, zdołał oswobodzić czterystu osiemdziesięciu sześciu jeńców wojennych, którzy przetrwali marsz śmierci na Bataanie, przeprowadzając udaną akcję na obóz w pobliżu Cabanatuan, dziewięćdziesiąt pięć kilometrów na północ od Manili. Zniecierpliwienie MacArthura narastało wobec powolnych postępów czynionych przez jego wojska, bardziej opóźnianych przez konieczność forsowania licznych rzeczek, pól ryżowych i stawów rybnych aniżeli przez zbrojny opór stawiany przez Japończyków. MacArthur zaingerował w przebieg operacji, posyłając naprzód 1. Dywizję Kawalerii. Chciał uwolnić innych alianckich jeńców przetrzymywanych na terenie Universidad Santo Tomás.

Kolejny desant, przeprowadzony przez czterdzieści tysięcy żołnierzy XII Korpusu, miał miejsce 29 stycznia w północnej części półwyspu Bataan, ale rychło te wojska inwazyjne natknęły się na bardzo silną japońską obronę. Jeszcze inne lądowanie na południe od Manili, dokonane przez 11. Dywizję Powietrznodesantową, przyniosło nawet szybsze rezultaty od natarcia przez pobliską równinę. Czwartego lutego Amerykanie z tej dywizji dotarli do japońskiej linii defensywnej nieco na południe od Manili, choć nie wiedzieli jeszcze, że inny szturm na stolicę został odparty poprzedniej nocy. Spektakularny wypad lotnej kolumny, złożonej z oddziałów 1. Dywizji Kawalerii, przeprowadzony od północy, zaowocował wdarciem się do północnej dzielnicy Manili po jednym z mostów, po tym jak pewien podporucznik marynarki przeciął lont połączony z ładunkami wybuchowymi. Tego samego wieczoru amerykańskie czołgi przebiły mury okalające Universidad Santo Tomás, gdzie Japończycy internowali cztery tysiące alianckich cywilów.

Filipiny, archipelag składający się z około siedmiu tysięcy wysp, stanowił idealny obszar do prowadzenia działań partyzanckich, a Filipińczycy, bardziej od jakiejkolwiek innej dalekowschodniej nacji, czynili przygotowania do wyzwolenia swojego kraju już wkrótce po nastaniu japońskiej okupacji. Częściowo pod wpływem ufności w słowa Amerykanów, którzy obiecali przyznanie Filipinom pełnej suwerenności w 1946 roku, a częściowo z nienawiści do butnych i okrutnych Japończyków, stosujących tortury i publicznie ścinających skazańców, zgrupowania partyzanckie działały na większości wysp. Niektórymi z tych oddziałów dowodzili amerykańscy oficerowie, pozostawieni na Filipinach w 1942 roku. Wielu filipińskich żołnierzy ukryło broń w czasie kapitulacji. Po tym jak w kwaterze dowództwa MacArthura w Brisbane przekonano się, na jaką skalę rozwinął się na Filipinach ruch partyzancki, alianckie okręty podwodne zaopatrywały go w broń, radionadajniki i medykamenty, a także broszury propagandowe MacArthura.

Na bardziej rozległych obszarach, gdzie japońscy żołnierze rzadko się zapuszczali, lokalne grupy podziemne organizowały cywilne życie i warsztaty, a nawet drukowały swoje pieniądze, które ludność wolała od japońskich banknotów okupacyjnych. Punkty obserwacyjne na wybrzeżu zaopatrzone w radioodbiorniki przesyłały wiadomości o japońskich transportach, wykorzystywane przez amerykańskie okręty podwodne z zabójczymi dla przeciwnika rezultatami. Największe zagrożenie stanowiły dla filipińskich partyzantów japońskie oddziały namiaru radiowego. Ryzyko zadenuncjowania przez miejscową ludność było nieznaczne, ta bowiem pomagała nawet w przenoszeniu cięższego sprzętu, gdy zjawiały się patrole wojskowe Japończyków. Na Filipinach współdziałało z okupantem zaskakująco niewielu kolaborantów; większość z tych mieszkańców Manili, którzy pracowali dla japońskiej administracji, dostarczała podziemiu tyle informacji, ile zdołała uzyskać.

Japończycy mścili się srodze na ludności po wylądowaniu na Filipinach wojsk MacArthura, a zwłaszcza w trakcie walk o stolicę. Yamashita nie zamierzał wcześniej bronić Manili, a dowódca lokalnej armii zgodnie z rozkazami planował wycofanie swych oddziałów, ale nie miał większego wpływu na poczynania japońskiej floty. Ignorując polecenia Yamashity, kontradmirał Sanji Iwabuchi rozkazał swoim podwładnym podjęcie walki o stołeczne miasto. Pozostałe jednostki wojsk lądowych uznały za swą powinność przyłączenie się do nich, a japońskie zgrupowanie liczyło łącznie około dziewiętnastu tysięcy ludzi. Gdy oddziały te wycofywały się do manilskiego centrum, do starej hiszpańskiej cytadeli Intramuros i okolic portu, niszczyły za sobą mosty i zabudowania. W uboższych dzielnicach, wśród drewnianych i bambusowych domów, rozszalały się pożary. Ale w samym centrum większość budynków była z betonu i można je było przekształcić w stanowiska obronne.

MacArthura, który chciał urządzić defiladę zwycięstwa, skonsternowała batalia, jaka rozgorzała w mieście; ponad siedemset tysięcy cywilów znalazło się nagle w potrzasku w strefie objętej walkami. Pierwsza Dywizja Kawalerii, 37. Dywizja Piechoty i 11. Dywizja Powietrznodesantowa uwikłały się w zmagania o każdy dom. Tak jak w trakcie ataku na Akwizgran Amerykanie rychło stwierdzili, że trzeba zdobywać kolejne budynki od góry, z poziomu dachów i najwyższych pięter, przy użyciu granatów, pistoletów maszynowych i miotaczy ognia. Amerykańscy saperzy wykorzystywali opancerzone spychacze do rozbijania ulicznych barykad. Prowadzący obronę japońscy marynarze i żołnierze, świadomi, że zginą, mordowali Filipińczyków i bezlitośnie gwałcili kobiety przed zabiciem ich. Mimo że MacArthur nie chciał użyć lotnictwa, mając na względzie życie ludności cywilnej, to łącznie około stu tysięcy mieszkańców Manili – czyli ponad jedna ósma ludności tego miasta – zginęło podczas walk, które potrwały do 3 marca.

Dla żołnierzy generała Kruegera najpilniejszym celem była likwidacja japońskiego zgrupowania na wschód od Manili, w którego rękach znajdowały się źródła wody, z jakiej korzystało to miasto. I znowu Japończycy wykopali jamy oraz tunele na stokach wzgórz, a Amerykanie ponownie musieli wykurzać ich stamtąd za pomocą granatów fosforowych i miotaczy ognia. Niszczyli wejścia do tuneli, następnie wlewali i wrzucali przez otwór benzynę oraz materiały wybuchowe, aby ci, którzy znajdowali się w środku, spłonęli lub podusili się. Samoloty typu P-38 Lightning zrzucały napalm, który okazał się znacznie skuteczniejszy od konwencjonalnych bomb. Wielką pomoc zaoferował miejscowy pułk partyzancki, któremu w niespodziewanym dla wroga szturmie udało się opanować zawczasu główną zaporę wodną. Japończykom zabrakło czasu na zdetonowanie podłożonych ładunków wybuchowych. Resztki obrońców wycofały się na wzgórza pod koniec maja.

Kiedy jeszcze toczyły się walki w Manili, MacArthur wespół z 8. Armią generała porucznika Eichelbergera podjął ofensywę mającą na celu odzyskanie wysp centralnych i południowych Filipin oraz opanowanie ich, aby Japończycy nie mogli się na nich umocnić. Uznał to zadanie za pilniejsze od likwidacji głównego zgrupowania Yamashity na wzniesieniach na północy Luzonu, gdyż temu można było odciąć drogę odwrotu i bombardować do woli. Przeprowadzono serię desantów z morza, wszystkie przy wsparciu lotnictwa. Eichelberger twierdził, że jego wojska dokonały czternastu większych i dwudziestu czterech mniejszych lądowań w ciągu zaledwie czterdziestu czterech dni. Nierzadko żołnierze Eichelbergera przekonywali się, że filipińscy partyzanci zawczasu rozprawili się z mniejszymi japońskimi garnizonami.

Dwudziestego ósmego lutego oddziały inwazyjne wylądowały na wydłużonej, leżącej w zachodnich Filipinach wyspie Palawan, która rozciągała się między Mindoro a Borneo Północnym. Wojska te natknęły się na zwęglone zwłoki stu pięćdziesięciu amerykańskich jeńców, wcześniej, w grudniu, oblane benzyną i spalone przez obozowe straże. Dziesiątego marca odbyła się inwazja na Mindoro, gdzie amerykański pułkownik wojsk inżynieryjnych Wendell W. Fertig na czele silnego zgrupowania partyzanckiego opanował polowe lotnisko. Przed zasadniczym atakiem wylądowały tam transportowe samoloty C-47, dowożąc dwie kompanie z 24. Dywizji Piechoty. Następnie przybyły również myśliwce Corsair z sił powietrznych piechoty morskiej, korzystając z tego lądowiska jako wysuniętej bazy. Na Mindanao ścisłe współdziałanie amerykańskiej piechoty, filipińskiej partyzantki i lotnictwa piechoty morskiej zmusiło japońskich obrońców z zachodniej części półwyspu Zamboanga do ucieczki na okoliczne wzgórza. Ale operacja mająca na celu likwidację głównego japońskiego zgrupowania na wschodzie Filipin rozpoczęła się dopiero 17 kwietnia.

Po raz wtóry partyzanckie oddziały Fertiga zdołały opanować lotnisko, a amerykańskie wojska podjęły natarcie w głąb lądu; niektóre korzystały ze złej lokalnej drogi, natomiast jeden z pułków, po zaokrętowaniu na łodzie i barki, wyruszył pod eskortą małych ścigaczy rozległą rzeką Mindanao, atakując z zaskoczenia japońskie garnizony. Amerykanie wiedzieli, że trwa swoisty wyścig z nadchodzącym monsunem. Spowalniani przez zarośla dżungli i wąwozy, nad którymi Japończycy poniszczyli prawie wszystkie mosty i zaminowali podejścia, toczyli zmagania, które miały potrwać o wiele dłużej, niż się tego spodziewali. Te ostatecznie dobiegły końca 10 czerwca, miesiąc po tym jak ustały walki w Europie. Wojska generała Yamashity w górach na północy Luzonu stawiały opór do samego końca. On sam poddał się dopiero 2 września 1945 roku, w dniu oficjalnej kapitulacji Japonii.

W Chinach ofensywa „Ichi-gō" dobiegła końca w grudniu 1944 roku. Siły japońskie robiły wypady w kierunku Chongqingu i Kunmingu, lecz ich linie zaopatrzeniowe były nader rozciągnięte. Następca Stilwella generał Wedemeyer przyleciał z północnej Birmy wraz z dwiema wyszkolonymi przez Amerykanów dywizjami X-Force, aby utworzyć w Chinach linię obronną, ale Japończycy już przeszli do odwrotu. Wspomniane dwie dywizje wróciły do Birmy, a pod koniec stycznia połączyły się wreszcie z Y-Force nad rzeką Saluin. Pozostałe wojska japońskie wycofały się w góry, a Droga Birmańska w końcu stanęła otworem. Pierwszy konwój alianckich ciężarówek dotarł do Kunmingu 4 lutego.

Tymczasem ofensywa Slima została na pewien czas zatrzymana nad Irawadi, po tym jak generał porucznik Hoyotaro Kimura wraz z niedobitkami japońskiej Terytorialnej Armii Birmańskiej przeprowadził odwrót za tę wielką naturalną przeszkodę wodną. Slim spisał się wybornie, organizując wielką przeprawę XXXIII Korpusu i po cichu wycofując IV Korpus na skrzydle. Na miejscu pozostały upozorowane kwatery dowództw, które wysyłały umówione meldunki, podczas gdy utrzymujące ciszę radiową dywizje przemaszerowały na południe, by następnie sforsować rzekę dużo dalej, nie napotykając oporu i zagrażając tyłom Kimury. Japończycy musieli się pospiesznie wycofać, a Mandalaj został zdobyty 20 marca po zaciętym boju.

Slim nie tracił czasu, podejmując natarcie na południe przez dolinę Irawadi w kierunku Rangunu i spiesząc się przed nastaniem pory deszczowej. Tymczasem Mountbatten zorganizował operację „Dracula", czyli desant powietrzno-morski, który na początku maja miał przeprowadzić brytyjski XV Korpus z Arakanu. Monsun nadszedł o dwa tygodnie za wcześnie, zatrzymując wojska Slima sześćdziesiąt pięć kilometrów od celu. Trzeciego maja Rangun został wzięty przez XV Korpus przy wsparciu Birmańskiej Armii Niepodległościowej, czyli lokalnych wojsk, które przeszły na stronę aliantów. Oddziały Kimury nie miały wyjścia i musiały wycofać się do Syjamu (Tajlandii). Resztki japońskiej 28. Armii, odcięte za alianckimi liniami w Arakanie, usiłowały przedzierać się na wschód za rzekę Sittaung. Ale Brytyjczycy znali plany przeciwnika. Gdy Japończycy dotarli nad Sittaung, wpadli w zastawioną pułapkę i zostali zmasakrowani przez hinduską 17. Dywizję. Z siedemnastu tysięcy japońskich żołnierzy ocalało z tego pogromu zaledwie sześć tysięcy.

*

Z punktu widzenia japońskiego dowództwa ofensywa „Ichi-gō" osiągnęła zakładane cele. Wojska cesarskie wyeliminowały z walki pół miliona żołnierzy armii chińskich nacjonalistów i zmusiły te ostatnie do wycofania się z ośmiu prowincji, zamieszkanych łącznie przez ponad sto milionów ludzi. A jednak oznaczało to także wielki sukces dla chińskich komunistów. Nacjonaliści utracili nie tylko kolejne tereny rolnicze, ale również bardzo znaczną część rezerw ludzkich, z których rekrutowano poborowych do wojska. Choć Chińczycy wielce nienawidzili Japończyków, to fakt, iż chwilowo przestał zagrażać przymusowy werbunek do chińskiej armii, musiał stanowić ulgę dla lokalnej ludności. Jak zauważył generał Wedemeyer: „Pobór do wojska spada na chińskiego wieśniaka jak głód i powodzie, tyle że częściej"[2].

Po tym jak w trakcie ofensywy „Ichi-gō" zniszczono trzynaście amerykańskich lotnisk, dwie nowe bazy sił powietrznych powstały w Laohekou (trzysta kilometrów na północny zachód od Hankou) i Zhijiang (dwieście pięćdziesiąt kilometrów na zachód od Hengyang). W kwietniu 1945 roku japońska operacja zaczepna z udziałem sześćdziesięciu tysięcy żołnierzy 12. Armii doprowadziła do zniszczenia lotniska w Laohekou, ale atak 20. Armii na bazę w Zhijiang okazał się mniej udany. Pięć dobrze wyekwipowanych – w ramach planu modernizacyjnego chińskiej armii realizowanego przez generała Wedemeyera – dywizji Kuomintangu wraz z piętnastoma innymi częściowo unowocześnionymi jednostkami przerzucono do obrony Zhijiang. Dwudziestego piątego kwietnia, przy wsparciu dwustu samolotów, siły te rozbiły liczące pięćdziesiąt tysięcy żołnierzy zgrupowanie nieprzyjaciela w trakcie ostatniej większej bitwy w wojnie chińsko-japońskiej. Starcie to dowiodło, że należycie przeszkolone i wyposażone, a przede

---

[2] Ch.F. Romanus, R. Sunderland, *The United States Army in World War II. The China-Burma--India Theater*, t. 3, Washington 1959, s. 369.

wszystkim wykarmione dywizje Kuomintangu mogły z powodzeniem walczyć z Japończykami.

Siły japońskie w Chinach i Mandżurii już wcześniej stopniowo redukowano, przerzucając część wojsk do Filipin. Potem naczelne dowództwo armii cesarskiej uznało za nieodzowne skierowanie jednostek japońskiej Armii Ekspedycyjnej w Chinach do obrony Okinawy. Sześćdziesiąta Druga Dywizja, która wzięła udział w ofensywie „Ichi-gō", już otrzymała zadanie obrony miasta Shuri.

Inny cel Japończyków, czyli połączenie sił z wojskami w Indochinach, też udało się osiągnąć. W styczniu 1945 roku, kiedy dywizje z Chin przekroczyły granicę, wyżsi rangą oficerowie japońscy z Indochin doznali wstrząsu na widok żołnierzy z tych jednostek. Ci z 37. Dywizji mieli długie włosy i brody, ich mundury były w strzępach, a na niewielu zachowały się widoczne dystynkcje[3]. Ludzi tych wcielono do nowo utworzonej 38. Armii, do walki w północnym Tonkinie z partyzantką Ho Chi Minha. Wcześniej partyzanci Ho Chi Minha dostarczali aliantom cennych informacji wywiadowczych i ratowali zestrzelonych lotników, podobnie jak grupy Tajów, zaopatrywane w radiostacje i broń z Indii, zrzucane na spadochronach przez SOE i OSS.

Dwunastego stycznia III Flota Halseya wpłynęła na wody indochińskie, by w zatoce Cam Ranh zaatakować dwa japońskie lotniskowce (przebudowane pancerniki), „Hyūga" i „Ise". Ten wypad na Morze Południowochińskie był poniekąd łabędzim śpiewem Halseya, jego ostatnią akcją bojową przed przekazaniem komendy admirałowi Spruance'owi. Wspomniane dwie japońskie jednostki w istocie odpłynęły do Singapuru po tym, jak amerykańskie okręty podwodne zatopiły towarzyszące im tankowce, ale lotnictwo pokładowe z trzynastu lotniskowców Halseya zniszczyło lekki krążownik, jedenaście mniejszych jednostek nawodnych, trzynaście frachtowców i dziesięć zbiornikowców, a ponadto francuski krążownik „La Motte-Picquet", uprzednio rozbrojony przez Japończyków. Operując nad tamtym obszarem, lotnicy amerykańskiej floty atakowali również lotniska wokół Sajgonu, niszcząc stacjonujące tam japońskie samoloty i składy paliw.

Dziewiątego marca Japończycy pozbawili władzy administrację admirała Decoux i rozbroili francuskie wojska, choć niektóre oddziały stawiły opór, zwłaszcza na północy kraju. Gaullistowscy agenci, a także ci z OSS od pewnego czasu kontaktowali się z francuskimi oficerami, którzy byli już gotowi do przejścia na stronę aliantów. Japońskie siły podjęły ofensywę „Meigō"

---

[3] H. Kawano, *Japanese Combat Morale*, w: M. Peattie, E. Drea, H.J. van de Ven, *The Battle for China. Essays on the Military History of the Sino-Japanese War of 1937–1945*, Stanford 2011, s. 328.

przeciwko francuskim oddziałom kolonialnym broniącym się w twierdzach, takich jak fort Liangshan, którego załoga liczyła siedem tysięcy żołnierzy.

Japońscy dowódcy w Indochinach planowali odesłanie pół miliona ton zapasów ryżu do Japonii i dla innych cesarskich garnizonów, ale amerykańska blokada i brak środków transportu zniweczyły te zamiary. Choć część owych zapasów zgniła, to resztę przechwyciły w listopadzie 1945 roku formacje chińskich nacjonalistów, skierowane do Indochin w celu rozbrojenia Japończyków, i wywiozły do Chin. Wielu mieszkańców Półwyspu Indochińskiego ucierpiało w tym okresie z powodu głodu, gorszego nawet od tego, który panował podczas walk o wyzwolenie spod panowania francuskiego oraz wojny wietnamskiej[4].

Pierwsze informacje o celach bombardowań w Japonii zostały dostarczone przez syjamskich dyplomatów z placówki w Tokio, którzy przekazali je amerykańskiej organizacji wywiadowczej OSS za pośrednictwem tajskiego ruchu oporu. Do grudnia 1944 roku Amerykanie uruchomili bazy lotnicze na Guamie, Tinianie i Saipanie. Z powodu zdecydowanych korzyści, jakie dawała lokalizacja lotnisk na Marianach w porównaniu z tymi w Chinach, dowodzenie wszelkimi operacjami z użyciem samolotów B-29 Superfortress stopniowo przekazano generałowi majorowi Curtisowi E. LeMayowi. Jednakże straty amerykańskiego lotnictwa bombowego narastały, po części dlatego, że bombowce bywały przechwytywane przez japońskie myśliwce startujące z wysp między Marianami a Japonią, zwłaszcza z Iwo Jimy. Piloci myśliwscy lotnictwa Cesarskiej Marynarki Wojennej stacjonujący na Kiusiu zabijali czas graniem w brydża w oczekiwaniu na alarm, po którym atakowali superfortece lecące na Tokio. Namiętność, z jaką oddawali się wspomnianej grze karcianej, stanowiła osobliwą spuściznę po czasach, kiedy japońska flota wojenna chciała naśladować we wszystkim Royal Navy[5].

Dowództwo amerykańskie postanowiło zdobyć Iwo Jimę wraz z tamtejszym lotniskiem, z którego japońskie myśliwce operowały przeciwko amerykańskim bombowcom i ich bazom na Marianach. Po opanowaniu wyspy mogła ona posłużyć za awaryjne lądowisko dla uszkodzonych samolotów.

Dziewiątego marca, czyli tego samego dnia kiedy Japończycy usunęli francuską administrację w Indochinach, samoloty 21. Grupy Lotnictwa

---

[4]   O Indochinach w latach 1944–1945 por.: G.R. Hess, *Franklin Roosevelt and Indochina*, „Journal of American History" 1972, t. 59, nr 2; R.B. Smith, *The Japanese Period in Indochina and the Coup of 9 March, 1945*, „Journal of Southeast Asian Studies" 1978, t. 9, nr 2; L. Collingham, *The Taste of War. World War II and the Battle for Food*, London 2011, s. 240–242.

[5]   Por. Toshio Hijikata, cyt. za: M. Hastings, *Nemesis. The Battle for Japan, 1944–1945*, London 2007, s. xxiii–xxiv.

Bombowego pod dowództwem LeMaya przeprowadziły pierwszy silny nalot na Tokio z użyciem bomb zapalających. Nieco ponad miesiąc przed nim załogi maszyn B-29 powtórzyły wcześniejszy eksperyment z wykorzystaniem bomb napalmowych. W wyniku tego ataku dzielnica fabryczna w Kobe uległa całkowitemu spaleniu. LeMay doskonale wiedział, jak niszczycielskie są naloty z użyciem ładunków zapalających – już od czasu straszliwego w skutkach nalotu na Hankou, przeprowadzonego na początku zimy.

Dywanowe bombardowanie Tokio przez trzysta trzydzieści cztery samoloty typu Superfortress nie oszczędziło ani mieszkalnych, ani przemysłowych dzielnic miasta. Ponad ćwierć miliona budynków spłonęło w trakcie pożarów rozniecanych przez silny wiatr. Domy z drewna i papieru zapalały się błyskawicznie. Łącznie zginęło osiemdziesiąt trzy tysiące osób, a czterdzieści jeden tysięcy kolejnych odniosło poważne obrażenia – liczba ofiar znacznie przekraczała tę po zrzucie drugiej bomby atomowej na Nagasaki pięć miesięcy później.

Generał MacArthur sprzeciwiał się bombardowaniom Tokio, ale Amerykanie wyzbyli się skrupułów po atakach kamikadze za okręty US Navy. LeMay nie odpowiedział na obiekcje zgłaszane przez MacArthura, a jedyne ustępstwo, na które poszedł, polegało na zrzucaniu ulotek nakłaniających japońską ludność cywilną do opuszczania wszystkich miast i miasteczek, gdzie znajdowały się zakłady przemysłowe. LeMay był zdecydowany kontynuować ataki bombowe na wszystkie większe ośrodki przemysłowe aż do momentu całkowitego ich zniszczenia. O dziwo, dowództwo USAAF-u nadal usiłowało zapewniać, że te nocne naloty z użyciem ładunków zapalających to „precyzyjne" bombardowania[6]. Żeglugę przybrzeżną pomiędzy Wyspami Japońskimi niemal zupełnie sparaliżowano, zrzucając miny na wody Morza Wewnętrznego.

Załogi amerykańskich bombowców w początkowej fazie tej kampanii były wstrząśnięte ponoszonymi stratami. Lotnicy zaczęli kalkulować, jak przedstawiają się ich szanse na przetrwanie cyklu trzydziestu pięciu akcji bojowych. Jeden z nich rzucił hasło: „Przeżyć rok 1945"[7]. Ale niszczenie japońskich wytwórni lotniczych i szkody wyrządzane nieprzyjacielskim myśliwcom, z których większość rzucono do samobójczych ataków na okręty US Navy, sprawiły, że już niebawem amerykańskim samolotom operującym w przestworzach nad Japonią zagrażało stosunkowo niewielkie niebezpieczeństwo.

---

[6] T.D. Biddle, *Rhetoric and Reality in Air Warfare. The Evolution of British and American Ideas about Strategic Bombing, 1914–1945*, Princeton 2002, s. 268.
[7] D. Swift, *Bomber County. The Poetry of a Lost Pilot's War*, London 2010, s. 99.

Rozpoznanie lotnicze wykazało, że Iwo Jima, choć mająca zaledwie siedem kilometrów długości, była niełatwa do zdobycia. LeMay musiał zapewniać admirała Spruance'a, że opanowanie wyspy jest całkowicie nieodzowne do dalszego prowadzenia ofensywy bombowej przeciwko Japonii. Na znacznie większą Okinawę Amerykanie mieli dokonać inwazji sześć tygodni później.

Japońskimi obrońcami Iwo Jimy dowodził generał porucznik Tadamichi Kuribayashi, obyty i inteligentny kawalerzysta. Nie żywił złudzeń co do ostatecznego wyniku czekającej go batalii, ale zawczasu przysposobił pozycje defensywne, aby potrwała możliwie najdłużej. W praktyce znowu oznaczało to przekopywanie tuneli i jam w ziemi, a także budowę bunkrów z betonu wymieszanego ze spoiwem z wulkanicznego żwiru. Mimo niewielkich rozmiarów wyspy tunele pod jej powierzchnią miały łącznie dwadzieścia pięć kilometrów długości. Po ewakuowaniu nielicznej ludności cywilnej przybyły posiłki wojskowe, a liczebność garnizonu Iwo Jimy wzrosła do dwudziestu jeden tysięcy żołnierzy piechoty oraz piechoty morskiej. Każdy z podkomendnych Kuribayashiego poprzysiągł zabić co najmniej po dziesięciu Amerykanów, zanim sam zginie.

Amerykańskie siły powietrzne przez siedemdziesiąt sześć dni bombardowały Iwo Jimę z baz na Marianach. Wreszcie, o świcie 16 lutego, Japończycy ujrzeli ze swoich schronów i pieczar, że nocą podpłynęła ku wyspie flota inwazyjna przeciwnika. Nawodne siły uderzeniowe, złożone z ośmiu pancerników, dwunastu lotniskowców eskortowych, dziewiętnastu krążowników i czterdziestu czterech niszczycieli zakotwiczonych opodal brzegu, podjęły systematyczny ostrzał całego obszaru. Ale zamiast dziesięciodniowego przygotowania artyleryjskiego, którego domagało się dowództwo amerykańskiej piechoty morskiej, admirał Spruance ograniczył ten „zmiękczający" przeciwnika ostrzał do trzech dni. Jeśli uwzględnić wielki tonaż bomb i pocisków, które spadły na Iwo Jimę, to nadwątliły one japońskie umocnienia w minimalnym stopniu. Jedyny wyjątek od tej reguły nastąpił w chwili, gdy japońskie baterie przedwcześnie otworzyły ogień do uzbrojonych w wyrzutnie pocisków rakietowych barek desantowych, uznając, że to jednostki pierwszej fali inwazyjnej. Kiedy tylko baterie te zdradziły w ten sposób swe pozycje, wycelowano w nie ciężkie działa pancerników. Gdy 19 lutego rozpoczęło się desantowanie amerykańskich oddziałów, większość artylerii Kuribayashiego nadal mogła jednak prowadzić ostrzał.

Formacje pierwszego rzutu z 4. i 5. Dywizji Piechoty Morskiej lądowały na południowo-wschodnim skraju wyspy, a po nich wyszli na brzeg żołnierze 3. Dywizji Piechoty Morskiej. Plaże z miękkim wulkanicznym piaskiem były tak strome, że obładowani ciężkim ekwipunkiem *marines* w hełmach z siatkami maskującymi z trudem przez nie brnęli. Japoński ogień artyleryjski przybrał na sile, a wielkie moździerze kalibru 320 mm miotały pociski ku strefie lądowania. Rannych wynoszono na plażę, gdzie często ginęli, nim zdołano ich ewakuować na jeden z okrętów. Odłamki w straszliwy sposób kaleczyły i rozrywały ich ciała.

Część 5. Dywizji zwróciła się w lewo, podejmując atak na nieczynny wulkan Suribachi na południowym krańcu wyspy. Jeden z oficerów przygotował zawczasu flagę, aby zatknąć ją na szczycie tej góry. Prawoskrzydłowy pułk 4. Dywizji wyruszył, żeby zdobyć silnie bronione kamieniołomy. Wspomagały go czołgi typu Sherman, którym z trudem udało się wjechać na stromą żwirową skarpę, ale krwawe walki toczyły się przez większość dnia. Z jednego z amerykańskich batalionów, liczącego początkowo siedmiuset żołnierzy, pozostało zaledwie stu pięćdziesięciu ludzi mogących utrzymać się na nogach.

Do zmroku, pomimo nieustępliwego ostrzału artyleryjskiego i moździerzowego, znalazło się na brzegu trzydzieści tysięcy *marines*. Okopywali się, aby odeprzeć kontratak, lecz nawet to nie było łatwe w podłożu z miałkiego wulkanicznego popiołu. Jeden z żołnierzy, niewątpliwie pochodzący ze wsi, przyrównał to zajęcie do prób wykopania dołka w beczce z ziarnami pszenicy. Przeciwuderzenie jednak nie nastąpiło. Kuribayashi zabronił przeprowadzania takiej kontrakcji, a zwłaszcza samobójczych szturmów na nieosłoniętym terenie. Łatwiej było zabijać Amerykanów z zajmowanych pozycji obronnych.

Bombardowanie wyeliminowało z walki przynajmniej większość japońskich dział zlokalizowanych u podnóży wulkanu Suribachi, ale inne stanowiska obronne nie doznały szkody, o czym przekonali się żołnierze amerykańskiego 28. Pułku, wspinając się na to wzniesienie. „Japońce spuszczali na nas kamienne lawiny – zanotował jeden z *marines* – a skały obsuwały się też w rezultacie ognia z naszych okrętów. Każdy bunkier stanowił odrębny problem, jak element wymyślnej fortecy, którą trzeba było obrócić w perzynę. Ściany wielu z nich były betonowymi płytami grubości co najmniej sześćdziesięciu centymetrów, najeżonymi żelaznymi szynami. Za nimi znajdowała się trzy-, trzyipółmetrowa warstwa skał, obłożona ziemią i brudnym popiołem Iwo Jimy"[8].

W tunelach i bunkrach na Suribachi broniło się tysiąc dwustu japońskich żołnierzy. Ich schrony, odporne na ogień artylerii i pociski pancerzownic, trzeba było niszczyć z bliskiej odległości. *Marines* wykorzystywali ładunki wybuchowe na tyczkach lub w workach, ciskając je z okrzykiem: „Ogień w dziurze!" (*„Fire in the hole!"*), albo wrzucali do wnętrza bunkrów granaty fosforowe. Nieustannie używano miotaczy ognia, lecz było to straszne

---

[8] J. Ellis, *The Sharp End. The Fighting Man in World War II*, London 1993, s. 82.

zadanie dla obsługujących je żołnierzy, na nich bowiem od razu koncentrował się ostrzał nieprzyjacielskich karabinów maszynowych, gdyż japońscy strzelcy usiłowali podpalić zbiornik na plecach Amerykanina z miotaczem płomieni. Japończycy wiedzieli, że takie „smocze tchnienie" miotaczy ognia „smaży człowieka jak kurczaka". W pewnym momencie amerykańscy piechurzy usłyszeli japońską mowę i zorientowali się, że odgłosy te dochodzą przez rozpadlinę. Na górę wtoczyli więc beczki z paliwem, potem wlali benzynę przez tę szczelinę i podpalili ją.

Po trzech dniach nieustannych walk niewielkiemu oddziałowi 28. Pułku udało się dotrzeć na szczyt wulkanu i zatknąć tam na metalowym drągu amerykański sztandar. Była to wielce poruszająca chwila. Widok tej flagi wywołał radość i łzy ulgi wśród ludzi zgromadzonych zarówno u podnóża góry, jak i na morzu. Na okrętach w pobliżu brzegów Iwo Jimy rozległy się dźwięki syren. Sekretarz marynarki wojennej James V. Forrestal, który obserwował przebieg całej operacji, zwrócił się do generała majora Hollanda Smitha i stwierdził: „Zatknięcie tej flagi na Suribachi oznacza, że Korpus Piechoty Morskiej będzie istniał przez następnych pięćset lat"[9]. Wkrótce ściągnięto większy sztandar, a sześciu żołnierzy zatknęło go na kawałku rusztowania, które posłużyło za maszt; wykonane wtedy zdjęcie stało się najbardziej znanym obrazem z czasów wojny na Pacyfiku. Zdobycie Suribachi okupiono życiem ośmiuset marines, lecz nie była to główna japońska pozycja obronna na Iwo Jimie.

Kwatera dowództwa Kuribayashiego znajdowała się głęboko pod ziemią w północnej części wyspy, wśród skomplikowanej sieci tuneli i wydrążonych jam. Zapanowało tam wielkie wzburzenie, kiedy dotarli nieliczni ocalali z Suribachi, przecisnąwszy się ukradkiem przez amerykańskie linie. Mimo że ich bezpośredni przełożony tuż przed śmiercią rozkazał im zanieść wieści o upadku Suribachi, to powitano ich ze zgrozą i zdumieniem, iż nie walczyli tam do końca. Oficer, kapitan marynarki, został spoliczkowany, wyzwany od tchórzy i nieomal ścięty. Klęczał już z pochyloną głową, kiedy w ostatniej chwili wyrwano miecz z dłoni komandora Samajiego Inouyego.

Do czwartego dnia operacji marines opanowali dwa lądowiska w centralnej części wyspy, ale następnie ich trzy dywizje rozwinięte w jednej linii musiały znowu przejść do natarcia w celu zdobycia wspomnianego podziemnego kompleksu w skalnym wulkanicznym podłożu, wśród zupełnie jałowego i iście piekielnego pejzażu. Japońscy strzelcy wyborowi chowali się w skalnych rozpadlinach. Karabiny maszynowe przenoszono z jednej pieczary do drugiej, a straty amerykańskie rosły. Żołnierze piechoty morskiej

---

[9] Cyt. za: G.W. Garand, T.R. Strobridge, History of U.S. Marine Corps Operations in World War II, t. 4: Western Pacific Operations, Washington 1971, s. 542.

byli rozzłoszczeni, że nie zezwolono im na wpuszczenie gazu bojowego do sieci nieprzyjacielskich przekopów. Niektórzy załamywali się pod wpływem wyczerpania nerwowego, lecz znacznie liczniejsi wyróżnili się nadzwyczajną dzielnością, walcząc mimo poważnych zranień. Za udział w walkach na Iwo Jimie przyznano aż dwadzieścia siedem Medali Honoru. Jeńców prawie nie brano: dobijani byli nawet ciężko ranni Japończycy, ponieważ zazwyczaj ukrywali przy sobie granaty, by zginąć wraz z amerykańskimi sanitariuszami, którzy usiłowali ich ratować. Niektórzy *marines* odcinali głowy japońskim poległym i wygotowywali je, by handlować czaszkami po powrocie do kraju.

Zdobywanie kolejnych wąwozów i wzniesień, którym nadawano takie nazwy jak „Maszynka do Mięsa", „Dolina Śmierci" czy „Krwawa Grań", odbywało się powoli i bywało koszmarne. Żołnierze japońscy, przebierając się w mundury zabitych *marines*, po nocach zakradali się ku amerykańskim pozycjom, aby tam zabijać i siać popłoch na tyłach przeciwnika. W nocy 8 marca, mimo wydanego przez Kuribayashiego zakazu, komandor Inouye przeprowadził samobójczy szturm, kiedy jego zgrupowanie złożone z tysiąca ludzi znalazło się w okrążeniu w pobliżu Tachiwa Point na wschodnim skraju wyspy. Kontratak ten spadł na jeden z batalionów 23. Pułku, w trakcie chaotycznej walki zabijając lub raniąc prawie trzystu pięćdziesięciu Amerykanów, ale następnego ranka ci *marines*, którzy pozostali przy życiu, naliczyli siedemset osiemdziesiąt cztery trupy Japończyków wokół swoich pozycji.

Do 26 marca, kiedy zakończyła się batalia o Iwo Jimę, poległo w walce bądź zmarło na skutek śmiertelnych ran 6821 żołnierzy amerykańskiej piechoty morskiej, a kolejnych 19 217 odniosło ciężkie obrażenia. Poza pięćdziesięcioma czterema japońskimi żołnierzami wziętymi do niewoli – z których dwóch odebrało sobie życie – całe wojsko Kuribayashiego, czyli dwadzieścia jeden tysięcy ludzi, zginęło. Po tym jak Kuribayashi został poważnie raniony w ostatniej bitwie i umarł z powodu odniesionych obrażeń, jego podwładni pochowali go w jednej z głębokich pieczar.

W połowie marca uderzeniowy zespół nawodny admirała Mitschera, Task Force 58, z szesnastoma lotniskowcami floty w swoim składzie, wpłynął na japońskie wody, aby zaatakować lotniska na Kiusiu i na głównej wyspie Japonii – Honsiu. Było to wyprzedzające uderzenie przed inwazją na Okinawę. Poza zniszczeniem japońskich samolotów na ziemi lotnikom Mitschera udało się uszkodzić wielki pancernik „Yamato" oraz cztery nieprzyjacielskie lotniskowce. Niespodziewany nalot przeprowadzony przez osamotniony japoński bombowiec, nie kamikadze, spowodował jednak ogromne uszkodzenia na pokładzie lotniskowca USS „Franklin". Choć załoga dostała pozwolenie na opuszczenie okrętu, marynarzom udało się ostatecznie opanować pożary pod pokładem. Flotylla Mitschera miała przeżyć o wiele gorsze ataki, po tym jak znalazła się w pobliżu Okinawy, aby osłaniać lądowanie na tej wyspie. Tam jej okręty stały się celem kolejnych grup kamikadze.

W trakcie pierwszych dni marca wojska amerykańskie zajęły dwa archipelagi wysepek leżących na zachód od południowych brzegów Okinawy; zdobycz ta okazała się dużo cenniejsza, aniżeli Amerykanie przypuszczali. Odkryto tam bowiem i zniszczono bazę wypełnionych materiałami wybuchowymi kutrów, które miały taranować amerykańskie okręty nawodne w samobójczych atakach. Wysepki położone najbliżej Okinawy okazały się także dogodnymi stanowiskami dla baterii ciężkich dział 155 mm nazywanych „Long Tom", wspierających desant po jego wyjściu na brzeg.

Okinawa, zamieszkana w owym okresie przez czterysta pięćdziesiąt tysięcy ludzi, to główna wyspa archipelagu Riukiu. Japonia zaanektowała ją w 1879 roku i przyłączyła administracyjnie do Wysp Japońskich. Mieszkańcy Okinawy, bardzo odmienni pod względem tradycji i kultury od reszty Japończyków, nie przyjęli militarystycznego etosu swoich nowych panów. Wcielanych do wojska poborowych z Okinawy dręczono w Cesarskiej Armii Japońskiej bardziej niż innych młodych żołnierzy.

Mająca sto kilometrów długości wyspa leży około pięciuset pięćdziesięciu kilometrów na południowy zachód od Japonii; znajduje się na niej kilka większych miast, w tym piętnastowieczna cytadela Shuri na południu. Poza skalistymi grzbietami górskimi, tworzącymi łańcuch w centrum wyspy, na większości pozostałych obszarów Okinawy intensywnie uprawiano trzcinę cukrową i ryż. Trzydziesta Druga Armia generała Mitsuru Ushijimy liczyła ponad sto tysięcy żołnierzy i była silniejsza, aniżeli oceniał to amerykański wywiad, choć w skład tego kontyngentu wchodziła dwudziestotysięczna zmobilizowana lokalnie milicja, którą pogardzali rdzenni Japończycy, naśmiewając się z miejscowego dialektu. Wcześniej Ushijima stracił najlepszą ze swych dywizji, Dziewiątą, przerzuconą na Filipiny z rozkazu Cesarskiej Kwatery Głównej. Mimo to jego garnizon dysponował wyjątkowo silną artylerią i wieloma bateriami moździerzy.

Ushijima, ze swojej kwatery głównej mieszczącej się w cytadeli Shuri, planował bronić południowej, najbardziej zaludnionej części wyspy do samego końca. Na północnych, pagórkowatych terenach Okinawy, gdzie Amerykanie spodziewali się natrafić na najsilniejszy opór, rozmieścił tylko niewielkie siły pod dowództwem pułkownika Takehida Udy. Ushijima nie miał zamiaru bronić linii brzegowej. Podobnie jak Kuribayashi na Iwo Jimie wolał poczekać na atak Amerykanów.

Pierwszego kwietnia, w Niedzielę Wielkanocną, po sześciu dniach ostrzału prowadzonego przez pancerniki i krążowniki, gigantyczna flota inwazyjna admirała Turnera była gotowa do skierowania ku brzegom Okinawy amfibii i barek desantowych. Po koszmarze Iwo Jimy lądowanie na Okinawie przebiegało bez większych przeszkód, co wprawiło żołnierzy amerykańskich w stan euforycznej ulgi. Druga Dywizja Piechoty Morskiej przeprowadziła dywersyjny, pozorowany desant na południowo-wschodnim skraju wyspy, by następnie powrócić na Saipan. Pierwszego dnia operacji zginęło zaledwie dwudziestu ośmiu żołnierzy z liczących łącznie sześćdziesiąt tysięcy ludzi dwóch dywizji *marines* i dwóch dywizji wojsk lądowych, które znalazły się na zachodnim wybrzeżu Okinawy. Napotkawszy minimalny opór, Amerykanie wyruszyli w głąb wyspy, aby zająć dwa tamtejsze lotniska.

Pierwsza i Szósta Dywizja Piechoty Morskiej nacierały na północny wschód przez przesmyk Ishikawa ku głównej części wyspy, do obrony której Ushijima pozostawił tylko nieznaczne siły. Po nieoczekiwanie łatwym lądowaniu Amerykanie zaczynali się niepokoić. „Gdzie, u diabła, są Japońce?" – nieustannie zastanawiali się *marines*[10]. Napotykali bardzo wielu zatrwożonych i zdumionych mieszkańców Okinawy, kierując ich do obozów internowania zorganizowanych na tyłach. Żołnierze amerykańskiej piechoty morskiej rozdawali cukierki i część swoich racji żywnościowych miejscowym dzieciom, które nie okazywały takiego strachu jak ich rodzice i dziadkowie. Siódma i 96. Dywizja wojsk lądowych zwróciły się na południe, nie wiedząc, że zmierzają wprost na główną linię obronną Ushijimy, przecinającą wyspę na podejściach do Shuri.

Dopiero 5 kwietnia, kiedy wspomniane dwie dywizje piechoty dotarły do wapiennych wzgórz, pełnych naturalnych i wydrążonych przez Japończyków jaskiń, Amerykanie zrozumieli, jaka bitwa ich czeka. Tam także pieczary zostały połączone siecią tuneli, a wzgórza były upstrzone tradycyjnymi dla Okinawy kryptami grobowymi wykutymi w skałach, które nadawały się doskonale na gniazda karabinów maszynowych. Ushijima rozmieścił baterie artylerii na tyłach linii obrony, natomiast oficerowie na wysuniętych punktach obserwacyjnych umiejscowionych na wzniesieniach mogli kierować ogniem dział. Zasadnicza taktyka polegała na odseparowaniu amerykańskiej piechoty od czołgów, a te ostatnie były atakowane przez przyczajone pododdziały, które wyskakiwały z kryjówek i obrzucały shermany butelkami z benzyną i wiązkami materiałów wybuchowych. Następnie ostrzeliwano czołgistów, którzy uciekali z płonących wozów bojowych.

Gdy żołnierze dwóch amerykańskich dywizji wojsk lądowych z przerażeniem przekonali się, co ich czeka, na flotę admirała Turnera u brzegów Okinawy spadły z całą mocą ataki przeprowadzane przez lotników kamikadze startujących z Kiusiu i Formozy. Szóstego i 7 kwietnia wzleciało stamtąd

---

[10] E.B. Sledge, *Ze starą wiarą na Peleliu i Okinawie*, tłum. T. Stramel, Gdańsk 2002, s. 206.

w powietrze trzystu pięćdziesięciu pięciu pilotów samobójców. Maszynie każdego z nich towarzyszył samolot eskortujący, pilotowany przez bardziej doświadczonego lotnika. Większość z owych kamikadze ledwie pokończyła skrócone kursy pilotażu i dlatego nakłaniano ich, by zgłaszali się do odbywania zabójczych lotów. Po ataku rutynowani piloci wracali do baz, by eskortować następną falę straceńców. Choć kamikadze dostawali rozkaz atakowania przede wszystkim lotniskowców, to większość z nich spadała na pierwszy napotkany nieprzyjacielski okręt. Właśnie z tego powodu początkowo najbardziej ucierpiały tworzące osłonowe półkole na morzu, wyposażone w radary amerykańskie niszczyciele. Słabo opancerzone, uzbrojone w nieliczne działa przeciwlotnicze, nie miały w takiej sytuacji większych szans.

Obok tych ataków powietrznych w najbardziej spektakularnej samobójczej akcji bojowej wziął udział gigantyczny pancernik „Yamato", któremu towarzyszyły lekki krążownik i osiem niszczycieli. Na rozkaz głównodowodzącego japońskiej Połączonej Floty okręty te wypłynęły z Morza Wewnętrznego przez cieśniny między Kiusiu a Honsiu. Miały uderzyć na amerykańskie zgrupowanie nawodne koło Okinawy, wejść na mieliznę i wykorzystać swoją artylerię pokładową do wspierania ogniowego wojsk generała Ushijimy na wyspie. Wielu starszych stopniem japońskich oficerów marynarki wojennej było zatrwożonych takim planem zmarnowania „Yamato", który pobrał paliwo na rejs w jedną tylko stronę.

Siódmego kwietnia admirał Mitscher odebrał ostrzeżenie od załóg amerykańskich okrętów podwodnych o zbliżaniu się „Yamato". Mitscher poderwał w powietrze swoje lotnictwo pokładowe, choć wiedział, że admirałowi Spruance'owi zależało, aby to jego pancernikom przypadł w udziale honor zatopienia japońskiego kolosa. Jednakże ostatecznie Spruance zrzekł się podejmowania walki z „Yamato" na rzecz lotnictwa US Navy. Japońską eskadrę tropiły amerykańskie samoloty zwiadowcze, naprowadzając na nią torpedowo-bombowe helldivery i avengery.

Pierwsza fala atakujących samolotów uzyskała dwa trafienia bombami i jedno torpedą. Druga fala, która nadleciała niespełna godzinę później, trafiła „Yamato" pięcioma torpedami. Kolejnych dziesięć bomb sięgnęło celu, gdy wielki pancernik zwolnił i zaczął nabierać wody. Uszkodzono także krążownik „Yahagi". Potem „Yamato" przewrócił się na burtę i eksplodował. Na dno poszedł również „Yahagi" oraz cztery cesarskie niszczyciele. Ten wypad japońskich okrętów należał do najbardziej bezsensownych misji bojowych w dziejach nowożytnych wojen i został przypłacony śmiercią kilku tysięcy marynarzy.

Druga seria uderzeń kamikadze na amerykańską flotę inwazyjną zaczęła się 11 kwietnia, a tym razem Japończycy rzeczywiście skoncentrowali się na atakowaniu lotniskowców. USS „Enterprise" został trafiony przez dwa samoloty, lecz utrzymał się na wodzie pomimo ciężkich zniszczeń. Także „Essex" doznał uszkodzeń, ale mimo to nie wycofał się z udziału w walce. Nazajutrz dostało się pancernikowi USS „Tennessee", a jeden z amerykańskich niszczycieli poszedł na dno. Rozbitkowie ze wspomnianego niszczyciela zostali ostrzelani na wodzie z broni maszynowej przez inne nieprzyjacielskie myśliwce. Trzeci cykl ataków rozpoczął się 15 kwietnia, do tego zaś czasu załogi amerykańskich okrętów zaczęły odczuwać skutki silnego stresu związanego z uderzeniami kamikadze. Celem następnych ataków był między innymi wyraźnie oznakowany okręt szpitalny, a ponadto lotniskowce, między innymi „Bunker Hill" i „Enterprise".

Japońscy piloci samobójcy atakowali również brytyjską Flotę Pacyfiku, którą admirał King tak niechętnie widział na „swoim" – jak uważał – teatrze działań wojennych. Brytyjskie zgrupowanie nawodne, któremu Spruance nadał oznaczenie TF-57, bombardowało i ostrzeliwało z dział lotniska na wyspie Sakishima-shotō, bliżej Formozy. Pokład startowy brytyjskich lotniskowców był wzmocniony siedmioipółcentymetrowymi płytami pancernymi. Kiedy myśliwiec Zero (Mitsubishi A6M) uderzył w pokład HMS „Indefatigable" i eksplodował na nim, ledwie go uszkodził. Oficer łącznikowy US Navy na pokładzie tego okrętu zauważył: „Gdy kamikadze spada na amerykański lotniskowiec, oznacza to sześciomiesięczne naprawy w Pearl [Harbor]. A na lotniskowcu Angoli pada w takim wypadku komenda: »Zamiatacze, do mioteł!«"[11].

US Navy poniosła znaczne straty. Do czasu zakończenia kampanii na Okinawie japońscy piloci samobójcy zatopili dwadzieścia dziewięć okrętów, uszkodzili sto dwadzieścia, zabili 3048 amerykańskich marynarzy i ranili 6035 innych.

Na północ od Shuri 7. Dywizji Piechoty zabrało aż siedem dni przebycie około sześciu kilometrów. Dziewięćdziesiąta Szósta potrzebowała trzech na zajęcie Cactus Ridge. Następnie udało jej się opanować znajdującą się dalej grań Kakazu za sprawą zaskakującego ataku przeprowadzonego przed świtem, ale Amerykanie musieli się stamtąd wycofać, kiedy japońska artyleria, której lufy były wycelowane w Kakazu, skoncentrowała na niej cały ogień. Po dziewięciodniowych walkach obie amerykańskie dywizje zostały zablokowane, tracąc do tej pory dwa i pół tysiąca ludzi.

Generał Simon Bolivar Buckner, dowódca 10. Armii, otrzymał nieco pomyślniejsze wiadomości od formacji piechoty morskiej nacierających w kierunku północnym. *Marines* nieomal dotarli do północnego skraju

---

[11] K. Wheeler, *The Road to Tokyo*, Alexandria, VA 1979, s. 187.

wyspy, przedzierając się przez sosnowe lasy, które roztaczały jakże miłą woń w porównaniu z odorem zgnilizny unoszącym się w dżungli. Japońskie wojska pułkownika Udy zeszły pod ziemię. Żołnierze amerykańskiego 29. Pułku Piechoty Morskiej, napotkawszy grupę przyjaźnie nastawionych mieszkańców Okinawy, którzy mówili po angielsku, dowiedzieli się, gdzie jest baza Udy. Wybrał na nią szczyt zwany Yae-dake, głęboko w lesie z widokiem na rzekę. Czternastego kwietnia 29. i 4. Pułk Piechoty Morskiej zaatakowały z dwóch stron. Po dwudniowych zmaganiach, okupionych znacznymi stratami, pułki te zdobyły Yae-dake. Na miejscu Amerykanie odkryli, że pułkownik Udo wymknął się wraz z oddziałem żołnierzy, aby kontynuować walkę w innej części lasu.

Dziewiętnastego kwietnia zniecierpliwiony generał Buckner wydał rozkaz intensywnego ostrzału i bombardowania japońskich linii i cytadeli Shuri przez całą artylerię, lotnictwo morskie i ciężkie działa okrętów floty, w przygotowaniu do ataku siłami trzech dywizji. Szturm na wzniesienia przecinające wyspę nie przyniósł rezultatów. Dwudziestego trzeciego kwietnia na Okinawę przyleciał admirał Nimitz. Był poważnie zaniepokojony stratami ponoszonymi przez jego okręty w pobliżu wyspy i chciał szybkiego opanowania całej Okinawy. Zasugerował Bucknerowi przeprowadzenie jeszcze jednego desantu z morza – przez 2. Dywizję Piechoty Morskiej na południowym wybrzeżu Okinawy. Buckner stanowczo odrzucił ten pomysł. Obawiał się, że *marines* znajdą się w pułapce na przyczółku i będą problemy z zaopatrywaniem ich. Nimitz nie przeciwstawił mu się, ale dał jasno do zrozumienia, że podbój wyspy musi się zakończyć niebawem – w przeciwnym razie Buckner zostanie zastąpiony przez innego dowódcę.

Owej nocy Japończycy wycofali się ze swojej pierwszej linii obronnej pod osłoną gęstej mgły i ognia własnej artylerii. Ale i perspektywa zdobycia następnej linii defensywnej na skarpie Urasoe-mura z jej klifami nie była oczywista. Młodzi żołnierze amerykańskich jednostek, którymi uzupełniano straty, a którzy nie mieli doświadczenia w walkach, często zamierali w bezruchu, widząc po raz pierwszy Japończyka. Niektórzy krzyczeli nawet, by ktoś zastrzelił wroga, zapominając o własnej broni. Trzysta Siódmy Pułk z 77. Dywizji powstrzymał japoński kontratak niemal wyłącznie granatami. Jego żołnierze „rzucali granaty tak szybko, jak tylko umieli wyciągać zawleczki" – zauważył dowódca jednego z plutonów[12]. Dla sprawnego ich zaopatrywania utworzono na zapleczu żywy łańcuch, podając na pierwszą linię nowe skrzynie z ręcznymi granatami.

Pod koniec miesiąca Buckner ściągnął z północnej części wyspy dwie dywizje piechoty morskiej. Wtedy, 3 maja, Ushijima popełnił jedyny po-

---

[12] J. Ellis, *The Sharp End, op. cit.*, s. 83.

ważny błąd. Pod wpływem natarczywych nalegań szefa swego sztabu generała porucznika Isamu Chō przeprowadził przeciwnatarcie. Chō, oficer z kręgów skrajnych militarystów, w 1937 roku wydał rozkazy, które doprowadziły do mordów i gwałtów w Nankinie, a teraz opowiadał się za atakiem połączonym z wysadzeniem desantu morskiego na amerykańskich tyłach. Jednakże łodzie załadowane japońskimi żołnierzami zostały dostrzeżone przez załogi kutrów patrolowych US Navy, a na morzu i plażach doszło do prawdziwej masakry. Japoński atak na lądzie również zakończył się katastrofalnie. Ushijima był tym przerażony i złożył przeprosiny jednemu ze sztabowców, który był przeciwny temu szaleńczemu planowi.

Ósmego maja, gdy wieści o kapitulacji Niemiec dotarły do kompanii strzeleckich 1. Dywizji Piechoty Morskiej, najczęstszą reakcją na nie było: „I co z tego?"[13]. Z perspektywy amerykańskich żołnierzy walczących na Pacyfiku wojna europejska mogła się równie dobrze rozgrywać na innej planecie. Byli wyczerpani i brudni, a wszystko wokół cuchnęło. Na Okinawie doszło do niecodziennej koncentracji sił wojskowych. Odcinek frontu przypadający na każdy z batalionów nie sięgał nawet pięciuset pięćdziesięciu metrów. „Jego kloaki i ścieki były oczywiście przerażające – pisał William Manchester, sierżant piechoty morskiej walczący na Okinawie. – Smród frontu czuło się na długo przedtem, zanim się go ujrzało; była to jedna olbrzymia gnojówka"[14].

Dziesiątego maja Buckner wydał rozkaz generalnego uderzenia na linię Shuri siłami pięciu dywizji. Rozpętała się straszliwa batalia. Dopiero czołgi typu Sherman, konwencjonalne i te przerobione na samobieżne miotacze ognia, radziły sobie z niektórymi japońskimi stanowiskami obronnymi w jaskiniach. Walki o jedno tylko niewielkie wzgórze, nazywane „Głową Cukru", zabrały marines tydzień walk i kosztowały ich 2662 zabitych i rannych. Nawet najtwardsi z żołnierzy amerykańskiej piechoty morskiej doznawali załamania nerwowego, głównie z powodu celności japońskiego ognia moździerzowego i artyleryjskiego. Wszystkim doskwierał rwący ból głowy od huku dział i wybuchów pocisków oraz granatów. Po nocach Japończycy starali się podkradać ku pozycjom Amerykanów, więc nieustannie odpalano ku niebu pociski smugowe i race, oświetlające okolicę i rzucające na nią trupi, zielonkawy blask. Warty musiały odnotowywać położenie wszystkich zalegających na ziemi zwłok, ponieważ japońscy żołnierze, którzy podczołgiwali się nocami, przy świetle rac zamierali, udając martwych.

---

[13] E.B. Sledge, *Ze starą wiarą na Peleliu i Okinawie, op. cit.*, s. 239.
[14] W. Manchester, *Pożegnanie z ciemnością. Dziennik wojny na Pacyfiku*, tłum. R. Stiller, Warszawa 2005, s. 398.

Dwudziestego pierwszego maja, akurat wtedy gdy Amerykanie przedarli się w okolicę, gdzie mogli użyć czołgów, spadł deszcz, unieruchamiając pojazdy i zatrzymując samoloty na lotniskach. Do wszystkich i wszystkiego lepiła się wilgotna glina. Dla piechurów i *marines* noszenie amunicji stało się nieopisaną udręką, kiedy ślizgali się i przewracali w błocie. Przebywanie w okopach zalanych wodą, w pobliżu rozkładających się ciał zabitych w lejach po pociskach, było jeszcze gorsze. Na zwłokach na otwartym terenie i na tych częściowo przysypanych ziemią roiło się od larw.

Pod osłoną ulewnych opadów wojska Ushijimy przystąpiły do odwrotu na ostatnią pozycję obrony na południowym skraju Okinawy. Ushijima wiedział, że linia Shuri jest na dłuższą metę nie do utrzymania, a po przełamaniu frontu przez amerykańskie czołgi jego oddziałom zagrażało okrążenie. Pozostawił silną straż tylną, ale w końcu jeden z batalionów amerykańskiego 5. Pułku Piechoty Morskiej zdobył cytadelę Shuri. Żołnierze tej jednostki mieli z sobą tylko sztandar konfederatów, więc ku zażenowaniu niektórych oficerów wywieszono go, a dopiero później zastąpiono oficjalną flagą Stanów Zjednoczonych.

Dwudziestego szóstego maja chmury się rozwiały, a piloci samolotów z amerykańskich lotniskowców dostrzegli pojazdy przemieszczające się na południe od Shuri. To mieszkańcy Okinawy, przerażeni pod wpływem japońskiej propagandy na temat Amerykanów, podążali za japońskim wojskiem, mimo że Ushijima nakazał im szukać schronienia gdzie indziej. Amerykańscy dowódcy uznali za konieczne otwarcie ognia do tej kolumny, a krążownik USS „New Orleans" rozpoczął ostrzał drogi z dwustumilimetrowych dział. Wraz z uciekającymi japońskimi żołnierzami zginęło około piętnastu tysięcy cywilów.

Po tym odwrocie siły Ushijimy skurczyły się do niespełna trzydziestu tysięcy żołnierzy, lecz zacięte boje miały się jeszcze toczyć, mimo że koniec był już bliski. Osiemnastego czerwca zginął sam generał Buckner, raniony odłamkiem w trakcie obserwowania ataku prowadzonego przez 2. Dywizję Piechoty Morskiej. Cztery dni później generał Ushijima i generał porucznik Chō, oblężeni w bunkrze będącym stanowiskiem dowodzenia, poczynili przygotowania do rytualnego *seppuku* – samobójstwa polegającego na wbiciu sobie samurajskiego sztyletu w trzewia, czemu towarzyszyło ścięcie głowy dokonane przez wiernego adiutanta. Do tego czasu naliczono 107 539 zabitych japońskich żołnierzy na Okinawie, ale statystyki te pominęły wielu innych, pogrzebanych zawczasu lub zasypanych w zniszczonych jaskiniach.

Formacje amerykańskiej piechoty morskiej i wojsk lądowych straciły 7613 poległych, 31 807 rannych oraz 26 211 „ofiar innych obrażeń", za czym przeważnie kryło się załamanie nerwowe. Podobno zginęło też około czterdziestu dwóch tysięcy mieszkańców Okinawy, choć rzeczywista liczba ofiar wśród ludności cywilnej mogła być znacznie wyższa. Poza tymi, którzy polegli od ognia dział okrętowych, wielu zostało zasypanych żywcem w pieczarach trafionych przez pociski artyleryjskie obu walczących stron. W każdym razie skłaniało to do zastanowienia się, ile ludności cywilnej zginie podczas inwazji na Wyspy Japońskie, którą już planowano. Zdobycie Okinawy być może nie przyspieszyło końca wojny. Wyspa ta miała posłużyć głównie jako baza do przeprowadzenia inwazji na Japonię, jednak samobójcza desperacja jej obrońców na pewno skłoniła strategów w Waszyngtonie do poważnego rozważenia następnych kroków.

ROZDZIAŁ 46

Jałta, Drezno i Królewiec

luty–kwiecień 1945

Pod koniec stycznia 1945 roku, gdy walki w Budapeszcie osiągnęły szczytowe nasilenie, a armie radzieckie wyszły nad Odrę, trzej przywódcy państw alianckiej koalicji szykowali się do spotkania w Jałcie, aby zadecydować tam o losach powojennego świata. Stalin, który bał się latania, nalegał na zorganizowanie tej konferencji w Jałcie na Krymie, gdzie mógł dojechać pociągiem, w swojej zielonej carskiej salonce.

Roosevelt został zaprzysiężony na czwartą kadencję prezydencką 20 stycznia. W swoim krótkim inauguracyjnym orędziu mówił o pokoju, którego miał nie dożyć. Trzy dni później, przy zachowaniu bezprecedensowych środków ostrożności, znalazł się na pokładzie ciężkiego krążownika USS „Quincy". Po upływie jedenastu dni „Quincy" wraz z okrętami eskorty dopłynął do Malty, gdzie Churchill niecierpliwie wyczekiwał amerykańskiego prezydenta. Ale Roosevelt, pod maską uprzejmości i gościnności, wykręcał się od sprecyzowania tematów jałtańskich rozmów. Nie chciał, by Stalin pomyślał, że anglosascy przywódcy „zmawiają się" przeciwko niemu. Wyraźnie wolał mieć wolną rękę, bez konieczności realizowania uzgodnionej zawczasu strategii. Brytyjska delegacja była coraz bardziej zaniepokojona. Stalin wiedział dokładnie, na czym mu zależy, i planował wykorzystać to, co dzieliło zachodnich sojuszników. Roosevelt miał na uwadze przede wszystkim zdobycie poparcia Sowietów dla Organizacji Narodów Zjednoczonych, natomiast dla Brytyjczyków najważniejsze było uzyskanie gwarancji, że Polska będzie faktycznie wolna i niezawisła.

Obie delegacje, amerykańska i brytyjska, przeleciały nocą z Malty nad Morze Czarne i wylądowały 3 lutego w Sakach. W trakcie długiej podróży przez krymskie góry mieli okazję zobaczyć wiele obszarów zniszczonych w czasie wojny. Przybyłe delegacje ulokowano w carskich letnich rezydencjach. Roosevelt i pozostali Amerykanie zamieszkali w pałacu w Liwadii, gdzie miały odbywać się spotkania.

Dla Stalina zasadniczy cel konferencji w Jałcie sprowadzał się do wymuszenia od sojuszników zgody na uznanie radzieckiego panowania w środkowej Europie i na Bałkanach. Był tak pewny swego, że uznał, iż na wstępnej konferencji może się trochę podroczyć z Churchillem, proponując ofensywę przez przełęcze koło Lublany. Wiedział doskonale, że owemu ulubionemu pomysłowi Churchilla, który chciał uprzedzić w ten sposób wkroczenie Armii Czerwonej na ziemie bałkańskie, Amerykanie konsekwentnie się przeciwstawiali. W tym czasie kiedy sowieckie armie stały już na północny zachód od Budapesztu, dla Brytyjczyków było na taką akcję o wiele za późno. Tak czy owak, Amerykanie już wcześniej nalegali na przerzut kolejnych dywizji z Włoch na front zachodni. Churchilla pewnie nader irytowała udawana szczerość Stalina.

Roosevelt, dla którego wciąż było ważne, aby nie stwarzać wrażenia, iż zachodni alianci grają zespołowo przeciwko Sowietom, nie zgodził się na spotkanie z Churchillem przed zasadniczymi obradami. Na niewiele się to zdało, gdyż radziecka delegacja i tak przyjęła założenie, że na Malcie Roosevelt i Churchill przedyskutowali wspólną strategię. Tuż przed otwarciem sesji Stalin odwiedził Roosevelta, który od razu usiłował zaskarbić sobie jego zaufanie, podkopując pozycję Churchilla. Mówił o brytyjsko-amerykańskich nieporozumieniach dotyczących strategii, a nawet z aprobatą przypomniał toast wzniesiony przez Stalina w Teheranie, kiedy to sowiecki przywódca zaproponował wymordowanie pięćdziesięciu tysięcy niemieckich oficerów – na co zniesmaczony Churchill wyszedł z sali.

Rzucając uwagę, że Brytyjczycy chcieli „zjeść ciastko i nadal je mieć", poskarżył się, iż wojska brytyjskie miały okupować północne Niemcy, które sam pragnął dla Stanów Zjednoczonych, lecz nie wspomniał, że na taką zamianę było już za późno. Był wszak gotów poprzeć dążenia Churchilla zmierzające do przyznania Francuzom ich własnej strefy okupacyjnej na południowym zachodzie, niemniej jednak również i o tym wzmiankował lekceważącym tonem, robiąc przytyki pod adresem Churchilla i de Gaulle'a.

Po rozpoczęciu pierwszego posiedzenia w sali balowej pałacu w Liwadii, późnym popołudniem 4 lutego, Stalin poprosił Roosevelta, aby to on otworzył obrady. W trakcie następnych kilku dni omawiano militarną sytuację i strategię, możliwe rozczłonkowanie Niemiec, kwestię stref okupacyjnych, a także reparacji – ten ostatni temat najbardziej zajmował Stalina. Churchill był przerażony, kiedy Roosevelt oznajmił, że naród amerykański nie zezwoli mu na dłuższe utrzymywanie wojsk w Europie. Zwłaszcza czołowi amerykańscy dowódcy chcieli umyć ręce od spraw europejskich i doprowadzić do zakończenia wojny z Japonią. Churchill słusznie uznał to za ciężki błąd w prowadzonych rokowaniach. Informacja ta bowiem dodała otuchy Stalinowi. Zauważył później w rozmowie z Berią, iż „słabość demokracji polega na tym, że naród nie udziela niewygasających praw, którymi my [władza radziecka] dysponujemy"[1].

Szóstego lutego wymarzona przez Roosevelta Organizacja Narodów Zjednoczonych stała się przedmiotem długiej i zawiłej dyskusji. Kiedy doszła ona do kwestii składu Rady Bezpieczeństwa i wymogów stawianych przed państwami mającymi wejść w poczet zgromadzenia ogólnego, Stalin powziął podejrzenie, że Amerykanie i Brytyjczycy zastawili na niego pułapkę. Nie zapomniał, że Liga Narodów potępiła w głosowaniu sowiecką agresję na Finlandię w zimie 1939 roku.

Stalin był przebiegły i pewny siebie. Mówił cicho, ale z przekonaniem, i rozgrywał atuty, którymi rozporządzał równie zręcznie jak podczas konferencji w Teheranie czternaście miesięcy wcześniej, kiedy to przyjęto strategię mającą pozwolić Sowietom opanować połowę Europy. Przewagę zapewniało mu też to, że wiedział od brytyjskich szpiegów Berii, co chcieli wynegocjować zachodni sojusznicy. Dwaj pozostali przywódcy Wielkiej Koalicji stali pod tym względem na gorszej pozycji. Roosevelt sprawiał wrażenie schorowanego i słabowitego; często siedział z otwartymi ustami, a czasami wydawał się nie nadążać myślami za tokiem dyskusji. Churchill jak zwykle dawał się ponosić swej emocjonalnej retoryce; zamiast skupiać się na konkretach, najwyraźniej nie pojmował najważniejszych aspektów omawianych zagadnień. Odnosiło się to szczególnie do kwestii polskiej, tak bliskiej jego sercu. Wydawało się, że przeoczył subtelne, choć jasne sygnały wysyłane w tej sprawie przez Stalina.

Dla Churchilla papierkiem lakmusowym intencji Związku Radzieckiego miało być potraktowanie Polski przez Sowietów. Ale Stalin nie widział powodów, dla których miałby iść w tym względzie na kompromisy. Armia Czerwona i NKWD opanowały do tego czasu całe polskie terytorium. „W sprawie Polski Josif Wissarionowicz nie ustąpi ani na krok" – powiedział Beria swojemu synowi Sergowi w Jałcie[2]. (Sergo Beria zadbał tam o zainstalowanie podsłuchu we wszystkich pomieszczeniach, a nawet o rozmieszczenie czułych mikrofonów, które rejestrowały treść rozmów prowadzonych przez Roosevelta na zewnątrz budynków).

Churchill miał poczucie, że znalazł się w osamotnieniu. „Amerykanie zupełnie nie rozumieją istoty problemu polskiego – rzekł do Edena i lorda

---

[1] S. Beria, *Beria, mój ojciec. W sercu stalinowskiej władzy*, tłum. J. Waczków, Warszawa 2000, s. 160.
[2] *Ibidem*, s. 161.

Morana, swojego lekarza. – Na Malcie wspomniałem o niepodległości Polski i spotkałem się z ich strony z ripostą: »Ale z pewnością nie o to idzie gra«"[3]. W istocie Edward Stettinius, amerykański sekretarz stanu, zgadzał się w tej sprawie z Edenem, lecz Roosevelt wolał uniknąć zadrażnień ze Stalinem na tle Polski, zwłaszcza jeśli miałoby to utrudnić porozumienie w kwestii Organizacji Narodów Zjednoczonych.

Szóstego lutego, w trakcie dyskusji na temat Polski, Roosevelt starał się odgrywać rolę szczerego mediatora między Brytyjczykami a Sowietami. „Wielka Trójka" mniej więcej uzgodniła, że wschodnia polska granica będzie przebiegała wzdłuż linii Curzona, jednak Roosevelt, ku sporemu zaskoczeniu Churchilla, zaapelował do Stalina, aby ten w geście szczodrobliwości pozwolił Polakom na zatrzymanie Lwowa. Radziecki dyktator nie miał najmniejszej ochoty na podobne gesty. W jego pojęciu Lwów był ukraiński i choć w samym tym mieście Polacy stanowili zdecydowaną większość, to przystąpiono już do wysiedlania ich stamtąd. Stalin zamierzał przesiedlić wszystkich polskich lwowian na wschodnie ziemie niemieckie, które chciał oddać Polsce w zamian za jej przedwojenne Kresy Wschodnie. Ostatecznie większość Polaków ze Lwowa wywieziono do Wrocławia.

Znacznie bardziej zaniepokoiła Stalina złożona przez zachodnich aliantów propozycja utworzenia polskiego rządu koalicyjnego, w którego skład weszliby liderzy wszystkich większych ugrupowań politycznych i który nadzorowałby przebieg wolnych wyborów. Z jego punktu widzenia w Polsce działał już Rząd Tymczasowy, który w międzyczasie zdążył przenieść się do Warszawy. „Zgodzimy się na jednego lub dwóch emigrantów w charakterze dekoracyjnym – rzekł do Berii – ale na nic więcej"[4]. Już na początku stycznia uznał oficjalnie marionetkowe władze polskie, nie zważając na protesty Brytyjczyków i Amerykanów. Francuzi też zaaprobowali powołany przez Stalina polski rząd, mimo że jeszcze w grudniu de Gaulle opierał się temu pomysłowi. Również Czesi, ulegając naciskom, poparli komunistyczne władze polskie.

Stalin zaczął okazywać podenerwowanie w trakcie tych dyskusji. Po przerwie w obradach niespodziewanie wstał, aby przemówić. Przyznał, że Rosjanie „w przeszłości wielokrotnie zgrzeszyli przeciwko Polakom", ale przekonywał, iż Polska ma kluczowe znaczenie dla bezpieczeństwa Związku Radzieckiego. Stwierdził, że ZSRR w trakcie XX wieku został już dwukrotnie zaatakowany z obszaru polskiego i choćby z tej przyczyny konieczne

---

[3] Ch. Moran (lord Moran), *Wojna Churchilla 1940–1945*, tłum. R. Bieliński, R. Januszewski, S. Kędzierski, Warszawa 2006, s. 220 (3 lutego 1945 r.).

[4] S. Beria, *Beria, mój ojciec, op. cit.*, s. 162.

jest, aby Polska pozostała „silna, wolna i niezawisła"[5]. Ani Churchill, ani Roosevelt nie potrafili w pełni pojąć wstrząsu wywołanego przez niemiecką agresję w roku 1941 i stanowczych dążeń Stalina do utworzenia kordonu państw satelickich, żeby radziecka Rosja już nigdy nie została ponownie napadnięta z zaskoczenia. Można by stwierdzić, że źródła zimnej wojny tkwiły właśnie w tamtych traumatycznych wydarzeniach.

Stalinowskie idee „wolności" i „niezawisłości" rzecz jasna różniły się znacznie od brytyjskiej czy amerykańskiej definicji tych terminów, ponieważ radziecki przywódca kładł główny nacisk na to, że Polska powinna być „zaprzyjaźniona" z ZSRR. Nie zgadzał się na wejście do jej rządu żadnego przedstawiciela władz emigracyjnych, oskarżając je o wywoływanie rozruchów na sowieckich tyłach. Twierdził, że członkowie Armii Krajowej zabili dwustu dwunastu radzieckich oficerów i żołnierzy, ale naturalnie nie wspomniał przy tym o straszliwych prześladowaniach, których NKWD dopuszczało się na polskich antykomunistach. Zgodnie z jego logiką AK „pomagała" Niemcom.

Nazajutrz stało się oczywiste, że do porozumienia w sprawie Narodów Zjednoczonych dojdzie kosztem Polski. Stalin odłożył na później rozstrzygnięcie kwestii polskich władz i wielce uradował Amerykanów, zgadzając się na zaproponowany przez nich system głosowania w ONZ. Nie chciał, aby na zgromadzeniu ogólnym tej organizacji liczne państwa głosowały zbiorowo przeciwko ZSRR. W związku z tym skłonił Mołotowa do wysunięcia argumentu, że skoro Brytyjczycy mają dysponować kilkoma głosami – gdyż ich dominia zapewne brałyby stronę metropolii – to i przynajmniej niektórym republikom radzieckim, zwłaszcza Ukrainie i Białorusi, należą się analogiczne uprawnienia.

Roosevelt nie dał się na to nabrać. Nikt nie uważał owych republik za w jakikolwiek sposób niezależne od Moskwy, a przyjęcie zaproponowanego przez Sowietów rozwiązania podkopywało zasadę: każde państwo ma jeden głos. Ku jego zaskoczeniu i irytacji Churchill poparł w tej kwestii Stalina. Roosevelt dał za wygraną następnego przedpołudnia, licząc na nakłonienie sowieckiego przywódcy do wypowiedzenia wojny Japonii. Z kolei ustępstwa Stalina w sprawie Narodów Zjednoczonych wiązały się z próbą przekonania Roosevelta, aby zmiękczył swe stanowisko w kwestii polskiej. Ta trójstronna rozgrywka stała się coraz bardziej zawikłana. Jeszcze bardziej skomplikowały ją nieporozumienia w łonie samej amerykańskiej delegacji.

Kiedy podczas obrad powrócił temat Polski, Stalin udawał, że propozycja Roosevelta, by zaprosić do Jałty przedstawicieli polskich władz, komunistycznych i emigracyjnych, jest niemożliwa do zrealizowania. Rzeko-

---

[5] *Tegieran. Jałta. Potsdam. Sbornik dokumientow*, Moskwa 1970, s. 22.

mo nie znał miejsc ich pobytu, a poza tym nie wystarczyłoby czasu na ich sprowadzenie. Z drugiej jednak strony starał się sprawiać wrażenie, że jest gotowy pójść na ustępstwa, zgadzając się na włączenie polskich niekomunistów do rządu tymczasowego oraz późniejsze przeprowadzenie wyborów powszechnych w Polsce. Odrzucił sugestię Amerykanów, by powołać radę prezydencką do nadzorowania przebiegu tychże wyborów. Zarówno Mołotow, jak i Stalin twardo stali na stanowisku, że warszawskiego rządu tymczasowego nie można zmienić, za to można powiększyć jego skład.

Churchill udzielił na to bardzo dobitnej odpowiedzi, wyjaśniając, dlaczego w krajach zachodnich wzbudzi głęboką nieufność lub nawet oburzenie pomysł powołania w Polsce władz, które nie miałyby powszechnego poparcia w społeczeństwie. Stalin zareagował natychmiast, kierując pod adresem Churchilla wyraźny sygnał ostrzegawczy. Uhonorował porozumienie w sprawie Grecji. Nie protestował, kiedy wojska brytyjskie zdławiły komunistyczne powstanie w Atenach. I przyrównał kwestię bezpieczeństwa na zapleczu frontu w Polsce do sytuacji we Francji, gdzie w istocie powściągał działania tamtejszej partii komunistycznej. Tak czy owak, przekonywał, rząd de Gaulle'a nie jest bardziej demokratyczny, jeśli chodzi o jego skład, od tymczasowych komunistycznych władz z Warszawy.

Stalin stwierdził, że wyzwolenie Polski przez Sowietów i ustanowienie tymczasowego rządu spotkało się z powszechną aprobatą polskiej ludności. To wierutne kłamstwo może i zabrzmiało nader nieprzekonująco, ale wynikający z niego przekaz był jasny: w Polsce w zasadzie wydarzyło się prawie to samo co w Grecji i we Francji. Grecja, o czym Stalin doskonale wiedział, była piętą achillesową brytyjskiego premiera, a radziecki przywódca wypuścił celną strzałę. Churchill był zmuszony wyrazić wobec Stalina swoją wdzięczność za nieingerencję w sprawy greckie. Roosevelt, z niepokoju o losy idei Narodów Zjednoczonych, nalegał, aby chwilowo odłożyć na bok kwestię polską i zlecić jej przedyskutowanie komisji złożonej z ministrów spraw zagranicznych.

Amerykański prezydent przystał na cenę, jaką Stalin wyznaczył za przystąpienie Sowietów do wojny z Japonią. Na Dalekim Wschodzie Związek Radziecki zażądał południowej części Sachalinu, a także Wysp Kurylskich, utraconych przez Rosję w wyniku klęski w wojnie z Japończykami w 1905 roku. Roosevelt zaakceptował również radziecką dominację w Mongolii, pod warunkiem że zostanie to utrzymane w tajemnicy i nie będzie stanowiło przedmiotu rozmów z Chiang Kai-shekiem. Zupełnie nie odpowiadało to duchowi postanowień Karty atlantyckiej, podobnie zresztą jak ustępstwa Amerykanów w sprawie Polski, ogłoszone przez Stettiniusa 9 lutego.

Roosevelt nie chciał wystawiać na ryzyko porozumienia osiągniętego w dwóch najważniejszych dla niego kwestiach – Organizacji Narodów

Zjednoczonych oraz przyłączenia się Sowietów do wojny z Japonią. Porzucił wszelkie nadzieje na zmuszenie Stalina do uznania demokratycznych władz w Polsce. Zależało mu już tylko na zgodzie na powołanie w tym kraju „tymczasowego rządu jedności narodowej" oraz przeprowadzenie „wolnych i nieskrępowanych wyborów", co powinno było usatysfakcjonować naród amerykański, gdy obwieści im o tym po powrocie do Ameryki. Oznaczało to faktycznie milczącą zgodę na radzieckie żądanie, by polskie komunistyczne władze tymczasowe stanowiły podstawę nowego rządu, co siłą rzeczy spychało władze na uchodźstwie w Londynie na polityczny margines. Mołotow, proponując nieistotne korekty, domagał się rezygnacji z takich sformułowań jak „w pełni reprezentatywny", a zamiast dopuszczenia do udziału w wyborach „partii demokratycznych" wolał określać ich mianem „antyfaszystowskich i niefaszystowskich". Skoro zaś władze radzieckie i NKWD już nazwali Armię Krajową i jej zwolenników ugrupowaniem „obiektywnie faszystowskim", nie było to wcale taką błahostką.

Roosevelt lekceważąco uznał niepokoje wyrażane przez Churchilla za nadinterpretację pewnych sformułowań, ale diabeł faktycznie tkwił w szczegółach, jak wkrótce miało się okazać. Brytyjski premier nie dał się wszak zbić z tropu. Wiedząc, że nie postawi na swoim w kwestii składu polskich władz tymczasowych, skupił się na problemie wolnych wyborów i zażądał nadzoru zagranicznych obserwatorów nad ich przebiegiem. Stalin odparł cynicznie, że będzie to zniewagą dla Polaków. Roosevelt poczuł się w obowiązku poprzeć w tej sprawie Churchilla, ale następnego przedpołudnia Amerykanie, nie uprzedziwszy o tym Brytyjczyków, nagle przestali obstawać przy nadzorowaniu wyborów w Polsce. Churchill i Eden znaleźli się w mniejszości. Wszystko, co udało im się wywalczyć, to zgoda, że ambasadorowie będą mogli swobodnie podróżować po Polsce i informować o rozwoju wydarzeń w owym kraju.

Admirał Leahy zwrócił Rooseveltowi uwagę, iż zwroty użyte w tym porozumieniu były „tak elastyczne, że Rosjanie mogą ich zastosowanie rozciągnąć od Jałty aż po Waszyngton, technicznie nawet nie zrywając układu"[6]. Roosevelt odparł, że nie był w stanie uzyskać nic więcej. Bez względu na to, co się mówiło, Stalin nie ustępował ani na krok w kwestii Polski. Jego wojska i służby bezpieczeństwa kontrolowały ten kraj. Dla jak się zdawało szczytniejszego celu, czyli zapewnienia światu pokoju, Roosevelt wolał nie podejmować konfrontacji z sowieckim dyktatorem. Z kolei Stalin, zaniepokojony marnym stanem zdrowia spolegliwego amerykańskiego prezydenta, polecił Berii zdobyć szczegółowe informacje o tym, kto może w Sta-

---

[6] W.D. Leahy, *I Was There*, Stratford, NH 1979, s. 315–316, cyt. za: S.M. Plokhy (Plohij), *Jałta. Cena pokoju*, tłum. R. Bartołd, Poznań 2011, s. 314.

nach Zjednoczonych odegrać wiodącą rolę po śmierci Roosevelta. Zażądał wszelkich dostępnych wiadomości na temat wiceprezydenta Harry'ego Trumana. Obawiał się, że szef następnej amerykańskiej administracji okaże się dużo mniej uległy. W istocie kiedy Roosevelt zmarł dwa miesiące później, Stalin był przekonany, że go zamordowano. Według Berii pieklił się na Zarząd I (wywiadu zagranicznego) NKGB, iż nie dotarły doń informacje z tym związane[7].

Jednym z ostatnich problemów, które miały zostać poruszone w Jałcie, była kwestia repatriacji jeńców wojennych. Wobec faktu, że Armia Czerwona wyzwoliła już do tego czasu niektóre z obozów jenieckich, zachodnie demokracje chciały sprowadzenia swoich obywateli do kraju i odstawienia do Związku Radzieckiego wielkiej liczby sowieckich jeńców oraz wziętych do niewoli obywateli radzieckich w mundurach Wehrmachtu. Ani Brytyjczycy, ani też Amerykanie nie przemyśleli w pełni konsekwencji tego porozumienia. Sowieckie władze zwodziły swoich sojuszników, twierdząc, że obywateli ZSRR przymusowo, wbrew ich woli, wcielano do niemieckiego wojska. W związku z tym należało ich oddzielić od wziętych do niewoli Niemców, traktować lepiej i nie uznawać za jeńców wojennych. Oskarżali nawet aliantów o bicie tych samych jeńców, których sami zamierzali zlikwidować bądź odesłać do obozów Gułagu, kiedy tylko ci znajdą się w ich rękach.

Brytyjczycy i Amerykanie odgadywali, że Stalin chce się zemścić na tych radzieckich obywatelach, którzy służyli na froncie w mundurach Wehrmachtu lub zostali zmuszeni, pod wpływem głodu, do wstępowania, jako tak zwani hiwisi, w szeregi niemieckich jednostek pomocniczych – łączna liczba tych ludzi sięgała miliona. Jednakże zachodni alianci nie przewidzieli, że nawet ci, których Niemcy wzięli do niewoli, zostaną uznani przez Stalina za zdrajców. Do czasu nim Anglosasi dowiedzieli się o mordowaniu zwracanych Sowietom jeńców, woleli nie roztrząsać tej sprawy, aby nie opóźniać powrotu swoich żołnierzy, którzy dostali się do nieprzyjacielskiej niewoli. Uznawszy natomiast za niemożliwe skuteczne wyszukiwanie zbrodniarzy wojennych w gronie schwytanych żołnierzy Wehrmachtu i esesmanów będących byłymi obywatelami sowieckimi, przyjęli, że łatwiejszym sposobem jest odesłanie ich wszystkich do Związku Radzieckiego – w razie konieczności przymusowo.

Kwestie militarne, od których rozpoczęto konferencję jałtańską, należały też do ostatnich, jakie doczekały się rozstrzygnięcia. Amerykanie chcieli, aby Eisenhower mógł bezpośrednio kontaktować się ze Stawką, co mogło ułatwić koordynowanie planów wojskowych sprzymierzonych. Mimo że była

---

[7] S. Beria, *Beria, mój ojciec, op. cit.*, s. 155.

to bardzo rozsądna koncepcja, szybko się okazało, iż jej urzeczywistnienie napotykało trudności. Generał Marshall i jego współpracownicy jakoś nie rozumieli, że żaden z sowieckich dowódców nie ośmielał się samodzielnie uczynić czegokolwiek, co wiązało się z utrzymywaniem kontaktów z obcokrajowcami, bez uprzedniego uzyskania przyzwolenia od Stalina. Marshall zakładał ponadto, że wymiana prawdziwych informacji będzie leżała w interesie obu stron, anglosaskiej i sowieckiej, lecz znowu, podobnie jak wszyscy Amerykanie, którzy nie mieli okazji zapoznać się osobiście z radzieckimi praktykami, nie pojmował przeświadczenia Rosjan, iż państwa kapitalistyczne nieustannie próbują wywodzić ich w pole, więc należy je w tym uprzedzać. Eisenhower był zupełnie szczery – a w istocie, w opinii Churchilla, aż nazbyt prostolinijny i naiwny – informując Sowietów o swoich zamiarach i planowanych terminach. Z kolei Sowieci, gdy doszło do operacji berlińskiej, z rozmysłem przekazywali Eisenhowerowi nieprawdziwe dane o własnych planach i czasie ich realizacji.

Marshall uznawał za sprawę pilną wytyczenie „linii bombardowań", czyli rozgraniczenia stref operacyjnych – zachodniej i radzieckiej. Amerykańskie samoloty bojowe już pomyłkowo atakowały wojska sowieckie, sądząc, że to Niemcy. Przy tej okazji Marshall znowu przekonał się z osłupieniem, że generał Aleksiej Antonow, szef Sztabu Generalnego Armii Czerwonej, nie może omawiać niczego bez wcześniejszej konsultacji ze Stalinem.

Churchill nie doczekał się specjalnych podziękowań od de Gaulle'a za to, że udało mu się przekonać i Roosevelta, i Stalina do pomysłu dopuszczenia Francji do Alianckiej Komisji Kontroli i wydzielenia Francuzom ich strefy okupacyjnej w Niemczech. Francuski przywódca dąsał się, że nie otrzymał zaproszenia na konferencję jałtańską, oraz z powodu tego, iż sprzymierzeni nie chcieli przyznać Francji niemieckiej Nadrenii. Nie poprawiło mu humoru i to, że Roosevelt w drodze powrotnej do Ameryki zaprosił go do Algieru, aby tam oznajmić mu w skrócie, co ustalono w Jałcie. Nader czułemu na własnym punkcie de Gaulle'owi nie spodobało się wcale, że Amerykanin zaprasza go do złożenia mu wizyty na francuskim terytorium, więc bezzwłocznie takie zaproszenie odrzucił. Pogłoska, że Roosevelt nazwał go w związku z tym „primadonną", dodatkowo zaogniła sytuację.

„Duch Jałty", czyli iluzoryczne wrażenie, jakie owładnęło członków amerykańskiej i brytyjskiej delegacji, mimo że osiągnięte tam porozumienia były dalekie od trwałych i ostatecznych, skłonił Anglosasów do przekonania, iż generalnie Stalin jest gotów do współpracy i kompromisów, co dobrze rokuje w kwestii utrzymania pokoju w powojennym świecie. Już wkrótce te optymistyczne myśli się rozwiały.

W trakcie omawiania w Jałcie tematu rozgraniczenia linii bombardowań generał Antonow poprosił aliantów o przeprowadzenie nalotów na węzły komunikacyjne na zapleczu niemieckiego frontu wschodniego. Miało to zapobiec przerzutowi niemieckich wojsk z frontu zachodniego na wschód, do walki z Armią Czerwoną. Można napotkać stwierdzenie, że „bezpośrednim skutkiem tego porozumienia było zniszczenie Drezna przez alianckie bombowce"[8]. A jednak Antonow nie wspomniał o Dreźnie ani słowem.

Jeszcze przed konferencją w Jałcie Churchillowi zależało na zaimponowaniu Sowietom niszczycielską potęgą brytyjskiego lotnictwa bombowego w czasie, kiedy wojska lądowe Wielkiej Brytanii odczuwały dotkliwy niedostatek rezerw ludzkich. Ponadto miało to na celu przypomnienie radzieckim sojusznikom, że kampania bombardowań strategicznych stanowi zalążek drugiego frontu, o czym Churchill usiłował kilkukrotnie przekonywać Stalina we wcześniejszym okresie wojny.

Także Harrisowi pilno było zaatakować Drezno, gdyż należało ono do nielicznych większych ośrodków w Rzeszy, które do tej pory uniknęły poważniejszych zniszczeń[9]. Wprawdzie amerykańska 8. Armia Powietrzna zbombardowała w październiku tamtejsze stacje rozrządowe, ale Harris nie mógł tej akcji odnotować w swoich granatowych księgach. W istocie wcale nie obchodził go fakt, że Drezno, ten klejnot barokowej architektury nad Łabą, zaliczano do najwspanialszych skarbnic kultury europejskiej. Fiasko doprowadzenia do klęski Niemiec za sprawą nalotów przeprowadzanych przez jego ciężkie bombowce, wbrew wcześniejszym zapewnieniom Harrisa, wydawało się dodatkowo go dopingować. Pierwszego lutego Portal, Spaatz i Tedder uzgodnili treść nowej dyrektywy, która umieszczała „Berlin, Lipsk i Drezno na liście najważniejszych celów, tuż za ropą naftową"[10].

Harris nie wierzył w powodzenie planu niszczenia niemieckich rafinerii, o czym jasno napisał Portalowi, swemu szefowi sztabu, w korespondencji listowej, jaką prowadzili owej zimy. Rozporządzenie Połączonego Komitetu Szefów Sztabów z 1 listopada 1944 roku teoretycznie zmuszało Harrisa do skoncentrowania nalotów w pierwszym rzędzie na zakładach petrochemicznych, a w następnej kolejności na węzłach komunikacyjnych. Choć przechwycone i rozkodowane przez Ultrę nieprzyjacielskie meldunki dowodziły,

[8] S.M. Plokhy (Plohìj), *Jałta, op. cit.*, s. 241.
[9] Na temat Drezna por.: F. Taylor, *Dresden. Tuesday, February 13, 1945*, London 2004; Ch. Webster, N. Frankland, *The Strategic Air Offensive against Germany, 1939–1945*, t. 3, London 1961; T.D. Biddle, *Rhetoric and Reality in Air Warfare. The Evolution of British and American Ideas about Strategic Bombing, 1914–1945*, Princeton 2002, s. 232–261; D.L. Miller, *Eighth Air Force. The American Bomber Crews in Britain*, New York 2006, s. 427–441; J. Friedrich, *Pożoga. Bombardowania Niemiec w latach 1940–1945*, tłum. P. Dziel, D. Kocur, J. Liniwiecki, Warszawa 2011, s. 415–426.
[10] T.D. Biddle, *Rhetoric and Reality in Air Warfare, op. cit.*, s. 254.

że preferowane przez Spaatza skupienie ataków na rafineriach było nader skuteczne, to Harris nie chciał rezygnować z dążeń, które sam wyznaczył. „Mamy właśnie teraz odstąpić od tego wielkiego zadania (...), kiedy bliskie jest realizacji?" – pytał[11]. Harris musiał zareagował na naciski wywierane przez Portala, niemniej wykorzystał rzeczywiste problemy związane ze złą widocznością celów w miesiącach zimowych jako wymówkę od kontynuowania nalotów na wielkie miasta Rzeszy. W styczniu, pod wpływem zaistniałego konfliktu, Harris zagroził złożeniem dymisji, ale Portal uznał, że nie może pozbawić go dowódczego stanowiska. Mimo iż prawie wszystkie nieelastyczne koncepcje Harrisa okazały się błędne, to miał on zbyt wielu zwolenników wśród przedstawicieli prasy i całej opinii publicznej.

Dla większości lotników RAF-u „Drezno było po prostu jeszcze jednym celem, choć bardzo, bardzo odległym"[12]. Oznajmiono im, że mają dopomóc Armii Czerwonej poprzez zakłócenie niemieckiego wysiłku wojennego. Na odprawach nikt nie wspomniał, że jednym z celów było doprowadzenie do tego, by tłumy uciekinierów na drogach utrudniły przemieszczanie się jednostek Wehrmachtu – choć sami Brytyjczycy potępiali w 1940 roku analogiczną taktykę Luftwaffe.

Amerykańskie bombowce miały przeprowadzić uderzenie jako pierwsze, 13 lutego, ale z powodu niesprzyjającej pogody ich nalot przesunięto o dobę. W rezultacie atak powietrzny na Drezno rozpoczął się w nocy 13 lutego, a siedemset dziewięćdziesiąt sześć brytyjskich bombowców Lancaster nadleciało w dwóch falach. Pierwsza z nich, zrzucając jak zwykle bomby burzące i zapalające, wznieciła pożary, zwłaszcza w bardziej podatnej na nie starej części miasta. Lotnicy drugiej fali, złożonej z większej liczby maszyn, mogli dostrzec jasną łunę na horyzoncie już w odległości stu pięćdziesięciu kilometrów od celu. Pożary zlały się w gigantyczne ogniowe piekło, które niebawem tuż nad ziemią, niczym kolosalny piec hutniczy, zaczęło zasysać wiejące z huraganową siłą wiatry.

Do czasu gdy następnego dnia, w którym wypadała Środa Popielcowa, zjawiły się nad Dreznem amerykańskie „Latające Fortece", dymy nad miastem wznosiły się na wysokość około czterech i pół tysiąca metrów. Na ziemi działy się rzeczy tak straszne jak w innych owładniętych burzami ogniowymi miastach – Hamburgu, Heilbronnie, Darmstadcie: zalegały skurczone, zwęglone zwłoki ofiar, z których większość zginęła, zatruwając się tlenkiem węgla; z dachów spływał roztopiony ołów, a rozmiękły asfalt na ulicach chwytał ludzi w pułapkę niczym wielki lep na muchy. Ważne

---

[11] *SOAG*, t. III, s. 112.
[12] P. Bishop, *Chłopcy z bombowców. Odpowiedź na atak 1940–1945*, tłum. R. Bartołd, Poznań 2010, s. 376.

linie kolejowe przebiegające przez Drezno i szlaki, z których korzystało wojsko, były uzasadnionymi celami militarnymi, jednak obsesyjny pęd Harrisa do całkowitego unicestwienia nieprzyjaciela znowu doszedł do głosu. Dziesięć dni później nowy atak powietrzny spadł na Pforzheim. Tam także burza ogniowa strawiła miasto – trzydzieste szóste na liście tych zniszczonych przez Harrisa. Piękne miasteczko Würzburg, jeszcze mniej ważne pod względem militarnym, spłonęło do cna w połowie marca. Do końca swoich dni Harris utrzymywał, że realizowana przez niego strategia ocaliła życie niezliczonym alianckim żołnierzom.

Zagłada Drezna wzbudziła kontrowersje zarówno w Wielkiej Brytanii, jak i w Stanach Zjednoczonych. Wysunięto zarzuty, że alianckie siły powietrzne przyjęły strategię „terrorystycznych bombardowań". Churchill, który wcześniej opowiadał się za nalotami na Drezno i inne węzły komunikacyjne we wschodnich Niemczech, przeląkł się „furii" kampanii bombardowań strategicznych. Rozesłał notę brytyjskim szefom sztabów, w której stwierdził, że „zniszczenie Drezna budzi poważne wątpliwości co do prowadzenia nalotów bombowych przez sprzymierzonych"[13]. Portal uznał ten dokument za przejaw skrajnej hipokryzji i zażądał unieważnienia go.

Pomimo sporów z Harrisem Portal był zdecydowany bronić ofiar poniesionych przez alianckie lotnictwo bombowe. Łącznie zginęło 55 753 lotników Bomber Command spośród stu dwudziestu pięciu tysięcy, którzy służyli w tej formacji. W 8. Armii Powietrznej USAAF straciło życie dwadzieścia sześć tysięcy ludzi, czyli więcej niż w całym amerykańskim Korpusie Piechoty Morskiej[14]. Wedle szacunków około trzystu pięćdziesięciu alianckich lotników zostało zlinczowanych lub zamordowanych po zestrzeleniu. Szacunkowe dane na temat ofiar bombardowań wśród niemieckiej ludności są dość różne, na ogół uważa się jednak, że ich liczba wynosi w przybliżeniu pół miliona osób. Luftwaffe zabiły dużo więcej ludzi, w tym około pół miliona cywilów w samym Związku Radzieckim, ale to jeszcze nie usprawiedliwia uporczywego przekonania Harrisa, że samoloty Bomber Command mogły wygrać tę wojnę, zrównując z ziemią niemieckie miasta.

*

Goebbels podobno trząsł się ze wściekłości, kiedy dowiedział się o zniszczeniu Drezna. Ogłosił, że zginęło tam ćwierć miliona ludzi, i zażądał, aby zgładzono tylu alianckich jeńców wojennych, ilu cywilów straciło życie podczas tego nalotu. (Komisja niemieckich historyków niedawno zredukowała

---

13 *SOAG*, t. III, s. 112.
14 D.L. Miller, *Eighth Air Force*, op. cit., s. 7.

szacowaną liczbę ofiar do „około osiemnastu tysięcy; zdecydowanie poniżej dwudziestu pięciu tysięcy")[15]. Pomysł rozstrzelania alianckich jeńców przypadł do gustu Hitlerowi. Podobne pogwałcenie konwencji genewskiej zmusiłoby jego żołnierzy do walki do końca. Ale mniej zapalczywi z jego doradców, między innymi Keitel, Jodl, Dönitz i Ribbentrop, wyperswadowali mu ten zamiar.

Obietnice świetlanej przyszłości dla Niemiec, rozgłaszane w pierwszych latach wojny, zostały w tym czasie zastąpione propagandą terroru pod hasłem „*Kraft durch Furcht*" – „Siły pod wpływem strachu"[16]. Goebbels mówił, między wierszami i bez ogródek, o konsekwencjach klęski: unicestwieniu Niemiec oraz radzieckim podboju, naznaczonym gwałtami i wywózkami na przymusowe roboty. Slogan „Zwycięstwo albo Syberia" okazał się chwytliwym, iście manichejskim hasłem[17]. „Nieszczęścia, które nastaną, jeśli przegramy tę wojnę, będą niewyobrażalne" – pisał pewien młody oficer[18]. Jednak mimo iż nazistowski reżim odrzucał myśl o jakichkolwiek rokowaniach z nieprzyjacielem, to tolerował w niemieckim społeczeństwie wiarę, częściowo nawet ją podsycając, w możliwość jakiegoś układu z zachodnimi aliantami nawet po rozwianiu się wszelkich nadziei na „ostateczne zwycięstwo". W owym okresie większość ludności Niemiec nie ufała już zapewnieniom oficjalnych środków przekazu, zdając się na słuchanie pogłosek i plotek powtarzanych w piwnicach oraz schronach przeciwlotniczych.

Najbardziej zatrważające historie opowiadali uciekinierzy z Prus Wschodnich, Pomorza i ze Śląska. Prawie trzysta tysięcy niemieckich żołnierzy i cywilów nadal tkwiło w pułapce w Królewcu i na półwyspie Sambia. Ci mogli już liczyć tylko na Kriegsmarine. Również ludność cywilna na Pomorzu niebawem została odcięta od reszty Rzeszy. Żukow, któremu Stalin nakazał z Jałty rozprawienie się z „nadbałtyckim balkonem", skierował do likwidacji tego występu w linii frontu kilka swoich armii.

Szesnastego lutego zgrupowane tam wojska niemieckie otrzymały rozkaz uderzenia na południe z okolic Stargardu w operacji, której sztabowcy Wehrmachtu nadali kryptonim „Husarenritt" („Szarża huzarów"), ale SS Himmlera uparło się przy przemianowaniu jej na „Sonnenwende" („Przesilenie"). Ponad tysiąc dwieście czołgów miało wziąć udział w tej akcji zaczepnej, wiele z nich nie dotarło jednak nawet na wyznaczone wyjściowe pozycje. Nagła odwilż, która przemieniła grunt w błota, oraz niedostatek paliwa

---

[15] Frederick Taylor w „Der Spiegel", 10 lutego 2008 r.
[16] *GSWW*, t. IX/1, s. 23.
[17] TNA PREM 3 193/2, cyt. za: *ibidem*.
[18] Cyt. za: D. Vogel, *Der Deutsche Kriegsalltag im Spiegel von Feldpostbriefen*, w: *Andere Helme – andere Menschen? Heimaterfahrung und Frontalltag im Zweiten Weltkrieg*, red. D. Vogel, W. Wette, Essen 1995, s. 45.

i amunicji zadecydowały o tym, że operacja „Sonnenwende" zakończyła się dla Niemców katastrofalnie. Atak wstrzymano już po dwóch dniach.

Żukow, przegrupowawszy swe siły, wydał 1. i 2. Armii Pancernej Gwardii oraz 3. Armii Uderzeniowej rozkaz natarcia ku bałtyckiemu wybrzeżu na wschód od Szczecina. Nieco wcześniej wojska Rokossowskiego na zachód od Wisły ruszyły czterema armiami na Gdańsk. Czołowe radzieckie brygady pancerne przebiły słabą obronę przeciwnika. W miastach, które rzekomo wciąż miały się znajdować daleko od linii frontu, niemiecka ludność z przerażeniem ujrzała czołgi T-34 wjeżdżające na główne ulice i miażdżące pod gąsienicami wszelkie przeszkody oraz zapory. Jedna z miejscowości nadmorskich została zdobyta przez rozpędzoną radziecką kawalerię. Jednostki Wehrmachtu, odcięte wskutek tego uderzenia, usiłowały przedzierać się na zachód, brnąc grupkami przez ciche, ośnieżone lasy. Ponadtysiącosobowy oddział, jaki pozostał ze złożonej z francuskich ochotników Dywizji SS „Charlemagne", przedostał się w taki sposób do Rzeszy aż z Belgradu.

Partia nazistowska ponownie nie dopuściła do zorganizowanej w porę ewakuacji ludności cywilnej. W pośpiechu wyruszano więc na tułaczkę przez śniegi w chłopskich wozach ze sporządzonymi naprędce osłonami, mającymi chronić przed mroźnym wiatrem. Szlak niemieckiej ucieczki naznaczony był „szpalerami szubienic", na których SS i żandarmeria polowa wieszały dezerterów z doczepionymi kartkami informującymi o winie straconych. Bez względu na to, czy uchodźcy podążali na wschód, w kierunku Gdańska i Gdyni, czy też na zachód, ku Szczecinowi, oddziały Armii Czerwonej wyprzedzały ich i wtedy trzeba było zawracać. Rodziny ziemiańskie wiedziały, że zginą pierwsze po nadejściu Sowietów. Wielu ludzi postanawiało zawczasu odebrać sobie życie.

Gdańsk, wkrótce otoczony przez wojska radzieckie, stawał się piekłem pożarów i czarnego dymu. Ludność tego miasta powiększyła się, wskutek napływu uciekinierów, do półtora miliona, a rannych pozostawiano na nabrzeżu, by czekali tam na ewakuację. Kriegsmarine, wykorzystując w tym celu wszystkie dostępne jednostki pływające, przewoziła ich na Hel, skąd inne statki i okręty miały odtransportować ich do portów na zachód od Odry albo do Kopenhagi. Tylko ciężkie działa okrętu „Prinz Eugen" i starego pancernika „Schlesien" nie dopuszczały wojsk sowieckich do miasta aż do 22 marca. Niemieccy marynarze nadal ratowali cywilów pomimo ostrzału prowadzonego przez radzieckie czołgi na brzegu morza.

Po wejściu czerwonoarmistów do Gdyni miasto to zostało straszliwie złupione. Nawet radzieckie władze wojskowe były wstrząśnięte. „Wzrasta liczba niecodziennych incydentów, podobnie jak niemoralnych czynów i przestępstw wojskowych – donosił wydział polityczny, posługując się typowymi dla siebie, pokrętnymi eufemizmami. – W szeregach naszych wojsk mają miejsce haniebne i szkodliwe politycznie zjawiska, gdy pod hasłami zemsty niektórzy oficerowie i żołnierze postępują niegodnie, zajmując się grabieżą, zamiast szczerze i z oddaniem spełniać swój obowiązek wobec ojczyzny"[19]. Ci z Niemców, którzy pozostali w Gdańsku, też mieli później doświadczyć okrucieństw.

Niewątpliwie odwet był czymś nieuchronnym, zwłaszcza po odkryciu przez radzieckich żołnierzy świadectw popełnionych zbrodni. Obóz koncentracyjny w Sztutowie (Stutthof), gdzie w trakcie sześciu tygodni szesnaście tysięcy więźniów zmarło na tyfus, został zawczasu zniszczony w celu zatarcia śladów. Niemieccy żołnierze i członkowie Volkssturmu brali udział w egzekucji więzionych tam, pozostałych przy życiu sowieckich jeńców, Polaków i Żydów[20]. Ale szczególnie makabrycznego odkrycia dokonano w Instytucie Anatomicznym Akademii Medycznej, gdzie profesor Rudolf Spanner i jego asystent Volman od 1943 roku prowadzili eksperymenty na zwłokach ofiar obozu Stutthof, preparując z nich skórę i mydło.

„Oględziny przeprowadzone na terenie Instytutu Anatomii – stwierdzono w oficjalnym radzieckim raporcie – ujawniły obecność stu czterdziestu ośmiu ludzkich zwłok, przechowywanych tam w celu wyprodukowania z nich mydła. (...) Straceni, których zwłoki służyły do wyrobu mydła, byli przedstawicielami różnych narodów, lecz w większości Polakami, Rosjanami i Uzbekami". Działalność Spannera najwyraźniej zyskała aprobatę na wyższym szczeblu nazistowskiej władzy, ponieważ jego placówkę „zwizytowali minister edukacji Bernhard Rust i minister zdrowia [Naczelny Lekarz Trzeciej Rzeszy] Leonardo Conti. Gauleiter Gdańska Albert Forster odwiedził ten instytut w 1944 roku, kiedy produkowano tam mydło"[21]. Jeszcze bardziej wstrząsający jest fakt, że Spanner i jego współpracownicy nigdy nie stanęli przed sądem, gdyż eksperymentowanie na ludzkich zwłokach nie było, w świetle prawa, przestępstwem.

Grabieże stały się zarówno rodzajem masowej rozrywki, jak i powodem do dumy, zwłaszcza w kompaniach karnych. „*Sztrafrotami* stacjonującymi koło nas – wspominał pewien młody oficer – dowodził Żyd, Lowka Korsuński, który miał maniery typowe dla kogoś z Odessy. Przyjechał do nas w wolnej chwili w pięknym zdobycznym powozie zaprzężonym we wspaniałe rumaki. Zdjął z nadgarstka lewej ręki drogi szwajcarski zegarek i rzucił go komuś. Zegarki były przedmiotem nieustannego pożądania i często służyły za nagrody. Nasi żołnierze, którzy nie znali ani słowa po niemiecku, szybko nauczyli się pytać: »*Wieviel ist die Uhr?*« [Która godzina?], a wtedy

[19] Raport z 12 kwietnia 1945 r., CAMO 372/6570/88, s. 17–20.
[20] RGWA 32904/1/19.
[21] Nikołaj Szwernik do Mołotowa, GARF 9401/2/96, s. 255–261.

niczego niepodejrzewający niemiecki cywil wyciągał kieszonkowy zegarek, który od razu trafiał do kieszeni wojownika zwycięzcy"[22].

Prusy Wschodnie pozostały regionem, gdzie Sowieci brali najsroższy odwet. „Jestem na wojnie od roku – pisał do rodziny inny młody oficer – a jak czują się ludzie po czterech latach na froncie? Serca mają jak głazy. Jeśli czasem się im powie: »Żołnierzu, nie trzeba zabijać tego Hansa [Niemca]. Niech odbuduje to, co zniszczył«, spojrzy taki spode łba i odrzeknie: »Zabili mi żonę i córkę«. I pociąga za spust. Ma rację"[23].

Piaszczysta ławica na Bałtyku nad Zalewem Wiślanym była jedyną drogą ucieczki z Prus Wschodnich, jaka pozostała otwarta. Tysiące ludzi doszło tam po lodzie, choć i wielu potopiło się w miejscach, gdzie lód kruszał wskutek ostrzału artylerii oraz odwilży. „Kiedy dotarliśmy do brzegów Zalewu Wiślanego – pisał Rabiczew – cała plaża była zaśmiecona niemieckimi hełmami, pistoletami maszynowymi, granatami, puszkami konserw i paczkami papierosów. Wzdłuż brzegu morza stały domki. Ranni fryce leżeli tam w łóżkach albo na podłodze. Patrzyli na nas w milczeniu. Nie było ani strachu, ani nienawiści na ich twarzach, tylko tępe zobojętnienie, choć wiedzieli, że każdy z nas musiał tylko wziąć automat, by ich zastrzelić"[24].

Wojska okrążone pod Mamonowem, spychane ku morzu, powstrzymywały wspierane przez czołgi radzieckie siły tylko dzięki ostrzałowi prowadzonemu z dział pancerników kieszonkowych „Admiral Scheer" i „Lützow". Jednakże 13 marca Armia Czerwona przypuściła potężny szturm.

Oddziały niemieckie w innym, mniejszym kotle w okolicach miejscowości Rosenberg (Susz) nie otrzymały zgody Hitlera na ewakuację przez morze. Zostały rozbite po sowieckim ataku 28 marca. „Port w Rosenbergu przypominał kaszę pełną metalu, brudu i ciał – pisał porucznik Armii Czerwonej w liście do matki. – Trupy fryców zaścielały ziemię. Ale wszystko tutaj to nic w porównaniu z tym, co było na szosie mińskiej w 1944 roku. Chodzi się po trupach, siada się dla odpoczynku na trupach, nawet je się posiłki wśród trupów. Przez jakieś dziesięć kilometrów po dwa martwe fryce przypadają na każdy metr kwadratowy. (...) Jeńców wyprowadza się całymi batalionami, z dowódcami na czele. Nie rozumiem, po co brać ich do niewoli. Mamy ich już tylu, a tu następnych piętnaście tysięcy. Idą bez straży jak barany"[25].

[22] J.A. Golbrajch, w: *Swiaszczennaja wojna. Ja pomniu*, red. A. Drabkin, Moskwa 2010, s. 107.
[23] List Władimira Coglina do matki, 14 lutego 1945 r., w: *Sochrani moi pis'ma*, red. I. Altman, Moskwa 2007, s. 260–275.
[24] L. Rabiczew, *Wojna wsio spiszet. Wospominanija oficera-swiazista 31-oj armii, 1941–1945*, Moskwa 2009, s. 166.
[25] W. Coglin, w: *Sochrani moi pis'ma, op. cit.*, s. 260–275.

Sambii na zachód od Królewca broniła zbieranina żołnierzy i członków Volkssturmu, którzy usiłowali osłaniać ewakuację morzem z portu w Piławie. Jeden z oficerów 551. Dywizji Grenadierów Ludowych opisywał, jak Sowieci „usypiali" ich przez głośniki, nadając muzykę przetykaną nawoływaniem po niemiecku do złożenia broni. „Ale to nie wchodziło w rachubę, bo w wyobraźni nadal widzieliśmy kobiety z Krattlau i Ännchenthal zgwałcone na śmierć i wiedzieliśmy, że na naszych tyłach tysiące kobiet z dziećmi jeszcze się nie zdecydowało na ewakuację"[26].

W samym Królewcu żandarmeria polowa, nazywana „psami łańcuchowymi" ze względu na metalowe ryngrafy noszone na szyjach, przetrząsała piwnice i zburzone domy, szukając tych, którzy próbowali uchylać się od służby w Volkssturmie. Wielu cywilów pragnęło rozpaczliwie, by miasto się poddało, a ich cierpienia wreszcie się skończyły, ale generał Otto Lasch dostał od Hitlera ścisłe instrukcje, aby walczyć do samego końca. Gauleiter Koch, który umknął zawczasu i wywiózł swoją rodzinę w bezpieczne miejsce, powracał kilkakrotnie do Królewca łącznikowym samolotem typu Storch, żeby się przekonać, czy jego rozkazy są wypełniane.

Królewiec był silnie umocniony, a stare forty i fosę uzupełniono nowymi bunkrami i wałami ziemnymi. Pod koniec marca marszałek Wasilewski, który objął dowództwo 3. Frontu Białoruskiego po śmierci Czerniachowskiego ranionego odłamkiem pocisku, wydał rozkaz zmasowanego ataku na miasto. Operacja ta miała chaotyczny przebieg, a radziecka artyleria i lotnictwo często pomyłkowo zabijały lub raniły swoich żołnierzy. Armia Czerwona ponosiła gigantyczne straty, więc gdy Sowieci wdarli się w końcu do ufortyfikowanego Królewca, nie okazywali litości nawet mieszkańcom tych domów, w których wisiały w oknach białe prześcieradła na znak kapitulacji. Niemki wkrótce zaczęły błagać czerwonoarmistów o to, by je zabijali. Zewsząd z ruin dochodziły rozdzierające krzyki. Tysiące niemieckich żołnierzy i cywilów popełniło samobójstwo.

Ostatecznie generał Lasch poddał miasto 10 kwietnia i od razu z rozkazu Hitlera został zaocznie skazany na śmierć. Gestapo zaaresztowało jego rodzinę na mocy nazistowskiego prawa o zbiorowej odpowiedzialności – *Sippenhaft*. Nie złożył broni tylko oddział SS i policji na królewieckim zamku, lecz i ci ludzie niebawem zginęli w wielkim pożarze, który strawił bezcenne płyty ścienne Bursztynowej Komnaty, prawdopodobnie zabrane przez Niemców z Carskiego Sioła pod Leningradem i sprowadzone do Królewca.

Szacowano, że na początku oblężenia w mieście przebywało sto dwadzieścia tysięcy cywilów. Po walkach NKWD naliczyło ich 60 526. Niektórych członków Volkssturmu rozstrzeliwano na miejscu jako „partyzantów",

---

[26] K.H. Schulze, *Der Verlorene Haufen*, BA-MA MSg2 242.

ponieważ nie mieli mundurów. Wszyscy pozostali, w tym wiele kobiet, zostali zapędzeni do robót przymusowych, albo w okolicach, albo w Związku Radzieckim. Wschodniopruska kampania dobiegła końca. Wojska 2. Frontu Białoruskiego pod dowództwem Rokossowskiego straciły 159 490 zabitych i rannych, a 3. Frontu Białoruskiego – 421 763 ludzi. A jednak mimo takich ofiar wojna jeszcze trwała. Przyparta do muru armia niemiecka wciąż była groźna. Kontynuowała walkę pod wpływem lęku przed odwetem za zbrodnie popełnione przez nią w Związku Radzieckim, z lęku przed bolszewikami i niewolniczą pracą w syberyjskich łagrach. Rosła liczba dezerterów, lecz obawa przed „lotnymi sądami polowymi", wydającymi wyroki w trybie doraźnym, oraz przed esesmanami i żandarmerią, wieszającymi schwytanych zbiegów z wojska, na pewno odegrała ważną rolę. Jak zauważył pewien wyższy rangą oficer Armii Czerwonej: „Morale [wojsk niemieckich] jest niskie, ale utrzymuje się dobra dyscyplina"[27].

---

[27] RGALI 1710/3/47, s. 25.

ROZDZIAŁ 47

Amerykanie nad Łabą

luty–kwiecień 1945

Amerykańscy dowódcy zawsze krytykowali Montgomery'ego za przesadną ostrożność, jednak to Eisenhower wykazał się skrajnym kunktatorstwem po nieoczekiwanym niemieckim ataku w Ardenach. Aliancka kontrakcja przeciwko ardeńskiemu wybrzuszeniu w linii frontu była powolna, niespieszna, wobec czego Model zdołał wycofać większość swoich wojsk. Na pewnym etapie Eisenhower nie spodziewał się nawet, iż uda mu się sforsować Ren wcześniej niż w maju, uważając, że uniemożliwi to przybór wody w tej rzece. Znacznie przeceniał wartość bojową niemieckich armii stojących naprzeciwko jego sił, gdyż w istocie formacje nieprzyjaciela borykały się z ostrym niedostatkiem paliwa i amunicji. Osiągnięciom Speera w sferze organizacji masowej produkcji uzbrojenia w 1944 roku nie dorównał analogiczny wzrost poziomu produkcji amunicji.

„Ci Niemcy po prostu nic nie rozumieją" – narzekali często amerykańscy żołnierze[1]. Po co kontynuowali walkę, skoro tę wojnę Rzesza w oczywisty sposób już przegrała? Generał Patton identyczne pytanie zadał pewnemu niemieckiemu pułkownikowi, wziętemu do niewoli w listopadzie. „To strach przed Rosją zmusza nas do powoływania do wojska każdego człowieka zdolnego do noszenia broni" – odpowiedział tamten[2]. Niektórzy historycy przekonują, że Niemcy walczyły do końca ze względu na ogłoszony przez sprzymierzonych wymóg bezwarunkowej kapitulacji, ale faktycznie nie to stanowiło główny czynnik. Roosevelt i Churchill żywili przekonanie, że na-

---

[1] GBP, 2/4/45.
[2] *The Patton Papers*, t. 2: *1940–1945*, red. M. Blumenson, Boston 1974, s. 580 (22 listopada 1944 r.).

ród niemiecki, po złudzeniach dotyczących przyczyn klęski w roku 1918, tym razem należało zmusić do uznania, iż Niemcy zostały pobite z kretesem. Jednakże plan Morgenthaua okazał się poważnym błędem.

Bardziej chodziło o to, że czołowi naziści mieli świadomość, iż po kapitulacji zostaną straceni za popełnione zbrodnie wojenne. Hitler w to nie wątpił. Nie chciał nawet słyszeć o kapitulacji, a ludzie z jego otoczenia wiedzieli, że wojna będzie trwała, póki Führer żyje. On sam najbardziej lękał się nie tyle samej egzekucji, ile tego, że zostanie schwytany i przewieziony do Moskwy w klatce. Od zawsze dążył do wplątania niemieckiej hierarchii wojskowej i cywilnej w przestępczą działalność państwa nazistowskiego, ażeby nie mogli się od niej odciąć w zupełnie beznadziejnej sytuacji.

Na początku lutego 1945 roku amerykańska 1. Armia rozpoczęła, pomimo mrozów, ofensywę na południe od lasu Hürtgen. Dziewiątego lutego wojska Hodgesa w końcu zdobyły tamę na rzece Rur w pobliżu Schmidt. Tego samego dnia francuska 1. Armia, przy wsparciu amerykańskich dywizji pancernych, zlikwidowała kocioł pod Colmar. Ofensywa Bradleya, prowadzona przez XVIII Korpus Powietrznodesantowy generała majora Matthew B. Ridgwaya, rozwijała się pomyślnie dzięki wielkiej bitności spadochroniarzy. Ale forsowanie rzeki Sûre (Sauer), w której wezbrały wody po nagłej odwilży, okupiono stratą wielu żołnierzy i potrwało trzy dni. Wał Zachodni został przełamany, a kolejne niemieckie oddziały w centralnym sektorze frontu skłonne były złożyć broń.

Ku konsternacji Bradleya Eisenhower nakazał wtedy zatrzymać się VII Korpusowi Collinsa nacierającemu na Kolonię. Było to powiązane z pierwszeństwem w zaopatrywaniu wojsk Montgomery'ego przed operacją „Veritable", czyli uderzeniem na południowy wschód od Nijmegen przez Reichswald między Renem a Mozą. Tam Niemcy bronili się twardo, rzucając do boju dywizje, które zdołali zebrać, a walki toczyły się w nader trudnych warunkach, w padającym deszczu ze śniegiem. Brakowało miejsca na manewrowanie między wspomnianymi rzekami, niemieckie pozycje obronne w Reichswaldzie zostały zaś obsadzone nieustępliwymi spadochroniarzami generała Studenta. Grunt był wciąż podmokły, gąsienice czołgów grzęzły w lepkim błocie, a wozy bojowe nie mogły skutecznie działać na lesistym terenie. Brytyjczycy mieli okazję zasmakować tego, co wcześniej Amerykanie przeszli w Hürtgen. Sytuacja nie uległa poprawie, kiedy ich oddziały weszły na obszar średniowiecznego księstewka Kleve. Bombowce Harrisa zrzuciły bomby burzące na zabytkowe zabudowania, co znacznie utrudniło ich zdobywanie, gdyż Niemcy bronili się w ruinach.

Fakt skoncentrowania niemieckich sił przeciwko brytyjskiej ofensywie przynajmniej ułatwił działania 9. Armii Simpsona, która 19 lutego przystąpiła do forsowania rzeki Rur, ale powódź na równinie po obu jej stronach przeobraziła je w trudną i chaotyczną operację. Niemiecka ludność cywilna mogła się tylko modlić o to, by oddziały Wehrmachtu wycofały się, zanim lokalne miasteczka i wsie ulegną znacznym zniszczeniom. Pomagała także coraz liczniejszym młodym żołnierzom, którzy dezerterowali. Pierwszego marca 3. Armia Pattona zdobyła Trewir. Patton postanowił wykorzystać okazję i pójść za ciosem, popędzając dowódców swoich dywizji typowym dla siebie, soczystym językiem.

Po tym jak 10 marca brytyjska 2. Armia wyszła nad Ren koło Wesel, Montgomery rozpoczął przygotowania do wielkiego forsowania tej rzeki, zgodnie z wzorowymi planami brytyjskiej szkoły sztabowej; miało wziąć w tym udział aż pięćdziesiąt dziewięć tysięcy żołnierzy formacji wojsk inżynieryjnych. Do tej akcji zaczepnej wyznaczono między innymi 21. Grupę Armii oraz 9. Armię Simpsona, a na wschodnim brzegu miał nastąpić zrzut dwóch dywizji powietrznodesantowych. Spadochroniarze i oddziały desantu szybowcowego poniosły dużo większe straty od tych, które przeprawiały się przez rzekę. Amerykanie nie szczędzili uszczypliwych uwag na temat masowej koncentracji wojsk do tej operacji i czasu, jaki to zajęło.

Ofensywa Montgomery'ego straciła sens, zanim jeszcze się zaczęła. Oto bowiem 7 marca na południe od Bonn 9. Dywizja Pancerna zdobyła most w Remagen, częściowo tylko zniszczony przez ładunki wybuchowe. Dokonując śmiałego wypadu, dywizja ta wykorzystała sposobność i znalazła się za Renem, zanim Niemcy zdążyli zareagować. Dowiedziawszy się o tym, Hitler wydał rozkaz natychmiastowego stracenia oficerów odpowiedzialnych za obronę rzeczonego mostu. Ponadto po raz trzeci zdymisjonował Rundstedta i zastąpił go Kesselringiem. Wydał też polecenie, by silne odwody zlikwidowały wrogi przyczółek. Doprowadziło to w rezultacie do ogołocenia z niemieckich wojsk innych odcinków frontu, a 3. Armia Pattona, która pospiesznie oczyszczała z nieprzyjacielskich oddziałów region Palatynatu na zachodnim brzegu Renu, przekroczyła tę rzekę w kilku punktach na południe od Koblencji.

Meldunek o brawurowej akcji aliantów w Remagen błyskawicznie dotarł do Moskwy, przesłany tam przez generała majora Iwana Susłoparowa, oficera łącznikowego Armii Czerwonej w dowództwie SHAEF. Następnego przedpołudnia Stalin rozkazał Żukowowi przybyć do Moskwy samolotem, mimo że ów kierował akurat operacjami swoich armii na Pomorzu. Żukowa zawieziono wprost na daczę Stalina, gdzie sowiecki przywódca odreagowywał stres. Wódz zaprowadził go do ogrodu, a tam obaj spacerowali i rozmawiali. Żukow przedstawił mu sytuację na Pomorzu i na nadodrzańskich przyczółkach. Potem Stalin opowiedział o konferencji w Jałcie i stwierdził, że Roosevelt był podczas niej nader przyjazny. Dopiero kiedy po wypiciu herbaty Żukow chciał się odmeldować, Stalin wyjawił mu rzeczywisty cel, dla którego go zawezwał. „Udajcie się do Stawki – powiedział – i razem z Antonowem oszacujcie, czego potrzeba do przeprowadzenia operacji berlińskiej. Spotkamy się ponownie tutaj jutro o trzynastej"[3].

Antonow i Żukow, doskonale pojmując, że polecenie Stalina ma charakter pilny, przepracowali większość nocy. Wiedzieli, że muszą „wziąć pod uwagę działania naszych sojuszników", jak to później ujął Żukow. W chwili gdy Stalin usłyszał, że Amerykanie przekroczyli Ren, zrozumiał, iż zaczął się wyścig do Berlina. Żukow i Antonow wykazali się przezornością, pracując w nocy, gdyż ostatecznie Stalin przesunął naradę na wcześniejszą godzinę i sam przybył na nią do Moskwy, mimo że nadal czuł się wyczerpany.

Stalin miał dwa bardzo ważne powody, by zdobyć Berlin, nim uczyniliby to zachodni alianci. Zajęcie tego „legowiska faszystowskiej bestii" symbolizowało ostateczne zwycięstwo po wszystkim, co przecierpiał Związek Radziecki, Stalin natomiast nie zamierzał dopuścić do tego, aby sztandar innego państwa załopotał nad niemiecką stolicą. Ponadto Berlin stanowił centralny ośrodek badań jądrowych w nazistowskich Niemczech, a prowadzono je głównie w Instytucie Fizyki im. Cesarza Wilhelma w dzielnicy Dahlem. Dzięki informacjom uzyskanym od swoich agentów Stalin wiedział dobrze o projekcie „Manhattan" w Stanach Zjednoczonych i o postępach, które tam czyniono na drodze do zbudowania bomby atomowej. Radziecki program badań nuklearnych, określony kryptonimem „Borodino", traktowano priorytetowo, lecz Rosjanom brakowało uranu i liczyli na zdobycie go w Berlinie. Sowiecki wywiad, choć znał wszelkie szczegóły projektu „Manhattan", nie miał pojęcia, że większość zapasów uranu i *gros* niemieckich fizyków atomowych ewakuowano zawczasu z Berlina do Haigerloch w Schwarzwaldzie.

Na naradzie 9 marca Stalin zaakceptował wstępny plan operacji berlińskiej, nakreślony przez Żukowa i Antonowa. Stawka przystąpiła gorączkowo do pracy nad jego szczegółami. Główny problem nastręczał czas potrzebny wojskom 2. Frontu Białoruskiego pod dowództwem Rokossowskiego do likwidacji pozostałych ognisk nieprzyjacielskiego oporu na Pomorzu. Po uporaniu się z tym zadaniem wojska te można było przegrupować nad dolną Odrę aż po Szczecin, aby uderzyły równocześnie 1. Frontem Białoruskim Żukowa na wysokości Berlina oraz 1. Frontem Ukraińskim dalej na południu, nad Nysą.

Stalin najbardziej bał się tego, że Niemcy otworzą front zachodni przed Brytyjczykami i Amerykanami i przerzucą tamtejsze wojska na wschód, do walki z Armią Czerwoną. Prowadzone przez Amerykanów w Bernie

---

[3] G. Żukow, *Wspomnienia i refleksje*, t. 2, tłum. C. Czarnogórski, F. Czuchrowski, P. Marciniszyn, Warszawa 1976, s. 367.

rozmowy z Obergruppenführerem SS Karlem Wolffem w sprawie ewentualnej kapitulacji wojsk niemieckich w północnych Włoszech rozbudziły jego najgorsze obawy. Dwudziestego siódmego marca, na krótko przed finalizacją planów operacji berlińskiej przez Stawkę, Agencja Reutera donosiła, powołując się na informacje z dowództwa 21. Grupy Armii, że wojska brytyjskie i amerykańskie prawie nie napotykały już zbrojnego oporu Niemców we Włoszech.

W tym okresie relacje brytyjsko-amerykańskie znowu się zaogniły, ponieważ Montgomery zakładał, iż to jemu przypadnie w udziale zadanie uderzenia na Berlin od zachodu. Jednakże 30 marca Eisenhower wydał nowe rozkazy. Dwudziesta Pierwsza Grupa Armii miała nacierać w kierunku Hamburga i Danii. Montgomery'emu odebrano 9. Armię Simpsona, mającą stanowić północne zgrupowanie w ofensywie przeciwko broniącej Zagłębia Ruhry grupie armii, na czele której stał feldmarszałek Model, a amerykańska 1. Armia dostała zadanie okrążenia tejże od południa. Następnie armie Bradleya winny skierować się na Lipsk i Drezno. Celem głównego uderzenia były środkowe i południowe Niemcy. Eisenhower twierdził uparcie, że Berlin „to cel ani logiczny, ani też najbardziej pożądany" dla sił zachodnich aliantów[4]. Wszedł w posiadanie cokolwiek niepewnych informacji wywiadowczych, zgodnie z którymi Hitler zamierzał walczyć do końca w „twierdzy alpejskiej" na południu.

Nie tylko Montgomery był rozwścieczony z tego powodu. Churchilla i brytyjskich sztabowców zaszokowała zmiana głównego kierunku ofensywy z berlińskiego na bardziej południowy, czego naczelny dowódca sił alianckich nawet z nim nie omówił. Churchill widział się z Eisenhowerem niecały tydzień wcześniej nad Renem, skąd obserwował przebieg wielkiej operacji Montgomery'ego pod Wesel, a aliancki głównodowodzący nie wspomniał mu wtedy o zmianie swych planów. Co gorsza, Eisenhower już zdążył przekazać szczegółowe dane na temat szykowanej ofensywy Stalinowi, nie uprzedzając o tym choćby słowem swojego brytyjskiego zastępcy, generała RAF-u Teddera. Rzeczona depesza, SCAF-252, stała się przyczyną poważnych tarć. Eisenhower zapewniał w niej Stalina, że nie ma zamiaru nacierać na Berlin, tylko uderzyć dalej na południu.

Churchill żywił obawy, że Marshall i Eisenhower zdecydowanie za bardzo pragnęli się przypodobać Stalinowi, i to w czasie kiedy duch porozumień jałtańskich już odchodził do przeszłości. Oto w Rumunii Andriej Wyszynski (wicekomisarz spraw zagranicznych) pod koniec lutego zorganizował marionetkowe władze. Zignorował protesty Alianckiej Komisji Kontroli, iż akt

---

[4] D.D. Eisenhower, *Krucjata w Europie*, tłum. H. Krzeczkowski, Warszawa 1959, s. 524.

ten stanowi jawne naruszenie uzgodnionej w Jałcie deklaracji w sprawie wyzwolenia Europy, na mocy której w oswobodzonych krajach rządy wyłonione z przedstawicieli wszystkich partii demokratycznych miały zorganizować wolne wybory. Tymczasem napływało coraz więcej raportów, które wskazywały, że w Polsce NKWD aresztuje i rozstrzeliwuje członków Armii Krajowej, oskarżając ich o sprzyjanie nazistom. Uwięziono i wywieziono w głąb Związku Radzieckiego około dziewięćdziesięciu jeden tysięcy Polaków.

Siedemnastego marca Mołotow z irytacją odrzucił prośby o wpuszczenie do Polski zachodnich wysłanników, aby na miejscu zapoznali się z sytuacją – co było kolejnym pogwałceniem jałtańskich porozumień. Twierdził z udawanym oburzeniem, że oznaczałoby to ujmę dla tymczasowych władz komunistycznych w Warszawie, których Amerykanie i Brytyjczycy nie chcieli uznać do czasu przeprowadzenia w Polsce wyborów. Mołotow znał stanowisko brytyjsko-amerykańskie w sprawie utworzenia nowego polskiego rządu. Informacje na ten temat przekazał mu Donald Maclean, brytyjski szpieg w Waszyngtonie, a potwierdził je zapewne także Alger Hiss z amerykańskiego Departamentu Stanu.

Dla Sowietów określenie „faszysta" odnosiło się do każdego, kto nie wypełnia poleceń radzieckiej partii komunistycznej. Dwudziestego siódmego i dwudziestego ósmego marca szesnastu dowódców i działaczy politycznych Armii Krajowej zaproszono na rozmowy z sowieckimi władzami. Choć zagwarantowano im nietykalność, to po przybyciu zostali natychmiast zaaresztowani przez NKWD i zabrani do Moskwy. Nieco później stanęli przed sądem, a w 1946 roku ich przywódca generał Leopold Okulicki został najprawdopodobniej zamordowany w więzieniu. Churchill starał się skłonić Roosevelta do „odkrycia kart", ale amerykański prezydent, choć wstrząśnięty wiarołomstwem Stalina, chciał „możliwie zminimalizować ogólny sowiecki problem"[5].

Brytyjczyków oburzało zwłaszcza to, że Eisenhower uparcie nie uznawał, iż jego strategia ma implikacje polityczne. Uważał on, że jego zadanie polega na zakończeniu wojny w Europie tak szybko, jak to możliwe, i nie podzielał brytyjskich niepokojów związanych z postępowaniem Stalina wobec Polski. Wyżsi rangą brytyjscy oficerowie kwitowali okazywaną przez Eisenhowera uległość wobec Stalina zwrotem „Have a go, Joe" („Józiu, może pójdziemy na całość"), którym posługiwały się londyńskie prostytutki zaczepiające amerykańskich żołnierzy[6]. Eisenhower może i ujawnił

---

5 TNA PREM 3/356/6.
6 Cyt. za: D.C. Large, *Funeral in Berlin. The Cold War Turns Hot*, w: *What If? The World's Foremost Military Historians Imagine What Might Have Been*, red. R. Cowley, New York 1999, s. 355.

swą naiwność polityczną, ale to Churchill wykazał się w tamtym okresie jeszcze mniejszą bystrością w uchwyceniu geopolitycznych realiów. Co najmniej pod jednym względem decyzje podjęte w Jałcie i jego własne propozycje procentowego podziału wpływów w krajach europejskich miały się nijak do rzeczywistości. Już od konferencji w Teheranie pod koniec 1943 roku, kiedy to Stalin, przy poparciu Roosevelta, doprowadził do określenia alianckiej strategii na zachodzie, Europę czekał podział – korzystny dla sowieckiego przywódcy. Zachodni sprzymierzeni przekonywali się stopniowo, że mogą wyzwolić pół Europy tylko za cenę oddania w niewolę pozostałej połowy kontynentu.

Stalin nadal wietrzył podstęp w szczerości Eisenhowera w sprawie alianckich zamierzeń. Trzydziestego pierwszego marca przyjął na Kremlu amerykańskiego ambasadora Williama Averella Harrimana oraz ambasadora brytyjskiego Archibalda Clarka Kerra. Omawiali ogólny plan, przedstawiony przez Eisenhowera w depeszy SCAF-252, oraz zamiar pozostawienia Berlina Sowietom. Stalin stwierdził, że plan ten wydaje mu się dobry, lecz musi najpierw naradzić się ze swoimi sztabowcami[7].

Już następnego przedpołudnia, 1 kwietnia, marszałkowie Żukow i Koniew zostali wezwani do gabinetu radzieckiego przywódcy. „Czy wiecie, jak kształtuje się sytuacja?" – zapytał ich. Najwyraźniej nie byli pewni, co powinni na to odrzec, więc odpowiedzieli ostrożnymi ogólnikami.

„Odczytajcie im ten telegram" – polecił generałowi Siergiejowi Sztemience, szefowi wydziału operacyjnego Stawki. Z treści depeszy wynikało, że Montgomery skieruje się na Berlin, a 3. Armia Pattona zaniecha natarcia na Lipsk i Drezno, by uderzyć na niemiecką stolicę z południa. Przypuszczalnie Stalin wywierał presję na swoich dwóch frontowych dowódców, zapoznając ich z falsyfikatem, który miał mało wspólnego z depeszą SCAF-252.

„I cóż – rzekł, wpatrując się w obu marszałków. – Kto zdobędzie Berlin: my czy alianci?"

„To my zdobędziemy Berlin – odpowiedział natychmiast Koniew – i to przed sojusznikami"[8]. Koniew wyraźnie chciał przelicytować Żukowa, a Stalin, który lubił, jak radzieccy dowódcy z sobą współzawodniczyli, przytaknął mu. Wprowadził pewną poprawkę do planu Antonowa, usuwając część linii rozgraniczenia między wojskami dwóch frontów, żeby dać Koniewowi szansę uderzenia na Berlin z południa. Stawka z zapałem wzięła się do pra-

---

[7] NA II RG334/hasło 309/zbiór nr 2.
[8] I. Koniew, *Czterdziesty piąty*, tłum. C. Waluk, Warszawa 1968, s. 72; G. Żukow, *Wspomnienia i refleksje*, t. 2, *op. cit.*, s. 387.

cy. W operacji berlińskiej miało uczestniczyć dwa i pół miliona żołnierzy, 41 600 dział i ciężkich moździerzy, 6250 czołgów i samobieżnych dział pancernych oraz siedem i pół tysiąca samolotów. Wszystko to należało przysposobić w ciągu zaledwie dwóch tygodni, do 16 kwietnia.

Po zakończeniu owej narady Stalin odpowiedział na depeszę Eisenhowera. Oznajmił mu, że jego plan jest „całkowicie zbieżny" z tym, jaki ma Armia Czerwona, i że „Berlin utracił swoje dotychczasowe znaczenie strategiczne". Związek Radziecki miał skierować na to miasto tylko drugorzędne siły, natomiast główne wysiłki skoncentrować na południu Niemiec, by połączyć się tam z wojskami amerykańskimi, prawdopodobnie na początku maja. „Jednakże plan ten może przejść pewne modyfikacje, uzależnione od okoliczności"[9]. Było to największe primaaprilisowe oszustwo w nowożytnej historii.

Na spotkaniu z Harrimanem i Clarkiem Kerrem Stalin sprawiał wrażenie, że jest „pod silnym wrażeniem"[10], zapoznając się z danymi o gigantycznej liczbie niemieckich jeńców, których alianci brali do niewoli na froncie zachodnim. Sama tylko 3. Armia Pattona wzięła ich trzysta tysięcy. Ale takie statystyki naturalnie nasilały jego podejrzenia, że Niemcy poddawali się Brytyjczykom i Amerykanom, równocześnie koncentrując siły na froncie wschodnim. Ilja Erenburg dał temu wyraz w artykule w gazecie „Krasnaja Zwiezda". „Amerykańscy czołgiści urządzają sobie wycieczki w malownicze góry Harzu", napisał. Niemcy poddawali się tam „z fanatyczną gorliwością"[11]. Jednakże Averella Harrimana najbardziej oburzyła uwaga, że Amerykanie to „zdobywcy z aparatami fotograficznymi", przyrównująca ich do turystów[12].

Wśród Niemców nawet najbardziej zagorzali zwolennicy Führera zachwiali się w swej wierze w „ostateczne zwycięstwo". „W trakcie ostatnich kilku dni znajdowaliśmy się na fali wydarzeń – zapisał 2 kwietnia w swym dzienniku pewien oficer wojsk lądowych ze sztabu jednego z korpusów Waffen-SS w Schwarzwaldzie. – Düsseldorf padł, Kolonia padła. Katastrofalny przyczółek pod Remagen. (...) Na południowym wschodzie bolszewicy dotarli do Wiener Neustadt. Cios za ciosem. Zbliża się koniec. Czy nasi przywódcy dostrzegają jeszcze jakieś wyjście? Czy śmierć naszych żołnierzy, zniszczenia w naszych miastach i wsiach mają teraz jeszcze jakikolwiek sens?"[13] Jednak oficer ów nadal uważał, że powinien walczyć dalej, chyba że otrzyma inny rozkaz.

---

[9] *WOW*, t. III, s. 269.
[10] NA II RG334/hasło 309/zbiór nr 2.
[11] „Krasnaja Zwiezda", 11 kwietnia 1945 r.
[12] NA II 740.0011 EW/4-1345.
[13] Fritz Hockenjos, BA-MA MSg2 4038, s. 16.

Korespondent wojenny Godfrey Blunden zauważył, że Niemcy wciąż zastawiali pułapki, zabijali Amerykanów, a potem wyskakiwali z podniesionymi rękami, krzycząc: „*Kamerad!*" – i oczekując dobrego traktowania. Uderzały go kontrasty widywane w trakcie posuwania się naprzód wojsk alianckich. „Przejeżdżaliśmy przez miasteczka, które w zupełności uchroniły się przed skutkami wojny, a kilka mil dalej wkraczaliśmy do miasta leżącego w gruzach"[14]. Niemal wszędzie aliantów witały poszewki na poduszki i prześcieradła wywieszane z okien na znak kapitulacji. Zniszczenia spowodowane przez połączoną amerykańską ofensywę bombową wstrząsnęły wszystkimi, którzy mieli okazję widzieć jej skutki na ziemi. Stephen Spender tak pisał później o Kolonii: „Mija się kolejne ulice z domami, których okna wydają się puste i poczerniałe – jak rozwarte usta zwęglonych zwłok"[15]. W Wuppertalu linie tramwajowe były „powykręcane jak łodygi selera". „Drogi nadal są zapchane robotnikami przymusowymi, powoli wędrującymi na zachód – zanotował Blunden. – Widziałem dziś jednego z trójkolorową flagą powiewającą z jego plecaka"[16]. Był także świadkiem, jak uwolnieni przymusowi robotnicy napadli na browar, a potem tańczyli na ulicach i wybijali szyby w oknach.

Już niebawem zaczęła wychodzić na jaw cała groza reżimu nazistowskiego. Czwartego kwietnia oddziały amerykańskie wkroczyły do obozu koncentracyjnego Ohrdruf, będącego filią Buchenwaldu, gdzie natknęły się na apatyczne, żywe szkielety wśród niepogrzebanych zwłok. Eisenhower był tym tak przerażony, że rozkazał innym żołnierzom zwiedzić obóz i ściągnął korespondentów wojennych, aby też to zobaczyli. Niektórzy ze strażników usiłowali się skryć pośród więźniów, ci jednak wskazywali ich Amerykanom, a oni rozstrzeliwali ich na miejscu. Inni obozowi strażnicy zostali już wcześniej pozabijani przez uwięzionych, większości z tych ostatnich brakło jednak sił na wzięcie odwetu. Jedenastego kwietnia amerykańscy żołnierze natrafili na podziemne zakłady Mittelbau-Dora. Cztery dni później Brytyjczycy wkroczyli do Belsen. Odór i widoki, które tam zastali, zemdliły wielu z nich. Około trzydziestu tysięcy więźniów wegetowało na granicy śmierci, a wokoło zalegało dziesięć tysięcy rozkładających się zwłok. Liczba uwięzionych w Belsen rozrosła się do groteskowych rozmiarów, gdyż pozostawiono tam tych, którzy przeżyli marsze śmierci. Ponad dziewięć tysięcy zmarło w ciągu dwóch ostatnich tygodni, a trzydzieści siedem tysięcy podczas sześciu tygodni przed wyzwoleniem, głównie z głodu i z powodu

---

[14] GBP, 16 kwietnia 1945 r.
[15] S. Spender, *European Witness*, London 1946, cyt. za: D. Swift, *Bomber County. The Poetry of a Lost Pilot's War*, London 2010, s. 164.
[16] GBP, 2 kwietnia 1945 r.

epidemii duru plamistego. Spośród tych, którzy przeżyli, wkrótce umarło następnych czternaście tysięcy ofiar, pomimo wszelkich wysiłków ich ratowania podjętych przez brytyjskie medyczne służby wojskowe. Obecny na miejscu starszy stopniem oficer rozkazał silnemu oddziałowi żołnierzy udać się do pobliskiego miasteczka Bergen i pod przymusem sprowadzić stamtąd całą tamtejszą ludność. Zapędzono ją do pracy przy znoszeniu zwłok do masowych grobów, a wszyscy ci niemieccy cywile wydawali się wstrząśnięci i twierdzili, że o niczym nie wiedzieli, ku irytacji i niedowierzaniu brytyjskich oficerów.

Bezcelowe przeganianie dziesiątków tysięcy więźniów obozów koncentracyjnych z miejsca na miejsce nadal trwało, naznaczone morderczą bezsensownością. Około pięćdziesięciu siedmiu tysięcy kobiet i mężczyzn z Ravensbrück i Sachsenhausen w dalszym ciągu pędzono na zachód. Ocenia się, że ogółem w trakcie tych marszów śmierci zginęło od dwustu tysięcy do trzystu pięćdziesięciu tysięcy więźniów. Niemiecka ludność cywilna nie litowała się zbytnio nad nimi. Blunden usłyszał o masakrze w Gardelegen, gdzie esesowskie straże przekazały kilka tysięcy więźniów obozu Mittelbau-Dora grupie złożonej z personelu Luftwaffe, Hitlerjugend i miejscowych członków SA. Ta zapędziła ofiary do stodoły, którą podpaliła, strzelając do tych, którzy próbowali uciekać[17]. Tempo alianckiej ofensywy na zachodzie skłaniało oddziały SS, nierzadko wspomagane przez Volkssturm, do dokonywania również wielu innych zbrodni na więźniach.

Wojska sprzymierzonych musiały też zatroszczyć się o brytyjskich i amerykańskich jeńców wojennych, uwolnionych z wyzwalanych po drodze obozów. W kwietniu ćwierć miliona takich ludzi należało wykarmić i repatriować. Eisenhower zażądał, by przeznaczyć do wykonania tego zadania bombowce RAF-u i USAAF-u, gdyż te nie miały już czego niszczyć.

Największą operację ratunkową zorganizowano z myślą o pomocy dla głodującej Holandii. Kiedy tamtejszy komisarz Rzeszy Arthur Seyss-Inquart zagroził zatopieniem rozległych obszarów, Eisenhower i kwatera główna SHAEF ogłosiły, że jeśli do tego dojdzie, to Seyss-Inquart i generał pułkownik Johannes Blaskowitz, dowódca niemieckich wojsk w Holandii, zostaną uznani za zbrodniarzy wojennych. Następnie, po trudnych negocjacjach z holenderskim ruchem oporu, niemieckie władze zgodziły się nie zakłócać zrzutów z dostawami żywności na najbardziej dotknięte głodem tereny, w tym do Rotterdamu i Hagi. W trakcie operacji „Manna" bombowce RAF-u przeprowadziły łącznie trzy tysiące lotów, zrzucając ponad sześć tysięcy ton prowiantu. Dla niezliczonych Holendrów, bliskich śmierci, pomoc ta nadeszła w ostatniej chwili.

---

[17] Por. GBP, 16 kwietnia 1945 r.

Po tym jak w pierwszym tygodniu kwietnia w Zagłębiu Ruhry niemiecka Grupa Armii B, którą dowodził feldmarszałek Model, znalazła się w okrążeniu, dywizje 9. Armii Simpsona błyskawicznie ruszyły w kierunku Łaby. Eisenhower, niemiło zaskoczony reakcją Brytyjczyków na wprowadzone przez niego zmiany do planu strategicznego, wahał się, czy jednak nie uderzyć na Berlin. Simpson dostał rozkazy, zgodnie z którymi miał wykorzystać wszelkie okazje do zdobycia przyczółków nad Łabą i przygotować się do dalszego marszu na Berlin lub na północny wschód. Pierwsza Armia na jego prawym skrzydle winna zmierzać ku Lipskowi i Dreznu, natomiast 3. Armia Pattona już znalazła się w górach Harzu i podążała w stronę Czech. W południowych Niemczech 7. Armia generała porucznika Alexandra M. Patcha oraz francuska 1. Armia Lattre de Tassigny'ego nacierały przez Schwarzwald.

Ósmego kwietnia Eisenhower zwizytował generała majora Alexandra Bollinga, dowódcę 84. Dywizji Piechoty, po tym jak zdobyła ona Hanower. Oto relacja Bolliga:

„– Alex, dokąd się teraz wybierasz? – zwrócił się do mnie Ike.

– Generale, zamierzamy dalej przeć do przodu; mamy prostą drogę do Berlina i nic nie zdoła nas powstrzymać.

Eisenhower położył mi rękę na ramieniu:

– Alex, (...) życzę ci powodzenia i nie pozwól nikomu zatrzymać się"[18].

Bolling uznał to za potwierdzenie, że na cel natarcia jego dywizji wyznaczono Berlin.

Jedenastego kwietnia wojska amerykańskie dotarły do Magdeburga po autostradzie z Hanoweru, a nazajutrz przekroczyły Łabę na południe od Dessau. W ciągu następnych dwóch dni zdobyły kilka innych przyczółków za tą rzeką. Osiemdziesiąta Czwarta Dywizja Bollinga odparła kontruderzenie, przeprowadzone przez część słabo uzbrojonej 12. Armii generała Walthera Wencka. Oddziały Bollinga opanowały mosty na Łabie, po których mogły przejechać na drugi brzeg czołgi 2. Dywizji Pancernej, a w trakcie nocy 14 kwietnia pojazdy tej formacji przekroczyły Łabę, gotowe do podjęcia natarcia na Berlin. Zarówno Simpson, jak i Bolling domyślali się, że przeciwnik stawi im tylko słaby opór. Mieli rację. Niemal wszystkie jednostki Waffen-SS Niemcy rzucili do walki z Armią Czerwoną, która jak wiedzieli, również szykowała się do szturmu na stolicę Rzeszy. Większość formacji Wehrmachtu w tym czasie już ochoczo poddawała się Amerykanom przed nadejściem Sowietów.

Naraz Eisenhower zmienił zdanie. Porozmawiał z Bradleyem, który uznał, że zdobywanie Berlina mogło zostać okupione stu tysiącami zabitych i rannych żołnierzy, choć później sam przyznał, iż szacunki takie były

---

[18] Słowa Bollinga cyt. za: C. Ryan, *Ostatnia bitwa*, tłum. T. Wójcik, Warszawa 1992, s. 247.

znacznie zawyżone. Obydwaj, Eisenhower i Bradley, zgodzili się co do tego, że tak znaczne straty to wygórowana cena za zdobycie celu o znaczeniu raczej prestiżowym aniżeli militarnym, z którego i tak należało się wycofać po tym, jak walki ustaną. Europejska Komisja Doradcza już wyznaczyła granicę radzieckiej strefy okupacyjnej wzdłuż Łaby, a sam Berlin miał zostać podzielony. Dwunastego kwietnia Roosevelt umarł na wylew krwi do mózgu, co być może także zaważyło na decyzjach Eisenhowera.

Wcześnie rano 15 kwietnia Simpson został wezwany do kwatery dowództwa 12. Grupy Armii koło Wiesbaden. Gdy jego samolot lądował, na lotnisku już czekał na niego Bradley. Bez zbytecznych wstępów Bradley oznajmił, że 9. Armia ma się zatrzymać nad Łabą. Żadnego natarcia na Berlin. „Kto, u licha, wpadł na taki pomysł?" – zapytał Simpson.

„Ike" – odrzekł Bradley[19]. Simpson, oszołomiony i przygnębiony, powrócił do własnej kwatery głównej, zastanawiając się, jak powie o tym swoim oficerom i żołnierzom, zwłaszcza że zbiegło się to z wieścią o zgonie Roosevelta.

Eisenhower podjął właściwą decyzję, choć pod wpływem fałszywych przesłanek. Stalin za nic nie dopuściłby do tego, by to Amerykanie pierwsi wkroczyli do Berlina. Gdyby tylko radzieccy lotnicy zameldowali o natarciu sojuszników na niemiecką stolicę, Stalin prawie na pewno rozkazałby załogom sowieckich samolotów zaatakować Amerykanów. Potem przypuszczalnie utrzymywałby, iż to wina aliantów, którzy usiłowali zwieść go zapewnieniami o ofensywie na południowe Niemcy. Eisenhower chciał za wszelką cenę ustrzec się starć z Armią Czerwoną. Zdecydowanie popierany przez Marshalla odrzucał argumenty Churchilla, że Amerykanie i Brytyjczycy „powinni uścisnąć Rosjanom dłonie możliwie najdalej na wschodzie"[20]. Amerykańscy dowódcy wiedzieli, że Churchill chce wywrzeć presję na Stalina w nadziei na lepsze potraktowanie Polski przez Sowietów, ale też nie zamierzali ulegać temu, co uznawali za powojenną politykę europejską.

Goebbels, usłyszawszy o śmierci Roosevelta, nie posiadał się z radości. Niezwłocznie zatelefonował do Hitlera, który tkwił w bunkrze pod Kancelarią Rzeszy pogrążony w czarnych myślach. „Mój wodzu, gratuluję panu! – powiedział. – Roosevelt nie żyje. Jest zapisane w gwiazdach, że druga połowa kwietnia będzie dla nas przełomowym czasem. Piątek trzynastego kwietnia okazał się takim przełomem!"[21] Goebbels usiłować podnieść Hitlera na duchu już kilka dni wcześniej, odczytując mu fragmenty z biografii

---

[19] Cyt. za: *ibidem*, s. 312.
[20] NAII 7400011 EW/4-2345.
[21] H.R. Trevor-Roper, *Ostatnie dni Hitlera*, tłum. K. Fudakowski, Poznań 1966, s. 96–97.

Fryderyka II Wielkiego autorstwa Thomasa Carlyle'a, w tym passus poświęcony temu, jak to Fryderyk w najgorszym dla Prus okresie wojny siedmioletniej nagle otrzymał nowiny o śmierci carycy Elżbiety. „Spełnia się cud dynastii brandenburskiej", stwierdził. Następnej nocy alianckie bombowce obróciły w perzynę większość Poczdamu, którego rozkwit przypadł właśnie na czasy Fryderyka Wielkiego.

Ósmego kwietnia, w obliczu zbliżających się nieprzyjacielskich wojsk, Hitler i inni nazistowscy przywódcy wpadli w gorączkę zabijania w celu przeciwdziałania powtórce nowego „ciosu nożem w plecy". Stracono bardziej znanych więźniów, zwłaszcza tych zaaresztowanych po nieudanym zamachu lipcowym i innych podejrzewanych o zdradę – między innymi admirała Wilhelma Canarisa, Dietricha Bonhoeffera oraz stolarza Georga Elsera, który próbował zabić Führera w listopadzie 1939 roku. „Lotne sądy polowe" wydawały wyroki śmierci na dezerterów i tych, którzy wycofywali się bez rozkazu. Żołnierzom niemieckim polecano strzelać do tych zwierzchników, bez względu na ich rangę, którzy nakazywali im przejście do odwrotu. Dziewiętnastego marca Hitler, który już wyjaśnił swoim najbliższym współpracownikom, że zamierza „zabrać ten świat" z sobą[22], wydał tak zwany „neronowy rozkaz" niszczenia mostów, fabryk i wszystkiego, co nadaje się do użytku. Skoro naród niemiecki nie potrafi zwyciężyć, to, w opinii Hitlera, nie zasługuje na przetrwanie. Albert Speer, popierany przez przemysłowców i niektórych generałów, zdołał częściowo zapobiec zniszczeniom, posługując się argumentem, iż rujnowanie instalacji, które mogłyby zostać odzyskane w wyniku kontrataków, zakrawało na defetyzm.

Hitler zaczął powątpiewać w lojalność enigmatycznego Speera i podejrzewać nawet najwierniejszego z grona swoich paladynów – Heinricha Himmlera, który próbował „sprzedać" Żydów aliantom albo też wykorzystać ich w charakterze karty przetargowej. Nazistowskie władze partyjne szły w rozsypkę, gdy rozeszły się pogłoski o gauleiterach, którzy rozkazawszy wszystkim walczyć do śmierci, sami uciekali w bezpieczne miejsca wraz ze swymi rodzinami. Samochwały i brutale okazali się tchórzliwymi hipokrytami. Pozdrowienia „Heil Hitler!" i nazistowskiego salutu używali tylko zatwardziali fanatycy albo ci zalęknieni w ich obecności. Już prawie nikt nie wierzył w „pustosłowie i czcze obietnice" Führera, o czym uprzedzano w jednym z raportów esesowskiej służby bezpieczeństwa[23]. Niemców irytowało, że reżim nie chce pogodzić się z rzeczywistością, przyznać się do klęski i zaprze-

---

[22] N. von Below, *Byłem adiutantem Hitlera, 1937–1945*, tłum. Z. Rybicka, Warszawa 1990, s. 382; na temat „neronowego" rozkazu por. *ibidem*, s. 389.

[23] Raport z 28 marca 1945 r., cyt. za: R.J. Evans, *The Third Reich at War. How the Nazis Led Germany from Conquest to Disaster*, London 2008, s. 714.

stać bezsensownego rozlewu krwi. Tylko desperaci wierzyli w fantazję Hitlera, że kłótnie między aliantami jakimś cudem ocalą Rzeszę.

Nazistowskie imperium skurczyło się do cienkiego pasa ziem, rozciągających się od Norwegii po północne Włochy. Poza tym obszarem w rękach niemieckich pozostały już tylko odizolowane punkty oporu. Hitler gniewnie odrzucał żądania Guderiana, aby ściągnąć wojska do kraju, zwłaszcza silny garnizon z Norwegii i niedobitki Grupy Armii „Północ" walczące w Kurlandii. Jego opór wobec militarnej logiki doprowadzał niemieckich dowódców do rozpaczy. Sam Guderian został zdymisjonowany 28 marca, po nieudanej próbie odzyskania Kostrzyna. Kłótnia, jaka wybuchła wtedy w bunkrze wodza, wstrząsnęła wszystkimi, którzy byli jej świadkami. „Hitler robił się coraz bledszy – zanotował adiutant szefa sztabu – natomiast Guderian coraz bardziej pąsowiał"[24].

Guderiana zastąpił generał Hans Krebs, ten sam, którego Stalin poklepał po ramieniu na moskiewskim peronie na krótko przed operacją „Barbarossa". Krebs, niski, przebiegły oportunista, nie miał doświadczenia w dowodzeniu wojskami, co odpowiadało Hitlerowi, gdyż był mu potrzebny tylko skuteczny podwładny, wypełniający otrzymane polecenia. Oficerowie z kwatery głównej OKH w Zossen nie wiedzieli, co myśleć o tej nominacji. Już zapadli na rodzaj „pomieszania nerwicy z transem", jak stwierdził jeden z nich, pod wpływem „konieczności wykonywania żołnierskiego obowiązku przy równoczesnym rozumieniu, że obowiązek ten jest całkowicie bezsensowny"[25].

Dziewiątego kwietnia aliancka 15. Grupa Armii we Włoszech, dowodzona przez generała Marka Clarka, podjęła ofensywę za Linią Gotów na północ, w kierunku rzeki Pad. Amerykańska 5. Armia i brytyjska 8. Armia stanowiły coraz bardziej umiędzynarodowione związki operacyjne: w ich szeregach walczyły kanadyjska 1. Dywizja, która zdobyła w sierpniu 1944 roku Rimini, hinduska 8. Dywizja, 2. Dywizja nowozelandzka, południowoafrykańska 6. Dywizja Pancerna, 2. Korpus Polski, dwie formacje włoskie, grecka brygada górska, a także jednostki brazylijskie i brygada żydowska. Dwudziestego pierwszego kwietnia 3. Dywizja Strzelców Karpackich w końcu zajęła Bolonię dla dowodzonej przez Luciena Truscotta amerykańskiej 5. Armii, a 8. Armia zajęła Ferrarę i dotarła do Padu[26].

---

[24] Rozmowa autora z generałem porucznikiem w stanie spoczynku Berndem Freytagiem von Loringhovenem, 4 października 1999 r.

[25] Rozmowa autora z byłym inspektorem generalnym Bundeswehry Ulrichem de Maizière'em, 9 października 1999 r.

[26] Na temat ofensywy 8. Armii we Włoszech por. Churchill Papers 20/215, cyt. za: M. Gilbert, *Road to Victory. Winston S. Churchill, 1941–1945*, London 1986, s. 1288–1289.

Churchill liczył na szybkie postępy wojsk na froncie włoskim. Zaniepokoił go traktat radziecko-jugosłowiański, podpisany dwa dni później, który potwierdził roszczenia Tity do Triestu i Istrii na północnym skraju Adriatyku. Churchill odrzucał prośby Tity o zwiększenie pomocy. Odkąd Jugosłowianie znaleźli się w objęciach Sowietów, mogli prosić o wsparcie Moskwę. Brytyjski premier obawiał się również, że obecność radzieckiej potęgi wojskowej w tym regionie mogła pobudzić do działania włoskich komunistów, których partyzantka już dysponowała znacznymi siłami w północnej Italii.

Jedenastego kwietnia Armia Czerwona wkroczyła do centrum Wiednia. Jeszcze przed bitwą o Berlin rozpoczęła się rywalizacja, której celem było ukształtowanie powojennych granic europejskich. Churchill ponaglał Eisenhowera, aby ten zezwolił 3. Armii Pattona ruszyć na czeską Pragę, lecz aliancki naczelny dowódca nalegał na skonsultowanie się w tej sprawie ze Stawką. Moskwa od razu i stanowczo oprotestowała taki plan. Churchilla niepokoiły też przyszłe losy Danii. Po pokonaniu ujścia Odry pod Szczecinem 2. Front Białoruski Rokossowskiego mógł szybko przebyć obszar Meklemburgii.

Czternastego kwietnia Hitler wydał rozkaz dzienny swoim wojskom na froncie nad Odrą i Nysą. Raz jeszcze zagroził, że każdy, kto nie wypełni swej żołnierskiej powinności, zostanie „potraktowany jak zdrajca naszego narodu". Snując mętne odniesienia do klęski zadanej Turkom pod Wiedniem w 1683 roku, stwierdził, że i „tym razem bolszewicy zaznają losu dawnych Azjatów". (Jakoś nie wspomniał o tym, iż wtedy miasto to zostało ocalone przez polską ciężką jazdę). Ponadto wydawał się ignorować fakt, że Wiedeń właśnie wpadł w ręce Armii Czerwonej[27]. Jednocześnie Goebbels rzucił hasło: „Berlin pozostanie niemiecki, a Wiedeń znowu niemiecki będzie". Historyczne porównania i nowożytna propaganda już nie oddziaływały na większość Niemców.

Berlińczycy z wielkim niepokojem przygotowywali się na nieprzyjacielski szturm. Kobiety zachęcano do ćwiczenia się w strzelaniu z pistoletu. Członkowie Volkssturmu – niektórzy z nich we francuskich hełmach, zdobytych w 1940 roku – zostali skierowani do wznoszenia barykad na ulicach już zasypanych tynkiem i potłuczonym szkłem. Przetaczano wagony tramwajowe i kolejowe, wypełnione kamieniami oraz gruzem, zrywano chodniki, kopiąc jamy dla mężczyzn i chłopców uzbrojonych w pancerfausty. Gospodynie domowe odkładały takie zapasy, jakie zdołały zgromadzić, i przegotowywały wodę, zlewając ją do słoików na konserwy, do picia, w razie gdyby zabrakło wody w kranach.

---

[27] BA-MA RH19/XV/9b, s. 34.

Nastolatków z Reichsarbeitsdienst (RAD), paramilitarnej służby pracy, wcielano masowo do wojska. Wielu z nich zmuszano do przyglądania się egzekucjom: „Abyście przywykli do widoku śmierci!" – jak wyjaśnił im pewien oficer. Ich matki i dziewczyny przychodziły się z nimi pożegnać. Owi młodociani rekruci, eskortowani przez podoficerów, próbowali dodawać sobie otuchy wisielczym humorem, gdy odjeżdżali na front nad Odrą ze stacji kolei miejskiej. „Do zobaczenia w zbiorowej mogile!" – takie były słowa pewnego pożegnania[28].

---

[28] H. Altner, *Berliński żołnierz. Wspomnienia siedemnastoletniego obrońcy Rzeszy*, tłum. M. Kompanowski, Warszawa 2010, s. 20, 46.

ROZDZIAŁ 48

Operacja berlińska

kwiecień–maj 1945

Nocą 14 kwietnia niemieckie wojska w trakcie okopywania się na wzgórzach Seelow na zachód od Odry usłyszały odgłosy czołgowych silników. Muzyka i ponura radziecka propaganda, nadawane z ryczących głośników, nie zagłuszyły hałasów czynionych przez 1. Gwardyjską Armię Pancerną przeprawiającą się przez rzekę na przyczółek. Ten zajmował równiny zalewowe Kotliny Freienwaldzkiej, gdzie rzeczna mgła przesłaniała podmokłe łąki. Łącznie dziewięć armii 1. Frontu Białoruskiego Żukowa zajmowało pozycje wyjściowe do uderzenia na odcinku między kanałem Odra-Hawela na północy a Frankfurtem nad Odrą na południu.

Ósma Armia Gwardii generała Czujkowa powiększyła ów przyczółek dzień wcześniej, w rezultacie przeprowadzonego ataku spychając niemiecką 20. Dywizję Grenadierów Pancernych. Hitler tak się zirytował na wieść o tym, że rozkazał, aby wszystkim żołnierzom i oficerom tej dywizji odebrać nadane wcześniej odznaczenia do czasu, aż dowiodą w walce, iż ponownie na nie zasłużyli. Czujkow był niezadowolony z innego powodu. Dowiedział się, że późnym wieczorem 15 kwietnia marszałek Żukow ma przejąć od niego stanowisko dowodzenia na wzgórzach w okręgu Reitwein (Rytwiny), skąd rozciągał się najlepszy widok na nadodrzańską równinę i wzniesienia Seelow. Relacje między tym dwoma dowódcami wyraźnie się pogorszyły, gdyż Czujkow ostro skrytykował to, że na początku lutego wojska sowieckie nie przystąpiły do niezwłocznej ofensywy na Berlin.

W odległości ponad osiemdziesięciu kilometrów na południe od lewej flanki sił Żukowa stanęły nad Nysą wojska 1. Frontu Ukraińskiego Koniewa. Wydział polityczny tego frontu popracował nad chwytliwym hasłem nawołującym do zemsty: „Nie będzie litości. Zasiali wiatr, a teraz zmiecie ich trąba powietrzna"[1].

Wiadomości o zmianie nastawienia w gronie partyjnego kierownictwa w Moskwie nie dotarły jeszcze na linię frontu. Stalin wreszcie zrozumiał, że retoryka odwetu, gorliwie wprowadzana w czyn, tylko umacnia Niemców w stawianiu zbrojnego oporu. Dlatego właśnie wiele niemieckich wojsk poddawało się tak ochoczo alianckim armiom na zachodzie. Zdaniem Stalina znacznie zwiększało to ryzyko, że Amerykanie zajmą Berlin przed Armią Czerwoną.

Czternastego kwietnia Gieorgij Aleksandrow, szef radzieckiej propagandy, opublikował ważny artykuł w dzienniku „Prawda", niemal na pewno napisany pod dyktando samego Stalina. Zaatakował w nim Ilję Erenburga za wzywanie do zemsty na wrogu i za określenie Niemców mianem „jednej wielkiej bandy". Publikacja Aleksandrowa, zatytułowana *Towarzysz Erenburg zbytnio upraszcza*, informowała, że choć niektórzy z niemieckich oficerów „walczą za ten ludożerczy reżim, to inni [zamachowcy z lipca 1944 roku] rzucają bomby w Hitlera i jego klikę albo namawiają innych Niemców do składania broni [generał Walther von Seydlitz i tak zwany Związek Oficerów Niemieckich]. To, że Gestapo urządza polowania na przeciwników reżimu i apeluje do Niemców, żeby na nich donosili, dowodzi, iż nie wszyscy Niemcy są tacy sami". Aleksandrow przytoczył również uwagę Stalina: „Hitlerowie pojawiają się i odchodzą, ale Niemcy i ich państwo pozostają"[2]. Erenburg był załamany, gdy stwierdził, że uczyniono z niego kozła ofiarnego, jednak większość radzieckich oficerów i szeregowców nie zwróciła szczególnej uwagi na tę zmianę polityki. Propagandowy wizerunek Niemców jako wściekłych bestii zakorzenił się w umysłach zbyt głęboko.

Sowieckie władze, nawet u progu zwycięstwa, nie dowierzały własnym żołnierzom. Oficerom kazano podawać nazwiska swoich „niepewnych moralnie i politycznie podwładnych"[3], którzy mogli zdezerterować i uprzedzić wroga o zbliżającym się ataku – a komórki Smierszy aresztowały takich czerwonoarmistów. Nadto generała Iwana Sierowa, kierującego NKGB i jednocześnie zastępcę szefa NKWD, który w 1939 roku nadzorował prześladowania we wschodniej Polsce, poważnie zaniepokoiły „niezdrowe nastroje, jakie zapanowały pośród oficerów i szeregowców 1. Armii Wojska Polskiego". Słuchając mimo surowego zakazu audycji rozgłośni BBC, polscy żołnierze radowali się z powodu szybkich postępów czynionych przez brytyjskie i amerykańskie armie na froncie zachodnim.

---

[1] CAMO 233/2374/92, s. 240.
[2] „Prawda", 14 kwietnia 1945 r.
[3] CAMO 233/2374/93, s. 454.

Wmawiali sobie, że oddziały generała Andersa zbliżają się do Berlina. „Kiedy tylko nasze wojska połączą się z siłami Andersa – miał stwierdzić, wedle donosu jednego z informatorów Smierszy, pewien wyższy rangą oficer polskiej artylerii – wtedy będzie można się pożegnać z [proradzieckimi] władzami tymczasowymi. Rząd londyński znowu obejmie władzę, a Polska powróci do stanu sprzed 1939 roku. Anglia i Ameryka pomogą Polsce pozbyć się Rosjan"[4]. Tuż przed ofensywą na Berlin ludzie Sierowa aresztowali prawie dwa tysiące swoich żołnierzy.

Oficerów nazistowskich jeszcze bardziej martwiło rozczarowanie ich podkomendnych. Z przerażeniem bywali świadkami tego, jak młodzi żołnierze odkrzykiwali na audycje po niemiecku dobiegające z radzieckich głośników, pytając nieprzyjaciela, czy zostaną wywiezieni na Syberię, jeżeli złożą broń. Oficerowie z 4. Armii Pancernej, mającej przed sobą wojska Koniewa nad Nysą, konfiskowali białe chusteczki, aby nie posłużyły do poddawania się. Żołnierze chowali się po kryjówkach albo usiłowali dezerterować, gdy zapędzano ich na ziemię niczyją i rozkazywano szykować tam okopy. Wielu dowódców uciekało się do ordynarnych kłamstw. Utrzymywali, że tysiące czołgów zdążają z odsieczą, że na wroga zostanie rzucona nowa cudowna broń, a nawet że zachodni alianci podejmują walkę z bolszewikami u boku Niemców. Młodszym oficerom nakazywano bez skrupułów rozstrzeliwać tych podwładnych, którzy okazywali wahanie, jeśli zaś wszyscy ich żołnierze pouciekaliby, to ich przełożeni powinni zastrzelić się sami.

Pewien porucznik Luftwaffe, dowodzący zaimprowizowaną kompanią złożoną z niedoszłych mechaników, stał w okopie obok starszego podoficera. Ów drżał. „Też panu zimno?" – zwrócił się do szefa kompanii. „Nie, panie poruczniku – odrzekł zagadnięty. – Boimy się"[5].

W przededniu batalii czerwonoarmiści golili się i pisali listy. Saperzy już przystąpili do pracy w ciemnościach, usuwając miny w strefie natarcia. Czujkow musiał powściągnąć nerwy na widok konwoju aut sztabowych z marszałkiem Żukowem i jego świtą, z zapalonymi światłami zbliżającego się do stanowiska dowódczego na wzgórzach Reitwein.

Szesnastego kwietnia o piątej rano czasu moskiewskiego – w Berlinie wybiła godzina siódma – artyleria Żukowa otworzyła ogień z 8983 dział, ciężkich moździerzy i wyrzutni rakietowych typu Katiusza. Była to najbardziej zmasowana kanonada w całej wojnie, a tylko pierwszego dnia wystrzelono 1 236 000 pocisków. Nasilenie ostrzału było tak wielkie, że nawet w odległości sześćdziesięciu kilometrów, na wschodnich obrzeżach Berlina,

---

[4] Sierow do Berii, 19 kwietnia 1945 r., GARF 9401/2/95, s. 31–35, 91.
[5] Rozmowa autora z generałem w stanie spoczynku Wustem, 10 października 1999 r.

drżały ściany. Wyczuwając, że rozpoczęła się wielka ofensywa, niemieckie gospodynie domowe wyległy przed domy i zaczęły ściszonymi głosami rozmawiać z sąsiadkami, niespokojnie zerkając na wschód. Kobiety i dziewczęta zastanawiały się, czy Amerykanie dotrą do Berlina pierwsi i uchronią je przed czerwonoarmistami.

Żukowowi spodobał się pomysł użycia stu czterdziestu trzech reflektorów przeciwlotniczych do oślepiania nieprzyjaciela. Ale zarówno kanonada, jak i reflektory niewiele pomogły jego żołnierzom. Gdy radziecka piechota przeszła do natarcia, krzycząc „Na Berlin!", blask reflektorów za nimi oświetlał sylwetki czerwonoarmistów, a podłoże było tak zryte pociskami, że atakujący czynili powolne postępy. O dziwo, radziecka artyleria skoncentrowała się na ostrzale pierwszej linii niemieckiej obrony, mimo że w Armii Czerwonej znano niemiecką taktykę wycofywania się zawczasu i pozostawiania na wysuniętych pozycjach tylko słabych sił osłonowych, gdy spodziewano się ataku przeciwnika.

Żukow, który zazwyczaj przeprowadzał staranny rekonesans w okolicy, gdzie zaplanowano szturm, tym razem tego nie zrobił. Zdał się natomiast na zdjęcia dostarczone przez rozpoznanie lotnicze, jednak fotografie te nie przedstawiały wyraźnie, jak bardzo ukształtowanie terenu na wzgórzach Seelow sprzyjało prowadzeniu defensywy. Początkowo 8. Armia Gwardyjska na lewym skrzydle oraz 5. Armia Uderzeniowa generała pułkownika Nikołaja Bierzarina na prawym radziły sobie zupełnie dobrze. Po opanowaniu przez nie wzniesień miała zaatakować spoza nich 1. Gwardyjska Armia Pancerna. O świcie pojawiły się szturmowe Iły-2, przelatując tuż nad gejzerami ziemi wyrzucanymi w powietrze przez pociski artylerii, ostrzeliwując i bombardując niemieckie pozycje obronne i pojazdy. Ich największym sukcesem okazało się trafienie składu amunicyjnego niemieckiej 9. Armii, który uległ zniszczeniu w gigantycznej eksplozji.

Wstrząśnięci ocalali Niemcy na linii frontu zbiegali po stokach Seelow, wołając: *Der Iwan kommt!* („Ruscy nadchodzą!"). Nieco dalej lokalni rolnicy wraz z rodzinami też rzucili się do ucieczki. „Uchodźcy spieszą jak stwory z zaświatów – pisał młody żołnierz. – Kobiety, dzieci i starcy wyrwani ze snu, niektórzy tylko częściowo ubrani. Zapłakane dzieci uczepione rąk matek patrzą na zniszczenia przerażonymi oczami"[6].

Na swym stanowisku dowódczym, zlokalizowanym w tak zwanej „Reitweińskiej Ostrodze", Żukow stawał się z upływem kolejnych porannych godzin coraz bardziej podenerwowany. Patrząc przez lornetkę, mógł się przekonać, że tempo natarcia spadało, o ile w ogóle szturm nie został

---

[6] H. Altner, *Berliński żołnierz. Wspomnienia siedemnastoletniego obrońcy Rzeszy*, tłum. M. Kompanowski, Warszawa 2010, s. 64.

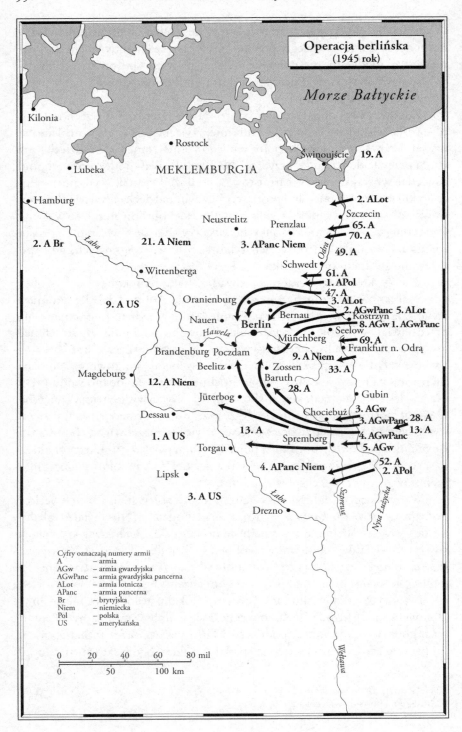

Operacja berlińska
(1945 rok)

Morze Bałtyckie

Kilonia

• Rostock

• Lubeka   MEKLEMBURGIA

Świnoujście   **19. A**

• Hamburg

Łaba   **2. ALot**

Neustrelitz   Prenzlau   Szczecin

21. A Niem   **65. A**
                              70. A
3. APanc Niem
                              49. A
2. A Br

Schwedt •

• Wittenberga   **61. A**
                              1. APol
Oranienburg   **47. A**
                              3. ALot
9. A US   **2. AGwPanc 5. ALot**
Nauen •   Bernau •   Kostrzyn
                              8. AGw 1. AGwPanc
Hawela   **Berlin**   Seelow
            Münchberg •   **69. A**
Brandenburg Poczdam •   Frankfurt n. Odrą
            Beelitz •   **9. A Niem**
Magdeburg •   Zossen   **33. A**
        12. A Niem   Baruth
                    28. A
Jüterbog •   • Gubin
Dessau •   Chociebuż •   **3. AGw**
        13. A   **3. AGwPanc 28. A**
1. A US   **4. AGwPanc 13. A**
Torgau •   Spremberg   **5. AGw**
                              52. A
Lipsk •   **4. APanc Niem** **2. APol**

3. A US
        Drezno •

Cyfry oznaczają numery armii
A   – armia
AGw   – armia gwardyjska
AGwPanc   – armia gwardyjska pancerna
ALot   – armia lotnicza
APanc   – armia pancerna
Br   – brytyjska
Niem   – niemiecka
Pol   – polska
US   – amerykańska

0   20   40   60   80 mil

0   50   100 km

powstrzymany. Wiedząc, że Stalin powierzy zadanie zdobywania Berlina Koniewowi, jeśli on sam, Żukow, nie przełamie linii frontu, zaczął przeklinać Czujkowa, którego wojska ledwie dotarły do skraju zalewowej równiny. Żukow odgrażał się, że zdegraduje podwładnych dowódców jednostek, a potem skieruje ich do karnych kompanii. Później jednak postanowił zmienić cały plan ataku.

Próbując przyspieszyć natarcie, chciał wprowadzić do walki 1. Armię Pancerną Gwardii generała pułkownika Michaiła Katukowa przed piechotą. Czujkowa przeraził ten zamysł. Potrafił sobie wyobrazić chaos, jaki by wówczas zapanował. O piętnastej Żukow zatelefonował do Moskwy i wyjaśnił Stalinowi zaistniałą sytuację. „A więc nie doceniliście przeciwnika na osi berlińskiej – stwierdził radziecki przywódca. – Myślałem, że już zbliżacie się do Berlina, a wy nadal tkwicie na wzgórzach Seelow. Koniewowi poszło lepiej" – zaznaczył wymownie[7]. Stalin nie skomentował zaproponowanej przez Żukowa zmiany planu ofensywy.

Owa zmiana wywołała dokładnie takie zamieszanie, jakiego bał się Czujkow. Na drogach już potworzyły się wielkie zatory, gdy 1. Armia Pancerna Gwardii utknęła za kolumnami pojazdów należących do dwóch innych armii, czekając na przejście do natarcia. Kierujący ruchem zmagali się z koszmarnym zadaniem, usiłując zaprowadzić jakiś ład. Kiedy już radzieckie czołgi wydostały się z zatarasowanych dróg i zaczęły podążać naprzód, natknęły się na ogień baterii dział 88 mm rozmieszczonych koło Neuhardenbergu. Pośród dymu wpadły w zasadzki zastawione przez niemiecką piechotę z pancerfaustami oraz pluton samobieżnych dział szturmowych. Sytuacja nie uległa poprawie, kiedy wreszcie zaczęły się wtaczać na wzgórza Seelow. Błotniste, strome stoki, przeorane przez pociski artylerii, często okazywały się nie do przebycia dla ciężkich czołgów typu IS oraz średnich T-34. Na lewym skrzydle czołowa brygada Katukowa wpadła na „tygrysy" z 502. batalionu czołgów ciężkich. Tylko na środkowym odcinku Sowieci odnieśli większy sukces, gdy załamała się obrona niemieckiej 9. Dywizji Strzelców Spadochronowych. Do zmierzchu armiom Żukowa nie udało się jeszcze zdobyć pasma wzniesień Seelow.

Z bunkra Hitlera pod gmachem Kancelarii Rzeszy nieustannie wydzwaniano do kwatery głównej OKH w Zossen, żądając nowin. Ale samo Zossen, leżące na południe od Berlina, mogło wpaść w radzieckie ręce po przełamaniu frontu przez wojska marszałka Koniewa.

---

[7] G. Żukow, *Wspomnienia i refleksje*, t. 2, tłum. C. Czarnogórski, F. Czuchrowski, P. Marciniszyn, Warszawa 1976, s. 196.

Zgodnie z tym, co Stalin oznajmił Żukowowi, 1. Front Ukraiński osiągał pewne sukcesy, mimo że przed ofensywą nie opanował przyczółków nad Nysą Łużycką. Artyleria Koniewa i lotnictwo wspierające wojska lądowe zatrzymały Niemców w okopach, gdy czołowe radzieckie bataliony forsowały tę rzekę w łodziach szturmowych. Samoloty 2. Armii Lotniczej postawiły rozległą zasłonę dymną, którą rozprzestrzenił lekki wietrzyk wiejący ze sprzyjającego kierunku. Niemiecka 4. Armia Pancerna nie mogła ustalić, gdzie przeciwnik koncentruje atak. Sowieci zdobyli przyczółki i już niebawem rozpoczęło się przerzucanie czołgów na drugi brzeg, a saperzy zajęli się wodowaniem mostów pontonowych.

Koniew nie powielił katastrofalnego w skutkach błędu Żukowa, polegającego na zmianie planu działania. Z góry ustalił, że 3. i 4. Armia Pancerna Gwardii poprowadzą natarcie. Wkrótce po południu pierwsze mosty pontonowe były gotowe i przetoczyły się po nich czołgi. W czasie gdy Niemcy jeszcze otrząsali się ze skutków bombardowania, zdezorientowani zasłoną dymną, Koniew rzucił swe czołowe brygady pancerne ku niemieckim liniom, rozkazując im podążać naprzód bez zatrzymywania się. Piechota za nimi miała się uporać z nieprzyjacielskimi gniazdami oporu.

Noc 16 kwietnia przyniosła Żukowowi upokorzenie. Ponownie musiał połączyć się ze Stalinem przez radiotelefon i przyznać, że jego wojska jeszcze nie opanowały wzgórz Seelow. Stalin stwierdził, że to wina Żukowa, gdyż zmienił plan ataku. Następnie zapytał go, czy ma pewność, że zdobędzie owe wzniesienia nazajutrz. Żukow potwierdził. Argumentował, że łatwiej niszczyć niemieckie siły na otwartej przestrzeni aniżeli w samym Berlinie, więc na dłuższą metę czas nie zostanie zmarnowany. Wtedy Stalin ostrzegł go, iż poleci Koniewowi skierować dwie jego armie pancerne na północ, ku południowej części Berlina. Zaraz też zakończył rozmowę. Wkrótce potem rozmawiał z Koniewem. „Żukow nie radzi sobie za dobrze – stwierdził. – Skierujcie [Pawła] Rybałkę [dowodzącego 3. Armią Pancerną Gwardii] i [Dmitrija] Leluszenkę [dowódcę 4. Armii Pancernej Gwardii] w kierunku Zehlendorfu"[8].

Znamienne, że Stalin wspomniał właśnie o Zehlendorfie. Była to wysunięta najdalej na południowy zachód dzielnica Berlina, jednocześnie położona najbliżej amerykańskiego przyczółka nad Łabą. Zapewne liczyło się też to, że graniczyła z Dahlem, gdzie prowadzono badania nuklearne w Instytucie im. Cesarza Wilhelma. Trzy godziny wcześniej, w odpowiedzi na prośbę Amerykanów o informacje na temat sowieckiej ofensywy na Berlin, generał Antonow, zgodnie z otrzymanymi instrukcjami, odpowiedział, że wojska radzieckie po prostu „przeprowadzają rekonesans na dużą skalę

---

[8] CAMO CGV/70500/2, s. 145–149.

w centralnym sektorze frontu w celu szczegółowego rozpoznania niemieckiej obrony"[9]. Zabawa w ciuciubabkę trwała. Jeszcze nigdy dotąd nie przeprowadzały „rekonesansu" siły zbrojne liczące dwa i pół miliona żołnierzy.

Za zgodą Stalina Koniew zmuszał brygady pancerne, którymi dowodził, do zaspokojenia jego osobistych ambicji – chciał pokonać swego głównego rywala w wyścigu o chlubną nagrodę. Żukow zaczynał się pieklić z powodu braku postępów. Na wzgórzach Seelow trwały chaotyczne walki pod przejaśniającym się niebem, a poprawa pogody sprzyjała działaniom radzieckiego lotnictwa szturmowego. Załamanie się obrony niemieckiej 9. Dywizji Strzelców Spadochronowych, w której szeregach służyło wtedy więcej ludzi z personelu naziemnego Luftwaffe niż prawdziwych spadochroniarzy, ułatwiło sprawę czołgistom Katukowa, ci ostatni wciąż jednak musieli odpierać nieprzyjacielskie przeciwuderzenia – Dywizji „Kurmark" z czołgami typu Panther oraz żołnierzy i młodzików z Hitlerjugend, strzelających z bliskiej odległości z pancerfaustów.

W niemieckich punktach opatrunkowych i lazaretach polowych panowały zatrważające warunki. Lekarze zupełnie nie mogli sobie poradzić z napływem rannych. Po stronie radzieckiej wyglądało to niewiele lepiej. Żołnierzy ranionych podczas pierwszego dnia operacji do tego czasu nadal nie zebrano z pola walki i nie opatrzono, jak ujawniły późniejsze raporty. Liczba rannych i kontuzjowanych nieustannie rosła, zwłaszcza po tym jak artyleria 5. Armii Uderzeniowej pomyłkowo ostrzelała brygady czołgów Katukowa.

Piloci niemieckich samolotów z tak zwanej eskadry Leonidas (KG-200 „V") stacjonującej w Jüterborgu naśladowali japońskich kamikadze w nieudanych na ogół próbach zniszczenia mostów na Odrze. Ten rodzaj samobójczych ataków określano mianem *Selbstopfereinsatz* – „misji bojowej związanej z samopoświęceniem". W taki sposób zginęło trzydziestu pięciu niemieckich pilotów. Ich dowódca generał major Robert Fuchs przesłał ich nazwiska „Führerowi na jego zbliżające się pięćdziesiąte szóste urodziny", przypuszczając, że wodza ucieszy taki prezent. Jednakże te obłędne akcje wkrótce ustały, wraz ze zbliżaniem się radzieckiej 4. Armii Pancernej Gwardii do lotniska rzeczonej eskadry samobójców.

Brygady pancerne Koniewa pędziły ku Sprewie na południe od Chociebuża (Cottbus), aby przedostać się na drugi brzeg tej rzeki, zanim Niemcy zdołają zorganizować obronę. Generał Rybałko prowadzący czołową brygadę nie chciał tracić czasu na ściąganie mostów pontonowych. Po prostu rozkazał załodze pierwszego z czołgów wjechać do Sprewy, która w owym miejscu miała około pięćdziesięciu metrów szerokości. Woda sięgała osłony

---

[9] NA II RG 334/hasło 309/zbiór nr 2.

gąsienic, ale nie dochodziła do klapy włazu kierowcy, który przejechał na przeciwny brzeg, a za nim podążyła rzędem reszta wozów pancernych brygady, których załogi nie przejmowały się zbytnio pociskami niemieckich karabinów maszynowych odbijającymi się od pancerzy. Niemcy nie mieli w tej okolicy armat przeciwpancernych. Droga do kwatery głównej OKH w Zossen stanęła otworem.

Sztabowcy w Zossen nie mieli pojęcia, iż nieco dalej na południe doszło do przełamania frontu. Nadal skupiali uwagę na Seelow, gdzie generał pułkownik Gotthard Heinrici wprowadził do walki swój jedyny odwód, III Germański Korpus Pancerny SS, w którego składzie znajdowała się między innymi 11. Dywizja SS „Nordland" złożona z duńskich, norweskich, szwedzkich, fińskich i estońskich ochotników.

Rankiem 18 kwietnia zmagania na wzgórzach Seelow znowu się nasiliły. Żukow usłyszał od Stalina, że armie pancerne Koniewa podjęły natarcie na Berlin, a jeśli wojska 1. Frontu Białoruskiego nie poczynią większych postępów, to Rokossowski na północy otrzyma polecenie skierowania na niemiecką stolicę także jednostek 2. Frontu Białoruskiego. Była to czcza groźba, gdyż wojska Rokossowskiego utknęły na Pomorzu i miały przekroczyć Odrę dopiero 20 kwietnia, niemniej jednak zdesperowany Żukow rozkazał przeprowadzanie kolejnych szturmów. Wreszcie w godzinach przedpołudniowych Sowieci przełamali front. Jedna z brygad pancernych Katukowa natarła wzdłuż Reichsstrasse I, czyli głównej autostrady przebiegającej z Berlina aż do zniszczonej już w tym okresie wschodniopruskiej stolicy w Królewcu. Dziewiąta Armia generała pułkownika Theodora Bussego została rozbita na dwie części i rychło poszła w rozsypkę. Sowieci słono opłacili ten sukces. Pierwszy Front Białoruski stracił ponad trzydzieści tysięcy zabitych, Niemcy zaś „tylko" dwanaście tysięcy. Żukow nie żałował poległych żołnierzy. Miał przed oczami tylko jeden cel.

Tego samego dnia Koniewa zaniepokoił kontratak przeprowadzony przez wojska feldmarszałka Schörnera, który spadł na 52. Armię na jego południowej flance. Było to jednak pospieszne, źle przygotowane przeciwuderzenie i zostało bez trudu odparte. Dwie armie pancerne Koniewa zdołały przebyć trzydzieści pięć do czterdziestu pięciu kilometrów. Zapewne Koniew zadziałałby jeszcze bardziej energicznie, gdyby wiedział, jaki chaos zapanował w Berlinie, w którym nazistowscy przywódcy usiłowali zorganizować obronę miasta.

Goebbels, mianowany na komisarza Rzeszy do spraw obrony Berlina, próbował zgrywać dowódcę wojskowego. Wydał rozkaz, aby wszystkie jednostki Volkssturmu w stolicy wymaszerowały z miasta w celu utworzenia nowej linii obronnej. Przerażony takim pomysłem dowódca berlińskiego garnizonu zaprotestował. Nie wiedział jednak, że tego samego chcieli po cichu Albert Speer i generał Heinrici, którym zależało na uchronieniu miasta przed całkowitym zniszczeniem. Generała Helmutha Weidlinga, dowodzącego LVI Korpusem Pancernym, odwiedzili Ribbentrop i Artur Axmann, zwierzchnik Hitlerjugend, a ten ostatni zaproponował wystawienie nowych jednostek złożonych z nastolatków uzbrojonych w pancerfausty. Weidling starał się wyperswadować mu „poświęcanie dzieci w już i tak przegranej sprawie"[10].

Zbliżanie się Armii Czerwonej rozbudziło mordercze instynkty reżimu nazistowskiego. Owego dnia ścięto w więzieniu Plötzensee kolejnych trzydziestu więźniów politycznych. Patrole SS w centrum miasta już nie aresztowały podejrzanych o dezercję, tylko wieszały ich na ulicznych latarniach z zawieszonymi na szyjach tabliczkami, informującymi o tchórzostwie straconych. Podobne oskarżenia ze strony esesmanów świadczyły co najmniej o ich hipokryzji. W czasie gdy patrole SS dokonywały egzekucji dezerterów z wojska, a nawet niektórych młodzików z Hitlerjugend, Heinrich Himmler i czołowi oficerowie Waffen-SS potajemnie planowali wycofanie swoich jednostek z frontu i skierowanie ich do Danii.

Dziewiętnastego kwietnia niemiecka 9. Armia, rozbita na trzy zgrupowania, cofała się w nieładzie. Okoliczne kobiety i dziewczęta, przerażone tym, co je czeka, błagały żołnierzy, żeby zabrali je z sobą. Sowiecka 1. Armia Pancerna Gwardii wspierana przez 8. Armię Gwardyjską Czujkowa dotarła do Münchebergu, nacierając wzdłuż autostrady Reichsstrasse I. Kiedy wojska te kierowały się ku wschodnim i południowo-wschodnim przedmieściom Berlina, inne armie Żukowa zaczęły obchodzić północne obrzeża tego miasta. Stalin nalegał na zamknięcie niemieckiej stolicy w pierścieniu okrążenia, aby Amerykanie nie próbowali przebijać się ku Berlinowi, zmieniając plany w ostatniej chwili. Amerykańskie wojska owego dnia wkroczyły do Lipska i po zaciętych walkach zdobyły Norymbergę, ale dywizje Simpsona nad Łabą pozostały tam, gdzie Eisenhower rozkazał im się zatrzymać.

O świcie 20 kwietnia, w urodziny Hitlera, zgodnie z tradycją dopisała „Führerwetter" – piękna wiosenna pogoda. Alianckie siły powietrzne „uczciły" tę okazję po swojemu. Göring spędził przedpołudnie na doglądaniu wywozu zrabowanych przez siebie obrazów i innych bezcennych dzieł sztuki ze swojej wystawnej wiejskiej posiadłości Karinhall na północ od Berlina. Po tym, jak rzeczy te załadowano na ciężarówki należące do Luftwaffe, Göring uruchomił detonator połączony przewodami z ładunkami wybuchowymi umieszczonymi wewnątrz tej budowli. Gmach runął, wzbijając chmurę pyłu. Göring odwrócił się i podszedł do samochodu, którym miał pojechać

---

10 BA-MA MSg2/1096, s. 6.

do Kancelarii Rzeszy, aby tam wraz z innymi nazistowskimi przywódcami złożyć powinszowania Führerowi z okazji jego ostatnich – o czym wszyscy wiedzieli – urodzin.

Hitler wyglądał przynajmniej o dwadzieścia lat starzej, aniżeli wskazywałaby na to jego metryka urodzenia. Był zgarbiony, twarz mu poszarzała, a lewa ręka drżała. Tego ranka Goebbels wezwał przez radio wszystkich Niemców, aby ślepo wierzyli swemu wodzowi. Jednak nawet najbardziej oddani Hitlerowi naziści rozumieli jasno, że nie jest on już w stanie racjonalnie myśleć. Himmler, który o północy, zgodnie ze swoim prywatnym obyczajem, wzniósł szampanem toast za zdrowie Führera, usiłował potajemnie nawiązać kontakt z Amerykanami. Uważał, że Eisenhower uzna, iż on, Himmler, będzie mu potrzebny do utrzymania porządku w Niemczech.

Wśród nazistowskich prominentów, którzy zebrali się w częściowo zrujnowanym, majestatycznym gmachu Kancelarii Rzeszy, znaleźli się między innymi admirał Dönitz, Ribbentrop, Speer, Kaltenbrunner oraz feldmarszałek Keitel. Szybko się okazało, że jedynie Goebbels powziął zamiar pozostania w Berlinie u boku swego wodza. Dönitz, któremu powierzono zwierzchnią komendę nad wszystkimi niemieckimi wojskami na północy Rzeszy, wyjeżdżał z błogosławieństwem Hitlera. Pozostali zwyczajnie szukali wymówek, żeby wydostać się z Berlina, zanim miasto zostanie całkowicie otoczone, a Armia Czerwona zajmie pobliskie lotniska. Hitlera rozczarowali jego rzekomo wierni paladyni, szczególnie Göring, który zapewniał, że przystąpi do organizowania ruchu oporu w Bawarii. Kilku nazistów namawiało Führera do wyjazdu na południe kraju, on jednak odrzucał takie pomysły. Owemu dniu nadano nieoficjalne miano „odlotu złotych bażantów", gdyż działacze partii nazistowskiej zrzucali swe brunatno-czerwono--złociste uniformy, by uciekać wraz z rodzinami z Berlina, póki drogi na południe pozostają otwarte.

W samym mieście Niemki ustawiały się w kolejkach po ostatnie wydawane zapasy „kryzysowych racji żywności". Z oddali słyszały wyraźnie huk dział. Tego popołudnia ciężka artyleria radzieckiej 3. Armii Uderzeniowej podjęła ostrzał północnych przedmieść Berlina. Żukow rozkazał Katukowowi za wszelką cenę rzucić brygady czołgów do szturmu na niemiecką stolicę. Wiedział, że 3. Gwardyjska Armia Pancerna Koniewa podchodzi do południowych granic, ale – z czego Żukow nie zdawał sobie sprawy – natknęła się tam na opór twardszy od oczekiwanego. Znaczna część 9. Armii Bussego przecięła Sowietom drogę w trakcie ucieczki przez Spreewald.

Niemiecki odwrót znad Odry do stolicy wielce utrudniały tysiące cywilów, umykających w popłochu przed nadciągającym wrogiem. Niektórzy postanowili pozostać na miejscu. „Rolnicy stali przy płotach swoich ogródów na poboczu drogi i obserwowali ucieczkę z zatroskanymi minami – pisał pewien młody żołnierz. – Ich żony ze łzami w oczach podawały kawę, którą chciwie przełykaliśmy. Maszerowaliśmy i uciekaliśmy, bez odpoczynku i chwili spokoju"[11]. Wielu niemieckich żołnierzy zajmowało się po drodze plądrowaniem, a niektórzy szukali zapomnienia w zdobycznym alkoholu. Po wytrzeźwieniu stwierdzali, że znaleźli się już w niewoli.

Dywizja Grenadierów Pancernych SS „Nordland" w sosnowych lasach na wschód od Berlina toczyła okupione znacznymi stratami walki opóźniające, lecz niewiele innych nazistowskich formacji było w stanie stawić nieprzyjacielowi skuteczny opór. Krążyły pogłoski o amerykańskich samolotach zrzucających ulotki, które rzekomo wzywały Niemców do wytrwania, gdyż zachodni alianci wkrótce przyjdą im na pomoc – ale tylko nieliczni dawali temu wiarę. Pododdziały żandarmerii polowej i SS strzegły skrzyżowań nie tyle przed wrogiem, ile po to, by wyłapywać maruderów i wcielać ich przymusowo do zaimprowizowanych jednostek. Każdy żołnierz, który porzucił broń, hełm i plecak, był aresztowany i rozstrzeliwany. Do Strausbergu posłano policyjny batalion, by likwidował tych, którzy wycofywali się bez rozkazów, ale większość policjantów wymknęła się, aby przetrwać w jakiejś kryjówce, nim batalion ten dotarł na miejsce.

Dwudziestego pierwszego kwietnia wczesnym rankiem zakończył się ostatni aliancki nalot na Berlin. Nienaturalna cisza zapanowała w mieście, ale już kilka godzin później seria wybuchów, która zabrzmiała inaczej od eksplozji bomb lotniczych, oznaczała, że centrum stolicy znalazło się w zasięgu radzieckiej artylerii. Przebudził się nawet Hitler, który zwykle sypiał do późna. Wyłonił się ze swojej sypialni w bunkrze i zapytał, co się dzieje. Udzielone mu wyjaśnienie wyraźnie nim wstrząsnęło. Dowódca artylerii Żukowa generał pułkownik Wasilij Kazakow skierował na wysunięte pozycje baterie ciężkich dział 152 mm i haubic 203 mm. Od ich ognia poginęły głównie kobiety stojące w kolejkach po żywność, gdyż mało która z nich rezygnowała z ostatniej szansy uzupełnienia zapasów. Jednak intensywność ostrzału szybko zmusiła większość Niemek do powrotu do piwnic i schronów przeciwlotniczych.

Mimo że pierścień wokół Berlina niemal się zamknął, stalinowska paranoja nadal udzielała się śledczym z VII Wydziału NKWD. Każdego ze schwytanych wyższych rangą niemieckich oficerów wypytywano, czy słyszał o planach Amerykanów, by wspólnie z Wehrmachtem odrzucić wojska radzieckie spod Berlina. Stalin naciskał Żukowa na możliwie najszybsze zamknięcie miasta w okrążeniu, posługując się w tym celu całkowicie zmyślonym straszakiem. „Wobec powolności naszego natarcia – napisał w depeszy –

---

[11] H. Altner, *Berliński żołnierz, op. cit.*, s. 77.

sprzymierzeni zbliżający się do Berlina wkrótce go zajmą"[12]. Żukow był w równym stopniu zainteresowany zatrzymaniem natarcia wojsk Koniewa na niemiecką stolicę. Skierował 1. Armię Pancerną Gwardii i 8. Armię Gwardyjską Czujkowa na przedpola Berlina dalej na południowy zachód.

Jedna z pancernych szpic Koniewa została zauważona w pobliżu Zossen. Generał Krebs dowiedział się, że wyposażony w samochody pancerne oddział wydzielony do obrony jego sztabu uległ zniszczeniu w nierównym starciu z czołgami T-34. Zatelefonował do Kancelarii Rzeszy, lecz Hitler nie udzielił Krebsowi i jego podwładnym zgody na opuszczenie Zossen. Krebs wraz ze sztabowcami zaczęli się zastanawiać, jak będzie w sowieckim obozie jenieckim; ostatecznie nie trafili do niewoli tylko dlatego, że radzieckim czołgom oddalonym o zaledwie kilka kilometrów skończyło się paliwo. Następny telefon z Berlina poinformował w końcu o zezwoleniu na ewakuację i konwój ciężarówek sztabu OKH opuścił zagrożony rejon.

Berlińczycy wyczekiwali na nadejście Armii Czerwonej; mieszkańcy w rozmaity sposób szykowali się na powitanie zdobywców, w nastrojach albo frywolnych, albo rozpaczliwych. W hotelu Adlon personel i goście wsłuchiwali się w odgłosy wybuchów pocisków artyleryjskich. „W sali jadalnej – zapisał pewien norweski dziennikarz – nieliczni goście byli zachwyceni gotowością kelnerów do nalewania im wina nieprzerwanym strumieniem"[13]. Nie chciano pozostawiać niczego Rosjanom. Niektórzy z ojców, wstępując do Volkssturmu, rozmyślali tylko o losie czekającym ich rodziny. „To już koniec, córeczko – powiedział jeden z nich do córki, wręczając jej pistolet. – Obiecaj mi, że zastrzelisz się, kiedy wejdą Rosjanie". Potem w milczeniu ucałował ją i odszedł[14]. Inni zabijali żony i dzieci, by następnie odebrać sobie życie[15].

Miasto zostało podzielone na osiem sektorów, z Landwehrkanal w południowej i korytem Sprewy w północnej części dzielnicy centralnej, stanowiącymi ostatnią linię obrony. Tylko LVI Korpus Pancerny Weidlinga miał zasilić stołeczny garnizon, zwiększając jego liczebność do osiemdziesięciu tysięcy ludzi. Sto Pierwszy Korpus wycofał się na północ od miasta. Pozostałe niemieckie siły, w tym XII Korpus Pancerny SS i V Korpus Górski SS, wciąż przebijały się przez wojska Koniewa w lasach na południe od Berlina. Koniew rzucił do ataku swoje 3. i 4. Armię Pancerną Gwardii i ponaglał formacje piechoty, by szybciej rozprawiły się z wojskami Bussego. Choć

---

[12] CAMO 233/2374/92, s. 359–360.
[13] T. Findahl, *Letzter Akt. Berlin, 1939–1945*, Hamburg 1946, s. 146.
[14] R. Moorhouse, *Stolica Hitlera. Życie i śmierć w wojennym Berlinie*, tłum. J. Wąsiński, Kraków 2011, s. 458.
[15] Na temat samobójstw w Niemczech pod koniec wojny por. Ch. Goeschel, *Suicide in Nazi Germany*, Oxford 2009.

te niemieckie siły stanowiły zdezorganizowaną masę, wymieszaną z mnóstwem cywilnych uchodźców, nie było żadnych wątpliwości, że nie przestaną desperacko przedzierać się ku Łabie, aby tylko ustrzec się radzieckich obozów pracy.

Nieznający rzeczywistej sytuacji i pogrążony w fantazjach Hitler wydał rozkazy, wedle których 9. Armia miała utrzymać pozycje na froncie nad Odrą. Zarzucał Luftwaffe bierność i zagroził szefowi sztabu sił powietrznych generałowi lotnictwa Karlowi Kollerowi egzekucją. Przypomniawszy sobie, że Heinrici dysponował w swoim czasie odwodami w postaci III Germańskiego Korpusu Pancernego SS, Hitler połączył się telefonicznie z Obergruppenführerem SS Steinerem. Polecił mu przeprowadzić silne przeciwuderzenie na północne skrzydło 1. Frontu Białoruskiego. „Zobaczy pan, Rosjanie poniosą największą klęskę w swojej historii, u samych bram Berlina". Stanowczo zabronił wycofywania się na zachód. „Oficerowie, którzy nie podporządkują się bezwarunkowo temu rozkazowi, mają być aresztowani i niezwłocznie rozstrzeliwani. Pan, Steiner, odpowiada głową za wykonanie tego rozkazu"[16]. Zdumiony Steiner aż zaniemówił. W Korpusie Germańskim, któremu odebrano niemal wszystkie jednostki, wzmacniając nimi 9. Armię, pozostało nie więcej niż kilka batalionów. Otrząsnąwszy się z szoku, Steiner oddzwonił, aby przedstawić generałowi Krebsowi faktyczną sytuację, ale Krebs tylko potwierdził rozkaz i dodał, że nie może skontaktować się z wodzem, ponieważ ten jest zajęty.

Oderwanie Hitlera od rzeczywistości tym bardziej porażało, iż Führer wiedział już, że okrążona w Zagłębiu Ruhry grupa armii, którą dowodził Model, poddała się, a do niewoli trafiło trzysta dwadzieścia pięć tysięcy jej żołnierzy. Sam Model udał się do lasu i tam się zastrzelił, zgodnie z powinnością nazistowskiego feldmarszałka. W północnych Niemczech brytyjska 7. Dywizja Pancerna zbliżała się do Hamburga, a 11. Dywizja Pancerna szybko zmierzała w kierunku Lubeki nad Bałtykiem. Formacje te działały zgodnie z tajną instrukcją wydaną przez Churchilla marszałkowi polnemu Montgomery'emu, zalecającą zapobieżenie zajęcia Danii przez Armię Czerwoną. Francuska 1. Armia weszła do Stuttgartu, gdzie wielu jej północnoafrykańskich żołnierzy zajęło się grabieżą i gwałtami na miejscowej ludności.

Dwudziestego drugiego kwietnia Himmler odbył w Lubece potajemne spotkanie z hrabią Folkem Bernadottem ze Szwedzkiego Czerwonego Krzyża. Zwrócił się do niego z prośbą o wysondowanie u Amerykanów i Brytyjczyków możliwości poddania się wojsk niemieckich na zachodzie. W geście dobrej woli obiecał odesłanie siedmiu tysięcy więźniarek Ravensbrück do

---

[16] Cyt. za: M. Gilbert, *Druga wojna światowa*, tłum. J. Kozłowski, Poznań 2000, s. 742.

Szwecji, ale ponieważ większość z nich zapędzono już do marszu na zachód, wydało się to niezbyt przekonujące. Kiedy tylko Churchill dowiedział się o zabiegach Himmlera, powiadomił o nich Kreml, ażeby ustrzec się następnej kłótni ze Stalinem, do jakiej doszło po zerwanych negocjacjach z Oberstgruppenführerem SS Wolffem we Włoszech.

Hitler gorączkował się z niecierpliwości, wyczekując na nowiny o ataku Steinera. Kiedy w końcu się dowiedział, że „Grupa Operacyjna Steinera" – gdyż przy takiej nazwie obstawał – nie przeszła do ofensywy, zaczęły w nim narastać podejrzenia dotyczące zdrady w łonie SS. Podczas południowej narady sytuacyjnej wrzeszczał w ataku furii, a potem ze szlochem opadł na fotel. Wtedy po raz pierwszy przyznał otwarcie, że Niemcy przegrały tę wojnę. Ludzie z jego otoczenia próbowali go namówić do wyjazdu do Bawarii, ale stwierdził stanowczo, że pozostanie w Berlinie i zastrzeli się. Był zbyt osłabiony, żeby walczyć. Przybył Goebbels, aby go uspokoić, ale nic nie było w stanie nakłonić Hitlera do opuszczenia stolicy. Minister propagandy już zawczasu postanowił, iż zostanie z wodzem do końca, by stworzyć nazistowską legendę na przyszłość. Rozumując w kategoriach filmowych, podobnie zresztą jak sam Führer, Goebbels uważał, że ich śmierć w ruinach Berlina będzie bardziej dramatyczna od izolacji w Berghofie.

Hitler ponownie wyszedł ze swoich pokojów, podbudowany rozmową z Goebbelsem. Podchwycił sugestię Jodla, aby ściągnąć do Berlina 12. Armię Wencka, przeciwstawiającą się Amerykanom nad Łabą, w celu przeprowadzenia kontrataku. Był to utopijny plan. Dwunasta Armia była na to stanowczo zbyt słaba, a do tej pory wokół Berlina zamknął się już pierścień okrążenia. Podpułkownik Ulrich de Maizière, oficer sztabu generalnego, który owego dnia miał okazję przypatrywać się histerycznym scenom rozgrywającym się w bunkrze Führera, nabrał przeświadczenia, że „choroba umysłowa", na którą cierpiał Hitler, „polega na jego hipertroficznym utożsamianiu się z narodem niemieckim"[17]. Wódz uznał, że ludność Berlina powinna samobójczo zginąć wraz z nim. Magda Goebbels, która uważała, iż w Niemczech bez Hitlera nie warto żyć, tej nocy sprowadziła do bunkra sześcioro swoich dzieci. Sztabowcy przyglądali się temu z przerażeniem, wyczuwając, jaki koniec je czeka.

Do owego wieczoru 3. Armia Pancerna Gwardii pod dowództwem Rybałki wyszła nad kanał Teltow na południowym skraju Berlina. Ściągnięto ciężką artylerię, przygotowując się do ataku zaplanowanego na następny dzień. Siódmy Wydział NKWD, odpowiadający za przesłuchiwanie jeńców i akcje propagandowe, doprowadził do zasypania miasta ulotkami, w któ-

---

[17] Rozmowa autora z byłym inspektorem generalnym Bundeswehry Ulrichem de Maizière'em, 9 października 1999 r.

rych wzywano mieszkanki Berlina, aby nakłaniały niemieckich oficerów do składania broni. Odzwierciedlało to zmianę w taktyce partii bolszewickiej wobec Niemców, ale nie frontową rzeczywistość. „Ponieważ faszystowska klika boi się kary – głosiły ulotki – liczy na przeciągnięcie wojny. Jednak wy, kobiety, nie macie się czego obawiać. Nikt was nie tknie"[18]. Przez radio nadawano podobne wezwania.

Dwudziestego trzeciego kwietnia feldmarszałek Keitel dotarł do kwatery polowej Wencka. Przemówił do zebranych tam oficerów niczym na wiecu partii nazistowskiej, wymachując marszałkowską buławą i rozkazując maszerować na Berlin, by ocalić Führera. Ale Wenck miał już zupełnie inne plany. Zamierzał wyruszyć na wschód, lecz nie w kierunku Berlina. Chciał poczynić wyłom, przez który 9. Armia Bussego mogłaby uciec z lasów nad Łabę.

Dowódca LVI Korpusu Pancernego generał Weidling zadzwonił tego ranka do bunkra Führera, aby zameldować, że jego wojska wycofują się do Berlina. Generał Krebs oznajmił na to Weidlingowi, iż skazano go na śmierć za tchórzostwo. Weidling, wykazując niewątpliwą odwagę, domagał się niezwłocznej konfrontacji ze swoimi oskarżycielami. Wbrew temu, co podawały oficjalne raporty, nie opuścił swej kwatery głównej na zachód od Berlina. Twarde odparcie przez Weidlinga stawianych mu zarzutów wywarło takie wrażenie na Hitlerze, że od razu oddał pod jego komendę stołeczny garnizon i całe wojska broniące Berlina. Jak zauważył jeden ze starszych rangą oficerów, była to „tragikomedia" typowa dla nazistowskiego reżimu[19]. Dla samego Weidlinga wspomniana nominacja była wątpliwym zaszczytem.

Weidling rozlokował w stolicy swoje wojska, zatrzymując w odwodzie jedynie 20. Dywizję Grenadierów Pancernych. Czas naglił. Tego samego popołudnia radziecka 8. Armia Gwardyjska i 1. Armia Pancerna Gwardii, współdziałając z sobą, wdarły się do południowo-wschodniej części Berlina. Tam rychło wdały się w zaciekłe walki z Dywizją SS „Nordland" na lotnisku Tempelhof i w jego okolicach, pośród wypalonych wraków myśliwców Focke- -Wulf. Piąta Armia Uderzeniowa atakowała od wschodu, 3. Armia Uderzeniowa wkroczyła na północne przedmieścia, 47. Armia szturmowała potężną ceglaną twierdzę Spandau, zaś 3. Armia Pancerna Gwardii i 28. Armia z frontu Koniewa rozpoczęły przeprawę przez kanał Teltow. Zmasowana artyleria generała Katukowa nie przerywała ostrzału miasta – do chwili zakończenia batalii berlińskiej miała wystrzelić łącznie 1,8 miliona pocisków – a wspierające wojska lądowe samoloty radzieckich armii lotniczych harcowały nad niemiecką stolicą, bezkarnie ostrzeliwując pozycje nieprzyjaciela z broni maszynowej i zrzucając bomby.

---

[18] CAMO 233/2374/93, s. 414.
[19] BA-MA MSg1/976, s. 22.

Owego wieczoru Albert Speer przyleciał do Berlina małym samolotem, by po raz ostatni zobaczyć się z Hitlerem. Führer powiedział mu o swym zamiarze popełnienia samobójstwa wraz z Evą Braun. Wkrótce potem Martin Bormann przyniósł depeszę nadaną z Bawarii przez Göringa. Do Göringa dotarły zniekształcone wieści o wydarzeniach w Berlinie i histerycznym wybuchu Hitlera z poprzedniego dnia. Zaproponował więc, że sam przejmie „pełne przywództwo Rzeszy". Bormann stwierdził, że jest to równoznaczne ze zdradą, a w wysłanej odpowiedzi pozbawiono marszałka Rzeszy wszelkich stanowisk i zaszczytów. Bormann nadał do Bawarii jeszcze jeden telegram, nakazując miejscowemu SS nałożenie na Göringa aresztu domowego.

Wielokrotnie oficerowie SS wydawali się bardziej skorzy do kapitulowania od oficerów niemieckiej armii lądowej. Tego samego dnia Fritz Hockenjos, oficer Wehrmachtu, który znalazł się w składzie jednego z esesowskich korpusów okrążonych w Schwarzwaldzie przez wojska francuskie, zanotował w prowadzonym dzienniku rozmowę ze swoim zwierzchnikiem w randze generalskiej. „Czy naprawdę wierzy pan, że dalsza walka ma sens?" – zapytał wspomniany generał SS. „Tak, jako żołnierz wierzę w to – odparł Hockenjos. – Mnie także sytuacja wydaje się beznadziejna, ale póki nie ma rozkazu przerwania walki, uważam, że naczelne przywództwo wciąż widzi jakieś wyjście"[20].

Rankiem 24 kwietnia rozpoczął się od silnego przygotowania artyleryjskiego szturm wojsk Koniewa przez kanał Teltow. Skonsternowany Żukow dowiedział się od dowództwa 1. Armii Pancernej Gwardii, że brygady czołgów pod komendą Rybałki dotarły do Berlina. Jeszcze mniej spodobała mu się wiadomość, iż owego przedpołudnia przekroczyły wspomniany kanał, a wczesnym popołudniem czołgi Rybałki przejechały po mostach pontonowych na drugi brzeg. Ale i Koniew przeżył nieprzyjemną chwilę, gdy po tym jak przyglądał się forsowaniu kanału, usłyszał, iż dywizje Wencka podjęły marsz na wschód, aby połączyć się z niedobitkami niemieckiej 9. Armii.

Wielu z tych berlińczyków, którzy mieli jeszcze sprawne odbiorniki radiowe, z podekscytowaniem wysłuchało komunikatu Goebbelsa o podążaniu 12. Armii Wencka ku stolicy. Inni obawiali się, że to tylko przedłuży walki. Perspektywa odsieczy znowu nieco uskrzydliła Hitlera. Wydał rozkazy, aby 9. Armia Bussego połączyła się z „armią Wencka" i obie razem ruszyły na Berlin. Nie przyszło mu jednak na myśl, że ani Wenck, ani Busse nie mają najmniejszego zamiaru wypełnić podobnego polecenia. Dönitz obiecał dostarczyć samolotami do stolicy marynarzy z portów w północnych Niemczech w celu wzmocnienia obrony Berlina. Mieli przybyć samolota-

---

[20]   Fritz Hockenjos, BA-MA MSg 2 4038, s. 24.

mi transportowymi Junkers Ju 52, które wylądowałyby na Ost-West Achse, czyli alei przecinającej Tiergarten na zachód od Bramy Brandenburskiej. Najbardziej zaskakującymi posiłkami wojskowymi, jakie dotarły owej nocy do Berlina, było dziewięćdziesięciu francuskich ochotników z resztek Dywizji SS „Charlemagne", którzy przedarli się w ciężarówkach przez radzieckie pozycje na północy miasta.

Berlińczycy, stłoczeni w piwnicach, schronach i wielkich betonowych wieżach przeciwlotniczych, pragnęli tylko tego, by bitwa się skończyła. Brakowało tam powietrza, a wszędzie panował taki ścisk, że nie sposób było przepchać się do ubikacji albo do kranu z wodą pitną. Z kranów nawet nie kapało. Pozostawało czerpanie wody z ręcznych pomp ulicznych, wystawionych na ostrzał. Zrujnowanemu miejskiemu pejzażowi nadano miano *„Reichsscheiterhaufen"* – „stosu pogrzebowego Rzeszy". Ale kiedy radzieckie wojska przedzierały się ku centrum Berlina, a walki toczyły się o każdy dom, przebywanie w piwnicach stało się zbyt niebezpieczne. Czerwonoarmiści czasami wrzucali do nich granaty, natrafiwszy w pobliżu na zbrojny opór.

Członkowie Volkssturmu, Hitlerjugend i niewielkie oddziały Waffen-SS ostrzeliwały się zza barykad, z okien i dachów, mierząc z pancerfaustów do radzieckich czołgów. Z początku atakujące czołgi jechały środkiem ulic, lecz potem ich załogi zmieniły taktykę, przemykając bokami i siekąc z kaemów w kierunku prawdopodobnych nieprzyjacielskich pozycji. Żołnierze 3. Armii Uderzeniowej na północy miasta strzelali w dachy z dział przeciwlotniczych, gdyż wyloty luf czołgowych armat nie podnosiły się na wystarczającą wysokość. By przeciwdziałać skutkom wybuchów przeciwpancernych pocisków pancerfaustów, sowieccy czołgiści przymocowywali metalowe sprężyny z materaców z przodu i po bokach swoich wozów bojowych, a te powodowały, że pociski rozrywały się przedwcześnie. Barykady niszczono ogniem na wprost z ciężkich dział, które podciągano na pierwszą linię. Sowieckie straty od ognia własnej artylerii, a jeszcze częściej w wyniku ostrzału prowadzonego przez sąsiednie radzieckie armie, wzrastały wraz ze zbliżaniem się szturmujących oddziałów do centrum Berlina. Z powodu dymu i chmur pyłu zasnuwających miasto piloci samolotów szturmowych mieli trudności z dostrzeżeniem, kogo atakują. Czujkow skierował część swojej 8. Armii Gwardyjskiej nieco na zachód, aby zablokowała natarcie 3. Armii Pancernej Gwardii. Wskutek tego wielu jego żołnierzy zginęło od ognia ciężkiej artylerii Koniewa i wyrzutni pocisków rakietowych typu Katiusza.

Tegoż dnia włoski Komitet Wyzwolenia Narodowego wezwał do powstania przeciwko wszystkim niemieckim wojskom, które pozostały w północnej Italii. Partyzanci zaatakowali wycofujące się niemieckie kolumny, a nazajutrz opanowali Mediolan.

Dwudziestego piątego kwietnia Amerykanie z 69. Dywizji Piechoty i żołnierze radzieccy z 58. Dywizji Strzelców Gwardii spotkali się w Torgau nad Łabą. Wiadomość o rozczłonkowaniu nazistowskiej Rzeszy na dwie części rozgłaszano na całym świecie. Stalin popędzał dowódców sowieckich frontów, aby, tam gdzie tylko mogą, spieszyli nad Łabę, choć ostatecznie upewnił się w tym, że Amerykanie nie podążają ku Berlinowi. Generał Sierow z NKWD ściągnął trzy pułki wojsk ochrony pogranicza, a te miały wyłapywać niemieckich oficerów usiłujących wymknąć się z oblężonego miasta. Wyselekcjonowani ludzie Berii mieli wjechać tuż za 3. Gwardyjską Armią Pancerną do Dahlem, aby zabezpieczyć tamtejszy ośrodek badań nuklearnych.

John Rabe, ten sam niemiecki pamiętnikarz, który uwiecznił masakrę w Nankinie, znajdował się w tym czasie w Siemensstadt na północno-zachodnim skraju Berlina. Rosyjscy żołnierze „są bardzo przyjaźni, na razie – zanotował. – Nie nękają nas, nawet czasami częstują jedzeniem, tyle że mają bzika na punkcie jakiegokolwiek alkoholu i stają się nieobliczalni, kiedy wypiją za dużo". Wtedy zaczynało się na ogół poszukiwanie zegarków i uganianie się za kobietami. Nieco później Rabe wspomniał o samobójstwach popełnianych przez osoby z sąsiedztwa, które wcześniej pozabijały swoje dzieci, oraz o „siedemnastolatce, pięciokrotnie zgwałconej, a potem zastrzelonej. (...) Kobiety w schronie przeciwlotniczym przy Quellweg gwałcono na oczach ich mężów"[21].

W Berlinie mniej było jednak przemocy i sadyzmu aniżeli w czasie wściekłego odwetu na Prusach Wschodnich. Sowieccy żołnierze staranniej wybierali swoje ofiary, w piwnicach i schronach oświetlając zawczasu ich twarze latarkami. Matki próbowały ukrywać córki na strychach, pomimo zagrożenia ze strony pocisków artyleryjskich, ale sąsiedzi czasami zdradzali takie kryjówki, aby w ten sposób odwrócić uwagę czerwonoarmistów od siebie lub od własnych córek. Nawet Żydówki nie były bezpieczne. Żołnierze armii radzieckiej mieli małe pojęcie o nazistowskich prześladowaniach na tle rasowym, o których sowiecka propaganda prawie nie wspominała. Dla nich liczyło się, że „Frau ist Frau" („kobieta to kobieta")[22]. Żydowskie kobiety i dziewczęta, nadal przetrzymywane w obozie przejściowym przy Schulstrasse w Wedding, zostały zgwałcone po tym, jak ulotniły się esesowskie straże.

Personel dwóch głównych berlińskich szpitali, Charité i Cesarzowej Augusty Wiktorii, oszacował liczbę zgwałconych kobiet na od dziewięćdziesięciu pięciu tysięcy do stu trzydziestu tysięcy. Większość ofiar napastowano

---

[21] J. Rabe, *The Good German of Nanking. The Diaries of John Rabe*, New York 1998, s. 218–220.
[22] Rozmowa autora z Magdą Wieland, 11 lipca 2000 r.

wielokrotnie. Jeden z lekarzy oceniał, że około dziesięciu tysięcy ofiar gwałtów straciło życie – albo na skutek zbiorowego zgwałcenia, albo też popełniając później samobójstwo. Liczni ojcowie nakłaniali córki, by same się zabijały dla zmycia „hańby". Sądzi się, że na terytorium Niemiec ogółem padło ofiarą gwałtów około dwóch milionów kobiet i dziewcząt. Prusy Wschodnie były sceną największych okrucieństw, co znajdowało potwierdzenie w wielu raportach dowódców oddziałów NKWD przesyłanych Berii[23].

W Berlinie nawet żony i córki komunistów, którzy ochotniczo zatrudniali się w kantynach i pralniach Armii Czerwonej, spotykał podobny los. Członkowie Komunistycznej Partii Niemiec (KPD), którzy wyszli z podziemia, by powitać swoich wyzwolicieli, bywali nierzadko aresztowani jako rzekomi szpiedzy. Enkawudziści uznawali za zdradę to, że nie udało im się pomóc radzieckiej ojczyźnie komunizmu. „Dlaczego nie wstąpiliście do partyzantki?" – brzmiało oskarżycielskie pytanie, sformułowane zawczasu w moskiewskiej centrali.

*

Dwudziestego siódmego kwietnia 8. Armia Gwardyjska i 1. Armia Pancerna Gwardii przełamały linię niemieckiej obrony nad Landwehrkanal, pokonując ostatnią poważniejszą przeszkodę na drodze ku dzielnicy rządowej. Tymczasem na południu Berlina osiemdziesiąt tysięcy żołnierzy Bussego usiłowało się przebijać przez autostradę ze stolicy do Drezna, obsadzoną przez kilka dywizji Koniewa. Sowieci ścinali drzewa w lasach, w których rosły bardzo wysokie sosny, by zablokować drogi wiodące na zachód. Ale wiele jednostek Bussego, czasami z nielicznymi czołgami Tiger, które jeszcze miały paliwo, zdołało wyszukać luki w kordonie utworzonym przez formację Armii Czerwonej. Na te z pojazdów, których nie porzucono, załadowywano rannych, a ci krzyczeli z bólu, gdy wozy podskakiwały na wybojach. Jeśli któryś z rannych wypadał, był po prostu miażdżony przez koła następnego pojazdu. Prawie nikt nie przystawał, żeby pomóc takim nieszczęśnikom.

Straż przednia tych niemieckich wojsk podążających w kierunku zachodnim została dostrzeżona przez jeden z samolotów Luftwaffe i zameldowano o tym do bunkra Führera. Hitler ledwie mógł uwierzyć, że Busse zignorował jego rozkazy. Polecił wysłać mu serię depesz, z których wynikało, że obowiązkiem Bussego jest ocalenie Berlina, a nie 9. Armii. Treść jednej

---

[23] Ocena liczby gwałtów i będących ich skutkiem zgonów oraz samobójstw por. G. Reichling, w: H. Sander, B. Johr, *Befreier und Befreite. Krieg, Vergewaltigungen, Kinder*, München 1992, s. 54, 59.

z nich brzmiała: „Führer w Berlinie oczekuje, że wojska wypełnią swój obowiązek. Historia i naród niemiecki wzgardzą każdym, kto w zaistniałych okolicznościach nie da z siebie wszystkiego, by ratować sytuację i Führera"[24]. Ale dyspozycje Hitlera były już lekceważone przez wszystkich jego podwładnych. Generał Heinrici, nie informując o niczym kwatery głównej wodza, polecił generałowi pułkownikowi Hasso von Manteufflowi wycofywać się na północ przez Meklemburgię w obliczu natarcia wojsk 2. Frontu Białoruskiego pod dowództwem Rokossowskiego znad dolnej Odry. Kiedy Keitel dowiedział się o tym akcie nieposłuszeństwa, rozkazał Heinriciemu stawić się do raportu w nowej siedzibie dowództwa OKW na północny zachód od Berlina, lecz sztabowcy Heinriciego przekonali swego przełożonego, że lepiej ocalić głowę i przeczekać do końca wojny. W samym Berlinie na coraz liczniejszych domach wywieszano prześcieradła i poszwy na znak kapitulacji, mimo zagrożenia ze strony patroli SS, którym rozkazano rozstrzeliwać wszystkie osoby zastane w takich budynkach.

Dwudziestego ósmego kwietnia wojska amerykańskie wkroczyły do obozu koncentracyjnego w Dachau na północ od Monachium. Około trzydziestu esesowskich wartowników usiłowało bronić się z wież strażniczych, lecz szybko ich zastrzelono. Zginęło tam ponad pięciuset esesmanów; niektórych zabili więźniowie, większość jednak zlikwidowali amerykańscy żołnierze, oszołomieni tym, co ujrzeli. Obok terenu obozu natknęli się na wagony bydlęce pełne przypominających szkielety ludzkich ciał. Pewien podporucznik wydał rozkaz postawienia pod murem i rozstrzelania z broni maszynowej trzystu czterdziestu sześciu esesmanów. Z trzydziestu tysięcy więźniów, którzy przeżyli obóz, 2466 było w tak złym stanie, że zmarli w ciągu następnych tygodni, mimo udzielonej im pomocy medycznej.

Podejrzenia Hitlera dotyczące zdrady w łonie SS znalazły potwierdzenie, gdy szwedzkie radio obwieściło ze Sztokholmu o podjętych przez Heinricha Himmlera próbach porozumienia się z aliantami. Poprzedniego wieczoru Hitler zauważył nieobecność w kwaterze głównej Obergruppenführera SS Hermanna Fegeleina, przedstawiciela Himmlera, a zarazem męża siostry Evy Braun. Wysłano oficerów na jego poszukiwanie. Odnaleźli Fegeleina pijanego wraz z kochanką w jego mieszkaniu. Para ta zawczasu spakowała bagaże, szykując się do ucieczki. Fegelein został sprowadzony pod strażą do Kancelarii Rzeszy. Eva Braun odmówiła wstawienia się za swoim niewiernym szwagrem.

W jeszcze większe rozgoryczenie wprawiło Hitlera sprzeniewierzenie się „wiernego Heinricha"; przygnębiło go to bardziej niż podjęta przez Göringa próba przejęcia władzy. Po fiasku kontrofensywy Steinera wódz wszędzie wokół siebie doszukiwał się zdrady. Zatelefonował do Dönitza przebywającego

---

[24] NA II RG 338 R-79, s. 37–38.

we Flensburgu na bałtyckim wybrzeżu. Ten rozmawiał z Himmlerem, który zaprzeczył pogłoskom o rokowaniach z zachodnimi aliantami. Nieco później jednak Agencja Reutera powtórzyła informację na temat takich prób. Rozwścieczony Hitler rozkazał Gruppenführerowi SS Müllerowi, szefowi Gestapo, przesłuchać Fegeleina. Po tym jak Fegelein przyznał, iż wiedział o kontaktach Himmlera z hrabią Bernadottem, został pozbawiony wszystkich odznaczeń, zdegradowany, wyprowadzony na dziedziniec i rozstrzelany przez ludzi z obstawy Führera. Hitler wyznał, że zdrada Himmlera okazała się dla niego ostatecznym ciosem. Według Speera tym, co pchnęło Himmlera na drogę wiarołomstwa, była podjęta przez Hitlera decyzja o ukaraniu dywizji Waffen-SS walczących na Węgrzech, polegającym na pozbawieniu ich żołnierzy prawa do noszenia honorowych opasek.

Kilka godzin po egzekucji szwagra Eva Braun poślubiła Adolfa Hitlera. Świadkami tej ceremonii byli Goebbels i Bormann, a poprowadził ją pewien zdumiony urzędnik stanu cywilnego, sprowadzony z jednego z oddziałów Volkssturmu. Zgodnie z nazistowskim prawem zapytał Hitlera i Evę Braun, czy oboje mieli wyłącznie aryjskich przodków i czy nie cierpieli na choroby dziedziczne.

We wczesnych godzinach porannych 29 kwietnia Führer opuścił na chwilę swoją oblubienicę, aby podyktować testament. Jak zwykle wygłosił przy okazji obłędną tyradę, oświadczając, że nigdy nie chciał tej wojny. To międzynarodowe żydostwo mu ją narzuciło. Na nowego prezydenta Rzeszy po swojej śmierci wyznaczył Dönitza. Goebbels miał być następnym kanclerzem Niemiec. Gauleiter Karl Hanke, który wówczas kierował zaciekłą obroną Wrocławia, póki nie wymknął się z tego miasta małym samolotem, winien zastąpić Himmlera jako nowy Reichsführer SS. Kiedy sekretarka Hitlera Traudl Junge uporała się z zadaniem spisywania ostatniej woli wodza, stwierdziła, że nikt się nie zatroszczył o nakarmienie dzieci Goebbelsa. Udała się na poszukiwanie produktów żywnościowych w Kancelarii Rzeszy, lecz tam natknęła się na rozpasaną orgię, w której uczestniczyli oficerowie SS i młode kobiety, skuszone obietnicą jedzenia i alkoholu.

Ludzie z otoczenia Hitlera nerwowo wyczekiwali na chwilę, w której wódz popełni samobójstwo. Po egzekucji Fegeleina nie mogli liczyć na ucieczkę, póki Führer żył. Dobiegające z zewnątrz odgłosy walk przybierały na sile, a niedobitki Dywizji „Nordland" i francuscy esesmani bronili się na południowym krańcu Wilhelmstrasse. Ruiny Anhalter Bahnhof i gmachu Gestapo przy Prinz Albrecht Strasse zostały zdobyte przez radzieckie oddziały. Francuscy ochotnicy z Waffen-SS nader skutecznie radzili sobie z ukradkowym podchodzeniem do sowieckich czołgów i niszczeniem ich z pancerfaustów. Tiergarten przypominał w tym czasie pobojowisko z okresu pierwszej wojny światowej, z roztrzaskanymi drzewami i lejami po pociskach artyleryjskich.

Dwie dywizje radzieckiej 3. Armii Uderzeniowej przedostały się przez Sprewę z Moabitu i opanowały siedzibę Ministerstwa Spraw Wewnętrznych, którą nazwały „domem Himmlera". O świcie 30 kwietnia Sowieci przypuścili szturm na Reichstag, uznany przez Stalina za symbol Berlina. Pierwszemu żołnierzowi, który zawiesi sowiecką flagę na gmachu Reichstagu, obiecano order Bohatera Związku Radzieckiego. Reichstagu broniła zbieranina oddziałów SS, Hitlerjugend i pewna liczba marynarzy, przewiezionych do stolicy samolotami transportowymi Ju 52, które rozbiły się podczas lądowania. Najpoważniejsze zagrożenie dla atakujących czaiło się na ich tyłach; z wielkiej wieży przeciwlotniczej w Tiergarten Niemcy mogli ich ostrzeliwać podczas przebiegania przez rozległy Königsplatz, na którym Speer niegdyś zaplanował wzniesienie Volkshalle, głównej budowli nowej nazistowskiej stolicy – Germanii.

Owego ranka w bunkrze Hitler wypróbował skuteczność jednej z ampułek z cyjankiem na swoim ukochanym owczarku alzackim – suce Blondi. Widząc, że trucizna podziałała, poczynił przygotowania do samobójstwa. Nieco wcześniej dowiedział się o śmierci Mussoliniego oraz jego kochanki Clary Petacci. Ich podziurawione kulami zwłoki zwieszono z zadaszenia jednej ze stacji benzynowych w Mediolanie. Szczegółowe informacje na temat tej egzekucji przepisano dla niego na specjalnej maszynie z dużą czcionką, którą mógł odczytać bez okularów. (Dokument ten znalazł się w rosyjskich archiwach). Około godziny piętnastej Führer pożegnał się z osobami ze swego otoczenia. Choć powagę chwili zakłócały odgłosy libacji dochodzące z Kancelarii Rzeszy, Magda Goebbels wpadła w histerię na myśl o tym, że straci uwielbianego wodza.

W końcu Hitler udał się do swojego salonu wraz ze świeżo poślubioną żoną, która zachowywała się radośnie w czasie południowego posiłku, choć dobrze wiedziała, co ją czeka. Nikt nie usłyszał huku wystrzału, ale wkrótce po 15.15 wszedł tam pokojowy Hitlera, Linge, a w ślad za nim inni. Führer strzelił sobie w głowę, a Eva Hitler połknęła cyjanek. Ich zwłoki zawinięto w szare wojskowe koce i wyniesiono do ogrodu Kancelarii Rzeszy, gdzie zgodnie z wydanymi przed śmiercią instrukcjami zostały oblane benzyną i podpalone. Goebbels, Bormann i generał Krebs stanęli na baczność i unieśli ramiona w nazistowskim salucie.

Tego samego wieczoru, gdy wojska radzieckie przedarły się do Reichstagu, by zawiesić tam sztandar zwycięstwa na czas pierwszomajowych uroczystości w Moskwie, generał Weidling zaplanował przebicie się na zachód na czele tylu żołnierzy, ilu zdołał zebrać. Wówczas jednak pewien oficer SS przebiegł między spadającymi pociskami z wezwaniem do Kancelarii Rzeszy. Tam Goebbels poinformował Weidlinga o śmierci Hitlera i dodał, że generał Krebs ma wynegocjować z sowieckimi dowódcami warunki zawieszenia broni.

Krebs, choć z pozoru opowiadał się za stawianiem oporu do końca, faktycznie już od pewnego czasu co rano szlifował swoją znajomość rosyjskiego przed lustrem w trakcie golenia. Kiedy tylko ogłoszono przerwanie walk w sektorze 8. Armii Gwardyjskiej, zaprowadzono go do kwatery radzieckiego dowództwa. Czujkow zadzwonił do Żukowa, który niezwłocznie wysłał tam swojego szefa sztabu generała Wasilija Sokołowskiego. Żukow nie chciał, aby jego najsurowszy krytyk, czyli Czujkow, mógł twierdzić, że sam przyjął kapitulację Berlina. Potem Żukow połączył się telefonicznie ze Stalinem, nalegając, aby wodza obudzono, i osobiście poinformował go, że Hitler nie żyje. „Doigrał się, podlec – stwierdził Stalin. – Szkoda, że nie udało nam się pojmać go żywego. Gdzie ciało Hitlera?"[25] Stalin oznajmił Żukowowi, że nie wolno podejmować żadnych rokowań z wrogiem. Wchodziła w grę tylko bezwarunkowa kapitulacja Niemców. Krebs chciał rozejmu. Usiłował przekonywać Sowietów, że tylko nowe władze admirała Dönitza mogły wydać zgodę na bezwarunkowe poddanie. Sokołowski odesłał Krebsa z posłaniem, że jeśli Goebbels i Bormann nie skapitulują bezwarunkowo do 10.15, przedpołudniem 1 maja, to Rosjanie „obrócą Berlin w perzynę". Odpowiedź nie nadeszła, więc na centrum miasta spadł „huraganowy ogień".

Najbardziej zawziętymi obrońcami dzielnicy rządowej okazały się zagraniczne oddziały Waffen-SS, skandynawskie i francuskie. Saperzy z Dywizji „Nordland" zniszczyli tunel miejskiej kolei podziemnej pod Landwehrkanal za pomocą materiałów wybuchowych, z których zrobili ładunek kumulacyjny. Dwadzieścia pięć kilometrów tuneli metra zostało zalanych przez wodę. Szacunki dotyczące liczby ofiar tej eksplozji wahają się od zaledwie pięćdziesięciu osób aż do piętnastu tysięcy, w istocie jednak prawdopodobnie była ona stosunkowo niska. W wodzie pod ziemią znalazło się wiele zwłok, gdyż zlokalizowane w tunelach szpitale polowe pozostawiały tam ciała zmarłych.

Na południe od Berlina około dwudziestu pięciu tysięcy żołnierzy, stanowiących niedobitki 9. Armii Bussego, wylęgło z lasów koło Beelitz; byli całkowicie wyczerpani i osłabieni z głodu. Uciekało wraz z nimi kilka tysięcy cywilów. Dywizje Wencka, które przebiły drogę ucieczki dla nich oraz dla garnizonu poczdamskiego, rekwirowały każdy napotkany pojazd, by zbiec nimi ku Łabie i uniknąć radzieckiej niewoli.

Owego popołudnia Brigadeführer Wilhelm Mohnke, który dowodził obroną dzielnicy rządowej, wydał rozkaz wycofania z walk ostatnich czołgów Tiger z Dywizji SS „Nordland". Chociaż Goebbels nadal nie chciał słyszeć o bezwarunkowej kapitulacji, to Martin Bormann i Mohnke już przemycili do Kancelarii Rzeszy cywilne ubrania, szykując się tej nocy do

---

[25] G. Żukow, *Wspomnienia i refleksje*, t. 2, *op. cit.*, s. 213–214.

ucieczki. Spodziewali się, że niemieccy żołnierze zatrzymają wojska radzieckie na obrzeżach dzielnicy rządowej i będą walczyli, podczas gdy Bormann i inni spróbują uciec. Wieczorem ci, którzy chcieli wydostać się spod Kancelarii Rzeszy, czekali niecierpliwie, aż Magda Goebbels otruje sześcioro swoich dzieci, a następnie wraz z mężem popełni samobójstwo.

O 21.30 hamburska rozgłośnia radiowa Deutschlandsender nadała pogrzebową muzykę, nim wystąpił z orędziem do narodu Dönitz, by obwieścić śmierć Hitlera, który rzekomo zginął, walcząc „na czele swych wojsk"[26]. Joseph i Magda Goebbelsowie, uśmierciwszy swe dzieci, wyszli do ogrodu Kancelarii Rzeszy. Magda ściskała w dłoni należącą do Hitlera złotą odznakę partii nazistowskiej, którą wódz sprezentował jej przed odebraniem sobie życia. Goebbelsowie równocześnie rozgryźli kapsułki z cyjankiem. Potem jeden z adiutantów ministra propagandy dobił oboje strzałami z pistoletu, oblał zwłoki benzyną i podpalił je.

Związane z tym opóźnienie oznaczało, że uciekinierzy wyruszyli dopiero o jedenastej wieczorem, o dwie godziny później, niż zamierzali. W dwóch grupach udali się różnymi drogami nad Sprewę, aby przedostać się za nią i dalej podążyć na północ kraju. Żołnierze Dywizji „Nordland" z czołgiem Tiger i innymi opancerzonymi pojazdami próbowali się przebić, szarżując przez most Weidendammer. Czerwonoarmiści, spodziewając się takiej próby przełomu, wzmocnili siły na tym odcinku i pozabijali większość nieprzyjaciół w chaotycznym nocnym boju. Kilku Niemcom, między innymi Bormannowi i Arturowi Axmannowi, przywódcy Hitlerjugend, udało się przedrzeć w powstałym zamieszaniu. Bormann, który oddzielił się od pozostałych, najwyraźniej pobłądził, wpadł na grupę radzieckich żołnierzy i zażył truciznę.

Kapitulacja, na którą zgodził się Weidling, miała wejść w życie o północy, a tymczasem inna, większa grupa bojowa, złożona z niedobitków 18. Dywizji Grenadierów Pancernych oraz Dywizji Pancernej „Müncheberg", starała się przebijać w kierunku zachodnim. Wściekły bój rozgorzał nad Hawelą w okolicach Charlottenbrücke w Spandau. Niemieckie wozy opancerzone znów odegrały rolę tarana w starciu z wojskami radzieckiej 47. Armii. Doszło do chaotycznej masakry, kiedy tłumy cywilów i żołnierzy popędziły na most pod osłoną ognia samobieżnych dział przeciwlotniczych. Nie sposób ustalić, ilu z nich zginęło, ale tylko garstka dotarła do Łaby. Żukow wydał rozkaz dokładnych oględzin wszystkich nieprzyjacielskich zwłok i każdego zniszczonego niemieckiego pojazdu w celu sprawdzenia, czy nie było wśród nich któregoś z nazistowskich przywódców, jednak większość ciał była tak spalona, że wykluczało to ich identyfikację.

---

[26] H. Trevor-Roper, *Ostatnie dni Hitlera*, tłum. K. Fudakowski, Poznań 1966, s. 196.

Drugiego maja w poczerniałym, dymiącym mieście zapanował nienaturalny spokój. Słyszało się tylko pojedyncze wystrzały, gdy esesmani odbierali sobie życie; ciszę mąciły też sporadycznie serie z sowieckich pistoletów maszynowych. W Kancelarii Rzeszy zastrzelili się generał Krebs i główny adiutant Hitlera generał Wilhelm Burgdorf, skonsumowawszy przedtem wielkie ilości winiaku. Żołnierze radzieckiej 5. Armii Uderzeniowej zajęli gmach i wywiesili nad nim wielki czerwony sztandar, a inna sowiecka flaga załopotała ostatecznie także na Reichstagu.

Dla ludności cywilnej, wylegającej ostrożnie z piwnic i schronów przeciwlotniczych, widok zasłanego zwłokami i gruzem miejskiego pobojowiska stanowił prawdziwy wstrząs. Wszędzie znajdowały się spalone wraki sowieckich czołgów, zniszczonych z bliska przez pancerfausty żołnierzy formacji zagranicznych Waffen-SS i członków Hitlerjugend. Niemki zakrywały twarze poległych gazetami lub kawałkami tkanin. Większość zabitych ledwie wyszła z wieku chłopięcego. Starsi mężczyźni z Volkssturmu poddawali się przy pierwszej sposobności. Czerwonoarmiści popędzali schwytanych jeńców okrzykami „Dawaj! Dawaj!" („Prędzej!"). Wszystkich Niemców w mundurach, żołnierzy, policjantów, a nawet strażaków, zaganiano do kolumn wyprowadzanych z miasta. Wielu płakało, gdy odprowadzały ich żony, podając prowiant i ubrania. Bali się, że zostaną wysłani do obozów pracy na Syberii.

Operację berlińską, trwającą od 16 kwietnia do 2 maja, fronty pod dowództwem Żukowa, Koniewa i Rokossowskiego okupiły stratą 352 425 żołnierzy, z których prawie jedna trzecia zginęła. W wojskach 1. Frontu Białoruskiego straty były najwyższe, do czego przyczyniły się desperackie próby zdobycia wzgórz Seelow przez Żukowa.

Stalin, nader ciekawy wszelkich szczegółów dotyczących śmierci Hitlera, chcąc się upewnić, że niemiecki wódz naprawdę zginął, rozkazał grupie śledczych ze Smierszy z 3. Armii Uderzeniowej przeprowadzić dochodzenie w tej spawie. Zapieczętowano bunkier pod Kancelarią Rzeszy, gdy ci przystąpili do pracy. Nawet marszałkowi Żukowowi nie pozwolono tam wejść, tłumacząc, że saperzy nie zakończyli jeszcze szukania min i bomb pułapek. Ekipy śledczych zaczęły przesłuchiwać wszystkich świadków wydarzeń ostatnich dni w bunkrze Führera, a ciała Josepha i Magdy Goebbelsów wywieziono z Berlina na oględziny laboratoryjne. Z Moskwy coraz bardziej naciskano, nakazując odnalezienie szczątków Hitlera. Agenci Smierszy natrafili na nie, zagrzebane w leju po pocisku razem ze zwłokami Evy Braun, dopiero 5 maja. Zostały wywiezione w najwyższej tajemnicy. Żadnego oficera Armii Czerwonej, w tym Żukowa, nie poinformowano o tym odkryciu.

ROZDZIAŁ 49

Miasta-cmentarzyska

maj–sierpień 1945

N ie znajduję na to żadnych pięknych słów – pisał z Berlina radziecki „żołnierz. – Wszędzie pijaństwo. Flagi, flagi, flagi! Flagi na Unter den Linden, na Reichstagu. Białe flagi. Wszyscy wywieszają białe flagi. Mieszkają w ruinach. Berlin został ukrzyżowany"[1]. Sowieccy zdobywcy zdali się uwierzyć w stare rosyjskie porzekadło, że „zwycięzców się nie sądzi"[2].

Wielu Niemców starało się po prostu przeżyć, zamiast zastanawiać się nad wydarzeniami, które ściągnęły na nich daleko większe nieszczęścia od dawnej klęski z 1918 roku. „Ludzie pogodzili się ze swoim losem" – zauważył pewien berlińczyk[3]. Większość tych, którzy wcześniej byli lojalni wobec Hitlera, wmawiała sobie, że postępowanie i zachowanie sowieckich żołnierzy dowiodło, iż rzeczywiście należało podjąć próbę zniszczenia Związku Radzieckiego.

Fritz Hockenjos, oficer sztabowy jednego z korpusów Waffen-SS, który uczestniczył w walkach w Schwarzwaldzie, na kartach prowadzonego przez siebie dziennika dumał na temat odpowiedzialności za klęskę Niemiec. „Narodu nie można obwiniać za przegraną wojnę. Żołnierze, robotnicy i rolnicy znosili nadludzkie wyrzeczenia i wysiłki, i wierzyli, pozostawali posłuszni, pracowali i walczyli do samego końca. Czy winni byli politycy i działacze partyjni, zarządcy gospodarki i feldmarszałkowie? Czy nie mówili Führerowi prawdy i prowadzili własną grę za jego plecami? A może Adolf Hitler nie był takim człowiekiem, jakim wydawał się rzeszom? Czy

---

[1] Efraim Genkin, w: *Sochrani moi pis'ma*, red. I. Altman, Moskwa 2007, s. 282.
[2] I. Erenburg, *Ludzie, lata, życie*, cz. 5, tłum. W. Komarnicka, Warszawa 1984, s. 154.
[3] Rozmowa autora z Lotharem Loewem, 9 października 2001 r.

było możliwe, by przenikliwość i zaściankowość, prostota i wrzenie, lojalność i fałsz, wiara i złudzenia szły z sobą w parze w tym samym sercu? Czy Adolf Hitler był wielkim, natchnionym przywódcą, którego nie można oceniać w typowych kategoriach, czy też blagierem, zbrodniarzem, niekompetentnym dyletantem, szaleńcem? Czy był wysłańcem Boga, czy może diabła? I czy spiskowcy z lipca 1944 roku w ostatecznym rozrachunku nie okazali się zdrajcami? Pytania, pytania. Nie znajduję na nie odpowiedzi i nie dają mi one spokoju"[4].

Chociaż oficjalna wieść o śmierci Hitlera nie od razu położyła kres toczącym się walkom, to z pewnością przyspieszyła proces ostatecznego rozkładu Rzeszy. Drugiego maja skapitulowały wojska generała von Vietinghoffa w północnych Włoszech i południowej Austrii. Oddziały brytyjskie pospieszyły ku Triestowi na skraju Adriatyku, aby zająć to miasto. Wprawdzie partyzanci Tity już tam dotarli, ale było ich zbyt niewielu, by przeciwdziałać akcji Brytyjczyków.

Mieszkańcy czeskiej Pragi, wierząc, że 3. Armia Pattona niebawem nadejdzie, wzniecili powstanie przeciwko Niemcom. Czechom pomogło ponad dwadzieścia tysięcy własowców z Rosyjskiej Armii Wyzwoleńczej (ROA), którzy zwrócili się przeciwko swoim niemieckim sojusznikom – ale nie Amerykanie, wbrew nadziejom powstańców. Generał Marshall stanowczo odrzucał apele Churchilla o wkroczenie zachodnich aliantów do czeskiej stolicy.

Wobec tego, że Armia Czerwona znajdowała się za daleko, ażeby interweniować, reakcja feldmarszałka Schörnera była równie okrutna jak zgniecenie warszawskiego powstania w 1944 roku. Zmiana stron nie uchroniła Własowa i jego żołnierzy przed sowiecką zemstą. Własow został wydany przez jednego ze swoich oficerów, gdy próbował uciec przykryty kocem w bagażniku samochodu. Stalina niezwłocznie powiadomiono o schwytaniu „zdrajcy ojczyzny generała Własowa" przez oddziały 1. Frontu Ukraińskiego Koniewa. Został on przewieziony samolotem do Moskwy i tam później stracony[5].

Piątego maja, po rokowaniach z wyższymi rangą oficerami z 9. Armii Simpsona, ranni Niemcy z wojsk Bussego otrzymali zezwolenie na przejście na zachodni brzeg Łaby. Jednakże Simpson nie przepuścił cywilów z uwagi na zawarte ze Związkiem Radzieckim porozumienie, na mocy którego ci mieli nie opuszczać rodzinnych stron. Rychło też żołnierze, którzy nie byli ranni, a także młode kobiety w wojskowych płaszczach i hełmach, zaczęli przechodzić po uszkodzonym moście kolejowym. Żołnierze amerykańscy

---

[4] Fritz Hockenjos, BA-MA MSg 2 4038, s. 25.
[5] GLAVPURKKA, RGASPI 17/125/310.

przeczesywali podążający tłum, wyłapując w nim członków SS. Niektórzy z obcokrajowców w SS, zwłaszcza Holendrzy z Dywizji SS „Nederland", udawali Niemców albo robotników przymusowych powracających do kraju. Hiwisi, zatrwożeni perspektywą dostania się w ręce NKWD, również próbowali uciekać. Jeden z przyczółków bronionych przez słabe dywizje Wencka znalazł się pod ostrzałem radzieckiej artylerii; Amerykanie wycofali się stamtąd, by uniknąć strat, a Niemcy w popłochu zaczęli tłumnie biec ku zachodniemu brzegowi Łaby. Wielu żołnierzy i cywilów zabierało łodzie lub budowało prowizoryczne tratwy z drewnianych kłód i pustych beczek po paliwie. Niektórzy rekwirowali stare konie gospodarskie i usiłowali przedostać się przez rzekę na ich grzbietach. Duża grupa spośród tych, którzy próbowali przebyć Łabę wpław, potonęła w jej rwącym nurcie. Inni, niepotrafiący pływać albo nie chcąc już żyć, po prostu popełnili samobójstwo.

Generał Bradley spotkał się z marszałkiem Koniewem, żeby dostarczyć mu mapę z naniesionym na niej położeniem każdej amerykańskiej dywizji. Sowieci nie udzielili mu analogicznych informacji na temat dyslokacji swoich wojsk, a tylko wystosowali niedwuznaczne ostrzeżenie, by Amerykanie nie próbowali się wtrącać w wydarzenia rozgrywające się w Czechosłowacji. W Austrii Sowieci zorganizowali bez porozumienia z aliantami władze tymczasowe. Z Moskwy nie dobiegały przyjazne sygnały. Mołotow, przebywający w tym czasie w San Francisco na konferencji założycielskiej Organizacji Narodów Zjednoczonych, wprawił w osłupienie Edwarda Stettiniusa, oznajmiając mu, że szesnastu przedstawicieli polskich władz podziemnych, zaaresztowanych przez NKWD mimo zapewnienia im wcześniej nietykalności osobistej, oficjalnie oskarżono o zamordowanie dwustu żołnierzy Armii Czerwonej.

Popołudniem 4 maja Stalin rozzłościł się na wieść o tym, że admirał Hans-Georg von Friedeburg i generał piechoty Eberhard Kinzel przybyli do kwatery polowej Montgomery'ego w okolicy Lüneburga, by ogłosić tam kapitulację wojsk niemieckich w Holandii, Danii i północnych Niemczech. Montgomery odesłał niemieckich przedstawicieli do Reims, aby podpisali akt bezwarunkowej kapitulacji w siedzibie SHAEF. Sama procedura okazała się niesłychanie skomplikowana. Personel SHAEF nie dostał jasnych politycznych wskazówek dotyczących warunków przyjęcia kapitulacji oraz udziału Francuzów w tym wydarzeniu. Niemcy liczyli na wynegocjowanie złożenia broni wyłącznie przed mocarstwami anglosaskimi.

Nie chcąc drażnić Stalina, SHAEF dopuściło do tych rokowań generała Susłoparowa, najwyższego stopniem radzieckiego oficera łącznikowego na froncie zachodnim. Szef sztabu Eisenhowera generał Bedell Smith umiejętnie pokierował przebiegiem negocjacji. Szóstego maja zagroził, że jeśli generał Jodl, który tymczasem przybył, by stanąć na czele niemieckiej delegacji, nie podpisze do północy zgody na poddanie całych sił zbrojnych Rzeszy, wówczas wojska zachodnich aliantów zamkną front, wobec czego wszyscy Niemcy pod bronią znajdą się na łasce Armii Czerwonej. Delegacja niemiecka argumentowała, że potrzebne są jej dwie doby na rozpowszechnienie rozkazu złożenia broni z powodu załamania się łączności między dowództwami różnych szczebli. W istocie była to wymówka mająca służyć zyskaniu na czasie i przerzuceniu kolejnych wojsk na zachód. Eisenhower zgodził się na tę zwłokę. „Akt kapitulacji wojsk" został podpisany przez Jodla i Friedeburga wczesnym rankiem 7 maja i miał wejść w życie minutę po północy 9 maja.

Stalin nie mógł dopuścić do tego, by uroczystość zakończenia działań wojennych odbyła się na froncie zachodnim, więc uparł się, ażeby Niemcy podpisali jeszcze jedną kapitulację minutę po północy 9 maja, czyli w chwili wejścia w życie poddania wojsk uzgodnionego w Reims. Wieści o tym wielkim wydarzeniu dotarły do Stanów Zjednoczonych i Wielkiej Brytanii. Churchill zadepeszował do Stalina z wyjaśnieniem, że wobec tego, iż w Londynie już gromadzą się tłumy, uroczystości z okazji zwycięstwa w Europie odbędą się tam 8 maja; podobnie w USA. Stalin odpowiedział z niezadowoleniem, że wojska radzieckie wciąż kontynuują walki. Oddziały niemieckie nadal broniły się w Prusach Wschodnich, w Kurlandii, Czechach i w wielu innych miejscach. W Jugosławii niemiecki garnizon nie kapitulował jeszcze przez tydzień. Tak więc uroczystości z okazji zwycięstwa, odpisał Stalin, w Związku Radzieckim nie mogą się zacząć przed 9 maja.

Formacje brytyjskie oczekiwały w gotowości na przerzut drogą powietrzną przez Morze Północne; miały pomóc Norwegom w nadzorowaniu złożenia broni przez czterystutysięczny niemiecki kontyngent w tym kraju – największe zachowane i w zasadzie nietknięte siły Wehrmachtu w omawianym okresie. Na dalekiej północy norweskie jednostki ekspedycyjne z pomocą oddziałów sowieckich już odzyskały okręg Finnmarku. Choć komisarz Rzeszy Josef Terboven planował wcześniej przekształcenie Norwegii w ostatni bastion Trzeciej Rzeszy, Dönitz odwołał go do Niemiec, polecając objęcie zwierzchnictwa nad okupowaną Norwegią generałowi pułkownikowi Franzowi Böhmemu. Wieczorem 7 maja Böhme podał przez radio wiadomość o kapitulacji. Zalążkowa administracja norweska w Oslo wezwała około czterdziestu tysięcy członków miejscowego ruchu oporu do zaprowadzenia porządku w kraju. Terboven wkrótce potem popełnił samobójstwo, detonując ładunki wybuchowe w bunkrze, w którym się zamknął.

Tuż przed północą 8 maja rozpoczęła się w Berlinie, w kwaterze głównej Żukowa w Karlshorst, ceremonia kapitulacyjna. Radzieckiemu marszałkowi towarzyszyli generał RAF-u Tedder, generał Spaatz oraz generał Lattre de Tassigny. Wprowadzono feldmarszałka Keitla, admirała von Friedeburga i generał Hansa-Jürgena Stumpffa z Luftwaffe. Niemcy zostali wyprowadzeni zaraz po podpisaniu stosownych dokumentów. Wtedy też rozpoczęła się zabawa. W całym mieście rozległy się wystrzały, gdy oficerowie i żołnierze Armii Czerwonej, którzy chowali wódkę oraz wszelkie inne trunki na ten z dawna wyczekiwany moment, zużyli niemal całą amunicję, jaka im pozostała. W czasie tego salutu na cześć zwycięstwa przypadkowo zginęło wiele osób. Mieszkanki Berlina, wiedząc dobrze, do czego prowadzi pijaństwo, drżały ze strachu.

Stalin, obawiając się wielkiej popularności Żukowa zauważalnej zarówno w Związku Radzieckim, jak i za granicą, zaczął go nękać na różne drobne sposoby. Obwiniał go o to, że nie odnalazł Hitlera, i to w czasie gdy ludzie ze Smierszy już dokonali identyfikacji zwłok Führera. Odszukali asystentkę dentysty Hitlera i polecili jej przeprowadzić oględziny mostka w jego szczęce. Żukow miał się dowiedzieć o odnalezieniu szczątków niemieckiego dyktatora dopiero po upływie dwudziestu lat. Stalin z rozmysłem otoczył tę sprawę tajemnicą, sugerując, że Hitler uciekł do zajętej przez Amerykanów Bawarii. Poczynania te miały na celu między innymi insynuowanie, że Amerykanie zawarli sekretny pakt z nazistami.

Pragnienie zmian politycznych, które uwidaczniało się w szeregach Armii Czerwonej, wywoływało wśród radzieckiego przywództwa wielką podejrzliwość. Sowieccy szeregowcy i oficerowie zaczęli otwarcie krytykować system komunistyczny. Władze radzieckie bały się także obcych wpływów po tym, jak czerwonoarmiści zobaczyli w Niemczech o wiele lepsze warunki życia od tych, które panowały w ZSRR. Smiersz znowu napomykała o groźbie „dekabrystowskich" nastrojów, nawiązując do historii grupy młodych carskich oficerów, którzy wrócili z Paryża po pokonaniu Napoleona i przekonali się, jak zacofana politycznie była Rosja. „Takie nastawienie należy bezlitośnie zwalczać" – konkludował raport Smierszy[6]. Liczba aresztowań za „systematyczne antyradzieckie wypowiedzi i wywrotowe zamierzenia"[7] raptownie wzrosła. W owym roku zwycięstwa nad Niemcami, w którym walki zbrojne trwały nieco ponad cztery miesiące, 135 056 młodszych oficerów i żołnierzy Armii Czerwonej, a także dwustu siedemdziesięciu trzech wyższych stopniem oficerów aresztowano za „przestępczą działalność kontrrewolucyjną"[8]. W Związku Radzieckim znowu uaktywnili się donosiciele, a dokonywane nad ranem przez NKWD aresztowania ponownie stały się codziennością.

---

[6] CAMO 372/6570/78, s. 30–32.
[7] RGWA 38686/1/26, s. 36.
[8] GARF 9401/1a/165, s. 181–183.

Liczba więźniów obozów Gułagu i tych w batalionach pracy przymusowej osiągnęła rekordowy poziom. Wśród nowych skazańców znaleźli się zarówno cywile, jak i około trzech milionów czerwonoarmistów, ukaranych za kolaborowanie z wrogiem w formacjach hiwisów lub po prostu za to, że się poddali. Wielu innych, w tym jedenastu generałów, stracono po okrutnych przesłuchaniach w ośrodkach dochodzeniowych Smierszy i NKWD. Porzuceni w 1941 roku przez niekompetentnych bądź zalęknionych przełożonych radzieccy żołnierze nacierpieli się w niemożliwy do opisania sposób w niemieckich obozach, po wojnie zaś zostali potraktowani jako „zdrajcy ojczyzny", ponieważ przeżyli. Ci, którzy przetrwali tę drugą rundę prześladowań, pozostali napiętnowani do końca życia i wolno im było wykonywać tylko najbardziej prymitywną pracę. Aż do roku 1998, czyli jeszcze długo po upadku komunizmu, wypełniając oficjalne rosyjskie formularze urzędowe, należało podawać szczegółowe informacje na temat tych członków rodziny, którzy byli w przeszłości jeńcami wojennymi. Krwawo tłumionymi buntami, do jakich dochodziło w obozach Gułagu dziesięć lat po wojnie, niemal bez wyjątku kierowali byli oficerowie i żołnierze Armii Czerwonej.

Chaos będący skutkiem poczynań nazistów na całym Starym Kontynencie uwidocznił się w powojennych wędrówkach setek tysięcy wysiedleńców. „Na drogach dzisiejszych Niemiec – pisał Godfrey Blunden – widać całą historię Europy, a właściwie świata"[9]. Miliony robotników przymusowych, zwiezionych do Rzeszy z Francji, Włoch, Holandii i Belgii, środkowej Europy, Bałkanów i przede wszystkim ze Związku Radzieckiego, zaczęły wracać pieszo do domów. „Pewna stara wędrowniczka – zanotował Wasilij Grossman – wychodzi z Berlina, z głową owiniętą szalem. Wygląda dokładnie tak, jak gdyby wyruszała na pielgrzymkę – pielgrzymkę po bezkresach Rosji. Trzyma parasol przewieszony przez ramię. Wielki aluminiowy gar zawiesiła za ucho na rączce tego parasola"[10].

Blunden natknął się na grupę młodych, wygłodniałych amerykańskich jeńców, z widocznymi „żebrami jak ksylofon", zapadłymi policzkami, cienkimi szyjami i „obwisłymi ramionami". Z radości zareagowali „trochę histerycznie" na spotkanie z człowiekiem także mówiącym po angielsku. „Niektórzy z amerykańskich jeńców, jakich napotkałem tego poranka, wydali mi się najbardziej żałośni ze wszystkich, których widziałem. Znaleźli się w Europie dopiero w grudniu zeszłego roku, od razu poszli na front i w tym samym miesiącu spadł na nich główny impet niemieckiej kontrofensywy w Ardenach. Odkąd trafili do niewoli, niemal nieustannie przewożono ich

---

[9] GBP, 19 kwietnia 1945 r.
[10] RGALI 1710/3/51.

z miejsca na miejsce. Opowiadali historie o kolegach zakatowanych na
śmierć przez Niemców tylko dlatego, że wyrwali się z szeregu, aby zabrać
z pola buraka cukrowego. Tym bardziej wzbudzali politowanie, że byli jeszcze chłopakami wyrwanymi z ładnych domów w ładnym kraju, nie wiedząc
nic o Europie; nie przypominali twardych Australijczyków, sprytnych Francuzów czy niewiarygodnie upartych Anglików. Nie wiedzieli w ogóle, o co
w tym wszystkim chodzi"[11].

Pośród osób wysiedlonych nie brakło wielu więźniów, zatwardziałych
wskutek okrutnego traktowania i pragnących zemsty na Niemcach. Błąka-
jąc się, grabiąc i gwałcąc, siali chaos i strach. Komendantury żandarmerii
polowej wydawały rozkazy niezwłocznego wymierzania sprawiedliwości takim schwytanym rabusiom. „Rozpoznani jako mordercy i gwałciciele byli
rozstrzeliwani na miejscu" – zapisał jeden z brytyjskich żołnierzy[12]. Jednakże
niemieckim cywilom, którzy zgłaszali się do alianckich władz okupacyjnych
ze skargami na to, że robotnicy przymusowi okradli ich z żywności, okazywano niewiele współczucia – tylko bardzo drobny odsetek Niemców litował
się nad zmuszanymi do pracy obcokrajowcami, kiedy naziści byli u władzy.

Dla Churchilla w okresie bezpośrednio po wojnie problem Polski przyćmie-
wał niemal wszystkie inne kwestie. To, że brytyjski premier nie wziął udziału w pogrzebie Roosevelta, zaskoczyło i zszokowało ludzi po obu stronach
Atlantyku. Nie ma większych wątpliwości, że pomimo późniejszych zapewnień Churchilla o jego przyjaźni z amerykańskim prezydentem ugodowość
Roosevelta wobec Stalina poważnie go rozczarowała. Potem Churchilla początkowo napawała optymizmem myśl o tym, że Harry Truman, nowy prezydent, wydaje się gotowy do zaprezentowania znacznie twardszego stanowiska wobec Stalina, głównie pod wpływem rad Averella Harrimana.

Niespodziewane obwieszczenie, złożone przez Roosevelta w Jałcie,
zgodnie z którym zamierzał tak szybko, jak tylko było to możliwe, wycofać
wojska amerykańskie z Europy, nadzwyczaj zaniepokoiło Churchilla. Sama
Wielka Brytania była zdecydowanie za słaba, by przeciwstawiać się potędze
Armii Czerwonej oraz zagrożeniu ze strony europejskich komunistów, ko-
rzystających z nieszczęść wyniszczonej Europy. Przerażały go doniesienia
o sowieckim odwecie i represjach, do jakich dochodziło za tym, co już wtedy zwał „żelazną kurtyną": faktycznie wyrażenie to zostało po raz pierwszy
użyte przez Goebbelsa.

Przed upływem tygodnia od kapitulacji Niemiec Churchill wezwał dowódców brytyjskich sił zbrojnych. Zdumiał ich pytaniem, czy możliwe by-

---

[11] GBP, 19 kwietnia 1945 r.
[12] J. Kenneally, *The Honour and the Shame*, London 1991, s. 205–206.

łoby zmuszenie Armii Czerwonej do wycofania się, aby „wywalczyć sprawiedliwość dla Polski". Taka ofensywa, oświadczył im, powinna się rozpocząć 1 lipca, zanim siły militarne aliantów na froncie zachodnim ulegną zredukowaniu po demobilizacji lub ich przerzucie na Daleki Wschód.

Mimo że planowanie operacji „Unthinkable" odbywało się w ścisłej tajemnicy, to jeden z agentów Berii w Whitehallu przekazał jej szczegóły do Moskwy. Największe wzburzenie wywołała tam instrukcja, aby Montgomery gromadził broń poddających się Niemców, na wypadek gdyby przyszło odtwarzać jednostki Wehrmachtu z myślą o tym szalonym przedsięwzięciu. Nic dziwnego, że Sowieci uznali to za potwierdzenie swoich najgorszych obaw.

Stratedzy bardzo szczegółowo przestudiowali możliwe scenariusze wypadkowe, choć te konstruowano głównie na podstawie domysłów. Stanowczo pomylono się w ocenie prawdopodobnej reakcji brytyjskich żołnierzy, sądząc, iż wypełnią podobne rozkazy. W istocie było to nader mało prawdopodobne. Zdecydowana większość Brytyjczyków na froncie tęskniła za powrotem do rodzinnych domów. Poza tym nasłuchali się o gigantycznych radzieckich poświęceniach, dzięki którym sami nie ponieśli aż takich strat, i zapewne powitaliby sugestię zwrócenia się przeciwko dotychczasowemu sojusznikowi z niedowierzaniem i wściekłością. Ponadto brytyjscy sztabowcy przyjęli inne nieprawdopodobne założenie, że Amerykanie byliby gotowi przyłączyć się do takiej nowej krucjaty[13].

Na szczęście główne wnioski zawarte w raportach sztabów były jasne: oceniono to jako nadzwyczaj „ryzykowny" pomysł; nawet jeśli udałoby się zmusić Armię Czerwoną do odwrotu po początkowych sukcesach, podobny konflikt zbrojny okazałby się długotrwały i kosztowny. „Ten pomysł jest oczywiście czystą fantazją, a szanse na jego powodzenie są minimalne – zapisał w swoim dzienniku marszałek polny Brooke. – Nie ma wątpliwości, że odtąd Rosja stanie się potęgą europejską. Rezultaty tego studium – dopisał nieco później – dowodzą, że jedyne, na co możemy liczyć, to zepchnięcie Rosjan mniej więcej na tę samą linię, do której dotarli Niemcy. I co potem? Mamy pozostać zmobilizowani w nieskończoność, żeby ich tam zatrzymać?"[14] Druga wojna światowa zaczęła się w Europie o Polskę, a pomysł trzeciej takiej wojny przebiegającej wedle podobnego wzorca rodził przerażające analogie.

Trzydziestego pierwszego maja Brooke, Portal i Cunningham „ponownie dyskutowali nad »niewyobrażalną wojną« z Rosją (...) i jeszcze bardziej

---

[13] Na temat operacji „Unthinkable" por. TNA CAB 120/691; zob. także M. Hastings, *Finest Years. Churchill as Warlord, 1940–45*, London 2009, s. 571–577.
[14] A. Brooke (lord Alanbrooke), *War Diaries, 1939–1945*, London 2001, s. 693–694 (24 maja 1945 r.).

utwierdzili się w przekonaniu, że jest rzeczywiście »nie do pomyślenia«"[15]. Byli zgodni we wnioskach na ten temat przedstawionych Churchillowi. Truman odniósł się równie niechętnie do idei odrzucenia Armii Czerwonej w celu uzyskania atutów w rokowaniach z Sowietami. Nie chciał nawet utrzymywać amerykańskich wojsk w tych regionach Niemiec i Czech, które miały zostać przekazane Sowietom zgodnie z ustaleniami Europejskiej Komisji Doradczej (European Advisory Commission, EAC). Truman dość nieoczekiwanie zajął bardziej pojednawcze stanowisko wobec Związku Radzieckiego w rezultacie dawania posłuchu argumentom Josepha Daviesa, byłego ambasadora Stanów Zjednoczonych w Moskwie i bezkrytycznego wielbiciela Stalina. Davies w latach trzydziestych obserwował pokazowe procesy moskiewskie i nie dopatrzył się niczego podejrzanego w wymuszanych biciem groteskowych zeznaniach składanych wtedy przez oskarżonych.

Premier musiał się pogodzić z fiaskiem swych planów, ale niebawem ponownie skontaktował się z szefami sztabów brytyjskich sił zbrojnych i zwrócił się do nich z prośbą o przeanalizowanie planów obrony Wysp Brytyjskich na wypadek zajęcia przez Sowietów Holandii, Belgii i Francji. W tym okresie był wyczerpany prowadzeniem kampanii wyborczej i snuł coraz bardziej irracjonalne koncepcje. Przestrzegał nawet przed utworzeniem brytyjskiego „Gestapo" przez przyszły rząd laburzystowski. Głosowanie odbyło się 5 lipca, ale ze względu na konieczność zebrania kart wyborczych z placówek wszystkich jednostek brytyjskich sił zbrojnych rozrzuconych po całym świecie jego wyniki poznano dopiero trzy tygodnie później. Poza problemami związanymi z Polską Churchilla zirytowała również podjęta w pośpiechu decyzja generała de Gaulle'a o wysłaniu wojsk do Syrii, gdzie miejscowa ludność opierała się przywróceniu francuskich rządów kolonialnych. W tym okresie de Gaulle uległ paroksyzmowi anglofobii i antyamerykanizmu, ku głębokiej rozpaczy swego ministra spraw zagranicznych Georges'a Bidaulta. De Gaulle wciąż nie mógł pogodzić się z tym, że nie wszedł w skład „wielkiej trójki" i nie wziął udziału w konferencji jałtańskiej; wiedział też, iż nie dostanie zaproszenia na kolejną konferencję – w Poczdamie.

Truman, idąc za radą Josepha Daviesa, uznał, że jedynie przyjaźniejsze nastawienie do Stalina będzie sprzyjało rozwiązaniu różnych problemów. Harry Hopkins, któremu Sowieci dowierzali bardziej niż większości zachodnich polityków, miał udać się do Moskwy w celu zaaranżowania „nowej Jałty"[16]. Choć Hopkins był już wówczas ciężko chory, podjął się tej misji, a w rezultacie kilku spotkań ze Stalinem przeprowadzonych pod ko-

---

[15]   Ang. „unthinkable"; ibidem, s. 695.
[16]   S.M. Plokhy (Plohij), Jałta. Cena pokoju, tłum. R. Bartołd, Poznań 2011, s. 217.

niec maja i na początku czerwca nieporozumienia wokół kwestii składu polskiego rządu rozstrzygnięto na warunkach stawianych przez sowieckiego dyktatora.

Od owego momentu sprawa polska stała się dla zachodnich aliantów powodem wstydliwego zakłopotania; po cichu porzucono dzielnych polskich sojuszników, składając ich w ofierze na ołtarzu *Realpolitik*. „Za kilka dni – zapisał Brooke 2 lipca w swoim dzienniku – uznamy oficjalnie [polskie] władze w Warszawie i zniesiemy te londyńskie. W tej sytuacji polskie wojska stanowią poważny problem, dla rozwiązania którego brytyjskie Ministerstwo Spraw Zagranicznych nie uczyniło wiele mimo wielokrotnie zgłaszanych już od maja wniosków o orzeczenia w tej sprawie!" Następnego dnia zastanawiał się, „jak przyjmą to polskie oddziały"[17]. Nieco wcześniej rozmawiał z generałem Andersem, nim ten wyjechał do Korpusu Polskiego we Włoszech. Anders jasno oświadczył Brooke'owi, że w razie gdyby nadarzyła się taka okazja, chciałby powrócić na czele swoich wojsk do Polski.

Piątego lipca Stany Zjednoczone i Wielka Brytania uznały marionetkowy rząd polski, który zgodził się na przyjęcie w swój skład kilku antykomunistycznych polityków. Jednakże szesnastu aresztowanych przez NKWD miało stanąć przed sądem pod sfingowanymi zarzutami zabicia dwustu czerwonoarmistów. W haniebnym geście przypodobania się Stalinowi władze brytyjskie nie zezwoliły polskim oddziałom na wzięcie udziału w defiladzie z okazji zwycięstwa.

Szesnastego lipca, dzień przed rozpoczęciem konferencji poczdamskiej, Truman i Churchill po raz pierwszy osobiście się spotkali. Truman był serdeczny, ale i ostrożny, gdyż Davies uprzedził go, że Churchill wciąż będzie się starał uwikłać go w wojnę ze Związkiem Radzieckim. Tego samego dnia Stalin przyjechał pociągiem specjalnym z Moskwy do Berlina. Beria rozstawił po drodze ponad dziewiętnaście tysięcy enkawudzistów, by strzegli trasy przejazdu, a bezpieczeństwa w Poczdamie pilnowało siedem pułków NKWD i dziewięciuset ochroniarzy. Szczególne środki ostrożności podjęto na odcinku kolejowym przebiegającym przez Polskę. W Berlinie Stalin pojechał z dworca wraz z Żukowem do swojej siedziby w byłym domu generała Ludendorffa. Wszystko zostało drobiazgowo zaplanowane przez Berię, nieco wcześniej awansowanego na marszałka Związku Radzieckiego[18].

Później tego dnia Truman odebrał telegram o treści: „Dziecko urodziło się pomyślnie". O 5.30 nad ranem na pustyni koło Los Alamos przeprowadzono

---

[17] A. Brooke (lord Alanbrooke), *War Diaries, op. cit.*, s. 701 (2–3 lipca 1945 r.).

[18] S. Sebag Montefiore, *Stalin. Dwór czerwonego cara*, tłum. M. Antosiewicz, Warszawa 2004, s. 496–497.

próbny wybuch bomby atomowej. Na wieść o tym Churchill ucieszył się, choć musiał pogodzić się z faktem, że operacja „Unthinkable" już nie wchodzi w rachubę. Marszałek polny Brooke był „zupełnie zdruzgotany wyglądem premiera" oraz tym, jak Churchill „dał się ponieść" temu odkryciu. Zdaniem Churchilla „już nie ma konieczności, aby Rosjanie przystępowali do wojny z Japończykami, gdyż ten nowy ładunek wybuchowy sam może przesądzić o jej wyniku"[19]. Jakoś nie uwzględniał faktu, iż Amerykanie mimo wszystko zwrócili się do Stalina z prośbą dołączenia do wojny z Japonią i nie mogli tego nie zrobić, obiecawszy mu wcześniej bogate zdobycze na Dalekim Wschodzie.

Następnie Brooke napisał o tym, co najbardziej leżało premierowi na sercu, parafrazując jego słowa: „Więcej, teraz mamy w ręku coś, co ułoży nasze stosunki z Rosjanami! Sekret tej bomby i jej użyteczna moc całkowicie zmienią dyplomatyczną równowagę, zakłóconą na naszą niekorzyść od chwili pokonania Niemiec. Teraz dysponujemy nowym atutem, który wzmocni naszą pozycję (tu Churchill zadarł podbródek i ściągnął brwi); teraz możemy stwierdzić, że skoro nalegają na to czy tamto, to będziemy w stanie zetrzeć z powierzchni ziemi Moskwę, potem Stalingrad, a później Kijów, Kujbyszew, Charków, Sewastopol i tak dalej".

Churchill był niewątpliwie w bojowym nastroju, podgrzewanym przez poczucie gorzkiej frustracji z powodu bezsilności Wielkiej Brytanii, która nie mogła niczego zmienić, a równocześnie dodawała mu otuchy myśl o implikacjach tego nowego wynalazku. Podczas konferencji w Poczdamie dążenia Stalina do rozszerzenia radzieckich wpływów w wielu sferach i kierunkach stały się bardzo wyraźne. Wykazał zainteresowanie losem włoskich kolonii w Afryce i zaproponował, aby alianci odsunęli od władzy generała Franco w Hiszpanii. Churchill nabrałby jeszcze większych obaw, gdyby podsłuchał treść wymiany zdań między Averellem Harrimanem a Stalinem w trakcie jednej z przerw. „To musi być dla pana bardzo przyjemne – odezwał się Harriman, nawiązując rozmowę. – Znaleźć się w Berlinie po wszystkim, co wycierpiał wasz kraj". Sowiecki przywódca zmierzył go wzrokiem. „Car Aleksander pojechał aż do Paryża", odparł[20].

Nie był to li tylko niewinny żart. Na długo przed tym jak Churchill zaczął fantazjować o przeprowadzeniu operacji „Unthinkable", Stalin na posiedzeniu radzieckiego Biura Politycznego w 1944 roku polecił Stawce opracowanie planów inwazji na Francję i Włochy, o czym generał Siergiej Sztemienko opowiedział później synowi Berii. Ofensywa Armii Czerwonej

---

[19] A. Brooke (lord Alanbrooke), *War Diaries, op. cit.*, s. 709.
[20] V.M. Berezhkov, *History in the Making. Memoirs of World War II Diplomacy*, Moscow 1983, s. 168.

miała nastąpić równocześnie z przejęciem władzy przez miejscowe partie komunistyczne. Ponadto, jak wyjaśnił Sztemienko, „dopuszczano możliwość lądowania w Norwegii oraz zajęcia Cieśnin [Duńskich]. Na realizację tych planów został wydzielony pokaźny budżet. Spodziewano się, że Amerykanie porzucą pogrążoną w chaosie Europę, natomiast Wielką Brytanię i Francję sparaliżują problemy z koloniami. Związek Radziecki dysponował czterystoma doświadczonymi dywizjami, gotowymi do skoku niczym tygrysy. Obliczano, że cała operacja zajmie najwyżej miesiąc. (...) Wszystkie te plany zarzucono, kiedy Stalin dowiedział się [od Berii], że Amerykanie mają bombę atomową i wdrażają ją do masowej produkcji". Stalin rzekomo powiedział Berii, że „gdyby Roosevelt nadal żył, powiodłoby się nam"[21]. Wydaje się, iż to główny powód, dla którego Stalin uważał, że Roosevelt został potajemnie zgładzony.

Churchill nie uzyskał specjalnego poparcia ze strony Trumana. Nowy prezydent uległ urokowi osobistemu przebiegłego radzieckiego dyktatora i odczuwał wobec niego podziw, natomiast Truman w istocie wywołał w Stalinie pogardę. Brytyjski premier był najbliższy czemuś w rodzaju spoufalenia się z Trumanem, kiedy obaj omawiali, w jaki sposób amerykański prezydent powie Stalinowi o bombie atomowej. Ale sowiecki przywódca już zdążył dwukrotnie przedyskutować z Berią to, jak powinien zareagować na tę wiadomość. Siedemnastego lipca Beria dostarczył szczegółowe informacje o udanej próbie z bronią nuklearną, uzyskane od swoich szpiegów powiązanych z projektem „Manhattan". Tak więc gdy Truman opowiedział Stalinowi konfidencjonalnym tonem o bombie, ów ledwie mrugnął okiem. Zaraz po obradach wezwał do siebie Mołotowa oraz Berię i „rycząc ze śmiechu", zrelacjonował tę scenę. „Churchill stał blisko drzwi, wpijając we mnie oczy, a tymczasem Truman, z wyrazem hipokryzji na twarzy, powiadomił o zdarzeniu obojętnym tonem". Sowieccy przywódcy mieli jeszcze większy ubaw, gdy nagrania z podsłuchowych mikrofonów zainstalowanych przez NKWD ujawniły, że kiedy Churchill zapytał Trumana, jak radziecki lider przyjął tę nowinę, Truman odpowiedział, iż „Stalin prawdopodobnie nic [z tego] nie zrozumiał"[22].

Dwudziestego szóstego lipca zawieszono sesję plenarną w Poczdamie. Dzień wcześniej Churchill wrócił do Londynu wraz z Anthonym Edenem i Clementem Attlee na ogłoszenie wyników wyborów powszechnych. Tuż przed wyjazdem Churchilla doszło do osobliwego zdarzenia: oto Stalin stwierdził, że jest pewny, iż Churchill pokona socjalistów z Partii Pracy.

---

[21] S. Beria, *Beria, mój ojciec. W sercu stalinowskiej władzy*, tłum. J. Waczków, Warszawa 2000, s. 170.
[22] *Ibidem*, s. 178.

Do brytyjskiego premiera już docierały ostrzeżenia, że wybory mogły nie mieć dla niego pomyślnego przebiegu, głównie ze względu na głosy żołnierzy, którzy chcieli zerwania z przeszłością – zarówno z surowym okresem lat trzydziestych, jak i samej wojny. Podczas jednej z kolacji w Londynie kilka tygodni wcześniej, gdy Churchill mówił o kampanii wyborczej, generał Slim, który akurat wrócił z Birmy, odrzekł mu tak: „Cóż, panie premierze, ja wiem jedno. Moja armia nie chce na pana głosować"[23].

Dla większości brytyjskich żołnierzy i podoficerów hierarchia w wojsku zanadto kojarzyła się z systemem klasowym. Pewien kapitan wojsk lądowych, zapytawszy jednego z sierżantów, jak ów zamierza głosować, usłyszał: „Na socjalistów, panie kapitanie, ponieważ mam dosyć słuchania rozkazów cholernych oficerów"[24]. Po podliczeniu głosów okazało się, że siły zbrojne zdecydowanie opowiedziały się za Partią Pracy i zmianami. Churchillowi najbardziej podcięło skrzydła to, że nie chciał słyszeć o reformach społecznych ani w czasie wojny, ani podczas kampanii wyborczej.

Mimo swej niechęci do Churchilla Stalin był szczerze wstrząśnięty rezultatami wyborów w Wielkiej Brytanii, kiedy nowiny o klęsce premiera dotarły do Poczdamu. Zwyczajnie nie potrafił sobie wyobrazić, jakim cudem głosy wyborców mogły pozbawić władzy polityka tej miary. W jego mniemaniu demokracja parlamentarna była najwyraźniej niebezpiecznie niestabilnym systemem rządów. Miał pełną świadomość, że w każdym systemie poza jego własnym, komunistycznym, zostałby odsunięty od rządzenia po katastrofalnym początkowym okresie niemieckiej agresji.

Clement Attlee, nowy premier, i Ernest Bevin, który objął po Edenie kierowanie resortem spraw zagranicznych, zasiedli na poczdamskiej konferencji na miejscach dla brytyjskiej delegacji. Nie ze swojej winy nie mogli wywierać większego wpływu na przebieg obrad. James F. Byrnes, nowy amerykański sekretarz stanu, zgodził się na uznanie zachodniej granicy Polski na Odrze i Nysie Łużyckiej, a Attlee i Bevin uczynili to samo. Stalin osiągnął w Poczdamie wszystko, czego chciał, mimo że ze strachu przed bombą atomową musiał zrezygnować ze snutych planów podboju zachodniej Europy.

Kwestia repatriacji jeńców wojennych, uzgodniona zawczasu w Jałcie, wkrótce zaczęła nastręczać aliantom kolosalnych problemów. Zarówno amerykański Korpus Kontrwywiadu, jak i brytyjskie polowe służby bezpieczeństwa miały trudności z wyszukiwaniem zbrodniarzy wojennych, a nawet z ustalaniem narodowości przesłuchiwanych, gdyż wielu z tych ostatnich,

---

[23]   Cyt. za: M. Hastings, *Finest Years, op. cit.*, s. 578.
[24]   Na podstawie rozmowy autora z A.H. Brodhurstem.

faktycznie pochodząc ze wschodniej Europy czy Związku Radzieckiego, udawało Niemców, aby pozostać na Zachodzie.

Największa mieszanina przedstawicieli różnych narodowości i grup etnicznych skupiła się w prowincji Karyntia w południowo-wschodniej Austrii. Kiedy jednostki brytyjskiego V Korpusu dotarły do malowniczej doliny Drawy, zastały w tamtejszych obozowiskach dziesiątki tysięcy osób. Znaleźli się tam Chorwaci, Słoweńcy, serbscy czetnicy oraz większość Korpusu Kozackiego. Mieszkańcy Jugosławii uciekali przed zemstą Tity po zwycięskiej dlań, krwawej wojnie domowej. Kozacy, pod komendą niemieckich oficerów, odgrywali wcześniej wiodącą rolę w morderczej kampanii antypartyzanckiej.

Tito nieomal dorównywał Stalinowi w zakusach terytorialnych. Liczył na zajęcie Istrii, Triestu, a nawet części Karyntii. Oddziały jego partyzantów weszły do stolicy tej prowincji, Klagenfurtu, tuż przed Brytyjczykami. Terroryzowały okoliczną ludność i zagrażały zgromadzonym tam masom wojskowych uciekinierów. Brytyjscy oficerowie, nie otrzymawszy odgórnych wytycznych, stwierdzili, że stanęli w obliczu chaosu, a także groźby wkroczenia kolejnych wojsk Tity do Austrii. Wtedy dostali niewdzięczne zadanie przekazania sowieckich obywateli w ręce Armii Czerwonej, która zatrzymała się koło wschodniej granicy.

Kozaków otaczała niesława z powodu popełnianych przez nich okrucieństw. Nawet Goebbels był wstrząśnięty treścią meldunków o ich poczynaniach w Jugosławii i północnych Włoszech. Lecz z Kozakami przebywały ich kobiety i dzieci, a także pewna liczba rosyjskich emigrantów, zamieszkujących na Zachodzie od czasu bolszewickiego zwycięstwa w 1921 roku. Na czele tej gromady stali kozacki ataman generał Piotr Krasnow, oficer względnie honorowy jak na warunki wojen domowych na wschodzie, oraz okrutnik i psychopata generał Andriej Szkuro. Ponieważ wydawało się niemożliwe oddzielenie „ziarna od plew", sztabowcy V Korpusu wydali rozkaz, by wszystkich tych ludzi oddać w ręce Armii Czerwonej. Kozacy bardzo dobrze znali mściwość Stalina, a brytyjscy żołnierze musieli ich zapędzać do podstawionych pojazdów uzbrojeni w drewniane drążki oskardów. Choć Brytyjczycy żywili podziw dla armii radzieckiej, to większość ich żołnierzy uczestniczących w tej przymusowej akcji repatriacyjnej odniosła się z wielką niechęcią do swojego zadania i niemalże doszło do buntu.

Zarazem jednak brytyjskim wojskom wcale się nie uśmiechała perspektywa zbrojnych starć z coraz agresywniejszymi oddziałami Tity. Nikt nie chciał ginąć po zakończeniu wojny. Dowództwo V Korpusu, zmuszone do w miarę szybkiego wybrnięcia z niebezpiecznej sytuacji, wydało rozkaz odstawienia siłą Jugosłowian do granicy ich kraju. I znów wśród nich znaleźli się ci, którzy mieli na sumieniu zbrodnie wojenne, zwłaszcza chorwaccy ustasze, oraz ludzie mniej winni. Brytyjscy oficerowie i szeregowcy musieli podstępem zmusić czetników, swoich byłych sprzymierzeńców, zdradzonych na rzecz Tity, do przejścia jugosłowiańskiej granicy. Większość czetników najprawdopodobniej została zlikwidowana od razu po jej przekroczeniu. Upadek Niemiec pociągnął za sobą najokrutniejszą falę masakr dokonanych przez partyzantów Tity w wojnie domowej. W 2009 roku słoweńska komisja zajmująca się poszukiwaniem masowych grobów zidentyfikowała ponad sześćset zbiorowych mogił, w których wedle szacunkowych ocen spoczywały szczątki ponad stu tysięcy ofiar[25].

Odwet i czystki etniczne miały równie krwawy charakter w północnej i środkowej Europie. W wielu Niemcach największy lęk wzbudzały pogłoski, że wszystkie niemieckie terytoria na wschód od Odry – Prusy Wschodnie, Śląsk, Pomorze – zostaną oddane Polsce. Tuż po tym jak ustały walki, niemal milion uchodźców zaczął powracać do swoich opuszczonych siedzib, lecz znowu ich stamtąd wypędzono.

Zgodnie z zamiarami Stalina czystkom etnicznym towarzyszyły akty zemsty. Oddziały 1. i 2. Armii Wojska Polskiego wypędzały ludność niemiecką za Odrę. W pierwszej kolejności los ten spotkał Niemców osiadłych na etnicznie polskich, do 1944 roku, ziemiach – tych żyjących tam od pokoleń oraz folksdojczów, którzy wcześniej skorzystali na czystkach dokonanych przez nazistów w 1940 roku. Upchano ich w bydlęcych wagonach i wywieziono na zachód, po drodze okradając z resztek dobytku. Analogiczny los stał się udziałem tych, co pozostali na Pomorzu i Śląsku, lub wracali na te ziemie, które znalazły się po wojnie w granicach Polski. W Prusach Wschodnich z 2,2 miliona pozostało zaledwie sto dziewięćdziesiąt trzy tysiące Niemców.

W trakcie owych przymusowych wysiedleń z terytorium powojennej Polski około dwustu tysięcy Niemców trafiło do obozów pracy, a około trzydziestu tysięcy zmarło lub zginęło. Znaczna grupa znalazła się wśród sześciuset tysięcy Niemców wywiezionych na roboty przymusowe do Związku Radzieckiego. Czesi również wygnali prawie trzy miliony przedstawicieli ludności niemieckiej, głównie z okręgu sudeckiego. W czasie tego wysiedlenia straciło życie trzydzieści tysięcy osób, a 5558 popełniło samobójstwo. Kobiety z dziećmi musiały wędrować pieszo setki kilometrów, zanim znalazły schronienie w Niemczech[26].

---

[25] Dziękuję Keithowi Milesowi i Jožemu Dežmanowi za materiały o masakrach dokonanych przez oddziały Tity w Słowenii; por. także dokumenty przedstawione na sympozjum w Teinach (Austria) 30 czerwca 1995 roku.

[26] O wysiedleniach Niemców z obszarów czeskich por. T. Snyder, *Skrwawione ziemie. Europa między Hitlerem a Stalinem*, tłum. B. Pietrzyk, Warszawa 2011, s. 348–349.

Trudno sobie wyobrazić, aby tak niewiarygodnie okrutna wojna nie zakończyła się bez brutalnego odwetu. Zbiorowa przemoc, jak wskazał polski poeta Czesław Miłosz, zdruzgotała zarówno ideę powszechnej, niepodzielnej ludzkości, jak i poczucie naturalnej sprawiedliwości. „Wojna zniszczyła nie tylko gospodarkę krajów – pisał Miłosz. – Dokonała ona obalenia wielu wartości, które dotychczas uchodziły za niewzruszalne. (...) Napady bandyckie uważane były kiedyś za przestępstwo. (...) Przechodzień nagle natyka się na wycelowaną w niego lufę; (...) odtąd jest stracony dla swoich najbliższych. Natykając się wieczorem na trupa na chodniku, trzeba szybko minąć tę kukłę leżącą w ciemnej kałuży i nie zadawać niepotrzebnych pytań. Ten, co go zastrzelił, musiał mieć jakieś swoje racje". Z wszystkich tych powodów, wyjaśniał Miłosz, dla człowieka Wschodu „ludzie w krajach Zachodu (a zwłaszcza Amerykanie) wydają się (...) niepoważni"[27] – gdyż ci nie przeszli takich doświadczeń, nie potrafią sobie uzmysłowić, co oznaczają, ani najwyraźniej nawet nie są w stanie wyobrazić sobie, jak do nich doszło.

„Jeżeli jesteśmy Amerykanami – napisała Anne Applebaum – to myślimy, że »wojna« była czymś, co zaczęło się od Pearl Harbor w 1941 roku i skończyło wraz ze zrzuceniem bomby atomowej w 1945. Jeśli jesteśmy Brytyjczykami, pamiętamy *Blitz* z roku 1940 i wyzwolenie obozu w Belsen. Jeśli Francuzami – pamiętamy o Vichy i ruchu oporu. Jako Holendrzy myślimy o Annie Frank. Nawet będąc Niemcami, znamy tylko część jej historii"[28].

---

[27] C. Miłosz, *Zniewolony umysł*, Kraków 1990, s. 46–51.
[28] A. Applebaum, „The New York Review of Books", 11 listopada 2010 r.

ROZDZIAŁ 50

Bomby atomowe i kapitulacja Japonii

maj–wrzesień 1945

W czasie niemieckiej kapitulacji w maju 1945 roku japońskie armie w Chinach otrzymały z Tokio rozkazy przystąpienia do odwrotu w kierunku wschodnich wybrzeży. Wojska chińskich nacjonalistów Chiang Kai-sheka nadal otrząsały się z ciosów zadanych im przez wroga podczas ofensywy „Ichi-gō", a ich dowódcy byli wielce rozżaleni, że Amerykanie nie zważali na ich ostrzeżenia.

Następca Stilwella generał Albert Wedemeyer zainicjował program dozbrajania i szkolenia trzydziestu dziewięciu dywizji. Nakłonił Chiang Kai-sheka do skoncentrowania najlepszych wojsk na południu, nad granicą z Indochinami. Amerykański plan polegał na odcięciu siłom japońskim drogi ucieczki z południowo-wschodniej Azji. Chiang chciał odzyskać rolnicze obszary na północy, by wykarmić swych żołnierzy i głodującą ludność na ziemiach znajdujących się pod kontrolą Kuomintangu, lecz Wedemeyer zagroził wstrzymaniem całej amerykańskiej pomocy dla Chin, w razie gdyby Chiang nie poszedł Amerykanom na rękę. Chiński przywódca wiedział, że komuniści już wyruszyli na południe, aby wypełnić próżnię powstałą po japońskim odwrocie. Ingerencja Wedemeyera przyczyniła się do klęski chińskich nacjonalistów w późniejszej wojnie domowej, ale w owym czasie w Waszyngtonie zakładano, że stawianie zbrojnego oporu przez Japończyków przeciągnie się do 1946 roku.

Przedstawiciel Roosevelta w Chinach, nieobliczalny Patrick Jay Hurley, doprowadził do negocjacji między komunistami a nacjonalistami w listopadzie 1944 roku. Rozmowy te zostały zerwane w lutym następnego roku, głównie z powodu tego, że Chiang Kai-shek nie zamierzał podzielić się władzą, a komuniści nie chcieli podporządkować mu swoich wojsk. W owym okresie, gdy Kuomintang dzielił się na frakcję liberalną i reakcyjną, Chiang obiecał przeprowadzenie na wiosnę głębokich reform, ale jedyne zmiany, jakich dokonał, to te obliczone na usatysfakcjonowanie Amerykanów. Ten wielki reformator z przeszłości popierał wówczas starą gwardię, a korupcja w Chinach nadal kwitła. Otwarte uskarżanie się groziło ściągnięciem na siebie uwagi znanej z okrucieństwa tajnej policji.

W Chongqingu, stolicy Kuomintangu, rzucała się w oczy przepaść między poziomem życia zamożnej mniejszości i zubożałej większości, która ucierpiała z powodu szalejącej inflacji. Amerykańscy żołnierze w tym mieście ochoczo korzystali z lokalnych uciech. „Mordownia oddalona o osiem kilometrów od siedziby dowództwa wojsk amerykańskich serwowała rozwodnioną whisky i stuprocentowe dziwki – pisał Theodore White. – »Dziewczyny z jeepów« bez skrępowania jeździły po ulicach z personelem armii amerykańskiej, na oczach zgorszonej ludności"[1]. Na prowincji przymusowy pobór rekrutów i haracze płacone gangom rozbudzały skrywane wzburzenie chłopstwa. Spać spokojnie mogli tylko ci, których stać było na dawanie solidnych łapówek, a podatek ściągany w zbożu zniechęcał wieśniaków do sprzedawania płodów rolnych. Komuniści w swojej siedzibie w Yan'anie także wprowadzili taki podatek, a wrażenie, że chińskim chłopom żyje się sielankowo pod ich rządami, nie mogło być odleglejsze od rzeczywistości. Handel opium, który pokrywał część wojennych wydatków Mao, podnosił stopę inflacji do poziomu niemal równie skrajnego jak ten na obszarach pod zarządem Kuomintangu, każdego zaś, kto protestował albo krytykował przewodniczącego Mao, uznawano za wroga ludu[2].

Do walk między komunistami a nacjonalistami już dochodziło w prowincji Henan, a także w Szanghaju i jego okolicach. Pomimo koncentracji znacznych sił japońskich w tamtym rejonie chińscy komuniści i nacjonaliści toczyli z sobą podziemną wojnę w przeświadczeniu, że opanowanie owego wielkiego portu i finansowego centrum kraju okaże się decydujące po opuszczeniu kraju przez okupantów.

Pomimo nadciągającej klęski Japonii akty przemocy na chińskiej ludności, zwłaszcza na kobietach, nadal miały miejsce na ziemiach w dalszym ciągu kontrolowanych przez liczącą milion ludzi cesarską armię. Tak jak na innych okupowanych obszarach, takich jak Nowa Gwinea czy Filipiny, Japończycy, którym brakowało prowiantu, traktowali przedstawicieli miejscowej ludności oraz jeńców i więźniów jako źródło pożywienia. Japoński

---

[1]   T.H. White, A. Jacoby, *Thunder Out of China*, New York 1946, s. 267.
[2]   Na temat inflacji oraz handlu opium na terenach kontrolowanych przez chińskich komunistów por. J. Chang, J. Halliday, *Mao. The Unknown Story*, London 2007, s. 337–341.

żołnierz Masayo Enomoto przyznał się później do zgwałcenia, zamordowania i poćwiartowania pewnej młodej Chinki. „Starałem się wybierać te kawałki, na których było dużo mięsa" – zeznał. Potem podzielił się tym ludzkim mięsem z kolegami z oddziału. Opisał je jako „dobre i delikatne. Myślę, że było smaczniejsze od wieprzowiny". Nawet jego przełożony oficer nie zbeształ go, dowiedziawszy się, skąd pochodziło spożywane mięso[3].

Z innymi koszmarnymi historiami alianci zetknęli się już wcześniej. W 1938 roku w pobliżu Harbinu w Mandżukuo powstała Jednostka 731 zajmująca się testowaniem broni biologicznej, a podległa organizacyjnie Armii Kwantuńskiej. Ten wielki kompleks badawczy, którym kierował generał Shirō Ishii, po pewnym czasie zatrudniał na stałe personel złożony z trzech tysięcy naukowców i lekarzy z japońskich uniwersytetów i uczelni medycznych oraz łącznie dwadzieścia tysięcy osób w placówkach pomocniczych. Opracowywano tam broń do rozsiewania zarazków dżumy, duru brzusznego, wąglika i cholery, którą testowano na ponad trzech tysiącach chińskich więźniów. W Jednostce 731 poddawano też ofiary – zwane *maruta*, czyli „kłodami" – działaniu iperytu i wystawiano je na odmrożenia. Te ludzkie króliki doświadczalne, w liczbie około sześciuset rocznie, były osobami aresztowanymi przez Kempeitai w Mandżurii i następnie przywożonymi do owej jednostki.

W 1939 roku, w trakcie walk pod Nomonhan z wojskami Żukowa, personel Jednostki 731 zatruł pobliską rzekę zarazkami tyfusu, jednak skutków tej akcji nie odnotowano. W latach 1940–1941 plewy bawełny i łuski ryżu zarażone dżumą zrzucano z samolotów nad środkowymi Chinami. W marcu 1942 roku cesarska armia japońska planowała posłużenie się pchłami będącymi nosicielami dżumy przeciwko amerykańskim i filipińskim obrońcom półwyspu Bataan, ci jednak poddali się, nim wspomniana broń biologiczna była gotowa do użycia. Rok później patogeny duru brzusznego, dżumy i cholery zostały rozsiane w prowincji Zhejiang w odwecie za pierwszy amerykański nalot na Japonię. Prawdopodobnie zmarło wtedy w owych okolicach tysiąc siedmiuset japońskich żołnierzy oraz setki Chińczyków[4].

Batalion wyposażony w broń biologiczną wysłano na Saipan przed amerykańskim desantem na tę wyspę, lecz większość jego żołnierzy utonęła podczas ewakuacji, gdy ich statek został storpedowany przez amerykański okręt podwodny. Istniały również plany, zdobyte przez żołnierzy alianckiej

---

[3]   Masayo Enomoto, w: L. Rees, *Their Darkest Hour. People Tested to the Extreme in WWII*, London 2007, s. 74; w kwestii kanibalizmu w wojsku japońskim por. Y. Tanaka, *Hidden Horrors. Japanese War Crimes in World War II*, Oxford 1996, s. 111–134.
[4]   Por. Y. Tanaka, *Hidden Horrors, op. cit.*, s. 135–165.

piechoty morskiej na Kwajalein, zrzucenia bomb biologicznych na Australię i Indie, do ataków takich jednak nie doszło. Ponadto Japończycy chcieli skazić wyspę Luzon na Filipinach zarazkami cholery tuż przed desantem Amerykanów, ale i to nie doczekało się realizacji.

W bazach Cesarskiej Marynarki Wojennej. w Truk i Rabaulu przeprowadzane były eksperymenty na alianckich jeńcach, głównie na wziętych do niewoli amerykańskich pilotach, którym wstrzykiwano krew chorych na malarię[5]. Inni zmarli na skutek doświadczalnego podawania zastrzyków z różnymi zabójczymi substancjami. Jeszcze w kwietniu 1945 roku około stu australijskich jeńców wojennych – chorych i zdrowych – zostało poddanych eksperymentom z iniekcjami nieznanych środków. W Mandżurii na 1485 amerykańskich, australijskich, brytyjskich i nowozelandzkich jeńców więzionych w Mukdenie[6] testowano działanie rozmaitych czynników chorobotwórczych.

Zapewne najbardziej szokującym epizodem w dziejach Jednostki 731 było porozumienie zawarte z MacArthurem, już po kapitulacji Japonii, które chroniło od odpowiedzialności karnej cały jej personel, w tym generała Ishiiego. Ten układ umożliwił Amerykanom przejęcie wszystkich danych uzyskanych w rezultacie wspomnianych powyżej eksperymentów. Nawet po tym jak dowiedział się, że również alianccy jeńcy umierali wskutek takich testów, MacArthur wydał polecenie przerwania wszelkich dochodzeń w tej sprawie. Wysuwane przez Sowietów żądania postawienia Ishiiego i jego podwładnych przed Trybunałem Tokijskim zostały stanowczo odrzucone.

Ukarano tylko nielicznych lekarzy, którzy usypiali schwytanych lotników z amerykańskich bombowców, a po ich śmierci dokonywali sekcji zwłok, jednak ci Japończycy nie mieli nic wspólnego z Jednostką 731. Inni japońscy lekarze wojskowi przeprowadzali wiwisekcję na setkach przytomnych chińskich więźniów w wielu szpitalach, mimo to nigdy nie zostali osądzeni. Personel japońskiego Korpusu Medycznego nie wykazywał specjalnego poszanowania dla ludzkiego życia, gdyż ochoczo wypełniał rozkazy likwidacji własnych „niesprawnych żołnierzy, z dobrymi widokami na wyzdrowienie (...), ze względu na to, że nie są już potrzebni cesarzowi"[7]. Uczył również, jak popełnić samobójstwo, aby uchronić się przed schwytaniem przez wroga.

---

[5] NA II RG 153/hasło 143/zbiory nr 1062–1073 i 1362–1363; zob. także Y. Tanaka, *Hidden Horrors*, op. cit., s. 160.

[6] Dzisiejszy Shenyang (przyp. tłum.).

[7] Aliancka sekcja tłumaczeń i przekładów w regionie południowo-zachodniego Pacyfiku; zob. też Y. Tanaka, *Hidden Horrors*, op. cit., s. 160.

Do czasu gdy na Okinawie ustał zbrojny opór Japończyków, amerykańscy dowódcy na Pacyfiku na powrót zajęli się analizowaniem następnej fazy walk, czyli planowanej inwazji na Wyspy Japońskie. Ataki kamikadze i niezgoda Japończyków na kapitulację, w połączeniu z wiedzą na temat broni biologicznej, którą dysponowali, czyniły z tego arcytrudne zadanie. Plan owej inwazji został zatwierdzony przez szefów połączonych sztabów już w 1944 roku. Oceniano, że operacja o kryptonimie „Olympic", mająca doprowadzić do zdobycia w listopadzie południowej wyspy Kiusiu, pociągnie za sobą stratę stu tysięcy żołnierzy, a operacja „Coronet", przewidziana na marzec 1946 roku i polegająca na opanowaniu głównej japońskiej wyspy Honsiu – aż dwieście pięćdziesiąt tysięcy ludzi. Admirał King i generał Arnold opowiadali się za bombardowaniem i blokadą Japonii, aby głodem zmusić ten kraj do złożenia broni. MacArthur i przedstawiciele wojsk lądowych uskarżali się, iż potrwa to lata i przyniesie niepotrzebne cierpienia. Oznaczało to także śmierć głodową dla większości alianckich jeńców oraz robotników przymusowych w Japonii. Ponieważ naloty bombowe na Niemcy nie przyniosły jednak zwycięstwa, dowództwo US Army przekonało szefostwo amerykańskiej floty do pomysłu inwazji.

Cesarska Armia Japońska zdecydowana była walczyć do końca, częściowo z powodu wyimaginowanego strachu przed komunistycznym powstaniem, a po części pod wpływem dumy wpojonej przez kodeks *bushidō*. Jej dowódcy uważali, że nie mogą zgadzać się na kapitulację, skoro w *Instrukcjach dla żołnierzy* autorstwa generała Tōjō nakazywano: „Nie żyj w pohańbieniu jako jeniec. Zgiń, aby sprawić, że nie odejdziesz w niesławie"[8]. Cywilni politycy z „frakcji pokojowej", którzy chcieli negocjować, zostaliby zaaresztowani, a nawet zamordowani, gdyby to nie do cesarza należała decyzja, co czynić dalej. Były premier książę Fumimaro Konoe wskazywał później, że „armia okopywała się pośród górskich pieczar i miała zamiar prowadzić walkę z każdej jamy i zza każdej skały w górach"[9]. Poza tym japońscy wojskowi chcieli doprowadzić, by ludność cywilna kraju zginęła wraz z nimi. Tworzono Patriotyczny Korpus Walczących Obywateli (Kokumin Giyū Sentōtai), a wielu jego członków uzbrojonych było tylko w bambusowe włócznie. Inni mieli obwiesić się bombami i zdetonować je na sobie, rzucając się pod nieprzyjacielskie czołgi. Nawet młode kobiety zmuszano do „ochotniczego" poświęcania życia.

Japońscy dowódcy wojskowi odrzucali myśl o bezwarunkowej kapitulacji, ponieważ uważali, że ich wrogowie zamierzają obalić cesarza. I choć zdecydowana większość amerykańskiej opinii publicznej właśnie tego się do-

---

[8] Cyt. za: M. Hastings, *Nemesis. The Battle for Japan, 1944–1945*, London 2007, s. 57.
[9] Cyt. za: R.P. Newman, *Truman and the Hiroshima Cult*, East Lansing, MI 1995, s. 43.

magała, to Departament Stanu i szefowie połączonych sztabów wpadli na pomysł utrzymania go na tronie jako monarchy konstytucyjnego oraz złagodzenia warunków kapitulacyjnych. Poczdamska deklaracja w sprawie Japonii, ogłoszona 26 lipca, ani słowem nie wspominała o japońskim cesarzu w celu uniknięcia ostrych sprzeciwów w Stanach Zjednoczonych. Rząd Japonii już szukał kontaktów z władzami radzieckimi, licząc, iż podejmą się one roli mediatora, i nie wiedząc, że Stalin już zgodził się na przerzut swoich wojsk na Daleki Wschód, aby uderzyć na Mandżurię.

Udana próba z pierwszą bombą atomową przeprowadzona w lipcu wydawała się podsuwać Amerykanom metodę „wstrząsowego" zmuszenia Japonii do poddania się i uniknięcia jeszcze większego koszmaru związanego z inwazją na Wyspy Japońskie. Po wielu analizach i licznych sporach skreślono Tokio oraz dawną japońską stolicę Kioto z listy celów ataku nuklearnego. Hiroszima, nie tak bardzo zniszczona przez bombowce LeMaya, została wybrana na pierwszy cel, a Nagasaki na kolejny, o ile Japończycy do tego czasu jeszcze nie pogodzą się z klęską.

Rankiem 6 sierpnia trzy maszyny B-29 Superfortress pojawiły się nad Hiroszimą. Na pokładzie dwóch z nich znajdowały się kamery oraz wyposażenie do pomiaru skutków wybuchu. Załoga trzeciej, „Enoli Gay", otwarła o 8.15 klapy luku bombowego, a niecałą minutę później większość Hiroszimy rozpłynęła się w oślepiającym blasku. Około stu tysięcy ludzi zginęło od razu, a wiele tysięcy następnych zmarło później wskutek napromieniowania, poparzeń i wstrząsu. Ludzie z otoczenia prezydenta Trumana w Waszyngtonie wystosowali do Japończyków ostrzeżenie, że jeśli ci niezwłocznie nie skapitulują, „mogą się spodziewać niszczycielskiego deszczu z powietrza, jakiego dotąd nie widziano na tej ziemi"[10].

Dwa dni później siły Armii Czerwonej przelały się przez granicę mandżurską. Stalin nie miał zamiaru rezygnować z terytorialnych nabytków, które mu obiecano. Dziewiątego sierpnia, wobec faktu, że z Tokio nie nadchodziły żadne sygnały, druga bomba atomowa została zrzucona na Nagasaki, zabijając trzydzieści pięć tysięcy osób. Cesarza głęboko poruszył strasliwy los ofiar i zażądał możliwie najpełniejszych informacji o tym ataku. Jasne jest, że w przypadku gdyby nie użyto przeciw Japonii broni nuklearnej, nie wykazałby rozsądnej determinacji, która miała wkrótce doprowadzić do zakończenia wojny.

Na naloty na Tokio z użyciem bomb zapalających oraz decyzję o zrzuceniu ładunków atomowych wpłynęło dążenie Amerykanów do „załatwienia sprawy" – możliwie najszybszego rozprawienia się z Japończykami. Jednakże

---

[10] R.H. Spector, *Eagle against the Sun. The American War with Japan*, London 2001, s. 555.

zagrożenie ze strony kamikadze, a może nawet i zastosowania przez nieprzyjaciela broni biologicznej kazało obawiać się o wiele bardziej krwawej batalii od tej na Okinawie. Tam w trakcie walk zginęło około jednej czwartej ludności, podobny zaś odsetek ofiar na Wyspach Japońskich przewyższyłby wielokrotnie liczbę zabitych w wyniku wybuchu bomb atomowych. Także inne czynniki, przede wszystkim chęć zademonstrowania amerykańskiej potęgi Związkowi Radzieckiemu, który wtedy bezwzględnie narzucał swą wolę krajom centralnej Europy, odegrały istotną, choć nie decydującą rolę.

To prawda, że kilku cywilnych członków japońskiego reżimu skłaniało się ku podjęciu negocjacji, ale zasadniczy warunek, przy którym obstawali – zatrzymania przez Japonię Korei i Mandżurii – był dla aliantów absolutnie nie do przyjęcia. Nawet tokijska „frakcja pokojowa" nie chciała uznać winy Japonii za rozpętanie wojny ani zgodzić się na międzynarodowe trybunały, które osądziłyby zbrodnie popełnione przez armię cesarską od chwili inwazji na chińskie terytorium w 1931 roku.

Na kilka godzin przed tym, jak druga bomba atomowa spadła na Nagasaki, zebrała się japońska Naczelna Rada do spraw Kierowania Wojną (*Gunji sangikan kaigi*), aby rozważyć, czy powinna uznać Deklarację poczdamską. Przedstawiciele japońskiego sztabu głównego nadal stanowczo się temu przeciwstawiali. Wieczorem 9 sierpnia, tuż po zrzuceniu przez Amerykanów bomby na Nagasaki, cesarz ponownie wezwał do siebie członków rzeczonej rady. Oznajmił, że powinni przyjąć stawiane przez nieprzyjaciela warunki, o ile tylko uda się zagwarantować zachowanie i sukcesję dynastii cesarskiej. Nazajutrz zastrzeżenie to zostało zakomunikowane władzom w Waszyngtonie. W dyskusji na ten temat, która odbyła się w Białym Domu, wyrażano sprzeczne opinie. Niektórzy, w tym James Byrnes, twierdzili, że nie należy iść na żadne ustępstwa. Z kolei sekretarz wojny Stimson argumentował bardziej przekonująco, iż jedynie autorytet cesarza mógł skłonić japońskie siły zbrojne do złożenia broni. To oszczędziłoby Amerykanom niezliczonych dalszych bitew, a armie radzieckie miałyby mniej czasu na pustoszenie regionu dalekowschodniego.

Amerykańska odpowiedź, w której ponownie podkreślano, że Japończykom pozwoli się na wybór takiej formy rządów, jaka będzie im odpowiadała, dotarła do Tokio za pośrednictwem japońskiej ambasady w Szwajcarii. Wojskowi wciąż nie chcieli pogodzić się z klęską. W czasie gdy amerykańskie bombowce kontynuowały kampanię nalotów, choć na polecenie Trumana wstrzymano się od kolejnego użycia broni atomowej, spory trwały przez kilka dni. Ostatecznie 14 sierpnia cesarz energiczniej zainterweniował i oświadczył, iż należy przyjąć Deklarację poczdamską. Ministrowie i wojskowi zalali się łzami. Cesarz powiedział również, że przemówi przez radio do narodu, co stanowiło bezprecedensowe wydarzenie.

Owej nocy grupa oficerów armii japońskiej dokonała próby puczu, aby zapobiec wygłoszeniu przez cesarza oświadczenia na falach radiowych. Podstępem skłoniwszy do przyłączenia się do puczystów 2. Pułk Gwardii Cesarskiej, oficerowie ci wdarli się do pałacu cesarza, by zniszczyć nagranie z przemówieniem władcy ogłaszającego kapitulację. Cesarzowi oraz markizowi Kōichiemu Kidzie, nadwornemu szambelanowi, udało się ukryć. Buntownicy niczego nie znaleźli, a kiedy na miejsce przybyły oddziały lojalne wobec cesarza, przywódca puczystów major Kenji Hatanaka zrozumiał, że pozostało mu tylko popełnienie samobójstwa. Inni wojskowi uczynili to samo.

W południe 15 sierpnia japońskie rozgłośnie radiowe wyemitowały nagrane wystąpienie cesarza, wzywające całe siły zbrojne kraju do kapitulacji, ponieważ przebieg wojny przybrał obrót „niezupełnie pomyślny dla Japonii". Oficerowie i żołnierze słuchali tych słów ze łzami spływającymi po twarzach. Wielu padało na kolana, skłaniając głowy na dźwięk głosu boskiego *Mikado*, który usłyszeli po raz pierwszy. Niektórzy piloci wystartowali do ostatniego lotu bojowego z zamiarem *gyokusai* – „chwalebnego samounicestwienia". Większość z tych kamikadze została przechwycona i zestrzelona przez amerykańskie myśliwce. Wykreowany przez Japończyków wizerunek swojej rasy zdradzał wiele podobieństw do nazistowskiego obrazu *Herrenvolku* („rasy panów"). Prezentując postawę zbliżoną do tej powszechnej w armii niemieckiej po pierwszej wojnie światowej, wielu japońskich żołnierzy dalej wmawiało sobie, że „Japonia przegrała wojnę, choć nie uległa w żadnej z bitew"[11].

Trzydziestego sierpnia wojska amerykańskie wylądowały w Jokohamie i rozpoczęła się okupacja Japonii. W trakcie następnych dziesięciu dni zameldowano o 1336 przypadkach gwałtów w Jokohamie i okolicznym regionie Kanagawa[12]. Najwyraźniej wojska australijskie także dopuściły się wielu gwałtów w okolicach Hiroszimy. Władze japońskie spodziewały się tego. Dwudziestego pierwszego sierpnia, na dziewięć dni przed przybyciem sił alianckich, rząd Japonii zwołał ministerialną sesję, na której powołano do istnienia Towarzystwo Rekreacji i Rozrywki (Tokushu ian shisetsu kyōkai; ang. Recreation and Amusement Association, RAA), aby zapewnić zwycięzcom damskie towarzystwo. Lokalnym urzędnikom i szefom policji polecono zorganizowanie ogólnokrajowej sieci wojskowych burdeli, w których zatrudniono prostytutki, ale także gejsze i inne młode kobiety. Miało to sprzyjać ograniczeniu liczby gwałtów. Pierwszy z takich domów

[11] Słowa żołnierzy japońskiej 37. Dywizji, cyt. za: H. Kawano, *Japanese Combat Morale*, w: M. Peattie, E. Drea, H.J. van de Ven, *The Battle for China. Essays on the Military History of the Sino-Japanese War of 1937–1945*, Stanford 2011, s. 328.

[12] Y. Tanaka, *Hidden Horrors, op. cit.*, s. 103.

publicznych uruchomiono na jednym z tokijskich przedmieść 27 sierpnia, a wkrótce potem otwarto setki następnych. Jednym z owych burdeli kierowała kochanka generała Shirō Ishiiego, szefa Jednostki 731. Do końca roku, w celu przypodobania się okupantom, do świadczenia usług w takich placówkach przymuszono – mniej lub bardziej – około dwudziestu tysięcy młodych Japonek.

Formalna kapitulacja Japonii miała miejsce dopiero 2 września. Generał MacArthur w towarzystwie admirała Nimitza przyjmował ją przy stole ustawionym na pokładzie pancernika USS „Missouri", zakotwiczonego w Zatoce Tokijskiej niedaleko Jokohamy. Ceremonię tę obserwowali dwaj wychudzeni ludzie, nieco wcześniej zwolnieni z japońskiej niewoli: generał Percival, który poddał wojska brytyjskie w Singapurze, oraz generał Wainwright, amerykański dowódca garnizonu Corregidoru.

Choć 15 sierpnia ustały walki na całym Pacyfiku i w południowo-wschodniej Azji, w Mandżurii wojna potrwała aż do dnia poprzedzającego wspomnianą ceremonię w Zatoce Tokijskiej. Dziewiątego sierpnia wojska trzech radzieckich frontów, w skład których wchodziło 1 669 500 żołnierzy pod naczelnym dowództwem marszałka Wasilewskiego, uderzyły na północne Chiny i Mandżurię. Mongolski korpus kawalerii na skraju prawego skrzydła sowieckiego zgrupowania przeciął pustynię Gobi i góry Wielkiego Chinganu. Czas i tempo tej ofensywy Armii Czerwonej zaskoczyły Japończyków. Mimo że ich wojska liczyły milion żołnierzy, obrona szybko się załamała. Wielu zginęło, walcząc do końca, wielu popełniło samobójstwo, a sześćset siedemdziesiąt cztery tysiące trafiło do niewoli.

Los tych, którzy zostali wysłani do obozów pracy na Syberii i w Magadanie, był tragiczny. Przeżyła tam tylko połowa jeńców. Rodziny japońskich osadników, pozostawione przez armię, także ucierpiały. Matki, niosąc na plecach małe dzieci, próbowały ukrywać się w górach. Z dwustu dwudziestu tysięcy osadników zginęło lub zmarło około osiemdziesięciu tysięcy. Niektórzy zostali zabici przez Chińczyków, a mniej więcej sześćdziesiąt siedem tysięcy umarło z głodu albo odebrało sobie życie. Zaledwie sto czterdzieści tysięcy przedostało się z powrotem do Japonii. Ich los pod pewnymi względami przypominał historię niemieckich kolonistów osiadłych w Polsce[13].

Czerwonoarmiści gwałcili do woli Japonki na ziemiach byłego marionetkowego państwa Mandżukuo. Licznej grupie kobiet, które dowiedziały się od japońskich oficerów o tym, że ich kraj przegrał wojnę, poradzono trzymać się razem. Prawie tysiąc z nich upchano w hangarach na

---

[13] Por. L. Collingham, *The Taste of War. World War II and the Battle for Food*, London 2011, s. 62.

lotnisku w Bei'an. „Od tamtej pory zrobiło się piekło – zanotowała osierocona dziewczyna Reiko Yoshida. – Przyszli rosyjscy żołnierze i powiedzieli naszym przywódcom, że muszą dostarczyć kobiety rosyjskim wojskom w charakterze wojennego łupu. (...) Codziennie zjawiali się rosyjscy żołnierze i zabierali z dziesięć dziewcząt. Te wracały rano. Niektóre kobiety popełniały samobójstwo. (...) Rosjanie powiedzieli nam, że jeżeli żadna z kobiet do nich nie wyjdzie, spalą hangar do szczętu, z nami wszystkimi w środku. Więc niektóre – najczęściej samotne – wstawały i wychodziły. Wtedy nie rozumiałam, co z nimi wyprawiano, ale dobrze pamiętam, jak kobiety z dziećmi modliły się za te, które poszły, dziękując za ich poświęcenie"[14]. Oprócz ludności cywilnej cierpiały też japońskie pielęgniarki ze szpitali wojskowych. Siedemdziesiąt pięć sanitariuszek ze szpitala w Sun Wu przetrzymywano jako radzieckie odpowiedniczki tych, które wcześniej dostarczały uciech Japończykom.

Dla Armii Czerwonej dużo trudniejszym zadaniem okazało się zdobywanie Wysp Kurylskich i południowego Sachalinu. Wojska bardzo źle przygotowane do operacji desantowych potraciły mnóstwo ludzi, na wodach przybrzeżnych i na samym brzegu, już po wylądowaniu. Stalin planował również okupowanie północnej części wyspy Hokkaido, ale Truman obcesowo odrzucił tę propozycję.

Zwolennicy Mao Zedonga powitali z radością radziecką inwazję na Mandżurię i północne Chiny. Kiedy kolumny Armii Czerwonej maszerowały ku Chaharowi, witane po drodze przez partyzantów z 8. Armii Marszowej, sowieckim żołnierzom wydawało się, że to bandyci poubierani w łachmany i prymitywnie uzbrojeni, dlatego rozbrajali ich[15]. Niebawem uległo to zmianie. Mimo że Stalin oficjalnie uznał rząd Chiang Kai-sheka, to radzieckie oddziały pozwalały zaopatrywać się chińskim komunistom w składach karabinów i broni maszynowej odebranych Japończykom. Wojska Mao, zgodnie z obawami Chiang Kai-sheka, już niebawem przeobraziły się w dobrze wyekwipowaną armię.

Generał Wedemeyer, działając według instrukcji z Waszyngtonu, zalecających chińskim nacjonalistom pomoc w odzyskiwaniu kontroli nad krajem, dostarczył amerykańskie samoloty transportowe w celu przerzutu niektórych jednostek Kuomintangu do wielkich miast w środkowych i wschodnich Chinach. Chiangowi zależało zwłaszcza na ponownym zorganizowaniu stolicy w Nankinie. Wiedział, że trwa wyścig z komunistami o zajmowanie możliwie największych obszarów. Ale chińskim nacjonalistom

---

[14] Cyt. za: Y. Tanaka, *Hidden Horrors, op. cit.*, s. 102.
[15] K. Yang, *Nationalist and Communist Guerrilla Warfare in North China*, w: M. Peattie, E. Drea, H.J. van de Ven, *The Battle for China, op. cit.*, s. 32.

nie udawało się przeciągnąć na swoją stronę mas ludności. Ich dowódców nie interesowały tereny wiejskie. Traktowali miasta okupowane wcześniej przez Japończyków jako zdobycz, rabując to, co im się spodobało. Ponowne wprowadzenie nacjonalistycznej waluty przyczyniło się dodatkowo do nieopanowanej inflacji.

Komuniści działali o wiele rozważniej. Zdawali sobie sprawę, że klucz do władzy znajduje się na terenach wiejskich, gdyż ci, którzy opanowaliby obszary rolnicze w czasie nadchodzącej wojny domowej, mieli odnieść ostateczne zwycięstwo w Chinach. Nieco lepiej traktowali chłopstwo, co umożliwiło im mobilizację wiejskich mas po swojej stronie; nie było to takie trudne, gdyż poparcie dla nacjonalistów kurczyło się wraz ze zbliżaniem się klęski Japonii. Młodzi Chińczycy, zwłaszcza studenci, tłumnie wstępowali do partii komunistycznej.

Chińscy komuniści, chociaż nie przerywali prześladowań „wrogów ludu", skrywali totalitarny charakter rządów, jakie zamierzali zaprowadzić – szczególnie umiejętnie przed oczami obcokrajowców odwiedzających ich stolicę w Yan'anie. Dziennikarka Agnes Smedley, wielbicielka Kominternu i niegdysiejsza agentka tej organizacji, zyskała „głębokie, nieodwracalne przekonanie", że ich zasady „są programem, który poprowadzi i ocali Chiny, który przyniesie największy impuls sprawie wyzwolenia wszystkich uciskanych narodów azjatyckich i da początek nowemu społeczeństwu. To przeświadczenie, które noszę w myślach i sercu, zapewnia mi najgłębszy spokój, jakiego kiedykolwiek zaznałam"[16].

Smedley, Theodore White i inni wpływowi amerykańscy literaci ani na chwilę nie dopuszczali myśli, że Mao może się okazać o wiele gorszym tyranem od Chiang Kai-sheka. Kult jednostki, Wielki Skok, w trakcie którego zginęło więcej ludzi aniżeli w całej drugiej wojnie światowej, krwawe szaleństwo Rewolucji Kulturalnej i siedemdziesiąt milionów ofiar maoistowskiego reżimu – wszystko to było pod wieloma względami jeszcze gorsze od stalinizmu i nie mieściło się w wyobrażeniach naiwnych stronników Mao w krajach zachodnich.

Ze względu na supremację US Navy na morzu i w powietrzu silne liczebnie japońskie wojska utknęły w pułapce w Kantonie, Hongkongu, Szanghaju, Wuhanie, Pekinie, Tiencinie (Tianjin) i innych, mniejszych miastach wschodnich Chin. Brytyjczycy nie mieli zamiaru rezygnować ze starań o odzyskanie tamtejszych kolonii i przekazanie ich, wbrew swym wcześniejszym zapewnieniom, chińskim nacjonalistom. Amerykanie starali się wywierać naciski na Churchilla, ów jednak, wobec faktu, że obiecali Stalinowi południowy Sachalin, Wyspy Kurylskie i część Mandżurii, stanowią-

---

[16] A. Smedley, *China Fights Back*, London 1938, s. 116.

cej wcześniej chińskie terytorium, nie widział powodu, dla którego miałby iść w tej sprawie na ustępstwa. Ale skoro amerykańskie wojska znajdowały się w kontynentalnych Chinach, a US Navy panowała niepodzielnie na Morzu Południowochińskim, w Londynie zdawano sobie sprawę z konieczności szybkiego działania. Nader nieprzychylnie usposobiony do Brytyjczyków Wedemeyer już wcześniej nie wyrażał zgody na podjęcie przez SOE jakichkolwiek operacji w owym regionie. Chińscy nacjonaliści przerzucili swoich ludzi do Hongkongu, usiłując go zająć po wycofaniu się Japończyków, a komunistyczna Kolumna Rzeki Wschodniej również tam działała. Brytyjczycy mieli świadomość, że bez oddziałów wojsk lądowych w żaden sposób nie zdołają odzyskać tej kolonii.

Na początku sierpnia zaczęło szybko stawać się oczywiste, że jedyna szansa to wykorzystanie Royal Navy, i w ten sposób zrodził się plan operacji „Ethelred". Jedenasta Eskadra Lotniskowców pod komendą kontradmirała Cecila Harcourta, stacjonująca w owym czasie w Sydney, 15 sierpnia, zaraz po ogłoszeniu kapitulacji Japończyków, dostała rozkaz wyruszenia pełną parą do Hongkongu. Brytyjska Flota Pacyfiku pozostawała pod amerykańskim dowództwem, więc Attlee, nowy premier, poczuł się w obowiązku wystosować do prezydenta Trumana prośbę o zgodę na jej użycie, a ten udzielił jej trzy dni później. Tego samego dnia brytyjski minister spraw zagranicznych Ernest Bevin wysłał depeszę do Chiang Kai-sheka z wyjaśnieniem, że ponieważ wcześniej Brytyjczycy byli zmuszeni poddać się w Hongkongu Japończykom, to Chiang jako wojskowy na pewno zrozumie, iż honor wymaga od nich osobistego przyjęcia kapitulacji wojsk japońskich.

Chiang nie dał się nabrać i zaapelował o poparcie do Stanów Zjednoczonych. Truman nie był aż tak zawziętym wrogiem kolonializmu jak Roosevelt i uważał Brytyjczyków za ważniejszych sojuszników od Chińczyków. Generał MacArthur poparł roszczenia Wielkiej Brytanii. Wedemeyer pozostał zdecydowanie im przeciwny, ale nie skierował do Hongkongu podległych mu chińskich dywizji. Chiang, mimo że został odesłany z kwitkiem przez Trumana, wysłał swoją 1. i 13. Armię do prowincji Guangdong, ale nadal wielce mu zależało na tym, by nie zadzierać z Brytyjczykami i Amerykanami, których pomocy potrzebował w zbliżającej się wojnie domowej z komunistami. Partyzancka Kolumna Rzeki Wschodniej wprawdzie przystąpiła do rozbrajania wojsk japońskich w Kantonie i na Nowych Terytoriach Hongkongu, jednak i ona nie miała w planach walki z siłami brytyjskimi. Komunistom wystarczała pewność, że Hongkong nie znajdzie się w rękach nacjonalistów[17].

---

[17] Por. Ph. Snow, *The Fall of Hong Kong. Britain, China and the Japanese Occupation*, New Haven – London 2003, s. 231–262.

Eskadra Harcourta wpłynęła do Zatoki Wiktorii 30 sierpnia. Żołnierze brytyjskiej piechoty morskiej i marynarze wyszli na brzeg w defiladowym szyku, otrzymawszy polecenie odpowiedniego zaprezentowania swojego kraju po tym, jak prestiż Wielkiej Brytanii podupadł pod wpływem wydarzeń, które rozegrały się na Dalekim Wschodzie trzy i pół roku wcześniej. Tymczasowa administracja z urzędnikiem pełniącym obowiązki gubernatora, wyłoniona spośród osób więzionych w Hongkongu przez Japończyków, już podjęła nieśmiałe kroki w kierunku zorganizowania prowizorycznego zarządu tej kolonii. Działo się to za zgodą japońskich oficerów, którzy woleli poddać się Brytyjczykom niż chińskim nacjonalistom bądź komunistom.

Wewnętrzne walki w Szanghaju między oddziałami komunistów i Kuomintangu ustały przejściowo 19 września, kiedy przybyła tam część VII Floty admirała Kinkaida. Jej okręty, załadowane zapasami zgromadzonymi wcześniej z myślą o inwazji na Japonię, zostały powitane z radością przez wygłodzoną miejscową ludność. Wojna, wraz z wprowadzonym w jej czasie nowym słownictwem, poniekąd ominęła więźniów z krajów alianckich. „Co to takiego »jeep«?" – pytał pewien internowany w Szanghaju cywil[18].

Pomoc dla jeńców z armii alianckich stanowiła pierwszorzędne zadanie do spełnienia zaraz po złożeniu broni przez Japonię. Czasami nadchodziła szybko, nieraz jednak uwięzieni musieli czekać na nią tygodniami. Wielu zostało zamordowanych przez straże już po japońskiej kapitulacji. W więzieniu Changi koło Singapuru jeńcy odnosili się z pogardą do japońskich strażników, którzy nagle zaczęli im salutować i przynosić wodę. Alianckie lotnictwo dokonywało zrzutu dostaw żywności do zlokalizowanych obozów. W miarę możliwości zrzucano na spadochronach również zespoły sanitariuszy, aby zajęli się więźniami, a ci witali je ze łzami ulgi w oczach, nie mogąc uwierzyć, że ich niedole dobiegły końca. Większość przypominała żywe szkielety, a niektórzy byli tak wycieńczeni przez beri-beri i inne choroby, że nie mieli siły utrzymać się na nogach.

Ze 132 134 alianckich jeńców wojennych, którzy znaleźli się w japońskiej niewoli, zmarło 35 756, a zatem śmiertelność wśród nich wynosiła aż dwadzieścia siedem procent. Wskutek okrutnego traktowania nie dożyła końca wojny o wiele większa liczba przymusowych robotników pracujących dla Japończyków. Kobiety różnych narodowości zmuszane przez wojska japońskie do prostytucji nie otrząsnęły się do końca życia z urazów psychicznych. Nieznany ich odsetek popełnił samobójstwo; ofiary te uznały, że nie mogą powrócić w rodzinne strony po upokorzeniach, które przeszły.

---

[18] B. Wasserstein, *Secret War in Shanghai. An Untold Story of Espionage, Intrigue, and Treason in World War II*, London 1998, s. 266.

Wielu jeńców w japońskiej niewoli spotkał szczególnie ponury i okrutny los. Generał MacArthur we wcześniejszym okresie powierzył wojskom australijskim niewdzięczne zadanie likwidacji na Nowej Gwinei i Borneo pozostałych tam punktów japońskiego oporu. Z raportów zebranych później przez amerykańskie władze wojskowe oraz australijski Wydział Badania Zbrodni Wojennych wynikało niezbicie, że „rozpowszechniony wśród japońskich żołnierzy podczas wojny w Azji i na Pacyfiku kanibalizm nie ograniczał się jedynie do odosobnionych przypadków tego rodzaju, jakich dopuszczali się pojedynczy ludzie lub małe grupy po znalezieniu się w skrajnie trudnych warunkach. Zeznania wykazują, że kanibalizm był systematyczną i zorganizowaną strategią wojskową"[19].

Ów proceder traktowania więźniów jako „ludzkiego bydła" bynajmniej nie był skutkiem załamania się dyscypliny. Zazwyczaj wprowadzali go oficerowie. Ofiarami kanibalizmu padali, poza przedstawicielami lokalnej ludności, między innymi papuascy żołnierze, a także australijscy i amerykańscy jeńcy wojenni oraz Hindusi, którzy odmawiali wstąpienia to Indyjskiej Armii Wyzwoleńczej. Pod koniec wojny japońscy oprawcy podtrzymywali tych Hindusów przy życiu, aby móc zabijać i zjadać ich po kolei. Nawet nieludzki nazistowski plan zagłodzenia ludności na wschodzie Europy nie dorównywał bestialstwem poczynaniom Japończyków. W trosce o reakcję rodzin żołnierzy, którzy polegli w wojnie na Pacyfiku, alianci utajniali wszelkie informacje na wspomniany temat, a kwestia kanibalizmu nie znalazła się w aktach oskarżenia wniesionych pod obrady tokijskiego Międzynarodowego Trybunału Wojskowego dla Dalekiego Wschodu w 1946 roku.

Wojna na południowym wschodzie Azji i na Pacyfiku przyniosła nieopisane spustoszenia. Chiny popadły w ruinę, ich rolnictwo uległo zniszczeniu, a wymęczona ludność stanęła w obliczu wojny domowej, która miała potrwać do 1949 roku. Zginęło ponad dwadzieścia milionów obywateli tego kraju; w istocie chińscy historycy od niedawna szacują liczbę jej ofiar na blisko pięćdziesiąt milionów. Od pięćdziesięciu do dziewięćdziesięciu milionów ludzi uciekło przed Japończykami, a po wojnie nie mieli dokąd ani do kogo wracać. Ogromna skala nieszczęść niemal przyćmiła tę, która stała się udziałem Europy, rozdzieranej przez polityczne napięcia.

Od sierpnia 1945 roku władze sowieckie zaczęły odsyłać do Italii szeregowych włoskich żołnierzy w niewoli. Grupy komunistów wymachujących czerwonymi sztandarami zbierały się, aby powitać pociągi z powracającymi do kraju. Oczekujący przekonywali się, ku swemu oburzeniu, że uwolnieni jeńcy wypisywali na wagonach hasło *abbasso il comunismo* („precz

[19] Y. Tanaka, *Hidden Horrors, op. cit.*, s. 126.

ANTONY BEEVOR | DRUGA WOJNA ŚWIATOWA

z komunizmem"). Na dworcach dochodziło do bójek. Prasa komunistyczna uznawała za „faszystów" tych wszystkich, którzy krytykowali warunki panujące w sowieckich obozach lub tych, co głosili, że Związek Radziecki to wcale nie „raj robotników". Palmiro Togliatti, przywódca Włoskiej Partii Komunistycznej (Partito Comunista Italiano, PCI), wcześniej błagał swych radzieckich zwierzchników, aby opóźnili odsyłanie włoskich oficerów do czasu po wyborach i referendum, zaplanowanych na 2 czerwca 1946 roku. Pierwsi z nich rzeczywiście dotarli do Włoch dopiero w lipcu.

W Polsce Sowieci nadal prześladowali niekomunistów. Na priorytetowe cele NKWD jasno wskazywał fakt, że generałowi Nikołajowi Seliwanowskiemu powierzono komendę nad piętnastoma pułkami radzieckich sił bezpieczeństwa w Polsce, podczas gdy Sierow w Niemczech miał ich tylko dziesięć. Beria polecił Seliwanowskiemu „łączenie obowiązków reprezentowania NKWD Związku Radzieckiego i doradcy polskiego Ministerstwa Bezpieczeństwa Publicznego"[20]. Na nader osobliwe pojmowanie przez Stalina definicji „wolnej i niezawisłej Polski" wywierała wpływ nie tylko jego nienawiść do Polaków. Wciąż wstrząśnięty tym, że w 1941 roku Związek Radziecki znalazł się na krawędzi katastrofy, chciał utworzyć wokół kordon komunistycznych państw satelickich. Od klęski w wojnie uchroniło go tylko poświęcenie życia dziewięciu milionów czerwonoarmistów, by nie wspomnieć o śmierci osiemnastu milionów sowieckich cywilów w latach 1941–1945.

Podczas drugiej wojny światowej narodami, które w Europie ucierpiały najbardziej, były te znajdujące się w potrzasku między „kamieniami młyńskimi" państw totalitarnych – ludzie, którzy „zginęli wskutek i n t e r a k c j i tych dwóch [totalitarnych] systemów"[21]. Od 1933 roku czternaście milionów osób straciło życie na Ukrainie i Białorusi, w Polsce, krajach nadbałtyckich oraz na Bałkanach. Większość z tych ofiar to 5,4 miliona Żydów z owych obszarów, wymordowanych przez nazistów w ramach ludobójczej operacji stanowiącej dla Hitlera erzac zwycięstw, które Niemcy przestali odnosić na frontach.

Druga wojna światowa, konflikt zbrojny o globalnym charakterze, była największą wywołaną przez samą ludzkość katastrofą dziejową. Szacowana liczba jej ofiar – sześćdziesiąt do siedemdziesięciu milionów – przekracza wszelkie wyobrażenia. Same dane liczbowe wydają się niebezpiecznie suche, co instynktownie rozumiał choćby Wasilij Grossman. W jego odczuciu powinnością tych, którzy przeżyli, była próba postrzegania milionów pogrzebanych w masowych grobach jako ludzi, a nie bezimiennych przedstawicieli

---

[20] Beria do Stalina, 22 czerwca 1945 r., GARF 9401/2/97, s. 8–10.
[21] T. Snyder, *Skrwawione ziemie. Europa między Hitlerem a Stalinem*, tłum. B. Pietrzyk, Warszawa 2011, s. 441.

skarykaturyzowanych społeczności, gdyż właśnie tego rodzaju dehumanizacja stanowiła cel dla sprawców popełnionych zbrodni.

Poza poległymi były i nieprzeliczone rzesze okaleczonych psychicznie i fizycznie. W Związku Radzieckim „samowarom", czyli tym, którzy potracili ręce i nogi, zabraniano pokazywania się na ulicach. Takiego losu, ściśle powiązanego z utratą ludzkiej godności, wszyscy żołnierze Armii Czerwonej bali się bardziej niż śmierci. Kalecy stanowili dowód na istnienie wprawiającego w zażenowanie „czyśćca" – sfery pomiędzy heroiczną śmiercią a ocalałymi bohaterami, którzy w każdą kolejną rocznicę zwycięstwa defilowali z orderami na piersi.

W krajach alianckich owiana nimbem „sprawiedliwej wojny" druga wojna światowa rzuca cień na kolejne pokolenia w znacznie większym stopniu niż wszelkie inne konflikty zbrojne w historii. Nadal wzbudza mieszane odczucia, ponieważ jej prawdziwy obraz nie odpowiadał sztucznemu wizerunkowi, zwłaszcza wobec faktu, że pół Europy przyszło oddać na pożarcie stalinowskiemu molochowi, aby ocalić drugą połowę. I choć wojna ta zakończyła się zupełną klęską nazistów oraz Japończyków, to zwycięzcom wyraźnie nie powiodło się doprowadzenie do trwałego światowego pokoju. Najpierw, już w 1945 roku, w wielu krajach Europy i Azji wybuchły mniej lub bardziej utajone walki wewnętrzne. Następnie poczynania Stalina wobec Polski i całej środkowej Europy przyniosły zimną wojnę. Ta nowa konfrontacja objęła swym zasięgiem antykolonialne konflikty w południowo-wschodniej Azji i Afryce. Nadto nie można zapominać o tym, że cykl wojen na Bliskim Wschodzie rozpoczął się wraz z masowym napływem Żydów do Palestyny po wyzwoleniu obozów koncentracyjnych.

Niektórzy lamentują, że skutki drugiej wojny światowej nadal wywierają przemożny wpływ, prawie siedem dziesięcioleci od jej zakończenia; wciąż poświęca się jej nieproporcjonalnie wiele książek, filmów i sztuk dramatycznych, a wojenne muzea przeobrażają się w rodzaj martyrologicznych centrów. Zjawisko to nie powinno zbytnio dziwić, choćby dlatego, że natura zła w dalszym ciągu budzi jakże głęboką fascynację. Moralność to fundamentalny element dramatu ludzkości, gdyż stanowi samą istotę humanizmu.

Żaden inny okres w dziejach nie jest równie bogatym źródłem analiz człowieczych dylematów, indywidualnych i zbiorowych tragedii, zepsucia powiązanego z żądzą władzy, ideologicznej hipokryzji, egotyzmu dowódców, zdrady, perwersji, samopoświęcenia, niewiarygodnego sadyzmu i zdumiewającego altruizmu. Ujmując rzecz w skrócie, druga wojna światowa świadczy o fałszywości wszelkiego generalizowania, a także szufladkowania ludzi, przeciwko któremu tak gorliwie buntował się Grossman.

Mimo to realne pozostaje niebezpieczeństwo przeobrażenia się drugiej wojny światowej w uproszczony punkt odniesienia zarówno dla nowożytnej historii, jak i wszystkich dzisiejszych konfliktów. W kryzysowych okresach dziennikarze i politycy instynktownie szukają porównań z tą wojną, albo w celu udramatyzowania powagi sytuacji, albo też usiłując naśladować dawnych przywódców, Roosevelta czy Churchilla. Zrównywanie zamachu z 11 września 2001 roku na World Trade Center z atakiem na Pearl Harbor, czy też przypisywanie Gamalowi Abdelowi Naserowi bądź Saddamowi Husajnowi cech Hitlera to nie tylko nieścisła historyczna paralela. Podobne porównania są z gruntu zwodnicze i stwarzają ryzyko podejmowania błędnych decyzji strategicznych. Przywódcy państw demokratycznych mogą się stać niewolnikami własnej retoryki, tak samo jak dyktatorzy.

Kiedy rozmyślamy nad potwornościami drugiej wojny światowej i nad kolosalną liczbą jej ofiar, staramy się zapoznawać z wszystkimi statystykami odnoszącymi się do tragedii poszczególnych krajów i narodów. Wskutek tego tracimy z oczu to, jak druga wojna światowa odmieniła życie wszystkich ludzi w zupełnie nieprzewidywalny sposób. Być może udziałem bardzo nielicznych jej uczestników były doświadczenia tak osobliwe jak losy młodego Koreańczyka Yanga Kyoungjonga, zmuszonego do służby kolejno w wojsku japońskim, Armii Czerwonej i Wehrmachcie. Przeżycia innych ludzi poruszają inaczej i z odmiennych powodów.

W krótkim akapicie pochodzącego z czerwca 1945 roku raportu tajnej francuskiej policji, zwanej Dyrekcją Nadzoru Terytorium (Direction de la Surveillance du Territoire, DST), zapisano, że w Paryżu odnaleziono żonę pewnego niemieckiego rolnika, która nielegalnie przedostała się przez granicę pociągiem wiozącym deportowanych Francuzów, powracających do kraju z obozów w Niemczech. Okazało się, że nawiązała ona potajemny romans z jednym z francuskich jeńców wojennych, przydzielonym do pracy w jej gospodarstwie w Rzeszy, podczas gdy jej mąż służył na froncie wschodnim. Tak mocno zakochała się w tym wrogu swojego kraju, że podążyła za nim do Paryża, gdzie wpadła w ręce miejscowej policji. Dalszego ciągu tej sprawy nie znamy.

Ta krótka historii rodzi tak wiele pytań. Czy owa Niemka pojechała za swoim oblubieńcem na próżno, nawet gdyby nie została złapana przez francuską policję? Czy jej kochanek zostawił nieprawdziwy adres, ponieważ już był żonaty? A może wrócił do domu i – jak wielu innych – przekonał się, że żona w czasie jego nieobecności wydała na świat dziecko spłodzone przez któregoś z niemieckich żołnierzy? To rzecz jasna tylko stosunkowo niewielka życiowa tragedia, jeśli porównać ją z tym, co działo się daleko na wschodzie. A jednak daje jakże wymowne świadectwo skutków decyzji podjętych przez takich przywódców jak Hitler czy Stalin, które odarły tkankę codziennego życia z wszystkiego, co pewne.

Podziękowania

Niniejsza książka powstała z bardzo prostej przyczyny. Zawsze czułem się nieco nieswojo, gdy zwracano się do mnie jako do eksperta w dziedzinie drugiej wojny światowej, ponieważ byłem doskonale świadom poważnych luk w swojej wiedzy na ten temat, co dotyczyło zwłaszcza tych jej aspektów, z jakimi byłem słabiej obeznany. Książka ta jest zatem rodzajem zadośćuczynienia, ale przede wszystkim próbą zrozumienia, z czego się składała owa gigantyczna i różnorodna mozaika, którą był wspomniany konflikt, oraz bezpośrednich i pośrednich skutków działań i decyzji podejmowanych na bardzo wielu różnych teatrach wojny.

Ostanie dwadzieścia lat przyniosło zdumiewające bogactwo doskonałych analiz i publikacji poświęconych temu jakże rozległemu tematowi, autorstwa wielu moich kolegów po fachu i zarazem przyjaciół. Naturalnie niniejsze opracowanie zawdzięcza bardzo wiele badaniom historycznym i wydanym ocenom takich historyków jak: Anne Applebaum, Rick Atkinson, Omer Bartov, Chris Bellamy, Patrick Bishop, Christopher Browning, Michael Burleigh, Alex Danchev, Norman Davies, Tami Davis Biddle, Carlo D'Este, Richard Evans, Michael R.D. Foot, Martin Gilbert, David Glantz, Christian Goeschel, Max Hastings, William I. Hitchcock, Michael Howard, John Keegan, Ian Kershaw, John Lukacs, Ben Macintyre, Mark Mazower, Catherine Merridale, Don Miller, Richard Overy, Laurence Rees, Anna Reid, Andrew Roberts, Simon Sebag Montefiore, Ben Shephard, Timothy Snyder, Adam Tooze, Hans van de Ven, Nikolaus Wachsmann, Adam Zamoyski i Niklas Zetterling.

Jestem głęboko wdzięczny swojemu francuskiemu wydawcy Ronaldowi Blundenowi za udostępnienie mnóstwa dokumentów i sprawozdań jego ojca, australijskiego korespondenta wojennego Godfreya Blundena, który opisywał na żywo przebieg walk pod Stalingradem i innych bitew na froncie wschodnim, a potem przesyłał korespondencje z frontu włoskiego i towarzyszył wojskom alianckim wkraczającym do Niemiec. Wśród innych osób, które udostępniły mi różne materiały i nie poskąpiły sugestii oraz rad, znaleźli się między innymi: profesor Omer Bartov, doktor Philip Boobbyer, doktor Tom Buchanan, John Corsellis, Sebastian Cox z Oddziału Historycznego RAF-u, profesor Tami Davis Biddle z US Army War College, James Holland, Ben Macintyre, Javier Marías, Michael Montgomery (który podsunął mi relację z zatopienia HMAS „Sydney"), Jens Anton Poulsson z norweskiego ruchu oporu, doktor Piotr

Śliwowski, kierownik Pracowni Historycznej Muzeum Powstania Warszawskiego, profesor Rana Mitter, Gilles de Margerie, profesor Hew Strachan, Noro Tamaki, profesor Martti Turtola z Uniwersytetu Obrony Narodowej w Helsinkach, profesor Hans van de Ven, Stuart Wheeler, Keith Miles, Jože Dežman, któremu zawdzięczam udostępnienie dokumentów o masakrach dokonywanych przez wojska Tity w Słowenii, Stephane Grimaldi oraz Stephane Simmonet z Mémorial de Caen.

Chciałbym też gorąco podziękować profesorowi Michaelowi Howardowi, który przeczytał rękopis niniejszej pracy i nie poskąpił mi cennych krytycznych uwag oraz porad, Jonowi Hallidayowi i Jungowi Changowi, którzy zapoznali się z fragmentami poświęconymi wojnie japońsko-chińskiej i skorygowali wiele błędów, na jakie natrafili, wreszcie Angelice von Hase, która starannie sprawdziła fragmenty przełożone przeze mnie z języka niemieckiego. Zawdzięczam bardzo wiele jej oraz doktor Lubie Winogradowej za pomoc w analizach badawczych tematów powiązanych z historią Niemiec i Związku Radzieckiego. Nie muszę dodawać, że za wszelkie niedopatrzenia w tekście pełną odpowiedzialność biorę na siebie.

Jak zawsze zaciągnąłem dług wdzięczności u swego starego przyjaciela i agenta literackiego Andrew Nurnberga, a przede wszystkim u Alana Samsona, wydawcy z firmy Weidenfeld & Nicolson, który od samego początku zachęcał mnie do realizacji tego projektu i na każdym z jego etapów udzielał mi znakomitych porad. Ponadto chciałbym podziękować Bei Hemming, redaktorce, która ze spokojem pokierowała całą pracą, czyniąc ją o wiele mniej stresującą, oraz Peterowi Jamesowi, który w pełni potwierdził swą renomę najlepszego adiustatora w Londynie. Raz jeszcze moja żona Artemis Cooper przerwała własną pracę, aby przejrzeć cały rękopis i – ku mojej dozgonnej wdzięczności – znacznie go poprawić, a nasz syn Adam dopomógł mi w sporządzeniu bibliografii i dokumentacji.

Wykaz skrótów

AMPSB   Archiw Muzieja Panorami Stalingradskoj Bitwy (Archiwum Panoramicznego Muzeum Bitwy Stalingradzkiej) w Wołgogradzie
AN   Archiwa Narodowe w Paryżu
BA-B   Bundesarchiv (Archiwum Federalne), Berlin-Lichterfelde
BA-MA   Bundesarchiv-Militärarchiv, Fryburg Bryzgowijski
BfZ-SS   Bibliothek für Zeitgeschichte, Sammlung Sterz, Stuttgart
CCA   Archiwa Kolegium im. Churchilla, Cambridge
DCD   Dzienniki Duffa Coopera (niepublikowane; ze zbiorów prywatnych w Londynie)
DGFP   *Documents on German Foreign Policy, 1918–1945* (Zbiór dokumentów dotyczących niemieckiej polityki zagranicznej w latach 1918–1945), seria D, Waszyngton, 1951–1954
Domarus   *Hitler. Reden und Proklamationen, 1932–1945*, red. Max Domarus, t. 1–2, Wiesbaden 1973
ETHINT   European Theater Historical Interrogations, 1945 (Historyczne zapisy przesłuchań jeńców na europejskim teatrze wojny w 1945 roku), USAMHI
FMS   Foreign Military Studies (Zagraniczne militarne studia badawcze), USAMHI
FRNH   *Final Report by Sir Nevile Henderson, 20 September 1939* (Ostatni raport Nevile'a Hendersona, ambasadora Wielkiej Brytanii w Niemczech, 20 września 1939 r.), Londyn 1939
FRUS   Departament Stanu USA, *The Foreign Relations of the United States*, t. 1–23, Waszyngton 1955–2003
GARF   Gosudarstwiennyj Archiw Rossijskoj Fiedieracji (Archiwum Państwowe Federacji Rosyjskiej), Moskwa
GBP   Dokumentacja Godfreya Blundena (ze zbiorów prywatnych w Paryżu)
GSWW   Militärgeschichtliches Forschungsamt (Instytut Badawczy Historii Wojskowości), *Das Deutsche Reich und der Zweite Weltkrieg*, t. 1–13, Stuttgart, 1979–2008
IMT   Międzynarodowy Trybunał Wojskowy, *Trial of the Major German War Criminals* (Proces głównych niemieckich zbrodniarzy wojennych), stenogram procesu norymberskiego, Londyn 1946
IWM   Imperial War Museum sound archive (Archiwum dźwiękowe Imperialnego Muzeum Wojny w Londynie)
JJG   Dziennik Joan Gibbons, niepublikowany diariusz asystentki Nevile'a Hendersona (ze zbiorów prywatnych)
KTB   Kriegstagebuch (dzienniki wojenne)

KTB OKW	*Kriegstagebuch des Oberkommandos der Wehrmacht (Wehrmachtführungsstab), 1939–1945* (Dziennik wojenny OKW), Frankfurt nad Menem, 1965
MP	Dokumentacja George'a C. Marshalla, Lexington
MPW	Muzeum Powstania Warszawskiego w Warszawie
NA II	National Archives II, College Park, Maryland
NHHC	Naval History and Heritage Command, Waszyngton
OCMH-FPP	Office of the Chief of Military History, Forest Pogue Papers, USAMHI
PDDE	*The Papers of Dwight David Eisenhower*, vol. 3: *The War Years* (Dokumenty D.D. Eisenhowera, t. 3: Lata wojny), red. Alfred D. Chandler, Baltimore 1970
PP	Papers of Lord Portal (Dokumenty lorda Portala), Christ Church Library, Oksford
RGALI	Rossijskij Gosudarstwiennyj Archiw Litieratury i Iskusstwa (Rosyjskie Archiwum Państwowe Literatury i Sztuki) w Moskwie
RGASPI	Rossijskij Gosudarstwiennyj Archiw Socjalno-Politiczeskoj Istorii (Rosyjskie Archiwum Państwowe Historii Społeczno-Politycznej) w Moskwie
RGWA	Rossijskij Gosudarstwiennyj Wojennyj Archiw (Rosyjskie Państwowe Archiwum Wojenne) w Moskwie
RGWA-SA	„Archiwum specjalne"; zbiór zdobycznych dokumentów niemieckich w Rosyjskim Państwowym Archiwum Wojennym
SHD-DAT	Service Historique de la Défense, Département de l'Armée de Terre (Sekcja historyczna francuskiego Ministerstwa Obrony; wydział wojsk lądowych), Vincennes
SOAG	Charles Webster i Noble Frankland, *The Strategic Air Offensive against Germany, 1939–1945*, t. 1–4, London 1961
SWWEC	Second World War Experience Centre, Walton, West Yorkshire
TBJG	*Die Tagebücher von Joseph Goebbels* (Dziennik Josepha Goebbelsa), red. Elke Fröhlich, t. 1–29, München 1992–2005
TNA	The National Archives (Brytyjskie Archiwa Narodowe), Kew
CAFSB	Centralnyj Archiw Fiedieralnoj Służby Biezopasnosti (Centralne Archiwum FSB) w Moskwie
CAMO	Centralnyj Archiw Ministierstwa Oborony (Centralne Archiwum Rosyjskiego Ministerstwa Obrony) w Podolsku
CChIDK	Centr Chranienija i Izuczenija Dokumientalnych Kollekcyji (Ośrodek Przechowywania i Analiz Zbiorów Dokumentów) w Moskwie
USACMH	US Army Center of Military History (Centrum Historii Militarnej Armii Amerykańskiej) w Waszyngtonie

USAMHI   US Army Military History Institute (Instytut Historii Mili-
              tarnej Armii Amerykańskiej), US Army War College, Car-
              lisle, Pensylwania
WCD   Dziennik Wasilija Czurkina, *Wojennaja litieratura: dniewni-
              ki i pisma*, http://militera.lib.ru/db/churkin
WIŻ   „Wojenno-Istoriczeskij Żurnał"
WOW   *Wielikaja otieczestwiennaja wojna, 1941–1945* (praca zbio-
              rowa), Moskwa 1984

Bibliografia dostępna na stronie internetowej: www.antonybeevor.com

Indeks nazwisk

Indeks nazw geograficznych

Spis map

Spis ilustracji

21. Rommel w Afryce Północnej. Zdjęcie wykonane przez Heinricha Hoffmanna, osobistego fotografa Hitlera oraz protektora Evy Braun (Getty)
22. Japońska ofensywa w Birmie. Żołnierze zastępują podpory prowizorycznego mostu (Ullstein / TopFoto)
23. Żołnierze japońscy świętują zwycięstwo na wyspie Corregidor u wejścia do Zatoki Manilskiej, 6 maja 1942 roku (Getty)
24. Niemieccy oficerowie zażywają relaksu przed kawiarnią na Polach Elizejskich w Paryżu (Corbis)
25. Niemiecka piechota w Stalingradzie (Art Archive)
26. Amerykańska piechota morska podczas szturmu Tarawy na Wyspach Gilberta, 19 listopada 1943 roku (Getty)
27. Więzień niemieckiego obozu koncentracyjnego, przywiązany do drutów kolczastych tuż przed egzekucją (Bildarchiv)
28. HMS „Belfast" podczas konwoju arktycznego, listopad 1943 roku (Imperial War Museum)
29. Młodociani zmobilizowani do pracy na rzecz radzieckiego przemysłu wojennego (Rosyjskie Archiwum Państwowe Filmów i Zdjęć Dokumentalnych)
30. Pododdział japońskiej kawalerii w Chinach (Ullstein / TopFoto)
31. Hamburg po burzy ogniowej, wywołanej zmasowanymi nalotami bombowymi w lipcu 1943 roku (Getty)
32. Generalissimus Chiang Kai-shek wraz z małżonką uśmiechają się do obiektywów aparatów fotograficznych w towarzystwie generała Stilwella (George Rodger / Magnum Photos)
33. MacArthur, Roosevelt i Nimitz w Pearl Harbor, 26 lipca 1944 roku (US National Archives and Record Administration)
34. Lądowanie oddziałów amerykańskich na Wyspie Bougainville'a (Wyspy Salomona), 6 kwietnia 1944 roku 6 kwietnia 1944 roku (Time & Life / Getty)
35. Awaryjne lądowanie samolotu Hellcat na pokładzie lotniskowca (Getty)
36. Niemiecki jeniec w Paryżu, 26 sierpnia 1944 roku (Bibliothèque historique de la Ville de Paris)
37. Sanitariuszki z noszami podczas powstania warszawskiego, wrzesień 1944 roku (Muzeum Powstania Warszawskiego)
38. Pomoc medyczna udzielana ofiarom podczas bombardowań Berlina (Bundesarchiv)
39. Churchill w Atenach, grudzień 1944 roku (Dmitri Kessel)
40. Wojska brytyjskie rozpoczynają okupację Aten, grudzień 1944 roku (Dmitri Kessel)
41. Plaża „Czerwona" na Iwo Jimie, luty 1945 roku (Getty)
42. Filipińskie kobiety uratowane podczas walk o dzielnicę Intramuros w Manili, luty 1945 roku (Time & Life / Getty)
43. Piechota radziecka na pancerzu samobieżnego działa SU-76 w jednym z płonących niemieckich miasteczek (Płanieta, Moskwa)
44. Ludność cywilna oczekuje na wejście do schronu pod wieżą przeciwlotniczą w Berlinie (Bildarchiv)

Społeczny Instytut Wydawniczy Znak,
ul. Kościuszki 37, 30-105 Kraków. Wydanie I, 2013.
Printed in EU.